国家出版基金资助项目

8

秦岭昆虫志

鳞 翅 目
大 蛾 类

总 主 编　杨星科
本卷主编　薛大勇　韩红香　姜　楠

世界图书出版公司
西安 北京 上海 广州

图书在版编目(CIP)数据

秦岭昆虫志. 8，鳞翅目. 大蛾类／杨星科，薛大勇主编.—西安:世界图书出版西安有限公司，2017.12

ISBN 978-7-5192-3129-3

Ⅰ. ①秦… Ⅱ. ①杨…②薛… Ⅲ. ①秦岭—昆虫志②鳞翅目—昆虫志—秦岭 Ⅳ. ①Q968.224.1

中国版本图书馆 CIP 数据核字(2017)第 218783 号

书　　名	秦岭昆虫志　鳞翅目　大蛾类
总 主 编	杨星科
本卷主编	薛大勇　韩红香　姜楠
责任编辑	冀彩霞　赵亚强　王　冰
装帧设计	诗风文化
出版发行	世界图书出版西安有限公司
地　　址	西安市北大街 85 号
邮　　编	710003
电　　话	029-87214941　87233647(市场营销部) 029-87234767(总编室)
网　　址	http://www.wpcxa.com
邮　　箱	xast@wpcxa.com
经　　销	新华书店
印　　刷	陕西博文印务有限责任公司
开　　本	787mm×1092mm　1/16
印　　张	49.5
插　　页	48
字　　数	1100 千字
版　　次	2017 年 12 月第 1 版　2017 年 12 月第 1 次印刷
国际书号	ISBN 978-7-5192-3129-3
定　　价	420.00 元

内容简介

本志是《秦岭昆虫志》第八卷。鳞翅目是昆虫纲中受人们关注的类群之一，其成虫是植物的重要传粉昆虫，幼虫多数为农林害虫。本书介绍了鳞翅目大蛾类昆虫的一般形态、分类、生物学及经济意义，系统记述鳞翅目大蛾类 14 科 531 属 1030 种，给出分科、亚科、属、种的检索表，各属和种均有引证、鉴别特征、国内外(省内外)的分布，以及重要种类的生态、寄主、经济意义等。文后附有参考文献。

本志可供从事昆虫学研究及植物保护、森林保护、昆虫传粉工作的人员参考。

《秦岭昆虫志》编委会

《秦岭昆虫志·鳞翅目　大蛾类》编委会

主　编　薛大勇　韩红香　姜　楠

《秦岭昆虫志·鳞翅目　大蛾类》编辑出版委员会

序

秦岭是我国最古老的山脉之一，在我国生物地理上占据着重要地位。它是我国南北气候的分水岭，环境的复杂性成就了生物的多样性，因此受到了世界的高度关注。关于秦岭的生物资源、区系组成、分布格局等，植物和大型动物都有较为系统的研究和显著的成果，《秦岭植物志》《秦岭动物志》陆续问世，而无脊椎动物研究却一直属于空白。

杨星科研究员长期从事昆虫区系的研究，先后组织开展过多次大型科学考察，并且都有很好的成果以专著、考察报告等形式展现给大家，为我国的昆虫多样性研究做出了实质性的贡献。2013 年，他利用在中国科学院西安分院、陕西省科学院工作的机会，积极争取项目支持，团结全国同行，全面开展秦岭地区昆虫资源的考察。通过 3 年的野外工作，在大家的共同努力下，完成了《秦岭昆虫志》这部 12 卷册的巨著。《秦岭昆虫志》所包括的种类是原已知种类的 2 倍，编写完全按照志书的规则，不同阶元都有鉴别特征及检索表，属、种都有科学引证，在保证种类准确性的同时，为大家提供了更为广泛的信息，文后附有详细的参考文献，有力地保证了《秦岭昆虫志》的质量和水平，使这套志书具有很高的科学价值和应用价值，我相信这套志书的出版必定会对我国乃至世界昆虫多样性研究产生深远的影响。

生物多样性研究，直接关系到生物资源的合理开发与科学利用，关系到生态系统的平衡与可持续发展，关系到友好型生态环境的建设。我国地域广阔，地形复杂多样，生物多样性极为丰富。但是，我国昆虫资源家底远不清楚，昆虫多样性研究与国际相比相差甚远。如何改变这种现状，在需要国家政策支持的同时，更需要我们同行的共同努力。《秦岭昆虫志》的完成与问世，为我们大家起到了很好的示范与引领作用。

随着全球化的发展态势，世界各国、不同地域之间的各种交流、来往、贸易、物流等出现新的模式和高频次现象，这也给我们带来巨大的挑战。首先是生物安全问题，随着贸易往来、物流循环、人员交流的不断增长，外来入侵生物的入侵形势严峻，农林生产及生态环境的安全威胁加大；其次是生物产业作为未来战略新兴产业，对生物资源的挖掘与开发日趋强化，生物资源的研究与保护已不仅仅是一个科学问题。这些都关系到我们国家的经济与社会发展战略。昆虫是生物界最大的家族，蕴藏着巨大的资源，摸清昆虫资源家底，不但可以有效应对外来生物入侵，破解生物安全的威胁，同时也可以对我国生物资源的保护和利用做出实质性的贡献，这是我们科技工作者义不容辞的责任和义务。我衷心希望我国昆虫界的同仁们，在国家建设科技强国战略的指引下，大家齐心协力，共同努力，把我国昆虫多样性研究推向一个新的水平，真正服务于国家战略需求！

这或许是《秦岭昆虫志》带给我们的启迪吧！

是为序！

中国科学院院士

中国科学院上海植物生理生态研究所研究员　　尹文英

2016 年 11 月于上海

出版前言

秦岭自西向东，横贯我国中部，是长江、黄河两大水系的分水岭，西起甘肃临洮，东抵河南鲁山，东西长达500km，南北宽140～200km，地处北纬32°5′～34°45′，东经104°30′～115°52′。秦岭西部比较陡峭，海拔较高，一般在2000～3000m；东部比较舒缓，海拔较低，一般在2000m以下。它是古北区和东洋区的分界线，同时为亚热带、暖温带的分界线，亚热带常绿阔叶林的分布北线。该地区具有从一种自然地理条件向另一种自然过渡、从一种地质构造单元向另一种构造单元过渡的特性。同时，秦岭作为我国大陆青藏高原以东的最高山地，它又具有自己独特的垂直景观带谱。正因为秦岭山地地理位置的特殊性，使得其物种多样性非常丰富且具较强的区域特异性，一直是生物分类学和生物地理学研究的热点区域。然而，之前对该地区昆虫区系研究多较为零散，缺乏系统的专著。

1997年，中国科学院生命科学院生物技术局设立“关键地区生物资源综合考察及其评价”重大项目，并于1998～1999年由项目主持单位组织考察秦岭西段和甘肃南部地区。在此研究基础上，形成了2005年出版的《秦岭西段及甘南地区昆虫》这一专著。该书对于秦岭西部地区的昆虫类群的系统研究有着重要意义，推动了对该区生物多样性的研究，也让更多的人认识到了秦岭地区的重要性。然而，由于其工作多集中在秦岭西部地区，对秦岭中、东部地区的调查较少，未能反映整个秦岭地区昆虫的全貌。为了全面系统地评价和利用秦岭昆虫资源，我们在陕西省财政厅科技专项经费的支持下，在陕西省科学院的大力帮助下，从2012年开始，再次进行了为期3年的野外调查工作，在借鉴秦岭西段研究结果的基础上，重点加强了秦岭中、东部地区的调查工作。参加野外工作的包括陕西省动物研究所、西北农林科技大学、陕西师范大学、中国科学院动物研究所、南开大学、浙江大学、河北大学、中国农业大学、中南科技大学等十多家单位，计120多人次，共获得昆虫标本50余万号，进一步完善了秦岭地区昆虫多样性资料，为编写《秦岭昆虫志》奠定了良好基础。

《秦岭昆虫志》按照《中国动物志》的编写体例进行编写，顺序上参照六足动物的系统关系；各目按照系统发育关系，以科为单元进行编写，科下各属按照系统关系排序，属内各种以种名的首字母顺序编排，各阶元都有鉴别特征和检索表，属、种都有科学引证，文后附参考文献。为了准确体现各位专家的劳动，除了《秦岭昆虫志》编委会外，各卷都有本卷的编委会，各科作者署名紧跟其后。

《秦岭昆虫志》共分为十二卷：第一卷由廉振民教授主编，包括无翅昆虫、蜉蝣目、蜻蜓目、襀翅目、蜚蠊目、等翅目、螳螂目、革翅目、直翅目、竹节虫目；第二卷由卜文俊教授主编，包括半翅目异翅亚目；第三卷由张雅林教授主编，包括半翅目同翅亚目；第四卷由花保祯教授主编，包括啮虫目、缨翅目、广翅目、蛇蛉目、脉翅目、毛翅目、长翅目；第五卷鞘翅目（一）由杨星科、葛斯琴研究员主编，包括步甲科、龙虱科、牙甲总科、隐翅虫总科、金龟总科、花甲总科、丸甲总科、长蠹总科、吉丁甲总科、叩甲总科、郭公甲总科、扁甲总科、拟步甲总科等；第六卷鞘翅目（二）由林美英博士主编，包括暗天牛科、瘦天牛科和天牛科；第七卷鞘翅目（三）由杨星科、张润志研究员主编，主要包括叶甲总科（除去天牛类）、象甲总科；第八卷鳞翅目由薛大勇研究员、韩红香和姜楠博士主编，包括大蛾类；第九卷鳞翅目（二）由房丽君研究员主编，包括蝶类；第十卷由杨定教授、王孟卿副研究员和董慧博士主编，包括双翅目；第十一卷由陈学新教授主编，包括膜翅目。十一卷共记述了秦岭地区六足类4纲27目334科3325属7496种，其中包括1个新属、27个新种、12个中国新纪录属、34个新纪录种、42个陕西新纪录属、260个陕西新纪录种。需要说明的是：鳞翅目小蛾类已由南开大学李后魂教授主编先期出版，我们这次没有组织重新编写；另有部分目、科因为国内没有专家研究，因此没有办法编写。为了弥补缺憾，系统总结陕西秦岭地区已知昆虫种类，同时也便于读者使用，由唐周怀研究员、杨美霞博士主编，完成了《陕西昆虫名录》，作为本志的第十二卷。

目前，《秦岭昆虫志》即将付梓。该项目成果的获得，是全国广大同行通力合作、共同努力的结果，凝聚了昆虫分类学者忠诚于神圣事业的集体智慧。项目主持单位、《秦岭昆虫志》编委会对各卷主编的辛勤劳动和各位专家的全力支持、无私奉献表示衷心的感谢！对大家的科学精神表示敬佩！

在项目立项初期，白明博士在项目建议书的起草、成稿等方面做了大量工作；张雅林、廉振民等多位教授提出了许多宝贵意见；陕西省财政厅教科文处在项目申请和审批方面给予了诸多指导和帮助。在项目执行过程中，陕西省动物研究所领导给予了全力的支持，唐周怀研究员对野外工作给予了多方面的协调和帮助。

在本志编写过程中，尹文英院士、印象初院士、康乐院士分别给予了不同程度的鼓励、支持、指导和帮助，特别是尹文英院士在大病初愈的情况下欣然为本志写序，让我们深受鼓舞和激励！

在本志的统稿过程中，杨美霞博士付出了巨大的劳动，崔俊芝女士和郭明霞同学在文字整理、格式修改、学名审核等方面做了大量的工作。本书的出版，得到了世界图书出版有限公司的鼎力支持，特别是薛春民先生的全力支持与帮助，责任编辑同志亦付出了的艰辛的努力和辛勤的劳动，终使本志得以顺利出版。

我们谨借此对以上相关单位和个人，以及在项目执行和出版过程中提供帮助和做出贡献的同志表示衷心的感谢！

由于我们的水平所限，本志的错误和缺憾在所难免，诚望大家不吝赐教！

《秦岭昆虫志》编委会

2017 年 10 月于古城西安

Preface

Through the middle China from the West to the East, the Qinling Mountains provide a natural boundary between the Yangtze River and the Yellow River, the two major river systems in China. Located around the latitude 32°5′ – 34°45′N and the longitude 104°30′ – 115°52′E, they stretch from Lintao, Gansu Province in the west to Lushan, Henan Province in the east, with the length of 500km from west to east and the breadth of 140 – 200km from north to south. The west part of the Qinling Mountains is considerably steep, with higher elevations of 2000 – 3000m, while the east part is comparatively gentle, with lower elevation generally below 2000m. The Qinling Mountains are generally accepted as the boundary between Palaearctic and Oriental Regions, subtropical and warm temperate zones, as well as the north line of distribution of subtropical evergreen broad-leaved forests. This region is characterized by transition from one natural geographical condition to another and one geological structure unit to another. Furthermore, the Qinling Mountains, as the highest mountain in the east of the Qinghai-Tibet Plateau, have their own unique vertical landscape spectrum. Because of the special geographical location of the Qinling Mountains Range, it is rich in species diversity and has strong regional endemism, which constantly makes it research hotspot both for taxonomy and biogeography. However, the study of dipster fauna in this area is fragmented and still lacks systematic monographs.

In 1997, the Biotechnology Bureau of the Chinese Academy of Sciences established a major Project of "Comprehensive Survey and Evaluation of Biological Resources in Key Regions". In 1998 – 1999, the presider of this project investigated the western part of Qinling range and southern Gansu. On the basis of these expeditions, a monograph entitled *Insect Fauna of Mid-West Qinling Range and Southern Gansu* was published in 2005. This book is of great significance for the systematic study of insects in the western Qinling region. It has promoted the study of biodiversity in this region and made more people realize the importance of Qinling region. However, since its work is mainly concentrated on the west part of Qinling, there are little surveys in the mid-east part, which hardly reflects the true state of the insect fauna of the entire Qinling Mountains. In order to comprehensively and systematically evaluate and utilize the insect resources of the Qinling Mountains, funded by special expenses of Science and Technology Project from the Financial Department of Shaanxi Province, as well as the help from Shaanxi Academy of Sciences, we have carried out a three-year field survey since 2012. Based on the expedition results of the western region, we have paid more attention to the eastern part of the Qinling Mountains during the investigations. More than 120 researchers from over 10 institutions participated in the field work, including Shaanxi Institute of Zoology, Northwest A & F University, Shaanxi Normal University, Institute of Zoology, Chinese Academy of Sciences, Nankai University, Zhejiang University, Hebei University, China Agricultural University, Central South University of Forestry and Technology etc. Over half million insect specimens were collected, which would greatly improve the biodiversity data of insect fauna in the Qinling region and lay a good foundation for the compiling of the monograph *Insect Fauna of the Qinling Mountains*.

The compiling style of *Insect Fauna of the Qinling Mountains* is mainly in accordance with *Fauna Sinica*, and the sequence is based on the systematic relationship of the hexapod system. The compiling of each orderis according to the phylogenetic relationship and one family is taken as a unit. Below the family, the sequence of each genus is also according to the phylogenetic relationship, while below the genus, the arrangement of species is in alphabetical order. each species is sorted according to the first letter. Each category is accompanied by identification feature and identification key, and each genus, as well as each species has scientific citation. At the end, references are attached. In order to accurately reflect the work of every specialist, apart from the Editorial Board of *Insect Fauna of the Qinling Mountains*, the Editorial Board for each volume is also provided, and the authors for each family immediately follow the family name.

There are totally 12 volumes for *Insect Fauna of the Qinling Mountains*. Volume Ⅰ is edited by Professor Lian Zhenmin, and includes apterygot insects, Ephemeroptera, Odonata, Plecoptera, Blattodea, Isoptera, Mantodea, Dermaptera, Orthoptera and Phasmatodea. Volume Ⅱ is edited by Professor Bu Wenjun, and includes Hemiptera-Heteroptera. Volume Ⅲ is edited by Professor Zhang Yalin, and includes Hemiptera-Homoptera. Volume Ⅳ is edited by Professor Hua Baozhen, and includes Psocoptera, Thysanoptera, Megaloptera, Raphidioptera, Neuroptera, Trichoptera and Mecoptera. Volume Ⅴ (Coleoptera Ⅰ) is jointly edited by Professor Yang Xingke and Ge Siqin, and includes Carabidae, Dytiscidae, Hydrophiloidea, Staphylinoidea, Scarabaeoidea, Dascilloidea, Byrrhoidea, Dryopoidea, Buprestoidea, Elateroidea, Cleroidea, Cujoidea and Tenebrionoidea. Volume Ⅵ (ColeopteraⅡ) is edited by Dr. Lin Meiying, and includes

Vesperidae, Disteniidae and Cerambycidae. Volume Ⅶ (Coleoptera Ⅲ) is jointly edited by Professor Yang Xingke and Zhang Runzhi, and includes Chrysomeloidea (except Cerambycid-beetles) and Curculionoidea. Volume Ⅷ (Lepidoptera Ⅰ) is jointly edited by Professor Xue Dayong, Dr. Han Hongxiang and Jiang Nan, and includes large moths. Volume Ⅸ (Lepidoptera Ⅱ) is edited by Professor Fang Lijun, and includes exclusively butterflies. Volume Ⅹ is edited by Professor Yang Ding, Associate Prof. Wang Mengqing and Dr. Dong Hui, and includes Diptera. Volume Ⅺ is edited by Professor Chen Xuexin, and includes Hymenoptera. There are totally 4 classes, 27 orders, 334 families, 3325 genera and 7496 species of Hexapoda recorded in the 11 volumes of this series, including one new genus and 27 new species. For the new record, there are 12 genera and 34 species from China, as well as 42 genera and 260 species from Shaanxi Province. It should be noted that the contents of Microlepidoptera have been published previously by Professor Li Houhun, Nankai University, therefore, we haven't rewritten the same context. Besides, due to the unavailability of suitable specialists, some insect groups unavoidably are not covered in this series. In order to make up for this defect and systematically summarize the known species of insects, as well as make convenience for the readers, the book *Insect Fauna of Shaanxi Province*, was jointly compiled by Prof. Tang Zhouhuai and Dr. Yang Meixia, which will be the twelfth volume of this series.

Currently, 12 volumes have been completed and are ready for publication. The achievements should be addressed to the cooperation and collective intelligence of numerous entomologists throughout China. The project presiding institution and the editorial board are highly appreciated with all specialists' hard work, full support and unselfish dedication!

During the initial stage of the program, Dr. Bai Ming had contributed a lot to the drafting of the research proposal. Prof. Zhang Yalin and Prof. Lian Zhenmin had proposed many valuable comments. The Financial Department of Shaanxi Province had given a lot of guidance and helps during the application process and final approval of the program. During the conduction of the program, the authority of Shaanxi Institute of Zoology had given a full support to the research. Prof. Tang Zhouhuai had made a lot of coordination and assistances in the fieldwork.

In the preparation of this series of books, Academicians Yin Wenying, Yin Xiangchu and Kang Le had provided various degrees of encouragement, supports, guidance and help! In particular, Prof. Yin Wenying readily consented to write the preface even though she had just recovered from a severe illness, which really made us encouraged and inspired!

In the process of drafting preparation, Dr. Yang Meixia had paid a great labor. Mrs. Cui Junzhi and Miss Guo Mingxia had done a lot of work in word polishing, format adjustment, and terms checking. While, the publication of this series have obtained great support from World Publishing Corporation, especially Mr. Xue Chunmin. The executive editors have also made a lot of hard work.

We would like to express our heartfelt gratitude to the above-mentioned institutes and individuals, as well as those not mentioned above but provided various assistances in the implementation period of the program, drafting preparation and publication.

Due to the limitations of our expertise, there are inevitable mistakes and shortcomings in this series. We sincerely expect you to enlighten us with your instruction!

Editorial Board of *Insect Fauna of the Qinling Mountains*

前　言

秦岭地区涉及大蛾类规模比较大的系统考察主要有4次。1935—1936年，德国人 Dr. H. Höne 组织人员采集了两年，所获蛾蝶类标本近10万号。这些标本，连同他在中国其他地区采集的蛾蝶类总计大于50万号，大部分保藏在德国波恩 Koenig 动物博物馆。这些标本中还有许多没有命名。

在中国科学院重大项目“关键地区生物资源综合考察及其评价“(1997)的支持下，由中国科学院动物研究所牵头组织了为期两年的系统考察(1998—1999)，当时重点在秦岭西段和甘南地区，之后总结形成了相关专著。2007—2008年中国科学院动物研究所杨星科研究员组织队伍再次考察，这次主要集中在秦岭中部。以上两次考察采集了大量昆虫标本，其中包括丰富的大蛾类，但是具体数量已不可考。

2012—2014年，在陕西省财政厅和林业厅的支持下，由陕西省动物研究所牵头组织的考察是历时较长、范围较广的一次，本志作者中大部分人都亲历了这期考察。三年时间里，由中国科学院动物研究所负责的大蛾类采集共派出近20人次，采集标本3万余号。

我们受《秦岭昆虫志》编委会委托，从2012年开始组织编写《秦岭昆虫志·鳞翅目 大蛾类》卷册，主要分为概述和系统分类两部分。概述部分介绍了鳞翅目大蛾类的区系特点、分类系统、形态特征、生物学及其经济意义，以及材料和方法；系统分类记述鳞翅目大蛾类14科531属1030种，给出分科、亚科、属、种的检索表，各属、种均有引证、鉴别特征、国内外(省内外)的分布及重要种类的寄主、经济意义等。最后附有参考文献。

研究中得到下述学者或机构的支持和帮助，在此一并致谢：Mr. A. Schintlmeister, Calberlastr. 3, 01326 Dresden, Germany(舟蛾科24种32张照片)；Dr. Vadim Zolotuhin, Ulianovsk University, Russia(枯叶蛾4种照片)；Dr. Ronald Brechlin, Friedberg 20, D－17309 Pasewalk, Germany(天蛾和大蚕蛾2种3张照片)；网站

http：//tpittaway. tripod. com/china/china. htm（天蛾 16 种照片，标记为 * ）；国家科技基础条件平台动物标本资源共享平台（夜蛾科 103 种照片，标记为★）；研究过程中还检视了部分德国波恩考内希动物学博物馆（ZFMK）、英国伦敦自然历史博物馆（BMNH）、德国慕尼黑 WITT 昆虫博物馆（WITT）、西北农林科技大学昆虫博物馆、中国农业大学昆虫标本馆收藏的秦岭产标本。

参加编写人员有：韩红香（尺蛾科、钩蛾科、蚕蛾科、大蚕蛾科、夜蛾科）、姜楠（钩蛾科、天蛾科、尺蛾科、枯叶蛾科、锚纹蛾科、燕蛾科、箩纹蛾科、凤蛾科、舟蛾科、毒蛾科）、武春生（枯叶蛾科、舟蛾科、灯蛾科、毒蛾科）、崔乐（尺蛾科）、程瑞（尺蛾科、夜蛾科）、班晓双（尺蛾科）、杨超（钩蛾科、夜蛾科）、宋文惠（钩蛾科）、潘晓丹（天蛾科）、薛大勇（夜蛾科）。

李静、刘淑仙、杨秀帅、刘祖莲等参加了不同批次的秦岭野外考察。

韩红香　姜　楠　薛大勇

2016 年 8 月于北京

目　录

总　论

各　论

总 论

一、 地理位置与大蛾类区系

（一）地理位置和特征

秦岭，中国内陆腹地的巨大山系，横亘于中华大地中部。它西起甘肃，东至河南，绵延1600千米，界分南北，势贯东西。西连青藏高原，东接大别山、天目山；北望大漠，阻隔着西伯利亚的风沙寒流；南抱苍翠，孕育了中国最富饶的土地。

秦岭博大雄浑，气势磅礴，同时还有山高谷深、山形曲折的特点，有人称之为“上有六龙回日之高标，下有冲波逆折之回川”。这些地理位置和地貌的特点，使秦岭成为中国地理上的南北分界线、气候分界线，同时又是中国最主要的两大水系的分水岭。

秦岭地区日照、气温和降水适中，水源充沛，植被发育极好，为昆虫的生存提供了优越的地理环境和自然条件。因此，该地区成为中国昆虫区系最为丰富的热点地区之一。尽管它没有被列入全球34个生物多样性热点地区，但是它实际上与被列入的中国西南山区一脉相承。没有列入的原因只是在保护国际（Conservation International）评估的时候（2000）对秦岭的生物区系调查远不如西南山区充分而已。

秦岭陕西段是其主体部分，东西长400多千米，南北最宽距离达300千米。由东向西逐渐升高，陕西境内岭脊海拔约2000米，高峰都在2000～3000米，如华山主峰海拔为2400米，太白山主峰为3771.20米，高出汉水及渭河河谷3000米之多。秦岭北坡山麓短急，地形陡峭，又多峡谷；南坡山麓缓长，坡势较缓。该地区动植物资源极为丰富，据作者2014年不完全统计，该地区有兽类62种，鸟类298种，其中包括大熊猫、金丝猴、羚牛、朱鹮等极为珍稀的物种。各类昆虫和无脊椎动物不计其数，摸清秦岭的生物资源任重而道远。

（二）大蛾类区系

1. 区系地位和特征

根据张荣祖（1979，1999）的地理区划，陕西秦岭地区位于古北界和东洋界的交界线上,秦岭北坡属于古北界,南坡属于东洋界。在中国动物地理区划的进一步划分中,北坡属于华北区黄土高原亚区,南坡属于华中区西部山地高原亚区。

由于特殊的地理环境和区系位置,导致南北各种区系成分在这个地区会聚、融合、演化和扩散;同时,由于青藏高原隆起和交替的冰期作用,该地区还成为众多古老物种的避难地。这些因素使该地区的区系成分变得极为复杂。大蛾类物种在该地区极为丰富,正是由于这种原因,研究发现该地区几乎存在周边的各种区系成分:一方面北至俄罗斯、欧洲,甚至北美,南至印度、东南亚,共有的属级单元比比皆是,共有种也很多;另一方面,相当多的物种在该地区已分化为不同的亚种。相关的蛾类谱系地理学研究也发现了秦岭地区在物种扩散与种群分化中的特殊地位(Cheng, *et al.*, 2016)。

与秦岭区系关系最为密切的当属横断山地区的区系。本志中蛾类物种60%以上为秦岭地区与横断山地区共有物种。事实上,横断山的南北大通道和秦岭的东西走向相衔接,正好在这里形成一个完美的"结点"。

2. 区系考察

除去零星的考察采集以外,对秦岭地区系统、全面和大规模的考察并不多。本志记述的1000余种大蛾类中,1/3以上在已出版的各卷《中国动物志》中没有陕西分布记录便是例证。秦岭地区涉及大蛾类规模比较大的系统考察主要有4次。

1935~1936年,德国人Dr. H. Höne组织人员采集了2年,所获蛾蝶类标本近10万号。这些标本,连同他在中国其他地区采集的蛾蝶类标本总计大于50万号,大部分保存在德国波恩Koenig动物博物馆。这些标本中还有许多没有被命名。

在中国科学院重大项目"关键地区生物资源综合考察及其评价"(1997)的支持下,由中国科学院动物研究所牵头组织了为期2年的系统考察(1998~1999),当时重点在秦岭西段和甘南地区,之后总结形成了相关专著。2007~2008年,中国科学院动物研究所杨星科研究员组织队伍再次考察,这次主要集中在秦岭中部。以上两次考察采集了大量昆虫标本,其中包括丰富的大蛾类,但是具体数量已不可考。

2012~2014年,在陕西省财政厅和林业厅的支持下,由陕西省动物研究所牵头组织的考察是历时较长、范围较广的一次。本志作者中大部分人都亲历了这期考察。3年时间里,由中国科学院动物研究所负责的大蛾类采集共派出近20人次,采集标本3万余号。

关于秦岭地区的昆虫考察,还应该特别提到西北农林科技大学昆虫博物馆。该馆依地理之优势,自20世纪50年代(当时的西北农学院植保系)即开始连续调查秦岭昆虫区系,现在仍每年安排学生进山采集。多年的积累使那个博物馆收藏着极为丰富的大蛾类标本。本志编写过程中未能系统全面检视这些标本,只查看了少量尺蛾和钩蛾科标本,是为遗憾。

二、 大蛾类概述

(一)分类系统

大鳞翅类(Macrolepidoptera)隶属于鳞翅目(Lepidoptera)-异脉类(Heteroneura)-双孔类(Ditrysia)-Apoditrysia-被蛹类(Obtectmera),下面包括11个总科。其中3个总科为锤角类(Rhopalocera),即蝶类,分别为广蝶总科(Hedyloidea)、弄蝶总科(Hesperioidea)和凤蝶总科(Papilionoidea),其余8个总科即为大蛾类。这8个总科中,枯叶蛾总科(Lasiocampoidea)、蚕蛾总科(Bombycoidea)、锚纹蛾总科(Calliduloidea)、钩蛾总科(Drepanoidea)、尺蛾总科(Geometroidea)和夜蛾总科(Noctuoidea)6个总科在中国有分布,在陕西秦岭地区也均有记录。

总科下的成员经常有变化,不同学者的观点不同,如天蛾科是否应该为独立的总科,枯叶蛾科是否为蚕蛾总科的成员,等等。至于钩蛾总科和尺蛾总科下面的各科归属更是经历了复杂的变迁,至今并没有完全定论。

由于分子系统学的兴起,科级及其以下的系统发生了很多变化,例如:波纹蛾科(Thyatiridae)降为钩蛾科的一个亚科,建立了钩蛾科的4亚科系统(Wu, *et al.*, 2010);蛱蛾科(Epiplemidae)分别被拆分到凤蛾科和燕蛾科中;天蛾科的5亚科系统演变为3亚科系统等。本志尽量采用目前国际上已经广泛接受的比较新的系统,但是夜蛾科的分类系统近年来发生了巨大变化,有人将灯蛾科和毒蛾科降为夜蛾科的亚科,又将裳夜蛾亚科等另立为科(Zahiri, *et al.*, 2011, 2012)。由于该类群过于庞大繁杂,本志暂未采用这个系统,仅对夜蛾科部分属的亚科地位进行了调整。

(二)成虫主要形态特征

鳞翅目昆虫属全变态,其分类以成虫形态为主。本节重点介绍在大蛾类分类鉴定中常用的特征。

1. 体 型

顾名思义,“大蛾类”即体型较大的蛾子。其实不尽然,在目前的分类系统中,“大鳞翅类”并不是以身体大小来划分的。大蛾类中确有许多体型较大,甚至巨大的种类,如大蚕蛾、天蛾、箩纹蛾等。最大的大蚕蛾前翅长可达150mm,成为昆虫中的“巨人”。但是也有不少类群体型微小,如尺蛾科的花尺蛾亚科和姬尺蛾亚科中许多种类前翅长只有7~8mm。而在“小蛾类”中,也有一些体型很大的类群和种类,如蝙蝠、木蠹蛾和一些斑蛾等。

2. 头 部

具发达的触角和下唇须。触角变化多样，有线形、锯齿形、单栉形、双栉形，偶有羽状，即每节有2对栉齿。通常雌触角较雄触角简单。下唇须3节，除长短和颜色外，变化较少。复眼发达，一般大而圆，少数退化或呈椭圆形。额平坦或隆起，有时具向前或前下方凸出的毛簇；极少数种类额具骨化的刺状突。部分类群头部具单眼或毛隆。喙发达或退化。在天蛾中，有的种类喙可长达30cm。

3. 胸部和腹部

胸部的领片和肩片经常会与胸部背面主体部分颜色不同，是分类的重要特征。胸部和腹部背面有时有立毛簇。胸部腹面和足的腿节有时多毛。雄蛾腹部侧面或末端可有不同类型的毛簇，往往是散发性引诱激素的味刷。胸足3对；前足胫节具净角器；中足胫节具1对端距，通常发育正常；后足胫节2对距，有时中距退化或全部退化；后足胫节有时膨大或具毛束。部分科具听器，如夜蛾科、尺蛾科等。不同科的听器位置有所不同。腹部分为10节，腹部最后2节（雄性）或3节（雌性）合并特化成为外生殖器的一部分，故外观仅见7～8节。雄蛾第8腹节腹板常骨化成各种形状，对于分类鉴定有一定的参考价值。

4. 翅

翅的分类特征包括翅型、翅脉和翅面斑纹，以及少数类群中存在的特殊结构，如特殊的鳞毛簇、凹窝等。

（1）翅 型

翅通常发达，宽大，形状各异。主要变化在于狭长或宽阔；前翅顶角（圆钝或凸出）、外缘（锯齿形或弧形，或有凸角、缺刻等）、臀角（圆弧形或凸出、缺刻）、后缘（平直或波曲）；后翅前缘（平直或隆起）、外缘（锯齿形或弧形，是否具尾突）、后缘（正常或窄缩，有时具缨穗状长毛）。极端的例子如长尾大蚕蛾后翅尾角可长达90mm，形如飘带。大蛾类中大多数类群和种类雄雌翅型相同或近似，但是也有一些类群差异明显，如毒蛾科、枯叶蛾科。而在尺蛾科和毒蛾科中有部分种属雌蛾翅部分或完全退化，是雌雄异型的极端情况。翅缰有或无，如有，雄性为1支，雌性为2至多支。

（2）翅脉（图1）

本志采用康尼脉序（Comstock，1918）。前翅共有12条脉：中室宽大，Sc通常自由；R脉分为5支，基部不同程度共柄或结合，有时形成1～2个径副室，有时与Sc接近或融合；M脉3支，M_3基部位置（居中或出自中室下角）常是分科的依据；Cu脉2支；A脉1支，由2A和3A合并而成。后翅有8～9条脉：Sc＋R_1、Rs（由R_2-R_5合并而成）、M_1、M_2、M_3、Cu_1、Cu_2、2A和3A，其中3A常消失，在有的种类中，雄性3A消失，雌性正常。

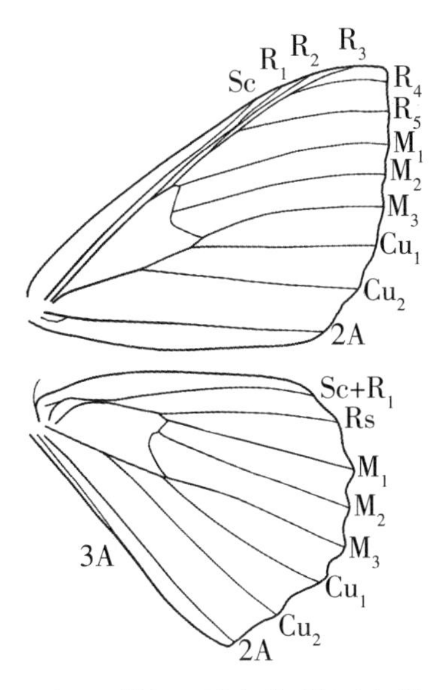

图 1 鳞翅目昆虫前后翅及翅脉

(3)翅面颜色和斑纹

大蛾类翅面颜色和斑纹极为丰富多样。除部分绿色种类易褪色外，大多数颜色稳定。但是不同季节型、取食不同寄主可能造成颜色的变化，有时这种变化十分明显，甚至导致鉴定错误。同时，很多种类雌雄颜色或斑纹可能不同，早期往往被定为不同种。现在的 DNA 条形码技术可以很好地解决这类雌雄异型的问题。前翅斑纹主要有亚基线、内线、中线、外线和亚缘线，有时还有缘线；中室端脉上常常具有中点；在钩蛾科中中室下角还可能有另外 1 个点，称为中室下角点；在夜蛾科中，中室内和中室端常具环纹和肾纹。后翅斑纹一般比前翅简单，通常无亚基线、内线和中线；斑纹和颜色可以与前翅连续，在尺蛾科和钩蛾科中比较常见，也可与前翅迥异，夜蛾总科大多属于这类情况。

5. 外生殖器

(1)雄性外生殖器(图 2)

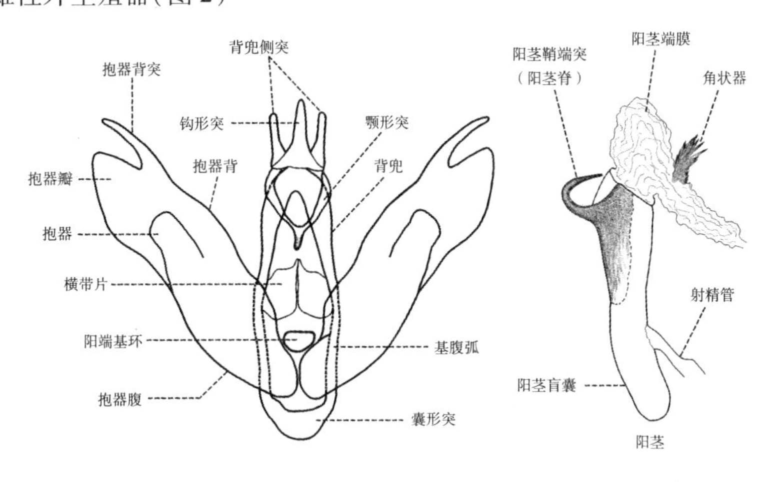

图 2 鳞翅目雄性外生殖器

雄性外生殖器由腹部第9、10两节及其附肢特化而来。基本结构包括背兜、钩形突、背兜侧突、颚形突、抱器瓣、囊形突、阳端基环、横带片、肛管、阳茎及其阳茎端膜上面着生的角状器。

第9腹节背板和第10腹节背板的一部分形成背兜,通常大而强骨化,呈屋脊状或帽盖状。第9腹节腹板形成基腹弧。基腹弧与背兜连接成1个骨环,形成支撑外生殖器其他部分的支架。第10腹节末端延伸形成1个略向下弯曲的钩形突。基腹弧的腹面中央膨大形成一个向头端伸出的囊形突。第10腹节附肢特化成颚形突和背兜侧突。肛管由背兜中下部的膜中伸出,其腹面的下匙形片较发达(为第10腹节遗迹);肛管背面如骨化则为匙形片。腹部末端有1个膜质的膈膜,由背兜、肛管到基腹弧把腹部末端封闭起来。阳茎由膈膜中央伸出。膈膜在阳茎周围形成双褶,里面一层为阳茎鞘,一般简单;外面一层为阳茎基环,常具骨化区域和突起。其中,位于腹面的骨化区称为阳端基环,支持阳茎并与抱器腹相接,其中央有时发生各种形状的突起或缺刻。阳茎基环背面的骨化带为横带片,两端与抱器背相接;横带片中部常消失。阳茎基环侧面常具侧突,一般由阳端基环发出,中部与抱器背基部和横带片端部联合,端部头状或杆状,多生细毛,有时两侧突在阳茎基环背面中央联合。在雄性外生殖器两侧,是1对由第9腹节生殖肢演化形成的抱器瓣。抱器瓣基部背腹角分别与背兜和基腹弧相接,有时与横带片和阳端基环相接;抱器瓣为1个扁平的囊,基部开口,有肌肉操纵其做对应的钳状活动;其基本形态为长圆形,骨化弱;抱器瓣基部有时有味刷。阳茎发达,长短粗细不一。阳茎端膜简单或具发达的角状器(刺),有时则散布小片骨化区。

(2)雌性外生殖器(图3)

基本结构包括肛瓣、前表皮突、后表皮突、前阴片、后阴片、囊导管及骨环、囊体及囊片。腹部末端为1对囊状构造,称为肛瓣,由第9、10两腹节形成,表面多毛,产卵孔和肛门开口于其间。第8腹节背板(有时包括侧板)骨化较强,其前侧缘生1对前表皮突,肛瓣前侧缘生1对后表皮突。表皮突为2对头向伸出的内骨,用以附着肌肉。第8腹节腹板前半部形成前阴片,后半部形成后阴片。交配孔位于两阴片之间,由交配囊导管连通到交配囊(囊体),二者交接处称为囊颈,常有不同程度特化。大多数种属在囊体内具各种形状的囊片。导精管膜质,由囊导管上或囊体上部(囊导管旁边)伸出,少数由囊体底部伸出。

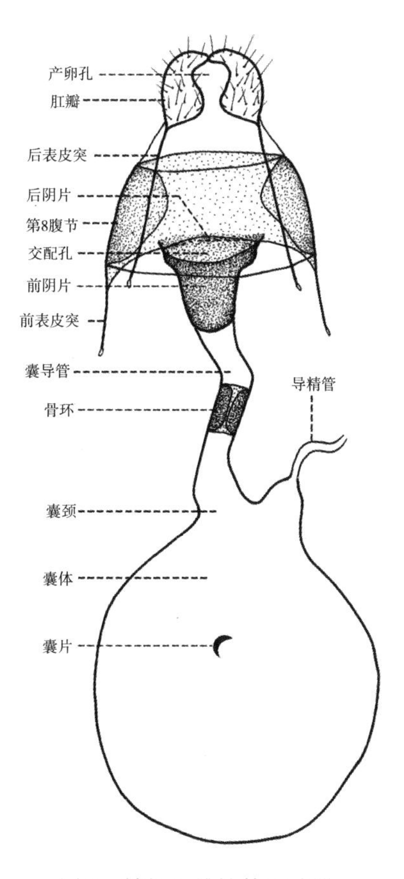

图3　鳞翅目雌性外生殖器

三、　材料与方法

（一）材　料

本志研究中的标本材料主要来源于中国科学院动物研究所昆虫标本馆（IZCAS）的馆藏，包括1998～1999年、2007～2008年和2009～2013年历次考察时在陕西秦岭地区采集的标本。

研究过程中还检视了部分德国波恩考内希动物学博物馆（ZFMK）、英国伦敦自然历史博物馆（BMNH）、德国慕尼黑WITT昆虫博物馆（WITT）、西北农林科技大学昆虫博物馆、中国农业大学昆虫标本馆收藏的秦岭产标本。部分种类检视和采用了Mr. A. Schintlmeister（Calberlastr. 3，01326 Dresden，Germany）、Dr. V. V. Zolotuhin（Ulianovsk University，Ulianovsk，Russia）和Dr. R. Brechlin（Friedberg 20，D-17309 Pasewalk，Germany）提供的标本照片。部分夜蛾科标本照片由国家科技基础条件平台动物标本资源共享平台提供。另外，十余种天蛾照片采用了http：//tpittaway. tripod. com/china/china. htm网站上共享的图片。

（二）方　法

大蛾类标本的采集、保藏等依照薛大勇（2010）标准，野外标本采集采用黑光灯诱集,标本按鳞翅目标准展翅方法展翅。

1. 蛾类标本的野外采集

(1)采集工具和药品

采集工具:采集网、毒瓶、三角袋、棉层、镊子、标本盒、黑光灯、幕布、采集管、采集袋、注射器、小型离心管。药品:乙酸乙酯、无水乙醇。

(2)采集方法

1)网　捕

白天用采集网,使用扫网、扣网等方法,兜捕停落静止的蛾类;在花丛间、小溪旁及适宜寄主上捕捉有白天活动习性的取食、交配、产卵的蛾类。用网兜捕采集不能连续进行,最好是看准目标后一次兜捕,蛾即入网,应迅速翻转网袋,防止其逃脱。大型蛾类防止逃脱应隔网用拇指和食指轻捏胸部腹面的翅基部,使翅合在背上,然后增加压力,使飞行肌肉受损,失去挣扎能力后,立即用镊子从网中取出,放入毒瓶中。

2)灯　诱

蛾类采集主要是依靠灯光诱集。在野外点灯,首先要选择好场地,一般说要有一定范围的平坦空地,既不影响光源照射得远,也要选择四周植物丛生、种类复杂或靠近沼泽、溪流、湖泊、森林边缘及面临山谷等处。采集蛾类标本时,只要在灯的一面挂起一块白色幕布,幕布宜选择有反光性及透光性的面料。当各种蛾类停息在幕布上后,便可根据不同大小的种类,用不同大小的毒瓶、毒管扣装,瓶口直径一般与蛾类翅展大小相近。毒瓶应经常轮换,否则药品挥发,昆虫不易毒杀。应避免一瓶内昆虫堆积数量过多,彼此互相摩擦损坏,更要注意瓶内清洁。大型的蛾类也可直接往体内注射无水乙醇。灯诱采蛾一般是在22:00左右,凌晨1:00点左右最多。无大风、无月光、炎热阴沉的夜晚效果最好,薄雾、小雨并不影响蛾类活动。黑光灯瓦数越大,照射距离越远,采集效果则相对越好,一般采用250 W,个别环境可以使用400 W。

(3)采集标本的野外整理

为保证野外采集的标本完整,具有最大科学研究价值,免受腐烂、霉变和机械损毁,采集后的标本在野外要及时做一些初步处理。在蛾类的野外初步处理中,主要有以下几种方法。

1)三角袋包装

三角袋是用透明的油光纸、玻璃纸或硫酸纸做成的三角形纸袋。透明光滑的三角纸袋适宜放置体内含水少的鳞翅目标本,既可防潮,又可从外面看到蛾子,方便后期整理。每个三角袋内放置的最好是同种或相近种类标本,袋内标本个体数不宜过多,且必须是同时同地采集的标本才能放在一起。袋外必须写明采集地、采集时间和采集人等信息。蛾子用三角袋包装好后要在阴凉干燥的地方晾干,防止霉变。初步晾干的标本可以装盒运输,需注意的是盒子不能太深,最好以5cm深度为限,防止三角袋中的蛾类标本的翅受挤压而变形。在南方潮湿多雨的季节采集时可用电吹风初步吹干,转点时及时寄回标本馆做进一步处理。

2)乙醇浸泡

外出采集之前,可根据需要和采集预期准备好一批2ml的小离心管,装好100%乙醇。一些为分子生物学或其他实验准备的研究材料可以直接用100%的乙醇浸泡。

也可将蛾子一侧的足取下浸泡。浸泡标本的采集信息要用铅笔在较硬的白纸上写明，与标本一同放入浸泡液中；仅取部分(足)的标本要与浸泡部分对应编号。

3)及时制作

对于一些较珍稀或小型的蛾类，采到后应及时制作成长久保存的针插展翅标本。用毒瓶或麻醉剂处理后，虫体在干燥之前还较有弹性，灯诱的第二天上午及时做展翅处理，能减少鳞片、斑纹、触角和足等部位的残损，使标本保持颜色鲜艳、肢体完整。

(4)入馆前处理

野外采集来的标本如果不能及时制作成展翅标本，应进行初步检查和分类。对没有完全干透的标本要晾干；大型蛾类有时有出油现象，应拣出单独晾干和存放，避免污染其他标本。存放前应对标本进行杀虫处理，可用冰柜冷冻或使用药剂杀虫。有条件的也可在冰柜中长期存放未制作的标本。

2. 蛾类标本的制作

(1)还 软

干燥的蛾类标本在制作前，必须先进行还软，触角及其他附肢才不致折断。软化的方法是把标本放在盛有水的回软缸内，软化的时间要看气温、蛾类的大小及吸湿程度而定，一般需3~7天。

(2)针插展翅

准备好适合蛾子大小的展翅板，在展翅板的空槽两侧固定好约0.5cm宽的纸条，其外侧再视翅的长短固定宽纸条。经还软后的蛾类标本先选用适宜型号的昆虫针，自中胸正中央穿插，昆虫针要与展翅平面垂直。为使标本在针上的高度一致，可用三级台度量，标本背上露出的昆虫针高度与三级台第一级的高度相等即可。针插好后的标本，先插入展翅板上的空槽内，使翅基腹面与空槽两侧板面平齐。大蛾类可用镊子或昆虫针将翅分开压平，用昆虫针与内侧纸条配合，将前翅拉到左右翅后缘成一直线为准，再将后翅前缘约2/3部分压在前翅后缘下面，然后用内侧纸条在翅基部压好，用昆虫针钉上，用昆虫针调整对称，外侧用宽纸条压好钉住。小蛾类展翅时，要用小毛笔轻轻拨动翅的反面，将翅完全展开后，用纸条压平，两端用针固定。也可先把小蛾翅吹开，用针插的硬三角纸片压平固定。展好翅后，要用镊子将头、触角、足等部位进行整理，使其尽量伸展，如需要，可用昆虫针固定。较大蛾类的腹部，要用昆虫针交叉支起来，防止干燥后呈下垂状。

(3)干 燥

制作好的标本需要经过干燥过程使其完全定型。在北方可以自然干燥，一般需要7天以上。南方雨季潮湿，需要辅助烘箱等干燥手段。干透的标本从展翅板上拆卸下来的时候要特别注意避免碰到触角等易损部位，以保持标本完整。

(4)加标签

每只标本下面要有两个标签：靠近虫体下面的第1个标签记载采集信息(时间、地点、海拔、经纬度、采集人及保存地等)，第2个标签一般为该种的鉴定标签(中文学名及拉丁学名)。模式标本的鉴定标签需以颜色来区分，正模为红色，副模为黄色。

四、系统分类

秦岭大蛾类分科检索表

1. 雌蛾无翅或翅退化…………………………………………… 尺蛾科 **Geometridae**(部分)
   翅发达 …………………………………………………………………………… 2
2. 翅面具箩筐状条纹………………………………………………… 箩纹蛾科 **Brahmaeidae**
   翅面不具箩筐状条纹 ……………………………………………………………… 3
3. 胸部或腹部无鼓膜听器 …………………………………………………………… 4
   胸部或腹部具鼓膜听器 …………………………………………………………… 9
4. 雌雄性均无翅缰 …………………………………………………………………… 5
   雄性具翅缰,雌性翅缰退化或无 …………………………………………………… 6
5. 前后翅 M_2 均接近 M_3 ……………………………………………… 枯叶蛾科 **Lasiocampidae**
   前翅 M_2 出自 M_1 和 M_3 中部,后翅 M_2 接近 M_1 …………………… 大蚕蛾科 **Saturniidae**
6. 前翅 R_5 脉与 R_{1-4}分离,与 M_1 共柄,后翅具发达尾突 ……………… 凤蛾科 **Epicopeiidae**
   前翅 R_5 脉不与 R_{1-4}分离,也不与 M_1 共柄,后翅不具发达尾突……………………… 7
7. 后翅有 3 条臀脉(A);雌性翅缰偶尔退化 ……………………………… 蚕蛾科 **Bombycidae**
   后翅有 1 条或 2 条臀脉;雌性翅缰从不退化 ……………………………………………… 8
8. 后翅 Sc + R_1 在基部具 1 枚小肩齿(humeral spur),中室经常为开放式,无横脉;前翅宽阔,顶角钝圆或钩状,外缘突出,后翅宽阔 ……………………………… 锚纹蛾科 **Callidulidae**
   后翅 Sc + R_1 基部具 1 条横脉和中室相连,中室闭合式;前翅狭长,顶角尖锐,外缘内倾,后翅近三角形……………………………………………………………… 天蛾科 **Sphingidae**
9. 前翅 R_5 与 M_1 并蒂或共柄,和其他 R 脉分离;腹部鼓膜听器雌雄二态,雌性位于第 2 腹板下,雄性位于第 2、3 腹节之间……………………………………………… 燕蛾科 **Uraniidae**
   前翅 R_5 不与 M_1 共柄,但至少和 R_4 共柄;鼓膜听器雌雄同态 ……………………………… 10
10. 鼓膜听器位于腹部 ……………………………………………………………………… 11
    鼓膜听器位于后胸 ……………………………………………………………………… 12
11. 通常不具毛隆;后翅 Sc + R_1 脉在基部不呈叉状;前翅顶角通常呈钩状 …………………
    ……………………………………………………………………… 钩蛾科 **Drepanidae**
    具毛隆;后翅 Sc + R_1 脉在基部呈叉状;前翅顶角通常不呈钩状 …… 尺蛾科 **Geometridae**
12. 前翅 M_2 位于 M_1 与 M_3 中间;仅 M_3 靠近 CuA_1,即中室后缘三分支(trifid);胫距端部边缘锯齿状 ……………………………………………………… 舟蛾科 **Notodontidae**
    前翅 M_2 与 M_3 接近,即 M_2、M_3 均靠近 CuA_1,即中室后缘四分支(quadrifid);胫距端部边缘光滑 ………………………………………………………………………… 13
13. 雌性外生殖器肛瓣上具 1 对可翻转的性腺 ………………………………… 灯蛾科 **Arctiidae**
    雌性外生殖器肛瓣上不具上述结构 ……………………………………………………… 14
14. 雄性触角栉齿状,每个栉齿上具 1 ~ 3 个端部远离的刚毛 ………… 毒蛾科 **Lymantriidae**
    雄性触角线形,若为栉齿状,则端部的刚毛不远离 ……………………… 夜蛾科 **Noctuidae**

各　论

一、蚕蛾科 Bombycidae

鉴别特征：中型蛾类，身体粗壮。触角羽状，喙退化。翅宽大，有时前翅顶角外凸呈钩状。前翅 M_1 与 R_5 分离或短共柄；后翅 $Sc+R_1$ 以 1 条横脉与中室相连；前后翅 M_2 均出自中室端脉中部或近 M_1。

分类：Wang *et al*.（2015）记述中国蚕蛾科 25 属 77 种，其中分布于陕西秦岭地区的种类达 10 属 20 种（见本志 14 页“秦岭地区蚕蛾科名录”）。本志记述陕西秦岭地区分布的 3 属 4 种。

1. 蚕蛾属 *Bombyx* Linnaeus, 1758

Bombyx Linnaeus, 1758: 495. **Type species**: *Phalaena* (*Bombyx*) *mori* Linnaeus, 1758, by subsequent designation in *Opin. Decl. int. Commn zool. Nom.* 1957, 15: 254.

Theophila Moore, 1862: 315. **Type species**: *Bombyx bengalensis* Moore, 1862.

属征：体、翅灰褐色至红褐色。前翅顶角下方明显内凹，内侧有暗褐色月牙斑。雄性触角比雌性触角长。喙退化，下唇须退化。腿节、胫节上披长密毛。后足胫距 1 对。前翅 R_5 与 M_1 脉共柄，后翅 M_2 与 M_3 脉共柄。

分布：亚洲（东部）。秦岭地区发现 2 种。

（1）野蚕蛾 *Bombyx mandarina* Moore, 1912（图版 1：1）

Bombyx mandarina Moore, 1912: 576.

Bombyx fuscata Motschulsky, 1866: 192.

Theophila mandarina: Grunberg, 1913: 190.

鉴别特征：雄性前翅长 15 ~ 19mm，雌性前翅长 17 ~ 21mm。体、翅灰褐色至暗褐色。触角灰褐色，双栉形，内外侧栉接近等长，雌性栉齿短于雄性。前翅顶角外凸，顶端钝，下方至 M_3 脉间有内凹的月牙形槽；内线、外线深褐色，各由 2 条细线组成，中间色稍浅，亚缘线深褐色，较细，下方向内倾斜达臀角，顶角内侧至外缘间中部有较大的深褐色斑；中室端有肾形纹；后翅色略深，内线及中线褐色，较细，中间呈深色横带，外线色稍浅，缘毛褐色，后缘中央有1个半月形黑褐色斑，斑的外围白色。前、后翅反面色较正面浅，各线纹更清晰。通常雄蛾比雌蛾色深，且雄蛾身上各线条及斑纹亦较雌蛾明显。

采集记录：1♂，周至楼观台，680m，2008. Ⅵ. 23-24，李文柱采；2♂，佛坪，890m，1999. Ⅵ. 26；1♂，佛坪县城，900m，2008. Ⅶ. 06，李文柱采。

分布：陕西（周至、佛坪）、黑龙江、吉林、辽宁、内蒙古、河北、山西、山东、河南、甘肃、江苏、安徽、湖北、江西、湖南、台湾、广东、广西、四川、云南、西藏；朝鲜，日本，俄罗斯（东南部）。

（2）白弧野蚕蛾 *Bombyx lemeepauli* Lemée, 1950（图版1：2）

Bombyx lemeepauli Lemée, 1950: 37.

Theophila albicurva Chu et Wang, 1993: 214.

鉴别特征：雄性前翅长13～15mm，雌性前翅长18～19mm。体及翅灰褐色。触角双栉形，灰褐色，内侧栉齿长于外侧，端部各节栉齿明显变短。前翅内线及外线白色，弧形，顶角端部有黑色大斑，下方略内曲，外缘弧度小，缘毛灰白色；后翅色稍深，外半部呈深褐色，缘线白色，弧形，后缘中下部有1条深褐色长条斑，其中有灰褐色纹。翅反面色稍深，斑线与正面相同。胸部灰褐色，腹部第1节为深褐色横带，胸足胫节外侧有毛丛。

采集记录：4♂，留坝庙台子，1350m，1998. Ⅶ. 21；1♂，宁陕广货街保护站，1189m，2014. Ⅶ. 26-28，刘淑仙采；4♂，旬阳金鑫源山庄，386m，2014. Ⅷ. 01-03，刘淑仙、班晓双采；1♂，商南金丝峡，777m，2013. Ⅶ. 23-25，姜楠采。

分布：陕西（留坝、宁陕、旬阳、商南）、甘肃、浙江、湖北、广西、四川、云南；越南，泰国。

2. 齿翅蚕蛾属 *Oberthueria* Kirby, 1892

Oberthueria Kirby, 1892: 720. **Type species**: *Euphranor caeca* Oberthür, 1880.

Oberthueria Staudinger, 1892a: 337. **Type species**: *Euphranor caeca* Oberthür, 1880.

Euphranor Oberthür, 1880: 40. **Type species**: *Euphranor caeca* Oberthür, 1880, by monotypy. [Junior homonym of *Euphranor* Herrich-Schäffer, 1855 (Lepidoptera, Saturniidae)].

属征：体及翅污黄至黄褐色。下唇须较长，伸向前方。触角基半长双栉形，端半单齿形。前、后翅外缘有向外伸出的齿，前翅 M_1 与R脉共柄，在中室顶角处伸出。后足胫距2对。

分布：亚洲（东部）。秦岭地区发现1种。

(3)单齿翅蚕蛾 *Oberthueria yandu* Zolotuhin *et* Wang, 2013(图版1:3)

Oberthueria yandu Zolotuhin *et* Wang, 2013: 472.

鉴别特征:雄性前翅长18～20mm。头部污黄色,下唇须较长,向前方平伸,褐色。触角双栉形,灰黄色,背面白色。体黄色,腹部暗黄,各节间色较深。后足跗节为其他各节的总长。前翅黄色,顶角外伸呈钩状,内侧色浅,顶角下方内凹,并有1个半圆形深色斑;内线及中线深褐色,呈波浪纹;外线深褐色,较直,外侧有并行白色线纹,接近前缘,又向翅基方向弯曲;中室端有1个褐色圆点。后翅前半污黄色,后半橙黄色;内线不明显,中线深褐色,呈波浪形纹,外线由各脉间的深褐色点组成;外缘在 Cu_1 脉端处外凸,与顶角和臀角成三角形;后缘有灰褐色斑。前、后翅反面污黄色,内线不见,中室有褐色点,中线与正面相同,外线由黄色翅脉间隔成断线。

采集记录:2♂,宁陕火地塘,1580m,1999.Ⅶ.02;1♂,宁陕火地塘,1538m,2012.Ⅶ.11-15,姜楠采;1♂,宁陕广货街保护站,1189m,2014.Ⅶ.26-28,刘淑仙采;1♂,柞水营盘镇,953～995m,2014.Ⅶ.29-31,班晓双采。

分布:陕西(宁陕、柞水)、河南、浙江、江西、福建、广东、四川、西藏。

3. 如钩蚕蛾属 *Mustilizans* Yang, 1995

Mustilizans Yang, 1995: 355. **Type species**: *Mustilizans drepaniformis* Yang, 1995, by original designation.

属征:体翅红褐色。触角基半部有长栉齿,其余部分栉呈齿形。喙短。前翅狭长,顶角外伸呈镰钩状。后翅外缘及臀角均较钝圆,前后翅有波浪形斜线。

分布:亚洲(东部)。秦岭地区发现1种。

(4)一点如钩蚕蛾 *Mustilizans eitschbergeri* Zolotuhin, 2007(图版1:4)

Mustilizans eitschbergeri Zolotuhin, 2007: 197.

鉴别特征:雄性前翅长22～29mm,雌性前翅长36mm。头部黄褐色。下唇须长,明显可见向前伸出。头部后缘及触角基部周围有白色鳞毛;雄性触角污黄色,触角干背面白色,基半双栉形;雌性全为单栉形,呈褐色。前翅灰褐色,散布有白色鳞片,顶角尖向外伸,呈钩状;内线波浪纹,翅基部至内线间色浅,呈黄褐色;中室有1个黑点,自顶角至后缘中部有1条赭色斜线,斜线外侧有污黄色粗曲线;顶角内下方至臀角有1片深色区,缘毛金黄色。后翅前半色浅,呈枯黄色,后半黄褐色,内线不显;中线褐色,上段呈弧形,下段波浪状,顶角内侧似有1块污黄色椭圆形斑,后缘有赭色月牙形斑。前、后翅反面深褐色,位于外线部位的褐色斜线更明显,中室的小点隐约可见,其他斑纹消失。

采集记录:3♂,佛坪,890m,1999. Ⅵ. 26;2♂,宁陕火地塘,1580m,1999. Ⅶ. 02;2♂,宁陕广货街保护站,1189m,2014. Ⅶ. 26-28,刘淑仙采;2♂,柞水营盘镇,953 ~ 995m,2014. Ⅶ. 29-31,刘淑仙、班晓双采。

分布:陕西(佛坪、宁陕、柞水)、河南、江西、福建。

陕西秦岭地区蚕蛾科名录(Wang *et al.*, 2015)

Bombyx mandarina (Moore, 1872)
Bombyx lemeepauli Lemée, 1950
Rotunda rotundapex (Miyata *et* Kishida, 1990)
Ernolatia moorei (Hutton, 1865)
Oberthueria caeca (Oberthür, 1880)
Oberthueria jiatongae Zolotuhin *et* Wang, 2013
Oberthueria yandu Zolotuhin *et* Wang, 2013
Andraca apodecta Swinhoe, 1907
Andraca olivacea Matsumura, 1927
Mustilizans dierli (Holloway, 1987)
Mustilizans eitschbergeri Zolotuhin, 2007
Mustilizans shennongi Yang *et* Mao, 1995
Mustilizans capella Zolotuhin, 2007
Comparmustilia sphingiformis (Moore, 1879)
Comparmustilia semiravida (Yang, 1995)
Smerkata ulliae (Zolotuhin, 2007)
Dalailama bifurca Staudinger, 1896
Mustilia glabrata Yang, 1995
Mustilia undulosa Yang *et* Mao, 1995
Mustilia pai Zolotuhin, 2007

二、大蚕蛾科 Saturniidae

鉴别特征:大型蛾类,翅展可达 30cm,有些种类具细长尾带。色彩艳丽。喙不发达,触角多为双栉形。前翅顶角凸出;后翅无翅缰,但肩角发达。前后翅通常具不同形状的眼斑,半透明。前后翅 M_2 均接近 M_1,或与 M_1 共柄;后翅 $Sc + R_1$ 与中室分离,或以横脉相连。

分类:中国记录 11 属约 60 种,陕西秦岭地区分布 6 属 14 种。

1. 尾大蚕蛾属 *Actias* Leach, 1815

Actias Leach, 1815: 25. **Type species**: *Phalaena luna* Linnaeus, 1758.

Tropaea Hübner, 1819: 152. **Type species**: *Phalaena luna* Linnaeus, 1758.

Meceura Billberg, 1820: 83. **Type species**: *Phalaena luna* Linnaeus, 1758.

Artemis Kirby *et* Spence, 1828: 248. **Type species**: *Phalaena luna* Linnaeus, 1758.

属征:两性触角均为长双栉形;下唇须短粗。胸部腹面和足的腿节、胫节多毛。前翅中室端有月牙纹及1块较小的圆斑;外缘较直,前缘在Sc脉处有1条紫红色纵线直达顶角内侧。后翅臀角有1条延长的尾带,长达16mm以上。

分布:古北界,新北界,东洋界。秦岭地区发现5种。

(1)绿尾大蚕蛾 *Actias selene ningpoana* Felder, 1862(图版2:1)

Actias selene ningpoana Felder, 1862.

鉴别特征:前翅长59~63mm。头部灰褐色,头部两侧及肩片基部前缘有暗紫色横带。触角土黄色,雄、雌性均为长双栉形。体披较密的白色长毛,有些个体略带淡黄色。翅粉绿色,基部有较长的白色绒毛。前翅前缘暗紫色,混杂有白色鳞毛;翅脉及2条与外缘平行的细线均为淡褐色,外缘黄褐色;中室端有1个眼形斑,斑的中央在横脉处呈1条透明横带,透明带的外侧黄褐色,内侧内方橙黄色,外方黑色,间杂有红色月牙形纹。后翅自M_3脉以后延伸成尾形,长达40mm,尾带末端常呈卷折状;中室端有与前翅相同的眼形纹,只是比前翅略小些;外线单行黄褐色,有的个体不明显。胸足的胫节和跗节均为浅绿色,披有长毛。一般雌蛾色较浅,翅较宽,尾突亦较短。

采集记录:4♂,佛坪,890m,1999.Ⅵ.26;3♂,留坝庙台子,1350m,1998.Ⅶ.21;1♂,留坝城关镇,1007m,2012.Ⅵ.21-22,李静采。

分布:陕西(佛坪、留坝)、吉林、辽宁、河北、河南、甘肃、江苏、浙江、湖北、江西、湖南、福建、台湾、广东、海南、广西、四川、云南、西藏;日本。

(2)华尾大蚕蛾 *Actias sinensis* Walker, 1855(图版2:2)

Actias sinensis Walker, 1855: 1264.

Actias heterogyna Mell, 1914: 31.

鉴别特征:前翅长50~55mm。体白色,有蓝色光泽。头部污白色;触角浅褐色,双栉形。胸部两侧有较长白色绒毛,肩片及前胸前缘紫红色,间杂有淡黄色鳞毛;腹部各节间色稍深。前翅粉青色,稍有紫蓝色光泽,翅脉黄褐色,明显可见;内线灰白色,隐约可见,外线灰褐色,呈锯齿形;中室端有椭圆形眼形斑,中间有半透明线形纹,周围粉红色,内侧有弧形黑色条纹,外侧色较浅;外缘淡黄色。后翅色斑与前翅相似,中室的眼形斑比前翅上的稍大;臀角延长达35mm,端部较细。前、后翅反面色泽及斑纹清晰可见,白色绒毛较长。

采集记录:4♂,佛坪,890m,1999. Ⅵ.26;7♂,宁陕火地塘,1580m,1999. Ⅶ.02。

分布:陕西(佛坪、宁陕)、甘肃、江西、湖南、广东、海南;不丹。

(3)红尾大蚕蛾 *Actias rhodopneuma* Rober, 1925(图版2:3)

Actias rhodopneuma Rober, 1925: 45.

鉴别特征:前翅长45~55mm。头部黄色。触角黄褐色,双栉形。前胸前缘有紫红色横带,胸部杏黄色,腹部色稍浅,各体节间有深色横纹。前翅杏黄色,顶角尖,前缘紫红色,翅基部粉红色并有长的乳黄色绒毛;内线黄褐色,较直,向外下方斜伸;外线黄褐色,呈线状,近后缘处内折,外线至外缘间呈粉红色区;中室端有钩状眼形斑,前上方与前缘紫红色线相连接,斑的内侧黑褐色,近中部呈黑色乳形凸,中央粉红色,外侧橘红色,翅脉黄褐色,较明显。后翅色泽与前翅相似,臀角延伸呈带状,长达30~50mm,端部变细并卷折;外缘有较宽的粉红色带,直达尾角端部;内、外线均呈褐色,向下方延伸较长,内缘粉红色并长有长绒毛;中室端的眼斑粉红色,但不甚明显。前翅及后翅反面的色与斑很似正面,但色泽稍浅,各线及眼纹更清晰。

采集记录:1♂,宁陕火地塘,1580m,1999. Ⅶ.02;1♂,宁陕鸦雀沟,1580m,1999. Ⅶ.02。

分布:陕西(宁陕)、福建、广西、云南。

(4)曲缘尾大蚕蛾 *Actias artemis aliena* (Butler, 1879)(图版2:4)

Tropaea artemis aliena Butler, 1879: 355.

Actias artemis aliena: Jordan, 1911, *in* Seitz (a): 211, pl. 33: a.

鉴别特征:雄性前翅长45mm,雌性前翅长75mm。头部白色,颈部有紫红色横带;胸部披白色绒毛,腹部黄褐色。触角土黄色,长双栉形。翅黄绿色,翅脉黄色,翅基部有白色长绒毛。前翅中室外缘有1个眼形斑,斑的内侧有黑色角形宽边,上有白色细纹,外侧米黄色,半月形,中间有1条"S"形半透明纹;中线及内线不见,外线双行较直,内侧1条色较深,呈灰绿色,外侧1条色浅,不甚明显;外缘镶有黄色细边,在各条翅脉端部稍有凸出,两脉间内凹,使外缘呈波浪形。后翅颜色与前翅相同,后缘有较长米黄色鳞毛;中室端的眼形斑椭圆形,内侧的黑边较窄,里面呈半月形黄色区,外侧米黄色;内线及中线不见,外线灰绿色单行;臀角延伸成飘带,长约45mm,向外上方弯曲，端部膨大。雄性明显小于雌性，但色斑相同，脉纹呈污黄色，前翅顶角向外伸长，在 M_2 脉端处向内凹。

采集记录：1♂，周至厚畛子，1350m，1999. Ⅵ. 24；1♂，秦岭植物园大峡谷，893m，2012. Ⅶ. 05-06，刘淑仙采。

分布：陕西（周至）、甘肃、江苏、江西。

（5）长尾大蚕蛾 *Actias dubernardi* (Oberthür, 1897)（图版 2：5，6）

Tropaea dubernardi Oberthür, 1897: 130.

Actias dubernardi: Jordan, 1911, *in* Seitz (a): 211.

鉴别特征：前翅长 45～60mm。额黄色，触角黄褐色，下唇须、领片和各足胫节紫红色，胸腹部背面白色至黄色。雄性前翅黄绿色，前缘自基部至外 1/3 处紫褐色；外线纤细，其外侧有 1 条狭窄黄色带，该带外侧至外缘为粉红色，其中的翅脉和外缘黄色；眼斑长椭圆形，下端稍尖，内半黑色，上端延伸 1 条黑色细线向内弯至前缘的深色带，眼斑中部带紫红色，外半黄色；外缘平直。雄性后翅狭小，顶角弧形，尾角长达 90mm 左右，末端膨大扭曲；外缘附近和尾角大部粉红色，尾角基部内侧和末端黄绿色；无眼斑。雌性翅面粉绿色，除后翅尾角中段以外无粉红色；前翅前缘的深色带延伸至顶角附近；眼斑较宽阔；外缘浅弧形；后翅较宽，顶角明显，可见白色眼斑的痕迹。

采集记录：2♂，太白黄柏塬，1323m，2012. Ⅵ. 17-18，刘淑仙采；3♂，佛坪岳坝，1093m，2012. Ⅵ. 29-Ⅶ. 01，李静采。

分布：陕西（太白、佛坪）、湖北、湖南、福建、广西、贵州、云南。

2. 豹大蚕蛾属 *Loepa* Moore, 1860

Loepa Moore, 1860: 399. **Type species**: *Saturnia katinka* Westwood, 1848.

属征：体色黄。前翅宽大；顶角钝圆，顶角内侧有黑斑；外线呈强烈的波浪状；亚缘线双行黑色，波浪形；缘线乳白色；前翅前缘灰褐至深褐色，中室眼形纹与前缘的深褐色线连接或靠近。

分布：中国；印度，东南亚。秦岭地区发现 2 种。

（6）目豹大蚕蛾 *Loepa damaritis* Jordan, 1911（图版 2：7）

Loepa damaritis Jordan, 1911, *in* Seitz (a): 214, pl. 34: d.

鉴别特征:前翅长 35 ~ 40mm。体黄色,头部乳白色。触角黄褐色,双栉形。颈片黄褐色,有白色鳞毛;胸、腹部两侧色稍浅。前翅前缘紫红色至黄褐色;内线紫红色,呈弓形;外线灰黑色,呈波浪状,由前缘斜伸向后缘中部;亚缘线蓝黑色,双行齿形;缘线浅灰色;顶角稍外凸,内下方有 1 个椭圆形黑斑,黑斑上方有红白两色相间的线纹;中室端有 1 个椭圆形眼形纹,周围呈紫红色,眼纹内下方又有 1 个小黑圈,两圈间呈杏黄色。后翅与前翅斑纹近似,只是近后缘有 2 个紫红色斑;中室眼形纹上方有黑色波浪纹,在下方与外线相连。前翅及后翅反面的色与斑很似正面,但外线至翅基间色浅,呈粉黄色,外线至外缘间呈明黄色,中室端眼形纹内的紫色斑较正面深,外圈黑线模糊不清。

采集记录:7♂,周至厚畛子,1350m,1999. Ⅵ. 24;9♂,宁陕火地塘,1580 ~ 1650m,1999. Ⅶ. 01;1♂,宁陕广货街保护站,1189m,2014. Ⅶ. 26-28,班晓双采。

分布:陕西(周至、宁陕)、湖南、广东、海南、四川、西藏。

(7) 豹大蚕蛾 *Loepa oberthuri* (Leech, 1890)(图版 2:8)

Saturnia oberthuri Leech, 1890: 49.

Loepa oberthuri: Jordan, 1911, *in* Seitz (a): 214, pl. 32: d.

鉴别特征:前翅长 50 ~ 70mm。头部污黄色。触角黄褐色,双栉形。颈片及前胸前缘灰褐色,间杂白色鳞毛。体黄色,腹部两侧有黑斑。前翅前缘灰褐色,内线深褐色,呈齿形纹,但不与前缘相连接;外线黑褐色,呈长齿形,自前缘中外部呈弧形斜向后缘中部;亚缘线黄褐色,有蓝色光泽,呈双行波浪形纹,靠近前缘时不明显;顶角橙黄色,内侧有白色波形纹,白纹下方有半月形黑色横斑直达中脉,后缘前方有橙红色区 1 块,外缘浅粉色,呈大波纹状;中室端有橙黄色眼形斑,中间有弧形的并行黑、白线纹各 1 条,眼斑内上方镶有黑边,与前缘靠近。后翅色斑与前翅大致相同,各线弯曲度更大,中室眼形斑略小。前、后翅反面外线至翅基间色浅,呈黄色,外线至外缘间呈橘黄色;中室端的眼形斑只见弯月形纹,橙黄色外圈不见;内线至翅基间无锈红色斑,各线均不如正面明显,翅脉灰黑色较明显。

采集记录:1♂,佛坪,890m,1999. Ⅵ. 26。

分布:陕西(佛坪)、甘肃、湖北、江西、湖南、福建、广东、海南、四川、贵州、云南;越南,印度。

3. 目大蚕蛾属 *Caligula* Moore, 1862

Caligula Moore, 1862: 321. **Type species**: *Saturnia simla* Westwood, 1847.

Dictyoploca Jordan, 1911, *in* Seitz (a): 218. **Type species**: *Saturnia simla* Westwood, 1847.

属征:前翅及后翅中室端的眼形斑内有明显的眸形纹;前翅顶角内侧在前缘处有盾形黑斑;翅基部与内线间有深色区;亚缘线双行。

分布:亚洲(东部)。秦岭地区发现2种。

(8)银杏大蚕蛾 *Caligula japonica* Moore, 1862(图版2:11)

Caligula japonica Moore, 1862: 321.

鉴别特征:前翅长50~60mm。头部灰褐色。触角黄褐色,双栉形。体灰褐至紫褐色;肩片与前胸间有紫褐色横带;胸部有较长黄褐色毛;腹部各节间色稍深,两侧及端部有较长的紫褐色毛。前翅顶角外凸,顶端钝圆,内侧近前缘处有肾形黑斑;内线紫褐色,较直,内线与翅基间呈紫褐色,近前缘处色更深;外线暗褐色,自前缘至中室一段较直,中室下方则呈1个斜角达后缘与内线靠近;内线与外线间有较宽的粉紫色区,亚缘线由2条赤褐色波浪纹组成;亚缘线与外线间呈黄褐色;近臀角有白色月牙形纹,外侧暗褐色;中室端有月牙形透明眼斑,斑的周围有白色及暗褐色轮廓。后翅从中室横线至翅基间呈较宽的红色区;亚缘线橙黄色;缘线灰黄色;中室端的眼形斑较大,珠眸黑色,外围有1个灰黄褐色圆圈及银白色线2条;臀角内侧的白色月牙形更为明显。前翅反面颜色偏紫红色,中室眼斑明显,中间有珠形眸体,周围有白色及暗褐色轮纹;后翅反面中室端的眼形斑中间不见珠形眸体,近后缘有较长紫褐色绒毛。

采集记录:4♂,留坝,1050m,1998. Ⅶ. 18;6♂,宁陕崖雀沟,1580~1650m,1999. Ⅶ. 02。

分布:陕西(留坝、宁陕)、黑龙江、吉林、辽宁、河北、山东、甘肃、湖北、江西、湖南、台湾、广东、海南、广西、四川、贵州。

(9)青海合目大蚕蛾 *Caligula chinghaina* Chu *et* Wang, 1993(图版2:10)

Caligula chinghaina Chu *et* Wang, 1993: 268.

鉴别特征:前翅长39~42mm。头部深褐色。触角灰黄色,双栉形。前胸背板及肩片灰褐色,中胸背板黑褐色;腹部褐色,各体节间色稍深。前翅灰褐色;内线及外线红褐色;亚缘线白色,两侧灰褐色,呈波浪形;亚缘线至外线间呈灰赭色,外缘黄褐色;顶角内侧有1个黑斑,黑斑四周有白色及黄褐色纹;中室有眼形斑,斑的外轮黑色,内呈红、白、褐色,中间有黑色眸形纹。后翅斑与前翅近似,外线与亚缘线间的白色更明显。前、后翅反面的颜色浅于正面;外线与亚缘线间的红褐色区较狭,前翅无内线;在中室端眼形纹的下方有1条弧形灰褐色线。

采集记录:1♂,宁陕火地塘,1580m,1999. Ⅶ. 02。

分布:陕西(宁陕)、青海。

4. 猫目大蚕蛾属 *Salassa* Moore, 1859

Salassa Moore, 1859: 246. **Type species**: *Saturnia lola* Westwood, 1847.

属征:雄性触角长双栉形,雌性短栉齿形。前翅中室端的半透明斑形状大小不等,后翅眼斑较大,颇似猫眼,眼斑上方有 1 条黑带如眉。

分布:世界记载约 20 种,中国已记录 5 种,秦岭地区分布 2 种。

(10) 猫目大蚕蛾 *Salassa thespis* (Leech, 1890) (图版 2:9)

Antheraea thespis Leech, 1890: 112.

Rhodia thespis: Kirby, 1892: 762.

Salassa thespis: Leech, 1898: 268.

鉴别特征:前翅长 45 ~ 60mm。头部灰褐色。触角黄褐色,雄性长双栉形,雌性栉齿形。胸部背面有赭红色毛丛,腹部各节有红褐及黄褐色间杂的环形纹。前翅顶角尖,稍外突,下方稍内凹,外缘较直;臀角宽大、钝圆;翅面深灰褐色,散布黄色鳞毛;内线深褐色,弧形;外线由锈红色波浪形纹及半透明白色斑组成;亚缘线锈黄色,宽齿状,外侧有深褐色区至外缘;中室有较大的粉绿色至白色的盾形斑,斑的外缘及上方有黑色镶边。后翅基部有黄褐色长绒毛;内线粉白色,外线由 1 列半透明白色斑点组成,亚缘线深褐色,波浪形;中室端有极似猫眼的大斑,斑的内半呈半透明蚪形纹,外半黑色,外围有白色及黑褐色圈,再外侧有杏黄色轮廓,上方有黑色眉形半月纹。前、后翅反面色灰暗,但白色鳞毛较正面多(雄、雌性差异更大);内线不见;外线呈白色;中室透明斑均与前翅正面斑相似;外线至亚缘线间有 1 处较宽的浅色区。

采集记录:1♂,周至厚畛子,1276m,2008. Ⅶ. 01,白明采。

分布:陕西(周至)、湖北、福建、四川、云南、西藏。

(11) 佛坪猫目大蚕蛾 *Salassa arianae* Brechlin *et* Kitching, 2010(图版 2:13,14)

Salassa arianae Brechlin *et* Kitching, 2010: 9.

鉴别特征:雄性前翅长 50 ~ 58mm,雌性前翅长 52 ~ 62mm,体型较大。胸部背面和翅呈红褐色。翅面斑纹与前种几乎相同,各种变异,包括前后翅眼斑大小,形状、外线白点的多少和大小均互相交叉。但本种颜色偏红,前翅后缘基部隆起,前翅眼斑平均距离外线略远,雄性外生殖器抱器背端部下角的突较细长。

采集记录:1♂(正模),佛坪,1900m,2004. Ⅵ. (WITT)。

分布:陕西(周至、佛坪)、湖北、四川。

5. 柞蚕属 *Antheraea* Hübner, 1819

Antheraea Hübner, 1819: 152. **Type species**: *Phalaena mylitta* Drury, 1773.

Carmenta Weymer, 1906: 74. **Type species**: *Antheraea cordifolia* Weymer, 1906.

属征:触角羽状,每节2对栉齿。雄性栉齿极长,中部以外渐短,触角整体呈扇形;雌性栉齿远短于雄性,且每节2对的长度不等,端部1对长度不足基部1对的1/2。前翅外线紫红色,倾斜度大,在中室部位有1个外向的深色纹;顶角外凸,较尖。

分布:古北界,新北界,东洋界,澳洲界。秦岭地区发现2种。

(12)明目大蚕蛾 *Antheraea frithi javanensis* Bouvier, 1928(图版2:15)

Antheraea javanensis Bouvier, 1928: 137.

鉴别特征:前翅长70~75mm。头部黄色。触角黄褐色,雄性双栉形,雌性丝状。肩片及前胸前缘灰黄色;腹部污黄色,各节间有黄褐色横纹。前翅前缘紫褐色,翅黄褐色;内线红褐色,呈弧形;中线黄褐色,双行,呈波浪形纹;外线紫红色,内侧有沿翅脉向内延伸的齿,在后缘处与中线相连;外线外侧紫粉色,再向外伸展至外缘,呈杏黄色,顶角黑褐色间杂有白色鳞毛;中室端有较大的透明眼斑,外围有黄、灰黄、粉紫及黑色轮廓,上方的黑纹沿翅脉伸出,与前缘紫褐色线连接。后翅色斑与前翅近似,中室眼形纹略小,外线弯曲度大。前、后翅反面雄性比雌性色深,雌性外线由各脉间的齿形小斑组成。

采集记录:3♂,佛坪,890m,1999. Ⅵ. 26;1♂,宁陕偏岩子,1750m,1999. Ⅵ. 28。

分布:陕西(佛坪、宁陕)、浙江、湖北、湖南、福建、云南、西藏。

(13)柞蚕 *Antheraea pernyi* Guérin-Méneville, 1855(图版2:16)

Antheraea pernyi Guérin-Méneville, 1855: 296.

鉴别特征:前翅长50~65mm。身体及翅黄褐色,头部深褐色。触角双栉形,雌性栉齿明显短于雄性,各节上有暗色环。肩片及中胸前缘紫褐色,与前翅前缘的紫褐色线相接。前翅前缘紫褐色并杂有白色鳞毛;顶角外凸,端部较尖;内线白色,外侧紫褐色,内线外侧在中室部位有紫色短斜线;外线黄褐色,两侧模糊不清;亚缘线紫褐色,外侧镶有白边,接近顶角部位有较明显的白色闪形纹;中室端有较大的椭圆形斑,周围镶嵌白、黑及紫红色圆环,透明斑中明显可见中室端脉,外横线贯穿上下。后翅颜色及斑纹与前翅近似,中室眼形透明,斑圆,周围黑线更明显;内线白色不甚明显,但紫色边深。前翅及后翅反面色斑与正面相同,内线及中线明显,亚缘线由各脉间紫灰色近三角形斑点组成,各点间不连贯;翅脉污黄色,较明显。

采集记录:2♂,宁陕火地塘,1580m,1999. Ⅵ.26。

分布:陕西(宁陕)、黑龙江、吉林、辽宁、河北、山东、河南、江苏、浙江、湖北、湖南、四川、贵州。

6. 樗蚕属 *Samia* Hübner, 1819

Samia Hübner, 1819: 156. **Type species**: *Phalaena cynthia* Drury, 1773.

Philosamia Grote, 1874a: 258. **Type species**: *Phalaena cynthia* Drury, 1773.

Desgodinsia Oberthür, 1914: 56. **Type species**: *Desgodinsia watsoni* Oberthür, 1914.

属征:体、翅黄褐至红褐色。前翅顶角外凸,顶端钝,翅的外缘中部内凹,顶角下方有黑色点;前、后翅中室有月牙形半透明斑,外线白色,宽细不等。雄性外生殖器的钩形突顶端成角形双叉。

分布:古北界,新北界。秦岭地区发现1种。

(14)樗蚕 *Samia cynthia* (Drurvy, 1773)(图版2:12)

Phalaena cynthia Drurvy, 1773: 10.

Samia cynthia: Hübner, 1819: 156.

Philosamia cynthia: Grote, 1874a: 258.

鉴别特征:前翅长65~70mm。头部白色。触角淡黄色,双栉形。颈片前缘及前胸后缘白色并有长绒毛;腹部黄褐色,腹部与胸部间有1条白色横带,背线及侧线由白色点组成。前翅顶角外凸,雄蛾比雌蛾为甚,端部钝圆,内侧下方有黑斑,黑斑上方有白色闪形纹;内线白色,外侧镶有黑边,在内线至翅基间形成1个盾形区,在外角处沿翅脉伸出2个小叉;外线白色,较直,只在中室月牙形斑的顶角外向外凸,外线外侧有紫红色宽带;亚缘线褐色,在顶角下方迂回向内并断开,线的内侧黄色;中室有较大的新月形半透明斑,斑的前缘镶有黑边,下缘黄色。后翅的颜色及斑纹与前翅近似,只是内线及外线在前缘相连接,中室新月形斑的上方隆起,缘线双行,两线间黄色;后缘有较长的黄褐色绒毛。

采集记录:1♂,秦岭植物园大峡谷,893m,2012. Ⅶ.05-06,刘淑仙采;1♂,太白黄柏塬,1323m,2012. Ⅵ.17-18,刘淑仙采;4♂1♀,留坝城关镇,1007m,2012. Ⅵ.21-22,李静、刘淑仙采;3♂,宁陕崖雀沟,1580~1850m,1999. Ⅶ.02;6♂,宁陕火地塘,1580m,1999. Ⅶ.02;1♂,洋县华阳镇,1100m,2012. Ⅵ.25-27,李静采;2♂,商南金丝

峡,777m,2013. Ⅶ.23-25,姜楠采。

分布:陕西(周至、太白、留坝、宁陕、洋县、商南)、吉林、辽宁、河北、山西、山东、河南、甘肃、江苏、安徽、湖北、浙江、江西、湖南、福建、台湾、广东、海南、四川、贵州、云南、西藏;朝鲜,日本。

三、天蛾科 Sphingidae

鉴别特征:大型蛾类。头较大;复眼明显;无单眼;喙通常发达,常超过身体很多;触角中部加粗,尖端弯曲有小钩。身体粗壮,纺锤形,末端尖。前翅狭长,顶角尖锐,外缘倾斜,有些种类有缺刻;一般颜色较鲜艳;后翅较小,近三角形,色较暗,被有厚鳞;有些种类的前翅或后翅上局部无鳞而透明;翅缰发达。前后翅均无1A脉;前翅 M_1 脉从 R_{3-5} 脉的柄上发出,或在基部和它相接近,后翅 $S_C + R_1$ 与中室平行,有1条横脉与中室中部相连。

分类:按照目前国际广泛接受的系统分为3个亚科。中国已记载60余属200余种,陕西秦岭地区发现3亚科33属62种。

(一)天蛾亚科 Sphinginae

鉴别特征:多为大型蛾类,胸部多有图案。下唇须第1节有厚鳞毛;额稍向外延长;喙很长且厚。前翅较大,顶角尖;后翅臀角圆;雄性外生殖器中,抱器对称,无摩擦发声的鳞片,阳茎外翻出膜状结构;雌性外生殖器中,肛瓣中等大小,前、后表皮突较长。

分类:陕西秦岭地区发现5属7种。

1. 天蛾属 *Sphinx* Linnaeus, 1758

Sphinx Linnaeus, 1758: 489. **Type species**: *Sphinx ligustri* Linnaeus, 1758.

Spectrum Scopoli, 1777: 413. **Type species**: *Sphinx ligustri* Linnaeus, 1758.

Hyloicus Hübner, 1819: 139. **Type species**: *Sphinx pinastri* Linnaeus, 1758.

Lethia Hübner, 1819: 141. **Type species**: *Sphinx gordius* Cramer, 1779.

Lintneria Butler, 1876b: 620. **Type species**: *Agrius eremitus* Hübner, 1823.

Herse Agassiz, 1846: 35. **Type species**: *Sphinx ligustri* Linnaeus, 1758.

Gargantua Kirby, 1892: 692. **Type species**: *Agrius eremitus* Hübner, 1823.

Mesosphinx Cockerell, 1920: 33. **Type species**: *Sphinx separatus* Neumoegen, 1885.

属征:下唇须黑褐色。触角内侧白色,近端部更明显。胸部有灰褐色长毛,翅基片灰黑色。前足胫节有刺,无爪垫。腹部两侧有斑。前翅中室无白星。

分布:世界广布。秦岭地区发现 2 种。

(1)卡天蛾中华亚种 *Sphinx caligineus sinicus* (Rothschild *et* Jordan, 1903)(图版 1:5)

Hyloicus caligineus sinicus Rothschild *et* Jordan, 1903: 149.

Sphinx caligineus brunnescens Mell, 1922a: 113.

Sphinx caligineus sinicus: Kitching & Cadiou, 2000: 67.

别名:松黑天蛾。

鉴别特征:前翅长 30 ~ 35mm。体翅灰褐色,颈片及肩片呈深褐色;腹部背线及两侧有深褐色纵带。前翅内外横线都不明显,中室附近有 5 条倾斜的黑褐色条纹,顶角下方有 1 条向后倾斜的黑纹。后翅深褐色,缘毛灰白色。

采集记录:1♂,周至厚畛子,1350m,1999. Ⅵ. 24,姚建采;1♂,太白黄柏塬,1323m,2012. Ⅵ. 17-18,李静采;1♂,留坝庙台子,1981. Ⅴ. 20,张学忠采;2♂,佛坪县城,950m,1998. Ⅶ. 23,朱朝东、姚建采;1♂,宁陕火地塘,1580m,1998. Ⅶ. 26-Ⅷ. 18,袁德成采;3♂,宁陕火地塘,1500 ~ 2000m,2008. Ⅶ. 08,白明采。

分布:陕西(太白、周至、留坝、佛坪、宁陕)、黑龙江、北京、天津、河北、山东、上海、江苏、安徽、浙江、湖北、湖南、广东、四川、云南;朝鲜,越南,泰国。

(2)森尾松天蛾匀灰亚种 *Sphinx morio arestus* (Jordan, 1931)(图版 1:6)

Hyloicus pinastri arestus Jordan, 1931: 244.

Sphinx hakodoensis Bang-Haas, 1936: 254.

Sphinx laricis Rozhkov, 1972: 1892. fig. D.

Hyloicus morio heilongjiangensis Zhao *et* Zhang, 1992: 95.

Hyloicus morio arestus: Owada & Kogi, 1992: 164, fig. d.

Sphinx pinastri arestus: Kitching & Cadiou, 2000: 68.

别名:黑龙江松天蛾、华中松天蛾。

鉴别特征:外形与卡天蛾中华亚种 *S. caligineus sinicus* 很像,但本种的喙的长度较短。前翅基部黑色条纹较窄;翅面更偏向于均匀的灰色。

采集记录:1♂,周至厚畛子, 1500m,2004 ~ 2014,Pittaway & Kitching 采。

分布:陕西(周至)、黑龙江、辽宁;蒙古,俄罗斯,朝鲜,韩国,日本。

2. 大背天蛾属 *Meganoton* Boisduval, 1875

Meganoton Boisduval, 1875, *in* Boisduval & Guenée: 58. **Type species**: *Macrosila nyctiphanes* Walker, 1856.

属征:体大型。触角顶端细长。前翅自前缘至外缘有深色横带,中室端有浅色小点;后翅底色深,上有亮斑;腹部两侧有窄的半圆形环。

分布:东洋界。世界记录 6 种,中国有 4 种,秦岭地区分布 1 种。

(3)大背天蛾 *Meganoton analis analis* (Felder, 1874)(图版 1:8)

Sphinx analis Felder, 1874, *in* C. Felder, R. Felder *et* Rogenhofer: pl. 78, fig. 4.

Diludia grandis Butler, 1875b: 260.

Diludia tranquillaris Butler, 1876a: 615, 641.

Meganoton analis: Rothschild & Jordan, 1903: 37.

Meganoton analis subalba Mell, 1922b: 18.

鉴别特征:前翅长 52 ~ 74mm。该属中体型较大的种类。前翅灰黑色,具黑色条纹;中点白色,位于 1 个黑斑中;外线位置为 1 条浅色宽带,其内缘锯齿形。后翅底色黑褐色。腹部背面有深色条纹;雄性外生殖器钩形突分为三叉。

采集记录:1♂,太白黄柏塬,1323m,2012. Ⅵ. 17-18,刘淑仙采;2♂,佛坪岳坝,1093m,2012. Ⅵ. 29-Ⅶ. 01,刘淑仙采;1♂,洋县华阳镇,1099 ~ 1108m,2012. Ⅵ. 25-27,李静采。

分布:陕西(太白、佛坪、洋县)、甘肃、上海、安徽、浙江、湖北、江西、湖南、福建、广东、海南、广西、四川、贵州、云南、西藏;印度,尼泊尔,缅甸,越南,泰国,斯里兰卡,马来西亚。

3. 霜天蛾属 *Psilogramma* Rothschild *et* Jordan, 1903

Psilogramma Rothschild *et* Jordan, 1903: 29(key), 42. **Type species**: *Sphinx menephron* Cramer, 1780.

属征:头部灰色,下唇须末端与头顶平,第 2 节内侧有纵条纹;触角较短,顶端有短钩;胸部背面两侧及后缘有黑框;前翅正面灰色,顶角下方有斑,外围黑色,中室上无白星,R_1 及 M_1 下方有黑条纹;腹部侧斑显著,身体腹面灰白色;胸足跗节无白环。

分布:古北界,东洋界。秦岭地区发现 1 种。

(4)丁香天蛾 *Psilogramma increta* (Walker, 1865)(图版 1:9)

Anceryx increta Walker, 1865: 36.

Sphinx strobi Boisduval, 1868: 67.

Sphinx abietina Boisduval, 1875, *in* Boisduval & Guenée: 108.

Diludia vates Butler, 1875a: 12.

Psilogramma increta serrata Austaut, 1912: 87, 125.

Psilogramma increta: Mell, 1922b: 38.

Psilogramma monastyrskii Eitschberger, 2001: 4.

别名:霜天蛾、霜降天蛾、细斜纹天蛾。

鉴别特征:前翅长50~65mm。头部黑褐色,胸背深褐色,肩片两侧有纵黑线,后缘有1对黑斑,黑斑内侧的前上方有白色点,下方有白斑;腹部背中央有较细的黑色纵带,两侧有较宽的黑褐色纵带;胸部、腹部腹面白色;前翅灰白色,各横线不明显;中室端有灰黄色小圆点,周围有较厚的黑色鳞片,形成不甚规则的短横带;顶角有较细的黑色曲线。后翅黑褐色,外缘有白色短线,臀角有2块椭圆形灰白色斑。前翅反面灰白色,各横线呈隐约可见的灰色波纹线;中室灰黄色小点在反面呈灰黑色,其下方有灰黑色纵斑;后翅反面灰白色,缘毛灰白两色相间,臀角处色更浅。

采集记录:1♂,周至厚畛子,1350m,1999.Ⅵ.21,朱朝东采;1♂,留坝庙台子,1350m,1998.Ⅶ.03,姚建采;1♂,宁陕火地塘,1580~1650m,1999.Ⅶ.01,袁德成采。

分布:陕西(周至、留坝、宁陕、汉中)、辽宁、北京、河北、山西、山东、河南、上海、江苏、浙江、湖北、江西、湖南、福建、台湾、广东、海南、香港、四川;朝鲜,日本,韩国,尼泊尔,缅甸,越南,老挝,泰国。

4. 白薯天蛾属 *Agrius* Hübner, 1819

Agrius Hübner, 1819: 140. **Type species**: *Sphinx cingulata* Fabricius, 1775.
Timoria Kaye, 1919: 93. **Type species**: *Timoria concolorata* Kaye, 1919.

属征:雌雄异型,雄性翅面斑纹较明显;下唇须白色,平伸,头顶尖;触角外侧黄褐色,内侧白色;前翅狭长,M_3 与 Cu_1 脉颜色较深;腹部两侧有鲜红色侧斑。

分布:古北界,非洲界。秦岭地区发现1种。

(5) 白薯天蛾 *Agrius convolvuli* (Linnaeus, 1758)(图版1:7)

Sphinx convolvuli Linnaeus, 1758: 490.
Sphinx abadonna Fabricius, 1798: 435.
Sphinx patatas Ménétriès, 1857: 90.
Sphinx roseafasciata Koch, 1865: 54.
Sphinx pseudoconvolvuli Schaufuss, 1870: 15.
Protoparce distans Butler, 1876b: 609.
Protoparce orientalis Butler, 1876b: 609.
Herse convolvuli peitaihoensis Clark, 1922: 2.
Herse convolvuli marshallensis Clark, 1922: 3.

Herse convolvuli aksuensis Bang-Haas, 1927: 78.

别名:红薯天蛾、旋花天蛾、粉腹天蛾。

鉴别特征:前翅长 38~50mm。体翅暗灰色,肩片有黑色纵条;腹部背面灰色,两侧各节有红、白、黑三色相间的条纹;后胸上有黑色倒"八"字形图案。雌性异型显著,雄性前翅浅灰色或深灰色,翅面上有明显的不同大小和深度的斑点;而雌性前翅为均匀的灰色,几乎没有斑点。与该属的其他种相比,本种雌性腹部淡红色,雄性深红色,中垫较长,上有黑色片状悬垂物。

采集记录:1♂,周至楼观台,680m,2008. Ⅵ. 24,李文柱采;3♂,周至厚畛子,1300m,2007. Ⅷ. 10,李文柱采;1♂,佛坪,876m,2007. Ⅷ. 16,杨玉霞采;4♂1♀,佛坪,900~950m,1998. Ⅶ. 23,姚建、袁德成采;4♂1♀,宁陕火地塘,1580m,1998. Ⅶ. 26-Ⅷ. 18,袁德成采;1♂1♀,宁陕火地塘,1550m,2007. Ⅷ. 18-19,李文柱采。

分布:陕西(周至、佛坪、宁陕)、吉林、辽宁、内蒙古、北京、天津、河北、山西、山东、河南、甘肃、新疆、上海、江苏、安徽、浙江、湖北、江西、湖南、福建、台湾、广东、海南、香港、四川、贵州、云南、西藏;俄罗斯,朝鲜,日本,韩国,亚洲,欧洲,非洲。

5. 面型天蛾属 *Acherontia* Laspeyres, 1809

Acherontia Laspeyres, 1809: 100. **Type species**: *Sphinx atropos* Linnaeus, 1758.

Brachyglossa Boisduval, 1828: 33. **Type species**: *Sphinx atropos* Linnaeus, 1758.

Atropos Agassiz, 1846: 9. **Type species**: *Sphinx atropos* Linnaeus, 1758.

属征:喙短而粗壮;触角粗大,端部细薄,内侧黄色;胸部有明显的骷髅形纹;胸足跗节有白色环。前翅较宽,外缘圆滑;后翅底色杏黄。腹部背面中央有蓝色背中线,两侧有黄、黑相间横纹。

分布:古北界,东洋界,非洲界。秦岭地区发现2种。

(6) 鬼脸天蛾 *Acherontia lachesis lachesis* (Fabricius, 1798)(图版 1:10)

Sphinx lachesis Fabricius, 1798: 434.

Acherontia morta Hübner, 1819: 140.

Spectrum charon Billberg, 1820: 83.

Acherontia satanas Boisduval, 1836: 1, pl. 16, fig. 1.

Acherontia lethe Westwood, 1847: 87.

Acherontia lachesis: Moore, 1882: 6.

Acherontia sojejimae Matsumura, 1909: 27, pl. 4: 4.

鉴别特征:前翅长50～60mm。雄性触角比雌性触角粗,下唇须顶端分裂。中后胸背板有红色的鳞毛,有些鳞毛在“骷髅头”的边缘;第1跗节外侧有大量的刺。胸部背面有骷髅形斑纹,眼斑以上有灰白色大斑;腹部黄色,各环节间有黑色横带,背线青蓝色,较宽,第5环节后盖满整个背面;翅面及腹部上黑色部分因个体的不同而有变化,一般雄性黑色部分多于雌性。前翅黑色,有微小的白色点及黄褐色鳞片间杂;内线及外横线各由数条深浅不同色调的波状纹组成;顶角附近有较大的茶褐色斑;中室端有灰白色小点,且与中室顶端的黑色斑块相连。后翅基半部有大黑斑。前翅反面粉黄色,各横线烟黑色,内、外侧有白色毛镶衬,翅基部有灰黑色毛丛;中线双行,中间有黄白色斑。

采集记录:1♂,佛坪,876m,2007.Ⅷ.15,李文杜采。

分布:陕西(佛坪)、吉林、北京、河北、山东、山西、河南、上海、江苏、安徽、浙江、湖北、江西、湖南、福建、台湾、广东、海南、香港、广西、四川、重庆、贵州、云南、西藏;俄罗斯,日本,印度,尼泊尔,巴基斯坦,缅甸,越南,老挝,泰国,斯里兰卡,菲律宾,马来西亚,印度尼西亚。

(7)芝麻鬼脸天蛾 *Acherontia styx* (Westwood, 1847)(图版1:11)

Sphinx (*Acherontia*) *styx* Westwood, 1847: [88], pl. 42, fig. 3.
Acherontia medusa Moore, 1858, *in* Horsfield & Moore: 267.
Acherontia styx crathis Rothschild *et* Jordan, 1903: 23.

别名:后黄人面天蛾、裹黄鬼脸天蛾。

鉴别特征:前翅长50～55mm。头部黑褐色;肩片青蓝色;胸部背面有骷髅形纹,前半棕色中夹杂褐色,下半较暗,两眼形黑点;腹部中央有青蓝色中背线,并有黄黑相间的横纹;胸足较短,黑色,各节间有黄色环纹,后足胫节有2对发达的距。前翅黑褐色,翅基下部有橙黄色毛丛,翅面杂有微细白点及黄褐色粉末;内线及外线由数条不很明显的波状纹组成;中室端有1个黄色小点;近外缘有橙黄色纵条。后翅杏黄色,有黑褐色横线2条,翅基黄色无横纹。前翅反面污黄色,内线、中线及外线均为很显著的黑色细纹,翅基部有灰黑色毛丛;后翅反面鲜黄色,中线及外线黑色,较正面窄,在中线至翅基部之间的翅面上有白色鳞毛。

采集记录:陕西旬阳,1380m,2004～2014,Pittaway & Kitching采。

分布:陕西(旬阳)、北京、河北、山西、山东、河南、甘肃、上海、江苏、安徽、浙江、湖北、江西、湖南、福建、台湾、广东、海南、香港、广西、四川、云南、西藏;俄罗斯,朝鲜,韩国,日本,缅甸,泰国,印度,尼泊尔,孟加拉国,马来西亚,斯里兰卡,巴基斯坦,伊拉克,沙特阿拉伯。

（二）目天蛾亚科 Smerinthinae

鉴别特征：体型中等，体色较艳丽。下唇须第 1 节有鳞毛，最后 1 节窄小，鳞毛少；额不凸出；喙较短。前翅较宽大，外缘在翅脉端常具小齿，臀角大多明显下垂；R_3 与 R_4 脉共柄；后翅短而宽，臀角圆。

分类：陕西秦岭地区发现 16 属 31 种。

6. 黄脉天蛾属 *Laothoe* Fabricius, 1807

Laothoe Fabricius, 1807: 287. **Type species**: *Sphinx populi* Linnaeus, 1758.

属征：体色灰绿至灰褐色。头及复眼小；下唇须端节尖，向前伸出；触角黄褐色，顶端弯度小。前翅顶角略凸出；前后翅外缘不规则弯曲；后翅前缘浅凹，近端部处隆起，顶角凹；翅脉黄色。

分布：中国；俄罗斯，蒙古，日本，朝鲜半岛，东亚，欧洲。秦岭地区发现 2 种。

（8）黄脉天蛾华夏亚种 *Laothoe amurensis sinica* (Rothschild *et* Jordan, 1903)（图版 3:1）

Amorpha amurensis sinica Rothschild *et* Jordan, 1903: 337.
Laothoe sinica: Pittaway, 1993: 106.

鉴别特征：前翅长 40～47mm。体翅灰褐色，带灰绿色调；翅上斑纹不明显，内线、中线、外线黑褐色波状，外缘自顶角到中部有黑褐色斑；翅脉披黄褐色鳞毛，较明显。后翅颜色与前翅相同，翅脉黄褐色，明显。

采集记录：1♂，周至厚畛子，1300m，2007. Ⅷ. 10，杨于燕采；1♀，周至钓鱼台，1480m，2008. Ⅵ. 29，李文柱采；2♀，太白黄柏塬，1350m，1980. Ⅶ. 11-16，韩寅恒采；1♀，佛坪，950m，1998. Ⅶ. 23，姚建采；2♂，宁陕火地塘，1500～2000m，2008. Ⅶ. 08，白明、崔俊芝采；1♂，宁陕广货街保护站，1189m，2014. Ⅶ. 26-28，刘淑仙采；1♀，秦岭植物园大峡谷，893m，2012. Ⅶ. 05-06，刘淑仙采；1♀，柞水营盘镇，953～995m，2014. Ⅶ. 29-31，刘淑仙采。

分布：陕西（周至、太白、佛坪、宁陕、柞水）、吉林、辽宁、北京、山西、甘肃、浙江、四川、云南、西藏；朝鲜，韩国。

（9）哈伯黄脉天蛾 *Laothoe habeli* Saldaitis, Icinskis *et* Borth, 2010（图版 3:2）

Laothoe habeli Saldaitis, Icinskis *et* Borth, 2010: 53.

鉴别特征:前翅长 29~36mm。翅灰红褐色;前翅基部、外线、亚外缘部位有蓝灰色横带;翅脉黄色;中室端的圆点消失;外缘锯齿形。后翅上有大小不等的橘黄色的斑块。

采集记录:陕西太白山,佛坪,1800~1900m,2004-2014,Pittaway & Kitching 采。

分布:陕西(佛坪,太白山)、四川。

7. 目天蛾属 *Smerinthus* Latreille, 1802

Smerinthus Latreille, 1802, *in* Sonnini's Buffon: 401. **Type species**: *Sphinx ocellata* Linnaeus, 1758.

Dilina Dalman, 1816: 205. **Type species**: *Sphinx ocellata* Linnaeus, 1758.

Merinthus Meigen, 1830: 148. **Type species**: *Sphinx ocellata* Linnaeus, 1758.

Eusmerinthus Grote, 1877: 132. **Type species**: *Smerinthus geminata* Say, 1824.

Bellia Tutt, 1902: 386(nec Edwards, 1848). **Type species**: *Smerinthus caecus* Ménétriès, 1857.

Daddia Tutt, 1902: 386. **Type species**: *Smerinthus kindermannii* Lederer, 1853.

Nicholsonia Tutt, 1902: 386(nec Davis, 1885). **Type species**: *Smerinthus saliceti* Boisduval, 1875.

Bellinca Strand, 1943: 98. **Type species**: *Smerinthus caecus* Ménétriès, 1857.

Niia Strand, 1943: 99. **Type species**: *Smerinthus saliceti* Boisduval, 1875.

属征:头顶有峰状毛丛;下唇须端节短粗,纤毛长;触角赭黄,端节短小;雄性触角锯齿形。前翅顶角钝,后缘端部浅凹,臀角下垂;后翅臀角有大型眼斑或者眼斑痕迹。

分布:古北界。秦岭地区发现 2 种。

(10) 小目天蛾 *Smerinthus minor* Mell, 1937(图版 3:3)

Smerinthus minor Mell, 1937: 5.

鉴别特征:前翅长约 30mm。前翅较狭长,后缘端半部明显凹入。翅面灰绿色,基部和外缘附近色较浅;前缘基部 1/4 处 1 条褐色斜线向外伸达臀角,其外侧至外线为不均匀的褐色;外线处有不规则黑斑。后翅中部红色;眼斑大而鲜明,黑色,有灰白色圈,中心黑灰色。

采集记录:1♂,佛坪龙草坪,1256m,2008.Ⅶ.03,李文柱采。

分布:陕西(佛坪)、北京、河北、山西、湖北、湖南。

(11) 蓝目天蛾 *Smerinthus planus* Walker, 1856(图版 3:4)

Smerinthus planus Walker, 1856: 254.

Smerinthus argus Ménétriès, 1857: 136, pl. 13, fig. 3.

Smerinthus planus meridionalis Closs, 1917b: 133.

Smerinthus planus kuangtungensis Mell, 1922b: 189.

Smerinthus planus juennanus Mell, 1922b: 189.

Smerinthus planus alticola Clark, 1922: 8.

别名:广东蓝目天蛾、四川蓝目天蛾、北方蓝目天蛾。

鉴别特征:前翅长 35 ~50mm。体翅褐色,体型变化较大,一般春季羽化的个体较秋季羽化的个体要小;前足胫节无刺。前翅较宽阔,后缘端半部凹入较浅;外线直且比较清晰。后翅中央有蓝色的眼状斑,眼斑周围黑色,上方粉红色;后翅反面眼状斑不明显。

采集记录:3♂,周至楼观台,680m,2008. Ⅵ. 23-24,白明、刘万岗采;1♂1♀,周至厚畛子,1276m,2008. Ⅵ. 30-Ⅶ. 01,白明采;2♂,周至李子坪,700m,2012. Ⅶ. 03-04,刘淑仙采;1♂,佛坪龙草坪,1256m,2008. Ⅶ. 03,李文柱采。

分布:陕西(周至、佛坪)、黑龙江、吉林、辽宁、内蒙古、北京、天津、河北、山西、山东、宁夏、甘肃、新疆、上海、安徽、浙江、湖北、江西、湖南、福建、广东、四川、贵州、云南、西藏;俄罗斯,蒙古,朝鲜,韩国,日本。

8. 月天蛾属 *Craspedortha* Mell, 1922

Craspedortha Mell, 1922b: 167. **Type species**: *Craspedortha inapicalis* Mell, 1922.

属征:中小型天蛾。体翅深褐色。前翅顶角截型,外缘在平截之下近平直,后缘较直,端半部微凹,臀角明显;后翅顶角至外缘中下部呈圆弧形,外缘在臀褶处凹入,臀角凸出。

分布:东洋界。世界已知 2 种 1 亚种,中国分布有 2 种,秦岭地区发现 1 种。

(12) 月天蛾 *Craspedortha porphyria* (Butler, 1876)(图版 3:5)

Daphnusa porphyria Butler, 1876b: 640.

Parum porphyria: Rothschild & Jordan, 1903: 296 (key), 297.

Craspedortha inapicalis Mell, 1922b: 167.

Craspedortha porphyria: Mell, 1934: 531.

鉴别特征:前翅长 23 ~27mm。体翅深褐色,带紫红色调;胸部及腹部背面色较深。前翅内线较细不明显,浅褐色;中线与外线间有 1 个大块深褐至黑褐色斑;中室端有小白星;顶角呈截断状,内侧有赭黑斑及月牙形白纹,臀角内上侧有 1 个黑斑。后翅深褐色,臀角有 1 个黑斑。翅反面比正面色淡。

采集记录:♂,留坝大洪渠,2500m,1998. Ⅶ. 20,姚建采;1♂,留坝城关镇,1007m,2012. Ⅵ. 21-22,李静采;1♂,洋县华阳镇,1099 ~1108m,2012. Ⅵ. 25-27,刘淑仙采;

1♂,宁陕火地塘,1580m,1998. Ⅶ. 26,姚建采。

分布:陕西(留坝、宁陕、洋县)、甘肃、浙江、湖北、江西、湖南、福建、台湾、广东、海南、广西、四川、云南;印度,尼泊尔,缅甸,越南,泰国。

9. 构月天蛾属 *Parum* Rothschild *et* Jordan, 1903

Parum Rothschild *et* Jordan, 1903: 172, 173 (key), 295. **Type species**: *Daphnusa colligata* Walker, 1856.

属征:触角末节较短;喙短,不明显;头顶有深褐色毛丛;下唇须端节长。后足胫节有1对或2对距。体翅绿色;前翅狭长,顶角钝,外缘在 R_5 端部略凸,其下平直,后缘端半部浅凹,臀角略下垂;后翅外缘略呈浅弧形,在臀褶处浅凹。前翅内线与外线间有茶褐色宽带,顶角四周白色月牙形。

分布:中国;日本,韩国,印度,缅甸,越南,泰国。秦岭地区发现1种。

(13) 构月天蛾 *Parum colligata* (Walker, 1856) (图版3:6)

Daphnusa colligata Walker, 1856: 238.

Metagastes bieti Oberthür, 1886: 29, pl. 1, fig. 2

Parum colligata: Rothschild & Jordan, 1903: 295 (key), 296.

Parum colligata saturata Mell, 1922b: 162, 166, pl. 5, fig. 30-37.

别名:白点天蛾。

鉴别特征:前翅长30~40mm。体翅基本色调为橄榄绿色带褐色;胸部灰绿色,肩片深褐色。前翅亚基线灰褐色;内线与外线之间呈比较宽的茶褐色宽带,外缘与亚外缘间呈白色,月牙形,中室端有鲜明的白点。后翅暗褐色至暗绿色,散布不均匀的黑色斑点,后缘附近色较浅;翅端部的月牙形浅色斑同前翅。

采集记录:1♂1♀,周至楼观台,680m,2008. Ⅵ. 24,白明、崔俊芝采;1♂,周至厚畛子,1350m,1999. Ⅵ. 25,姚建采;1♀,留坝庙台子,1350m,1998. Ⅶ. 03,姚建采;1♂,佛坪,950m,1998. Ⅶ. 23,姚建采;3♂2♀,佛坪,890m,1999. Ⅵ. 26-27,姚建、朱朝东采;2♀,佛坪长角坝,1200m,2008. Ⅶ. 05,白明采;2♀,佛坪龙草坪,1200m,2008. Ⅶ. 03,白明采。

分布:陕西(周至、留坝、佛坪)、吉林、辽宁、内蒙古、北京、河北、山东、河南、青海、上海、安徽、浙江、湖北、江西、湖南、福建、台湾、广东、海南、香港、广西、四川、贵州、云南、西藏;韩国,日本,越南,泰国,印度,缅甸。

10. 六点天蛾属 *Marumba* Moore, 1882

Marumba Moore, 1882: 8. **Type species**: *Smerinthus dyras* Walker, 1856.
Burrowsia Tutt, 1902: 386. **Type species**: *Triptogon roseipennis* Butler, 1875.
Kayeia Tutt, 1902: 386. **Type species**: *Smerinthus maackii* Bremer, 1861.
Sichia Tutt, 1902: 386. **Type species**: *Sphinx quercus* Denis *et* Schiffermüller, 1775.

属征:触角锯齿形,具毛簇,雄性较雌性齿片宽大;喙很短;下唇须短粗;后足胫节有1 对距,爪间鬃分为两叶。前翅顶角和臀角端部稍向外凸,外缘锯齿形;中室内、外侧各有 3 ~4 条横线,最外侧的 2 条横线在臀角处形成环,环内有 1 个圆斑或圆点;后翅臀角处有 2 个圆斑或圆点。雄性外生殖器中,钩形突通常二分叉;颚形突骨化强;抱器顶端较圆。

分布:古北界,东洋界。秦岭地区发现 5 种。

(14) 椴六点天蛾 *Marumba dyras dyras* (Walker, 1856)(图版 3:7)

Smerinthus dyras Walker, 1856: 250.
Smerinthus dryas Moore, 1857, *in* Horsfield & Moore: 264.
Triptogon ceylanica Butler, 1875b: 254.
Triptogon fuscescens Butler, 1875b: 256.
Triptogon massurensis Butler, 1875b: 255.
Triptogon oriens Butler, 1875b: 255.
Triptogon silhetensis Butler, 1875b: 254.
Triptogon sinensis Butler, 1875b: 253.
Triptogon andamana Moore, 1877b: 595.
Marumba dyras: Moore, 1882: 9.
Marumba dyras plana Clark, 1923: 54.
Marumba dyras tonkinensis Clark, 1936: 81.
Marumba dyras handeliioides Mell, 1937: 5.
Marumba dyras ceylonica Kernbach, 1960: 185.

别名:六点天蛾、后橙六点天蛾。

鉴别特征:前翅长 45 ~50mm。体翅土褐色或灰褐色;触角褐色,雄性内下侧有较长纤毛。肩片内侧及颈片后缘呈茶褐色线纹;胸部及腹部背线呈深褐色细线,腹部各节间有褐色环;胸部及腹部翅面赤褐色。前翅灰黄褐色,各横线深褐色;外缘黑褐色锯齿形;臀角有深褐色斑;中室端有 1 个小白点,白点上方沿横脉有向前上方伸展的 1 条深褐色月牙纹;第 2 条亚缘线为双线。后翅茶褐色,前缘稍黄;臀角向内有 2 个黑褐色斑。前后翅反面赤褐色;前翅中线及外线显著,顶角及臀角呈鲜艳的茶褐色;后翅各横线黑褐色,臀角黄褐色,缘毛白色。

采集记录:4♂5♀,周至楼观台,680m,2008. Ⅵ. 23-24,白明等采;1♀,佛坪岳坝,1093m,2012. Ⅵ. 29-Ⅶ. 01,李静采。

分布:陕西(周至、佛坪、旬阳)、辽宁、北京、河北、河南、甘肃、江苏、安徽、浙江、江西、湖南、福建、台湾、广东、海南、香港、四川、贵州、云南、西藏;印度,尼泊尔,缅甸,越南,泰国,斯里兰卡,菲律宾,马来西亚。

(15)梨六点天蛾 *Marumba gaschkewitschii complacens* (Walker, 1865)(图版3:8)

Smerinthus gaschkewitschii complacens Walker, 1865: 40.

Marumba gaschkewitschii complacens: Kirby, 1892: 706.

Marumba omeii Clark, 1936: 82.

Marumba complacens circumcincta Eitschberger, 2012: 62.

鉴别特征:前翅长35~45mm。体翅黄褐色,胸、腹部背线黑色,腹面暗红色。前翅黄褐至褐色,带暗红色调,各横线深褐色,弯曲度较大;顶角下方有黑褐色区域,臀角有黑色斑;中点黑色。后翅紫红色,端部渐变为暗褐色;臀角有2个黑斑;缘毛白色。前、后翅反面暗红至杏黄色,前翅前缘灰粉色。

采集记录:2♂1♀,周至李子坪,700m,2012. Ⅶ. 03-04,李静、刘淑仙采;2♂,周至楼观台,680m,2008. Ⅵ. 24,崔俊芝采;2♂1♀,佛坪岳坝,1093m,2012. Ⅵ. 29-Ⅶ. 01,李静、刘淑仙采。

分布:陕西(周至、佛坪、旬阳)、甘肃、宁夏、上海、江苏、江西、浙江、湖北、湖南、福建、广东、海南、香港、广西、四川、云南、西藏;越南。

(16)黄边六点天蛾 *Marumba maackii* (Bremer, 1861)(图版3:9)

Smerinthus maackii Bremer, 1861: 474.

Marumba maackii: Kirby, 1892: 707.

鉴别特征:前翅长40~43mm。体和前翅灰黄色,触色茶褐色。前翅各横线深褐色;顶角与外缘间有暗褐色月牙斑;臀角有1个黑褐色斑;缘毛黄色。后翅黄色,雄性中间大部深灰褐色;臀角有2个黑褐色的近圆形斑。前、后翅的反面灰黄色,各横线明显;外线外侧呈灰白色横线;雄性前翅顶角及臀角黄色,后翅外缘黄色;雌性除前翅中部外,两翅反面大部分为黄色。

采集记录:1♂1♀,太白黄柏塬,1323m,2012. Ⅵ. 17-18,李静采。

分布:陕西(太白)、黑龙江、吉林、辽宁、内蒙古、北京、甘肃、浙江、湖北、广西;俄罗斯,朝鲜,韩国,日本。

(17)枇杷六点天蛾 *Marumba spectabilis spectabilis* (Butler, 1875)(图版3:10)

Triptogon spectabilis Butler, 1875b: 256.
Marumba spectabilis: Kirby, 1892: 707.
Marumba spectabilis chinensis Mell, 1922a: 115.
Marumba spectabilis tonkini Clark, 1933: 101.

鉴别特征:前翅长36~55mm。体和翅偏红褐色。前翅上的横带不规则,呈深褐色与浅褐色相间的条带状;臀角处的环十分明显,距离臀角较远;顶角处1个黑褐色大斑向下延伸至M_3以下。后翅暗红色;臀角处有2块黑斑,外缘有黑线。前翅反面臀角处呈红褐色;后翅反面接近臀角处有小块红褐色区域。

采集记录:1♂1♀,宁陕火地塘,1500~2000m,2008.Ⅶ.08,白明、崔俊芝采。

分布:陕西(宁陕)、河南、甘肃、安徽、浙江、湖北、江西、湖南、福建、广东、海南、广西、四川、云南;印度,尼泊尔,越南,老挝,泰国。

(18)栗六点天蛾 *Marumba sperchius* (Ménéntriès, 1857)(图版3:11)

Smerinthus sperchius Ménétriès, 1857: 137, pl. 13, fig. 5.
Triptogon sperchinus albicans Butler, 1875b: 254.
Triptogon sperchinus gigas Butler, 1875b: 253.
Triptogon piceipennis Butler, 1877a: 393.
Smerinthus michaelis Oberthür, 1886: 56.
Marumba sperchius: Kirby, 1892: 99.
Marumba scotti Rothschild, 1920: 481.
Marumba sperchius handelii Mell, 1922b: 151.
Marumba sperchius ussuriensis Bang-Haas, 1927: 79.
Marumba sperchius horiana Clark, 1937: 30.
Marumba sperchius coreanus Bang-Haas, 1938: 179.
Marumba sperchius koreaesperchius Bryk, 1946: 69.

别名:后褐六点天蛾。

鉴别特征:前翅长48~60mm。体翅淡灰褐色至灰褐色,从头顶到尾端有1条暗褐色背线。前翅各线呈不甚明显的暗褐色条纹,曲度较小;前翅臀角1个暗褐色斑;沿外缘颜色较暗。后翅暗褐色,翅脉红褐色;臀角处有1个白斑,其中包括2个暗褐色圆斑。

采集记录:1♂,宁陕广货街保护站,1189m,2014.Ⅶ.26-28,刘淑仙采;1♀,柞水营盘镇,953~995m,2014.Ⅶ.29-31,刘淑仙采。

分布:陕西(宁陕、柞水、旬阳)、黑龙江、吉林、辽宁、内蒙古、北京、河北、山东、河南、甘肃、江苏、安徽、浙江、湖北、江西、湖南、福建、台湾、广东、海南、广西、四川、贵州、云南;俄罗斯,朝鲜,韩国,日本,越南,老挝,泰国,印度,尼泊尔,巴基斯坦。

11. 盾天蛾属 *Phyllosphingia* Swinhoe, 1897

Phyllosphingia Swinhoe, 1897: 164. **Type species**: *Phyllosphingia perundulans* Swinhoe, 1897.

Clarkia Tutt, 1902: 386. **Type species**: *Triptogon dissimilis* Bremer, 1861.

Clarkunella Strand, 1943: 99. **Type species**: *Triptogon dissimilis* Bremer, 1861.

属征:雄性触角锯齿形,雌性线形;下唇须短粗。体翅灰褐或紫褐色;前翅前缘中部有大的盾形斑;外缘锯齿形,后缘端半部凹入,臀角斜切,略下垂。后翅前缘浅凹,端部1/3隆起,顶角凹入,外缘锯齿形。胸足爪间鬃分为两叶。

分布:中国;俄罗斯,朝鲜,韩国,日本,印度,菲律宾。秦岭地区发现1种。

(19)盾天蛾 *Phyllosphingia dissimilis dissimilis* (**Bremer, 1861**)(图版3:12)

Triptogon dissimilis Bremer, 1861: 475.

Phyllosphingia dissimilis: Rothschild & Jordan, 1903: 338.

Phyllosphingia dissimilis sinensis Jordan, 1911, *in* Seitz (a): 247.

Phyllosphingia dissimilis hoenei Clark, 1937: 32.

Phyllosphingia dissimilis jordani Bryk, 1946: 72.

别名:盾斑天蛾、紫光盾天蛾。

鉴别特征:前翅长40~60mm。体翅灰褐色至紫红色,个体差异较大。下唇须红褐色;胸部背线黑褐色;腹部背线紫黑色。前翅基部色稍暗;内线及外线色稍深,但不明显;前缘中部有大的盾形斑,盾形斑周围颜色加深;外缘色较深,呈显著的波浪纹。后翅有3条深色波浪状横带;外缘紫灰色不整齐。后翅反面无白色中线,或只隐约可见。

采集记录:10♂1♀,周至楼观台,680m,2008. Ⅵ. 23-24,白明等采;5♂,周至厚畛子,1276m,2008. Ⅵ. 30-Ⅶ. 01,白明、李文柱采;1♀,太白黄柏塬,1980. Ⅶ. 14,张宝林采;2♂,佛坪县城,900m,2008. Ⅶ. 06,白明采;1♂,佛坪龙草坪,1200m,2008. Ⅶ. 03,白明采;5♂,宁陕火地塘,1500~2000m,2008. Ⅶ. 08,白明、李文柱采;1♂,佛坪岳坝,1093m,2012. Ⅵ. 29-Ⅶ. 01,李静采;1♂,宁陕广货街保护站,1189m,2014. Ⅶ. 26-28,刘淑仙采;1♀,柞水营盘镇,953~995m,2014. Ⅶ. 29-31,刘淑仙采;1♀,旬阳金鑫源山庄,386m,2014. Ⅷ. 01-03,班晓双采。

分布:陕西(周至、太白、佛坪、宁陕、柞水、旬阳)、黑龙江、吉林、辽宁、内蒙古、北京、河北、山东、河南、青海、甘肃、江苏、安徽、浙江、湖北、江西、湖南、福建、台湾、广东、海南、广西、四川、贵州;俄罗斯,朝鲜,韩国,日本,印度,菲律宾。

12. 枫天蛾属 *Cypoides* Matsumura, 1921

Cypoides Matsumura, 1921: 752. **Type species**: *Cypa formosana* Wileman, 1910.

Amorphulus Mell, 1922b: 173. **Type species**: *Smerinthulus chinensis* Rothschild *et* Jordan, 1903.

属征:小型天蛾,体翅红褐色,触角线形。前翅较狭长,顶角凸出,外缘锯齿形状,后缘端部深凹入,臀角下垂;后翅顶角圆,外缘浅波曲,臀褶附近凹入。雄性外生殖器中,钩形突细长,顶端尖;颚形突环状,中间成刺状突起;阳茎中部弯曲,顶端成骨化的横带。

分布:中国;越南,缅甸,泰国,不丹。秦岭地区发现1种。

(20)枫天蛾 *Cypoides chinensis* (Rothschild *et* Jordan, 1903)(图版4:1)

Smerinthulus chinensis Rothschild *et* Jordan, 1903: 301.

Cypa formosana Wileman, 1910: 137.

Amorphulus chinensis: Mell, 1922b: 173.

Enpinanga transtriata Chu *et* Wang, 1980: 420.

Cypoides chinensis: Inoue, 1990: 253.

别名:横带天蛾、中国天蛾、枫小天蛾、凹缘黑天蛾。

鉴别特征:前翅长19~30mm。下唇须和额两侧灰红色;额中部、头顶和胸部背面灰褐色,掺杂白色。前翅基部至中线与胸部背面颜色相近,中线至亚缘线间大部暗黄褐色,亚缘线以外色较浅;内线、中线、外线和亚缘线均深褐色浅波状。后翅为均匀的红褐色,后缘和臀角附近色较深。翅反面灰红色;前翅反面外缘与亚缘线之间颜色较深;后翅反面中线与亚缘线明显。

分布:陕西(太白山)、甘肃、安徽、浙江、湖北、江西、湖南、福建、台湾、广东、海南、香港、广西、贵州;越南,泰国。

13. 齿缘天蛾属 *Cypa* Walker, 1865

Cypa Walker, 1865: 41. **Type species**: *Cypa ferruginea* Walker, 1865.

属征:体翅红褐色。喙很短;触角略呈锯齿形,端部不呈钩状。翅较狭长;前翅顶角凸出,端部平截,外缘呈4个大小不同的齿;后缘近端部处深凹,臀角向外下方凸出。后翅顶角圆,外缘光滑,在 Cu_2 处浅凹。雄性外生殖器中,钩形突呈钩状,不分叉。

分布:东洋界。秦岭地区发现1种。

(21)陕西齿缘天蛾 *Cypa shaanxiana* Brechlin *et* Kitching, 2014(图版4:2)

Cypa shaanxiana Brechlin *et* Kitching, 2014: 6.

鉴别特征:前翅长27mm。头部和体背深红褐色,腹部掺杂灰褐色。前翅深红褐色,前缘黑色;中点圆形,黑褐色;内线为十分模糊的波状双线,中线模糊带状,二者颜色比翅面略深;外线黑褐色,锯齿形,较清晰,其外侧灰红褐色,散布大量深褐色碎点;缘线黑色;后缘深凹处边缘黑色。后翅浅红褐色,外缘由 Cu_1 至臀角黑色。

采集记录:1♂(正模),陕西太白山(WITT)。

分布:陕西(太白山)。

14. 绿天蛾属 *Callambulyx* Rothschild *et* Jordan, 1903

Callambulyx Rothschild *et* Jordan, 1903: 173(key), 307. **Type species**: *Ambulyx rubricosa* Walker, 1856.

属征:雄性触角略呈锯齿形,具纤毛簇;下唇须短粗;喙短。前翅青绿色,顶角略尖,不同程度凸出,外缘较直;后缘端半部凹入,臀角下垂;后翅顶角圆弧形,外缘浅弧形,在臀褶处浅凹;后翅大部分红色。雄性外生殖器中,钩形突顶端分为两瓣;抱器末端具齿。

分布:东洋界。秦岭地区发现3种。

(22)眼斑绿天蛾 *Callambulyx junonia* (Butler, 1881)(图版4:3)

Ambulyx junonia Butler, 1881e: 7.

Callambulyx junonia: Rothschild & Jordan, 1903: 310.

Callambulyx junonia angusta Clark, 1935: 23.

Callambulyx junonia chinensis Clark, 1938: 42.

Callambulyx orbita Chu *et* Wang, 1980: 419.

鉴别特征:前翅长35~43mm。体和前翅草绿色,但时间久的标本或晾干后再展翅的标本呈现污黄色。前翅顶角强烈凸出;内线纤细波曲,黑色;中线上半段黑色粗壮,外斜至 Cu_2 基部后内折,变为波状细线,折角处与 Cu_2 脉上的黑色带相连,该带伸达近臀角处;外线双线细弱;亚缘线黑褐色,弧形,由顶角至臀角内侧,其外侧色深。后翅中央粉红色,近下方有眼形斑,斑外围黑色,中央灰蓝色,一般在翅的反面不见。翅反面污黄色,前翅前缘附近和后翅大部鲜黄绿色;横线显著,前翅中室下部有粉红色近三角形斑。

采集记录:1♀,周至楼观台,1480m,2008. Ⅵ. 29,葛斯琴采;1♂,留坝庙台子,1350m,1998. Ⅶ. 21,姚建采;1♂,佛坪县城,950m,1998. Ⅶ. 29,袁德成采;1♂,佛坪龙草坪,1250m,2008. Ⅶ. 03,刘万岗采;4♂,佛坪偏岩子,1750m,1999. Ⅵ. 28,朱朝东、姚建采;2♂,宁陕火地塘,1580m,1998. Ⅶ. 26-Ⅷ. 18,袁德成采;2♂,宁陕火地塘,1500~2000m,2008. Ⅶ. 08,白明采;1♂,宁陕火地塘,1538m,2012. Ⅶ. 11-15,杨秀帅采。

分布:陕西(周至、留坝、佛坪、宁陕)、甘肃、湖北、湖南、江西、海南、四川、云南;越南,印度,不丹。

(23)榆绿天蛾 *Callambulyx tatarinovii tatarinovii* (Bremer *et* Grey, 1853)(图版4:4)

Smerinthus tatarinovii Bremer *et* Grey, 1853b: 62.

Smerinthus eversmanni Eversmann, 1854: 182, pl. 2, fig. 5.

Smerinthus tatarinovii brunnea Staudinger, 1892, *in* Romanoff: 238.

Callambulyx tatarinovii: Rothschild & Jordan, 1903: 308 (key), 310.

Callambulyx tatarinovii coreana Gehlen, 1941: 178.

Callambulyx tatarinovii versicolor Gehlen, 1941: 178.

Callambulyx tatarinovii japonica Eichler, 1965: 21.

鉴别特征:前翅长35~40mm。翅面绿色,胸部背面黑绿色。腹部背面粉绿色,各节后缘有黄褐色横纹1条。前翅前缘顶角有1块较大的多角形深绿色斑;中线、外线间连成1块深绿色斑,外线成2条弯曲的波状纹。后翅红色,后缘白色,外缘淡绿,臀角上有深色横条。前翅反面近基部后缘淡红色;后翅反面黄绿色。

采集记录:26♂2♀,周至楼观台,680m,2008. Ⅵ. 23-24,白明等采;3♂,周至厚畛子,1350~3120m,1999. Ⅵ. 21-24,姚建采;1♂,周至厚畛子,1276m,2008. Ⅵ. 30,李文柱采;1♂,周至老县城,1670~1780m,2008. Ⅵ. 30,白明采;1♂,周至秦岭植物园大峡谷,893m,2012. Ⅶ. 05-06,刘淑仙采;3♂,太白黄柏塬,1980. Ⅶ. 14,张宝林采;1♂,太白黄柏塬,1323m,2012. Ⅵ. 17-18,李静采;1♂,佛坪,890m,1999. Ⅵ. 26,姚建采;1♂,佛坪偏岩子,1750m,1999. Ⅵ. 28,朱朝东采;1♂,佛坪凉风垭,1900~2100m,1998. Ⅶ. 04,袁德成采;2♂,佛坪龙草坪,1200~1256m,2008. Ⅶ. 03,白明、崔俊芝采;1♂,旬阳金鑫源山庄,386m,2014. Ⅷ. 01-03,班晓双采。

分布:陕西(周至、太白、佛坪、旬阳)、黑龙江、吉林、辽宁、内蒙古、北京、天津、河北、山西、山东、河南、宁夏、甘肃、新疆、上海、江苏、浙江、湖北、江西、湖南、福建、四川、西藏;蒙古,俄罗斯,朝鲜,韩国,日本。

(24)白斑绿天蛾 *Callambulyx sinjaevi* Brechlin, 2000(图版4:5)

Callambulyx sinjaevi Brechlin, 2000: 266.

鉴别特征:前翅长30～33mm。胸部背面橄榄绿色,领片后缘和肩片内外缘黄白色;腹部背面灰红褐色。前翅橄榄绿色,中室前缘脉基半部和后缘基部黄白色,后缘内1/3以外紫红色掺杂黑色;顶角向下延伸1道闪电状白色斑纹;亚缘线白色模糊带状。后翅基半部紫红色,后缘附近紫灰色;端半部浅橄榄绿色;两部分分界处在 Cu_2 至后缘有一段黑纹。

采集记录:1♂(正模),陕西佛坪, 1500m.

分布:陕西(佛坪)。

15. 蔗天蛾属 *Leucophlebia* Westwood, 1847

Leucophlebia Westwood, 1847: 46. **Type species**: *Leucophlebia lineata* Westwood, 1847.

属征:下唇须端节长,向上超过头顶;触角背面白色,腹面赭黄色;复眼圆,上面有黑斑。前翅顶角尖,外缘平滑,无波曲,后缘平直,臀角圆;后翅顶角圆,外缘浅弧形。前翅粉红色,基部达外缘有1条黄色宽纵条;后翅橙黄色。后足胫节有2对距。

分布:东洋界,非洲界。秦岭地区发现1种。

(25)甘蔗天蛾 *Leucophlebia lineata* Westwood, 1847(图版4:6)

Leucophlebia lineata Westwood, 1847: [46], pl. 22, upper figure.

Leucophlebia luxeri Boisduval, 1875. *in* Boisduval & Guenée: 55.

Leucophlebia rosacea Butler, 1875a: 15, pl. 2, fig. 4.

Leucophlebia vietnamensis Eitschberger, 2003: 17.

别名:黄条天蛾、双黄带天蛾、禾天蛾。

鉴别特征:前翅长35～40mm。头顶白色,额枯黄色;胸部背面枯黄色,肩片及两侧污白色;腹部背面枯黄色,两侧粉红色;腹部腹面粉红色。前翅粉红色,中央自翅基至顶角有1段较宽的淡黄色宽带,下方沿 Cu_2 脉至臀角有1条黄色细纵纹;翅脉黄色,缘线黄褐色。后翅橙黄色,缘毛黄色。

采集记录:陕西太白山,2004-2014,Pittaway & Kitching 采。

分布:陕西(太白山)、北京、天津、河北、山东、山西、江苏、浙江、江西、湖南、福建、台湾、广东、海南、香港、广西、云南;越南,泰国,印度,尼泊尔,巴基斯坦,斯里兰卡,马来西亚,菲律宾,印度尼西亚。

16. 三线天蛾属 *Polyptychus* Hübner, 1819

Polyptychus Hübner, 1819: 141. **Type species**: *Sphinx dentatus* Cramer, 1777.

属征:体型较大,体色灰黑,下唇须粗壮。前翅顶角圆钝状凸出,外缘不规则波曲,后缘端部凹,臀角下垂;后翅前缘平直,顶角圆,外缘浅波曲。前翅上有明显的横线3条。后足胫节有2对距。

分布:东洋界,非洲界。秦岭地区发现1种。

(26)中国三线天蛾陕西亚种 *Polyptychus chinensis shaanxiensis* Brechlin, 2008 (图版4:7)

Polyptychus chinensis shaanxiensis Brechlin, 2008: 38.

鉴别特征:前翅长60mm。体和翅深灰色,带紫灰色调。前翅的3条线黑褐色,向内倾斜,大致与外缘平行;内线与外线间有1条模糊且形状不规则的宽带;中点黑褐色,短条形;顶角附近黑灰色。后翅由基部至端部颜色渐深,端部黑灰色;亚缘线灰白色,至后缘附近白色;缘毛白色与黑色相间。

采集记录:1♀,旬阳金鑫源山庄,386m,2014. Ⅷ. 01-03,班晓双采。

分布:陕西(旬阳,太白山)。

17. 豆天蛾属 *Clanis* Hübner, 1819

Clanis Hübner, 1819: 138. **Type species**: *Sphinx phalaris* Cramer, 1777.

Basiana Walker, 1856: 78 (key), 236. **Type species**: *Basiana deucalion* Walker, 1856.

Metagastes Boisduval, 1875, *in* Boisduval & Guenée: 11. **Type species**: *Sphinx phalaris* Cramer, 1777.

属征:大型天蛾。头及复眼比较小;下唇须灰黄色,并拢而不分开。前翅中室上方有浅色三角形大斑;顶角尖锐,外缘平滑,略呈弧形,后缘向内弯曲,臀角向后凸出,基部有较厚鳞毛。后翅黄底,中间部分为黄褐色所掩盖,M_1与Rs短共柄。

分布:东洋界,古北界。秦岭地区发现2种。

(27)南方豆天蛾 *Clanis bilineata* (Walker, 1866)(图版4:8)

Basiana bilineata Walker, 1866: 1857.

Clanis bilineata: Butler, 1881: 14.

Clanis bilineata tsingtauica Mell, 1922b: 114.

Clanis bilineata sumatrana Clark, 1936: 75.

Clanis bilineata formosana Gehlen, 1941: 178.

别名:波纹豆天蛾、豆天蛾。

鉴别特征:前翅长50~65mm。体翅黄褐色;触角背面粉红色,腹面黄褐色;

头及胸部的背线紫褐色；腹部背面灰黄褐色，两侧枯黄，第 5 ~ 7 节后缘有暗黄褐色横纹；中足和后足胫节外侧银白色。前翅灰褐，前缘中央有灰白色近三角形斑；内线、中线、外线深褐色；顶角近前缘有深褐色斜纹，下方色淡，各占顶角的 1/2；R_3 脉部位的纵带呈黑褐色。后翅中部黑褐色，前缘及臀角附近枯黄色，中部有 1 条较细的灰黑色横带。前翅及后翅的反面枯黄色；各横线明显，灰黑色；前翅基部中央有黑色长条斑；前缘外角有污白色长三角斑。干旱季节，成虫体色偏红；前翅中室下端有 1 条黑色条带。

采集记录：4♂，周至楼观台，680m，2008. Ⅵ. 23-24，白明、李文柱采；1♂，周至厚畛子，1276m，2008. Ⅵ. 30-Ⅶ. 01，白明采；2♂，留坝庙台子，1350m，1998. Ⅶ. 03，姚建采；1♂，留坝县城，1020m，1998. Ⅶ. 18，姚建采；1♂，佛坪岳坝，1093m，2012. Ⅵ. 39-Ⅶ. 01，李静采；1♂，宁陕广货街保护站，1189m，2014. Ⅶ. 26-28，刘淑仙采；1♂，柞水营盘镇，953 ~ 995m，2014. Ⅶ. 29-31，刘淑仙采。

分布：陕西（周至、留坝、佛坪、宁陕、旬阳、柞水）、黑龙江、吉林、辽宁、内蒙古、北京、天津、河北、山西、山东、河南、宁夏、甘肃、青海、新疆、上海、江苏、安徽、浙江、湖北、江西、湖南、福建、台湾、广东、海南、香港、广西、四川、重庆、贵州、云南；印度，尼泊尔。

（28）灰斑豆天蛾 *Clanis undulosa undulosa* Moore, 1879（图版 4：9）

Clanis undulosa Moore, 1879c: 387.
Clanis undulosa jankowskii Gehlen, 1932: 66.

鉴别特征：前翅长 61 ~ 67mm。头灰褐色；下唇须灰白色；触角背面粉红色；胸部灰褐色，各节间有褐色横带。前翅灰红褐色；内线、中线、外形均为双行波浪形深灰褐色纹；顶角稍外突，内侧有灰褐色长三角形斑，斑的内侧灰白色；中室上方自前缘至 M 脉有三角形浅斑。后翅灰红褐色，前缘枯黄；中部为大片黑褐色；外线黑褐色波状；外缘浅弧形，缘毛金黄色。前翅反面霉黄色，自翅基至 Cu_2 脉间有黑色纵纹；顶角内侧有 1 条褐色斜线伸至 M_3 脉中部，斜线上方有银白色三角区；后缘内方枯黄色，明显可见；后翅反面枯黄色，外线及中线较直，黄褐色，翅脉褐色。前翅灰褐色，内线、中线、外形均为双行波浪形灰褐色纹，顶角内侧有长三角形斑，斑的内侧灰白色，中室上方自前缘至 M 脉有三角形浅斑。

采集记录：1♂，宁陕广货街保护站，1189m，2014. Ⅶ. 26-28，刘淑仙采；1♀，柞水营盘镇，953 ~ 995m，2014. Ⅶ. 29-31，刘淑仙采。

分布：陕西（宁陕、旬阳、柞水）、辽宁、北京、河北、江西、四川；俄罗斯，朝鲜，韩国。

18. 绒天蛾属 *Kentrochrysalis* Staudinger, 1887

Kentrochrysalis Staudinger, 1887a: 157. **Type species**: *Sphinx streckeri* Staudinger, 1880.

属征:下唇须长,超过头顶;触角端部细长,向内弯曲成钩状;胸、腹部背面有长似绒毛的鳞毛,腹部背线明显,侧斑不显著;前翅各线明显,锯齿形,中室上有 1 个白星;前、后翅缘毛黑色,间有明显的白色鳞毛。

分布:古北界。秦岭地区发现 3 种。

(29)赫伯绒天蛾 *Kentrochrysalis heberti* Haxaire *et* Melichar, 2010(图版 4:10)

Kentrochrysalis heberti Haxaire *et* Melichar, 2010: 103.

鉴别特征:前翅长 34mm。与白须天蛾 *K. sieversi* 相似,但本种个体比 *K. sieversi* 小。前翅后缘基部黑色;顶角内侧的黑斑较狭长;中线为单线,由前缘伸达中点,中点处的黑色剑形纹较短。后翅几乎为均匀的深灰褐色。

采集记录:1♂,佛坪龙草坪,1200 ~ 1256m,2008. Ⅶ. 03,白明采。

分布:陕西(佛坪)、山西、甘肃、湖北、江西。

(30)白须天蛾 *Kentrochrysalis sieversi* Alphéraky, 1897(图版 5:1)

Kentrochrysalis sieversi Alphéraky, 1897a, *in* Romanoff: 164.

Hyloicus houlberti Oberthür, 1920: 1-24.

鉴别特征:前翅长 45 ~ 49mm。头部灰白色,触角腹面褐色,背面灰白色,近端部有1 段黑斑;颈片及肩片外缘灰白色,内缘黑色;胸部背面灰色,边缘有黑、白色斑各 1 对;腹部背线黑色,两侧有较宽的黑色纵带。前翅灰褐;中线及外线黑褐色,锯齿形,中线上半段为双线,伸达中点内侧的黑色剑形纹上,远离中点;中点白色,该处的剑形纹较长;缘毛呈间断的黑白色横点。后翅灰褐色,中央有不明显的浅色横带;缘毛与前翅相同,臀角部位灰白色。

采集记录:1♂,周至秦岭植物园大峡谷,893m,2012. Ⅶ. 05-06,刘淑仙采;8♂2♀,佛坪龙草坪,1200 ~ 1256m,2008. Ⅶ. 03,白明、崔俊芝采;1♀,佛坪,890m,1998. Ⅶ. 23,姚建采;1♂,佛坪,890m,1999. Ⅵ. 26,姚建采。

分布:陕西(周至、佛坪)、黑龙江、吉林、辽宁、北京、河北、河南、甘肃、浙江、湖南、福建、海南、四川、云南;俄罗斯,朝鲜,韩国。

(31)女贞天蛾 *Kentrochrysalis streckeri* (Staudinger, 1880)(图版 5:2)

Sphinx streckeri Staudinger, 1880: 252.

Sphinx davidis Oberthür, 1880: 27.

Kentrochrysalis streckeri: Staudinger, 1887a, *in* Romanoff: 157.

鉴别特征:前翅长40mm。翅面略带灰红色;前翅中点处的黑色剑形纹和其下方的两条黑色纵纹和顶角处的黑色斜纹均较长,其中中点处的黑纹外侧伸达外线,后者为模糊且距离较远的波状双线。后翅深灰褐色,无斑纹。缘毛与白须天蛾 *K. sieversi* 相似。

采集记录:1♂,宁陕火地塘,1538m,2012. Ⅶ. 11-15,姜楠采。

分布:陕西(宁陕)、黑龙江、吉林、辽宁、内蒙古、北京、河北、山西、河南、甘肃、新疆、湖北、湖南、四川;蒙古,俄罗斯,韩国,日本,英国,斯洛文尼亚。

19. 星天蛾属 *Dolbina* Staudinger, 1877

Dolbina Staudinger, 1877a, *in* Romanoff: 155. **Type species**: *Dolbinatancrei* Staudinger, 1887.

Dolbinopsis Rothschild *et* Jorda, 1903: 156(key), 159. **Type species**: *Pseudosphinx grisea* Hampson, 1893.

Elegodolba Eitschberger *et* Zolotuhin, 1997: 143. **Type species**: *Dolbina elegans* Bang-Haas, 1912.

属征:头顶灰褐色,下唇须较短,黄褐色,向前伸;触角末端尖细,弯曲度大。胸部背面有人面形纹;腹部背线两侧斑纹显著。前翅顶角尖,外缘倾斜,近平直,后缘平直,端半部不凹入;后翅外缘近平直,在臀褶处浅凹入。前翅正面灰褐色至黑褐色;中室端有白色圆星;后翅无间断的白色外缘(有些只有细白线)。

分布:古北界,东洋界。秦岭地区发现2种。

(32) 大星天蛾 *Dolbina inexacta* (Walker, 1856) (图版5:3)

Macrosila inexacta Walker, 1856: 208.

Meganoton khasianum Rothschild, 1894a: 90.

Dolbina inexacta: Rothschild & Jordan, 1903: 160.

Dolbina inexacta sinica Closs, 1914: 93.

别名:白星天蛾。

鉴别特征:前翅长45mm左右。本属中体型较大的种类;体翅暗黄色,有金色光泽;肩片外缘有白色细纹,胸背中央有"八"字形白色纹;腹部背线由黄褐色斑点组成,两侧各有1行浅褐色圆点;腹部腹面白色,各节有浅褐色斑2块。前翅内线由2条深褐色波状纹组成,两纹间白色;中线及外线由黑褐色波状纹组成,各线纹间暗黄色并有金色光泽;中室端有1个白色圆星;后翅深褐色,基部色较淡,缘毛白色。

采集记录:1♂,宝鸡天台山嘉陵江源头,1620m,2014. Ⅷ. 08-09,班晓双采。

分布:陕西(宝鸡、旬阳)、甘肃、浙江、江西、湖南、福建、台湾、广东、海南、四川、重庆、云南、西藏;日本,越南,老挝,泰国,缅甸,印度,尼泊尔,巴基斯坦,马来西亚,土耳其。

(33) 小星天蛾 *Dolbina exacta* Staudinger, 1892(图版5:4)

Dolbina exacta Staudinger, 1892, *in* Romanoff: 222, pl. 4, fig. 1.

Dolbina parva Matsumura, 1921: 746, pl. 54, fig. 10.

鉴别特征:前翅长30~31mm。体翅灰褐色;触角基部及肩片两侧灰白色,颈片与肩片内侧呈黑褐色;腹部背中线呈黑点,两侧斑纹不显著;腹部腹面色较淡,有小黑点。前翅内线、外线不明显;中线呈黑褐波状纹;中室端有灰白色小星;中室下方有2条黑色纵线;缘毛色深。后翅土灰色,无显著斑纹;缘毛稍淡。

采集记录:1♂,宁陕广货街保护站,1189m,2014. Ⅶ.26-28,刘淑仙采;1♂,洋县华阳镇,1100m,2012. Ⅵ.25-27,李静采。

分布:陕西(宁陕、洋县)、黑龙江、北京、山西、浙江、湖北、湖南、四川、广西;俄罗斯,朝鲜,韩国,日本。

20. 匀天蛾属 *Sphingulus* Staudinger, 1887

Sphingulus Staudinger, 1887a: 156. **Type species**: *Sphingulus mus* Staudinger, 1887.

属征:中小型天蛾。体和翅深灰褐色,颜色单一。下唇须较短,紧贴在额下缘;雄触角锯齿形,具纤毛簇。前翅前缘平直,外缘略呈浅弧形,顶角钝圆,后缘端半部微凹;后翅前缘微隆起,顶角圆,外缘浅弧形。后翅Rs与M_1极短共柄。后足胫节具2对距。

分布:中国;俄罗斯,朝鲜,韩国。秦岭地区发现1种。

(34) 匀天蛾 *Sphingulus mus* Staudinger, 1887(图版5:5)

Sphingulus mus Staudinger, 1887a: 156.

Sphingulus mus taishanis Mell, 1937: 8.

鉴别特征:前翅长25~30mm。体翅灰褐色,间有白色鳞毛;触角顶端黑色;胸部背线较细,不显著。前翅内线、中线及外线呈单线锯齿形纹,不甚明显;中室端有很小的白点;缘毛相间成黑白色边。后翅深褐色,无显著斑纹,缘毛与前翅相同。前后翅反面深灰褐色,端部色略浅,有深色外线。

采集记录:1♂,宁陕广货街保护站,1189m,2014. Ⅶ.26-28,刘淑仙采;1♂,旬阳金鑫源山庄,386m,2014. Ⅷ.01-03,刘淑仙采。

分布:陕西(宁陕、旬阳)、黑龙江、辽宁、内蒙古、北京、山西、山东、河南、浙江、湖北、湖南;俄罗斯,朝鲜,韩国。

21. 鹰翅天蛾属 *Ambulyx* Westwood, 1847

Ambulyx Westwood, 1847: 61. **Type species**: *Sphinx substrigilis* Westwood, 1847.

Oxyambulyx Rothschild *et* Jordan, 1903: 173 (key), 192. **Type species**: *Sphinx substrigilis* Westwood, 1847.

属征:下唇须端节长,顶端灰白色;头顶有锈黄色及深色毛丛;胸部背面两侧有斑;胸部侧面有深绿色的宽带;胸足上有白斑;大多数种类腹部背面有深色细线。前翅狭长,顶角尖锐凸出成鹰嘴形,外缘略呈反弧形,臀角下垂;后翅顶角略凸,外缘锯齿形,臀角凸出。前翅底色为灰色、黄色或浅黄色,翅脉颜色深,翅面上有不规则的深色横带,亚前缘线很明显且延伸至边缘处形成扁豆状;许多种类的前翅基部和内线处有深灰色、墨绿色或黑褐色圆斑,但圆斑不是特定的,不能作为种类鉴定依据。后翅通常黄色,上有不规则黑色横带。雄性外生殖器钩形突球茎状,不分叉;颚形突通常二分叉;抱器瓣狭长或边缘呈锯齿形,或者侧面隆起有齿;通常阳茎顶端囊外翻后常有 3 条细长的飘带,其中 2 条呈锯齿形,1 条平滑。

分布:全北界,东洋界。秦岭地区发现 4 种。

(35)日本鹰翅天蛾韩国亚种 *Ambulyx japonica koreana* Inoue, 1993(图版 5:6)

Ambulyx japonica koreana Inoue, 1993: 50.

鉴别特征:前翅长 50mm 左右。体翅粉灰色;额白色,头顶下方绿褐色;胸部两侧深绿褐色;腹部背线不明显,第 6、7 节两侧有黑褐色斑。前翅基部有 1 个黑褐色小黑点;内线黑褐色,较宽大;中线为 2 条较细的波状线纹;外线黑褐色;外线至外缘呈弓形灰褐色宽带,顶角有 1 条褐色斜线;中点黑色圆形;后翅灰黄褐色,有黑褐色横线,外缘呈黑褐色宽带。前、后翅反面灰黄褐色,前缘及基部色淡;中线以外有零散的褐色点;外缘灰白色。

采集记录:1♂,佛坪,950m,1998. Ⅶ. 23,姚建采。

分布:陕西(佛坪)、吉林、辽宁、北京、天津、河南、甘肃、湖北、湖南、江西、广东、福建、海南、四川;朝鲜,韩国。

(36)华南鹰翅天蛾 *Ambulyx kuangtungensis* (Mell, 1922)(图版 5:7)

Oxyambulyx kuangtungensis Mell, 1922a: 114.

Oxyambulyx kuangtungensis formosana Clark, 1936: 73.

Oxyambulyx kuangtungensis hoenei Mell, 1937: 4.

Oxyambulyx kuangtungensis melli Gehlen, 1942: 286.

Oxyambulyx takasago Okano, 1964: 41, fig. 1, pl. 4, fig. 5.

Ambulyx adhemariusa Eitschberger, Bergmann *et* Hauenstein, 2006: 483.

别名:库昂鹰翅天蛾。

鉴别特征:前翅长42~45mm。头部枯黄,下唇须橘黄色,头顶上方的触角间有褐绿色近方形毛丛;肩片后半及后胸背板上有黑褐色斑;背线不明显。前翅底色橘黄,基部有褐色大斑或圆形斑;中线弓形,褐色,不显著;外线深褐色双行,外侧1条呈齿形;亚缘线至外缘呈灰绿色梭形宽带;中点黑色,圆形。后翅橘黄色,内部带明显的粉红色;外线、亚缘线和缘线点状,后二者在Cu_1以下连成黑色短线。

采集记录:1♂,周至庙台子,1350m,1998. Ⅶ. 03,张学忠采;1♂,留坝城关镇,966m,2012. Ⅵ. 23,李静采;1♂,留坝城关镇,1007m,2012. Ⅵ. 21-22,李静采;1♂,佛坪凉风垭,1900~2100m,1998. Ⅶ. 04,袁德成采。

分布:陕西(周至、留坝、佛坪、旬阳)、河南、甘肃、新疆、浙江、湖北、江西、福建、台湾、海南、广西、四川、贵州、云南、西藏;越南,泰国,缅甸。

(37)核桃鹰翅天蛾 *Ambulyx schauffelbergeri* Bremer *et* Grey, 1853(图版5:8)

Ambulix schauffelbergeri Bremer *et* Grey, 1853b, *in* Motschulsky: 62.

Ambulyx trilineata Rothschild, 1894a: 88.

Oxyambulyx schauffelbergeri siaolouensis Clark, 1937: 30.

鉴别特征:前翅长45~55mm。头顶及额灰白色,与头顶交界处黑褐色;胸部两侧黑褐色;腹部中线不明显,第6节两侧及第8节背面有褐色斑。前翅内线为2个圆斑;中线及外线微暗褐不明显,外线内侧有波状细纹;亚缘线深褐色,由顶角弓形向臀角弯曲;中点黑色较小。后翅茶褐色,布满暗褐色斑纹;亚缘线靠近臀角处有1个小圆黑点;亚缘线与外缘线之间形成黑色的宽带。前、后翅反面橙褐色,散布暗色斑点。

采集记录:2♂,周至楼观台,680m,2008. Ⅵ. 23-24,白明、李文柱采;1♂,留坝县城,1020m,1998. Ⅶ. 18,张学忠采;1♀,留坝城关镇,1007m,2012. Ⅵ. 21-22,李静采;1♂1♀,佛坪,950m,1998. Ⅶ. 23,朱朝东、姚建采;1♂,旬阳金鑫源山庄,386m,2014. Ⅷ. 01-03,班晓双采。

分布:陕西(周至、留坝、佛坪、宁陕、旬阳、安康)、辽宁、北京、河北、山东、河南、甘肃、上海、江苏、安徽、浙江、江西、湖北、福建、广东、海南、广西、四川、重庆、贵州、云南、西藏;日本,朝鲜,韩国,印度,越南。

(38)黄山鹰翅天蛾 *Ambulyx sericeipennis* Butler, 1875(图版5:9)

Ambulyx sericeipennis Butler, 1875b: 252.

Oxyambulyx sericeipennis agana Jordan, 1929: 85.

Oxyambulyx okurai Okano, 1959: 40.

Oxyambulyx amaculata Meng, 1989: 299.

别名:无斑鹰翅天蛾、丝茎鹰翅天蛾。

鉴别特征:前翅长43~55mm。体色黄褐至灰褐色;头部灰白色,下唇须下半橘黄色,顶端灰白色。前翅基部有大小2个圆斑;内线斑点较小;前缘黄色,中线和外线在前缘形成黑斑;外线内侧黄色带较宽;臀角内侧有大斑;中点黑色。后翅浅黄褐色,中部带粉红色;内线、中线、外线较明显。腹部有背线,第6节(或第6、7节)背板两侧及第8节背面均有黑斑。

采集记录:2♂,周至厚畛子,1350m,1999. Ⅵ. 21-25,姚建采;1♂,佛坪偏岩子,1750m,1999. Ⅵ. 28,朱朝东采;1♂,佛坪岳坝,1093m,2012. Ⅵ. 29-Ⅶ. 01,李静采。

分布:陕西(周至、太白、佛坪)、安徽、浙江、江西、福建、台湾、广东、海南、香港、广西、四川、重庆、贵州、云南;越南,老挝,泰国,柬埔寨,缅甸,印度,尼泊尔,巴基斯坦,斯里兰卡。

(三)长喙天蛾亚科 Macroglossinae

鉴别特征:体型小到大型。下唇须发达,第1节上无鳞片,其他节有厚鳞片;额明显凸出;喙较长,有时可达体长的数倍。前翅通常很大,顶角尖,R_2 脉与 R_3 脉共柄;后翅较小,臀角稍向内凹陷;雄性外生殖器中,抱器对称或不对称,抱器瓣上常有能摩擦发声的刚毛。

分类:陕西秦岭地区分布12属24种。

22. 黑边天蛾属 *Hemaris* Dalman, 1816

Hemaris Dalman, 1816: 207. **Type species**: *Sphinx fuciformis* Linnaeus, 1758.

Hemeria Billberg, 1820: 82. **Type species**: *Sphinx fuciformis* Linnaeus, 1758.

Aege Felder, 1874, *in* C. Felder, R. Felder *et* Rogenhofer: pl. 75, fig. 6. **Type species**: *Macroglossa venata* Felder, 1861.

Cochrania Tutt, 1902: 503. **Type species**: *Sphinx croatica* Esper, 1800.

Jilinga Eitschberger, Danner *et* Surholt, 1998, *in* Danner, *et al.*: 127. **Type species**: *Hemaris staudingeri* Leech, 1890.

Mandarina Eitschbergerm, Danner *et* Surholt, 1998, *in* Danner, *et al.*: 142. **Type species**: *Sphinx tityus* Linnaeus, 1758.

Saundersia Eitschbergerm, Danner *et* Surholt, 1998, *in* Danner, *et al.*: 127. **Type species**: *Sesia saundersi* Walker, 1856.

属征:下唇须端节宽,顶端有向前伸的长毛丛;触角黑褐色,端节细长。胸部背面黄色至锈黄色;后足胫节外侧有毛刷;腹部有黄褐色斑。前翅狭长,顶角钝圆,外缘平滑,后缘浅凹;后翅外缘近平直,在臀褶处浅凹。翅透明,外缘有宽黑边。成虫刚羽化的时候,翅膀密布鳞片,后来翅膀上出现透明区域。

分布:古北界,东洋界(部分地区)。秦岭地区发现 1 种。

(39)锈胸黑边天蛾 *Hemaris staudingeri* Leech, 1890(图版 5:10)

Hemaris staudingeri Leech, 1890: 81.

Haemorrhagia staudingeri kuangtungensis Mell, 1922b: 193.

鉴别特征:前翅长 17 ~ 20mm。头部黄褐色;触角黑色,比较光滑;胸部背面锈红色,前、中胸腹面枯黄色,后胸黑色;腹部前半部黑色,后半部锈红色,腹面前 5 节黑色,第 6、7 节腹板黑色,侧板杏黄色,尾毛黄褐色。前翅及后翅透明,边缘黑褐色,尤以翅基及后缘黑色;各翅脉纹黑色。翅反面色淡,有蓝紫色光泽。

采集记录:陕西太白山,1700m,2004-2014, Pittaway & Kitching 采。

分布:陕西(太白山)、黑龙江、甘肃、安徽、上海、浙江、江西、湖北、湖南、广东、四川;俄罗斯。

23. 锤天蛾属 *Neogurelca* Hogenes *et* Treadaway, 1993

Neogurelca Hogenes *et* Treadaway, 1993: 550. **Type species**: *Lophura hyas* Walker, 1856.

属征:头顶有毛丛;下唇须褐色,端节短,顶端尖,向前伸出;复眼有睫毛;触角末节钝圆。前翅前缘直,外缘弯曲,臀角凸出;后翅前缘末端有 1 个锤状突起,中部黄色区域为三角形。前足胫节有成列小刺;腹部末端有尾刷。成虫白天活动。

分布:东洋区。秦岭地区发现 1 种。

(40)三角锤天蛾 *Neogurelca himachala sangaica* (Butler, 1876)(图版 5:11)

Lophura sangaica Butler, 1876a: 621.

Gurelca masuriensis f. *purpureosignata* Closs 1917a: 154.

Neogurelca himachala sangaica: Kitching & Cadiou, 2000: 59.

别名:三角凹缘天蛾、三角锥天蛾、喜马锤天蛾。

鉴别特征:前翅长 18 ~ 20mm。体茶褐色,头及胸部背面有暗褐色纵线,胸部两侧暗褐色;腹部基节混杂有橙褐色鳞毛。前翅顶角处下弯,外缘波状;翅面深褐色,前缘中央至后缘基部有较宽的黑褐色斜带;亚缘线暗褐色,较细,至臀角处加宽。后翅橙黄,外缘有较宽黑褐色边。翅反面深褐色,有暗黄色斑。

采集记录:陕西,2004-2014,Pittaway & Kitching 采。

分布:陕西(秦岭)、北京、河北、上海、湖北、江西、湖南、福建、台湾、广东、香港;朝鲜,韩国,日本。

24. 赭尾天蛾属 *Eurypteryx* Felder, 1874

Eurypteryx Felder, 1874, *in* Felder & Rogenhofer: pl. 76, fig. 1. **Type species**: *Eurypteryx molucca* Felder, 1874.

Indiana Tutt, 1903b: 101. **Type species**: *Darapsa bhaga* Moore, 1866.

属征:下唇须发达,第3节宽大。体翅红褐色。雄虫前翅外缘顶角下方有半圆形的斑块,前翅基部有黑点,各线暗红褐色,中室有弯月形白纹,顶角尖锐,向外凸出,似鸟嘴形,外缘弧形,臀角下垂;后翅臀角上方有齿形斑;腹部第8节背板宽大,黑褐色。

分布:中国;印度,尼泊尔,泰国,马来西亚,印度尼西亚。秦岭地区发现1种。

(41)基点赭尾天蛾 *Eurypteryx bhaga* (Moore, 1866)(图版5:12)

Darapsa bhaga Moore, 1866: 794.

Daphnis bhaga: Butler, 1876b: 573.

Euyptery bhaga: Rothschild & Jordan, 1903: 594.

鉴别特征:前翅长38mm。头红褐色;下唇须发达,第3节宽大;复眼大而圆,隆起;触角背面红褐色,腹面色浅;胸部红褐色,肩片绒毛长;3对胸足深褐色,胫节外侧有纵白线;腹部黄褐色,各节有金色光泽横带,第8节背板黑褐色,边缘黄褐色。前翅宽大,基部有1个圆形黑点;内线和中线较细,黄褐色,各线外侧有黑褐色宽带,中线宽带达臀角;外线双行弧形,外线至外缘间深褐至黑褐色;中室有1道弯月形白纹。后翅大部黑褐色,有2条较宽的赭褐色横带;臀角略外突,臀角处颜色稍浅。

采集记录:陕西太白山,2004-2014,Pittaway & Kitching 采。

分布:陕西(太白山)、云南;泰国,印度,尼泊尔,马来西亚,印度尼西亚。

25. 葡萄天蛾属 *Ampelophaga* Bremer *et* Grey, 1853

Ampelophaga Bremer *et* Grey, 1853b, *in* Motschulsky: 61. **Type species**: *Ampelophaga rubiginosa* Bremer *et* Grey, 1852.

属征:触角背面黄色,腹面黄褐色;体翅赭褐至紫红色;背线明显,呈灰白色。前翅狭长,顶角凸出,外缘浅弧形,臀角略下垂;各横线带状。后翅顶角略凸出,外缘浅波曲;暗褐色至黑褐色。中足及后足胫节上的距短,上面无鬃梳。

分布:东洋界,古北界(部分地区)。秦岭地区发现2种。

(42)卡西葡萄天蛾 *Ampelophaga khasiana* Rothschild, 1895(图版6:1)

Ampelophaga khasiana Rothschild, 1895: 482.

鉴别特征:体和翅暗褐色,带明显铁锈红色,身体侧面粉红色。触角末节顶端有黑色鳞片。前翅4条横带十分鲜明,黑褐色,横带之间有灰白色闪光的鳞片;中点为1条黑褐色短带;亚缘线外侧翅中部有1段不规则灰白色折纹。后翅暗褐色,端半部铁锈红色较明显。

采集记录:陕西旬阳,1380m, 2004-2014,Pittaway & Kitching采。

分布:陕西(旬阳)、四川、云南、西藏;缅甸,印度,尼泊尔。

(43)葡萄天蛾 *Ampelophaga rubiginosa rubiginosa* Bremer *et* Grey, 1853(图版6:2)

Ampelophaga rubiginosa Bremer *et* Grey, 1853b: 61.
Deilephila romanovi Staudinger, 1892a: 158.
Ampelophaga fasciosa Moore, 1888b: 391.
Acosmeryx iyenobu Holland, 1889: 71.
Ampelophaga khasiana malayana Rothschild *et* Jordan, 1915: 286.
Ampelophaga rubiginosa alticola Mell, 1922b: 219.
Ampelophaga rubiginosa hydrangeae Mell, 1922b: 219.
Ampelophaga rubiginosa submarginalis Matsumura, 1927: 4, pl. 1, fig. 5.

别名:背中白天蛾。

鉴别特征:前翅长45~50mm。体翅茶褐色,新鲜标本颜色更深;触角背面黄色,腹面黄褐色;身体背面自前胸到腹部末端有1条灰白色纵线,腹面色淡,呈红褐色。前翅顶角凸出,各横线黑褐色,中线较粗而弯曲,外线较细且呈波纹状;近外缘有不明显的深褐色带;顶角有1个较宽的三角形斑;后翅黑褐色,外缘及臀角附近各有1条茶褐色横带;缘毛色稍红。前、后翅反面红褐色,各横线黄褐色;前翅基半部黑灰色,外缘红褐色。

采集记录:8♂2♀,周至楼观台,680m,2008. Ⅵ. 23-24,白明等采;5♂,周至厚畛子,1350m,1999. Ⅵ. 21-25,姚建采;6♂,周至钓鱼台,1480~1570m,2008. Ⅵ. 29,刘万岗采;1♂,周至李子坪,700m,2012. Ⅶ. 03-04,刘淑仙采;1♂,太白黄柏塬,1323m,2012. Ⅵ. 17-18,刘淑仙采;10♂3♀,留坝庙台子,1350m,1998. Ⅶ. 03,姚建采;5♂,留

坝县城,1020m,1998. Ⅶ. 18,姚建采;5♂2♀,佛坪,890m,1999. Ⅵ. 26-27,姚建、朱朝东采;4♂,佛坪长角坝,1200m,2008. Ⅶ. 05,白明采;1♂2♀,佛坪岳坝,1093m,2012. Ⅵ. 39-Ⅶ. 01,李静、刘淑仙采;2♂,洋县华阳镇,1099~1108m,2012. Ⅵ. 25-27,李静、刘淑仙采;10♂,宁陕火地塘,1580m,1998. Ⅶ. 26-Ⅷ. 18,姚建、袁德成采。

分布:陕西(周至、留坝、佛坪、宁陕、太白、洋县)、黑龙江、吉林、辽宁、北京、天津、河北、山西、山东、河南、宁夏、上海、江苏、安徽、浙江、湖北、江西、湖南、福建、广东、海南、香港、广西、四川、重庆、云南、西藏;俄罗斯,朝鲜,韩国,日本,越南,老挝,泰国,缅甸,印度,尼泊尔,马来西亚,印度尼西亚。

26. 缺角天蛾属 *Acosmeryx* Boisduval, 1875

Acosmeryx Boisduval, 1875, *in* Boisduval & Guenée: 214. **Type species**: *Sphinx anceus* Stoll, 1781.

属征:全身鳞毛较长。下唇须长,末节端部伸达额中部以上;触角末节鳞片灰白色。前翅外缘在顶角下方有明显的缺刻,其下近平直,后缘端半部凹,臀角略下垂;后翅顶角稍尖。前翅前缘顶角附近在 R_4 及 R_5 之间有 1 个三角形灰褐斑;翅上各横线波浪形。

分布:古北界,东洋界,澳洲界。秦岭地区发现 2 种。

(44) 葡萄缺角天蛾 *Acosmeryx naga naga* (Moore, 1858)(图版 6:3)

Philampelus naga Moore, 1858, *in* Horsfield & Moore: 271.

Acosmeryx naga: Boisduval, 1875, *in* Boisduval & Guenée: 217.

Acosmeryx metanaga Butler, 1879: 350.

别名:全缘缺角天蛾。

鉴别特征:前翅长 50~60mm。下唇须茶褐色;触角背面褐色,有白色鳞毛;肩片边缘有白色鳞毛;体翅灰褐色,反面暗红色;腹部各节有黑褐色横带。前翅各横线黑褐色;亚缘线灰白色达到臀角;顶角端部缺,稍内凹;顶角内侧有深褐色三角形斑及灰白色月牙形纹;中室端近前缘有灰褐色盾形斑;前缘及外缘深灰褐色。后翅各横线明显暗黄褐色。

采集记录:陕西,采集地点不详, 2004-2014, Pittaway & Kitching 采。

分布:陕西(秦岭)、辽宁、北京、河北、河南、山西、甘肃、安徽、浙江、江西、湖北、湖南、福建、台湾、广东、海南、四川、贵州、云南、西藏;俄罗斯,朝鲜,韩国,日本,越南,老挝,泰国,缅甸,印度,尼泊尔,巴基斯坦,马来西亚。

(45)斜带缺角天蛾 *Acosmeryx shervillii* Boisduval, 1875(图版 6:4)

Acosmeryx shervillii Boisduval, 1875: 217.
Acosmeryx cinerea Butler, 1875b: 245.
Acosmeyae pseudonaga Butler, 1881: 2.
Acosmeryx miskini brooksi Clark, 1922: 11.

鉴别特征:前翅长 36 ~ 38mm。体色有灰褐与紫褐两种,带有金属光泽;头部灰褐色,下唇须基部内侧在复眼下方有白色纹;触角背面污白,腹面灰褐色;头及胸部背面有红褐色背线;胸足烟黑色,胫节外侧有白色纵线;腹部黄褐色,近端部色稍浅,各节间有深色横带。前翅自翅基到中室有 3 条深褐色波状线;中室端有 1 个小黄星,外围深褐色;自前缘始经中室端有 1 条深褐色宽斜带,直达臀角;顶角尖,下方凹入呈缺角,内侧有浅斑;外缘弧形。后翅外线可见,外线至外缘间色偏深,缘毛枯黄色。前、后翅反面黄褐至灰褐色;前翅内线不可见,中室仅显灰色小点,中线及外线均为双行,灰褐色小波纹,顶角至外缘间在外线以外有 1 个灰白色区,顶角内侧有 1 块黄褐斑;后翅中线、外线、亚外缘均明显,呈小波浪状,顶角下方至臀角色偏深。

采集记录:2♂,留坝城关镇,966 ~ 1007m,2012. Ⅵ. 21-23,李静采。

分布:陕西(留坝、旬阳)、福建、海南、香港、云南;越南,印度,尼泊尔,斯里兰卡,马来西亚,印度尼西亚。

27. 长喙天蛾属 *Macroglossum* Scopoli, 1777

Macroglossum Scopoli, 1777: 414. **Type species**: *Sphinx stellatarum* Linnaeus, 1758.
Psithyros Hübner, 1819: 132. **Type species**: *Sphinx stellatarum* Linnaeus, 1758.
Bombylia Hübner, 1822: 10 - 13. **Type species**: *Sphinx stellatarum* Linnaeus, 1758.
Macroglossa Boisduval, 1833b: 226. **Type species**: *Macroglossa milvus* Boisduval, 1833.
Rhamphoschisma Wallengren, 1858: 139. **Type species**: *Rhamphoschisma fasciatum* Wallengren, 1858.
Rhopalopsyche Butler, 1875b: 239. **Type species**: *Macroglossa nycteris* Kollar, 1844.

属征:体型较小。下唇须背面黄褐色,腹面白色,端部尖,与额的毛峰共同形成向前凸伸的锥状;复眼大而圆;触角末节细长,雄性触角上有成丛的纤毛;腹部末端有尾刷,中间不分开。前翅顶角略尖,但不凸出,外缘直,后缘端半部浅凹;后翅小,前缘正常,顶角略凸,外缘较直,中下部微凹,后缘特别短;橘红或黄色。腹部各节背板和腹板后缘有短、中、长 3 排黑色刺。

分布:古北界,东洋界,澳洲界。秦岭地区发现 3 种。

(46)青背长喙天蛾 *Macroglossum bombylans* Boisduval, 1875(图版 6:5)

Macroglossa bombylans Boisduval, 1875, *in* Boisduval & Guenée: 334.

Macroglossa tristis Schaufuss, 1870: 20.

Macroglossa walkeri Butler, 1875a: 4.

Macroglossum bombylans angustifascia Bryk, 1944: 46.

别名:双带长喙天蛾。

鉴别特征:前翅长25mm。下唇须及胸部腹面白色;头部、胸部及腹部前3节背面暗青色至橙黄色,第1、2节两侧橙黄色,第4、5节上有黑斑,第6节后缘有白色横纹;腹面黄褐色,第3、4节间有白色斑。前翅内线黑色较宽,近后缘向内方弯曲;外线由2条波状横线组成;顶角内侧有深色斑,外缘深褐色。后翅黑褐色,中部有橙黄色斑。翅反面暗褐色,基部污黄色;各横线呈深色波状纹;翅基部有白毛。

采集记录:陕西太白山,2004-2014,Pittaway & Kitching采。

分布:陕西(太白山)、北京、天津、河北、山东、河南、上海、安徽、浙江、湖北、江西、湖南、台湾、广东、海南、香港、广西、四川、重庆、贵州、云南、西藏;俄罗斯,韩国,日本,越南,泰国,不丹,尼泊尔,菲律宾。

(47)夜长喙天蛾 *Macroglossum nycteris* Kollar, 1844(图版6:6)

Macroglossa nycteris Kollar, 1844: 458.

Rhopalopsyche nycteris: Butler, 1875b: 239.

别名:西藏长喙天蛾。

鉴别特征:前翅长17~20mm。额和头顶黑灰色;下唇须腹面白色,背面至顶端与额同色;触角背面黑色,腹面黄褐色;胸、腹部背面深褐色,有与头部相连的较细黑色背线;胸部腹面及胸足灰白色;腹部前3节两侧有黄色斑,倒数第2节有白色缘毛,各体节间有黑色及污白色相间的细横带。前翅深灰褐色至黑褐色,有黄褐色鳞毛;各横线呈双行较直,黑褐色;内线下端向内弯;3条外线;顶角内侧有方形的黑褐色斑。后翅黑色,中部有宽阔的黄色横带,横带沿前缘扩展至翅基部,下端向外达臀角。前、后翅反面锈红色;前翅外线至外缘间色较深,呈暗红褐色;后翅中线及外线深褐色,较直,后缘内侧自翅基向下有1个楔形黄色斑,外线至外缘间深褐色。

采集记录:1♂,柞水营盘镇,953~995m,2014.Ⅶ.29-31,刘淑仙采。

分布:陕西(柞水,太白山)、北京、山东、河南、甘肃、上海、浙江、湖北、江西、四川、重庆、贵州、云南、西藏;日本,缅甸,印度。

(48)小豆长喙天蛾 *Macroglossum stellatarum* (Linnaeus, 1758)(图版6:7)

Sphinx stellatarum Linnaeus, 1758: 493.

Macroglossum stellatarum: Scopoli, 1777: 414.

Psithyros stellatarum Hübner, 1819: 132.

Bombylia stellatarum Hübner, 1822: 10.

Macroglossa nigra Cosmovici, 1892: 280.

鉴别特征:前翅长22~25mm。体翅暗灰褐色;下唇须及胸部腹面白色;腹部暗灰色,两侧有白色及黑色斑;尾毛黑褐色,扩散为刷状。前翅内线及中线弯曲黑褐色;外线不甚明显;中点黑色;缘毛黄褐色。后翅橙黄色,基部及外缘有暗褐色带。翅反面前大半暗褐色,后小半橙色。

采集记录:陕西秦岭,2004-2014,Pittaway & Kitching采。

分布:陕西(秦岭)、黑龙江、辽宁、内蒙古、北京、天津、河北、山西、山东、河南、甘肃、新疆、上海、浙江、江西、湖南、广东、香港、四川、西藏;蒙古,俄罗斯,朝鲜,韩国,日本。

28. 白眉天蛾属 *Hyles* Hübner, 1819

Hyles Hübner, 1819: 137. **Type species**: *Sphinx euphorbiae* Linnaeus, 1758.

Thaumas Hübner, 1819: 138. **Type species**: *Sphinx vespertilio* Esper, 1780.

Celerio Agassiz, 1846: 14. **Type species**: *Sphinx galii* Denis *et* Schiffermüller, 1775.

Hawaiina Tutt, 1903a 76. **Type species**: *Deilephila calida* Butler, 1881.

Turneria Tutt, 1903a: 76. **Type species**: *Sphinx hippophaes* Esper, 1793.

Weismannia Tutt, 1904: 503. **Type species**: *Sphinx zygophylli* Ochsenheimer, 1808.

Danneria Eitschberger *et* Zolotuhin, 1998, *in* Danner, Surholt & Eitschberger: 201. **Type species**: *Sphinx lineata* Fabricius, 1775.

Eremohyles Eitschberger *et* Zolotuhin, 1998, *in* Danner, Surholt & Eitschberger: 202. **Type species**: *Hyles centralasiae* Staudinger, 1878.

Hippohyles Eitschberger *et* Zolotuhin, 1998, *in* Danner, Surholt & Eitschberger: 202. **Type species**: *Sphinx hippophaes* Esper, 1793.

Rommeliana Eitschberger *et* Zolotuhin, 1998, *in* Danner, Surholt & Eitschberger: 201. **Type species**: *Hyles deserticola* Staudinger, 1901.

Surholtia Eitschberger *et* Zolotuhin, 1998, *in* Danner, Surholt & Eitschberger: 201. **Type species**: *Sphinx costata* Normann, 1851.

属征:中型蛾类。触角末端膨大;下唇须端部宽大,与额面平齐;头及肩片两侧有白色鳞毛;体翅反面常为淡红色。各足跗节具成列的小刺。第1~4腹节侧面白色,第2和第3腹节侧背面在白色中有黑斑。前翅顶角尖,外缘近平直或略呈浅弧形,后缘端半部微凹;后翅顶角尖,外缘下半部浅凹。前翅自顶角至后缘中部有斜带;后翅基半部黑色,中央有红色横带。雄性外生殖器中,抱器鳞较小;抱器腹末端逐渐向外延长。

分布:全北区。秦岭地区发现4种。

(49)放白眉天蛾 *Hyles exilis* Derzhavets, 1979(图版6:8)

Hyles costata exilis Derzhavets, 1979: 408.

Hyles chuvilini Eitschberger, Danner *et* Surholt, 1998, *in* Danner, *et al.*: 275.

Hyles exilis: Danner, Surhoil & Eitschberger, 1998, *in* Danner, *et al.*: 201.

鉴别特征:前翅长34mm。前翅前缘褐色;翅中部浅色带外侧边缘较平直;黑色中点明显,与前缘向下扩展的褐斑相连;外缘附近带粉红色。后翅中部浅色带较宽,大部粉红色,其外侧的黑色带沿翅脉向内凸出小齿;黑色带外侧粉红色。

采集记录:陕西太白山,1000m, 2004-2014,Pittaway & Kitching 采。

分布:陕西(太白山)、黑龙江、内蒙古、北京、天津、河北、山东、河南;蒙古,俄罗斯。

(50)深色白眉天蛾 *Hyles gallii* (Rottemburg, 1775)(图版6:9)

Sphinx gallii Rottemburg, 1775: 107.

Deilephila gallii: Ochsenheimer, 1816: 43.

Hyles gallii: Hübner, 1819: 137.

Celerio gallii: Agassiz, 1846: 14.

Celerio gallii: Rothschild & Jordan, 1903: 722.

Celerio gallii chishimana Matsumura, 1929: 166.

Celerio gallii sachaliensis Matsumura, 1929: 166.

Celerio galii nepalensis Daniel, 1961: 160.

Celerio galii tibetanica Eichler, 1971: 315.

鉴别特征:前翅长35~43mm。体翅墨绿色;头及肩片两侧有白色绒毛;触角黑褐色,端部灰白色;胸部背面橄榄绿色;腹部腹面墨绿色,节间白色。前翅前缘墨绿色,翅基有白色鳞片;自顶角至后缘接近基部有污黄色斜带,该带中部以下两次弯曲;翅端部灰红色。后翅基部黑色,中部的浅色带较窄,红色较少且不均匀;外侧的黑色带不向内凸出小齿,黑带外侧污黄色。前、后翅反面灰褐色;前翅中室及后翅中部横线及臀角呈黑色,前翅中部有污黄色近长三角形大斑。干旱地区的个体体色较浅,而湿润凉爽地区的个体体色较深。

采集记录:陕西,采集地点不详, 2004-2014,Pittaway & Kitching 采。

分布:陕西(秦岭)、黑龙江、吉林、辽宁、内蒙古、北京、天津、河北、山东、青海、甘肃、新疆、上海、浙江、云南、西藏;蒙古,俄罗斯,朝鲜,韩国,日本,尼泊尔,加拿大,美国,欧洲。

(51)八字白眉天蛾 *Hyles livornica* (Esper, 1780)(图版6:10)

Sphinx livornica Esper, 1780: 87, 88, 196.

Phinx koechlini Fuessly, 1781: 1.
Deilephila livornica: Stephens, 1829: 32.
Celerio lineata livornica: Rothschild & Jordan, 1903: 732.
Celerio livornica: Tutt, 1904: 147.
Celerio lineata tatsienluica Oberthür, 1916: 202.
Celerio lineata saharae Gehlen, 1932, *in* Seitz (b): 153.
Celerio lovornica perlimbata Abbayes, 1932: 20
Celerio lineata malgassica Denso, 1944: 98.
Hyles livornica: Pittaway, 1983: 82.

鉴别特征:前翅长38～42mm。体翅褐绿色;下唇须下部白色,上端褐色;额两侧及翅基片内外侧有白色鳞毛;触角深褐色,端部白色;腹部背面深黄褐色,各节后缘毛黑色,背中及两侧有银白色点。前翅黑褐色,翅基及后缘白色;自顶角至后缘中部翅有灰白色倾斜的条带,该带较前述两种略窄,其外侧边缘较直;外缘附近灰红色;各翅脉黄白色,中室端有1个近三角形的白斑。后翅基部黑色,前缘污黄色;中央有暗红色宽带;亚缘线黑色带状,其外侧的浅色部分十分狭窄;缘毛白色。前、后翅反面灰黄色,显有灰黑色横线及外缘。

采集记录:陕西,采集地点不详,2004-2014,Pittaway & Kitching采。

分布:陕西(秦岭)、黑龙江、吉林、辽宁、北京、河北、河南、山东、山西、甘肃、宁夏、青海、新疆、江苏、江西、湖南、台湾、四川、贵州、云南、西藏;蒙古,俄罗斯,日本,印度,泰国,非洲,欧洲,中东。

(52)霸王天蛾 *Hyles zygophylli* (**Ochsenheimer, 1808**)(图版6:11)

Sphinx zygophylli Ochsenheimer, 1808: 226.
Hyles zygophylli: Hübner, 1819: 137.
Celerio zygophylli: Rothschild & Jordan, 1903: 715 (key), 727.
Hyles zygophylli kirgisa Eitschberger *et* Lukhtanov, 1996: 620, fig. d.

鉴别特征:与该属其他种相比,前翅更狭长,上有明显的灰白色倾斜的条纹,前缘附近的深色部分向外下方扩展至浅色带外侧的深色部分,将浅色斜带分割成3块;中室前端有1个灰黑色的斑块;翅端部的浅色部分与其内侧的深色带区分不明显;后翅亚缘线的黑色带下端变细消失。

采集记录:陕西,采集地点不详,2004-2014,Pittaway & Kitching采。

分布:陕西、新疆;蒙古,俄罗斯,土耳其,叙利亚,伊朗,哈萨克斯坦,乌兹别克斯坦,塔吉克斯坦,阿富汗。

29. 红天蛾属 *Deilephila* Laspeyres, 1809

Deilephila Laspeyres, 1809: 100. **Type species**: *Sphinx elpenor* Linnaeus, 1758.

Choerocampa Duponchel, 1835, *in* Godart & Duponchel: 159. **Type species**: *Sphinx porcellus* Linnaeus, 1758.

Metopsilus Duncan, 1836, *in* Jardine: 154. **Type species**: *Sphinx elpenor* Linnaeus, 1758.

Elpenor Agassiz, 1846: 24. **Type species**: *Sphinx elpenor* Linnaeus, 1758.

Cinogon Butler, 1881a: 1. **Type species**: *Cinogon cingulatum* Butler, 1881.

属征:身体大部分赭红色(至少胸、腹间赭红色);下唇须粗糙,具有分散的长毛。前翅赭红或暗红色,顶角尖,略凸出,外缘弧形或有齿,后缘端部微凹,臀角略下垂;后翅前缘不弯曲,顶角尖并凸出,臀角略凸出。前足跗节有刺。

分布:全北界,东洋界。秦岭地区发现1种。

(53)红天蛾 *Deilephila elpenor* (Linnaeus, 1758)(图版7:1)

Sphinx elpenor Linnaeus, 1758: 491.

Deilephila elpenor: Laspeyres, 1809: 100.

Chaerocampa lewisii Butler, 1875b: 247.

Choerocampa macromera Butler, 1875a: 7.

Pergesa elpenor szechuana Chu *et* Wang, 1980: 421.

别名:凤仙花红天蛾、川红天蛾。

鉴别特征:前翅长25~35mm。体型中小型,不同个体差异很大。体翅红色为主,但不同个体会有玫红、鲜红、暗红的变化。腹部背线红色,两侧黄绿色,外侧红色,第1腹节两侧有黑斑。前翅基部黑色;前缘及外线、亚缘线、外缘和缘毛都为暗红色,外线近顶角较细,愈向后缘愈粗;中室端有白色小点。后翅基半部黑色,端半部红色;翅反面色较鲜艳,前缘黄色。

采集记录:2♂,周至厚畛子,1300m,2007. Ⅷ. 10,李文柱采;2♂,周至厚畛子,1276m,2008. Ⅵ. 30-Ⅶ. 01,白明采;01♂,留坝县城,1020m,1998. Ⅶ. 18,姚建采;1♂,留坝庙台子,1350m,1998. Ⅶ. 21,姚建采;1♂,佛坪,950m,1998. Ⅶ. 23,姚建采;1♂,佛坪偏岩子,1750m,1999. Ⅵ. 28,朱朝东采;1♂,宁陕广货街保护站,1189m,2014. Ⅶ. 26-28,刘淑仙采;1♂,旬阳金鑫源山庄,386m,2014. Ⅷ. 01-03,班晓双采。

分布:陕西(周至、留坝、佛坪、宁陕、旬阳)、黑龙江、吉林、辽宁、内蒙古、北京、河北、山东、山西、河南、甘肃、新疆、上海、江苏、安徽、浙江、湖北、江西、湖南、福建、台湾、四川、贵州、云南、西藏;蒙古,俄罗斯,朝鲜,韩国,日本,越南,泰国,印度,尼泊尔,不丹,孟加拉国,缅甸,欧洲,北美洲。

30. 斜纹天蛾属 *Theretra* Hübner, 1819

Theretra Hübner, 1819: 290. **Type species**: *Sphinx equestris* Fabricius, 1793.

Oreus Hübner, 1819: 136. **Type species**: *Sphinx gnoma* Fabricius, 1775.
Gnathostypsis Wallengren, 1858: 137. **Type species**: *Gnathostypsis ostracina* Wallengren, 1858.
Hathia Moore, 1882: 19. **Type species**: *Sphinx clotho* Drury, 1773.
Florina Tutt, 1903a: 76. **Type species**: *Choerocampa japonica* Boisduval, 1867.

属征:喙基部不暴露;下唇须第1节端部内侧有长短不一的密鳞毛,外侧端部有长鳞毛,第2节连结,内侧端部有1簇鳞毛。前翅顶角尖,外缘较直或略呈浅弧形,后缘端半部浅凹;后翅顶角尖,外缘浅弧形,臀角凸出。前翅自顶角至后缘基部有平行的斜纹。胸部两侧有金黄色或橘黄色的纵带。

分布:古北界,东洋界。秦岭地区发现3种。

(54)雀纹天蛾 *Theretra japonica* (Boisduval, 1869)(图版7:2)

Choerocampa japonica Boisduval, 1869, *in* Orza: 36.
Deilephila suifuna Staudinger, 1892a: 228, pl. 4: 2.
Theretra japonica: Kirby, 1892: 654.
Theretra japonica alticola Mell, 1939: 145.

别名:日本斜纹天蛾、黄胸斜纹天蛾。

鉴别特征:前翅长34~37mm。体型较小。体翅褐色;触角背面灰色,腹面黄褐色;头部及胸部两侧有白色鳞毛,背部中央有白色绒毛,背线两侧有橙黄色纵条;腹部背线深褐色,两侧有数条不甚明显的暗黄色条纹,各节间有褐色横纹;腹面粉褐色。前翅黄褐色,带橄榄绿色调;顶角达后缘方向有6条暗褐色至黑褐色斜条纹,上面1条最明显,第3条与第4条之间色较淡;中室端有1个小黑点。后翅黑褐色,臀角附近有灰黄褐色三角斑,外缘黄绿色。

采集记录:1♂,佛坪,890m,1999.Ⅵ.26,姚建采。

分布:陕西(周至、佛坪、旬阳)、黑龙江、吉林、辽宁、内蒙古、北京、河北、山东、河南、甘肃、宁夏、青海、上海、江苏、安徽、浙江、湖北、江西、湖南、福建、台湾、广东、海南、广西、四川、贵州、云南;俄罗斯,朝鲜,韩国,日本。

(55)芋双线天蛾 *Theretra oldenlandiae oldenlandiae* (Fabricius, 1775)(图版7:3)

Sphinx oldenlandiae Fabricius, 1775: 542.
Sphinx drancus Cramer, 1777: 56, pl. 132, fig. F.
Chaeroeampa puellaris Butler, 1876a: 622.
Theretra oldenlandiae: Kirby, 1892: 654.
Deilephila proxima Austaut, 1892: 69.
Cechenena olivascens Mell, 1922b: 329.
Theretra oldenlandiae fuscata Gehlen, 1941: 179.

别名:双线条纹天蛾、双斜纹天蛾。

鉴别特征:前翅长30~38mm。体翅灰绿色;头及胸部两侧有白色缘毛;胸部背线灰褐色,两侧有黄白色纵条;腹部有银白色背线两条,两侧有褐及淡黄褐色纵条;身体腹面土黄色,有不甚显著的黄褐色条纹。前翅灰绿色;顶角至后缘基部附近有1条较宽的浅黄褐色斜带,斜带内外有数条黑、白色条纹;中室端有1个黑点。后翅黑褐色,有1条灰黄色横带;缘毛白色。前、后翅反面黄褐色,各有3条暗褐色横带。

采集记录:5♂1♀,太白黄柏塬,1980. Ⅶ. 14,张宝林采;5♂,佛坪,950m,1998. Ⅶ. 23,姚建、袁德成采;1♂,宁陕火地塘,1580m,1998. Ⅶ. 26-Ⅷ. 18,袁德成采;1♂,旬阳金鑫源山庄,386m,2014. Ⅷ. 01-03,班晓双采。

分布:陕西(太白、佛坪、宁陕、旬阳)、北京、河北、山东、河南、甘肃、上海、安徽、江苏、浙江、湖北、江西、湖南、福建、台湾、广东、海南、香港、广西、四川、云南、西藏;俄罗斯,朝鲜,韩国,日本,缅甸,印度,不丹,尼泊尔,巴基斯坦,斯里兰卡,菲律宾。

(56)斜纹天蛾 *Theretra clotho* (Drury, 1773)(图版7:4)

Sphinx clotho Drury, 1773: 48, pl. 28, fig. 1.

Deilephila cyrene Westwood, 1847: 13, pl. 6, fig. 1.

Chaerocampa bistrigata Butler, 1875b: 249.

Theretra clotho: Jordan, 1912, *in* Seitz (a): 259.

鉴别特征:前翅长38~43mm。额、头顶和前胸黑褐色,额和头顶两侧及肩片外侧黄白色;胸部至腹部末端由暗黄褐色过渡到黄绿色。前翅黄绿色,散布黑色鳞片,前缘下方和外线外下方暗黄褐色;中室端有小黑点;外线为深褐色单线,直。后翅大部黑色,前缘和臀角附近黄色,外缘附近黄绿色。前翅反面各横线不明显,靠近前缘处有1个小黑点,外缘有灰色区域;后翅反面隐约能看到中线。

采集记录:1♂,周至老县城,1670~1780m,2008. Ⅵ. 30,崔俊芝采;1♂,佛坪,870m,2007. Ⅷ. 16,杨玉霞采。

分布:陕西(周至、佛坪)、上海、安徽、湖北、江西、湖南、浙江、福建、台湾、广东、海南、香港、广西、四川、贵州、云南;日本,越南,老挝,泰国,缅甸,印度,尼泊尔,巴基斯坦,不丹,菲律宾,斯里兰卡,马来西亚,印度尼西亚,澳大利亚。

31. 斜绿天蛾属 *Pergesa* Walker, 1856

Pergesa Walker, 1856: 77 (key), 149. **Type species**: *Sphinx acteus* Cramer, 1779.

Rhyncholaba Rothschild *et* Jordan, 1903: 674(key), 789. **Type species**: *Sphinx acteus* Cramer, 1779.

属征:喙特长,基部不暴露;下唇须第1节端部内侧的鳞毛密且长短不一,外侧鳞毛最长的在端凹窝下方,第2节连结,内侧端部有1簇鳞毛;触角端节上有长鬃。头、胸、腹背面两侧霉绿色。前翅顶角凸出,外缘浅弧形,臀角略下垂;后翅顶角尖,外缘浅弧形,后缘短。前翅自顶角自后缘基部有绿色斜带。后足胫距2对。

分布:东洋界。秦岭地区发现1种。

(57)斜绿天蛾 *Pergesa acteus* (Cramer, 1779)(图版7:5)

Sphinx acteus Cramer, 1779: 93, pl. 248, fig. A.

Pergesa acteus: Walker, 1856: 153.

Panacra butleri Rothschild, 1894a: 80.

Rhyncholaba acteus: Rothschild & Jordan, 1903: 789.

鉴别特征:前翅长35~40mm。体色深绿;头及肩片两侧有灰色鳞片;胸腹部背线灰色;胸部两侧及尾端毛橙黄色,身体腹面橙黄色,中线白色。前翅黄褐色,自顶角至后缘基部有绿色斜宽带;外缘颜色深。后翅暗黄褐色,中部黑褐色。翅的反面橙黄色,前缘及外缘灰褐色;前翅有两条明显的深褐色斜带。

采集记录:陕西旬阳,1380m,2004-2014,Pittaway & Kitching采。

分布:陕西(旬阳)、安徽、江西、福建、台湾、广东、香港、海南、广西、四川、贵州、云南、西藏;日本,泰国,缅甸,印度,尼泊尔,菲律宾,斯里兰卡,马来西亚,印度尼西亚。

32. 斑背天蛾属 *Cechenena* Rothschild *et* Jordan, 1903

Cechenena Rothschild *et* Jordan, 1903: 674 (key), 799. **Type species**: *Philampelus helops* Walker, 1856.

属征:复眼大;喙基部暴露;下唇须第2节不连接,从侧面观显著窄于第1节,内侧表面无毛;触角背面灰白色,腹面黄褐色;头及肩片两侧有白色鳞毛。腹部背面有几条纵背线;足跗节具刺,后足第1跗节比第2~4节总长要短,比胫节短;前胸发达,中胸稍向翅凸出。前翅狭长,顶角尖,略凸出,外缘浅弧形,后缘端半部微凹;后翅顶角尖,臀角略凸出。前翅从顶角到后缘中部有6条以上的斜线。

分布:东洋界。秦岭地区发现2种。

(58)条背天蛾 *Cechenena lineosa* (Walker, 1856)(图版7:6)

Chaerocampa lineosa Walker, 1856: 144.

Chaerocampa major Butler, 1875b: 249.

Cechenena lineosa: Rothschild & Jordan, 1903: 799.

Cechenena lineosa Viridula Bryk, 1944: 53.

别名:棕绿背线天蛾。

鉴别特征:前翅长50mm左右。体橄榄绿色至灰绿色;头及肩片两侧有白色鳞毛;触角背面灰白色,腹面黄褐色;下唇须第1节黄色与粉红色掺杂,第2节灰绿色,端部白色;胸部背面有灰黄褐色背线;腹部背中线显著,两侧有灰黄及黑色斑;身体腹面灰白色,两侧橙黄色。前翅自顶角至后缘基部有灰黄褐色斜纹;前缘部位有黑斑;翅基部有黑、白色毛丛;中室端有黑点。后翅黑色,有灰黄色横带。翅反面橙黄色,外缘灰褐色;顶角内侧前缘上有黑斑;各横线灰黑色。

采集记录:10♂2♀,周至楼观台,680m,2008. Ⅵ. 23-24,白明、崔俊芝、葛斯琴、李文柱、刘万岗采;5♂,周至厚畛子,1276m,2008. Ⅵ. 30-Ⅶ. 01,白明、李文柱采;4♂,太白黄柏塬,1323m,2012. Ⅵ. 17-18,李静、刘淑仙采;10♂2♀,留坝城关镇,1007m,2012. Ⅵ. 21-Ⅶ. 22,李静、刘淑仙采;15♂3♀,佛坪龙草坪,1200~1256m,2008. Ⅶ. 03,白明等采;1♀,宁陕火地塘,1538m,2012. Ⅶ. 11-15,姜楠采。

分布:陕西(周至、太白、留坝、佛坪、宁陕)、河北、河南、甘肃、安徽、浙江、湖北、江西、湖南、福建、台湾、广东、海南、广西、四川、贵州、云南、西藏;日本,越南,泰国,印度,尼泊尔,马来西亚,印度尼西亚。

(59)平背天蛾 *Cechenena minor* (Butler, 1875)(图版7:7)

Chaerocampa minor Butler, 1875b: 249.
Theretra striata Rothschild, 1894a: 75.
Cechenena minor: Rothschild & Jordan, 1903: 799.
Cechenena minor olivascens Mell, 1922b: 329.

别名:背线天蛾、平背线天蛾。

鉴别特征:前翅长40mm左右。体翅青褐色;头及肩片两侧有白色鳞毛;前胸背板中央有1个黑点;腹部背面有灰褐色条,两侧有黄褐色斑;身体腹面灰白色。前翅自顶角至后缘有深褐色斜线6条,各线间黄褐色;翅基部有黑斑;中室端有1个黑点。后翅灰黑色,端半部有黄褐色横带。翅反面橙黄略带灰色,散布褐色斑点;中线齿状灰色。该种与条背天蛾 *Cechenena lineosa* (Walker, 1856) 很像,但胸部背面没有中带,腹部背中线不显著。

采集记录:陕西旬阳,1380m,2004-2014,Pittaway & Kitching 采。

分布:陕西(旬阳)、河南、甘肃、安徽、浙江、江西、湖北、湖南、福建、台湾、广东、海南、四川、贵州、云南;日本,泰国,印度,尼泊尔,马来西亚。

33. 白肩天蛾属 *Rhagastis* Rothschild *et* Jordan, 1903

Rhagastis Rothschild *et* Jordan, 1903: 674 (key), 791. **Type species**: *Pergesa velata* Walker, 1866: 1853.

属征:中小型天蛾;喙基部暴露;下唇须第2节不连结,也不狭于第1节;触角端节尖细,雄触角有短纤毛簇。腹部背面无纵背线。前翅较宽阔,顶角尖,凸出,外缘浅弧形,后缘端半部凹,臀角下垂;后翅顶角钝圆,外缘浅弧形,臀角略凸或钝圆。前翅上有杂斑,无从顶角到后缘中部的斜纹,中室有黑褐色中点。

分布:古北界,东洋界。秦岭地区发现3种。

(60) 白肩天蛾 *Rhagastis mongoliana* (Butler, 1876) (图版7:8)

Pergesa mongoliana Butler, 1876a: 622.

Rhagastis mongoliana: Rothschild & Jordan, 1903: 792 (key), 793.

Rhagastis mongoliana pallicosta Mell, 1922a: 120.

别名:实点天蛾、广东白肩天蛾。

鉴别特征:前翅长23~30mm。体翅橄榄绿色;头及肩片两侧有白色鳞毛;触角黄褐色;胸部后缘两侧有橙黄色毛丛,中间有1个黑点;腹部背面各节后缘有1对黑点。前翅各横线呈点状;近外缘呈灰褐色;后缘近基部白色;中点黑色较小,中心不为浅色;顶角内侧有1个三角形黑斑。后翅黑褐色,近臀角有黄褐色斑。前、后翅反面橙褐色,有灰色散点及横纹;前翅中部灰褐色。

与该属其他种相比,该种的前翅外缘中部凸出。

采集记录:1♂,佛坪县城,900m,2008.Ⅶ.06,白明采;4♂2♀,佛坪龙草坪,1200~1256m,2008.Ⅶ.03,白明等采;2♂,佛坪长角坝,1200m,2008.Ⅶ.05,白明采;1♂,宁陕火地塘,1500~2000m,2008.Ⅶ.08,葛斯琴采。

分布:陕西(佛坪、宁陕)、黑龙江、吉林、辽宁、北京、青海、上海、安徽、浙江、湖北、江西、湖南、福建、台湾、广东、海南、广西、四川、贵州;蒙古,俄罗斯,朝鲜,韩国,日本。

(61) 隐纹白肩天蛾 *Rhagastis velata* (Walker, 1866) (图版7:9)

Pergesa velata Walker, 1866: 1853.

Rhagastis velata: Rothschild & Jordan, 1903: 793.

别名:维拉达白肩天蛾、白心点天蛾。

鉴别特征:前翅长 32 ~ 36mm。后胸背板上无小黑点,腹部背面无金色条纹;前足基跗节的刺排列简单或只在基部成对排列。前翅有 4 条外线,其中 2 到 3 条呈锯齿形;中点黑色环状;翅端部色较浅。后翅深褐色,亚缘线处隐见模糊浅色条带。

采集记录:1♂,周至厚畛子,1276m,2008. Ⅵ. 30,崔俊芝采;1♂,佛坪龙草坪,1200m,2008. Ⅶ. 03,白明采。

分布:陕西(周至、佛坪、旬阳)、台湾、贵州;泰国,印度。

(62)迷白肩天蛾 *Rhagastis confusa* Rothschild *et* Jordan, 1903(图版 7:10)

Rhagastis confusa Rothschild *et* Jordan, 1903: 793 (key), 795.

Rhagastis confusa chinensis Clark, 1936: 89.

Rhagastis confusa peeti Clark, 1936: 90.

鉴别特征:前翅长 33 ~ 35mm。翅较宽,前翅深褐色,端部色较浅;中点黑色,大而圆,中心色略浅;翅基部翅脉上 2 列黑点,中点外侧翅脉上 3 列黑点。后翅黑褐色,臀角内上方有 1 条黄褐色宽带,向上渐窄并逐渐消失,带上略带粉色。

采集记录:1♂,太白黄柏塬,1323m,2012. Ⅵ. 17-18,刘淑仙采;3♂,宁陕火地塘,1500 ~ 2000m,2008. Ⅶ. 08,白明采。

分布:陕西(太白、宁陕)、湖南、四川、贵州、云南;越南,泰国,印度,尼泊尔。

四、箩纹蛾科 Brahmaeidae

鉴别特征:大型蛾类;喙发达,下唇须长,向上伸;雄雌性触角均双栉形。翅宽大,前翅顶角圆;翅色浓厚,有许多箩筐条纹和波状纹。幼虫与成虫颜色较为相近。有些种类幼虫背部有多条无毒肉刺。

分类:世界已知 7 属 40 余种,主要分布于东洋界、古北界和非洲界。中国分布约 5 属 10 种,陕西秦岭地区分布 2 属 2 种。

1. 箩纹蛾属 *Brahmaea* Walker, 1855

Brahmaea Walker, 1855: 1200 (key), 1315. **Type species**: *Brahmaea conchifera* Butler, 1880.

属征:体大型;前翅端部圆;黑褐色中带由 10 个长卵形纵纹组成,两侧排布细密箩纹;后翅基部黑至黑褐色,端半部排布箩纹。

分布:古北界,东洋界(北部)。秦岭地区发现 1 种。

(1)紫光箩纹蛾 *Brahmaea porphyria* Chu *et* Wang, 1977(图版 8:1)

Brahmaea porphyria Chu *et* Wang, 1977: 83.

鉴别特征:前翅长 57~68mm。腹节背面有黄褐色横纹。前翅中带中部在 M_1 与 M_3 之间的 2 个长卵形纹呈紫红色,中部灰白色,其外侧有一片紫红色光泽;前后翅翅脉具蓝色光泽。

采集记录:1♂,留坝城关镇,1007m,2012. Ⅵ. 21-Ⅶ. 22,刘淑仙采。

分布:陕西(留坝)、江苏、安徽、浙江、江西。

2. 短颚箩纹蛾属 *Brachygnatha* Zhang *et* Yang, 1993

Brachygnatha Zhang *et* Yang, 1993: 48.

属征:触角间距小,黄褐色;腹部背面无淡色节间横带。前翅中带内侧在 Cu_2 上方的波状线向基部凸出;R_{2+3}在顶角附近分为二岔。后翅 $Sc+R_1$ 与中室前缘有横脉相连。

分布:中国(陕西)。秦岭地区发现 1 种。

(2)短颚箩纹蛾 *Brachygnatha diastemata* Zhang *et* Yang, 1993

Brachygnatha diastemata Zhang *et* Yang, 1993: 49.

别名:漪澜水蜡蛾。

鉴别特征:前翅长 60mm。触角黄褐色;头和胸腹部黄褐至褐色。前翅中带内侧 M_3 至 Cu_2 脉间的波状线呈波形向基部凸出;前缘有 5 个黑色"N"形横斑;中带内外各有 6 条黑色波状线;亚缘线内侧为半圆形斑带。后翅前缘黄褐色,基半部黑色;端半部有 8 条黑色波状线。

分布:陕西(太白)。

五、枯叶蛾科 Lasiocampidae

鉴别特征:中型至大型具密鳞片的蛾类,体躯粗壮,多黄褐色,有些种类静止时后翅的波状边缘伸出前翅两侧,形似枯叶状,下唇须前伸似叶柄,因此得名(中文名)。

额上几乎总是生有 1 簇密毛。喙退化或缺,下唇须粗,常呈鼻状或尖锥状延长。无单眼。复眼小而强烈凸突,经常深藏在头部的毛丛中。两性触角均为双栉形,其中雄蛾触角的栉齿分支长,有时端部的分支缩短,雌蛾触角端部的分支通常缩短。无翅缰和翅缰钩,后翅肩区扩大为翅抱。胸部(特别是雌蛾)大多很粗壮且多毛。足短,强壮而被密毛。

翅面颜色比较丰富,除黄褐、灰褐、红褐和黑褐色外,尚有火红色(如苹枯叶蛾 *Odonestis pruni*)、苹果绿(如栗黄枯叶蛾 *Trabala vishnou*)、铜褐色(如李褐枯叶蛾 *Gastropacha quercifolia*)、暗灰蓝色(如栎杨小枯叶蛾 *Poecilocampa populi*)等。前翅通常有 1 枚明显的白色中室端斑 (discal spot),一些种类从翅基到外缘依次还有内线、中线、外线和亚端斑列。前翅外缘经常呈锯齿形,后缘明显缩短。前翅反面也会有斑纹,多为弧形带,与正面的花纹相配合。后翅大多呈圆形,斑纹位于前缘。

前翅 R_2 与 R_3 脉共柄,R_5 与 M_1 也共柄,通常 R_4 脉与该柄的分出点更靠近基部和前缘,但有时 R_4、R_5 及 M_1 这 3 支共柄,两翅的肘脉发达,与 M_2 和 M_3 脉在中室下形成四岔型。后翅 $Sc + R_1$ 与 Rs 在亚基部有一段短距离的并接,从而在基部形成 1 个小的基室,该基室在褐枯叶蛾亚科 Gastropachinae 中相当发达。

分类:中国记载 39 属 219 种和亚种,陕西秦岭地区分布 23 属 46 种。

1. 线枯叶蛾属 *Arguda* Moore, 1879

Arguda Moore, 1879a, *in* Hewitson & Moore: 79. **Type species**: *Arguda decurtata* Moore, 1879.
Syrastrenoides Matsumura, 1927a: 20. **Type species**: *Syrastrenoides horishana* Matsumura, 1927.

属征:雄性触角有密而长的栉齿,雌性栉齿短;下唇须强烈前伸,末节长,鳞片宽,呈铲状。腿节和胫节有长密毛;中、后胫节有很短的端距;跗节有光滑鳞片。前翅宽,三角形,顶角尖;前缘端半部弯曲,外缘直立,锯齿形,与后缘形成角。后翅宽圆,外缘锯齿形。前翅 Cu_2 脉靠近基部,Cu_1 脉出自中室下缘中部,M_3、M_2 脉同出自中室下角,M_1、R_5 脉有短共柄出自中室上角,R_4 脉在稍向前,R_3、R_2 脉有短共柄。后翅 Cu_2 脉出自中室下缘中部,Cu_1 脉在中室下角之前,M_3、M_2 脉同出自中室下角或共柄,$Sc + R_1$ 脉靠近基部和 Rs 脉并接或二者之间有短横脉,基室短而窄,肩脉不清楚。前、后翅中室均闭合。前翅有 2 条明显的斜线。

分布:东洋界,澳洲界。世界已知 10 余种,我国已记载 8 种,秦岭地区记录 1 种。

(1) 春线枯叶蛾 *Arguda era* Zolotuhin, 2005(图版 8:2)

Arguda era Zolotuhin, 2005: 553.

鉴别特征:雄性前翅长25mm,雌性前翅长34mm。翅黄绿色,带紫灰色调,散布大量褐色鳞片。前翅内外线直,略向内倾斜,深褐色,内侧有浅色边;中点黑灰色;亚缘线深灰色,微波曲。后翅由前缘中部至中室有1段向内倾斜的深褐色线,其下大部分翅面及腹部前端披红褐色长毛。

采集记录:1♂1♀(正模和副模),周至厚畛子,1500m,2002. Ⅵ(WITT)。

分布:陕西(周至)、四川。

2. 带枯叶蛾属 *Bharetta* Moore, 1866

Bharetta Moore, 1866: 820. **Type species**: *Bharetta cinnamomea* Moore, 1866.

属征:触角有相当长的羽状毛。下唇须前伸,长,密覆鳞片。前翅前缘直,近顶角有弯曲,顶角尖,外缘在M_1脉和Cu_2脉处有波曲。后翅前缘、后缘较直,外缘圆。前翅M_1、R_5脉分叉,R_2、R_3脉共柄短于分离部分。后翅M_3、M_2脉有短共柄,Rs和$Sc+R_1$脉在基部有接触,有肩脉1条。中、后胫节有短端距。雄性外生殖器的背兜膜质,背兜侧突膜质而具毛,抱器瓣长指状,抱足1对,阳茎细长,明显呈弓形,末端减削,阳茎端膜内有粗针状的角状器。

分布:中国;越南,印度。世界已知2种,中国均有记录,秦岭地区采集1种。

(2)斜带枯叶蛾 *Bharetta cinnamomea* Moore, 1865(图版8:3)

Bharetta cinnamomea Moore, 1865: 820.

鉴别特征:雄性前翅长19mm。体翅灰红色,触角黄褐色,下唇须黑褐色向前伸。胸、腹部背面呈棕色鳞毛。前翅阔,翅顶和M_1脉呈钝齿状凸出。前翅由顶角至臀角呈橘黄色斜的窄带,中室端黑点明显,亚缘斑列在顶角区两点最明显,其余各斑模糊;缘毛黑褐色,外缘区灰色。后翅中间有1条黄褐色横线。

采集记录:4♂,太白山蒿坪寺,1200m,1982. Ⅴ.09-Ⅶ.25;1♂,宁陕旬阳坝,1400m,1981. Ⅶ.25。

分布:陕西(眉县、宁陕)、甘肃、四川;越南,印度,尼泊尔。

3. 黑枯叶蛾属 *Pyrosis* Oberthür, 1880

Pyrosis Oberthür, 1880: 36. **Type species**: *Pyrosis eximia* Oberthur, 1880.

Bhima Moore, 1888b: 403. **Type species**: *Poecilampa undulana* Walker, 1855.

别名:杨柳毛虫属。

属征:雄性触角基部有很长的梳齿状毛,它的分支由基部到端部逐渐变短,基部长过端部。雌性梳齿状毛短而等长。腿节和胫节覆盖有长密毛。前翅 Cu_2 脉靠近基部,Cu_1 脉分叉超过中室中部,M_2 脉靠近 M_3 脉出自中室下角,M_1 与 R_5 脉有短共柄出自中室上角,R_4 脉出自 R_3、R_2 脉的长共柄上;Cu_2-R_4 脉止于外缘,R_3 脉止于翅顶角。后翅 Cu_2 脉分叉中室下缘中点以外,Cu_1 脉出自中室下角附近,M_3、M_2 脉同出于中室下角或有短共柄,$Sc+R_1$ 脉在前缘基部强弯曲,然后和 Rs 脉有或长或短的愈合,形成 1 个相当大的菱形或纺锤形的基室,上面有条不太明显的肩脉分支。翅鳞片相当薄或透明,除中室端白点外,还有 5 条白色齿状带。幼虫有明显毛丛状瘤,2、3 节背面有黑色毛丛。雄性外生殖器有明显的膜质尾突,抱器瓣牛角状,小抱针指状,抱足宽马蹄形,阳茎短粗,端半部渐尖而呈肘状弯曲,末端有尖齿。本属的雄性外生殖器特征很典型,在种间的差异不太明显,有的种类间不易区别。

分布:东亚、东南亚和南亚。世界已知 14 种,中国已记载 8 种,秦岭地区采集 4 种。

(3)栎黑枯叶蛾 *Pyrosis eximia* Oberthür, 1880(图版 8:6)

Pyrosis eximia Oberthür, 1880: 36.

Bhima eximia: Grünberg, 1913, *in* Seitz (a): 177.

别名:栎枯叶蛾。

鉴别特征:雄性前翅长 20 ~ 23mm,雌性前翅长 30 ~ 36mm。雌蛾体翅深褐色。后翅中间有两条灰黄色宽带,外半部具三度凸出的深褐色斑纹。雄蛾体翅黑褐色,后翅暗褐色到黑褐色,中后部有 1 条淡黄色宽横带,亚外缘也有 1 条淡黄色窄带,该带在中部向内与外带完全或部分相连。

采集记录:4♂,铜川玉华山,1956. Ⅷ. 26;1♂,耀县,1981. Ⅷ. 14。

分布:陕西(铜川)、山西、江苏、湖南;俄罗斯,朝鲜。

寄主:栎类,槐。

(4)杨黑枯叶蛾 *Pyrosis idiota* Graeser, 1888(图版 8:7)

Pyrosis idiota Graeser, 1888: 131.

Bhima idiota: Grünberg, 1913, *in* Seitz (a): 178.

别名:白杨枯叶蛾。

鉴别特征:雄性前翅长 20 ~ 25mm,雌性前翅长 30 ~ 35mm。雄蛾体翅黑褐色,头部、前胸黄色,后翅中部呈灰黄色大斑。雌蛾灰黄色略带褐色,触角黑色,体密被灰黄色毛鳞,腹部末端密生黄色长臀簇。前翅中室末端白斑大而圆,内、外横线灰白色、双重、波状,外横线弧形;亚缘斑列黑褐色,外侧衬以灰白色线纹,顶角区 3 块斑相连,大而明显。后翅中间呈灰白色横带(该带不达后缘),外半部具深色斑纹。

采集记录:2♂,周至厚畛子,1983. V. 31;1♂,周至钓鱼台,1480m,2008. Ⅵ. 29,白明采;1♂,宁陕旬阳坝,1981. V. 29;1♂,汉中宁西西河,1980. Ⅵ;1♂,镇安木王林场,1981. V. 20。

分布:陕西(周至、宁陕、汉中、镇安)、黑龙江、吉林、辽宁、内蒙古、北京、河北、山西;俄罗斯,朝鲜,日本。

寄主:杨,榆,柳,糖槭,文冠果,苹果,沙果,梨等。

(5)柳黑枯叶蛾 *Pyrosis rotundipennis* (de Joannis, 1930)(图版8:4,5)

Bhima rotundipennis de Joannis, 1930: 565.

Pyrosis rotundipennis: Zolotuhin, 1999: 284.

别名:柳毛虫。

鉴别特征:雄性前翅长22mm,雌性前翅长34mm。雌蛾体翅黄褐色,臀簇黄色略带褐色。翅面鳞片较薄,前翅狭长,中室端白点略呈三角形,双重波状的内、外线及亚缘线浅灰黄色;内线上端弧状,下端弯曲,外线斜曲,内、外线于中下部靠拢,于后缘中部形成2个重叠的扁圆形赤褐色大斑,较明显。后翅呈2条平行的灰黄色斑纹,基半部密布土红色的细毛。雄蛾体翅黑褐色,斑纹与雌蛾相同。

采集记录:2♂,韩城雷寺庄林场,1200m,1989. V. 30。

分布:陕西(秦岭、韩城)、江西、四川、云南;越南。

寄主:柳树。

(6)申氏黑枯叶蛾 *Pyrosis schintlmeisteri* Zolotuhin *et* Witt, 2007(图版8:8)

Pyrosis schintlmeisteri Zolotuhin *et* Witt, 2007: 15.

鉴别特征:前翅长约20mm。雄蛾体翅黑褐色,触角褐色,头、前胸部灰黄色,额缝黄褐色。前翅双重波状的内、外横线及亚缘线浅灰黄色,内、外横线略呈弧状平行,两线间呈棕褐色宽带,中室端大白斑长圆形。后翅暗褐色到黑褐色,中后部有1条淡黄色宽横带,亚外缘也有1条淡黄色窄带。

采集记录:2♂,周至,1983. Ⅴ. 31-Ⅵ. 14;1♂,凤县,1974. Ⅴ;2♂,韩城雷寺庄林场,1200m,1989. Ⅴ. 30。

分布:陕西(周至、凤县、韩城)。

4. 斑枯叶蛾属 *Cosmeptera* Lajonquiere, 1979

Cosmeptera Lajonquiere, 1979a: 11. **Type species**: *Odonestis hampsoni* Leech, 1899.

属征:雄性触角双栉形。个体中等大小,体翅褐色或黄褐色。前后翅宽圆,外缘浅弧形。前翅具由点形成的斜横带,由顶角内侧伸到后缘中间;中室端斑常呈长形或斜圆形。后翅斑纹不明显。前翅 R_3 和 R_2 脉共柄短;M_1 脉和 R_5 脉同出于中室上角,其余各脉分离。后翅有 1 个较大的基室,M_3 与 M_2 基部非常靠近,出自中室下角。

分布:中国;越南,泰国,老挝。世界已知 6 种,中国已记录 5 种,秦岭地区采集 2 种。

(7)棕斑枯叶蛾 *Cosmeptera ornata* Lajonquiere, 1979(图版 8:9)

Cosmeptera ornata Lajonquiere, 1979a: 12.

鉴别特征:前翅长 16mm。触角干黄褐色,栉齿灰褐色。体翅红褐色。前翅顶角内侧到后缘有 1 条深色斜纹,内侧色深;中点白色,呈斜长形,其上端有 1 个小圆斑,四周衬深褐色;亚缘斑列深褐色,斜伸。后翅色浅,斑纹不明显。雌蛾前翅外半部色浅;亚缘斑列呈深褐色,诸斑连成曲线。翅反面色浅,无斑纹。

采集记录:1♂(Paratype),S. Shensi, Taipai Shan im Tsinling, 1935. Ⅶ. 01, coll. Höne (ZFMK)。

分布:陕西(太白山)、四川、云南。

(8)美斑枯叶蛾 *Cosmeptera pulchra* Lajonquiere, 1979(图版 8:10)

Cosmeptera pulchra Lajonquiere, 1979a: 13.

鉴别特征:雄性前翅长 13mm。触角黄褐色;下唇须端部褐色。头部和胸部褐色,腹部颜色较深。前翅黄褐色,内线和外线经常模糊,褐色到深褐色;亚缘线较细而清晰,波状;中室端白色狭条形白斑,较前种窄,有不完整深色边。后翅颜色较前翅稍深,无斑纹。

采集记录:1♂(Holotype),S. Shensi, Taipai Shan im Tsinling, 3000m, 1936. Ⅶ. 23, coll. Höne (ZFMK); 1♂, Shaanxi, Taibai Shen, Tsinlingmts, Houzhenzi, 2600m, 2001. Ⅶ (WITT)。

分布:陕西(周至、太白)。

5. 小枯叶蛾属 *Cosmotriche* Hübner, 1820

Cosmotriche Hübner, 1820: 188. **Type species**: *Phalaena lunigera* Esper, 1874.

Selenephera Rambur, 1866: 347. **Type species**: *Bombyx lobulina* Denis *et* Schiffermüller, 1775.

Kononia Matsumura, 1927b: 112. **Type species**: *Kononia pinivora* Matsumura, 1927.

Wilemaniella Matsumura, 1927a: 20. **Type species**: *Cosmotriche discitincta* Wileman, 1914.
Selenepherides Daniel, 1953: 253. **Type species**: *Selenepherides monotona* Daniel, 1953.

别名:小毛虫属。

属征:本属体型较小,一般翅展30~50mm。雄性触角有很长的梳齿状毛,雌性触角短,有黄、黄褐、灰褐等色。腿节和胫节上有端距。前翅有12条脉,Cu_2脉靠近基部,M_2脉出自中室下角,M_1、R_5脉和R_2、R_3脉各有短共柄,R_4脉游离在中室上角,Cu_1-R_4脉止于外缘,R_3脉止于顶角。在后翅M_3与M_2脉同出一点或有短共柄,$Sc+R_1$脉在基部强烈弯曲,在中室上方中部有1条长斜脉和Rs脉相接,形成1个大宽基室,反射出4~5条肩脉,外面长的1条和$Sc+R_1$脉游离部分平行。两性强烈异型,雄性比雌性小而色深,前翅外缘稍短。

幼虫浑身有长薄毛,第1和第2节背上有长毛刷,第3或4节至第10节背面有3、4或5丛平行或分散的毛丛或短刚毛,第2至10节两侧气门上方有长列白斑或条纹,每节3个。

生物学:幼虫为害松类、云杉、冷杉等针叶树,为害猖獗时可食尽大面积林木针叶。

分布:古北界。中国已记载11种和亚种,秦岭地区分布2种。

(9)秦岭小枯叶蛾 *Cosmotriche chensiensis* Hou, 1987(图版8:11)

Cosmotriche chensiensis Hou, 1987: 130.

别名:秦岭小毛虫。

鉴别特征:前翅长约17mm。雄蛾触角梗节灰黄色,羽枝灰黄褐色。头、胸、前翅灰褐色,腹部棕褐色,后翅褐色,翅基片和胸背两侧密被灰白色长毛鳞。前翅中间呈明显的宽中带,上宽下窄,于中室中部折曲,中带两侧镶黑色线纹;中点白色,新月形;顶角区具灰黑色短横带;亚缘斑列中间较模糊。后翅暗褐色,中间有深色横带。双翅的缘毛均为褐色和灰白色相间,形成明显的花斑。翅反面灰褐色,中间具深色宽带。雌蛾触角灰褐色。头、胸、前翅灰褐色,腹部、胸脊棕色,后翅褐色,翅基片和胸背两侧被灰褐色毛鳞。前翅中间呈上宽下窄的中带,宽带两边呈黑色大斑。亚缘斑列只两端的斑点较明显。后翅褐色,上半部呈灰黑色横带。双翅的缘毛均为褐色和白色相间的花斑,翅反面中间呈弧形横带,后翅布满灰白鳞片。

采集记录:7♂,留坝庙台子,1500m,1979.Ⅷ.14;3♂,宁陕旬阳坝,1500m,1979.Ⅷ.17;7♂,宁陕火地塘,1700m,1979.Ⅷ.03-17。

分布:陕西(留坝、宁陕、镇安)、湖北。

寄主:秦岭冷杉(*Abies chensiensis* Van Tiegh.),华山松(*Pinus armandi* Franch)。

(10)蓝灰小枯叶蛾 *Cosmotriche monotona monotona* (Daniel, 1953)(图版8:12)

Selenepherides monotona Daniel, 1953: 254.

Cosmotriche monotona: Lajonquiere, 1974: 132.

别名:蓝灰小毛虫。

鉴别特征:雄性前翅长18~20mm,雌性前翅长19~21mm。雄蛾触角梗节黄褐色,羽枝蜡黄色,全体铁灰色,略带铁锈色。前翅中点灰色;中、外线色深,其间形成弧形宽带;亚缘斑列黑褐色,呈长形横斑,位于翅脉上部,末斑大而明显。后翅中间具深色横斑纹。双翅缘毛灰褐色和灰色相间;前翅外缘在 M_2 和 Cu_1 脉间向内凹陷。翅反面基半部呈深色。雌蛾体色和翅上斑纹与雄蛾同,但前翅中部横带不明显。

采集记录:1♂,太白山,2700m,1936。

分布:陕西(留坝、宁陕、商州,太白山)、河南、甘肃、青海、湖北。

寄主:秦岭冷杉(*Abies chensiensis* Van Tiegh.),华山松(*Pinus armandia* Franch),油松(*Pinus tabulaeformis* Carr.)。

6. 杂枯叶蛾属 *Kunugia* Nagano, 1917

Kunugia Nagano, 1917: 24. **Type species**: *Kunugia yamadai* Nagano, 1917.

别名:杂毛虫属。

属征:成虫体型和前翅翅脉与松毛虫属相似。体色一般为褐色或枯叶色。体型大小和前翅斑纹的变化较大,有的中带和花斑明显(如西昌杂枯叶蛾、双斑杂枯叶蛾等)。亚缘斑列的斑点一般较小,前翅翅形有似松毛虫属的种类,有的狭长,外缘弧形弓出明显。雌性外生殖器的前阴片大多愈合成一大块。雄性外生殖器的背兜侧突与松毛虫属近似,肘基粗大如腿,端部细长如肘,肘端生一系列大型钩状锯齿,有时形成单一的大钩。阳茎短小,针状,光滑无刺。幼虫的食性较杂,多数白天潜伏,夜间取食。

分布:东洋界。中国已知24种和亚种,秦岭地区记录5种。

(11)西昌杂枯叶蛾 *Kunugia xichangensis* (Tsai *et* Liu, 1962)(图版8:13)

Dendrolimus xichangensis Tsai *et* Liu, 1962: 248-249.

Cyclophragma xichangensis: Lajonquiere, 1973a: 581.

Kunugia xichangensis: Holloway, 1987: 31.

别名:西昌松毛虫、西昌杂毛虫。

鉴别特征:雄性前翅长27mm,雌性前翅长36～46mm。体褐色,雄蛾色泽比雌蛾深。前翅前缘近末端1/3处开始有较强烈弯曲;外缘弧形,呈波浪状;后缘平直;无内线,中线和外线赭石色,中线略弯曲呈一定弧度,外横线比较直,两线间呈淡赭石色,形成1条宽带;中点白色,雄蛾不如雌蛾明显;亚缘斑列淡黑色,有时不太明显,前6斑列成弧形。后翅为淡褐色。

采集记录:1♂,西乡沙河坝,1973.X.21-23。

分布:陕西(西乡)、湖南、四川、贵州、云南。

寄主:云南松(*Pinus yunnanensis* Franch),粗皮青冈(*Quercus varibilis* Bl.),槲树(*Quercus dentata* Thunb.),槲栎(*Quercus aliena* var. *acutiserrata* Maxim),四川杨桐(*Adi-nandra bockiana* Pritz.),细叶鹅冠草(*Roegneria japonensis* var. *hackliana* (Honda) Keng.),委陵菜(*Potentilla* sp.)。

(12)波纹杂枯叶蛾 *Kunugia undans undans* (Walker, 1855)(图版8:14)

Lebeda undans Walker, 1855: 1453.
Dendrolimus undans: Grünberg, 1911, *in* Seitz (a): 173.
Metanastria undans: Collier, 1936: 300.
Dendrolimus metanastroides Strand, 1915: 10.
Cyclophragma undans: Lajonquiere, 1973a: 586.
Kunugia undans: Zolotuhin & Witt, 2000: 62.

别名:波纹杂毛虫。

鉴别特征:雄性前翅长31～36mm,雌性前翅长34～50mm。触角梗节金黄色,羽枝黄褐色。体翅黄褐色;胸部和腹部前3节背面及翅基有长鳞毛。前翅中、外线双线,外线明显波状,中线波状不显著;外、中线间及外缘区黄褐色;亚外斑列浅黑色,内侧衬以黄色斑纹;白色中点大而明显,至翅基间有1个明显的金黄色圆斑。后翅斑纹不明显,只是中间有1个淡色斑;缘毛灰褐色。翅反面外半部黄色,内半部黄褐色,中间形成2～3条黄褐色横带。

采集记录:1♂,宁陕火地塘,1964.X.11;1♀,西乡沙河坝,450m,1973.X.21-23。

分布:陕西(宁陕、西乡)、河南、江苏、安徽、浙江、湖北、湖南、福建、台湾、广东、广西、四川、贵州、云南、西藏;印度,巴基斯坦。

寄主:马尾松(*Pinus massoniana* Lambert.),栎类(*Quercus* ssp.),油松(*Pinus tabulaeformis* C.),油茶,湿地松(*Pinus elliottii* Engelm),云南松(*Pinus yunnanensis* Franch),华山松(*Pinus armandi* Franch)。

(13)直纹杂枯叶蛾 *Kunugia lineata* (Moore, 1879)(图版8:15)

Lebeda lineata Moore, 1879a, *in* Hewitson & Moore: 81.
Cyclophragma lineata: Lajonquiere, 1973a: 584.

Kunugia lineata: Zolotuhin, 1995: 167.

别名:直纹杂毛虫。

鉴别特征:雄性前翅长34mm,雌性前翅长35~40mm。雄蛾触角梗节黄褐色,羽枝灰褐色;头、胸、前翅深黄褐色,腹部、后翅浅黄褐色;前翅白色中点不清楚;外线褐色,双重较明显;亚缘斑列黑色,每斑点四周衬以淡黄褐色斑,翅中间从翅基到亚缘线有1条褐色直纹为本种显著特征。后翅中间呈不甚明显的深色斑纹。翅反面呈淡黄褐色,中间呈1条褐色弧形带。雌蛾体翅黄褐色,触角黑褐色,下唇须前突。前翅中、外横线双重曲波状,两侧有淡色和灰黑色斑纹。亚缘斑列黑褐色,长圆形,由11个斑点组成;外线经中点至翅基呈黑灰色直形斑纹;外缘区黄褐色,布满灰黑色磷粉。后翅色泽稍淡,翅中间隐现2条黑灰色弧形斑纹。前翅反面中间呈3条弧形线,最外1条呈斑点状。

采集记录:据侯陶谦(1987)记载,该种分布于宁陕,但没有看到标本。

分布:陕西(宁陕)、甘肃、江西、湖南、福建、广东、广西、四川、贵州、云南、西藏;印度。

(14)太白杂枯叶蛾 *Kunugia tamsi taibaiensis* (Hou, 1986)(图版8:16,17)

Dendrolimus taibaiensis Hou, 1986: 75.

Kunugia tamsi taibaiensis: Liu & Wu, 2006: 139.

别名:太白松毛虫、太白杂毛虫。

鉴别特征:雄性前翅长25mm,雌性前翅长29~36mm。雄蛾全体呈鼠灰色,略带赤褐色,具深浅两型。深色型深灰褐色,触角梗节灰黄色,羽枝和复眼灰黑色,复眼球形外突,下唇须呈角状凸出。前翅中室端白点小,可认,中、外线较模糊;亚缘斑列黑色,由8~9枚长圆形斑点组成,斑列内侧呈浅灰色斑纹,翅基和胸部鳞毛较长而密,后翅中间呈两条深色横带,外半部较浅,外缘毛淡灰色。前、后翅反面均呈两条深色弧形带。浅色型呈浅灰色,中室端白点不明显。雌蛾体翅灰褐色,触角浅灰褐色,前翅中室端白点小,可识,中、外线深灰褐色,外线略呈波状;外线外侧和中线内侧呈栗褐色横线纹。中、外线间呈浅灰褐色,亚外斑列黑褐色,内侧呈淡色斑纹,诸斑呈长三角形,最后两斑大而明显,后缘区色泽较淡。后翅基部色浅,中间呈2条斜横带。

采集记录:1♀(副模),宁陕旬阳坝,1400m,1981. Ⅴ.25,雷生辉采;1♂(副模),太白山蒿坪寺,1400m,1981. Ⅵ.07,李宽胜采;2♀,1982. Ⅶ.25。

分布:陕西(潼关、华县、周至、户县、太白、眉县、宁陕、南郑、镇巴)、河南。

寄主:华山松(*Pinus armandi* Franch)。

(15)沃腾杂枯叶蛾 *Kunugia wotteni* Zolotuhin, 2005(图版8:18)

Kunugia wotteni Zolotuhin, 2005: 552.

鉴别特征:前翅长28mm。外形与直纹杂枯叶蛾 *Kunugia lineata* (Moore, 1879) 相似,但翅较短宽,斑纹更明显。体背和翅枯黄色。前翅排布5条黑灰色波状线,亚缘线为1列黑点,由翅基部至亚缘线沿中室下缘和 M_3 尾1条黑灰色纵纹。后翅端半部有2条模糊黑灰色带。

采集记录:1♂(Paratype), Shaanxi, Taibai Shen, Tsinlingmts, Houzhenzi, 1500m, 2002. Ⅵ (WITT)。

分布:陕西(周至)、甘肃。

7. 松毛虫属 *Dendrolimus* Germar, 1812

Dendrolimus Germar, 1812: 48. **Type species**: *Phalaena pini* Linnaeus, 1758.

Eutricha Stephens, 1829: 40. **Type species**: *Phalaena pini* Linnaeus, 1758.

Ptilorhina Zetterstedt, 1839: 925. **Type species**: *Phalaena pini* Linnaeus, 1758.

Karenkonia Matsumura, 1932: 45. **Type species**: *Karenkonia taiwana* Matsumura, 1932.

属征:大型,至少也是中型。雄性触角明显呈羽状,雌性触角短或呈较长的梳齿状。腿节和胫节上有密而长的绒毛,跗节有光滑鳞片,中、后胫节有长或短的端距。前翅中、外横线斑纹比较明显,亚缘斑列一般为黑褐色,斑点大而明显。前翅 M_3、M_2 脉共同出自中室下角,M_1、R_5 脉有短共柄,R_4 脉出自中室上角或靠前,R_2、R_3 脉有短或较长共柄;Cu_1-R_4 脉止于外缘,R_3 脉靠近顶角。后翅 M_3、M_2 脉有短共柄出自中室下角,$Sc+R_1$ 脉在近基部和Rs脉有并接现象(anastomose)或借短横脉(short transverse vein)彼此衔接形成1个短窄基室(basal cell),并产生2个短肩脉(accessory veins)。两翅中室均闭合。雌性外生殖器的前阴片一般分为3片,中前阴片较大,侧前阴片小。雄性外生殖器的背兜侧突小泡状,抱囊簇生刚毛,位于大抱针基部,抱器足状,底端有锯齿,后跟瘤状,端缘脊齿状,抱足有时延长呈带状。

幼虫扁平,被有长软毛,侧瘤在胸节特别明显,腹部也略有发展。2、3节有带状斑,密被深色毛鳞,11节也有类似毛鳞,形成宽丘状凸起,第10节也有2个小背瘤,瘤上时常还有长毛。第2、3节背线两侧有分散小鳞片,在带状斑中更为密集。一般日夜活动取食。蛹被有短毛,尾部钝圆,生有许多钩状刚毛。

分布:广泛分布。世界已知30余种,中国已记录28种和亚种。秦岭地区记录7种。

(16)油松毛虫 ***Dendrolimus tabulaeformis* Tsai *et* Liu, 1962**(图版 8:19)

Dendrolimus tabulaeformis Tsai *et* Liu, 1962: 245.

Dendrolimus punctatus tabulaeformis: Zhao *et al.*, 1999: 45.

鉴别特征:雄性前翅长 26mm,雌性前翅长 27 ~ 36mm。雄蛾体色淡灰褐到深褐色,雌蛾淡灰褐到褐色。前翅中点为白点,位于弧状内线上或稍偏外侧,雄蛾较雌蛾明显;横线褐色,内线不清楚,中线弧度小,外线弧度大,略呈波浪状纹;亚缘斑列黑色,各斑略呈新月形,内侧衬有淡棕色斑,前 6 斑列成弧状。后翅由淡褐色到深褐色。

采集记录:3♂1♀,留坝火烧店,1975. Ⅷ. 01;5♂12♀,留坝庙台子,1300 ~ 1400m,1975. Ⅷ. 01-13;1♂,宁陕火地塘,1979. Ⅷ. 03。

分布:陕西(留坝、宁陕)、辽宁、河北、山西、山东、河南、甘肃、四川。

寄主:油松(*Pinus tabulaeformis* Carr.),赤松(*Pinus densiflora* Sieb. *et* Zucc.),马尾松(*Pinus massoniana* Lamb.),獐子松(*Pinus sylvestria* var. *mongolica* Litvin.),华山松(*Pinus armandi* Ftanch),白皮松(*Pinus bungeana* Zucc.)。

(17)云南松毛虫 ***Dendrolimus grisea* (Moore, 1879)**(图版 8:20)

Chatra grisea Moore, 1879a, *in* Hewitson & Moore: 80.

Dendrolimus houi Lajonquiere, 1979a: 184-187.

Dendrolimus grisea: Zolotuhin, 1995: 167.

鉴别特征:雄性前翅长 35 ~ 42mm,雌性前翅长 45 ~ 62mm。雌蛾灰褐色,前翅白色中点不大清楚,横线亦不十分明显,亚缘斑列最后 2 个斑的连线约与翅顶角相交。雄蛾色泽较深,近赤褐色,横线斑纹比较明显。

采集记录:1♂,留坝庙台子,1979. Ⅷ. 13。

分布:陕西(留坝)、浙江、湖北、江西、湖南、福建、海南、四川、贵州、云南;越南,泰国,印度。

寄主:云南松(*Pinus yunnanensis* Franch),柳杉(*Cryptomeria fortunei* Hooibrenk),侧柏(*Biota orientalis* Endl.),油杉,思茅松等。

(18)秦岭松毛虫 ***Dendrolimus qinlingensis* Tsai *et* Hou, 1980**(图版 9:1)

Dendrolimus qinlingensis Tsai *et* Hou, 1980: 257.

鉴别特征:雄性前翅长 32 ~ 35mm,雌性前翅长 46mm。雄蛾体翅暗褐色,胸背面棕褐色,触角梗节黄褐色,羽枝灰黄色,中点白色,长圆形,较明显;内、中、外线和亚缘斑列均为黑褐色,外线外侧锯齿状为本种明显特征,沿外线外侧和中线、亚缘斑列内侧镶有白纹,亚缘斑列两度外凸,同时向内凹陷亦较深,切断内侧白纹形成 2 个黑斑;中、外线间淡褐色,散布灰白色鳞片;由中点至外线间具黑褐色长斑纹;外线与亚缘线间浅褐色;亚缘斑列与外缘间暗褐色。后翅褐色,有 2 条灰黑色弧形横带,外侧的横带三度外凸,以中间较明显。翅反面黄褐色,外半部具 2 条焦褐色横带,翅基具焦褐色斑块。雌蛾有赤褐和深褐色两种体色,翅面斑纹和雄蛾基本相同。

采集记录:1♂,周至厚畛子,1276m,2008. Ⅶ. 01,白明采;1♂1♀,佛坪龙草坪,1200m,2008. Ⅶ. 03,白明、李文柱采;2♂2♀,宁陕旬阳坝,1980. Ⅷ. 18,侯陶谦采;2♀,宁陕火地塘,1964. Ⅷ. 15,周嘉熹采;1♂,宁陕广货街保护站,1189m,2014. Ⅶ. 26-28,刘淑仙采。

分布:陕西(周至、太白、佛坪、宁陕、洋县)。

(19)宁陕松毛虫 *Dendrolimus ningshanensis* Tsai *et* Hou, 1976(图版 9:2)

Dendrolimus ningshanensis Tsai *et* Hou, 1976: 448.

鉴别特征:雄性前翅长 28mm,雌性前翅长 35mm。雄蛾体翅褐色,前翅白色中点明显;中线、外线均双重,深褐色;亚缘斑列黑褐色;外线与亚缘斑列间及外缘区浅褐色。后翅浅褐色,近外缘部分色泽较深;中线褐色,不太明显。雌蛾体翅有深浅两型:深色型呈暗咖啡色,白色中点圆而明显,斑纹与雄蛾基本相似,前翅外缘区与后翅基部色泽较淡;浅色型呈褐色,体型较深色型稍小,外缘区、中区及翅基色泽较深。

采集记录:1♂,留坝庙台子,1500m,1979. Ⅷ. 14;1♀,佛坪龙草坪,1200m,2008. Ⅶ. 03,刘万岗采;1♂3♀,宁陕火地塘,1620～1700m,1964. Ⅶ. 05,周嘉熹采;2♂2♀,1979. Ⅶ. 29-Ⅷ. 14;1♀,宁陕旬阳坝,1500m,1979. Ⅷ. 20。

分布:陕西(留坝、佛坪、宁陕)。

寄主:油松(*Pinus tabulaeformis* Carr.)。

(20)旬阳松毛虫 *Dendrolimus xunyangensis* Tsai *et* Hou, 1980(图版 9:3)

Dendrolimus xunyangensis Tsai *et* Hou, 1980: 258.

鉴别特征:前翅长约 23mm。雄蛾体褐色,触角梗节黄褐色,羽枝深灰色。前翅白色中点小而明显;中、外线间呈栗褐色,外线外侧呈赤褐色;亚缘斑列黑褐色,内侧淡褐色;臀角区淡灰褐色。后翅褐色,中间色泽较深。两翅缘毛呈褐色和灰黄色斑纹。翅反面暗褐色,后翅外半部色泽较淡。

采集记录:1♂(正模),宁陕旬阳坝,1500,1980. Ⅷ. 18,侯陶谦采。

分布:陕西(宁陕)、甘肃。

(21)华山松毛虫 *Dendrolimus huashanensis* Hou, 1986(图版9:4)

Dendrolimus huashanensis Hou, 1986: 75, figs. 1-3.

鉴别特征:雄性前翅长25~31mm,雌性前翅长31~39mm。雄蛾体色有深浅两型。浅色型翅为黄褐色,触角梗节黄褐色,羽枝灰褐色。前翅中点白色长圆形,小而明显;中、外线双重,不明显,深灰褐色;位于外线外侧和中线内侧的横线纹色泽较浅;外缘区灰黄褐色,中线与亚缘间暗黄褐色;亚缘斑列黑褐色,前3个斑略呈长圆形,后4个斑略呈三角形,末2个斑连接,第5个斑明显向内凹陷。后翅深褐色,近翅基色泽较浅,中间有深色斑纹。深色型呈焦黑色,翅基色泽较浅,斑纹同前。雌蛾体翅黄褐色,前翅斑纹和雄蛾基本相似;后翅灰黄褐色,中间隐现2条深色横带。

采集记录:3♂,太白山蒿坪寺,1982. Ⅶ. 25;1♂,宁陕火地塘,1700m,1981. Ⅵ. 11,谢恩魁采;1♀,宁陕广货街保护站,1189m,2014. Ⅶ. 26-28,刘淑仙采;2♀,柞水营盘镇,953~995m,2014. Ⅶ. 29-31,刘淑仙采。

分布:陕西(眉县、宁陕、柞水)。

寄主:华山松(*Pinus armandii* Franch)。

(22)火地松毛虫 *Dendrolimus rubripennis* Hou, 1986(图版9:5)

Dendrolimus rubripennis Hou, 1986: 76, figs. 4-6.

鉴别特征:雄性前翅长22~27mm,雌性前翅长35~37mm。雄蛾体翅焦褐色;触角梗节黄褐色,羽枝灰褐色。前翅白色中点明显;中、外线黑褐色,中线模糊,外线略呈锯齿形,其外侧衬灰白色线纹;亚缘斑列黑褐色,内侧衬灰白色,斑列至外线间呈赭褐色,外缘区散布银灰色磷粉,以下半部最多。后翅中间色深,斑纹不明显,翅基部色泽较浅。雌蛾体翅暗褐色;触角灰褐色。前翅较狭长;白色中点明显;中、外线及亚缘斑列均为黑褐色;中、外横线双重,外线最明显;中区及外缘区色深,外线至亚缘斑列间呈褐色。后翅中间呈2条深色弧形横带,翅基部色泽较浅。

采集记录:1♂,周至楼观台,680m,2008. Ⅵ. 23,葛斯琴采;2♂,佛坪长角坝,1200m,2008. Ⅶ. 05,白明采;3♂1♀,宁陕旬阳坝,1400m,1980. Ⅷ. 07-10,雷生辉采;2♂,宁陕火地塘,1700m,1979. Ⅷ. 20,侯陶谦采;2♂,宁陕火地塘,1538m,2012. Ⅶ. 11-15,程瑞等采。

分布:陕西(周至、佛坪、宁陕)、云南、西藏。

8. 榆枯叶蛾属 *Phyllodesma* Hübner, 1820

Phyllodesma Hübner, 1820: 190. **Type species**: *Phalaena ilicifolia* Linnaeus, 1758.

Epicnaptera Rambur, 1866: 344. **Type species**: *Lasiocampa suberifolia* Dupanchel, 1842.

别名:榆毛虫属。

属征:雄性触角相当长,呈梳齿状;雌性短,基部呈锯齿形。双翅边缘呈波曲状,特别是后翅。前翅有延长的顶角。Cu_1、Cu_2 脉之间有深凹陷,Cu_1 脉前的后缘形成叶。后翅呈正规圆形,外缘和后缘呈圆形,但前缘基部特别膨大,然后又突然终止,形成1个直角。前翅 Cu_1 脉出自基部,M_3、M_2 脉靠近出自中室下角,M_1、R_5 脉有短共柄,R_2、R_3 脉共柄更长,R_4 脉靠近中室上角前;Cu_1-R_4 脉止于外缘,R_3 脉止于顶角。后翅 M_3、M_2 脉有短共柄,$Sc+R_1$ 脉曲向前缘,然后强烈曲向中室,在此处和 Rs 脉基部借短横脉连接形成1个较宽的基室。前、后翅中室均闭合,前翅横脉略弯曲,后翅横脉直。中、后胫节有相当长的端距。

分布:古北界。中国已知9种,秦岭地区记录3种。

讨论:该属的许多种类过去作为亚种,目前多提升为独立种,且各自又有亚种,这些种在外形和外生殖器结构上的区别都不太明显,很难区分。

(23)白斑榆枯叶蛾 *Phyllodesma neadequata* Zolotuhin *et* Witt, 2004(图版9:6)

Phyllodesma neadequata Zolotuhin *et* Witt, 2004: 36.

鉴别特征:前翅长17mm。触角干白色,羽枝灰色。体翅一般有2种不同的色型,即褐红色型和暗褐灰色型,也有极少的中间类型。前翅内、外线白色,较宽,由前缘向后缘相互靠近;中点白色,大小不一,小者为圆形,大者为月牙形,中等的为半圆形;缘毛白色与底色相间。后翅有1条白色的中线,缘毛同前翅。两翅的端部都或多或少地散布有白色鳞片。第2代成虫体型稍大,白色的横线很细,翅端部没有白色鳞片。

采集记录:31♂(模式标本),佛坪自然保护区和周至县厚畛子,1999. Ⅳ-Ⅸ,保存在德国慕尼黑 Witt 博物馆(MWM);1♂,留坝,1981. Ⅶ. 09。

分布:陕西(周至、留坝、佛坪)。

(24)河南榆枯叶蛾 *Phyllodesma henna* Zolotuhin *et* Wu, 2008(图版9:7)

Phyllodesma henna Zolotuhin *et* Wu, 2008: 265.

鉴别特征:前翅长29mm。本种外形和外生殖器都与白斑榆枯叶蛾 *Phyllodesma neadequata* Zolotuhin *et* Witt 相似,但本种前翅中室端的白斑大而呈新月形,阳茎只有1枚大的角状器。

采集记录:1♂(正模),1999年04月采自周至厚畛子,保存在德国慕尼黑 Witt 博物馆(MWM)。国内只有河南平顶山的1只雄蛾。

分布:陕西(周至、宁陕)、河南。

(25)褐榆枯叶蛾 *Phyllodesma ursulae* Zolotuhin *et* Witt, 2004(图版 9:8)

Phyllodesma ursulae Zolotuhin *et* Witt, 2004: 39.

鉴别特征:前翅长 23mm。前翅暗赭灰色,基部色较浅,端部有许多灰白色的鳞片;内线模糊,稍内凹,暗灰色;外线几乎直,有时微波状,很细,暗灰色,外侧衬灰白色鳞片;中点细长,浅黑色。后翅有 1 条暗灰褐色的横带。

采集记录:1♂,秦岭,1977. Ⅴ. 12,西北农学院;16♂(模式标本),佛坪自然保护区,1999. Ⅳ-Ⅴ,保存在德国慕尼黑 Witt 博物馆(MWM)。

分布:陕西(佛坪)。

9. 翅枯叶蛾属 *Eteinopla* Lajonquiere, 1979

Eteinopla Lajonquiere, 1979a: 16. **Type species**: *Odonestis signata* Moore, 1879.

属征:两性的触角均为双栉形,雄蛾的分支中等长,雌蛾较短。前翅阔,翅顶尖,外缘弧形拱,臀角圆;翅中部有 1 条明显的斜横线;中室端部大而明显。前翅 R_2 和 R_3 脉有约 1/2 长度的共柄;M_1 脉和 R_5 脉共柄,其柄与 R_4 脉共同出自中室上角;其余脉独立。后翅有 1 个很大的基室;M_3 脉和 M_2 脉共柄,出自中室下角。雄性外生殖器的第 8 腹板上缘中部有"V"形深凹;背兜膜质,窄;背兜侧突不明显;抱器瓣分为上、下两叶;抱足 1 对,骨化程度较弱,长片状;阳茎细长,稍弯,末端尖。

分布:东洋界。世界已知 2 种,中国均有分布,秦岭地区采集 1 种。

(26)紫翅枯叶蛾 *Eteinopla narcissus* Zolotuhin, 1995(图版 9:9)

Eteinopla narcissus Zolotuhin, 1995: 160.

鉴别特征:雄性前翅长 20 ~ 22mm,雌性前翅长 27 ~ 30mm。体翅褐紫色。触角干板栗色,羽枝浅黄色。前翅顶角明显;内线黑褐色,波状;从顶角内侧到后缘有 1 条黑紫色的斜直线;中点长圆形,其顶端又具圆形小白点,长形斑表面散布橘红色鳞片;亚缘斑列黑色,断续隐现;外缘散布灰黑色鳞片;缘毛褐色。后翅色浅,中间有深色斜带;外缘散布灰黑色鳞片。

采集记录:2♂,太白山大殿,1982. Ⅶ. 02;1♂,太白山蒿坪寺,1982. Ⅸ. 22;1♀,宁陕关口,1979. Ⅸ. 17。

分布:陕西(宁陕,太白山)、甘肃、湖北、广西、云南;越南,泰国,缅甸。

10. 纹枯叶蛾属 *Euthrix* Meigen, 1830

Euthrix Meigen, 1830: 191. **Type species**: *Phalaena potatoria* Linnaeus, 1758.

Philudoria Kirby, 1892: 820. **Type species**: *Phalaena potatoria* Linnaeus, 1758.

Routledgia Tutt, 1902: 153. **Type species**: *Amydona laeta* Walker, 1855.

Orienthrix Tshistjakov, 1998: 2. **Type species**: *Amydona laeta* Walker, 1855.

属征:前翅形成枯叶型的花纹,有 1 条暗色的斜线从顶角附近伸到后缘的中央或基部,该线常衬有银白色的窄边;中室端斑通常明显,点很大,多为白色。脉序与榆枯叶蛾属 *Phyllodesma* 相似,但前翅 R_2+R_3 脉的柄远离中室上角。雄性外生殖器第 8 腹板多少有些特化;背兜通常弱骨化;背兜侧突膜质,具毛;阳茎细长,弯曲,强骨化,亚基部的一部分与阳端基环融为一体;抱器瓣分为上、下两叶,呈长刺状或剑状。

分布:亚洲的热带和亚热带地区。中国记载 22 种和亚种,秦岭地区采集到 2 种。

(27) 阿纹枯叶蛾 *Euthrix albomaculata* (Bremer, 1861)(图版 9:10)

Odonestis albomaculata Bremer, 1861: 462.

Cosmotriche albomaculata: Collier, 1936: 484.

Philudoria albomaculata: Lajonquiere, 1978: 381.

Euthrix albomaculata: Zolotuhin, 2001: 453.

别名:竹斑毛虫。

鉴别特征:雄性前翅长 20 ~ 25mm,雌性前翅长 23 ~ 30mm。雄蛾触角羽枝部分较长。体翅黄褐至茶褐色。前翅中点为 1 个较大长圆形白斑,其上方有 1 个小白斑,时连时离,白斑形状和大小变化较大;由顶角至后缘有 1 条深褐色弯曲的斜线,其内侧衬灰白边;由斜线至亚缘斑列间散布有紫褐色鳞片;亚缘斑列不甚明显。后翅上半部及腹部呈淡黄褐色。

采集记录:1♂,宁陕火地塘,1700m,1979. Ⅶ. 31。

分布:陕西(宁陕)、黑龙江、河南、江苏、湖北、四川;朝鲜,日本。

寄主:竹。

(28) 竹纹枯叶蛾 *Euthrix laeta* (Walker, 1855)(图版 9:11)

Amydona laeta Walker, 1855: 1416.

Trabala laeta: Walker, 1855: 1785.

Odonestis laeta: Leech, 1888: 628.

Philudoria laeta: Kirby, 1892: 820.

Odonestis divisa Moore, 1879c: 408.

Cosmotriche laeta var. *sulphurea* Aurivillius, 1894: 164.

Philudoria laeta sulphurea: Lajonquiere, 1978: 395.

别名:竹黄毛虫。

鉴别特征:雄性前翅长 24mm,雌性前翅长 28 ~ 35mm。体翅橘红色或红褐色。前翅中点为 1 个较大的白斑,其上方有白色小斑,有时 2 个斑连在一起,白斑上被有少量赤褐色鳞片;由翅顶角至中室端下方有 1 条紫褐色斜线,由中室端下方至后缘斜线曲折,颜色较浅,斜线至外缘区粉褐色,布满紫褐色鳞片;亚缘斑列长椭圆形斜列,有的明显,有的不明显;中室下方至后缘靠基角区鲜黄色;前翅前缘 1/3 处开始弧形弓出,由外缘至后缘呈圆弧形。后翅前缘区赤褐色,后大半部黄褐色。

采集记录:1♂,旬阳金鑫源山庄,386m,2014. Ⅷ. 01 - 03,班晓双采。

分布:陕西(旬阳)、黑龙江、河北、山西、河南、甘肃、江苏、安徽、浙江、湖北、江西、湖南、福建、台湾、广东、海南、广西、四川、云南;俄罗斯(远东),朝鲜,日本,越南,泰国,印度,尼泊尔,斯里兰卡,马来西亚,印度尼西亚。

11. 褐枯叶蛾属 *Gastropacha* Ochsenheimer, 1810

Gastropacha Ochsenheimer, 1810: 239. **Type species**: *Phalaena quercifolia* Linnaeus, 1758.

Eutricha Hübner, 1806: 1. **Type species**: *Phalaena quercifolia* Linnaeus, 1758.

Phylloma Billberg, 1820: 84. **Type species**: *Phalaena quercifolia* Linnaeus, 1758.

Bombyx Boisduval, 1828: 48. **Type species**: *Phalaena quercifolia* Linnaeus, 1758.

Estigena Moore, 1860: 426. **Type species**: *Megasoma pardale* Walker, 1855.

Stenophylloides Hampson, 1893: 429. **Type species**: *Gastropacha sikkima* Moore, 1879.

属征:大型(云县褐枯叶蛾除外)种类。触角短,经常强烈卷曲,有相当长的梳齿状毛,雌性短于雄性。中、后胫节有短端距隐藏在丛毛中。翅缘呈强齿状。前翅延长,前缘强烈弯曲,顶角钝圆,外缘弯曲相当强烈;M_3、M_2 脉在中室下角靠近,M_1、R_5 脉有短共柄,R_4 脉出自中室上角,R_2、R_3 脉有长共柄,共柄长度超过其分离长度。Cu_2-R_3 脉通向外缘,R_2 脉止于翅顶角。后翅 Cu_2 脉靠近中室顶角前,M_3、M_2 脉有短共柄和 Cu_2 脉同出自中室下角,M_1、Rs 脉在中室上角会合,$Sc + R_1$ 脉基部弯曲,借 1 根长斜横脉与中室前缘连接,横脉上有 5 ~ 6 根长肩脉通向前缘。前、后翅中室闭合。

分布:古北界(地中海南部除外),东洋界。世界已知种类不足 20 种,中国已记载 8 种及 5 亚种,秦岭地区采集到 2 种。

(29)杨褐枯叶蛾 *Gastropacha populifolia* (Esper, 1784)(图版9:12)

Bombyx populifolia Esper, 1784: 62.
Gastropacha angustipennis Walker, 1855: 1394.
Gastropacha tsingtauica Grünberg, 1911, *in* Seitz (a): 169.
Gastropacha populifolia: Lajonquiere, 1976: 162.

别名:杨枯叶蛾。

鉴别特征:雄性前翅长18~29mm,雌性前翅长26~46mm。体翅黄褐,前翅窄长,后缘短,外缘呈弧形波状,前翅有5条黑色断续的波状纹;中点呈黑褐色斑。后翅有3条明显的黑色斑纹。前、后翅散布有少量黑色鳞毛。体色及前翅斑纹变化较大,有呈深黄褐色、黄色等,有时翅面斑纹模糊或消失。

采集记录:1♀,太白山蒿坪寺,1982.Ⅶ.25;1♂,留坝庙台子,1500m,1979.Ⅷ.14;2♂1♀,宁陕旬阳坝,1500m,1979.Ⅷ.20;1♀,宁陕火地塘,1964.Ⅷ.13,1♂,1999.Ⅶ.01;1♀,宁陕广货街保护站,1189m,2014.Ⅶ.26-28,刘淑仙采;2♂,旬阳金鑫源山庄,386m,2014.Ⅷ.01-03,刘淑仙、班晓双采。

分布:陕西(眉县、留坝、宁陕、旬阳)、黑龙江、辽宁、内蒙古、北京、河北、山西、山东、河南、甘肃、青海、江苏、安徽、浙江、湖北、江西、湖南、广西、四川、云南;俄罗斯,朝鲜,日本,欧洲。

寄主:杨,旱柳,苹果,梨,桃,樱桃,李,杏,栎,柏,核桃等。

(30)赤李褐枯叶蛾 *Gastropacha quercifolia lucens* Mell, 1939(图版9:13)

Gastropacha quercifolia lucens Mell, 1939: 137.

鉴别特征:前翅长25~31mm。触角双栉形,灰黑色;下唇须前伸,蓝黑色。体翅赤褐色。前翅相对狭长,外缘的锯齿形缺刻较大;中部的3条波状横线多不明显或不完整;黑褐色中点不太明显;后缘较短。后翅斑纹不明显。前、后翅反面各有1条蓝褐色横纹。静止时后翅肩角和前缘部分凸出,形似枯叶状。

采集记录:1♂,秦岭,1989.Ⅶ.27;3♂,太白黄柏塬,1350m,1980.Ⅶ.14;1♀,宁陕广货街保护站,1189m,2014.Ⅶ.26-28,刘淑仙采;2♀,柞水营盘镇,953~995m,2014.Ⅶ.29-31,刘淑仙采。

分布:陕西(太白、宁陕、柞水)、甘肃、安徽、浙江、湖北、江西、湖南、福建、广东、广西、四川、贵州、云南、西藏。

12. 云枯叶蛾属 *Pachypasoides* Matsumura, 1927

Pachypasoides Matsumura, 1927: 19. **Type species**: *Pachypasoides albinotum* Matsumura, 1927.

Hoenimnema Lajonquiere, 1973a: 513, 560. **Type species**: *Dendrolimus sagittifera* Gaede, 1932.

别名:云毛虫属。

属征:体型大小与松毛虫属 *Dendrolimus* 相似。一般赭色。前翅外线明显或不明显,亚缘斑列多数为赭褐色,衬以灰白色斑纹,外观如浮云腾空状。前翅 M_3、M_2 脉共同出自中室下角;M_1、R_5、R_4 脉同柄,柄较长而出自中室上角;R_2、R_3 脉有短共柄;Cu_2-R_3 脉止于外缘。后翅 Cu_2 脉出自中室下角;M_3、M_2 脉有短共柄;M_1、Rs 脉基部合并;$Sc + R_1$ 与 Rs 脉有并接现象。阳茎光滑无刺,枝状较尖,抱器肘部较长,肘部至抱足下面呈两层结构,分离状,背兜侧突向左右两侧移位常与长形抱针集生一起呈长指状,端部疏生短刚毛。

分布:中国;越南。世界已记载 14 种和亚种,除 2 种分布在越南外,其余种类均为中国特有种,秦岭地区记录 2 种。

(31)秦岭云枯叶蛾 *Pachypasoides qinlingensis* (Hou, 1986)(图版 9:14)

Hoenimnema qinlingensis Hou, 1986: 78.
Pachypasoides qinlingensis: Inoue, 1987: 4.

别名:秦岭云毛虫。

鉴别特征:雄性前翅长 21 ~ 25mm,雌性前翅长 30 ~ 32mm。雄蛾体翅栗褐色。前翅中室端白点可认;中、外线浅黑褐色,呈不明显齿状,黑褐色亚缘斑列较明显;中线自白点处向内折,外线略呈弧形;翅中间有黑褐色直纹;外缘区灰褐色;后翅褐色,中间呈 2 条模糊的深色斑纹。雌蛾头部、胸部、前翅灰栗色,腹部及后翅栗褐色;前翅中室端白点明显;中、外线黑褐色,两端呈黑褐色斑点,外线外侧及中线内侧衬以模糊的浅灰色纹,中线自白点处向内折曲;亚缘斑列黑褐色;外缘区灰褐色;后翅中间具 2 条深色横带。

采集记录:1♂,户县涝峪校场大队,1981. Ⅵ;2♂1♀,眉县汤峪,800m,1982. Ⅶ. 29;1♀,代马河,1981. Ⅷ. 24。

分布:陕西(户县、眉县)。

(32)柳杉云枯叶蛾 *Pachypasoides roesleri* (Lajonquiere, 1973)(图版 9:15)

Hoenimnema roesleri Lajonquiere, 1973a: 567.
Pachypasoides roesleri: Zolotuhin & Witt, 2000: 55.

别名:柳杉云毛虫。

鉴别特征:雄性前翅长 26 ~ 32mm,雌性前翅长 39 ~ 54mm。体茶褐色,雌、雄性的前翅的花纹基本相同,只是雄蛾色泽稍深。前翅中室端小白点圆而鲜明;中、外线不明显;亚缘斑列黑褐色,各斑略呈大锯齿形,内侧衬以灰白色斑纹,外观如浮云腾空;后缘近翅基处有灰白色鳞毛,雄蛾鳞毛较少;前缘顶角散布灰白纹。后翅黄褐色,内大半部褐色,呈3个凸起。前、后翅外缘明显呈波曲状,外缘浅褐色。

采集记录:1♂,眉县汤峪,1981. Ⅵ。

分布:陕西(眉县)、浙江、安徽、江西、湖南、福建;越南(ssp. *dessiae*)。

寄主:柳杉(*Cryptomeria fortunci* Hooibrenk),杉木(*Cunninghamia lanceolata* (Lamb) Hook)。

13. 大枯叶蛾属 *Lebeda* Walker, 1855

Lebeda Walker, 1855: 1388 (key), 1453. **Type species**: *Lebeda nobilis* Walker, 1855, By subsequent designation by Moore 1883. *Lebeda* was established *in* the Bombycidae; it was placed *in* the Lasiocampidae by Butler, 1881.

别名:松大毛虫属。

属征:体大型。雄性比雌性色深。雄性触角有密羽状毛,由基部到端部羽枝由长逐渐变短,雌性触角则始终保持短梳齿状毛。前翅 Cu_2 脉出自近基部,M_3 脉出自中室下角之前,M_2 脉出自下角,M_1、R_5 脉有短共柄,柄上有 R_4 脉同出自中室上角,R_2、R_3 脉也有短共柄,柄长超过 M_1、R_5 脉的共柄。Cu_2-R_3 脉止于外缘,R_2 脉止于顶角。后翅 Cu_2 脉出自中室下缘中点以远,Cu_1 脉靠近中室下角,M_3、M_2 脉有短共柄出自下角,$Sc+R_1$ 脉和 Rs 脉有并接现象且距翅基不远,两脉均呈弓形接触,基室大,狭窄,纺锤状,肩脉退化不明显。两翅中室均闭合。前翅横脉在中间折角,后翅横脉短,无折角。

生物学:本属种类食性杂,取食种类有松类、油茶、栎类、杨梅、化香、酸枣等。

分布:东洋界。世界已知不足10种,中国已记录3种和亚种,秦岭地区采集1种。

(33) 油茶大枯叶蛾 *Lebeda nobilis sinina* Lajonquiere, 1979(图版9:16)

Lebeda nobilis sinina Lajonquiere, 1979b: 681-704.

别名:油茶毛虫、杨梅毛虫、油茶枯叶蛾。

鉴别特征:雄性前翅长35~45mm,雌性前翅长40~60mm。雄蛾体翅深褐色。前翅有4条浅褐色横线,形成2条灰褐色宽带,并自翅中间前半部开始向内呈弧形弯曲,两带间呈深褐色中带;中室端白点呈明显的三角形;臀角呈2个长圆形黑点。后翅中间呈2条淡褐色横线。雌蛾体翅淡褐色,后翅较深,前翅呈4条浅灰褐色横线,形成2条浅褐色横带,外横带端部向内形成弧状弯曲。后翅中间呈2条浅灰褐色弧形横线,翅外缘区色较淡。本亚种前翅中带较宽;臀角的2个长圆形黑点小于指名亚种。

采集记录:1♂,户县,1981. Ⅶ;1♀,旬阳金鑫源山庄,386m,2014. Ⅷ. 01-03,班晓双采。

分布:陕西(户县、旬阳)、河南、江苏、安徽、浙江、湖北、江西、湖南、福建、广西。

寄主:油茶,枫杨,板栗,栎,化香,山毛榉,水青冈,苦槠,侧柏。

14. 滇枯叶蛾属 *Paradoxopla* Lajonquiere, 1976

Paradoxopla Lajonquiere, 1976: 171. **Type species**: *Gastropacha sinuata* Moore, 1879.

别名:滇毛虫属。

属征:本属外形和脉序与褐枯叶蛾属 *Gastropacha* Ochsenheimer 基本一致,故该属建立时包含的 2 种都是由褐枯叶蛾属转移来的。两属的区别在于雄性外生殖器背兜的形态,本属的背兜宽,舌状,而褐枯叶蛾属的背兜则窄,端缘两侧有 1 对角状突起。

分布:东洋界。世界已知 3 种及 2 亚种,中国已记载 2 种和 1 亚种,秦岭地区记录 1 种。

(34) 橘黄滇枯叶蛾 *Paradoxopla mandarina* Zolotuhin *et* Witt, 2004(图版 9:17)

Paradoxopla mandarina Zolotuhin *et* Witt, 2004: 41.

鉴别特征:前翅长 22 ~ 24mm。体翅暗玫黄色,后翅颜色更暗。腹部有许多灰色或土黄色的毛状鳞片。前翅中部偏外有 2 条波状的断续横线;中室端斑很小,黑色;翅端布满黄白色的鳞片,形成大理石状花纹,其后缘呈波状;翅的外缘呈细锯齿形,顶角尖,臀角圆。后翅外缘锯齿形,翅脉端的缘毛黑色;翅基部浅红褐色,中部有灰黄色鳞片,形成大理石花纹般的中带。前翅端部有明显的浅黄色宽带可与其他两种相区别。

采集记录:1♂,宁陕旬阳坝,1400m,1981. Ⅵ. 15。

分布:陕西(宁陕)、河南。

15. 栎枯叶蛾属 *Paralebeda* Aurivillius, 1894

Paralebeda Aurivillius, 1894: 178. **Type species**: *Lebeda plagifera* Walker, 1855.

别名:栎毛虫属。

属征:本属体型较大。中、后胫节有相当长的端距。前翅脉序很像大枯叶蛾属 *Lebeda*,但本种前翅 M_1、R_5 脉和 R_2、R_3 脉的共柄长,R_4 脉超越 M_1、R_5 脉的共柄或直接出自中室顶角,R_2 脉止于翅顶角,末端有强烈弯曲。后翅脉序也很像大枯叶蛾属,但本种 M_3、M_2 脉有较长共柄,基室基部有强烈分叉肩脉,中部有另外 1 个短肩脉。雄性外生殖器的阳茎短戈状,具大、小两枚钉状突起,抱足粗大,端部呈三角形,骨化较强。雌性外生殖器的阴片连接在一起,有皱褶多条,呈百叶状,边缘有锯齿。

生物学:本属幼虫寄主有松类及栎、杨、榛、丁香、椴树等。

分布:东洋界。世界已知5种,中国已记载3种及1亚种,秦岭地区记录1种。

(35)东北栎枯叶蛾 *Paralebeda femorata femorata* (**Ménétriès, 1855**)(图版9:18)

Lasiocampa plagifera femorata Ménétriès, 1855: 218.
Dendrolimus plagifera femorata: Kirby, 1892: 813.
Lebeda plagifera femorata: Staudinger, 1892a: 322, 647.
Paralebeda plagifera femorata: Grünberg, 1911, *in* Seitz (a): 175.
Paralebeda femorata: Zolotuhin, 1996: 247.

别名:落叶枯叶蛾。

鉴别特征:雄性前翅长28~37mm,雌性前翅长50~55mm。雄蛾全体浅褐至深褐色。触角双栉状,中部折曲,下半部羽枝较长,褐色,上半部(即折曲部分)色较深,羽枝较短;头部前额具褐色长毛;下唇须发达,向前伸不显著,向后卷曲,呈酱紫色。前翅较狭长,顶角略尖,外缘浅弧状,后缘较直而短;前翅中间具斜行腿状横斑(中带),较宽大,上部深褐至黑褐色,伸达 R_3 脉,不超出 R_2 脉,下部褐色发自后缘,大斑边缘有铅灰色边,顶端双重,腿斑上半部 R_4 脉呈铅灰色,腿斑中间至顶角呈灰褐色、赤褐色、暗褐色斑块;亚缘斑列暗褐色波状纹,臀角处具黑褐色椭圆形大斑;内线深色较直,不甚明显;外线在腿斑外侧,下半部较明显。后翅中间呈不甚明显的深色横斑纹。腹部末端臀簇酱紫色(反面观较明显)。雌蛾前翅较宽阔,全体褐色,额略呈黄褐色;下唇须向后卷曲,酱紫色;触角褐色,双栉形,羽枝短。胸背具长毛鳞,鼠灰色有丝样光泽。前翅中间斜行腿状横斑较宽大,上端延伸达 R_1 脉。其余特征同雄蛾。

采集记录:2♀,宝鸡天台山嘉陵江源头,1620m,2014. Ⅷ. 08-09,薛大勇、班晓双采;1♂,太白山,1975. Ⅷ. 04;2♂5♀,太白山蒿坪寺,1982. Ⅶ. 25;2♂,留坝庙台子,1400m,1979. Ⅷ. 14;1♀,宁陕火地塘,采集日期不详;1♂,宁陕广货街保护站,1189m,2014. Ⅶ. 26-28,刘淑仙采;1♂,南郑黎坪,1500m,1979. Ⅷ. 20;1♂,旬阳金鑫源山庄,386m,2014. Ⅷ. 01-03,班晓双采。

分布:陕西(宝鸡、留坝、宁陕、南郑、旬阳,太白山)、黑龙江、辽宁、北京、山东、河南、甘肃、浙江、湖北、江西、湖南、广西、四川、贵州、云南;蒙古,俄罗斯,朝鲜。

寄主:水杉,银杏,楠木,柏木,栎树,马尾松,落叶松,华山松,赤松,檫树,榛,金钱松,柳杉,连翘,丁香,杨,椴树,梨,映山红。

16. 幕枯叶蛾属 *Malacosoma* Hübner, 1820

Malacosoma Hübner, 1820: 192. **Type species**: *Bombyx franconica* Denis *et* Schiffermüller, 1775.

Trichoda Hübner, 1822: 15-19. **Type species**: *Phalaena neustria* Linnaeus, 1758.

Trichodia Stephens, 1827, *in* Anonymous: 242. **Type species**: *Phalaena neustria* Linnaeus, 1758.

Clisiocampa Curtis, 1828: 229. **Type species**: *Phalaena neustria* Linnaeus, 1758.

别名:天幕毛虫属。

属征:体中型。中、后胫节有小胫节距。前翅有12条脉,M_1、R_5 脉有长或短共柄,R_2、R_3 脉有长共柄,R_4 脉出自中室顶角或 R_2、R_3 脉共柄上。后翅有8条脉,$Sc + R_1$ 脉在远离翅基处与中室衔接,形成1个非常小的基室并向前缘产生1~2支强肩脉。雄性外生殖器的基腹弧两侧有宽阔的片状突起,这在枯叶蛾科中是很独特的,至少在中国已知的属内无其他属有此特征。

分布:全北区。中国已知12种和亚种,秦岭地区记录3种。

(36)黄褐幕枯叶蛾 *Malacosoma neustria testacea* (Motschulsky, 1861)(图版9:19)

Clisiocampa testacea Motschulsky, 1861: 32.

Malacosoma neustria interrupta Matsumura, 1921: 901, pl. 65, fig. 11.

Malacosoma neustrium f. *coreana* Matsumura, 1932: 49.

Malacosoma neustrium f. *takamukui* Matsumura, 1932: 49.

Malacosoma neustria chosensis Bryk, 1949: 29.

Malacosoma neustria f. *nigrapici* de Lajonquiere, 1972: 300, pl. I, fig. A.

Malacosoma neustria testacea: de Lajonquiere, 1972: 299.

别名:黄褐天幕毛虫。

鉴别特征:雄性前翅长11~14mm,雌性前翅长13~18mm。前翅外缘在 R_5 脉处不凸出,雌蛾仅稍凸出。雄蛾全体黄褐色。前翅中央有2条深褐色横线纹,两线间颜色较深,形成褐色宽带,宽带内、外侧均衬以淡色斑纹。后翅中间呈不明显的褐色横线。雌蛾体翅呈褐色,腹部色较深。前翅中间的褐色宽带内、外两侧均呈淡黄褐色横线纹。后翅淡褐色,斑纹不明显。

采集记录:1♂,太白山,1975.Ⅶ.28。

分布:陕西(太白山)、黑龙江、吉林、辽宁、内蒙古、北京、河北、山西、山东、河南、甘肃、青海、江苏、安徽、浙江、湖北、江西、湖南、台湾、四川;俄罗斯,朝鲜,日本。

寄主:山楂,苹果,梨,杏,李,桃,海棠,樱桃,沙果,杨,柳,梅,榆,栎类,落叶松,黄菠萝,核桃等。

(37)留坝幕枯叶蛾 *Malacosoma liupa* Hou, 1980(图版9:20)

Malacosoma liupa Hou, 1980: 309.

别名:留坝天幕毛虫。

鉴别特征:雄性前翅长 14mm。前翅中间呈 2 条浅褐色横线,其间形成不大明显的宽带;外缘在 R_5 和 M_1 脉间明显外凸,缘毛褐色和灰黄色相间(外凸处褐色)。后翅深褐色,无斑纹,缘毛灰黄色。本种与绵山幕枯叶蛾 *M. rectifascia* 相似,其主要区别为本种体色较深,雄蛾后翅外缘斜直,雄蛾腹部第 8 腹板后缘有齿状突起,雄性外生殖器形状有明显不同(基腹弧中突基部散生刚毛)。

采集记录:1♂(正模),留坝庙台子,1400m,1975.Ⅷ.24。

分布:陕西(留坝)、四川。

寄主:灯苔树(*Cornus controversa*)。

(38)桦幕枯叶蛾 *Malacosoma betula* Hou, 1980(图版 9:21)

Malacosoma betula Hou, 1980: 308.

别名:桦天幕毛虫。

鉴别特征:雄性前翅长 17~18mm。前翅内、外线深褐色,较直且平行,其间形成颜色较深的宽中带,其外侧衬以淡黄褐色横线纹;外线与外缘间有不甚明显的深色横斜斑纹。前翅狭长,近端部呈弧形,外缘倾斜,在 R_5 和 M_1 端凸出,缘毛灰黄色和褐色相间,凸出部分褐色。本种与绵山幕枯叶蛾 *M. rectifascia* 和秋幕枯叶蛾 *M. autumnaria* 相近似,但秋幕枯叶蛾的前翅横带较窄。雌性第 8 腹板骨化程度较强,颜色显得很深。

采集记录:3♀(正模和副模),宁陕火地塘,1700m,1979.Ⅸ.22,金步先采;1♀,宁陕旬阳坝,1979.Ⅷ.22;1♀,宁陕旬阳坝,1980.Ⅷ.06。

分布:陕西(宁陕)、甘肃。

寄主:桦树。

17. 苹枯叶蛾属 *Odonestis* Germar, 1812

Odonestis Germar, 1812: 49. **Type species**: *Phalaena pruni* Linnaeus, 1758.

Chrostogastria Hübner, 1820: 189. **Type species**: *Phalaena pruni* Linnaeus, 1758.

Phylloxera Rambur, 1866: 347. **Type species**: *Phalaena pruni* Linnaeus, 1758.

Lobocampa Wallengren, 1869: 102. **Type species**: *Phalaena pruni* Linnaeus, 1758.

Pseudarguda Matsumura, 1932: 51. **Type species**: *Arguda formosae* Wileman, 1910.

别名:苹毛虫属。

属征:中、后胫节有相当长的端距。前翅 Cu_2 脉靠近基部,M_3、M_2 脉在中室下角结合,M_1、R_5 脉有短共柄,R_4 脉在中室前角与 M_1、R_5 脉会合或靠近它们前边,R_2、R_3 脉有短共柄,Cu_1-R_4 脉止于外缘,R_3 脉止于顶角。后翅 Cu_2 脉远离基部,Cu_1 脉出自中室下角，M_2、M_3 脉有短共柄，$Sc + R_1$ 脉在靠近基部处和 Rs 脉有短距离结合，形成 1 个小窄基室，上面有 1 条强肩脉走向前缘。前、后翅中室均闭合，中室端脉在前翅折曲，在后翅直而斜向后方。

分布：古北界，东洋界。中国已记载 5 种，秦岭地区记录 1 种。

(39) 苹枯叶蛾 *Odonestis pruni* (Linnaeus, 1758)（图版 9：22）

Phalaena pruni Linnaeus, 1758: 498.

Odonestis pruni: Grünberg, 1913, *in* Seitz (a): 170.

别名：苹毛虫、李枯叶蛾。

鉴别特征：雄性前翅长 17 ~ 24mm，雌性前翅长 18 ~ 31mm。全体赤褐色或橙褐色。前翅内、外线黑褐色，呈弧形；亚缘斑列隐现，较细，呈波状纹；外缘毛深褐色，不太明显；中室端有 1 个明显的近圆形银白色斑点；外缘锯齿形。后翅色泽较浅，有 2 条不太明显的深色横纹；外缘锯齿形。前翅外缘锯齿形可与其他种相区别。

采集记录：1♂，留坝庙台子，1979. Ⅷ. 14；1♂，佛坪，890m，1999. Ⅵ. 02；1♂，宁陕旬阳坝，1000m，1979. Ⅷ. 18；1♂，秦岭金堆，1400m，1989. Ⅷ. 01；1♂1♀，宁陕，1990. Ⅲ. 18；1♂，宁陕火地塘，1700m，1979. Ⅶ. 25。

分布：陕西（华县、留坝、佛坪、宁陕）、黑龙江、辽宁、内蒙古、北京、山西、山东、河南、甘肃、安徽、浙江、湖北、江西、湖南、福建、广西、四川、云南；朝鲜，日本，欧洲。

寄主：苹果，梨，李，梅，樱桃等。

18. 杨枯叶蛾属 *Poecilocampa* Stephens, 1828

Poecilocampa Stephens, 1828: 43. **Type species**: *Phalaena populi* Linnaeus, 1758.

属征：额前突较宽而短，翅较长而狭，鳞片薄而透明。前翅 R_4 脉出自中室或共柄，R_2、R_3 脉有长共柄，止于前缘或 R_3 脉止于翅顶角。后翅 M_1、Rs 脉同出 1 点或共柄于中室前部。中胫节无距，后胫节有 2 个难以分辨的端距。雄性外生殖器的钩形突短宽，背兜侧突在中部联合成带状，抱器瓣上叶宽大，抱器瓣下叶长剑状，无抱足。

分布：古北界。世界已知 5 种，中国已记载 2 种，秦岭地区记录 1 种。

(40) 倪辛杨枯叶蛾 *Poecilocampa nilsinjaevi* Zolotuhin, 2005（图版 10：1）

Poecilocampa nilsinjaevi Zolotuhin, 2005: 551.

鉴别特征:前翅长 18mm。头部、领片和肩片基部灰白色,胸腹部背面黑褐色;腹部背中线两侧有褐色斑。前翅黑褐色,前缘色较深;各翅脉上排布白点;内线灰白色,不连续;外线在前后缘各有 1 段短线,其余消失或仅在翅脉上有白点;中点色较翅面稍暗;缘毛白色与黑褐色相间。后翅色较前翅略浅;白色外线仅在前缘处可见;缘毛同前翅。

采集记录:1♂(Paratype), Shaanxi, Taibai Shan, 1500~1800m, 2000. Ⅺ. 01-07, coll. Siniaev & Plutenko (WITT)。

分布:陕西(太白山)。

19. 角枯叶蛾属 *Radhica* Moore, 1879

Radhica Moore, 1879a, *in* Hewitson & Moore: 79. **Type species**: *Radhica flavovittata* Moore, 1879.

属征:前翅斑纹中有明显的黄、褐及绿色成分,中室端斑的两侧常有 2 条明显的斜横线。前翅 M_1、R_5 脉共柄,出自中室上角;R_4 脉与之靠近;R_2、R_3 脉共柄较短。后翅 M_3、M_2 脉同出一点;$Sc+R_1$ 脉与 Rs 脉形成 1 个短的径副室。雄性外生殖器的背兜膜质;抱足阔而常有侧突,但无前臂;阳茎内有复杂的骨片,侧突位于端部。

分布:东洋界。世界已知 5 种,中国已记载 3 种和亚种,秦岭地区记录 1 种。

(41) 黄角枯叶蛾 *Radhica flavovittata flavovittata* Moore, 1879(图版 10:2)

Radhica flavovittata Moore, 1879a, *in* Hewitson & Moore: 79.
Arguda flavovittata: Grünberg, 1921, *in* Seitz (g): 399.

别名:灰角黄斑枯叶蛾、黄纹枯叶蛾。

鉴别特征:前翅长 21~24mm。体翅黄褐色。前翅中室端黑点明显;内线褐色;中带浅黄色;外线褐色和黄色并行,外线至亚外缘黄褐色,外线内侧到中室黄色;亚缘斑深褐色;外缘区黄褐色;外缘 1/3 处外凸。后翅前缘区褐色,中间呈黄色长斑,中下部黄色,中间隐现深色斑纹。体翅黄褐色可与体翅黄绿色的绿角枯叶蛾 *R. elisabethae* 相区别。

采集记录:3♂,宁陕关口,1979. Ⅸ. 17;8♂,宁陕火地塘,1979. Ⅸ. 23-25;3♂,宁陕旬阳坝,1979. Ⅸ. 13。

分布:陕西(宁陕)、安徽、浙江、湖北、福建、海南、西藏;缅甸,越南,泰国,印度,尼泊尔,马来西亚,印度尼西亚。

20. 光枯叶蛾属 *Somadasys* Gaede, 1932

Somadasys Gaede, 1932, *in* Seitz (b): 112. **Type species**: *Eriogaster daisensis* Matsumura, 1927, by subsequent designation by Collier, 1936.

属征:下唇须和触角与 *Eriogaster* 属近似。前翅尖,Cu_2、M_3 脉同出一点,M_1、R_5、R_4 三脉共柄,R_4 脉出自 M_1、R_5 脉共柄中部之前,R_2、R_3 脉有长共柄,R_1 脉全程与 Sc 脉靠近。后翅 M_3、M_2 脉共柄,Rs、Sc + R_1 脉借径副室结合,基部有 1 个粗距伸向前缘。前翅中室端部有银白色大斑是本属的 1 个显著特征。雄性外生殖器的抱器瓣 2 叶,细长;抱足宽,略呈四边形或宽舌状。

分布:中国;日本。世界已知 4 种,中国有 3 个特有种,秦岭地区记录 2 种。

(42)日光枯叶蛾 *Somadasys brevivenis brevivenis* (Butler, 1885)(图版 10:3)

Chrostogastria brevivenis Butler, 1885: 119.

Eriogaster argentomaculata Bartel, 1899: 353.

Eriogaster kibunensis Matsumura, 1927: 23.

Eriogaster daisensis Matsumura, 1927: 22.

Eriogaster yatsugadakensis Matsumura, 1927: 23.

Eriogaster takamuki Matsumura, 1927: 24.

Somadasys brevivenis: Lajonquiere, 1973b: 263.

鉴别特征:雄性前翅长 16 ~ 19mm,雌性前翅长 21mm。体翅黄褐色。前翅有 3 条褐色斜线:亚基线呈弧形,在中室部分凸出;中线以内呈深黄色;亚缘斑列呈点状;中点白色近圆形,大而且发金属光泽。后翅褐色较深。

采集记录:1♀,佛坪,1750m,2000. Ⅵ. 28,朱朝东采;1♂,宁陕广货街保护站,1189m,2014. Ⅶ. 26-28,班晓双采。

分布:陕西(佛坪、宁陕)、河南;日本。

(43)月光枯叶蛾 *Somadasys lunata* Lajonquiere, 1973(图版 10:4)

Somadasys lunata Lajonquiere, 1973b: 259.

别名:月斑枯叶蛾。

鉴别特征:前翅长 17 ~ 19mm。体翅淡黄褐色,触角黄褐色。前翅中间有深色宽带;中点呈银白色,新月形,发金属光泽,其下角伸达外线;外线外侧有淡色宽带。后翅内半部呈深色斑纹。

采集记录:1♂,周至龙泉沟,1983. Ⅵ. 12;1♂,太白,1800m,1980. Ⅵ. 10;1♀,佛坪,1730m,2000. Ⅵ. 28,朱朝东采;2♂,宁陕火地塘,1982. Ⅵ. 18;1♂,石泉,1961. Ⅵ. 14;1♀,南郑黎坪,1979. Ⅷ. 15。

分布:陕西(周至、太白、佛坪、宁陕、石泉、南郑)、河北、河南。

21. 拟痕枯叶蛾属 *Syrastrenopsis* Grunberg, 1914

Syrastrenopsis Grunberg, 1914: 38. **Type species**: *Syrastrenopsis moltrechti* Grunberg, 1914.

属征:两性触角双栉形分支到末端;下唇须发达,端部近1/3伸出额外。翅较狭长,前翅顶角钝圆,外缘浅波曲;后翅外缘弧形,浅波曲。前翅 R_2 与 R_3 长共柄,R_5 与 M_1 共柄,R_4 接近 R_5+M_1;后翅 $Sc+R_1$ 与 Rs 形成1个短小径副室,M_2 与 M_3 同出于一点。

分布:中国;俄罗斯,泰国。世界记录4种,中国已知3种,秦岭地区分布1种。

(44)拟痕枯叶蛾 *Syrastrenopsis moltrechti* Grunberg, 1914(图版10:5)

Syrastrenopsis moltrechti Grunberg, 1914: 38.

鉴别特征:雄性前翅长22mm。额、头顶和下唇须橘黄色。雄蛾前翅淡红褐色,内线和外线暗褐色,直,几乎平行;其内侧衬紫灰色;亚缘线较模糊,其内侧衬浅色鳞片;顶角附近灰褐色,向下渐窄,延伸至外缘中部。后翅底色同前翅,基部颜色稍浅。雌蛾颜色较淡,带有土黄色调,浅色衬边较宽。

采集记录:1♂,周至厚畛子,1276m,2008. Ⅶ. 01,白明采。

分布:陕西(周至)、吉林、河南;俄罗斯(远东)。

22. 刻缘枯叶蛾属 *Takanea* Nagano, 1917

Takanea Nagano, 1917: 11. **Type species**: *Cninocraspeda miyakei* Wileman, 1915.

Seitzia Scriba, 1919: 42. **Type species**: *Seitzia plumigera* Scriba, 1919.

属征:雄蛾触角双栉形,分支长到末端;雌蛾触角的分支较短。翅的边缘稍呈扇形,后翅在Sc、Rs和 M_1 室的凹陷更明显。前翅的斑纹由内横带和外横带组成,另外还有中室端斑和1条不规则的亚缘带。后翅前缘有1条浅色的中带。雄性外生殖器的抱器瓣分裂,抱足三角形,三角形的末端尖,阳茎末端有1枚双钩状突起。

分布:中国;日本,马来西亚,印度尼西亚。世界记录3种,中国已知1种2亚种。秦岭地区发现1种。

(45)大陆刻缘枯叶蛾 *Takanea excisa yangtsei* Lajonquiere, 1973(图版10:6)

Takanea miyakei yangtsei Lajonquiere, 1973b: 266.

Takanea excisa yangtsei: Zolotuhin, 1998: 71.

别名:刻缘枯叶蛾。

鉴别特征:雄性前翅长 21mm,雌性前翅长 25～27mm。触角灰黑色。雄蛾体翅色泽较浅,触角羽枝密而长。体翅紫褐色和灰褐色。翅面阔短,前翅中间呈深色中带,中带上散布黑色鳞片;亚缘斑列消失,仅呈淡色斑纹。后翅前缘呈两度大缺刻,凸出部分呈锯齿形,翅中间呈黑白相间的长斑。分布在台湾的台湾亚种体翅红褐色。

采集记录:1♀,佛坪龙草坪,1800m,1989. Ⅷ. 04;1♂,宁陕,1580～1650m,2000. Ⅶ. 26;2♂,宁陕火地塘,1550m,2008. Ⅶ. 08-09,李文柱等采;2♂1♀,宁陕火地塘,1538m,2012. Ⅶ. 11-15,姜楠等采。

分布:陕西(佛坪、宁陕)、河南、甘肃、福建、四川、云南、西藏。

23. 黄枯叶蛾属 *Trabala* Walker, 1856

Trabala Walker, 1856: 1785. **Type species**: *Amydona prasina* Walker, 1855(= *Gastropacha vishnou* Lefebvre, 1827).

属征:两性触角均呈长梳齿状,雌性略短。前翅有 12 条脉,Cu_2 脉出自基部,Cu_1 脉出自 Cu_2 脉和中室下角之间,M_3、M_2 脉稍分离或同出自中室下角,M_1、R_5 脉有短共柄出自中室上角,R_4 脉游离,R_2、R_3 脉有长共柄,柄长超过两脉的分离部分;Cu_1-R_3 脉直达外缘,R_2 脉止于翅顶。后翅 Cu_2 脉出自中室下缘中点,M_3、M_2 脉同出自中室下角,Rs 脉靠近中室基部并和 $Sc + R_1$ 脉起点有短的连接,形成 1 个短狭基室,$Sc + R_1$ 脉基部有短强肩脉伸向前缘。前翅中室闭合,横脉很弱,中间有直角弯曲;后翅中室开放。腿节和胫节密被长毛,跗节密被鳞片,只在外侧有少许毛,中、后胫节有短端距。

分布:东南亚、南非和中美洲。中国已知 5 种和亚种。秦岭地区记录 1 种。

(46) 大黄枯叶蛾 *Trabala vishnou gigantina* Yang, 1978(图版 10:7,8)

Trabala vishnou gigantina Yang, 1978: 418.

别名:黄绿枯叶蛾。

鉴别特征:雄性前翅长 23～30mm,雌性前翅长 34～45mm。雄蛾翅绿色,前翅内、外线均为深绿色,其内侧各嵌有白色条纹;中室有 1 个黑褐色小点;亚缘线呈黑褐色波状纹。雌蛾翅黄绿色微带褐色,外缘线黄色,波状。前翅内横线黑褐色,外横线绿色,波状,仅达 Cu_2 脉处;内、外横线之间为鲜黄色;中室处有 1 个近三角形的黑褐色小斑;在 M_2 脉以下直到后缘和基线到亚外缘间,又有 1 个近四边形的黑褐色大斑;亚缘线处有 1 条由 8～9 个黑褐色斑组成的断续波状横纹。后翅后缘基部灰黄色,内线与外线均为黑褐色,波状。本亚种与指名亚种的区别为前者体型较大,故亚种名用"*gigantina*"(大的)。

采集记录:5♂1♀,太白山,1981. Ⅸ. 15;4♀,店头林场,1981. Ⅸ. 16-21;1♀,黄陵

乔山,1964. Ⅸ. 08;1♀,佛坪龙草坪,1200m,2008. Ⅶ. 03,刘万岗采;3♀,宁陕火地塘,1964. Ⅴ. 05,1964. Ⅶ,1979. Ⅸ. 25;1♀,宁陕关口,1979. Ⅸ. 17;2♀,宁陕旬阳坝,1979. Ⅸ. 18,1981. Ⅸ. 18;1♂1♀,商南金丝峡,777m,2013. Ⅶ. 23-25,姜楠采;1♀,柞水营盘镇,953 ~ 995m,2014. Ⅶ. 29-31,班晓双采;3♂8♀,旬阳金鑫源山庄,386m,2014. Ⅷ. 01-03,刘淑仙、班晓双采。

分布:陕西(太白、佛坪、宁陕、商南、柞水、旬阳)、内蒙古、北京、山西、河南、甘肃。

寄主:锐齿栎,栓皮栎,槲栎,辽东栎,核桃,海棠,胡颓子,沙棘,榛子,旱柳,月季,槭,山杨,水桐,榆,苹果,蔷薇,山荆子,蓖麻等。

六、锚纹蛾科 Callidulidae

鉴别特征:中小型蛾类,部分属种白天活动,形似蛱蝶。下唇须长,喙发达。前翅中室端脉很弱或消失;后翅中室端脉完全消失,中室开放。翅褐色或黑褐色,前翅常有1道鲜明的锚形纹。

分类:世界共记录3亚科8属约50种,分布于非洲、大洋洲、东南亚和亚洲东部地区。陕西秦岭地区有1属1种。

1. 锚纹蛾属 *Pterodecta* Butler, 1877

Pterodecta Butler, 1877a: 399. **Type species**: *Callidula gloriosa* Butler, 1877.

属征:下唇须长,喙发达。前翅短宽,顶角尖,略凸出;外缘中部有时凸出1个尖角。后翅顶角和臀角圆,外缘中部凸出1个尖角。前后翅中室端脉消失,中室开放。

分布:中国;日本。秦岭地区仅有1种。

(1) 锚纹蛾 *Pterodecta felderi* (Bremer, 1864)(图版10:9)

Callidula felderi Bremer, 1864: 38, pl. 4: 3.

Callidula gloriosa Butler, 1877a: 399.

Pterodecta felderi: Strand, 1911, *in* Seitz (a): 207.

鉴别特征:前翅长14 ~ 16mm。体和翅黑褐色。前翅外缘中部凸出1个尖角;翅面有1道橘黄色至橘红色锚形纹。前翅反面锚形纹与正面相同;翅基部有1个橘黄色三角形斑,上有2个小卵形斑点;后翅反面橘黄间橘红色,布满深色散纹。

采集记录:1♂,留坝县城,1050m,1998. Ⅶ. 18。

分布:陕西(留坝)、甘肃、四川。

七、钩蛾科 Drepanidae

鉴别特征:中等大小,翅宽阔。触角双栉形,有时线状、锯齿形或单栉形;下唇须3节,上翘,伸出或下垂;第3节具光滑鳞片;仅少数属具有单眼。中足胫距1对,有时缺失;后足胫距2对,有时1对或缺失。腹部具发达鼓膜听器。前翅顶角常为角状或钩状。除山钩蛾亚科无翅缰外,其他亚科翅缰均发达。前翅具窄长径副室;M_2 位于 M_1 与 M_3 中间(多数圆钩蛾亚科和波纹蛾亚科),或距 M_3 较 M_1 近(钩蛾亚科和山钩蛾亚科)。后翅 $Sc+R_1$ 在中室末端与Rs接近后远离;多数 M_2 较接近 M_3。

分类:钩蛾科分4个亚科,即圆钩蛾亚科、波纹蛾亚科、钩蛾亚科和山钩蛾亚科。目前共记录约120属650种,陕西秦岭地区分布29属57种。

(一)圆钩蛾亚科 Cyclidiinae

鉴别特征:中等至大型蛾子,似尺蛾,翅广阔,体细长。触角扁细,锯齿形、单栉形或双栉形。下唇须发达。前后翅 M_2 从中室端脉中部伸出。后翅 $Sc+R_1$ 与中室及Rs长距离并行,但不与Rs合并或突然接近。雄性第2腹节腹板上有1对感毛丛。雄蛾外生殖器中钩形突成三叉形或单叉形。

分类:陕西秦岭地区分布1属1种。

1. 圆钩蛾属 *Cyclidia* Guenée, 1858

Cyclidia Guenée, 1858: 62. **Type species**: *Euchera substigmaria* Hübner, 1831.

属征:体型较大,前翅长多超过20mm。雄雌触角齿状。下唇须发达,向前上翘,尖端多超过额外1/3。中足胫距1对,后足2对距。翅色白色、褐色至黑色,部分有淡色闪光鳞片。前翅顶角不呈钩状,外缘较直,浅弧形。后翅外缘光滑,在 M_3 脉端无尾突;具翅缰。前翅 R_1 与 R_{2-5} 融合1段距离,在距中室上角内侧1/4处分开,R_{2-4} 与 R_5 在中室上角外融合1段距离再分开;M_3 与 Cu_1 分离。后翅 $Sc+R_1$ 与中室及Rs长距离并行,Rs与 M_1 分离,M_3 与 Cu_1 分离。雄性外生殖器钩形突发达,分3叉;颚形突中突为1个小突;抱器瓣长而宽,端部圆;阳茎端环为1个具钳状分叉的突;囊形突不发达;阳茎长而粗,阳茎端膜上角状器小刺状。雌性外生殖器肛瓣宽而圆,前后表皮突长,囊导管细长稍扭曲,囊体长椭圆形,囊片2条微隆起的脊状,其上布有小棘。

分布:中国;朝鲜,日本,印度,缅甸,马来西亚,印度尼西亚。秦岭地区发现1种。

(1)洋麻圆钩蛾 *Cyclidia substigmaria* (Hübner, 1825)(图版 10:15)

Euchera substigmaria Hübner, 1825: 29. pl. 90, f. 519-520.

Cyclidia substigmaria: Guenée, 1858: 63.

Abraxas capitata Walker, 1862: 1121.

Euchera capitata: Strand, 1911, *in* Seitz (a): 196, pl. 23: f.

鉴别特征:前翅长 26~41mm。额黑褐色;下唇须黑褐色,发达,向前上翘,尖端 1/3~1/2伸出额外。肩片白色,具长毛。前后翅底色均为白色至灰白色,上有灰至灰褐色斑纹。前翅基部散布灰色;内线灰褐色波状,弧形弯曲;中带宽阔云状,内有大而圆的深灰褐色中点;顶角内侧散布黑灰色,接近中带处逐渐变浅消失,其下方边缘斜行清晰,与中带下半段外侧边缘构成 1 条直线;中带下半段外侧另有 1 块深灰褐色斑,长三角形;亚缘线不均匀点状;外缘在顶角下方至 Cu_1 黑灰色。后翅具深灰褐色中带和外带;中点黑灰色,较前翅大;亚缘线的点较前翅小,有时连成细线。

采集记录:1♀,周至厚畛子,1300m,2007. Ⅷ. 10,杨干燕采;2♂2♀,宁陕广货街,1189m,2014. Ⅶ. 28,刘淑仙、班晓双采;1♂,柞水营盘镇,980m,2014. Ⅶ. 31,刘淑仙、班晓双采;1♂,旬阳白柳镇,386m,2014. Ⅷ. 03,刘淑仙、班晓双采;1♂,旬阳金鑫源山庄,386m,2014. Ⅷ. 01-03,班晓双采。

分布:陕西(周至、宁陕、柞水、旬阳)、河南、甘肃、江苏、安徽、浙江、湖北、江西、湖南、福建、台湾、广东、海南、香港、广西、四川、贵州、云南;日本,越南。

寄主:洋麻(*Hibiscus canabinus* Linnaeus)。

(二)波纹蛾亚科 Thyatirinae

鉴别特征:中型蛾类。复眼发达;触角线状、栉齿状或短双栉形;头顶和额部常被浓密的毛或鳞毛;喙发达;下唇须向前平伸或向上翘,或第 3 节微向下垂。腿节和胫节通常被长毛;后足胫节有 2 对距,外距明显短于内距;爪光滑或有齿,爪间有中叶。腹部背面通常具竖起的毛束,有些种类腹部末端形成毛簇。前翅通常较狭长;顶角或圆,或尖,或向外凸出形成圆形或稍锐的突起;臀角圆形,或钝角形,或呈叶形突起并有毛缨;翅外缘呈波浪样弧形或呈波浪样稍平直。后翅较宽。前翅 Sc 沿翅前缘向外平伸,止于翅前缘;径脉 5 条,或彼此分离,不形成径副室,或并接形成径副室;M_2 由中室端脉中部发出。后翅 $Sc+R_1$ 沿翅前缘伸出,在近中室末端向 Rs 方向弯曲。雄性外生殖器背兜通常较大并强烈骨化,有的种类具背兜侧突;囊形突种间变异较小;钩形突有两种类型,一种为简单的叉形、二叉形或三叉形,另一种为不规则形;无颚形突。

分类:陕西秦岭地区分布 13 属 30 种。

2. 波纹蛾属 *Thyatira* Ochsenheimer, 1816

Thyatira Ochsenheimer, 1816: 77. **Type species**: *Phalaena* (*Noctua*) *batis* Linnaeus, 1758.
Strophia Meigen, 1832: 174. **Type species**: *Phalaena* (*Noctua*) *batis* Linnaeus, 1758.
Calleida Sodoffsky, 1837: 87. **Type species**: *Phalaena* (*Noctua*) *batis* Linnaeus, 1758.
Thyathira Bruand, 1845: 89. **Type species**: *Phalaena* (*Noctua*) *batis* Linnaeus, 1758.

属征:额光滑;触角线形,雄性较粗,略呈锯齿形;下唇须中等长,第1、2节粗壮,第3节光滑短小。第3腹节背面具立毛簇。前翅底色为深浅不同的褐色至红褐色,具大小不等的白斑,斑上涂有粉色或褐色;翅面的斑可分为5组,即内斑、后缘斑、前缘斑、顶斑和臀斑。后翅为深浅不同的单一灰褐色。前翅具1个狭长径副室;R_4与R_5在径副室之外短共柄;后翅M_2略接近M_3。雄性外生殖器钩形突细长;背兜侧突发达,长度接近钩形突;抱器瓣宽大,腹缘中部常具1个小突。

分布:全北界,东南亚及巴布亚新几内亚。秦岭地区分布1种。

(2) 红波纹蛾 *Thyatira rubrescens* Werny, 1966(图版10:16)

Thyatira rubrescens Werny, 1966: 36, figs. 34, 239, 337.
Thyatira rubrescens nepalensis Werny, 1966: 38, fig. 45.
Thyatira rubrescens obscura Werny, 1966: 39.
Thyatira rubrescens assamensis Werny, 1966: 41, figs. 41, 43.
Thyatira rubrescens szechwana Werny, 1966: 42, fig. 35.
Thyatira rubrescens orientalis Werny, 1966: 42, fig. 40.
Thyatira rubrescens kwangtungensis Werny, 1966: 43, fig. 36.
Thyatira rubrescens tienmushana Werny, 1966: 44, fig. 39.
Thyatira rubrescens vietnamensis Werny, 1966: 46, fig. 48.

鉴别特征:雄性前翅长16~19mm。头和胸腹部灰褐色,带灰绿色调,复眼侧后方具黑色长毛。第3腹节有1枚暗褐色毛束。前翅深褐色,有5个浅粉红色大斑,具光泽;内斑大,其内有2个褐斑;后缘斑半圆形;前缘斑近圆形,顶斑较大,狭长,下缘稍平;臀斑椭圆形,内有2个褐斑;臀斑上方有2个白点;内线和外线黑褐色,纤细,波状;亚缘线在前缘斑和顶斑下方可见白色细线;缘线由1列半月形黑色细线组成;缘毛灰褐色与黑褐色相间,在大斑外黄白色。后翅深灰褐色,基半部色略浅;缘毛黄白色。

采集记录:1♂,周至钓鱼台,1480~1570m,2008. Ⅵ. 29,刘万岗采;1♀,周至县城,900m,2008. Ⅶ. 05,崔俊芝采;1♀,周至楼观台,680m,2008. Ⅵ. 23,白明采;1♂,太白黄柏塬,1350m,1980. Ⅶ. 11;1♂,留坝庙台子,1470m,1999. Ⅶ. 01,朱朝东采;2♀,

宁陕火地塘,1538m,2012. Ⅶ. 11-15,姜楠等采;1♀,旬阳,1981. Ⅸ. 22;1♂1♀,旬阳金鑫源山庄,386m,2014. Ⅷ. 01- 03,刘淑仙、班晓双采。

分布:陕西(周至、太白、留坝、佛坪、宁陕、旬阳)、河南、安徽、浙江、湖北、江西、湖南、福建、广东、广西、海南、四川、云南、西藏;越南,印度,尼泊尔。

3. 边波纹蛾属 *Horithyatira* Matsumura, 1933

Horithyatira Matsumura, 1933b: 193. **Type species**: *Thyatira decorata* Moore, 1881.

属征:额光滑;触角线形,雄性略扁宽;下唇须略长,第 3 节长度约为第 2 节的1/2。腹部背面基部和中部各有 1 枚立毛簇。前翅深褐色,具多个浅色斑,近似波纹蛾属。后翅灰褐至深灰褐色。前翅 Sc 和 R_1 自由,R_2 与 R_3 长共柄,R_4 与 R_5 长共柄,无径副室;后翅 M_2 接近 M_3。雄性外生殖器钩形突细长;背兜侧突明显短于钩形突;抱器瓣狭长,端半部渐窄,腹缘无突。

分布:东洋界。秦岭地区分布 1 种。

(3) 边波纹蛾 *Horithyatira decorata* (Moore, 1881)(图版 10:17)

Thyatira decorata Moore, 1881: 328, pl. 37: 1.

Horithyatira decorata: Matsumura, 1933b: 193.

Horithyatira decorata birmanica Bryk, 1944: 224.

Horithyatira decorata thodungensis Werny, 1966: 140, fig. 74.

Horithyatira hoenei Werny, 1966: 149, figs. 71, 265, 364.

别名:华边波纹蛾。

鉴别特征:雄性前翅长 17 ~ 20mm,雌性前翅长 19 ~ 20mm。额、头顶、胸部背面和第 1 腹节黄白色;下唇须、胸部前端和腹部大部灰褐色。前翅深褐色,斑块白色带浅粉红色;翅基部有 1 个三叶草形斑,中间一叶最长,其中部带褐色,端部带粉红色;翅中部有大小 2 个圆斑;后缘斑狭条弧形;前缘斑楔形,带明显粉红色;顶斑梭形;臀斑大而圆,带红褐色;外缘在臀斑之上有 2 个小圆斑;缘毛黄白色与黑褐色相间。后翅深灰褐色,基半部色较浅;缘毛黄褐色至浅灰褐色。

采集记录:1♂1♀,宁陕火地塘,1550m,2008. Ⅶ. 07- 08,刘万岗、葛斯琴采;1♂,宁陕火地塘,1500 ~ 2000m,2008. Ⅶ. 08,白明采;2♂2♀,宁陕火地塘,1538m,2012. Ⅶ. 11-15,姜楠等采。

分布:陕西(宁陕)、湖北、海南、广东、广西、四川、贵州、云南、西藏;缅甸,印度,尼泊尔,不丹。

4. 篝波纹蛾属 *Gaurena* Walker, 1865

Gaurena Walker, 1865: 619. **Type species**: *Gaurena florens* Walker, 1865.

Chlorogaurena Houlbert, 1921: 130. **Type species**: *Gaurena florens* Walker, 1865.

Cyclogaurena Houlbert, 1921: 129, 136. **Type species**: *Gaurena florescens* Walker, 1865.

Griseogaurena Houlbert, 1921: 130, 134. **Type species**: *Gaurena grisescens* Oberthür, 1894.

属征:额平坦光滑;触角线形,雄性较扁宽;下唇须中等长。领片和肩片被长毛;中胸、腹基部和第3腹节背面各有1束毛鳞;雄蛾腹部末端具毛束。前翅褐色、橄榄褐色至黑褐色,有时带有黄绿色或黄色;有具光泽的白色、黄色或黄绿色的带和斑;亚基线为1条浅色宽带或1列浅色斑,带内侧有1个明显的银白色斑点;中点为1个浅色大斑,十分发达;外线和亚缘线间的底色常显出浅色阴影;内线和外线通常为完整的线或斑。后翅淡褐色至灰褐色,具清晰的外线或亚缘线。前翅 Sc 和 R_1 自由;具1个狭长径副室,R_2 由径副室顶端发出;R_3 至 R_5 短共柄,由径副室顶端发出;M_1 与径副室下缘共柄,由径副室近端部发出。后翅 M_2 接近 M_3。雄性外生殖器钩形突细长;背兜侧突较短粗;抱器瓣基部宽阔,端半部常突然变窄。

分布:东洋界,主要分布在喜马拉雅山脉周边地区。秦岭地区分布2种。

(4)曲篝波纹蛾陕西亚种 *Gaurena sinuata fletcheri* Werny, 1966(图版10:18)

Gaurena fletcheri Werny, 1966: 130, figs. 67, 263, 361.

Gaurena sinuata fletcheri: Laszlo, G. Ronkay, L. Ronkay & Witt, 2007: 75.

鉴别特征:前翅长15~17mm。头和腹部背面灰黄褐色;胸部背面深褐色。前翅深褐至黑褐色;亚基线由3块浅黄褐色斑组成,中间1块较大,外侧具2个齿;亚基线内侧在臀褶处有1个狭长白点;中域的深色区域宽阔,中点白色,大而圆,十分醒目;后缘中部有1个浅色斑;翅端部为1条"Y"形浅黄褐色带,其上端分别由前缘外1/4处和顶角发出,在 M_1 附近汇合,下端略外弯至臀角,该带中段色较深;缘毛黄褐色与深褐色相间。后翅深灰褐色,基半部色较浅;外线为1条浅色影状带。

采集记录:1♀,宁陕火地塘,1580m,1998.Ⅶ.27,袁德成采。

分布:陕西(宁陕)、甘肃。

(5)拟花篝波纹蛾 *Gaurena gemella* Leech, 1900(图版10:19)

Gaurena gemella Leech, 1900: 13.

鉴别特征:前翅长 15mm。头部和胸部灰褐色,腹部色略浅;胸部具白点;后胸和第 3 腹节各有 1 枚深褐色毛簇。前翅黑褐色,斑点白色;翅基部有 4 个小白点,其中位于亚中褶处的最大;内线由 2 个白斑组成,前缘处的较小,其外下方的较大,均呈不规则形;环斑和中点约等大,圆形;前缘外 1/4 处、顶角和臀角内侧各有 1 个不规则形大斑;内线之外的翅脉上排布小白点;后缘中部白色,并向上扩展 2 个小白斑;缘线为 1 列半月形白点;缘毛白色与黑褐色相间。后翅灰褐至深灰褐色,缘毛浅灰褐色。

采集记录:1♀,宁陕火地塘,1538 ,2012. Ⅶ. 11-05,姜楠采。

分布:陕西(宁陕)、河南、甘肃、湖北、湖南、四川、云南、西藏;尼泊尔。

5. 大波纹蛾属 *Macrothyatira* Marumo, 1916

Macrothyatira Marumo, 1916: 48. **Type species**: *Thyatira flavida* Butler, 1885.

Haplothyatira Houlbert, 1921: 46 (key), 114. **Type species**: *Haplothyatira transitans* Houlbert, 1921.

Melanocraspes Houlbert, 1921: 47 (key), 116. **Type species**: *Thyatira stramineata* Warren, 1912.

Exothyatira Matsumura, 1933b: 192. **Type species**: *Thyatira flavida* Butler, 1885.

属征:体型较大。额光滑;触角线形,雄性略扁宽;下唇须较短,第 3 节短小。后胸、腹基部和第 3 腹节背面有强壮毛束。前翅狭长,顶角略尖,后缘近基部处略隆起;深褐色、深灰褐色至黑褐色;基部有 1 个浅色指突形斑,指向外缘;前缘中部、顶角和臀角通常各有 1 个浅色斑。后翅深褐色、黄褐色或黄色,浅色种类通常有 1 条深褐色端带。前翅具 1 个狭长径副室,R_2 出自径副室顶端,R_5 与 R_{3+4} 短共柄,出自径副室顶端,M_1 与径副室下缘短共柄;后翅 M_2 近 M_3。雄性外生殖器钩形突粗壮,锥形;背兜侧突细小,短于钩形突的 1/2,远离钩形突;抱器瓣宽大,无突。

分布:古北界,东洋界,澳洲界。秦岭地区分布 2 种。

(6)大波纹蛾陕西亚种 *Macrothyatira flaivda tapaischana* (Sick, 1941)(图版 10:20)

Thyatira tapaischana Sick, 1941: 2.

Macrothyatira flavida tapaischan: Werny, 1966.

鉴别特征:雄性前翅长 18 ~ 23mm,雌性前翅长 22mm。前翅深褐至黑褐色;基部指状突长约 5mm,端部较窄,圆;前缘中部斑圆形,后缘中部具 1 个不规则形斑,顶斑逗号形,臀斑椭圆形;各斑均带淡黄褐色,其中前缘斑和顶斑略带粉红色;缘线为 1 列半月形黑色细线;缘毛深浅相间,在顶角处有 2 个白点。后翅浅黄褐色,有时带明显灰褐色;端带深灰褐色,比较模糊;缘毛黄色,在翅脉端深灰褐色。

采集记录:3♂3♀,周至厚畛子老县城,1700m,2007. Ⅷ. 10,李文柱、杨干燕采;1♀,佛坪,950m,1998. Ⅶ. 23,姚建采;1♂,佛坪,876m,2007. Ⅷ. 16,杨玉霞采;1♂,秦

岭,1979. Ⅶ.23,韩寅恒采;2♂,宁陕,1980. Ⅶ.24-Ⅷ.05,韩寅恒采;4♂1♀,宁陕火地塘,1580m,1998. Ⅶ.27,Ⅷ.15-18,袁德成采;1♂,宁陕火地塘,1600m,1999. Ⅶ.05,袁德成采;2♀,宁陕火地塘,1550m,2007. Ⅷ.18-19,杨玉霞、李文柱采。

分布:陕西(周至、佛坪、宁陕)、河南、宁夏、甘肃、浙江、湖北、湖南、福建、四川、云南。

(7)带大波纹蛾 *Macrothyatira fasciata* (Houlbert, 1921)(图版 10:21)

Melanocraspes fasciata Houlbert, 1921: 120, fig. 32.

Macrothyatira fasciata: Werny, 1966: 224.

Macrothyatira fasciata shansiensis Werny, 1966: 224, fig. 114.

鉴别特征:雄性前翅长 26~29mm。头部深褐色;胸部背面深褐色,两侧灰褐色;腹部深黄褐色,具黑色毛簇。前翅深褐色;基斑灰白色,具黑褐色边线,端部下垂;亚基线和内线双线,黑褐色,基斑的外缘与亚基线和内线平行;环纹和肾纹各为 1 个黑圈;前缘斑灰白色,具黑边;外线黑褐色;顶斑大,灰白色,具黑边,下端钩状,其下可见锯齿形亚缘线;无后缘斑和臀斑;缘线由 1 列半月形黑褐色纹组成;缘毛黄褐色与黑褐色相间。后翅黄色,近外缘处有 1 条黑褐色宽带,其外缘凸凹不平;缘毛黄色,在 $Sc+R_1$、Rs 和 M_1 各脉端黑褐色。

采集记录:3♂,周至厚畛子老县城,1700m,2007. Ⅷ.10,李文柱采;1♂,秦岭,1979. Ⅶ.23,韩寅恒采;2♂,宝鸡天台山嘉陵江源头,1620m,2014. Ⅷ.08-09,薛大勇、班晓双采。

分布:陕西(周至、宝鸡、宁陕)、北京、山西、河南、湖北、四川、云南、西藏。

6. 太波纹蛾属 *Tethea* Ochsenheimer, 1816

Tethea Ochsenheimer, 1816: 64. **Type species**: *Noctua or* Denis *et* Schiffermüller, 1775.

Palimpsestis Hübner, 1821: 237 (as 279). **Type species**: *Phalaena octogesimea* Hübner, 1786.

Bombycia Hübner, 1822: 22. **Type species**: *Noctua or* Denis *et* Schiffermüller, 1775.

Ceropacha Stephens, 1829: 42. **Type species**: *Noctua or* Denis *et* Schiffermüller, 1775.

属征:额光滑;触角线形,雄性略扁宽;下唇须较短,第 3 节短小。腹部背面无立毛簇,侧面有毛丛。前翅狭长,前缘平直,顶角略尖,外缘浅弧形;后翅宽大,顶角略凸,其下方浅凹。前翅以灰褐色为主,横线通常清晰,中域常有不规则形浅色斑;后翅灰褐色,常具深色端带。前翅具径副室,R_2、R_{3+4}和 R_5 出自径副室顶端,M_1 与径副室下缘长共柄;后翅 M_2 接近 M_3。雄性外生殖器钩形突细长;背兜侧突细长或刺状,远离钩形突并常向两侧岔开;抱器瓣狭长,端部宽度与基部相仿,腹缘或腹基部常有突。

分布:古北界,东洋界,澳洲界。秦岭地区分布 7 种。

(8)太波纹蛾阿穆尔亚种 *Tethea ocularis amurensis* Warren, 1912(图版 11:1)

Tethea ocularis amurensis Warren, 1912, *in* Seitz (a): 327, pl. 56: a.

Tethea ocularis tsinlingensis Werny, 1966: 337, fig. 181.

鉴别特征:雄性前翅长 16 ~ 18mm,雌性前翅长 19 ~ 20mm。头部暗灰褐色;领片灰白色,前缘有 1 条黑褐色线,后缘有 1 条暗红褐色线;胸部灰褐色,前半部略带玫瑰红色;腹部浅灰褐色,基部灰白色。前翅深灰褐色,线纹黑色;亚基线、内线和外线均双线,二次波曲;环纹和肾纹灰白色,具黑边;顶角内侧 1 个灰白色三角形斑,其下方亚缘线灰白色,波状;缘线黑色;缘毛黑灰色掺杂白色。后翅灰褐色,端带深灰褐色,其内侧边缘常较模糊;缘毛色较浅。

采集记录:2♂1♀,周至钓鱼台,1480 ~ 1570m,2008. Ⅵ. 29,葛斯琴等采;1♂,周至老县城,1760m,2008. Ⅵ. 27,李文柱采;1♀,周至钓鱼台,1480m,2008. Ⅵ. 29,李文柱采;1♂1♀,黄柏塬,1980. Ⅶ. 12-14,韩寅恒采;1♂3♀,太白黄柏塬,1350m,1980. Ⅶ. 15-17,张宝林采;1♂1♀,秦岭,1979. Ⅶ. 23,韩寅恒采;1♂,佛坪偏岩子,1750m,1999. Ⅵ. 28,姚建采;1♂,佛坪龙草坪,1200m,2008. Ⅶ. 03,白明采。

分布:陕西(周至、太白、佛坪)、黑龙江、吉林、辽宁、内蒙古、北京、河北、山西、河南、宁夏、甘肃、青海、福建;蒙古,俄罗斯,朝鲜半岛。

(9)宽太波纹蛾山西亚种 *Tethea ampliata shansiensis* Werny, 1966(图版 11:2)

Tethea ampliata shansiensis Werny, 1966: 354, fig. 200.

Tethea ampliata griseofasciata Werny, 1966: 355.

鉴别特征:雄性前翅长 21 ~ 23mm。头部和前胸黄褐色,前胸后缘有 1 条暗褐色纹,胸部其余部分深灰褐色;腹部灰黄褐色。前翅灰黄褐色,端半部略带灰红色调;亚基线黑色,深锯齿形;内线为 1 组 4 条并行的深褐色波状线;中域色稍浅,环纹小,有时不可见,肾纹近长方形,浅色,黑褐边;外线黑褐色,细弱;翅端部在翅脉上有 2 排黑褐色小齿,外侧 1 排的内侧为灰白色波状亚缘线;顶角处具 1 个灰白色三角形斑;缘线黑褐色;缘毛黄褐色,在翅脉端黑褐色。后翅灰黄褐色,端部色较深;外线位置有 1 条模糊的浅色宽带;缘毛黄白色,在翅脉端深灰褐色。

采集记录:2♂1♀,周至厚畛子,1276m,2008. Ⅵ. 30-Ⅶ. 01,李文柱采;1♂2♀,周至钓鱼台,1480 ~ 1570m,2008. Ⅵ. 29,刘万岗、李文柱采;1♂1♀,周至楼观台,680m,2008. Ⅵ. 24,李文柱、崔俊芝采;8♂11♀,太白黄柏塬,1350m,1980. Ⅶ. 11-16,韩寅恒、张宝林采;1♂2♀,留坝庙台子,1470m,1999. Ⅶ. 01,朱朝东采;5♂,佛坪龙草坪,1200 ~ 1256m,2008. Ⅶ. 03,李文柱等采;1♀,佛坪,900m,1999. Ⅵ. 27,章有为采;1♀,佛坪长角坝,1200m,2008. Ⅶ. 05,白明采;2♂,宁陕火地塘,1580m,1998. Ⅶ. 27,袁德成采;1♂3♀,宁陕,1979. Ⅶ. 30-31,1980. Ⅶ. 24,韩寅恒采;1♀,宁陕火地塘,1538m,

2012. Ⅶ. 11-15,程瑞采;8♂,柞水营盘老林村,1050m,2007. Ⅵ. 02-03,林美英等采;1♂,柞水营盘镇,953 ~995m,2014. Ⅶ. 29-31,班晓双采。

分布:陕西(周至、太白、留坝、佛坪、宁陕、柞水)、河南、甘肃、浙江、湖北、湖南、江西、广西、四川、云南。

(10)川太波纹蛾 *Tethea punctorenalia* (Houlbert, 1921)(图版 11:3)

Cymotophora punctorenalia Houlbert, 1921: 183, fig. 4023.

Tethea ampliata punctorenalia: Werny, 1966: 355.

Tethea punctorenalia: Laszlo, G. Ronkay, L. Ronkay & Witt, 2007: 108.

鉴别特征:雄性前翅长 20mm。头和胸部前端灰黄色,胸部大部和腹部灰褐色。前翅灰褐色,斑纹非常近似宽太波纹蛾山西亚种,但内线两侧色更浅,与 4 条深褐色内线形成的宽带差别明显;肾纹下半段常形成 1 个黑斑。

采集记录:1♂,佛坪龙草坪,1200m,2008. Ⅶ. 03,白明采。

分布:陕西(佛坪)、四川。

(11)点太波纹蛾 *Tethea octogesima* (Butler, 1878)(图版 11:4)

Cymatophora octogesima Butler, 1878a: 78.

Cymatophora intensa Butler, 1881f: 234.

Cymatophora angustata Staudinger, 1892a: 231, pl. 17: 6.

Tethea octogesima: Werny, 1966: 358.

鉴别特征:前翅长 20mm。头和前胸浅灰至黑褐色,胸部大部深灰褐色;腹部灰褐色,带红褐色调。前翅狭长;灰褐至深灰褐色;亚基线黑色,锯齿形;内线 4 条,组成深色宽带,该带在前缘较窄,向下渐宽,外缘锯齿形;环纹为 1 个黑圈,中部有 1 个黑点;肾纹为 1 个长圆形黑圈,下端 1 个黑点;外线双线,二次深波曲;亚缘线灰白色,波状,其外侧翅脉呈黑色箭头状纹,顶角处具 1 条黑色斜线;缘线黑色,纤细;缘毛灰褐色与黑褐色相间。后翅灰褐至深灰褐色,浅色外带十分模糊;缘毛黄白色,在翅脉端深灰褐色。

采集记录:1♂2♀,太白山,1350m,1981. Ⅶ. 13-21。

分布:陕西(太白山)、吉林、浙江;俄罗斯,日本,朝鲜半岛。

(12)长片太波纹蛾 *Tethea longisigna* Laszlo, G. Ronkay, L. Ronkay *et* Witt, 2007(图版 11:5)

Tethea longisigna Laszlo, G. Ronkay, L. Ronkay *et* Witt, 2007: 110, fig. 70, pl. 11: 1-3.

鉴别特征:雄性前翅长 18 ~ 20mm,雌性前翅长 19 ~ 21mm。颜色和翅面斑纹与前种(点太波纹蛾)几乎没有差异,但本种雄性外生殖器背兜侧突长于钩形突,点太波纹蛾背兜侧突长约为钩形突的 1/2;雌性外生殖器囊片特别长,约为囊体长径的 1/2,而点太波纹蛾囊片长度不足囊体长径的 1/4。

采集记录:1♂,太白黄柏塬,1350m,1980. Ⅶ. 13-16,韩寅恒、张宝林采;1♂,留坝庙台子,1350m,1998. Ⅶ. 22,廉振民采;1♂,佛坪,870m,2007. Ⅷ. 16,杨玉霞采;1♂,柞水营盘镇老林村,1050m,2007. Ⅵ. 03,林美英采。

分布:陕西(太白、留坝、佛坪、柞水)、黑龙江、甘肃、新疆、湖北、浙江、福建、四川、云南。

(13)白太波纹蛾 *Tethea albicostata* (Bremer, 1861)(图版 11:6)

Cymatophora albicostata Bremer, 1861: 571.

Saronaga albicostata koreonaga Bryk, 1948: 47.

Tethea albicostata: Werny, 1966: 373.

Tethea albicostata japonibia Werny, 1966: 373, fig. 210.

Tethea albicostata montana Werny, 1966: 375, fig. 212.

Tethea albicostata contrastata Werny, 1966: 377, fig. 211.

鉴别特征:雄性前翅长 19mm,雌性前翅长 22mm。头部和领片灰褐色,带红褐色调,领片后缘有 1 条黑褐色横线;胸部深灰褐色;腹部灰褐色。前翅前缘至中室中部和 M_2 以上灰白色,略带粉红或灰红色调,中室中部和 M_2 以下深灰褐色;亚基线黑色双线,锯齿形,外侧的线锯齿较深,两线不平行;内线在前缘为黑色带,在中室前缘扩散为逐渐远离的 2 条线,内侧线沿翅脉向内凸出小齿,外侧线在中室中部和臀褶处凸出 2 个大齿;环纹和肾纹灰白色,带黑圈,内部有黑鳞或黑点,不带粉红色泽,十分醒目;外线黑色双线,波状;亚缘线灰白色,不连续,其外侧由顶角下行 1 条黑线在翅脉上向外凸出尖齿;缘线黑色;缘毛深灰褐色。后翅灰褐色,浅色外带较模糊;缘毛黄白色。

采集记录:1♂,周至厚畛子,1271m,2007. Ⅴ. 25,崔俊芝采;1♂,佛坪,900m,1999. Ⅵ. 27,章有为采。

分布:陕西(周至、佛坪)、黑龙江、吉林、河北、北京、甘肃、江苏、浙江、湖北、湖南、四川、云南;俄罗斯,日本,朝鲜半岛。

(14)粉太波纹蛾 *Tethea consimilis* (Warren, 1912)(图版 11:7)

Saronaga consimilis Warren, 1912, *in* Seitz (a): 321, pl. 49: f.

Tethea consimilis: Werny, 1966: 399.

Tethea consimilis birohoensis Werny, 1966: 399, fig. 235.

Tethea consimilis hoenei Werny, 1966: 405.

Tethea consimilis flavescens Werny, 1966: 406, fig. 220.

鉴别特征:雄性前翅长 22 ~ 25mm,雌性前翅长 28mm。头部黑褐色;胸部褐色与橄榄绿色掺杂,并掺杂鲜黄绿色鳞片;腹部灰褐色,背面略带灰红色。前翅深褐色,前缘至中室下缘和 M_3 散布鲜黄绿色和粉红色,色彩斑斓;中域有数块鲜黄绿色斑和线,形状不规则;亚缘线黄绿色,锯齿形,在 M_3 以下消失;缘毛黄白色与深灰褐色相间。后翅灰褐色至深灰褐色,隐约可见浅色外带;缘毛黄白色,在翅脉端深灰褐色。

采集记录:1♂,周至钓鱼台,1480m,2008. Ⅵ. 29,葛斯琴采;1♂,太白黄柏塬,1350m,1980. Ⅶ. 13-17;4♂,佛坪龙草坪,1256m,2008. Ⅶ. 03,李文柱等采;2♂,宁陕火地塘,1550m,2008. Ⅶ. 07- 08,葛斯琴、崔俊芝采;1♂,宁陕火地塘,1538m,2012. Ⅶ. 11-15,姜楠采。

分布:陕西(周至、太白、佛坪、宁陕)、吉林、河南、甘肃、浙江、湖北、湖南、福建、广东、广西;俄罗斯,日本,朝鲜半岛。

7. 影波纹蛾属 *Euparyphasma* Fletcher, 1979

Euparyphasma Fletcher, 1979, *in* Nye: 83. **Type species**: *Polyploca albibasis* Hampson, 1893.
Lithocharis Warren, 1912, *in* Seitz (a): 321(nec Dejean, 1833). **Type species**: *Polyploca albibasis* Hampson, 1893.

属征:为波纹蛾亚科中体型最大的类群之一。额光滑;触角线形,雄性略扁宽;下唇须中等长,第 3 节短小光滑。胸部被浓密鳞毛,腹部光滑。前翅狭长,长约为宽的 2 倍,前缘基部隆起,其后平直;顶角尖锐,略凸出;外缘平直,中部以下强烈向下呈弧形弯曲至后缘,无明显臀角。后翅宽阔。前翅具狭长径副室,R_2 出自径副室近端部处,R_5 与 R_{3+4}短共柄,出自径副室顶端,M_1 与径副室下缘长共柄;后翅 M_2 略接近 M_3。雄性外生殖器钩形突较短;背兜宽阔,背兜侧突短于并远离钩形突;抱器瓣宽大,端半部斜切,近三角形。

分布:中国;日本,印度,越南。秦岭地区分布 2 种。

(15) 怪影波纹蛾 *Euparyphasma maxima* (Leech, 1888) (图版 11:10)

Cymatophora maxima Leech, 1888: 653, pl. 32: 9.
Polyploca maxina: Leech, 1900: 16.
Euparyphasma maxima: Warren, 1912, *in* Seitz (a): 321.

鉴别特征:雄性前翅长 28 ~ 32mm,雌性前翅长 31 ~ 33mm。头部灰褐色;胸部灰褐色带深黄褐色,有黑色横纹;腹部浅灰褐色。前翅浅灰褐至灰褐色;亚基线为 1 条白色带,其中部有 1 条黄褐色线,外缘具黑边;内线和中线灰白色,锯齿形,外侧有深褐色边;环纹和肾纹灰白色,微小;外线灰白色,双线,内侧线锯齿形,两侧在翅脉上有深褐色尖齿,外侧线波状;亚缘线灰白色,锯齿形,外侧在翅脉上有深色尖齿;缘线灰白色;缘毛黄白色与灰褐色掺杂。后翅灰褐色,具模糊浅色外带;缘毛黄白色,掺杂少量灰褐色。

采集记录:♂,周至钓鱼台,1480m,2008. Ⅵ. 26,李文柱采;1♀,秦岭,1979. Ⅷ. 04,韩寅恒采;1♂1♀,佛坪,876m,2007. Ⅷ. 15-16,李文柱、杨玉霞采。

分布:陕西(周至、太白、佛坪)、浙江、湖北、湖南;日本,朝鲜半岛。

(16)影波纹蛾陕西亚种 *Euparyphasma albibasis guankaiyuni* Laszlo, G. Ronkay, L. Ronkay *et* Witt, 2007(图版 11:11)

Euparyphasma albibasis guankaiyuni Laszlo, G. Ronkay, L. Ronkay *et* Witt, 2007: 141, fig. 101, pl. 14: 15-17.

鉴别特征:前翅长 30mm。前翅前缘和后缘近平行,前缘基部弓形隆起,顶角尖。前翅深灰绿色,基部具白色横带,前缘自基部 1/5 处至顶角有 1 条白色带;内线和外线浅黑色,不明显;亚缘线为 1 列白点,其外侧衬黑点;缘毛淡黄褐色。后翅黄白色,带淡灰褐色调,端部色暗。

采集记录:1♀,宁陕广货街保护站,1189m,2014. Ⅶ. 26-28,刘淑仙采。

分布:陕西(宁陕,太白山)、甘肃、湖北、江西、湖南、福建、广东、广西。

8. 点波纹蛾属 *Horipsestis* Matsumura, 1933

Horipsestis Matsumura, 1933b: 193. **Type species**: *Horipsestis teikichiana* Matsumura, 1933.

Neochropacha Inoue, 1982, *in* Inoue, *et al.*: 422. **Type species**: *Polyploca aenea* Wileman, 1911.

属征:体型较小。额光滑;触角线形,雄性略扁宽;下唇须短,第 3 节细小。胸部多毛;腹部光滑。前翅前缘端半部浅弧形,顶角钝,不凸出;外缘浅弧形;臀角圆。后翅宽大。前翅具径副室;R_2 与 R_{3-5}同出自径副室顶端,R_5 与 R_{3+4}共柄较长,M_1 与径副室下缘长共柄;后翅 M_2 接近 M_3。雄性外生殖器钩形突细长;背兜侧突短于钩形突,与钩形突共同着生于背兜顶端 1 个凸出构造上;抱器瓣特别狭长,无突。

分布:中国;日本,东南亚。秦岭地区分布 1 种。

(17)点波纹蛾浙江亚种 *Horipsestis aenea minor* (Sick, 1941)(图版 11:8)

Spilobasis minor Sick, 1941: 9.

Horipsestis aenea minor: Laszlo, G. Ronkay, L. Ronkay & Witt, 2007: 161.

鉴别特征:前翅长 16mm。头和胸部背面灰褐色掺杂黑灰色;腹部背面灰黄褐色。前翅灰褐至深灰褐色;内线黑褐色,双线,近“ > ”形;其余斑纹均不清晰;环纹和肾纹隐约可见深色圈;外线双线,大部分消失,仅在翅脉上留下小黑点;顶角处具 1 条黑色斜纹;缘线黑褐色,缘毛深灰褐色。后翅深灰褐色,基半部色略浅;浅色外带通常不可见;缘毛灰褐色。

采集记录:1♂,周至楼观台,680m,2008. Ⅵ. 23,白明采;1♂,留坝庙台子,1981. Ⅴ. 20,张宝林采;1♂,宁陕火地塘,1550m,2007. Ⅷ. 18,李文柱采;1♂1♀,宁陕火地塘,1550m,2008. Ⅶ. 07-09,葛斯琴、崔俊芝采;1♂,宁陕火地塘,1538m,2012. Ⅶ. 11-15,杨秀帅采;1♀,柞水营盘镇,953 ~ 995m,2014. Ⅶ. 29-31,班晓双采。

分布:陕西(周至、留坝、宁陕、柞水)、河南、甘肃、湖北、江西、湖南、福建、海南、广西、四川、云南。

9. 铜波纹蛾属 *Isopsestis* Werny, 1968

Isopsestis Werny, 1968: 113. **Type species**: *Palimpsestis cuprina* Moore, 1881.

属征:额光滑;触角线形,雄性略扁宽;下唇须较短。胸部背面被浓密鳞毛;腹部背面光滑,无毛簇。前翅狭长,前缘基部微隆起,其后平直;顶角钝圆;外缘弧形。后翅宽大,外缘在 M 脉间微凹。前翅径副室宽阔;R_2 出自径副室顶角前方,R_3、R_4 和 R_5 共柄,由径副室顶角发出,M_1 自中室上角发出,不与径副室下缘共柄;后翅 M_2 较近 M_3,M_3 和 Cu_1 共同出自中室下角。雄性外生殖器钩形突粗长锥状,基部膨大;背兜侧突亦较粗壮,略长于钩形突的 1/2,基部与钩形突紧邻;横带片具 1 个巨大塔状骨片。

分布:中国;越南,印度,尼泊尔。秦岭地区分布 1 种。

(18) 新铜波纹蛾 *Isopsestis naumanni* Laszlo, G. Ronkay, L. Ronkay *et* Witt, 2007 (图版 11:9)

Isopsestis naumanni Laszlo, G. Ronkay, L. Ronkay *et* Witt, 2007: 171, fig. 126, pl. 18: 10-11.

鉴别特征:雌性前翅长 15 ~ 17mm。头和胸部灰褐色,领片处 1 条黑色横纹;腹部灰黄褐色。前翅灰褐色;亚基线黑色,锯齿形;内线黑褐色,4 条,波状,最外侧的线自前缘至 Cu_2 直,斜行,其下内弯,呈反弧形至后缘;环纹仅见 1 个黑点;肾纹仅见外侧和下侧的黑边;外线黑褐色,由前缘至 Cu_2 深弧形弯曲,其下外折后再次弯曲;亚缘线灰白色,波状,通常模糊,两侧翅脉上有黑褐色纹;缘线黑褐色;缘毛深灰褐色。后翅灰褐色,有时可见模糊浅色外带;缘毛灰黄色与灰褐色掺杂。

采集记录:1♀,佛坪,876m,2007. Ⅷ. 15,李文柱采。

分布:陕西(佛坪)、甘肃、湖北、广西、四川。

10. 华波纹蛾属 *Habrosyne* Hübner, 1821

Habrosyne Hübner, 1821: 236. **Type species**: *Phalaena derasa* Linnaeus, 1767.

Gonophora Bruand, 1845: 89. **Type species**: *Phalaena derasa* Linnaeus, 1767.

Cymatochrocis Houlbert, 1921, *in* Oberthür: 45 (key), 88. **Type species**: *Gonophora dieckmanni* Graeser, 1888.

Hannya Matsumura, 1927b: 15. **Type species**: *Thyatira violacea* Fixsen, 1887.

Miothyatira Matsumura, 1933b: 194. **Type species**: *Gonophora aurorina* Butler, 1881.

Habrosynula Bryk, 1943a: 6. **Type species**: *Habrosyne argenteipuncta* Hampson, 1893.

属征:中型蛾类。额光滑;触角线形,雄性略扁宽;下唇须略长。胸部背面被浓密鳞毛;足腿节和胫节被长毛;腹部具强壮的立毛簇和侧毛束。前翅前缘基部微隆;顶角不凸出;外缘浅弧形;臀角隆出下垂,有 1 束向外延伸的鳞毛。后翅宽大,外缘浅弧形。前翅径副室较宽大;R_2 和 R_3 分别出自径副室前缘近顶角处,不共柄,R_4 和 R_5 出自径副室顶角或有 1 小段共柄,M_1 与径副室下缘共柄;后翅 M_2 较接近 R_3。雄性外生殖器钩形突和背兜侧突均细长,基部膨大并联合成一体;抱器瓣宽大,端半部较基半部宽阔,腹缘端部下垂;除前缘外其余部分骨化很弱,具纵褶。

分布:古北界,东洋界,新北界,澳洲界。秦岭地区分布 4 种。

(19) 中华波纹蛾四川亚种 *Habrosyne intermedia conscripta* Warren, 1912(图版 11:12)

Habrosyne conscripta Warren, 1912, *in* Seitz (a): 323.

Habrosyne conscripta nepalensis Werny, 1966: 268, figs. 162, 168.

Habrosyne intermedia conscripta: Laszlo, G. Ronkay, L. Ronkay & Witt, 2007: 191.

别名:阔华波纹蛾。

鉴别特征:前翅长 19 ~ 20mm。头部褐色,下唇须带红褐色。领片、肩片鳞毛端部和后胸带白色与黄褐色,胸部其余部分深褐至黑褐色;腹部灰褐色至灰黄褐色,第2 腹节背面有 1 个黑点。前翅深褐至黑褐色;亚基线和内线共同组成 1 条拱形白纹,并在前缘下方扩展成 1 块白斑;其外侧前缘有 1 个黑斑和数个小黑点,其余大部白色;环纹和肾纹为狭长白圈,后者中部白色;外线为 3 条灰白色与黑褐色线相间,在 M_2 以下显现,并伴有深度"Z"形折曲;亚缘线为浅弧形白色带;缘线为 1 列半月形白色细线;缘毛深灰褐色。后翅深灰褐色,缘毛灰黄褐色。

采集记录:2♂,宝鸡天台山嘉陵江源头,1620m,2014. Ⅷ. 08-09,班晓双采;1♂,宁陕火地塘,1580m,1998. Ⅷ. 15,袁德成采。

分布:陕西(宝鸡、凤县、宁陕)、河北、宁夏、甘肃、青海、四川、云南、西藏;印度,尼泊尔。

(20)印华波纹蛾 *Habrosyne indica* (Moore, 1867)(图版 11:13)

Gonophora indica Moore, 1867: 44.

Habrosyne indica: Cotes & Swinhoe, 1888: 258.

Habrosyne fratema malaisei Bryk, 1943a: 6.

Habrosyne fratema chekiangensis Werny, 1966: 275, fig. 152.

Habrosyne fratema japonica Werny, 1966: 276, fig. 149.

Habrosyne indica grisea Werny, 1966: 279, fig. 147.

Habrosyne indica flavescens Werny, 1966: 282, fig. 141.

Habrosyne indica aurata Werny, 1966: 280, fig. 145.

鉴别特征:前翅长 20 ~ 22mm。前翅斑纹与前种近似;亚基线直且细,伸达斜行的内线,二者不联合成拱形,亦不形成白斑,内线细;内线内下方深灰色,外侧带黄褐色,由内向外逐渐变为灰褐色;前缘的白色部分下方为边界模糊的深褐至黑褐色带;白色亚缘线较直。

采集记录:2♂2♀,周至厚畛子,1271m,2007. Ⅴ. 25,Ⅷ. 10,李文柱、崔俊芝采;2♂,周至厚畛子,1276m,2008. Ⅵ. 30-Ⅶ. 01,崔俊芝、白明采;1♂,周至厚畛子老县城,1700m,2007. Ⅷ. 12,杨干燕采;1♂,周至钓鱼台,1480m,2008. Ⅵ. 29,崔俊芝采;1♀,宝鸡天台山嘉陵江源头,1620m,2014. Ⅷ. 08-09,班晓双采;1♀,留坝庙台子,1350m,1998. Ⅶ. 21,姚建采;1♀,秦岭,1979. Ⅷ. 04,韩寅恒采;1♂,双石铺,1979. Ⅷ. 29;5♂1♀,佛坪,876m,2007. Ⅷ. 16,李文柱、杨玉霞采;1♀,佛坪县城,950m,1998. Ⅶ. 25,袁德成采;1♀,宁陕火地塘,1980. Ⅷ,韩寅恒采;1♀,宁陕火地塘,1580m,1998. Ⅶ. 26,袁德成采;1♀,宁陕火地塘,1550m,2007. Ⅷ. 10,李文柱采;1♀,宁陕火地塘,1500 ~ 2000m,2008. Ⅶ. 08,白明采;1♂,宁陕火地塘,1538m,2012. Ⅶ. 11-15,姜楠采;1♀,柞水营盘镇,953 ~ 995m,2014. Ⅶ. 29-31,班晓双采。

分布:陕西(周至、宝鸡、太白、留坝、佛坪、宁陕、柞水)、黑龙江、吉林、河北、河南、浙江、湖北、江西、湖南、福建、广东、广西、四川、云南、西藏;日本,越南,泰国,缅甸,印度,尼泊尔。

(21)银华波纹蛾 *Habrosyne violacea* (Fixsen, 1887)(图版 11:14)

Thyatira violacea Fixsen, 1887: 352, pl. 15, fig. 11.

Habrosyne argenteipuncta chinensis Werny, 1966: 293, fig. 128.

Habrosyne argenteipuncta szechwana Werny, 1966: 298, fig. 133.

Habrosyne argenteipuncta pallescens Werny, 1966: 299, fig. 129.

Habrosyne violacea: Yoshimoto, 1993: 122.

鉴别特征:前翅长 16 ~ 17mm。头部、胸部和前翅灰绿色至黑灰色,带橄榄绿色调。前翅亚基线黑色,其外侧至内线由黑灰色逐渐过渡到灰绿色;内线黑色双线双折曲,在中室前缘之下几乎融合为带状,其外侧不均匀散布黑灰色;有环纹和肾纹小黑圈,后者中部有细白纹;外线黑色波状双线,中部外凸,外侧在 M_3 以下有白边;外线外侧在 M_3 以上和臀角处有2块灰绿色雾状斑;亚缘线银白色,仅在前缘附近可见;新鲜标本灰绿色,部分常呈银灰色,陈旧标本则变为黄褐色。后翅深灰褐色。

采集记录:1♂,周至厚畛子,3120m,1999. Ⅵ. 21,姚建采;4♂,周至厚畛子,1271m,2007. Ⅴ. 25,Ⅷ. 10,李文柱等采;5♂2♀,太白黄柏塬,1350m,1980. Ⅶ. 16-17,张宝林采;1♂,秦岭,1979. Ⅶ. 23,韩寅恒采;1♀,留坝,1983. Ⅸ. 05;1♀,宁陕火地塘,1550m,2007. Ⅷ. 18,李文柱采;2♂,宁陕火地塘,1550m,2008. Ⅶ. 07-08,崔俊芝、葛斯琴采;1♂,宁陕火地塘,1538m,2012. Ⅶ. 11-15,程瑞采;1♂,宁陕广货街保护站,1189m,2014. Ⅶ. 26-28,刘淑仙采。

分布:陕西(周至、太白、留坝、宁陕)、吉林、甘肃、浙江、湖北、湖南、福建、海南、四川;俄罗斯,朝鲜半岛。

(22)齿华波纹蛾 *Habrosyne dentata* Werny, 1966(图版11:15)

Habrosyne dentata Werny, 1966: 305, figs. 134, 302, 399.

鉴别特征:前翅长16~17mm。头和胸部深灰至黑灰色;腹部色较浅。前翅紫灰色、暗橄榄绿色和深褐色斑杂;亚基线黑色,其外侧在中室下方有1簇白鳞;内线和外线黑色,双线,锯齿形,中部外凸,不规则波曲,大部区域有白边;环纹为1个白圈;肾纹长圆形,上端沿外线外凸1个尖角,中部有细白纹;亚缘线白色,锯齿形,不完整;缘线为1列半月形白线,在翅脉端外凸的尖角内侧为黑色,该处缘毛白色,其余深灰褐色。后翅深灰褐色,隐约可见浅色外带;缘毛黄白色与深灰褐色相间。

采集记录:1♀,周至老县城,1760m,2008. Ⅵ. 27,白明采;1♂,太白黄柏塬,1350m,1980. Ⅶ. 17,张宝林采。

分布:陕西(周至、太白)、四川、云南。

11. 米波纹蛾属 *Mimopsestis* Matsumura, 1921

Mimopsestis Matsumura, 1921: 854, 855. **Type species**: *Palimpsestis basalis* Wileman, 1911.

Spilobasis Houlbert, 1921, *in* Oberthür: 47 (key), 151. **Type species**: *Palimpsestis basalis* Wileman, 1911.

属征:额光滑;触角线形,雄性较扁、宽且粗壮;下唇须短,较光滑,第2节不被长毛,第3节短。领片被光滑的长鳞毛;腹部第3节有毛簇。前翅略短宽,顶角圆钝,外缘浅弧形,臀角明显。后翅宽大,外缘下半部浅波曲。前翅径副室狭小;R_2 自径副室近顶端处发出,R_3 与 R_{4+5} 短共柄,自径副室顶端发出,R_4 和 R_5 在中部分离,M_1 与径副室下缘共柄;后翅 M_2 基部居中,不近 M_3。雄性外生殖器钩形突短粗,中部缢缩,端部膨大;背兜端部宽阔,背兜侧突为背兜两上角处的圆突;抱器瓣短宽,端部 1/3 三角形,其内侧在抱器背、抱器腹和瓣中部各有 1 个半圆形突。

分布:中国;朝鲜,日本。秦岭地区分布 1 种。

(23) 米波纹蛾陕西亚种 *Mimopsestis basalis sinensis* Laszlo, G. Ronkay, L. Ronkay *et* Witt, 2007(图版 11:16)

Mimopsestis basalis sinensis Laszlo, G. Ronkay, L. Ronkay *et* Witt, 2007: 211, fig. 164, pl. 23: 16-18.

鉴别特征:雄性前翅长 20 ~ 22mm,雌性前翅长 23mm。额黑褐色,触角间有 1 个白点;头顶和领片黄褐色;肩片前半深褐色,中部以后及后胸黄白色;腹部黑褐色。前翅铁灰色;内线深弧形,黑色,双线,在臀褶处外凸;其内侧在中室下缘之上黑褐色,中室下缘以下黄褐色;环纹和肾纹分别为圆形和长形白斑;外线黑色,双线,波状,在前缘形成 1 个黑斑,两线间带黄褐色;亚缘线灰白色,锯齿形;缘线黑色;缘毛黄白色,在翅脉端深灰褐色。后翅深灰褐色,可见弧形浅色外带;缘毛同前翅。

采集记录:1♂,太白黄柏塬,1350m,1980. Ⅶ. 17,张宝林采;1♂,佛坪龙草坪,1200m,2008. Ⅶ. 03,白明采;1♀,宁陕广货街保护站,1189m,2014. Ⅶ. 26-28,刘淑仙采。

分布:陕西(太白、佛坪、宁陕)、河南、湖北、湖南。

12. 叉波纹蛾属 *Toelgyfaloca* Laszlo, G. Ronkay, L. Ronkay *et* Witt, 2007

Toelgyfaloca Laszlo, G. Ronkay, L. Ronkay *et* Witt, 2007: 211. **Type species**: *Spilobasis circumdata* Houlbert, 1921.

属征:本属外部特征和翅面斑纹十分近似米波纹蛾属,但本属前翅略狭长,外线在前缘不形成黑斑,且雄性外生殖器与米波纹蛾属完全不同:本属钩形突特别短小,三角锥状;背兜侧突粗大,长约为钩形突的 3 倍,呈叉状向外上方斜伸;抱器瓣短,基部宽,端半部三角形,抱器腹特别宽大并骨化,具端突;抱器瓣无其他突。

分布:中国。秦岭地区分布 1 种。

(24) 叉波纹蛾 *Toelgyfaloca circumdata* (Houlbert, 1921)(图版 11:17)

Spilobasis circumdata Houlbert, 1921: 153, pl. 88: 4011.

Toelgyfaloca circumdata: Laszlo, G. Ronkay, L. Ronkay & Witt, 2007: 212.

鉴别特征:雄性前翅长 24mm,雌性前翅长 22 ~ 26mm。头部深灰褐色;肩片淡灰褐色至黄褐色,两肩片之间有 1 条白色黑边的“人”字形纹;腹部灰黄褐色,第 3 节毛簇发达,黑色。前翅淡灰褐色;内线深弧形,黑色,双线,其内侧黄褐至深褐色,外侧与粗壮黑色中线之间深灰褐色,中线大致与内线平行;肾纹可见 2 个黑点;外线黑色,双线,较细弱,不规则波曲;亚缘线灰白色,锯齿形;顶角处 1 条斜行黑纹;缘线黑色,纤细;缘毛灰褐色,在翅脉端黑褐色。后翅灰白色,向端部逐渐过渡到灰褐色,可见浅色外带;缘毛灰褐色。

采集记录:1♂1♀,瓦子街,Ⅴ.24,井忠发采。

分布:陕西(秦岭、太白)、山西、河南、甘肃、湖北、四川、云南。

13. 异波纹蛾属 *Parapsestis* Warren, 1912

Parapsestis Warren, 1912, *in* Seitz (a): 329. **Type species**: *Cymatophora argenteopicta* Oberthür, 1879.

Baipsestis Matsumura, 1933b: 190. **Type species**: *Parapsestis baibarana* Matsumura, 1931.

Suzupsestis Matsumura, 1933b: 199. **Type species**: *Parapsestis albida* Suzuki, 1916.

属征:额光滑;触角线形,雄性较扁宽;下唇须短。腹部第 3 节背面有毛簇。前翅较短宽,前缘基部隆起;顶角近直角;外缘浅弧形。后翅宽大。前翅径副室较宽大;R_2 出自径副室顶端前方,R_3 与 R_{4+5} 短共柄,共同出自径副室顶端,R_4 和 R_5 在 R_3 分离后随即分离,M_1 出自中室上角,不与径副室下缘共柄;后翅 M_2 近 M_3。雄性外生殖器钩形突、背兜侧突与叉波纹蛾属相同;抱器瓣较狭长,端部渐窄;抱器腹狭条形骨化,端部具 1 束小刺。

分布:古北界,东洋界。秦岭地区分布 6 种。

(25)异波纹蛾 *Parapsestis argenteopicta* (Oberthür, 1879)(图版 11:18)

Cymatophora argenteopicta Oberthür, 1879: 13.

Cymatophora plumbea Butler, 1879: 357.

Palimpsestis latipennis Matsumura, 1908: 76.

Parapsestis argenteopicta: Warren, 1912, *in* Seitz (a): 329.

Palimpsestis suzukii Matsumura, 1921: 843, pl. 61: 17.

Parapsestis albomarginalis Matsumura, 1927b: 14, pl. 5: 41.

鉴别特征:雄性前翅长 19 ~ 21mm,雌性前翅长 19 ~ 22mm。头和胸部灰褐色,胸部背面有黑褐色横纹;腹部灰黄褐色至深灰褐色,第 3 腹节背面毛簇色较深。前翅灰褐至深灰褐色;翅基部黑色,有 3 个小白点;内带黑色,有时可分辨出 4 条波状线,在中室前缘处向外凸出黑色尖齿;环纹和肾纹具黑边;外线黑色,波状,双线,常在前缘形成黑斑;外线外侧翅脉上常形成白点,以亚缘线的白点列最为明显;缘线为 1 列半月形黑色细线；缘毛深灰褐色。后翅基半部淡灰褐色，端半部色较深，浅色外带隐约可见；缘毛黄白色，在翅脉端深灰褐色。

采集记录：1♂，周至楼观台，2008. Ⅵ. 23-24，刘万岗采；1♂2♀，周至老县城，1670～1780m，2008. Ⅵ. 27-30，李文柱等采；1♂，周至厚畛子，3120m，1999. Ⅵ. 21，姚建采；1♂2♀，周至厚畛子，1276m，2008. Ⅵ. 30，崔俊芝、刘万岗采；2♂1♀，周至钓鱼台，1480m，2008. Ⅵ. 29，李文柱、白明采；1♂，太白黄柏塬，1350m，1980. Ⅶ. 17，张宝林采；1♂，佛坪偏岩子，1750m，1999. Ⅵ. 28，朱朝东采；10♂2♀，佛坪龙草坪，1200～1256m，2008. Ⅶ. 03，李文柱等采；1♂，宁陕火地塘，1580～1650m，1999. Ⅵ. 30，袁德成采；2♂，宁陕火地塘，1538m，2007. Ⅵ. 01，李文柱、史宏亮采；1♀，宁陕火地塘，1500～2000m，2008. Ⅶ. 08，葛斯琴采；1♀，宁陕，1620m，1979. Ⅶ. 23，韩寅恒采。

分布：陕西（周至、太白、佛坪、宁陕）、吉林、河南、甘肃、浙江、湖北、江西、湖南、四川、云南；俄罗斯，日本，朝鲜半岛。

(26) 新华异波纹蛾 *Parapsestis cinerea* Laszlo, G. Ronkay, L. Ronkay *et* Witt, 2007
（图版 11：19）

Parapsestis cinerea Laszlo, G. Ronkay, L. Ronkay *et* Witt, 2007: 240, fig. 193, pl. 27: 16-18.

鉴别特征：雄性前翅长 19～21mm，雌性前翅长 20mm。头、胸、腹部和前翅均为灰褐色，前翅翅脉上不同程度排布浅色小点；亚基线黑色，其两侧共有 3 个小白点；内线 3 条，由前缘至中室下缘形成 1 个黑色楔形斑，其下仅外侧 1 条延伸至后缘；环纹和肾纹灰白色，具黑边，有时不可见；外线黑色，双线，在前缘扩展成 1 个黑斑，两线间翅脉黑色；亚缘线为翅脉上 1 列白点；缘线为 1 列半月形黑色细线；缘毛深灰褐色。后翅灰褐至深灰褐色，浅色外带比较清晰；缘毛黄白色，在翅脉端深灰褐色。

采集记录：2♂2♀，周至钓鱼台，1480～1570m，2008. Ⅵ. 29，李文柱等采；4♂4♀，周至厚畛子，3120m，1999. Ⅵ. 21-24，姚建、朱朝东采；3♂，周至厚畛子，1276m，2008. Ⅵ. 30-Ⅶ. 01，李文柱等采；1♂1♀，太白黄柏塬，1350m，1980. Ⅶ. 12-15，韩寅恒、张宝林采；1♂，留坝县城，1020m，1998. Ⅶ. 18，张学忠采；1♀，留坝庙台子，1350m，1998. Ⅶ. 21，姚建采；1♂1♀，留坝庙台子，1470m，1999. Ⅶ. 01，贺同利采；1♂1♀，佛坪，890～900m，1999. Ⅵ. 26-27，姚建采；1♂，佛坪龙草坪，1256m，2008. Ⅶ. 03，崔俊芝采；2♂，宁陕，1979. Ⅶ. 23-27，韩寅恒采；1♂1♀，宁陕火地塘，1580m，1998. Ⅶ. 26-27，袁德成采；1♂，宁陕火地塘，1580～1650m，1999. Ⅵ. 26，袁德成采；1♂，宁陕火地塘，1550m，2008. Ⅶ. 09，崔俊芝采；1♂，宁陕火地塘，1538m，2012. Ⅶ. 11-15，程瑞采；1♂1♀，柞水营盘镇，953～995m，2014. Ⅶ. 29-31，刘淑仙采。

分布：陕西（周至、太白、留坝、佛坪、宁陕、柞水）、河南、甘肃、浙江、湖北、广西、四川。

(27)虚斑异波纹蛾 *Parapsestis pseudomaculata* (Houlbert, 1921)(图版 11:20)

Spilobasis pseudomaculata Houlbert, 1921: 155, fig. 4026.
Mimopsestis determinata Bryk, 1943b: 12, pl. 2: 21.
Parapsestis pseudomaculata: Laszlo, G. Ronkay, L. Ronkay & Witt, 2007: 232.

鉴别特征:前翅长 17 ~ 19mm。体和前翅灰褐色;胸部和腹部前端背面带黑色;第 3 腹节背面毛簇黑色。前翅亚基线黑色;内线 4 条,黑色斜行,不同程度融合成黑色至黑褐色宽带;环纹不可见;肾纹为 1 个长椭圆形圈,十分模糊;外线在前缘形成 1 个黑斑,其下仅在翅脉上留有黑点;亚缘线灰白色,锯齿形;缘线黑色;缘毛淡灰褐色,在翅脉端深灰褐色。后翅淡灰褐色,向端部逐渐加深为灰褐色,可见浅色外带;缘毛黄白色,在翅脉端带少量深灰褐色。

采集记录:1♂,周至钓鱼台,1480m,2008. Ⅵ. 29,白明采;1♀,佛坪龙草坪,1200 ~ 1256m,2008. Ⅶ. 03,李文柱采。

分布:陕西(周至、佛坪)、甘肃、湖北、四川、云南;越南,泰国,缅甸。

(28)大巴山异波纹蛾 *Parapsestis dabashana* Laszlo, G. Ronkay, L. Ronkay *et* Witt, 2007(图版 12:1)

Parapsestis dabashana Laszlo, G. Ronkay, L. Ronkay *et* Witt, 2007: 234, fig. 187, pl. 26: 17-19.

鉴别特征:雄性前翅长 18 ~ 20mm。体和前翅灰褐色至深灰褐色。前翅翅脉上排布密集白点;亚基线黑色;内线 4 条,黑色,部分融合,由前缘至中室下缘后消失;环纹为 1 个带黑边的小白点;肾纹白色条状,围以黑边;外线黑色,在前缘形成 1 个大黑斑,其下大部消失;亚缘线为 1 列白点;缘线黑色;缘毛淡灰褐色,在翅脉端深灰褐色。后翅灰褐色,可见浅色外带;缘毛黄白色,在翅脉端深灰褐色。

采集记录:3♀,太白黄柏塬,1350m,1980. Ⅶ. 14-17,张宝林采。

分布:陕西(太白)、四川。

(29)图异波纹蛾越南亚种 *Parapsestis tomponis almasderes* Laszlo, G. Ronkay, L. Ronkay *et* Witt, 2007(图版 12:2)

Parapsestis tomponis almasderes Laszlo, G. Ronkay, L. Ronkay *et* Witt, 2007: 240, fig. 190, pl. 27: 7-9.

鉴别特征:前翅长 18 ~ 19mm。本种和新华异波纹蛾的翅面斑纹十分近似,但体和翅颜色远较该种浅,灰至浅灰褐色;前翅内线的 4 条线在黑斑之下仍隐约可见;基部的 3 个白点较清晰;外线之外的翅脉上排布清晰白点。

采集记录:1♀,周至楼观台,680m,2008. Ⅵ. 23-24,刘万岗采;9♂1♀,周至钓鱼台,1480~1570m,2008. Ⅵ. 29,李文柱等采;1♂,周至厚畛子,1276m,2008. Ⅵ. 30,崔俊芝采;3♂2♀,太白黄柏塬,1980. Ⅶ. 11-18;1♀,留坝庙台子,1470m,1999. Ⅶ. 01,贺同利、朱朝东采;11♂2♀,佛坪龙草坪,1200~1256m,2008. Ⅶ. 03,葛斯琴等采;1♂2♀,宁陕火地塘,1580~1650m,1999. Ⅵ. 26-30,袁德成采;4♂,宁陕火地塘,1550m,2008. Ⅶ. 08,李文柱等采;1♂,宁陕鸦雀沟,1580~1750m,1999. Ⅶ. 07,袁德成采。

分布:陕西(周至、留坝、佛坪、宁陕、太白)、河南、甘肃、湖北、湖南、福建、四川、贵州、云南;越南。

(30)华异波纹蛾秦岭亚种 *Parapsestis lichenea tsinlinga* Laszlo, G. Ronkay, L. Ronkay *et* Witt, 2007(图版 12:3)

Parapsestis lichenea tsinlinga Laszlo, G. Ronkay, L. Ronkay *et* Witt, 2007: 244, fig. 196, pl. 28: 4-6.

鉴别特征:雄性前翅长 17~19mm,雌性前翅长 19~20mm。斑纹与大巴山异波纹蛾相似,前翅内线和外线在中室下缘之上和前缘分别形成黑斑,从基部至亚缘线的翅脉上均排布白点。但本种体和翅颜色较深,深灰褐色至黑褐色;翅面白点较大;环纹的白点大而清晰;肾纹分列为 2 个白点。后翅浅色外带清晰,其外侧至外缘深灰褐色,明显较内侧色深。

采集记录:3♂,周至厚畛子,1300m,2007. Ⅷ. 10,李文柱采;1♂,周至老县城,1760m,2008. Ⅵ. 27,崔俊芝采;1♀,太白黄柏塬,1350m,1980. Ⅶ. 14,韩寅恒采;13♂3♀,佛坪,876m,2007. Ⅷ. 15-16,李文柱、杨玉霞采;1♀,佛坪龙草坪,1200m,2008. Ⅶ. 03,白明采;1♂,宁陕火地塘,1580m,1998. Ⅷ. 17,袁德成采;1♂,宁陕火地塘,1550m,2008. Ⅶ. 09,崔俊芝采;1♀,宁陕火地塘,1538m,2012. Ⅶ. 11-15,杨秀帅采。

分布:陕西(周至、太白、留坝、佛坪、宁陕)、河南、浙江、湖北、福建、四川。

14. 洪波纹蛾属 *Nephoploca* Yoshimoto, 1988

Nephoploca Yoshimoto, 1988: 119. **Type species**: *Polyploca hoenei* Sick, 1941.

属征:体型较小。额光滑;触角线形,雄性略粗;下唇须短小,尖端伸达额下。腹部第 3 节无毛簇。前翅宽大,顶角钝;外缘浅弧形。后翅宽大,顶角圆;外缘浅弧形。前翅有径副室;后翅 M_2 略接近 M_3。

分布:中国。秦岭地区分布 1 种。

(31)洪波纹蛾 *Nephoploca hoenei* (Sick, 1941)(图版 12:4)

Polyploca hoenei Sick, 1941: 4.

Nephoploca hoenei: Yoshimoto, 1988: 119.

鉴别特征:前翅长 14~20mm。头和胸部深褐色;腹部色略浅。前翅灰褐色,带红褐色调;基部深褐色,向内线色渐浅;内线与外线间为 1 条上宽下窄的深褐色宽带,其内缘浅弧形,斜行,边界清晰,外缘反弧形,边界比较模糊;顶角有 1 个三角形黑褐色斑,其下可见模糊灰白色亚缘线;缘线深褐色,纤细;缘毛深灰褐色至深褐色。后翅褐至灰褐色,外缘附近色较深,无浅色外带。

采集记录:1♂,宁陕火地塘,1580m,1999. Ⅵ. 25,袁德成采。

分布:陕西(宁陕,太白山)、甘肃、四川。

(三)钩蛾亚科 Drepaninae

鉴别特征:中小型蛾类,似尺蛾,体细长。体及翅多为白色或黄色。喙发达。下唇须细长,可伸到额下缘,第 3 节可见。后足胫节有距 2 对。前翅通常有 1 个径副室;M_2 接近于 M_3。后翅 $Sc+R_1$ 在中室外与 Rs 有一部分合并或互相接近。翅缰发达。雄性外生殖器上的钩形突分为 2 叉,具背兜侧突。幼虫后胸及第 4 腹节上无突起。

分类:陕西秦岭地区分布 14 属 21 种。

15. 距钩蛾属 *Agnidra* Moore, 1868

Agnidra Moore, 1868: 618. **Type species**: *Fascellina specularia* Walker, 1866.

Zanclabara Inoue, 1962: 27. **Type species**: *Drepana scabiosa* Butler, 1877.

属征:雄性触角双栉形或单栉形,雌性触角双栉形或线形;下唇须刚超过额外缘。中足胫距 1 对,后足胫距 2 对。前翅顶角尖锐且明显呈钩状,顶角下方翅外缘和后翅外缘平滑。翅底色深黄色至褐色,种间翅面斑纹变化很大;中室端脉中点和后端点常存在,中室内中点存在或消失。前翅 R_1 自中室端伸出,R_2 在径副室端部前方伸出或在径副室顶端伸出。雄性外生殖器钩形突分叉或不分叉,偶有退化;背兜侧突多细长,少数较宽;颚形突多很弱;抱器瓣较小;囊形突多宽大。

分布:东洋界,东亚。秦岭地区分布 3 种。

(32)栎距钩蛾朝鲜亚种 *Agnidra scabiosa fixseni* (Bryk, 1948)(图版 12:5)

Albara scabiosa fixseni Bryk, 1948: 27.

Zanclalbara scabiosa: Inoue, 1962: 27.

Agnidra scabiosa fixseni: Watson, 1968: 42.

鉴别特征:前翅长 15 ~ 18mm。头部黄褐色;下唇须中等长;雄性触角双栉形,雌性线形。体背茶褐色,腹面黄褐色。前翅灰褐色至灰红褐色;内线、中线和外线均不明显;中室上缘至翅后部有 1 列不规则淡色椭圆斑;中室内有 1 个白点;亚缘线深灰褐色,波状;亚缘线内侧 M_2 与 Cu_1 间有明显的黑褐色斑块。后翅内线、中线和外线深褐色,波状,均不明显;中室部位有较前翅小的浅色散斑。

采集记录:6♂3♀,周至厚畛子,1300m,2007. Ⅷ. 10,李文柱、杨干燕采。

分布:陕西(周至)、辽宁、吉林、北京、河南、江苏、浙江、湖北、江西、湖南、福建、台湾、广西、四川、云南;日本,朝鲜半岛。

(33)棕褐距钩蛾 *Agnidra brunnea* Chou et Xiang, 1982(图版 12:6)

Agnidra brunnea Chou *et* Xiang, 1982: 260, fig. 1, pl. 1: 1-2.

鉴别特征:雄性前翅长 16 ~ 17mm,雌性前翅长 19mm。体和翅深褐至黑褐色;胸部两侧有灰褐色长毛。前翅前缘具黄褐色长毛;顶角尖锐凸出,外缘在顶角下深弧形;内线灰色,在中室下向内折;前缘中部至顶角微呈黄色,有 1 条暗黄色纹由前向后外方斜伸,与外线在顶角下方相接;外线黄褐色,由顶角斜伸至后缘外 2/3 处,中部稍向内弯曲;亚缘线灰色,波状,在顶角下与外线相接。后翅近前缘黄色;中线黄褐色,宽而弯曲;亚缘线弯曲。

采集记录:1♂,周至老县城,1670 ~ 1780m,2008. Ⅵ. 30,白明采;宁陕火地塘,1538m,2012. Ⅶ. 11-15,姜楠等采。

分布:陕西(周至、太白、宁陕)、河南、甘肃、湖北、福建、广西。

(34)窗距钩蛾 *Agnidra fenestra* (Leech, 1898)(图版 12:7)

Drepana fenestra Leech, 1898: 368.
Agnidra fenestra: Watson, 1968: 34.

鉴别特征:前翅长 10 ~ 12mm。雄性触角单栉形;头部灰色;下唇须短,黑色。体褐色;腹部两侧及尾端黑色。前翅顶角尖锐凸出;翅面灰黄褐色,前缘有 4 个淡灰色条斑;内线浅灰,较弯曲;中室内有 1 个透明圆斑,中室端及外围有 8 个透明斑;外线黑褐色,双线,自顶角斜向后缘中部;亚缘线呈 1 列小灰点;缘线深褐色;缘毛灰褐色。后翅基部色浅;内线为黑褐色双线;中线黑褐色双线,外侧 1 条较粗;亚缘线为 1 列灰色小点;缘线和缘毛灰褐色。

采集记录:1♂,宁陕火地塘,1538m,2012. Ⅶ. 11-15,程瑞采。

分布:陕西(宁陕,太白山)、湖北、四川、云南、西藏;缅甸。

16. 卑钩蛾属 *Betalbara* Matsumura, 1927

Betalbara Matsumura, 1927a: 47. **Type species**: *Drepana manleyi* Leech, 1898.

属征:雄性触角多为双栉形,雌性触角线形;下唇须达额前缘。中足胫距1对,后足胫距1或2对。前翅顶角狭而尖锐,个别种类前翅顶角略圆,凸出呈钩状,顶角下方翅外缘多平滑,有时中部凸出;后翅外缘平滑。翅底色多褐色至深褐色。自前翅顶角具1条斜线贯穿整个翅面;前后翅内线较弱。前翅 R_1 自径副室发出,或自中室上角前方发出;R_2 出自径副室顶角前方,R_3 与 R_4 长共柄,R_5 与 R_{3+4} 短共柄或出自径副室顶角,M_1 出自中室上角,有时与径副室下缘共柄;后翅 M_2 近 M_3,有时与 M_3 共同出自中室下角。雄性外生殖变化较大,钩形突半二裂状或全二裂状,偶有退化;背兜侧突分叉或不分叉;颚形突骨化强,形状多变;抱器瓣叶状,基部具突;囊形突瘦长或宽短,近三角形;阳茎细长或短粗。

分布:中国;缅甸,印度,马来西亚,印度尼西亚。秦岭地区分布4种。

(35)栎卑钩蛾 *Betalbara robusta* (Oberthür, 1916)(图版12:8)

Drepana robusta Oberthür, 1916b: 372.

Albara robusta: Gaede, 1933, *in* Seitz (b): 168, pl. 10: g.

Betalbara robusta: Watson, 1968: 65.

鉴别特征:前翅长16~20mm。前翅顶角尖端钝圆,其下方翅外缘弯曲。翅面斑纹黑褐色。前翅深褐色,略带紫色光泽;前缘具3条黑褐色斑纹;内线弧形;外线自顶角斜向后缘中部;中室端具1个灰色肾形斑,中间具1条肾形细黑纹,臀角内侧具黑色网纹;缘毛黑褐色。后翅色浅;外线黑褐色,上端弧形,M_3 以下直;缘毛灰褐色。

采集记录:1♂,佛坪凉风垭,1750~2150m,1999.Ⅵ.28,姚建采;1♂,佛坪偏岩子,1750m,1999.Ⅵ.28,朱朝东采。

分布:陕西(佛坪)、甘肃、湖北、福建、四川、云南。

(36)直缘卑钩蛾 *Betalbara violacea* (Butler, 1889)(图版12:9)

Agnidra violacea Butler, 1889: 42.

Drepana violacea: Strand, 1911, *in* Seitz (a): 203, pl. 48: d.

Albara violacea: Warren, 1922, *in* Seitz (g): 469.

Albara takasago Okano, 1959: 38.

Betalbara violacea: Watson, 1968: 62, figs. 105-108, 112, pl. 3: 318.

鉴别特征:前翅长 14 ~ 16mm。前翅顶角下方外缘直。前后翅翅面紫褐色,自前翅顶角具 1 条浅褐色斜线横跨翅面达后翅后缘,在后翅略呈浅弧形;前翅前缘黄褐至红褐色;中点黑色,微小;后翅中点模糊;外线不可见;两翅缘毛与翅面同色。

采集记录:1♂,宁陕广货街保护站,1189m,2014. Ⅶ. 26-28,刘淑仙采。

分布:陕西(宁陕)、吉林、浙江、湖北、湖南、福建、台湾、广东、海南、广西、四川、云南;印度。

(37)齿线卑钩蛾陕西亚种 *Betalbara flavilinea shensiensis* **Watson, 1968**(图版 12:10)

Betalbara flavilinea shensiensis Watson, 1968: 58, figs. 92-96.

鉴别特征:雄性前翅长 14 ~ 17mm,雌性前翅长 16 ~ 18mm。近似直缘卑钩蛾,自前翅顶角达后翅后缘的斜线几乎与该种相同。前翅外缘在顶角下方略呈浅弧形;颜色较浅,褐色至深褐色,不带紫色调。前后翅均可见黄褐色内线,在前翅锯齿形,较模糊,在后翅浅弧形,清晰;前翅中点、中室下角点和后翅中点白色;亚缘线浅黄褐色,波状。

采集记录:1♂(Paratype), Sued-Shensi, Tapai Shan im Tsinling, 1700m, 1936. V. 18, coll. Höne (ZFMK)。

分布:陕西(太白山)。

(38)网卑钩蛾 *Betalbara acuminata* (**Leech, 1890**)(图版 12:11)

Drepana acuminata Leech, 1890: 113.

Platypteryx acuminata: Kirby, 1892: 731.

Albara ogasawarae Matsumura, 1927: 47.

Drepana ida Bryk, 1942: 27.

Betalbara acuminata: Inoue, 1959: 175.

鉴别特征:前翅长 14 ~ 18mm。额黑褐色;下唇须短小,尖端未达到额下缘;头顶灰褐色。体背和翅面黄白色,散布褐色。前翅顶角尖锐,显著凸出,外缘中部隆起;内线深弧形,深褐色;外线“>”形,尖端伸达顶角下方,黑褐色,尖端附近深褐色或黑褐色;中点和中室下角点黑色,微小;翅脉不同程度带褐色,其中中室下缘脉至 M_3 脉与内线同色,形成 1 条明显的纵线;亚缘线和缘线黑褐色。后翅可见黑褐色内线、中线、亚缘线和缘线;中点黑色,极微小。

采集记录:1♂,宁陕广货街保护站,1189m,2014. Ⅶ. 26-28,班晓双采;1♂,商南金丝峡,777m,2013. Ⅶ. 23-25,姜楠采。

分布:陕西(宁陕、留坝、商南)、湖北、四川;日本。

17. 铃钩蛾属 *Macrocilix* Butler, 1886

Macrocilix Butler, 1886: 18. **Type species**: *Argyris mysticata* Walker, 1863.

属征:雄雌性触角均双栉形,雄性栉齿明显长于雌性;下唇须刚超过额缘至1/2超过额缘。后足胫节具2对距。前翅顶角圆,不呈钩状;前后翅外缘平滑。翅底色乳白色;前翅具黄褐色至黑褐色的近椭圆或圆形斑,向下延伸成条带状达后翅,在后翅臀角形成灰褐色至黑褐色区域。前翅中室长,无径副室;R_3 至 R_5 通常共柄,R_2 出自中室,或与 R_1 共柄,或与 R_{3-5}共柄;后翅中室端脉双折角。雄性外生殖器钩形突宽大,中部凹陷形成2个宽突;背兜侧突短粗,背侧有时具尖锐小突;颚形突中突不发达;抱器瓣短,叶状,局部具短突;囊形突柄状,粗壮且端部圆,基部与端部几乎等宽;阳茎粗壮,角状器小刺状。

分布:中国;日本,缅甸,印度,马来西亚,印度尼西亚,朝鲜半岛。秦岭地区分布1种。

(39)短铃钩蛾 *Macrocilix mysticata brevinotata* Watson, 1968(图版12:12)

Macrocilix mysticata brevinotata Watson, 1968: 133, fig. 260, pl. 13: 381.

鉴别特征:雄性前翅长18~20mm,雌性前翅长19~21mm。翅乳白色。前翅外线在中室端脉处有1个圆形的黑褐色斑,其边缘黄褐色,圆斑内中室端脉被银白色粉被;圆斑向下变细成灰色条状至后缘,在后缘处黄褐色;外缘中部有1小灰斑。后翅臀角的斑黑灰色,向内呈黄褐色尖角延伸至后缘中部;黑斑上方的黄褐色带较宽,未达前缘;亚缘线灰色至黑色点状,分布在翅脉间。

采集记录:2♂2♀,宝鸡天台山嘉陵江源头,1620m,2014.Ⅷ.08-09,班晓双采;1♀,太白,1980.Ⅶ.12;1♂,佛坪龙草坪,1256m,2008.Ⅶ.03,李文柱采;1♂,宁陕,1620m,1979.Ⅶ.29,韩寅恒采;4♂1♀,宁陕火地塘,1580m,1998.Ⅶ.26,姚建、袁德成采;2♀,宁陕火地塘,1550m,2007.Ⅷ.18-19,李文柱、杨玉霞采;3♂,宁陕火地塘,1538m,2012.Ⅶ.11-15,姜楠等采。

分布:陕西(宝鸡、太白、佛坪、宁陕)、河南、甘肃、湖北、四川。

18. 豆斑钩蛾属 *Auzata* Walker, 1863

Auzata Walker, 1863: 1620. **Type species**: *Auzata semipavonaria* Walker, 1863.

Gonocilix Warren, 1896c: 337. **Type species**: *Gonocilix ocellata* Warren, 1896.

属征:雄性触角单栉形,雌性触角锯齿形。下唇须大多长于1/2超出额外。后足胫节具2对距。胸部被白色长毛。腹部灰色至褐色。前翅顶角尖,略凸出,但不呈钩状,前后翅外缘中部隆起或呈尖锐的凸出。翅底色白,内线及外线灰色,双行,前翅外线在 M_2 处特化为褐色至深灰褐色近长椭圆形豆状斑块。前翅有或无径副室;R_2 与 R_{3+4} 共柄,R_5 与 R_{2-4} 共柄或出自径副室顶角;后翅中室端脉双折角。雄性外生殖器钩形突分叉或呈分离较远的2支;背兜侧突发达;抱器瓣较小;囊形突长或短;阳茎短粗或细长,无角状器。

分布:中国;俄罗斯,朝鲜,日本,缅甸,印度,越南。秦岭地区分布2种。

(40)短线豆斑钩蛾冠毛亚种 *Auzata superba cristata* Watson, 1958(图版12:13)

Auzata superba cristata Watson, 1958: 248.

鉴别特征:前翅长20mm。头部灰褐色,下唇须黑灰色。体和翅白色。前后翅外缘中部略隆起。前翅内线黄褐色,细带状,弧形弯曲;外线的大斑肾形,内有"E"形白纹和3个黑灰色点,斑下有1条黄褐色">"形带至后缘;亚缘线为一些不规则的灰色斑块。后翅内线带状;3条外线和1条亚缘线均由灰色斑块组成。

采集记录:1♂,宁陕火地塘,1580m,1999. Ⅶ. 02。

分布:陕西(宁陕)、山西、浙江。

(41)中华豆斑钩蛾陕西亚种 *Auzata chinensis arcuata* Watson, 1958(图版12:14)

Auzata chinensis arcuata Watson, 1958: 242.

鉴别特征:前翅长17~21mm。体和翅白色。前翅外缘中部略隆起;后翅外缘中部明显凸出。前翅内线和外线灰色双列点状,在前缘形成深灰色斑;外线中部形成1块狭窄的黑灰色豆形斑,其内翅脉白色,翅脉上在斑的外缘形成小黑点;亚缘线和缘线各为翅脉间1列灰斑。后翅内线和外线灰色双线,较前翅连续;外线中部外侧紧邻1个灰斑,斑上有3个小黑点;亚缘线和缘线同前翅,但较清晰。

采集记录:2♀,宁陕广货街保护站,1189m,2014. Ⅶ. 26-28,刘淑仙、班晓双采。

分布:陕西(宁陕)、四川。

19. 钳钩蛾属 *Didymana* Bryk, 1943

Didymana Bryk, 1943b: 10. **Type species**: *Didymana renei* Bryk, 1943.

属征:雄雌性触角均线形;下唇须1/3伸出额外。后足胫节具2对距。前翅顶角呈钩状，顶角下方翅外缘在 M_3 和 Cu_1 间凸出 1 个尖角；后翅外缘平滑。前后翅斑纹简单，仅翅缘处具浅黄色宽条带。前翅径副室狭长；R_2 出自径副室顶角或与 R_{3+4} 短共柄，在同种不同个体间有变化，R_5 出自径副室下缘近端部处，不共柄，M_1 与径副室下缘共柄；后翅中室端脉双折角。雄性外生殖器钩形突分叉；背兜侧突细长；颚形突中突近三角形；抱器瓣短，端部展宽，抱器背骨化较强，端部凸伸 1 个指状端突；囊形突长三角形；阳茎较细小，无角状器。

分布：中国；缅甸。秦岭地区分布 1 种。

(42) 钳钩蛾 *Didymana bidens* (Leech, 1890)（图版 12：15）

Drepana bidens Leech, 1890: 113.
Didymana renei Bryk, 1943b: 10.
Didymana bidens: Watson, 1968: 92.

鉴别特征：雄性前翅长 12 ~ 15mm，雌性前翅长 16mm。前翅翅面黑褐色，翅脉白色；无内线、中线和外线；中点白色，细条状；翅端部具 1 条浅黄色带，带上有灰褐色细线，其外侧至翅缘为黑褐色；顶角内侧黄色。后翅大部灰褐色，隐见白色细带状外线；翅缘处具浅黄色宽条带。

采集记录：1♀，宝鸡天台山嘉陵江源头，1620m，2014. Ⅷ. 08-09，薛大勇采；2♂1♀，宁陕火地塘，1538m，2012. Ⅶ. 11-15，姜楠等采。

分布：陕西（宝鸡、留坝、佛坪、宁陕）、宁夏、湖北、福建、广西、四川、云南；缅甸。

20. 古钩蛾属 *Sabra* Bode, 1907

Sabra Bode, 1907: 22. **Type species**: *Bombyx harpagula* Esper, 1786.
Palaeodrepana Inoue, 1962: 6 (key), 21, 45, 48. **Type species**: *Bombyx harpagula* Esper, 1786.

属征：雄性触角双栉形；雌性触角线形；下唇须不超过额外缘。后足胫节具 2 对距。前翅顶角尖锐，明显弯成钩状，顶角下方翅外缘凹陷，然后凸出呈角状。前翅具径副室；R_2 与 R_{3+4} 长共柄至近端部，R_5 不共柄，M_1 与径副室下缘短共柄；后翅中室端脉双折角。雄性外生殖器钩形突长，端部分叉；背兜侧突短于钩形突，端部尖锐，向内弯曲；颚形突中突两臂端部较尖锐；抱器瓣宽，端部圆钝，抱器腹凸出形成圆突；囊形突长，端部圆；阳茎中等大，具角状器。

分布：中国；俄罗斯，朝鲜，日本，越南，缅甸，印度，欧洲。秦岭地区分布 1 种。

(43) 古钩蛾 *Sabra harpagula* (Esper, 1786)（图版 12：16）

Bombyx harpagula Esper, 1786: 373.

Sabra harpagula: Bode, 1907: 22.
Drepana harpagula: Gaede, 1931: 23.
Palaeodrepana harpagula: Inoue, 22.

鉴别特征:雄性前翅长 15 ~ 17mm,雌性前翅长 16 ~ 18mm。体和翅黄褐色。前翅内线细带状,颜色较翅面略暗;翅中部具 1 个边缘不规则的暗黄褐色大斑,其上端未达前缘,大斑边缘有时带黑色,内部有时可见几个半透明的小斑;外线暗褐色,不清晰,中部具 2 个黑点;亚缘线为 1 列黑斑,其外侧散布黑色;缘线黑色;缘毛灰褐色。后翅中部有 1 个与前翅相似的斑,较小,有时消失;外线中部具 1 或 2 个黑点;亚缘线灰褐色,模糊;缘线灰褐色至黑色;缘毛较前翅色浅。

采集记录:1♀,周至楼观台,680m,2008. Ⅵ. 23,白明采;1♂3♀,周至厚畛子,1300 ~ 1700m,2007. Ⅷ. 10,李文柱采;4♀,宝鸡天台山嘉陵江源头,1620m,2014. Ⅷ. 08-09,薛大勇、班晓双采;2♂,佛坪,950m,1998. Ⅶ. 23-24,姚建、袁德成采;4♂2♀,宁陕火地塘,1580m,1998. Ⅶ. 26-Ⅷ. 15,姚建、袁德成采;3♀,同上,1550m,2007. Ⅷ. 18,李文柱、杨玉霞采;4♂1♀,宁陕广货街保护站,1189m,2014. Ⅶ. 26-28,刘淑仙、班晓双采;2♂,旬阳金鑫源山庄,386m,2014. Ⅷ. 01-03,刘淑仙、班晓双采。

分布:陕西(周至、宝鸡、佛坪、宁陕、旬阳)、黑龙江、吉林、北京、河北、山西、河南、甘肃、湖北、浙江、福建、广西、四川;俄罗斯,欧洲。

21. 线钩蛾属 *Nordstromia* Bryk, 1943

Nordstromia Bryk, 1943b: 12. **Type species**: *Nordstromia amabilis* Bryk, 1943.
Allodrepana Roepke, 1948: 214. **Type species**: *Allodrepana siccifolia* Roepke, 1948.

属征:雄性触角双栉形;雌性触角线形;下唇须约 1/2 或仅尖端伸达额外。后足胫节具 2 对距。前翅顶角多尖锐,呈明显的钩状,顶角下方略凹;后翅外缘平滑。前翅具径副室;R_2 出自径副室顶角或与 R_{3+4} 共柄,R_5 不共柄,M_1 与径副室下缘共同由中室上角分出,偶有与径副室下缘短共柄;后翅中室端脉双折角。雄性外生殖器钩形突多细长,端部凹陷或分叉;背兜侧突发达且狭长,端部多具钩状突;颚形突中突骨化弱;抱器瓣叶状,基部伸出 1 个突;阳端基环为 2 个短突或长刺状突;阳茎发达;阳茎端膜上角状器小棘或刺状。

分布:中国;俄罗斯,日本,缅甸,印度,尼泊尔,菲律宾,印度尼西亚。秦岭地区分布 1 种。

(44) 曲缘线钩蛾 *Nordstromia recava* Watson, 1968(图版 12:17)

Nordstromia recava Watson, 1968: 84, figs. 153-157, pl. 4: 327.

鉴别特征：雄性前翅长 15 ~ 17mm，雌性前翅长 17 ~ 19mm。前翅顶角狭但不尖锐，伸出较长，弯成钩形，顶角下方凹陷深，凹陷处翅缘色略深；后翅外缘在 M_3 与 Cu_1 间略凸出。翅灰褐色，略带灰红色调。前后翅内线和外线深褐色，直，内线内侧和外线外侧具浅黄色伴线；亚缘线为黑褐色，点状，分布于翅脉间；前翅前缘在内线端部和外线端部内侧共有 3 个黑斑。

采集记录：1♂，周至厚畛子，1300m，2007. Ⅷ. 10，李文柱采；2♂5♀，宝鸡天台山嘉陵江源头，1620m，2014. Ⅷ. 08-09，薛大勇采；1♀，佛坪，890m，1999. Ⅵ. 20，姚建采；1♂，佛坪老县城，900m，2008. Ⅶ. 05，刘万岗采；1♂，佛坪长角坝，1200m，2008. Ⅶ. 05，白明采；1♂2♀，宁陕火地塘，1580m，1998. Ⅶ. 26-Ⅷ. 18，姚建、袁德成采；1♂，宁陕火地塘，1550m，2007. Ⅷ. 19，李文柱采；1♂，宁陕火地塘，1550m，2008. Ⅶ. 08，李文柱采；2♂，宁陕火地塘，1538m，2012. Ⅶ. 11-15，姜楠等采；1♂，宁陕广货街保护站，1189m，2014. Ⅶ. 26-28，班晓双采。

分布：陕西（周至、宝鸡、留坝、佛坪、宁陕）、河南、江苏、浙江、湖北、福建、云南。

22. 绮钩蛾属 *Cilix* Leach, 1815

Cilix Leach, 1815: 134. **Type species**: *Bombyx compressa* Fabricius, 1777.

属征：雄雌性触角均线形，雄性略增粗；下唇须细小，尖端伸达额外。后足胫距 2 对。前翅顶角圆，不凸出；前后翅外缘平滑，中部稍隆起。前翅具径副室；R_2 与 R_{3+4} 长共柄，R_5 不共柄，M_1 与径副室下缘共柄；后翅中室端脉双折角。雄性外生殖器钩形突分叉，2 个突较长，距离较远，指状或柱状；背兜侧突细长或短粗的指状；颚形突中突端部圆；抱器瓣较狭；囊形突较长；阳茎细长。在下述种类中钩形突板状，中部凹陷形成端部尖锐且向内弯的宽突；背兜侧突细而短，向内弯曲；颚形突中央凹陷，形成 2 个圆而宽的突，其上密布小棘；抱器瓣圆而宽；囊形突短小；阳茎短粗。

分布：中国；俄罗斯，朝鲜，日本，印度，阿富汗，亚美尼亚，阿塞拜疆，以色列，欧洲，非洲（北部）。秦岭地区分布 1 种。

（45）掌绮钩蛾 *Cilix tatsienluica* Oberthür, 1916（图版 12：18）

Cilix spinula tatsienluica Oberthür, 1916b: 371.

Cilix tatsienluica: Oberthür, 1917: 41.

鉴别特征：前翅长 11 ~ 13mm。头部深灰褐色；体和翅白色。前翅中部和 Cu_2 基部内下方有 2 个相邻的深褐色大斑，前者椭圆形，其间的中室下缘脉、Cu_1 和 Cu_2 脉基部白色，后者圆形；2 个大斑周围散布黄色；顶角黑灰色。后翅无斑纹。

采集记录:1♂,佛坪,890m,1999. Ⅵ. 26;1♂,宁陕火地塘,1580m,1999. Ⅶ. 02。

分布:陕西(佛坪、宁陕)、北京、河北、山西、河南、宁夏、湖北、四川、云南。

23. 钩蛾属 *Drepana* Schrank, 1802

Drepana Schrank, 1802: 155. **Type species**: *Phalaena falcataria* Linnaeus, 1758.

Platypteryx Laspeyres, 1803: 29. **Type species**: *Phalaena falcataria* Linnaeus, 1758.

Falcaria Haworth, 1809: 152. **Type species**: *Phalaena lacertinaria* Linnaeus, 1758.

Prionia Hübner, 1819: 150. **Type species**: *Phalaena lacertinaria* Linnaeus, 1758.

Syssaura Hübner, 1819: 150. **Type species**: *Phalaena falcataria* Linnaeus, 1758.

Cleopteryx Gistel, 1848: 10. **Type species**: *Phalaena falcataria* Linnaeus, 1758.

别名:镰钩蛾属。

属征:雄雌性触角均双栉形,雌性栉齿较短;下唇须短,刚超过额外缘。后足胫节具2对距,少数种1对距。前翅顶角尖锐,明显呈钩状,顶角下方翅外缘和后翅外缘多平滑,少数呈锯齿形。前翅径副室宽大;R_2 与 R_{3+4} 长共柄,R_5 不共柄;M_1 出自中室上角或与径副室下缘共柄;后翅中室端脉双折角。雄性外生殖器钩形突宽大板状,端部分叉;背兜侧突指状;颚形突中突发达,密布小棘或长刺;抱器瓣小,叶状,端部狭;阳茎变化较大,阳茎端膜上角状器小棘至发达的刺状。

分布:中国;俄罗斯,朝鲜半岛,日本,越南,缅甸,印度,欧洲,非洲(东南部)。秦岭地区分布2种。

(46) 西藏钩蛾 *Drepana rufofasciata* Hampson, 1892(图版12:19)

Drepana rufofasciata Hampson, 1892: 334.

鉴别特征:前翅长22mm。头部深褐色;胸部白色,腹部黄褐色;前后翅底色污白。前翅前缘色稍深,有4块灰褐色斑;内线和中线双行,浅灰褐色,波状;中点和中室下角点黑色,圆形,二者约等大;外线双行,自顶角斜伸至后缘,内侧线呈红色;亚缘线灰褐色,波状,常模糊或大部消失,仅见1列深灰褐色小点;缘毛灰白色。后翅线纹与前翅相似;中点黑色,微小,中室下角点有时消失。

采集记录:1♂,佛坪,950m,1998. Ⅶ. 24,袁德成采。

分布:陕西(佛坪)、甘肃、云南、西藏;印度,尼泊尔。

(47) 一点钩蛾湖北亚种 *Drepana pallida flexuosa* Watson, 1968(图版12:20)

Drepana pallida flexuosa Watson, 1968: 107, pl. 11: 361, figs. 210-212.

鉴别特征:雄性前翅长 19 ~ 23mm,雌性前翅长 26mm。近似西藏钩蛾,但前翅中室下角点黑灰色,大而圆,远大于中点;中点内侧有另外 2 个小黑点;后翅具中室下角点。

采集记录:2♂1♀,宁陕火地塘,1580m,1998. Ⅶ. 26-Ⅷ. 21,姚建、袁德成采;1♀,宁陕火地塘,1538m,2012. Ⅶ. 11-15,姜楠等采;1♂,宁陕广货街保护站,1189m,2014. Ⅶ. 26-28,刘淑仙采;5♂,柞水营盘镇,953 ~ 995m,2014. Ⅶ. 29-31,刘淑仙、班晓双采。

分布:陕西(宁陕、柞水)、河南、甘肃、浙江、湖北、福建、广东、四川。

24. 三线钩蛾属 *Pseudalbara* Inoue, 1962

Pseudalbara Inoue, 1962: 25. **Type species**: *Drepana parvula* Leech, 1890.

属征:雄性触角锯齿形,具纤毛;雌性触角线形。前翅前缘略呈浅弧形,顶角尖锐,呈钩状;前后翅外缘平滑;后翅肩角隆起,无翅缰。前翅具径副室;R_2 和 R_5 分别出自径副室顶角两侧,不共柄,R_3 和 R_4 长共柄,M_1 与中室下缘共柄;后翅中室端脉双折角。雄性外生殖器钩形突宽,端部分叉;背兜侧突细长;颚形突中突骨化较弱;横带片不发达;阳端基环半环形,具发达侧突;抱器瓣短小;囊形突长且宽大;阳茎短粗;阳茎端膜粗糙,具微刺。

分布:中国;俄罗斯,日本。秦岭地区分布 1 种。

(48) 三线钩蛾 *Pseudalbara parvula* (Leech, 1890)(图版 12:21)

Drepana parvula Leech, 1890: 112.

Drepara muscula Staudinger, 1892a: 335.

Drepana griseola Matsumura, 1908: 135.

Albatra parvula: Nagano, 1917: 38.

Betalbara parvula: Matsumura, 1927a: 47.

Pseudalbara parvula Inoue, 1962: 27.

鉴别特征:前翅长 10 ~ 14mm。翅面浅褐至深褐色。前翅顶角内侧具 1 个灰白色眼状斑;线纹深褐至黑褐色;内线“ > ”形,折角之上十分模糊;外线自顶角伸达后缘外 1/3 处,略呈弓形弯曲;亚缘线较外线细弱,微波曲;中点白色,微小。后翅无横线;中室端脉和下角各有 1 个小黑点。

采集记录:1♂3♀,宁陕广货街保护站,1189m,2014. Ⅶ. 26-28,刘淑仙、班晓双采;1♀,柞水营盘镇,953 ~ 995m,2014. Ⅶ. 29-31,班晓双采。

分布:陕西(留坝、佛坪、宁陕、汉中、柞水)、河南、浙江、湖北、湖南、福建、广西、四川,东北;俄罗斯,日本。

25. 丽钩蛾属 *Callidrepana* Felder, 1861

Callidrepana Felder, 1861: 30. **Type species**: *Callidrepana saucia* Felder, 1861.

Damna Walker, 1863: 1570. **Type species**: *Damna gelidata* Walker, 1863.

Ausaris Walker, 1863: 1632. **Type species**: *Ausaris scintillata* Walker, 1863.

Ticilia Walker, 1865: 394. **Type species**: *Ticilia argentilinea* Walker, 1865.

Drepanulides Motschulsky, 1866: 193. **Type species**: *Drepanulides palleolus* Motschulsky, 1866.

Drepanula Gaede, 1914: 65. **Type species**: *Drepanula argyrobapta* Gaede, 1914.

Drepanulina Gaede, 1927, *in* Seitz (j): 287. **Type species**: *Drepanula argyrobapta* Gaede, 1914.

属征:雄雌性触角均双栉形,雄性栉齿长于雌性;下唇须尖端至 1/3 伸出额缘。后足胫节具 2 对距。前翅顶角不尖锐,弯成钩状;前后翅外缘平滑。翅面具闪光鳞片。前翅具径副室;R_2 出自径副室顶角或与 R_{3+4}有 1 个极短共柄,R_3 和 R_4 长共柄,R_5 不共柄,径副室下缘在中室上角之前分出,不与 M_1 共柄;后翅中室端脉双折角。雄性外生殖器钩形突分叉,常退化;背兜侧突有时缺失;抱器瓣宽大或近三角形,有时分叉;囊形突宽大;阳茎粗壮。

分布:东洋界,非洲界。秦岭地区分布 1 种。

(49) 泰丽钩蛾 *Callidrepana palleola* (Motschulsky, 1866)(图版 12:22)

Drepanulides palleola Motschulsky, 1866: 193.

Drepana palleolus: Strand, 1911, *in* Seitz (a): 202.

Callidrepana patrana palleolus: Inoue, 1955a: 13.

Callidrepana ovata Watson, 1968: 117, pl. 12:369, figs. 228-231.

Callidrepana palleola: Inoue, 1982, *in* Inoue, *et al.*: 415/258, pl. 50: 27-30.

鉴别特征:雄性前翅长 15 ~ 16mm,雌性前翅长 18 ~ 20mm。额黑褐色;下唇须短小。体和翅淡黄色。前翅具大而清晰的中点,黑褐色,近菱形;顶角附近深褐色,并沿前缘和外缘扩展;外线深褐色,由顶角至后缘外 1/4 处,其内侧有 1 条极细弱的伴线;亚缘线灰褐色,锯齿形,十分细弱,有时仅见在翅脉上留有小黑点。后翅前半色淡;在 M_3 以下可见外线及其伴线和亚缘线。

采集记录:1♂1♀,宝鸡天台山嘉陵江源头,1620m,2014. Ⅷ. 08-09,薛大勇、班晓双采;1♂,留坝庙台子,1470m,1999. Ⅶ. 01,贺同利采;1♀,佛坪,950m,1998. Ⅶ. 23,姚建采;1♀,佛坪县城,950m,1998. Ⅶ. 25,袁德成采;1♀,佛坪偏岩子,1750m,1999. Ⅵ. 28,姚建采;4♂8♀,宁陕火地塘,1580m,1998. Ⅶ. 26-Ⅷ. 17,姚建、袁德成采;3♂1♀,宁陕火地塘,1550m,2007. Ⅷ. 18,李文柱采;3♂,宁陕火地塘,1538m,2012. Ⅶ. 11-15,姜楠等采;1♂1♀,宁陕广货街保护站,1189m,2014. Ⅶ. 26-28,刘淑仙、班晓双

采;1♂,商南金丝峡,777m,2013. Ⅶ. 23-25,姜楠采;1♂,旬阳金鑫源山庄,386m,2014. Ⅷ.01-03,班晓双采。

分布:陕西(宝鸡、留坝、佛坪、宁陕、商南、旬阳)、河南、甘肃、湖北、四川;日本。

26. 晶钩蛾属 *Deroca* Walker, 1855

Deroca Walker, 1855: 822. **Type species**: *Deroca hyalina* Walker, 1855.

属征:雄雌性触角均双栉形;下唇须较细,尖端至1/3伸出额外。后足胫节具2对距。前翅顶角圆,不呈钩状;翅透明或半透明。前翅具径副室;R_1出自中室或出自径副室近端部处,R_2至R_4长共柄至近端部,R_5不共柄或与R_{2-4}短共柄,M_1与径副室下缘共柄;后翅中室端脉双折角。雄性外生殖器钩形突退化,呈宽且端部圆的突,或呈分叉的铗状突;背兜侧突为粗壮的柱状突;横带片发达;阳端基环基部内侧隆起或具小突,端部指状;抱器瓣退化为耳状;囊形突长,端部圆;阳茎细长,端部近长舌形。

分布:中国;朝鲜,日本,缅甸,印度。秦岭地区分布1种。

(50)斑晶钩蛾陕西亚种 *Deroca inconclusa carinata* Watson, 1957(图版12:23)

Deroca inconclusa carinata Watson, 1957: 143, figs. 25-28.

鉴别特征:前翅长12~16mm。翅白色,半透明,斑纹褐至黑褐色。前翅中室长近翅长的2/3;前缘基部有3个斑,其中第2、第3个伸达中室下缘下方;内线和外线在前后缘各有1个斑,前缘的斑略大,内线在中室下缘有1个小点;中点椭圆形;中室下角点大,椭圆形,其中翅脉白色;亚缘线为1条中部断离的宽带,其外缘锯齿形,1条白色波状细线由其中穿过;缘线为翅脉间的1列黑褐色小斑,其中M_3与Cu_1脉之间的斑缩小或消失。后翅内线在中室下缘和后缘有小斑点;中室下角点隐约可见;外线模糊带状,在翅脉上色深;亚缘线和缘线各为翅脉间的1列斑点,亚缘线在M_1以上消失,缘线在Rs与M_1之间及M_3与Cu_1脉之间缩小或消失。

采集记录:1♂(Holotype), Sued -Shensi, Tapai Shan in Tsinling, 3000m, 1936. Ⅵ.16, coll. Höne (ZFMK)。

分布:陕西(太白山)。

27. 美钩蛾属 *Callicilix* Butler, 1885

Callicilix Butler, 1885: 124. **Type species**: *Callicilix cabraxata* Butler, 1885.

属征:雄雌性触角均双栉形;下唇须短小,仅尖端到达额外。中足胫节1对,后足胫距2对。前翅顶角凸出但不尖锐,微呈钩状;前后翅外缘平滑。前翅具径副室;R_2与R_{3+4}长共柄,R_5不共柄,M_1与径副室下缘共柄;后翅中室端脉双折角。雄性外生殖器钩形突短而分叉;背兜侧突短而粗壮,端部圆,基部具1个宽且尖锐的刺突;抱器瓣狭小,抱器腹具1个非常宽大且端部尖锐的突;囊形突近三角形,端部圆;阳茎细长,端部尖锐。

分布:中国;日本,印度。秦岭地区分布1种。

(51)美钩蛾中国亚种 *Callicilix abraxata nguldoe* (Oberthür, 1894)(图版12:24)

Platypteryx nguldoe Oberthür, 1894: 22.

Callicilix abraxata nguldoe: Strand, 1911, *in* Seitz (a): 198.

Callicilix abraxata formosana Okano, 1960: 11.

鉴别特征:前翅长18~24mm。头部黑色;胸部背面白色;腹部背面深灰色与白色相间。翅底色白色;前翅内线为3个深灰色点组成的弧形;翅中部具1个非常宽的黑褐色大斑,斑上散布不均匀的黄褐色,大斑中具1条纤细白色波浪状线纹,该线在中室端和后缘附近黄色;大斑外缘在M_3与Cu_2之间凸出并呈深灰色;大斑外侧在M_1与M_3之间具1个近圆形半透明斑,其内上方和外侧具灰纹;顶角下方具3个半透明斑;缘线为1列翅脉间的灰斑。后翅内线深灰色;中线为2条深灰色带,其外侧为1个半透明大斑;亚缘线深灰色,带状;缘线同前翅。

采集记录:1♀,宁陕火地塘,1538m,2012. Ⅶ. 11-15,姜楠采。

分布:陕西(宁陕)、甘肃、湖南、台湾、四川、贵州、西藏。

28. 大窗钩蛾属 *Macrauzata* Butler, 1889

Macrauzata Butler, 1889: 43. **Type species**: *Comibaena fenestraria* Moore, 1868.

属征:雄雌性触角均双栉形,雄性栉齿较长;下唇须短,尖端仅达额缘。后足胫节具2对距。前翅顶角明显呈钩状,外缘在顶角下方直或明显凸出,但不形成尖角;后翅外缘平滑。前后翅中部具大面积近圆形透明斑。前翅无径副室;R_1出自中室,R_2至R_5共柄,出自中室上角前方,R_5在1/3处分离,R_2至R_4共柄至近端部分离,M_1出自中室上角;后翅中室端脉双折角。雄性外生殖器钩形突略长,多在端部分叉,少数不分叉;背兜侧突较粗,分叉,长约为钩形突的1/2至2/3;颚形突中突骨化强,形状多变;抱器瓣长且宽大,端部较平,端部两侧多具指状突;囊形突短;阳茎变化较大。

分布:东洋界。秦岭地区分布1种。

(52)中华大窗钩蛾 *Macrauzata maxima chinensis* Inoue, 1960(图版 12:25)

Macrauzata maxima chinensis Inoue, 1960: 315.

鉴别特征:前翅长 23~26mm。翅面浅黄色。前后翅中部具大面积近圆形透明斑,斑外具 2 条褐色边和 1 条白色细边,镶边外侧多具白色云状区域;中点黑色,微小;亚缘线为白色波状细线。后翅在中室上方 M_1 与 M_2 间具褐色弧形纹。

采集记录:1♂,旬阳金鑫源山庄,386m,2014.Ⅷ.01-03,班晓双采。

分布:陕西(洋县、汉中、旬阳)、浙江、湖北、福建、四川。

(四)山钩蛾亚科 Oretinae

鉴别特征:体和翅均为褐色;身体粗壮;喙不发达;下唇须短小扁宽;只达额下方;上有密集长毛;无翅缰;后足胫节只有 1 对距,内外距等长。翅脉与钩蛾亚科相似,前翅具径副室。雄性外生殖器的钩形突呈龟头状,无背兜侧突。幼虫的后胸背板延伸,呈刺状突;腹部第 4 节有 1 对突起。

分类:陕西秦岭地区分布 1 属 5 种。

29. 山钩蛾属 *Oreta* Walker, 1855

Oreta Walker, 1855: 1166. **Type species**: *Oreta extensa* Walker, 1855.

Dryopteris Grote, 1862: 360. **Type species**: *Drepana rosea* Walker, 1855.

Hypsomadius Butler, 1877a: 478. **Type species**: *Hypsomadius insignis* Butler, 1877.

Holoreta Warren, 1902a: 340. **Type species**: *Cobanilla jaspidea* Warren, 1896.

Oretella Strand, 1916a: 164. **Type species**: *Oreta squamulata* Strand, 1916 (= *Oreta loochooana* Swinhoe, 1902).

Psiloreta Warren, 1923, *in* Seitz (g): 485. **Type species**: *Oreta sanguinea* Moore, 1879.

Mimoreta Matsumura, 1927a: 46. **Type species**: *Mimoreta horishana* Matsumura, 1927 (= *Oreta griseotincta* Hampson, 1893).

Rhamphoreta Brykb, 1943: 25. **Type species**: *Oreta eminens* Bryk, 1943.

属征:雄性触角双栉形或单栉形。中、后足胫节背面具黑色纵线,各具 1 对端距。前翅顶角圆,伸出较长,多弯呈明显的钩状,顶角下方翅外缘平滑、弧形隆起或凸出。后翅外缘平滑或略凸出。翅底色黄色至深褐色;前翅顶角至后缘多具斜线,部分种无斜线;翅面斑纹变化较大,但无透明斑。前翅径副室极狭长,几乎到达顶角附近,R_1 自中室上角内侧或径副室基部伸出,R_2 至 R_5 在径副室端部附近分别分开,M_2 与 M_3 距离很近;后翅 $Sc+R_1$ 与 Rs 在中室上角外侧靠近一段后迅速分离,M_2 靠近 M_3 或与 M_3 短共柄。

分布:古北界,新北界,东洋界,澳洲界。秦岭地区分布 5 种。

(53)网山钩蛾秦岭亚种 *Oreta vatama tsina* Watson, 1967(图版 12:26)

Oreta vatama tsina Watson, 1967: 191, figs. 71-72.

鉴别特征:前翅长 18~19mm。前翅顶角向外凸出弯成钩状,顶角端部钝圆,外缘弧形隆起;顶角至后缘中部有 1 条弧形深红褐色斜线,斜线内侧红褐色至褐色,散布黑褐色碎纹;前缘下方中部和外 1/4 处各有 1 个黑斑;斜线外侧中下部为 1 片黄色区域,黄色区域外至翅外缘为浅褐色;顶角深褐色。后翅中部有 1 条较宽的红褐色至褐色条带;端半部黄色。前后翅中室下角分别具白色小圆斑;两翅端半部散布不连续的黑色细波纹。

采集记录:1♂(Holotype), S. Shensi, Tapai Shan in Tsinling, 1000m, 1935. Ⅶ. 21, coll. Höne (ZFMK)。

分布:陕西(太白山)、甘肃。

(54)接骨木山钩蛾 *Oreta loochooana* Swinhoe, 1902(图版 13:1)

Oreta loochooana Swinhoe, 1902: 591.

Oreta pulchripes loochooana: Strand, 1911, *in* Seitz (a): 205.

Oreta (*Oretella*) *squamulata* Strand, 1916a: 164.

Psiloreta loochooana: Warren, 1923, *in* Seitz (g): 485, pl. 50: k.

Psiloreta pulchripes formosicola Matsumura, 1927a: 46.

Oreta pulchripes var. *loochooana*: Gaede, 1931: 48.

鉴别特征:前翅长 17mm。前翅顶角钩形,凸出较短;顶角下方外缘仅稍隆起,浅弧形;翅面红褐色;内线锯齿形,弧形弯曲,其内侧大部黄色;顶角到翅后缘具 1 条黄色斜线,在 M_2 处变宽形成近三角形区域;黄线两侧在顶角附近散布黑色;臀角具 1 个黑色圆斑。后翅外缘弧形;基半部红褐色;端半部黄色,具散布成列的小黑点;顶角具 1 块红褐色斑块。前后翅具微小白色中点;中室下角各有 1 个白点。

采集记录:1♂1♀,宁陕火地塘,1580m,1998. Ⅶ. 26,姚建、袁德成采;1♂,宁陕火地塘,1580m,1999. Ⅵ. 25,袁德成采;3♂,宁陕火地塘,1550m,2007. Ⅷ. 18-19,李文柱采;1♂,宁陕广货街保护站,1189m,2014. Ⅶ. 26-28,刘淑仙采。

分布:陕西(宁陕)、山东、河南、甘肃、台湾;俄罗斯,日本。

(55)三棘山钩蛾 *Oreta trispina* Watson, 1967(图版 13:2,3)

Oreta trispina Watson, 1967: 177, figs. 36-39, pl. 2: 98, 99.

鉴别特征:前翅长 19~20mm。前翅顶角凸出较长,外缘中部中度至较强隆起;后翅顶角圆,其下方浅凹。翅面黄褐至红褐色,散布细碎黑纹。前翅顶角至后缘外 1/3

处为1条黑灰色斜线,斜线两侧在顶角附近散布黑色;臀角有时有黑斑。后翅端半部黄色或红褐色,散布小黑点。

采集记录:1♂, S. Shensi, Tapai Shan in Tsinling, 1935. Ⅶ. 06, coll. Höne (ZFMK); 1♂,宁陕火地塘,1580m,1998. Ⅶ. 26,袁德成采;1♀,宁陕广货街保护站,1189m, 2014. Ⅶ. 26-28,刘淑仙采。

分布:陕西(太白、宁陕)、宁夏、甘肃、四川。

(56)宏山钩蛾 *Oreta hoenei* Watson, 1967(图版13:4)

Oreta hoenei Watson, 1967: 172, 173, figs. 23-25, pl. 1: 93, 94.

Oreta trianga Chu *et* Wang, 1987: 300, fig. 13, pl. 1: 26.

别名:三角山钩蛾。

鉴别特征:雄性前翅长16~19mm,雌性前翅长19~21mm。前翅顶角凸出较长,其下方深凹,外缘中部隆起较强。翅面灰红褐色、红褐色至深红褐色,无黄色部分,常散布细碎黑点。前翅内线黑色,不规则波曲,常粗细不均,其内侧有时可见2条深色细线;外线黑灰色,上端外凸至顶角,其下直,斜行,外侧具浅色边和1条不完整的黑灰色伴线;内、外线间常有深色斑块,中点处的1个大圆斑通常明显,其内部有微小白色中点;臀角处有1个不规则深色斑。后翅除散碎黑点外通常无明显斑纹,有时可见模糊波状中线。

采集记录:1♂1♀,宝鸡天台山嘉陵江源头,1620m,2014. Ⅷ. 08-09,薛大勇、班晓双采;1♂, S. Shensi, Taipai Shan im Tsinling, 1700m, 1936. Ⅷ. 13, coll. Höne (ZFMK);7♂1♀,留坝庙台子,1350m,1998. Ⅶ. 21-23,姚建、张学忠采;1♂,佛坪,950m,1998. Ⅶ. 24,袁德成采;1♂,佛坪县城,900m,2008. Ⅶ. 05,崔俊芝采;11♂6♀,宁陕火地塘,1580m,1998. Ⅶ. 26-Ⅷ. 21,姚建、袁德成采;2♂,同上,1550m,2007. Ⅷ. 19,李文柱采;1♂,同上,1550m,2008. Ⅶ. 08,李文柱采;1♂4♀,宁陕广货街保护站,1189m,2014. Ⅶ. 26-28,刘淑仙、班晓双采;1♂1♀,柞水营盘镇,953~995m,2014. Ⅶ. 29-31,刘淑仙、班晓双采;1♂,商南金丝峡,777m,2013. Ⅶ. 23-25,崔乐采;4♂,旬阳金鑫源山庄,386m,2014. Ⅷ. 01-03,刘淑仙、班晓双采。

分布:陕西(宝鸡、太白、留坝、佛坪、宁陕、柞水、商南、旬阳)、黑龙江、山西、河南、宁夏、甘肃。

(57)三刺山钩蛾 *Oreta trispinuligera* Chen, 1985(图版13:5)

Oreta trispinuligera Chen, 1985: 278, fig. 2, pl. 1: 3.

Oreta ancora Chu *et* Wang, 1987: 300, fig. 12, pl. 1: 25 (nec Wilkinson, 1972).

Oreta ankyra Chu *et* Wang, 1991: 246, fig. 203, pl. 10: 16 (new name for *Oreta ancora* Chu *et* Wang, 1987).

别名:三刺金钩蛾、锚山钩蛾。

鉴别特征:雄性前翅长 17 ~ 18mm,雌性前翅长 19 ~ 20mm。前翅顶角凸出特别长,雄性可达3mm,略尖,外缘中部强烈凸出,并不规则波曲,在 Cu_2 和臀褶处有 1 个深凹;后翅外缘在 M_1 和 M_2 脉间深凹,其下方弧形隆起,在臀褶处再次凹入。翅面黄褐色,散布不规则黑点。前翅中部有 1 个不规则黑褐色斑;外线由 R_5 至 Cu_1 粗壮,中间灰白,两侧黑色,其内上方至前缘和外侧至顶角黑至黑灰色,外线在 Cu_1 以下细弱,黑色,弯曲;臀角内侧有 1 个黑斑。后翅内线为不完整的黑点列。前后翅缘毛黑色。

采集记录:1♂,周至老县城,1300m,2007. Ⅷ. 16,李文柱采;3♂,佛坪龙草坪,1200 ~ 1256m,2008. Ⅶ. 03,白明等采;2♂,宁陕火地塘,1550m,2007. Ⅶ. 19,李文柱采;1♂,宁陕火地塘,2008. Ⅶ. 08,李文柱采;2♂,宁陕火地塘,1538m,2012. Ⅶ. 11-15,杨秀帅等采。

分布:陕西(周至、佛坪、宁陕)、河南、甘肃、湖北、福建、广西、四川、云南。

八、凤蛾科 Epicopeiidae

鉴别特征:中型至大型蛾类,具有宽大颜色鲜艳的翅,形似凤蝶,后翅具尾突或尾带。触角线状、棒状,锯齿形或双栉形;无单眼。复眼发达;具毛隆;喙发达,基部宽大;下唇须弯曲,短或中等长,后 2 节平伸或微向上弯曲。中足胫距 1 对,后足 2 对。腹部无鼓膜听器。大多雄性具翅缰;雌性无翅缰或极度退化。前翅无副室;R_2、R_3 与 R_4 共柄;R_5 独立或与 M_1 共柄;M_2 接近 M_1;Cu_1 与 M_3 远离;后翅 $Sc + R_1$ 近基部与中室相连;Rs 与 M_1 独立或具短共柄;M_2 略接近 M_1。

分类:分布于古北界以及亚洲的热带地区。世界已知 9 属 25 种,陕西秦岭地区分布 1 属 1 种。

1. 凤蛾属 *Epicopeia* Westwood, 1841

Epicopeia Westwood, 1841: 17. **Type species**: *Epicopeia polydora* Westwood, 1841.

属征:喙发达;触角双栉形;中足胫距 1 对,后足 2 对。前翅中室内有 1 个叉状脉,横贯中央。后翅 Rs、M_1 和 M_2 脉特别延长,伸入延长的尾带。翅缰发达或不发达。

分布:中国;朝鲜,日本,东南亚。秦岭地区分布 1 种。

(1) 榆凤蛾 *Epicopeia mencia* Moore, 1874(图版 13:6)

Epicopeia mencia Moore, 1874: 578.

鉴别特征:雄性前翅长 26 ~ 35mm,雌性前翅长 29 ~ 44mm。头和胸部背面黑色。腹部背面黑色,节间橙黄色(雄性)或红色(雌性)。翅烟黑色至黑色;后翅端半部黑色,外缘有 2 列红斑,新月形或圆形,雌蛾红斑色较浅;翅基片黑色有 1 个红斑。

采集记录:1♂,周至厚畛子,1350m,1999. Ⅵ.24,采集人不详。

分布:陕西(周至)、黑龙江、吉林、辽宁、河北、江苏、浙江、湖北、江西、福建、云南;朝鲜。

九、燕蛾科 Uraniidae

鉴别特征:小型至大型阔翅蛾,体细长。日出性种类的翅常具漂亮的色彩。触角常锯齿形,有时为线形或单栉形,少数为双栉形。无单眼或单眼小。前翅 M_2 位于 M_1 与 M_3 的中间,或近 M_1;后翅外缘常具角或 M_3 延伸形成尾突,有时具多个凹口或多个尾突;腹部鼓膜听器具明显的性二型现象,即雄性鼓膜听器位于第 2 和第 3 腹节的连接处,雌性鼓膜听器位于第 2 腹节腹板的侧前方。

分类:分布在环球热带地区。包括 4 亚科,90 属 300 余种,陕西秦岭地区分布 2 亚科 4 属 5 种。

讨论:王林瑶(2005)记载秦岭地区的单线蛱蛾 *Auzea arenosa* (Butler, 1880)为紫白尖尺蛾 *Pseudomiza obliquaria* (Leech, 1897) 的误定,在此取消其在秦岭的分布记录。

(一)小燕蛾亚科 Microniinae

鉴别特征:成虫似尺蛾,体细长。额狭窄;雄性触角为线状。翅乳白色或灰白色,并具数条暗带。后翅 M_3 形成短小的尖尾突,尾突基部具黑色眼斑。前翅翅脉常表现为性二型现象:雌性 M_3 与 Cu_1 分离,雄性则共生或共柄。无翅缰或退化。停息时,翅平展紧贴在基片上,触角隐藏在翅下。

分类:陕西秦岭地区分布 2 属 2 种。

1. 点燕蛾属 *Pseudomicronia* Moore, 1887

Pseudomicronia Moore, 1887: 461. **Type species**: *Pseudomicronia caelata* Moore, 1887.

属征:体纤细,腹部短。额略宽,触角线形,下唇须短小。后足胫距 2 对。前翅宽大,顶角不凸出,外缘平滑。后翅外缘在 M_3 处凸出并形成 1 个折角。前翅 R_1 自由,R_2-R_4共柄,R_5 与 M_1 共柄,雄性 M_3 与 Cu_1 出自同一点或极短共柄。

分布:中国;印度及其周边地区。秦岭地区分布 1 种。

(1) 三点燕蛾 *Pseudomicronia archilis* (Oberthür, 1891)(图版 10:10)

Micronia archilis Oberthür, 1891: 23.

Pseudomicronia archilis: Alphéraky, 1892a: 53.

鉴别特征:前翅长 23 ~ 24mm。体和翅白色。前翅排布灰褐色线纹,由前缘直达后缘,左右翅线纹不完全对称;该线纹可分为 6 组;前缘在各组线纹之间有黑褐色短线条。后翅外缘在 M_3 脉端部凸出并形成 1 个折角,其上方凹,下方平滑;中带黄褐色粗壮,下端由 Cu_1 扩散至臀角附近,其两侧各有数条细线;外缘在各翅脉端有 1 个黑点,其中 M_3、Cu_1 和 Cu_2 端部的 3 个黑点大而圆,十分醒目。

采集记录:1♂,旬阳金鑫源山庄,386m,2014. Ⅷ. 01-03,刘淑仙、班晓双采。

分布:陕西(旬阳)、甘肃、青海、四川、云南。

2. 斜线燕蛾属 *Acropteris* Geyer, 1832

Acropteris Geyer, 1832, *in* Hübner: 36. **Type species**: *Acropteris grammearia* Geyer, 1832.

Chlevasta Herrich-Schäffer, 1855: 106, 117. **Type species**: *Acropteris grammearia* Geyer, 1832.

属征:小型蛾类,体态十分纤细。额与小燕蛾亚科其他属相比略宽;触角线形,具纤毛;下唇须短小。后足胫距 2 对。前翅顶角略凸出,外缘光滑,臀角明显。后翅外缘弧形,中部几乎不凸出。翅面银白色,具铅灰色或黄褐色线纹。

分布:中国;俄罗斯,日本,印度及其周边地区。秦岭地区分布 1 种。

(2)斜线燕蛾 *Acropteris iphiata* (Guenée, 1857)(图版 10:11)

Micronia iphiata Guenée, 1857: 19.

Acropteris iphiata: Seitz, 1912, *in* Seitz (a): 276, pl. 22: f.

鉴别特征:前翅长 17 ~ 18mm。体和翅银白色。前翅前缘散布小黑点,顶角下方具 1 个黄褐色斑,由该斑发出 2 组共 7 条铅灰色线,分别伸达翅基部和后缘端半部;缘线深黄褐色,粗壮。后翅基部排列铅灰色细纹;中带由多条密集细纹组成;外线和亚缘线各为铅灰色双线;缘线深黄褐色,细弱。

采集记录:1♂,宁陕广货街保护站,1189m,2014. Ⅶ. 26-28,刘淑仙采;2♀,旬阳金鑫源山庄,386m,2014. Ⅷ. 01-03,班晓双采。

分布:陕西(宁陕、旬阳)、江苏、浙江、西藏;俄罗斯,日本,缅甸,印度。

(二)蛱蛾亚科 Epipleminae

鉴别特征:体型较燕蛾其他亚科小。后翅可分为不同区,外缘常具角状齿或由 Rs 和 M_3 形成短尾。常具有 2 条臀脉,而其他亚科仅有 1 条臀脉。具翅缰和翅缰钩。停息姿势多变:有时翅可能非常平,3 个翅远离基片,1 个前翅紧贴基片,后翅前缘被前翅遮挡;另一种情况,翅对称平展,前翅远离后翅;有时前翅和后翅明显颤动,且 2 对翅远离等。

分类:陕西秦岭地区分布 2 属 3 种。

3. 蛱蛾属 *Epiplema* Herrich-Schäffer, 1855

Epiplema Herrich-Schäffer, 1855: wrapper, pl. 58, fig. 324. **Type species**: *Epiplema acutangularia* Herrich-Schäffer, 1855.

属征:体型小,一般前翅长 10~18mm。灰色至灰褐色,有的个体翅面有污黄或蓝紫色光泽。下唇须长,3 节,喙发达。雄性触角增粗或变宽。前翅外线整齐或有 1~2 个隆起,隆起部位在 M_3、Cu_1 及 R_5 脉端。后翅外缘有数量不等的向外延伸的齿形凸起,前缘中部向下凹。前翅 R_2 出自中室,不与 R_{3-4}共柄。

分布:世界广布。秦岭地区分布 2 种。

(3) 四线白蛱蛾 *Epiplema evanescens* Alphéraky, 1897(图版 10:12)

Epiplema himala var. *evanescens* Alphéraky, 1897b: 139.

Epiplema himala evanescens: Seits, 1912, *in* Seitz (a): 278, pl. 48: i.

Epiplema evanescens: Chu & Wang, 1994: 91.

鉴别特征:前翅长 18mm。头部黑色;复眼黑色;下唇须白色,外侧有黑色纵线;喙发达;触角内侧黄褐色,外侧白色,各节间呈褐色。身体白色;胸足红褐色,跗节有白环;后足胫节有 2 对距。前翅白色,前缘有数枚黑色小点;内线及中线黑色,比较直,自前缘直达后缘;外线灰色,不达前缘;亚缘线及缘线烟黑色,较细;缘毛白色。后翅白色;中线弯曲,近下方呈外伸的钝齿状;亚缘线细,黑色,与缘线间由白色细线相隔;亚缘线与中线间有 1 块黄色区域;臀角内侧上方有 1 个黑点;外缘中部有 2 个齿状尾突,2 个尾突间内凹。前、后翅反面乳白色,各线灰色;前翅近外缘有长三角形灰色斑;后翅黄色不可见,臀角内侧的黑点较小。

采集记录:1♂,佛坪,890m,1999. Ⅵ. 26,采集人不详。

分布:陕西(佛坪)、甘肃、四川。

(4) 后两齿蛱蛾 *Epiplema suisharyonis* Strand, 1916(图版 10:13)

Epiplema suisharyonis Strand, 1916b: 143.

鉴别特征:前翅长 11~13mm。头部褐色;下唇须较短,第 2、3 节长度相等;复眼黑色,眼面有黑斑;触角丝状,扁形,污黄色,雄性各节间有密集的纤毛;喙可见,但不发达。身体黄褐色;胸足灰褐色,中足胫节端距 1 对,后足胫节扁宽,有胫距 2 对。前翅灰黄色,顶角向外伸出,下方内凹,外缘中部呈齿状突起,后缘中部内凹,臀角下伸;内线红褐色,向外方弯曲;中线双行,红褐色,向外方呈圆弧形,内侧线较细,外侧线粗;顶角下方有黑斑,其上方与中线相连接。后翅灰黄但较前翅色偏深,前缘中部下凹深,顶角呈下切状,外缘有 2 个尖形齿,臀角稍外凸;内线及中线灰褐色,呈三角形向外伸出,各线外侧色稍浅;缘毛红褐色,在第 2 个缘齿下方有 1 个黑点。前、后翅反面土灰色,正面的各线隐约可见,有蓝色光泽。

采集记录:2♀,宝鸡天台山嘉陵江源头,1620m,2014. Ⅷ. 08-09,薛大勇采;1♂,佛坪,890m,1999. Ⅵ. 26,采集人不详。

分布:陕西(宝鸡、佛坪)、甘肃、浙江、湖北、福建、台湾、云南。

4. 缺角蛱蛾属 *Orudiza* Walker, 1861

Orudiza Walker, 1861: 814 (key), 857. **Type species**: *Orudiza protheclaria* Walker, 1861.

属征:中型蛾类,翅长 16 ~ 26mm,身体灰褐至紫褐色,有蓝色或紫色光泽。前翅顶角尖,向外凸出呈齿状,翅上有不同角度的深色线纹。后翅色较深,外缘直,呈平截状,臀角内凹呈缺刻状。

分布:亚洲东部及东南部。秦岭地区分布 1 种。

(5) 棕翅缺角蛱蛾 *Orudiza andulata* Chu *et* Wang, 1994(图版 10:14)

Orudiza andulata Chu *et* Wang, 1994: 89.

鉴别特征:前翅长 23 ~ 26mm。头部黑色;复眼大;下唇须第 2 节长于第 3 节的 1 倍以上;触角基部白色,丝状;喙发达。胸部背板灰褐色,肩片四周有灰色长毛,胸足腿节污黄,胫节及跗节灰褐,中足胫距 1 对,后足胫距 2 对。腹部灰褐色,各体节有白色横纹,背线明显,污黄色。前翅灰褐色,有紫色光泽,翅的前缘呈弧形,翅脉灰黄;内线直,自亚前缘脉处斜向后缘中部偏内;接近前缘中部有 1 条眉形纹;中室部位有 1 块隐约但不规则的灰黑色斑;外线弯曲度大,污黄色,前半内侧镶有较宽黑色边。后翅黄褐色;内线不见;中室下方有烟黑色斑;外线污黄,呈双齿形,内侧镶有烟黑色边;缘线细,两侧均有烟黑色宽边;外缘中部在 M_2 脉端有 1 个齿形突;臀角内凹深,形成 1 个较大缺口。前、后翅的反面土黄色,分布有烟黑色散横纹,各线隐约可见。

采集记录:2♂,留坝,1050m,1998. Ⅶ. 18,采集人不详。

分布:陕西(留坝)、云南、西藏。

十、尺蛾科 Geometridae

鉴别特征:尺蛾科属于鳞翅目,有喙亚目,异脉次亚目,尺蛾总科。多为中小型蛾类,体型细弱,鳞毛较少。头部有1对毛隆,无单眼。足细长,具毛和鳞。翅大而薄,静止时四翅平铺。雌蛾有时无翅或翅退化。前翅 M_2 基部居中,偶有近 M_1 或与 M_1 共柄;后翅 $Sc+R_1$ 在基部弯曲。腹部细长,基部具听器。

分类:全世界记录25000余种,中国已记录3000种以上,陕西秦岭地区分布5亚科160属265种。

(一)星尺蛾亚科 Oenochrominae

鉴别特征:中型蛾类。成虫身体常粗壮。触角类型多样;后足胫节正常,但距常退化。后翅 $Sc+R_1$ 与 Rs 分离,或在中室基半部有横脉相连。雄性外生殖器的阳茎端环的骨化膜与抱器背基部连接形成坚硬的骨板,雌性外生殖器的囊片常为1个圆形骨化斑。

分类:陕西秦岭地区分布1属1种。

1. 女贞尺蛾属 *Naxa* Walker, 1856

Naxa Walker, 1856: 1742. **Type species**: *Naxa textilis* Walker, 1856.

Desmonaxa Prout, L. B., 1912, *in* Seitz (e): 9. **Type species**: *Naxa angustaria* Leech, 1897.

Psilonaxa Warren, 1893: 343. **Type species**: *Zerene taicoumaria* Orza, 1869.

属征:雄性触角增粗,锯齿形;雌性线形;额极凸出;下唇须微小细弱。后足无距。翅宽大,外缘光滑,浅弧形;前翅中室长达翅长的2/3;后翅无翅缰,中室略长于翅长之半,$Sc+R_1$ 与 Rs 分离,在中室前缘内1/4处有横脉相连。

分布:中国;俄罗斯,朝鲜,日本。秦岭地区分布1种。

(1)女贞尺蛾 *Naxa seriaria* (Motschulsky, 1866)(图版13:7)

Zerene seriaria Motschulsky, 1866: 196.

Orthostixis bremeraria Staudinger, 1871, *in* Staudinger & Wocke: 155.

Zerene taicoumaria Orza, 1869: 48.

Naxa seriaria: Prout, L. B., 1912, *in* Seitz (e): 9, pl. 1: d.

鉴别特征:雄性前翅长 19 ~ 22mm,雌性前翅长 23mm。头部白色,体白色,肩片基部有 1 个黑点。翅白色,略呈半透明,端部钝圆。前翅前缘基部灰黑色,翅上基部 3 个黑点组成内线;中点黑色,大而清晰;翅端 2 列细小黑点组成亚缘线和缘线,缘毛白色。后翅无内线,中点及翅端部斑纹同前翅。翅反面斑纹同正面,但前翅内线的 3 个黑点色淡而模糊。

采集记录:2♀,宁陕广货街保护站,1189m,2014. Ⅶ. 26-28,刘淑仙、班晓双采。

分布:陕西(宁陕)、黑龙江、吉林、辽宁、北京、河北、山西、河南、宁夏、湖北、湖南、广西;俄罗斯,日本,朝鲜半岛。

(二)姬尺蛾亚科 Sterrhinae

鉴别特征:中小型蛾类。触角类型多样。下唇须纤细。后足胫距发达或胫节退化。前翅 Sc 与 R 脉分离,中室上角具 1 或 2 个径副室;后翅 Sc + R_1 与 Rs 在中室基半部有很短一段合并,随即分离,M_2 基部常位于 M_1 与 M_3 中间。

分类:陕西秦岭地区分布 4 属 8 种。

2. 盘雕尺蛾属 *Discoglypha* Warren, 1896

Discoglypha Warren, 1896a: 110. **Type species**: *Discoglypha aureifloris* Warren, 1896.

属征:雄雌性触角均线形,雄性触角具短纤毛。额宽阔,略凸出。下唇须短小,雌性第 3 节略延长。雄性后足胫节具 1 对距,其中 1 支特别膨大,呈勺形,具浓密毛束,第1 跗节极膨大,勺形。前翅顶角尖,外缘平直;后翅圆,外缘浅弧形。

分布:古北界,东洋界,澳洲界。秦岭地区分布 1 种。

(2) 中带盘雕尺蛾 *Discoglypha centrofasciaria* (Leech, 1897)(图版 13:8)

Acidalia centrofasciaria Leech, 1897: 100.

Somatina centrofasciaria: Prout, L. B., 1913, *in* Seitz (e): 45, pl. 5: f.

Discoglypha centrofasciaria: Xue, 1992, *in* Liu: 827, fig. 2673.

鉴别特征:雄性前翅长 11 ~ 15mm,雌性前翅长 12 ~ 15mm。翅面黄色,散布不均匀的红色。前翅前缘下方为 1 条灰褐色纵带;中线灰褐色掺杂红色,带状,边缘稍模糊,微波曲;中点呈黑点状;外线红色,纤细波状,接近外缘;亚缘线在前缘、M_2 处和臀角处各有 1 个灰褐斑,后者较大;缘线为翅脉间 1 列深红褐色点;缘毛灰黄色掺杂红色。后翅斑纹同前翅,中带在前缘处展宽;中点较前翅大。

采集记录:1♂,佛坪龙草坪,1256m,2008. Ⅶ. 03,崔俊芝采。

分布:陕西(佛坪)、甘肃、湖北、江西、湖南、福建、四川、云南。

3. 姬尺蛾属 *Idaea* Treitschke, 1825

Idaea Treitschke, 1825: 446. **Type species**: *Phalaena aversata* Linnaeus, 1758.

Pyctis Hübner, 1825 309. **Type species**: *Geometra aureolaria* Denis *et* Schiffermüller, 1775.

Sterrha Hübner, 1825: 309. **Type species**: *Geometra sericeata* Hübner, 1813.

Arrhostia Hübner, 1825: 311. **Type species**: *Phalaena aversata* Linnaeus, 1758.

Ptychopoda Curtis, 1826: 132. **Type species**: *Phalaena biselata* Hüfnagel, 1767.

Ania Stephens, 1831: 321. **Type species**: *Phalaena emarginata* Linnaeus, 1758.

Janarda Moore, 1888a: 265. **Type species**: *Janarda acuminata* Moore, 1888.

Aphrogeneia Gumppenberg, 1890: 483. **Type species**: *Geometra nexata* Hübner, 1813.

Andragrupos Hampson, 1891: 31, 119. **Type species**: *Andragrupos violacea* Hampson, 1891.

Anteois Warren, 1900b: 146. **Type species**: *Phalaena muricata* Hüfnagel, 1767.

属征:雄性触角双栉形或线形;雌性触角线形。额不凸出。下唇须细弱,仅尖端伸达额外。雄性后足胫节无距。前翅顶角圆,前后翅外缘中部有时凸出。雄性外生殖器的钩形突三角形;颚形突中突发达;抱器瓣简单,宽大,端部具刚毛或刺;味刷有或无;阳茎端膜常具角状器。雌性外生殖器的肛瓣为 1 对乳头状突起;囊导管通常短,骨化或膜质;囊体形状多样;囊片常为密集的微刺群。

分布:全世界。秦岭地区分布 1 种。

(3)小红姬尺蛾 *Idaea muricata minor* (**Sterneck, 1927**)(图版 13: 9)

Ptychopoda muricata var. *minor* Sterneck, 1927: 167.

Sterrha muricata minor: Prout, L. B., 1935, *in* Seitz (f): 54.

Idaea muricata minor: Inoue, 1977: 247.

鉴别特征:雄性前翅长 7mm,雌性前翅长 7 ~ 8mm。翅面紫粉色,前翅前缘下方具 1 条黑灰色带,与前缘平行;翅基部具 1 块黄斑,翅中部有 2 块黄斑;斑纹模糊,仅外线黑色,清楚,不规则波曲,较近外缘;翅端部具 1 条黄色带,其内缘波曲;缘毛黄色,非常长。后翅中部具 1 块黄斑;其余斑纹与前翅相似。

采集记录:1♂,商南金丝峡,777m,2013. Ⅶ. 23-25,姜楠、崔乐采。

分布:陕西(商南)、辽宁、北京、山东、江西、湖南、福建、四川;俄罗斯,日本,朝鲜半岛。

4. 岩尺蛾属 *Scopula* Schrank, 1802

Scopula Schrank, 1802: 162. **Type species**: *Phalaena paludata* Linnaeus, 1767.
Calothysanis Hübner, 1823: 301. **Type species**: *Geometra imitaria* Hübner, 1799.
Craspedia Hübner, 1825: 312. **Type species**: *Phalaena ornata* Scopoli, 1763.
Leptomeris Hübner, 1825: 310. **Type species**: *Geometra umbelaria* Hübner, 1813.
Acidalia Treitschke, 1825: 438(nec Hübner, 1819). **Type species**: *Geometra strigaria* Hübner, 1799.
Pylarge Herrich-Schäffer, 1855: 105, 116. **Type species**: *Idaea commutata* Freyer, 1832.
Lycauges Butler, 1879: 373. **Type species**: *Lycauges lactea* Butler, 1879.
Runeca Moore, 1888a: 252. **Type species**: *Runeca ferrilineata* Moore, 1888.
Triorisma Warren, 1897b: 226. **Type species**: *Triorisma violacea* Warren, 1897.
Eucidalia Sterneck, 1941: 27, 42. **Type species**: *Phalaena immorata* Linnaeus, 1758.

属征:雄性触角常线形并具短纤毛,有时为短双栉形;雌性触角线形。额不凸出。下唇须纤细,尖端伸达额外。雄后足胫节膨大,无距,具毛束,跗节常短缩。前翅外缘近弧形;后翅圆。雄性外生殖器的钩形突和颚形突中突退化;背兜侧突发达,有时具长刚毛;抱器瓣分叉,形成抱器背和抱器腹两部分;囊形突宽;阳端基环常具1对突起;第8腹节腹板常具1对骨化突。雌性外生殖器的肛瓣常为圆形;前阴片发达,近半圆形;后阴片骨化弱;交配孔常骨化,具侧突;囊导管膜质;囊体长,有时褶皱,囊片由纵向排列的小刺组成。

分布:全世界。秦岭地区分布2种。

(4) 忍冬尺蛾 *Scopula indicataria* (Walker, 1861)(图版13:10)

Argyris indicataria Walker, 1861: 809.
Somatina indicataria: Prout, L. B., 1913, *in* Seitz (e): 44, pl. 5: a.
Scopula indicataria: Sihvonen, 2005: 522.

鉴别特征:雄性前翅长13~16mm,雌性前翅长14~15mm。翅面白色。前翅内线黄褐色,锯齿形,细弱;中点黑色,短条状,有2个向外凸的小齿,周围为1个灰褐色圆斑,并向下呈带状延伸至后缘中部附近;外线灰色,近外缘,细弱,在前缘外扩展成1个小斑,其外侧具2列半月形小灰斑;缘线和缘毛灰色,在翅脉端白色。后翅中线为灰黑色模糊带;中点较小;外线锯齿形;外线外侧的2列灰斑大而圆;缘线和缘毛与前翅相似。

采集记录:1♂1♀,商南金丝峡,777m,2013. Ⅶ. 23-25,姜楠、崔乐采。5♂,旬阳金鑫源山庄,386m,2014. Ⅷ. 01-03,刘淑仙、班晓双采。

分布:陕西(商南、旬阳)、黑龙江、吉林、北京、河北、山东、河南、甘肃、上海、湖北、江西、湖南、福建、四川。

(5)明岩尺蛾 *Scopula ferrilineata* (Moore, 1888)(图版13:11)

Runeca ferrilineata Moore, 1888a, *in* Hewitson & Moore: 252, pl. 8, fig. 13.

Scopula ferrilineata: Prout, L. B., 1934a, *in* Strand: 209.

鉴别特征:雄性前翅长12mm。翅面灰黄色。前翅内线、中线和外线在前缘上形成3个黑色斑点;内线黑色,微波曲,细弱;中线灰褐色,模糊带状,在近后缘处颜色加深;中点为黑色小圆点;外线黑色,在各脉上呈点状,近弧形;缘线为1条明显的黑色宽带;缘毛黑色掺杂灰黄色。后翅中点较前翅小;其余斑纹与前翅相似。

采集记录:1♀,商南金丝峡,777m,2013. Ⅶ. 23-25,崔乐采。

分布:陕西(商南)、福建;印度,尼泊尔。

5. 眼尺蛾属 *Problepsis* Lederer, 1853

Caloptera Frivaldszky, 1845: 185(nec Gistel, 1834). **Type species**: *Caloptera ocellata* Frivaldszky, 1845.

Problepsis Lederer, 1853a: 74(new name for *Caloptera* Frivaldszky, 1845). **Type species**: *Caloptera ocellata* Frivaldszky, 1845.

Argyris Guenée, 1858, *in* Boisduval & Guenée: 12. **Type species**: *Argyris ommatophoraria* Guenée, 1858.

Euephyra Gumppenberg, 1887: 328, 342.

Problepsiodes Warren, 1899b: 336. **Type species**: *Problepsis conjunctiva* Warren, 1893.

属征:雄性触角常双栉形,具纤毛簇;雌性触角锯齿形或线形。额不凸出。下唇须尖端伸达额外。雄性后足胫节膨大,具毛束,无距,跗节短缩。前翅顶角略方,外缘弧形;后翅顶角圆,外缘微波曲。翅面白至灰白色。前后翅中室端各具1块大眼斑,其内具银白色条状中点。雄性外生殖器的钩形突为1对合并在一起的突起,具刚毛;抱器瓣分叉,形成抱器背和抱器腹两部分,均为细长骨化突;阳茎骨化强;阳茎端膜具角状器;第8腹节腹板小且窄。雌性外生殖器的肛瓣短粗;囊导管常骨化;囊体大,圆形或椭圆形,囊片为成列排布的小刺。

分布:古北界,东洋界,澳洲界。秦岭地区分布4种。

(6)指眼尺蛾 *Problepsis crassinotata* Prout, L. B., 1917(图版13:12)

Problepsis crassinotata Prout, L. B., 1917: 310.

鉴别特征:雄性前翅长19~20mm,雌性前翅长18mm。前翅眼斑圆形,深褐色,具1个不完整黑圈和稀疏银灰色鳞片;眼斑下方在后缘处具小褐斑;外线浅灰色,弧形;

亚缘线为 1 列云纹样深灰色斑,其外侧隐约可见另 1 列较小、较模糊的灰斑;缘线深灰色,纤细;缘毛灰色掺杂白色。后翅眼斑色深,上端窄且方,下端宽且圆,斑内有少量黑色,上半部有少量银灰色鳞,下半部有 1 圈暗银灰色圈;后缘小斑几乎与眼斑接触,具银色鳞片;外线波曲;其余斑纹与前翅相似。雄性后足跗节长度约为胫节长的 2/5。

采集记录:1♂,商南金丝峡,777m,2013. Ⅶ. 23-25,姜楠、崔乐采。

分布:陕西(商南)、北京、河南、甘肃、江苏、浙江、湖北、江西、湖南、福建、台湾、广西、四川、贵州、云南、西藏;印度。

(7)佳眼尺蛾 *Problepsis eucircota* Prout, L. B., 1913(图版 13:13)

Problepsis eucircota Prout, L. B., 1913, *in* Seitz (e): 50.

鉴别特征:前翅长 14~18mm。前翅眼斑与指眼尺蛾相似,颜色略浅,黄褐色;眼斑大而圆,下方具 1 个小黄褐色斑,未伸达后缘;外线黄褐色,弧形;亚缘线和缘线与指眼尺蛾的相似,但色较浅;缘毛白色,端部略灰。后翅眼斑与指眼尺蛾的不同,为圆肾形,周围灰黄褐色,有银圈;眼斑下方在后缘具 1 个小褐斑,常与眼斑相接触,伸达后缘;亚缘线、缘线和缘毛与前翅相似。雄后足跗节长约为胫节的 1/4。

采集记录:2♂,商南金丝峡,777m,2013. Ⅶ. 23-25,崔乐采;10♂,旬阳金鑫源山庄,386m,2014. Ⅷ. 01-03,刘淑仙、班晓双采。

分布:陕西(商南、旬阳)、河南、甘肃、上海,浙江、湖北、江西、湖南、福建、广西、四川、贵州;朝鲜半岛,日本。

(8)邻眼尺蛾 *Problepsis paredra* Prout, L. B., 1917(图版 8:14)

Problepsis paredra Prout, L. B., 1917: 312.

鉴别特征:雄性前翅长 14~16mm,雌性前翅长 17mm。前翅眼斑有别于指眼尺蛾和佳眼尺蛾,为倒置的梨形,其内部具 1 个上端开口的黑圈;眼斑下方具 1 个黄褐色小圆斑,未达后缘。后翅眼斑肾形,上端较佳眼尺蛾的窄;眼斑下方的小斑均与佳眼尺蛾相似。前后翅外线、亚缘线和缘线与佳眼尺蛾相似。雄后足跗节长度约为胫节的 1/3 或更短。

采集记录:1♂,旬阳金鑫源山庄,386m,2014. Ⅷ. 01-03,刘淑仙采。

分布:陕西(旬阳)、甘肃、湖北、江西、湖南、福建、广东、广西、四川、云南。

(9)猫眼尺蛾 *Problepsis superans* (Butler, 1885)(图版 13:15)

Argyris superans Butler, 1885: 122.

Problepsis superans: Strand, 1911: 122.

Problepsis (*Problepsiodes*) *superans*: Prout, L. B., 1913, *in* Seitz (e): 50, pl. 5: a.

鉴别特征:雄性前翅长 27~29mm,雌性前翅长 29mm。体型较邻眼尺蛾大。前翅前缘灰色、狭窄,到达眼斑上方;眼斑大而圆,具黑圈,其上端开口,黑圈内为 1 个不完整的银圈,Cu_1 两侧有小黑斑,其下端略尖;眼斑下方小斑较邻眼尺蛾模糊;亚缘线和缘线较邻眼尺蛾色深,明显。后翅眼斑色深,有时近灰黑色,近椭圆形,斑内散布银鳞;眼斑下方的小斑与眼斑接触甚至融合,中心有银鳞;外线较前翅清楚,深灰色,紧邻眼斑;其余斑纹与前翅相似。雄后足跗节略短于胫节的 1/3。

采集记录:1♂,宁陕火地塘,1538m,2012. Ⅶ. 11-15,姜楠采;7♂1♀,宁陕广货街保护站,1189m,2014. Ⅶ. 26-28,刘淑仙、班晓双采;2♀,柞水营盘镇,953~995m,2014. Ⅶ. 29-31,刘淑仙、班晓双采;2♂,商南金丝峡,777m,2013. Ⅶ. 23-25,姜楠、崔乐采。

分布:陕西(宁陕、柞水、商南)、辽宁、河北、甘肃、浙江、湖北、江西、湖南、福建、台湾、西藏;日本,俄罗斯(东南部),朝鲜半岛。

(三)花尺蛾亚科 Larentiinae

鉴别特征:小至中型蛾类,少数种类大型。触角多为线形。后足胫节一般具 2 对距。前翅宽大,后翅多三角形。前翅中室上角具 1 或 2 个径副室。后翅 Sc 和 Rs 有一段合并至中室中部之外后分离,或在中室中部之外有 1 条横脉相连;M_2 发达,基部位于中室端脉中部,如中室端脉双折角,则 M_2 略接近 M_3。雄性外生殖器的颚形突中突常退化。

分类:陕西秦岭地区分布 32 属 50 种。

6. 玷尺蛾属 *Naxidia* Hampson, 1895

Naxidia Hampson, 1895: 329 (key), 334. **Type species**: *Argidava punctata* Butler, 1880.

属征:中小型蛾类。雄雌性触角均为线形,雄性触角略加粗,具短纤毛。额光滑,中下部略凸出,无额毛簇。喙发达。下唇须非常细小,尖端伸达额前;第 2 节特别细,第 3 节略膨大并延长,略向上翘。雄性后足胫节基部有 1 簇长毛束;具胫距两对,各对内侧 1 支略长。前翅前缘平直,顶角略凸出,外缘浅弧形,臀角圆,后缘平直;后翅前缘短平,顶角圆,外缘在 M_3 以下直,臀角近直角,后缘狭窄且微凹。前翅径副室 1 个,R_1 自由或与 R_{2-5} 短共柄,R_5 与 R_{2-4} 共柄较长;M_1 远离径副室下缘;中室略长于前翅中部长度之半,端脉倾斜;Cu_1 远离中室下角。雄性和雌性后翅 $Sc+R_1$ 与 Rs 分离,在中室外 1/3 之处有横脉相连;Rs 与 M_1 共柄超过二者长度的 1/2;中室端脉双折角,但第 1 个折角较弱,种间和个体间均有变化;M_2 出自第 2 个折角,略接近 M_3;2A 正常,无 3A。

分布:中国;日本,印度,尼泊尔。秦岭地区分布 1 种。

(10)小玷尺蛾 *Naxidia glaphyra* Wehrli, 1931(图版 13:16)

Naxidia irrorata glaphyra Wehrli, 1931: 20.

Naxidia glaphyra: Prout, L. B., 1936, *in* Seitz (f): 95, pl. 9: g.

鉴别特征:雄性前翅长 12 ~ 14mm,雌性前翅长 13 ~ 15mm。雄性触角纤毛远短于触角干直径。体及翅浅灰褐至灰褐色,偶有污白色,但仍带有少量灰褐色,尤以后翅外缘附近明显。前翅中点外侧由小点组成的深色半圆圈通常鲜明,外线、亚缘线和缘线为 3 列清晰的黑点。后翅无斑纹。

采集记录:1♀,佛坪,876m,2007. Ⅷ. 15,李文柱采;1♂,宁陕火地塘,1580m,1998. Ⅶ. 26-27,采集人不详。

分布:陕西(佛坪、宁陕)、湖北、湖南、四川。

7. 叉脉尺蛾属 *Leptostegna* Christoph, 1881

Leptostegna Christoph, 1881: 86. **Type species**: *Leptostegna tenerata* Christoph, 1881.

属征:小型蛾类,一般绿色。雄性触角锯齿形,具短纤毛,雌性触角线形;额中度凸出,圆形,光滑;喙发达;下唇须短,不伸达额外,第 2 节特别短小。后足胫距 2 对,各对内侧一支较长。前翅前缘平直,近端部处逐渐弯曲;顶角圆;外缘直且长,翅因之显得宽阔;臀角明显;后缘平直。后翅较狭窄;前缘平,近顶角处弯曲;顶角圆;外缘平直;臀角明显;后缘窄缩。无翅缰。前翅具两个径副室,近于等长;R_1 出自径副室顶角前方,R_{2-4} 与 R_5 共同出自径副室顶角;M_1 与径副室下缘共柄;中室长;M_2 基部略接近 M_1;Cu_1 基部远离中室下角。后翅 $Sc + R_1$ 与 Rs 分离,在中室前缘外 1/3 处有 1 条横脉相连;$Sc + R_1$ 在接近顶角处分为二岔;Rs 与 M_1 共柄长度大于 M_1 长度之半;中室端脉双折角,M_2 由第 2 个折角发出,略接近 M_3;Cu_2 伸达外缘近臀角处,2A 存在,但未达臀角。

分布:中国;蒙古,俄罗斯,朝鲜,日本,印度。秦岭地区分布 1 种。

(11)亚叉脉尺蛾 *Leptostegna asiatica* (Warren, 1893)(图版 13:17)

Dyspteris asiatica Warren, 1893: 8.

Leptostegna tenerata asiatica: Prout, L. B., 1914, in Seitz (e): 189.

Leptostegna asiatica: Prout, L. B., 1936, *in* Seitz (f): 92, pl. 9: e.

Leptostegna asiatica antelia Prout, L. B., 1958: 451.

鉴别特征:雄性前翅长 14 ~ 18mm,雌性前翅长 15 ~ 18mm。体和翅绿色,带蓝绿色调。前翅前缘黄色;中线、外线和亚缘线白色波状,清晰;中点白色,十分鲜明。后翅色较浅;外线和亚缘线白色,模糊带状。前后翅缘毛白色。翅反面色较浅,前翅中点白色清晰,其余斑纹仅隐约可见。

采集记录:3♂33♀,周至厚畛子,1300m,2007. Ⅷ. 10,李文柱等采;8♂11♀,宝鸡天台山嘉陵江源头,1620m,2014. Ⅷ. 08-09,薛大勇、班晓双采;1♀,太白,1980. Ⅶ. 14,采集人不详;1♀,佛坪,950m,1998. Ⅶ. 24,采集人不详;9♂6♀,宁陕火地塘,1580m,1998. Ⅷ. 18,采集人不详;2♀,宁陕火地塘,1550m,2007. Ⅷ. 18,杨玉霞等采;2♂1♀,宁陕火地塘,1550m,2008. Ⅶ. 07-09,李文柱等采;4♂,宁陕火地塘,1538m,2012. Ⅶ. 11-15,姜楠等采;4♂,宁陕广货街保护站,1189m,2014. Ⅶ. 26-28,刘淑仙、班晓双采;1♂,柞水营盘镇,953～995m,2014. Ⅶ. 29-31,刘淑仙采。

分布:陕西(周至、宝鸡、太白、佛坪、宁陕、柞水)、山东、河南、山西、甘肃、湖北、湖南、广西、四川、云南、西藏;印度。

8. 洁尺蛾属 *Tyloptera* Christoph, 1881

Tyloptera Christoph, 1881: 114. **Type species**: *Tyloptera eburneata* Christoph, 1881.

Microloba Hampson, 1895: 333 (key), 405. **Type species**: *Tyloptera eburneata* Christoph, 1881 (Unnecessary replacement name for *Tyloptera* Christoph, 1881).

属征:雄性和雌性触角均为双栉形,雄性栉齿略长于雌性。额宽阔,略凸出。下唇须弯曲,尖端伸达额前。后足胫节具2对距。前翅宽大,前缘近端部处微弯曲,顶角钝圆,外缘浅弧形;后翅窄小,外缘弧形。前翅具1个小径副室,R_{1-5}共柄;后翅 $Sc+R_1$ 与 Rs 合并至近中室端部,雄性中室端脉为双折角,Cu 脉和 2A 退化,雌性中室端脉具1个折角,Cu 脉和 2A 正常。

分布:亚洲(东部)。秦岭地区分布1种。

(12) 洁尺蛾缅甸亚种 *Tyloptera bella diacena* (Prout, L. B., 1926)(图版13:18)

Microloba bella diacena Prout, L. B., 1926c: 321.

Tyloptera bella diacena: Sato, 1986: 131.

鉴别特征:雄性前翅长12～17mm,雌性前翅长16～19mm。前翅白色;前缘有1列黄褐至褐色斑,其中中斑宽大,下缘邻近黑色圆形中点,其外侧可见模糊灰黄色影带;亚缘线白色深波状,其内侧为1列深灰褐色斑,由前缘排列至 M_3,再由 Cu_2 至后缘近臀角处,在 M_2 处消失,亚缘线外侧至外缘为1条绿褐带,在 M_3 与 Cu_1 之间消失。后翅白色,具灰褐色亚基线、中线和外线,中线较宽,带状,由外侧绕过圆形黑色中点;翅端部斑纹与前翅相近。

采集记录:9♂,宝鸡天台山嘉陵江源头,1620m,2014. Ⅷ. 08-09,薛大勇、班晓双采;1♂,留坝庙台子,1350m,1998. Ⅶ. 21,采集人不详;3♂,佛坪偏岩子,1750m,1999. Ⅵ. 28,采集人不详;1♂,宁陕火地塘,1979. Ⅶ. 29,采集人不详;1♀,宁陕火地塘,1580m,1998. Ⅶ. 26,采集人不详;1♂,宁陕火地塘,1538m,2012. Ⅶ. 11-15,姜楠等采。

分布:陕西(宝鸡、留坝、佛坪、宁陕)、甘肃、浙江、湖北、江西、湖南、福建、广西、四川、云南;缅甸。

9. 妒尺蛾属 *Phthonoloba* Warren, 1893

Phthonoloba Warren, 1893: 363. **Type species**: *Phthonoloba olivacea* Warren, 1893.

Steirophora Warren, 1897a: 67. **Type species**: *Steirophora punctatissima* Warren, 1897.

Synneurodes Warren, 1899a: 37. **Type species**: *Synneurodes breivpalpis* Warren, 1899.

属征:雄雌性触角线形且光滑,雄性略扁宽;额光滑,全部或大部绿色;下唇须极长,约1/2~2/3伸出额外。雄雌后足均1对胫距;雄性后足胫节基部有毛束。前翅中等宽度,顶角圆,外缘在顶角下微凹,其下浅弧形;臀角圆,后缘平直。后翅较狭小,前缘略长,顶角圆或略凸,外缘浅弧形;臀角圆,后缘平直。雄性后翅后缘基部无叶瓣。前翅径副室1或2个,R_1出自径副室顶角前方,R_5与R_{2-4}共柄,M_1与径副室下缘共柄;中室长度大于翅中部长之半,端脉倾斜,中部外凸。后翅$Sc+R_1$与Rs合并至中室外1/4处,Rs与M_1分离;中室长度约为翅长之半,端脉弧形弯曲,M_2居中;M_3不与Cu_1共柄;雌性Cu_2与2A正常;雄性后翅与雌性同,但后缘窄缩,Cu_2到达后缘近臀角处,2A到达后缘中部,无3A。

分布:中国;日本,印度。秦岭地区分布1种。

(13)华丽妒尺蛾台湾亚种 *Phthonoloba decussata moltrechti* Prout, L. B., 1958(图版13:19)

Phthonoloba decussata moltrechti Prout, L. B., 1958: 455.

鉴别特征:前翅长为14~17mm。下唇须约2/3伸出额外,基半部绿色,第2节中部之外黑褐色;额、头顶和胸部背面翠绿色,有少量黑褐色;腹部背面灰黄色。前翅翠绿色,斑纹深灰褐至黑褐色;径副室2个;亚基线至外线共4条波状细带,带间散布少量灰褐色;中点小而圆,黑色;亚缘线浅色波状,其内侧有2条纤细波线,在前缘、M脉之间和Cu_2以下常扩展成深色斑块;亚缘线外侧在翅脉间有1列黑褐色点;缘线在翅脉端有1列黑褐点;缘毛浅黄绿与黑褐色相间。后翅和翅反面灰褐色;后翅正反面可见深色中点和模糊带状外线;前翅反面略带灰黄色,隐见正面斑纹。

采集记录:1♂7♀,宝鸡天台山嘉陵江源头,1620m,2014. Ⅷ. 08-09,薛大勇、班晓双采;1♂1♀,宁陕火地塘,1538m,2012. Ⅶ. 11-15,姜楠等采。

分布:陕西(宝鸡、宁陕)、福建、台湾、四川。

10. 光尺蛾属 *Triphosa* Stephens, 1829

Triphosa Stephens, 1829: 44. **Type species**: *Phalaena dubitata* Linnaeus, 1758.
Speluncaris Bruand, 1847: 105. **Type species**: *Larentia sabaudiata* Duponchel, 1830.
Umbrosina Bruand, 1847: 105. **Type species**: *Phalaena dubitata* Linnaeus, 1758.

属征:中至大型蛾类。雄性和雌性触角均为线形,雄性触角具短纤毛;额略凸出,鳞毛粗糙,额毛簇较小;喙发达;下唇须中等长,约1/3伸出额外或略短,偶有极长。后足胫距2对,各对内侧一支较长。前翅中等宽度;前缘平直,近顶角处浅弧形;顶角尖;外缘浅波曲;臀角圆;后缘近于平直。后翅宽大;前缘平直,近端部处略隆;外缘锯齿形;顶角和臀角均明显;后缘平直。翅面常有明显油样光泽。前翅2个径副室,狭长;R_1 和 R_5 分别出自径副室顶角两侧;M_1 与径副室下缘共柄极短;中室略短于前翅中部长之半,端脉弯曲,M_2 基部略接近 M_1。后翅 $Sc + R_1$ 与 Rs 合并至近中室端部;Rs 与 M_1 短共柄;中室端脉为强烈的双折角,M_2 出自第2个折角,接近 M_3;有3A。

分布:全北界,东洋界(北部),南美洲,非洲界。秦岭地区分布1种。

(14) 双齿光尺蛾东方亚种 *Triphosa dubitata amblychiles* Prout, L. B., 1937(图版13:20)

Triphosa dubitata amblychiles Prout, L. B., 1937, *in* Seitz (f): 99, pl. 9: h.

鉴别特征:雄性前翅长20mm,雌性前翅长18~20mm。额和下唇须深灰褐至黑褐色。体和翅灰褐色,前翅颜色较后翅深。前翅斑纹深褐至黑褐色;亚基线和内线各两条,前者常合并成细带状,弧形,后者锯齿形,在中室内的凸齿明显大于其他齿;中线波状,外线深波状,二者之间颜色不同程度加深,形成暗色中带,但中带内颜色特别不均匀,通常中线与其外侧伴线之间和外线与其内侧伴线之间深色斑块比较明显,至少在前缘、中室下缘附近和后缘处有深色斑块;中点黑色,小而清晰;外线与亚缘线之间有3条波状深色线,在前缘至 R_1 完整,R_1 以下仅在翅脉上留下黑点,使翅脉呈黑白相间的虚点状;缘线黑褐色,纤细,在翅脉端断离,缘毛与翅面同色。后翅基半部仅见微小且模糊的中点;端半部色较深,翅脉呈虚点状,有时可见数条波状线纹;缘线和缘毛同前翅。翅反面颜色较正面浅,中点较正面清晰,前后翅端半部的虚点大致与正面相同,其他斑纹隐约可见。

采集记录:1♀,宁陕火地塘,1538m,2012. Ⅶ. 11-15,程瑞采。

分布:陕西(宁陕)、辽宁、甘肃、贵州;俄罗斯,朝鲜,日本。

11. 汝尺蛾属 *Rheumaptera* Hübner, 1822

Rheumaptera Hübner, 1822: 38. **Type species**: *Phalaena hastata* Linnaeus, 1758.
Hydria Hübner, 1822: 38. **Type species**: *Phalaena undulata* Linnaeus, 1758.
Calocalpe Hübner, 1825: 330. **Type species**: *Phalaena undulata* Linnaeus, 1758.
Eulype Hübner, 1825: 328. **Type species**: *Phalaena hastata* Linnaeus, 1758.
Melanippe Duponchel, 1829: 111. **Type species**: *Phalaena hastata* Linnaeus, 1758.
Eutriphosa Gumppenberg, 1887: 328 . **Type species**: *Eucosmia veternata* Christoph, 1881.
Rheumatoptera Gumppenberg, 1887: 326. **Type species**: *Phalaena hastata* Linnaeus, 1758.
Xenospora Warren, 1903: 265. **Type species**: *Melanthia latifasciaria* Leech, 1891.

属征:雄雌触角均线形,雄性具极短纤毛。额微凸出,额毛簇发达。下唇须约1/4至1/2伸出额外。后足胫节具2对距。前翅顶角钝圆,外缘浅弧形;后翅略狭长,顶角和臀角圆,外缘浅波曲。前翅具1至2个径副室;后翅 Sc + R_1 与 Rs 合并至中室前缘外1/3处之外,中室端脉强烈双折角,M_2 接近 M_3,具3A。

分布:全北界,东洋界(北部),新热带界,非洲界。秦岭地区分布2种。

(15)交汝尺蛾 *Rheumaptera alternata alternata* (Staudinger, 1895)(图版13:21)

Eucosmia alternata Staudinger, 1895a: 332.
Calocalpe alternata: Prout, L. B., 1914, *in* Seitz (e): 200, pl. 5: i.

鉴别特征:雄性前翅长21~22mm,雌性前翅长21~24mm。头和胸腹部背面黑褐色与灰白色掺杂。下唇须黑褐色,腹面白色。前翅浅灰褐色至灰褐色,略带黄色调,斑纹不清晰,深灰褐色;由翅基至外线排布多条波状细线,大多模糊且不完整;亚基线、内线、中线和外线较清楚,其中中线外侧和外线内侧颜色常较深,形成中带;中点细长纤弱;外线在 M_1 上方和 M_3 下方的凸齿略大;外线外侧色较浅,翅脉上有深色点,然后向外缘颜色逐渐加深,亚缘线灰白色波状,大多连续,并在 M_3 和 Cu_1 下方稍加粗;缘线在各翅脉端两侧有1对黑点,缘毛灰褐色。后翅灰白色;中点微小,深灰色;翅中部之外有3~4条灰褐色波状细线,一般仅在翅脉上留下褐点,在臀角附近连续;翅端部色较深,亚缘线灰白色波状;缘线黑褐色,在翅脉端断离,缘毛灰褐色。雄性后翅反面后缘中部附近毛簇发达,黄白色。

采集记录:1♂,周至厚畛子,1350m,1999.Ⅵ.24,采集人不详。

分布:陕西(周至)、甘肃、青海、西藏。

(16)缺距汝尺蛾 *Rheumaptera inanata* (Christoph, 1881)(图版13:22)

Cidaria inanata Christoph, 1881: 106.

Larentia costipunctaria Leech, 1897: 667.

Eucosmia inanata: Staudinger, 1901, *in* Staudinger & Rebel: 289.

Calocalpe inanata: Prout, L. B., 1914, *in* Seitz (e): 201, pl. 7: e.

Rheumaptera inanata: Inoue, 1977: 261.

鉴别特征:雄性前翅长 18 ~ 20mm,雌性前翅长 17 ~ 20mm。额和头顶黑褐色,掺杂少量白色鳞毛。下唇须黑褐色,近 1/2 伸出额外,第 1、2 节腹面白色。胸部背面灰白色,中胸前缘有 1 条黑色横带。腹部背面黄褐色,各腹节后缘在背中线两侧排列黑斑。前翅基半部浅灰褐色,略带灰黄色,在前后缘附近灰黄色较明显;端半部颜色较深,带有明显的灰黄色;亚基线、内线、中线和外线在前缘处均为深褐色至黑褐色斑块,其中内线最弱,亚基线、内线和中线分别由褐斑向下伸出两条深色细线,外线伸出 3 条细线,各线在中室上缘(外线在 M_1 处)向内折并减弱,甚至近于消失;中点小,黑色;翅端部前缘至 M_3 深褐至黑褐色,M_3 下方灰黄与深褐色斑杂,亚缘线灰白色波状,不清晰;缘线黑褐色,常不同程度断离,缘毛灰褐色。后翅白色,基半部略带灰褐色,中点微小,有时消失;隐见灰色外线;翅端部色较深,雌性尤其明显,衬托出白色波状亚缘线;缘线和缘毛同前翅。后足胫节中距消失,端距弱小。雄性后翅反面毛簇黄白色。

采集记录:3♂2♀,宝鸡天台山嘉陵江源头,1620m,2014. Ⅷ. 08-09,薛大勇、班晓双采。

分布:陕西(宝鸡)、山东、甘肃、青海、四川、云南、西藏;俄罗斯,日本。

12. 幅尺蛾属 *Photoscotosia* Warren, 1888

Photoscotosia Warren, 1888: 328. **Type species**: *Scotosia miniosata* Walker, 1862.

Trichopleura Staudinger, 1882: 68 (nec Kaup, 1858). **Type species**: *Trichopleura palaearctica* Staudinger, 1882.

Lasiogma Meyrick, 1892: 70. **Type species**: *Trichopleura palaearctica* Staudinger, 1882 (new name for *Trichopleura* Staudinger, 1882).

属征:中至大型蛾类。雄性和雌性触角均线形,雄性触角具短纤毛;额略凸出,具微小额毛簇;喙发达;下唇须短小,尖端到达额外,第 1 和第 2 节鳞毛粗糙,第 3 节微小。中胸后缘和后胸背面鳞片翘起形成立毛簇;后足胫距两对,各对内侧一支较长。翅宽阔。前翅前缘基半部平直,中部微凹,端半部略呈浅弧形;顶角近直角或略钝;外缘平直或呈浅弧形;臀角圆;后缘平直或近浅弧形;雄臀角微凹。雄性前翅反面有 1 个大毛簇,生于 Cu_2 基部内侧,毛向顶角方向伸出,Cu_2 基部两侧常为黑色;该毛簇下方至 2A 生 1 层绒毛,由翅基分布到外 1/3 处,毛一般短小细弱,白色。后翅前缘强烈隆起,呈圆形,雄性尤其明显;外缘弧形,顶角和臀角皆圆;后缘平直。前翅径副室 2 个,第 2 径副室约为第 1 个的 2 倍;R_1 由径副室顶角前方发出,R_5 由径副室顶角发出;M_1 大多与径副室下缘有 1 个短柄;中室略短于翅长的 1/2。后翅 $Sc + R_1$ 与 Rs 合并过中室前缘中部后迅速分离,然后弯曲到达前缘;中室短,其前缘长度约为后翅中部长度的1/3;中室端脉上半段直立,下半段极倾斜,仅1个折角;Rs与M_1共柄,M_2基部略接近M_1,由中室端脉折角处发出;后缘宽阔,有3A。

分布:古北界,东洋界。秦岭地区分布1种。

(17)橘斑幅尺蛾 *Photoscotosia miniosata miniosata* (Walker, 1862)(图版13:23)

Scotosia miniosata Walker, 1862: 1354.

Photoscotosia miniosata: Warren, 1888: 328.

鉴别特征:雄性前翅长19~25mm,雌性前翅长23~25mm。头和胸腹部背面深褐色至黑褐色;额毛簇发达。下唇须第1节腹面和第2节腹基部黄白色,第3节微小,尖端到达额外。前翅深红褐色至深褐色;亚基线2条,浅弧形,外侧一条略波曲;中线黑色细带状,在中室端和臀褶处内凹;其内侧有3条深褐色至黑褐色细线,外侧为短条状黑色中点和2条深褐色线;外线锯齿形,在R_5下方和M_3下方各有1个大齿;外线外侧为2条细弱伴线;亚缘线为1列白点,但一般仅R_5与M_1之间的白点清楚;缘线黑褐色,在翅脉端为黄褐色,缘毛深灰褐色。后翅深灰褐色至黑褐色,前缘附近(雄性到中室中部)灰白色;顶角处有1个橘红色大斑,其内缘接近中室端脉,下缘到Cu_2,边界清楚;大斑下可见灰黄色波状亚缘线;缘线和缘毛在顶角处为橘黄至橘红色,M_1以下同前翅。前翅反面基部灰褐色,端半部大部分为浅橘黄色,仅顶角附近灰褐色,顶角处有1个三角形浅色斑,常不清楚;外线在前缘处形成1个黑斑,下端到达M_1。雄性前翅反面毛束发达,毛基黄白色,端部焦褐色。后翅反面灰褐至深灰褐色;中点黑褐色;外线在前缘附近形成黑褐色斑;橘斑在翅反面色较浅,边缘模糊。

采集记录:1♂2♀,宝鸡天台山嘉陵江源头,1620m,2014.Ⅷ.08-09,薛大勇、班晓双采。

分布:陕西(宝鸡)、河南、甘肃、湖南、台湾、四川、贵州、云南、西藏;印度,巴基斯坦。

13. 洄纹尺蛾属 *Chartographa* Gumppenberg, 1887

Chartographa Gumppenberg, 1887: 325 (key). **Type species**: *Lygris tigrinata* Christoph, 1881.

属征:雌雄性触角均线形,雄性具短纤毛。额毛簇发达。下唇须约1/3伸出额外或略短。后足胫节具2对距。前翅顶角钝圆,外缘浅弧形,雄性前翅反面基部附近在中室下缘与2A之间具毛束;后翅外缘浅弧形。前翅具2个径副室,约等大,个别种内有变异,有时仅1个径副室;后翅Sc+R_1与Rs合并至中室前缘中部迅速分离;中室端脉双折角,M_2基部略接近M_3,具3A。

分布:中国;俄罗斯,日本,缅甸,印度,尼泊尔,朝鲜半岛。秦岭地区分布2种。

(18)云南松洄纹尺蛾 *Chartographa fabiolaria* (Oberthür, 1884)(图版 13:24)

Euchera fabiolaria Oberthür, 1884b: 35.
Callabraxas fabiolaria: Leech, 1897: 677.
Lygris fabiolaria: Prout, L. B., 1914, *in* Seitz (e): 211.
Chartographa fabiolaria: Prout, L. B., 1941, *in* Seitz (i): 317.

鉴别特征:雄性前翅长 21~24mm,雌性前翅长 25~27mm。额和下唇须黄褐色,头顶黄色。胸腹部背面黄色,背中线两侧排列成对黑斑,中胸背面立毛簇发达。前翅灰白色,基部有 1 个黄褐色斑,斑上有灰白色锯齿形亚基线;黄褐色斑外缘锯齿形,在中室内和臀褶处各有 1 个大齿,其外侧为 1 条灰白色线和 1 个浅灰色斑,灰斑向后缘逐渐加宽,颜色加深,有时在后缘附近带深褐色;中域由前缘至 M_3 有 1 个发达的楔形褐斑,下缘沿 M_3 平截,中上部有 1 条细弱"U"形线;亚缘线白色波状,其内侧有 1 条深褐色带,其下端逐渐变为深灰褐色;亚缘线外侧在 M_1 处与由顶角发出的白色波状斜线汇合,斜线上方深灰色,下方有 1 个半圆形深灰褐色斑;臀角上方深灰色;缘线深灰褐色,缘毛由顶角至 M_3 灰褐色,M_3 以下白色与灰褐色掺杂。后翅白色;中点深灰色,较小;中室下角附近至后缘有 1 串深灰褐色斑;顶角前方和下方各有 1 个深灰褐色斑,但前者较模糊;臀角附近有 1 个较大的深灰褐色斑,其上可见灰白色波状亚缘线;缘线深灰褐色,缘毛灰褐色与白色掺杂。

采集记录:1♂6♀,周至楼观台,680m,2008. Ⅵ. 23-24,刘万岗等采;1♂,佛坪偏岩子,1750m,1999. Ⅵ. 28,采集人不详;1♂,宁陕火地塘,1580~1650m,1999. Ⅵ. 25-26,采集人不详;1♂,宁陕火地塘,1550m,2007. Ⅶ. 08,李文柱采。

分布:陕西(周至、佛坪、宁陕)、北京、甘肃、浙江、湖北、湖南、广西、贵州、四川、云南;朝鲜。

(19)葡萄洄纹尺蛾长阳亚种 *Chartographa ludovicaria praemutans* (Prout, L. B., 1937)(图版 13:25)

Lygris ludovicaria praemutans Prout, L. B., 1937, *in* Seitz (f): 107.
Chartographa ludovicaria praemutans: Prout, L. B., 1941, *in* Seitz (i): 317, pl. 32: d.

鉴别特征:雄性前翅长 19~23mm,雌性前翅长 26mm。近似指名亚种。体型略大,额及头顶白色。下唇须白褐相间。胸腹部背面灰白色,腹部背中线两侧排列黑斑。翅银白色。前翅亚基线和内线各 2 条,中线和外线各 4 条,亚缘线 3 条,均为褐色至深灰褐色线;亚基线至外线均由前缘发出,向臀角方向倾斜,在臀角附近的 1 个黄斑上汇合交叉;亚基线在黄斑前到达后缘,内线到达黄斑后折向后缘,第 4 条中线和第 1 条外线近于平行,在黄斑外互相接合成 1 个回纹;臀角处有 1 个较大的黑褐色斑;亚缘线由前缘到达 M_3 上方,然后消失;缘线褐色至深灰褐色,缘毛灰褐色。后翅臀角处有 1 个大黄斑,上面点缀着数个大小不等的黑褐色斑点;缘线黑褐色,缘毛黄白色,在 M_1 以下各翅脉端为褐色。

采集记录:1♂,周至厚畛子,1300m,2007. Ⅷ. 10,李文柱采;2♂,宝鸡天台山嘉陵江源头,1620m,2014. Ⅷ. 08-09,班晓双采;1♂,太白黄柏塬,1980. Ⅶ. 12,采集人不详;1♀,佛坪,950m,1998. Ⅶ. 24,采集人不详;1♂,佛坪龙草坪,1200m,2008. Ⅶ. 03,白明采;1♂,宁陕火地塘,1580m,1998. Ⅶ. 26-27,采集人不详;1♂,宁陕火地塘,1538m,2012. Ⅶ. 11-15,杨秀帅采;1♂,宁陕旬阳坝,1980. Ⅷ. 13,采集人不详;2♂,宁陕广货街保护站,1189m,2014. Ⅶ. 26-28,刘淑仙采;1♂,洛南古城林场,1981. Ⅷ. 07,采集人不详。

分布:陕西(周至、宝鸡、太白、佛坪、宁陕、洛南)、甘肃、湖北、湖南、四川、云南。

14. 环纹尺蛾属 *Calleulype* Warren, 1903

Calleulype Warren, 1903: 264. **Type species**: *Abraxas whitelyi* Butler, 1878.

属征:下唇须短,仅尖端伸达额外,向上翘。前翅径副室 1 个。后翅中室端脉为中等强度双折角,M_2 出自第 2 个折角,基部居中。翅面斑纹近似洄纹尺蛾属,连同胸腹部背面斑纹一起形成 *Abraxas* 属(灰尺蛾亚科)的拟态。雄性前翅反面无毛束。

分布:中国;俄罗斯,朝鲜,日本。秦岭地区分布 1 种。

(20)环纹尺蛾 *Calleulype whitelyi whitelyi* (Butler, 1878)(图版 14:1)

Abraxas whitelyi Butler, 1878: 52, pl. 37: 4.
Calleulype whitelyi: Warren, 1903: 264.

鉴别特征:雄性前翅长 16 ~ 19mm,雌性前翅长 17 ~ 20mm。头黑灰色,胸腹部背面黄色,排列黑斑。翅白色,斑纹黑褐色,大多块状,形状不规则,大小在个体间有变化。前翅前缘排列 5 块斑块,其中第 3 块较大,近长方形,有时其中部可见 1 块月牙形白斑;第 2、3 块斑下各有 1 个小黑点;后缘基部至近中部处为 1 个扁平黑斑,其外侧有 1 个较大的斑块;前缘第 4 块斑下的 1 列黑点组成亚缘线;缘线内侧为 1 列大小不等的斑块,斑块之间在 M_3 以下黄色;缘线黑色连续,缘毛黑灰色与灰色掺杂。后翅中点圆形;前缘和翅基部有数个不规则的灰点,外线在 M_3 以下常可见 1 列细小灰黑色点;亚缘线的斑点较前翅大而清晰,但雄性在 M_3 以上的斑点消失;缘线内侧的斑点和缘线同前翅,但翅端部的黄色较前翅鲜明;缘毛在顶角白色,M_1 以下黑褐色与黄色相间。

采集记录:1♂,周至老县城,1760m,2008. Ⅵ. 27,崔俊芝采;1♂,留坝庙台子,1470m,1999. Ⅶ. 01,采集人不详;1♀,宁陕火地塘,1580 ~ 1650m,1999. Ⅵ. 25-26,采集人不详;2♀,宁陕火地塘,1550m,2008. Ⅶ. 08,刘万岗采。

分布:陕西(周至、留坝、宁陕)、甘肃、湖北;俄罗斯,日本。

15. 纹尺蛾属 *Eulithis* Hübner, 1821

Eulithis Hübner, 1821: 3. **Type species**: *Petrophora diversilineata* Hübner, 1813.

Lygris Hübner, 1825: 335. **Type species**: *Phalaena populata* Linnaeus, 1758.

Euphia Hübner, 1825: 336. **Type species**: *Petrophora diversilineata* Hübner, 1813.

Steganolophia Stephens, 1829: 44. **Type species**: *Phalaena prunata* Linnaeus, 1758.

Neolexia Hulst, 1896: 256. **Type species**: *Neolexia xylina* Hulst, 1896.

Phylace Hulst, 1896: 256. **Type species**: *Phylace luteolata* Hulst, 1896.

属征:中型蛾类。雄性和雌性触角均为线形,雄性触角具短纤毛,并常有角状凸起。额光滑,下端具微小额毛簇。喙发达。下唇须约1/2伸出额外,第2节特别延长,第1、2节鳞毛粗糙,第3节光滑。中胸后端具立毛簇。后足胫距2对。雄性腹部细长,静止时末端常向上翘。前翅狭长,前缘浅弧形;顶角尖并略凸出;外缘在顶角下微凹,然后呈浅弧形;臀角圆,后缘平直。雄性前翅反面基部具1束发达毛束,一般为浅黄色,位于中室下缘脉下方。后翅前缘基部微隆,中段平直;外缘浅弧形;顶角和臀角皆圆;后缘平直。前翅径副室2个,大小相近;后翅 Sc + R_1 与 Rs 合并至中室上缘外1/3处,Rs 与 M_1 共柄较短,中室端脉双折角,M_2 出自第2个折角,略接近 M_3,3A 正常。

分布:全北界,东洋界(北部)。秦岭地区分布3种。

(21) 云纹尺蛾 *Eulithis pyropata* (**Hübner, 1809**)(图版14:2)

Geometra pyropata Hübner, 1809: pl. 63: 328.

Eustroma pyropata: Meyrick, 1892: 71.

Lygris pyropata: Staudinger, 1901, *in* Staudinger & Rebel: 291.

Eulithis pyropata: Inoue, 1977: 263.

鉴别特征:雄性前翅长17~18mm,雌性前翅长17~19mm。头和胸腹部均为黄色。下唇须黄色至灰黄褐色。中胸背面立毛簇发达。前翅内线内侧和中线与外线之间浅灰褐色;内线与中线间和外线外侧黄色;亚基线白色浅弧形,不明显;内线、中线白色,前者浅弧形,略波曲,中线略波曲,中部外凸,在中室下角处形成1个尖齿;外线白色,波状,由前缘至 M_2 一段较宽,并有2个向内凹进的小齿;顶角至外线有1条不清楚的白色斜线,其上方为1个三角形黄斑,下方由内向外从黄色逐渐过渡为灰色至灰白色;缘线深灰褐色,缘毛浅灰至灰白色。后翅灰白色;外线白色,其外侧灰褐色;缘线和缘毛同前翅。雄性前翅反面毛束黄色。

采集记录:1♀,宁陕火地塘,1550m,2008. Ⅶ. 08,李文柱采。

分布:陕西(宁陕)、吉林;俄罗斯,日本,德国。

(22)羌纹尺蛾 *Eulithis perspicuata* (Püngeler, 1909)(图版 14:3)

Lygris perspicuata Püngeler, 1909: 297.

鉴别特征:雄性前翅长 19~20mm,雌性前翅长 19~21mm。前翅大部为深灰至黑灰色,内线与中线之间和外线外侧的黄色部分为黄褐色至暗黄褐色;中线在中室下缘处的凸齿较短,但其下方的第 2 个凸齿长于第 1 个凸齿,中线由前缘至臀褶一段粗壮鲜明;外线上端白色段较粗,其内缘无齿。后翅大部分为白色,后缘附近和端部深灰色,臀角处略带黄色。

采集记录:1♂1♀,宝鸡天台山嘉陵江源头,1620m,2014. Ⅷ. 08-09,薛大勇、班晓双采;1♀,宁陕鸦雀沟,1580~1750m,1999. Ⅶ. 07,采集人不详;1♀,宁陕广货街保护站,1189m,2014. Ⅶ. 26-28,刘淑仙采。

分布:陕西(宝鸡、宁陕)、甘肃、青海、四川。

(23)细纹尺蛾 *Eulithis convergenata* (Bremer, 1864)(图版 14:4)

Cidaria convergenata Bremer, 1864: 88, pl. 7: 18.

Lygris convergenata: Graeser, 1889: 406.

Eustroma convergenata: Meyrick, 1892: 71.

Eulithis convergenata: Inoue, 1977: 263.

鉴别特征:雄性前翅长 17mm,雌性前翅长 16mm。头和胸腹部背面白色,下唇须略带黄褐色。前翅白至黄白色,斑纹淡黄至黄褐色;基部有 3 条细线,斜行;中域 6 条细线,第 2、5 两条极细弱,第 3、4 两条在 M_3 下方互相接合,第 1 条与基部的第 3 条在臀褶处结合成 1 个回纹,并在该处呈深褐色;中域第 6 条线(外线)在 M_3 以下波曲并呈深褐色到达后缘;亚缘线 2 条,分别由前缘和顶角发出,在 M_3 以上直且色淡,在 M_3 以下波曲,颜色加深,下端到达臀角;缘线深黄褐色,缘毛灰白色,在翅脉端灰褐色。后翅白色,M_3 以下可见深褐色波状外线和亚缘线,臀角附近散布深褐色;缘线和缘毛同前翅。雄性前翅反面毛束黄色。

采集记录:2♂1♀,宁陕火地塘,1538m,2012. Ⅶ. 11-15,姜楠采。

分布:陕西(宁陕)、黑龙江、甘肃;俄罗斯,日本。

16. 枯叶尺蛾属 *Gandaritis* Moore, 1868

Gandaritis Moore, 1868: 660. **Type species**: *Gandaritis flavata* Moore, 1868.

Christophia Staudinger, 1897: 25(nec Ragonot, 1887). **Type species**: *Abraxas festinaria* Christoph, 1881.

Christophiella Berg, 1898: 17. **Type species**: *Abraxas festinaria* Christoph, 1881 (Unnecessary replacement name for *Christophia* Staudinger, 1897).

属征:雄性和雌性触角均为线形,雄性触角具短纤毛。额微凸出,额毛簇中度发达。下唇须约1/3伸出额外。后足胫节具2对距。前翅前缘端半部浅弧形;后翅顶角圆,外缘弧形。前翅具2个径副室;后翅 $Sc + R_1$ 与 Rs 合并至中室前缘外1/3处,中室端脉为极弱或强烈双折角或为1个折角,具3A。部分种类雄性具第二性征,前翅 Cu_2 与2A相向弯曲,二者之间在翅反面有1个小窝,其中无鳞,着生1排细刺,边缘(尤其内侧)着生长毛。

分布:古北界,东洋界。秦岭地区分布3种。

(24)中国枯叶尺蛾 *Gandaritis sinicaria sinicaria* Leech, 1897(图版14:5)

Gandaritis flavata var. *sinicaria* Leech, 1897: 677.

Gandaritis reduplicata Warren, 1897b: 235.

Gandaritis flavata sinicaria: Prout, L. B., 1914, *in* Seitz (e): 214, pl. 11: e.

Gandaritis sinicaria: Prout, L. B., 1941, *in* Seitz (i): 317, pl. 32: e.

鉴别特征:雄性前翅长30~35mm,雌性前翅长33~35mm。前翅枯黄色;亚基线、内线和中线波状,内线和中线间黄色,有枯黄和灰褐色晕影;中线外侧有2条细纹,中点黑色短条状,外线“>”形,其外侧在 M_1 以上至顶角有1个黄色大斑,略带橘黄色。后翅基半部白色,端半部黄色;中带“>”形,外带和亚缘带锯齿形,后者较宽,其外侧边缘模糊,上端未达前缘。雄性前翅反面具第二性征。

采集记录:1♂,宝鸡天台山嘉陵江源头,1620m,2014.Ⅷ.08-09,班晓双采;2♂,宁陕火地塘,1580m,1998.Ⅷ.20,采集人不详;2♂,宁陕火地塘,1538m,2012.Ⅶ.11-15,姜楠采。

分布:陕西(宝鸡、宁陕)、山西、甘肃、安徽、浙江、湖北、江西、湖南、福建、广西、四川、云南;印度。

(25)半黄枯叶尺蛾 *Gandaritis flavescens* Xue, 1992(图版14:6)

Gandaritis flavescens Xue, 1992, *in* Liu: 840, fig. 2728.

鉴别特征:雄性、雌性前翅长均为29~30mm。下唇须黑褐色;额、头顶和胸部背面及腹部末端黄色;腹部背面灰褐色,排列褐至黑褐色斑。前翅淡黄至黄色,后缘附近基半部色较浅。后翅基半部白色,端部黄色。前后翅斑纹灰褐至灰黄褐色;前翅亚基线、内线和中线均带状,弧形弯曲,两侧缘波曲;其中内线外缘在中室下缘上下各向外凸出1个大齿;中带宽阔;外线和亚缘线带状,但常断裂成斑块;无缘线,缘毛深灰褐色。后翅中线、外线和亚缘线同前翅,但中线较细。前翅反面淡黄色,后翅反面灰白色,外缘附近略带黄色;斑纹与正面相似但十分模糊;前后翅反面均有褐色中点;前翅顶角有1个褐斑。后翅中室端脉为强烈双折角。雄性前翅反面具第二性征。

采集记录:2♀,宝鸡天台山嘉陵江源头,1620m,2014. Ⅷ. 08-09,薛大勇、班晓双采;1♂,留坝庙台子,1350m,1998. Ⅶ. 21,采集人不详;2♀,佛坪龙草坪,1200m,2008. Ⅶ. 03,白明采;3♂1♀,宁陕火地塘,1500~2000m,2008. Ⅶ. 08,白明采;2♂1♀,宁陕火地塘,1538m,2012. Ⅶ. 11-15,姜楠等采;1♂,宁陕广货街保护站,1189m,2014. Ⅶ. 26-28,班晓双采。

分布:陕西(宝鸡、留坝、佛坪、宁陕)、河南、甘肃、湖北、湖南。

(26)黄枯叶尺蛾 *Gandaritis flavomacularia* Leech, 1897(图版 14:7)

Gandaritis flavomacularia Leech, 1897: 678.

Lygris flavomacularia: Prout, L. B., 1914, *in* Seitz (e): 213, pl. 11: h.

鉴别特征:雄性前翅长 24~29mm,雌性前翅长 28~31mm。额褐色与黄白色掺杂,头顶边缘褐色,中部黄色;下唇须深褐色。翅深黄褐至深褐色,后翅基半部白色至浅灰褐色;前翅斑纹白色,有时淡黄色;亚基线、内线和中线锯齿形,中线稍粗,在中室内和 Cu_2 处有 2 个巨大尖齿,其外侧有 1 条波状细线;中点深褐色;前缘近外线处有 1 个小斑;外线为锯齿形细带,中部消失;亚缘线为 1 列大小不等的斑点;缘线为翅脉端 1 列黄点;顶角处有 1 条黄色斜线;缘毛与翅同色。后翅中点黑灰色;外线弧形,波曲较弱,上半段黄色,下半段白色;亚缘线和缘线各为 1 列黄斑;顶角处黄色;缘毛在顶角下黄色与深褐色相间。翅反面黄色,后翅基半部除前缘外白色;前后翅中点深褐色,其外侧有 2 条褐线和 1 列褐斑,褐线中部加粗并扩展至褐斑。雄性前翅反面无第二性征。

采集记录:2♂,宝鸡天台山嘉陵江源头,1620m,2014. Ⅷ. 08-09,薛大勇、班晓双采。

分布:陕西(宝鸡)、甘肃、湖北、湖南、广西、四川。

17. 褥尺蛾属 *Eustroma* Hübner, 1825

Eustroma Hübner, 1825: 335. **Type species**: *Geometra reticulata* Denis *et* Schiffermüller, 1775.

Antepirrhoe Warren, 1905b: 327. **Type species**: *Epirrhoe delimitata* Warren, 1895.

Paralygris Warren, 1900a: 110. **Type species**: *Paralygris contorta* Warren, 1900.

属征:雄性和雌性触角均为线形,雄性具短纤毛。额微凸出。下唇须中等长度,约 1/3 伸出额外。后足胫节具 2 对距。前翅外缘浅弧形;后翅圆,前缘扩展。雄性前翅反面后缘基部具毛束。前翅具 2 个径副室,约等大,R_2 与 R_{3+4} 共柄;后翅 $Sc+R_1$ 与 Rs 合并至中室之外立即分离,中室端脉具 1 个折角,M_2 略接近 M_1,具 3A。

分布:全北界,东洋界(北部)。秦岭地区分布 4 种。

(27)网褥尺蛾峨眉亚种 *Eustroma reticulata dictyota* **Prout, L. B., 1937**(图版 14:8)

Eustroma reticulata dictyota Prout, L. B., 1937, *in* Seitz (f): 105, pl. 10: f.

鉴别特征:前翅长 12~14mm。额和头顶中央深褐色,边缘黄白色;下唇须深褐色,腹面的长毛掺杂白色,第 3 节尖端黄白色。胸部背面深褐色与黄白色掺杂,肩片基部灰红褐色,端部黄白色。腹部背面灰褐色,背中线两侧有黑斑。前翅灰红褐色至黑褐色,斑纹白色;亚基线纤细斜行,微弯曲;中线 3 条,斜行,第 1 条直,在臀褶处向翅基方向折回,第 2 条在臀褶处向外伸展至外线,第 1 条中线下半段下方有 1 条与之平行的细线,形成 1 个开口在后缘的半环形线,第 3 条中线细,在前缘附近远离内侧 2 条中线,在 Cu_2 下方与第 1 条外线接合成回纹,后者">"形,上半段远离第 2 条外线;第 2 条外线直,几乎与外缘平行,在 M_3 以下呈波状至后缘;亚缘线为波状细线,中部稍外凸;顶角有 1 条斜线,在 M_1 与 M_2 之间伸达亚缘线;R_5 至 M_2 脉由第 1 条外线至外缘白色,中室下缘脉和 M_3 至 Cu_2 各脉由中线内侧至外缘白色,2A 脉在中、外线之间白色;缘线白色,缘毛灰褐色掺杂少量白色。后翅灰褐色,中部以下颜色渐深,外线和亚缘线灰白色波状;雄性中点为 1 个橘黄色小圆斑,雌性为褐色小点;缘线和缘毛同前翅。翅反面灰褐色,隐见正面斑纹,极模糊。雄性前翅反面毛束发达,黑色,毛端处翅面有1 个模糊黄斑;后翅中点在反面为深灰褐色;雌性后翅反面中点同正面。

采集记录:1♀,周至厚畛子,1300m,2007. Ⅷ. 10,杨干燕采;2♂,宝鸡天台山嘉陵江源头,1620m,2014. Ⅷ. 08-09,薛大勇采。

分布:陕西(周至、宝鸡)、湖北、四川。

(28)黑斑褥尺蛾 *Eustroma aerosa* (**Butler, 1878**)(图版 14:9)

Cidaria aerosa Butler, 1878b: 451.

Eustroma aerosa tomarina Bryk, 1942: 67, pl. 2: 13.

Eustroma aerosum: Inoue, 1986a: 59, figs. 13:A, 14:A, 15:B, 16:A,B.

鉴别特征:雄性前翅长 16~18mm,雌性前翅长 18~19mm。前翅深褐至黑褐色,斑纹黄白色;亚基线直或略波曲;中线 3 条,外线 2 条,第 3 条中线和第 1 条外线纤细,后者在 Cu_1、Cu_2 处被第 2 条外线向内凸出的齿所切断;第 1、2 条中线之间和臀角附近散布着大量黄褐色,并略带黄绿色。后翅灰褐色;外线和亚缘线均波状,灰黄色。雄性后翅正面无橘黄色斑,在中室上角处有 1 个巨大的黑红色斑。雄性前翅反面毛束发达,黑色;Cu_2 基部下方无橘黄色斑。

采集记录:1♂1♀,周至厚畛子,1300m,2007. Ⅷ. 10,李文柱采;4♂11♀,宝鸡天台山嘉陵江源头,1620m,2014. Ⅷ. 08-09,薛大勇、班晓双采;2♂1♀,宁陕火地塘,1979. Ⅶ.

31,采集人不详;5♂3♀,宁陕火地塘,1550m,2007. Ⅷ. 18,李文柱采;1♂,宁陕火地塘,1500m,2008. Ⅶ. 08,白明采;1♂1♀,宁陕火地塘,1538m,2012. Ⅶ. 11-15,程瑞采。

分布:陕西(周至、宝鸡、宁陕)、吉林、北京、河北、甘肃、湖北、湖南、福建、四川、云南;俄罗斯,日本,朝鲜半岛。

(29)台褥尺蛾 *Eustroma changi* Inoue, 1986(图版 14:10)

Eustroma changi Inoue, 1986b: 230, figs. 21, 22.

鉴别特征:前翅长 17~18mm。极似前种,颜色稍浅淡。前翅顶角至亚缘线的斜线通常较粗;外线上半段可见 3 条,雌性尤其明显,第 1 和第 3 条外线上半段较粗壮。后翅灰白色,端部略带灰褐色,可见灰白色波状外线和亚缘线,无中点或黑斑。翅反面颜色亦较浅,前翅反面斑纹极模糊;雄性毛束发达,黑色;Cu_2 基部下方无橘黄色斑。

采集记录:1♀,宝鸡天台山嘉陵江源头,1620m,2014. Ⅷ. 08-09,班晓双采;1♂,佛坪龙草坪,1256m,2008. Ⅶ. 03,崔俊芝采;1♂,宁陕火地塘,1979. Ⅶ. 23,采集人不详;1♂2♀,宁陕火地塘,1580m,1998. Ⅷ. 15-18,采集人不详;1♂1♀,宁陕火地塘,1580~1650m,1999. Ⅵ. 25-26,采集人不详;1♀,宁陕火地塘,1550m,2007. Ⅷ. 18,李文柱采;1♂1♀,宁陕火地塘,1538m,2012. Ⅶ. 11-15,姜楠等采。

分布:陕西(宝鸡、佛坪、宁陕)、甘肃、湖北、台湾、四川。

(30)广褥尺蛾 *Eustroma promacha* Prout, L. B., 1940(图版 14:11)

Eustroma promacha Prout, L. B., 1940, *in* Seitz (i): 308, pl. 31: a.

鉴别特征:前翅长 27mm。体型较大。额毛簇发达;下唇须较长。前翅黑褐色,各线粗壮,色浅但略模糊;内线略波曲;中线和外线均浅波曲,外线在 R_5 和 M_1 处无向内的凸齿,M_3 与 Cu_1 间和 Cu_1 与 Cu_2 间的褐斑狭长,Cu_2 下方的半圆形斑较宽大;中点黑色,周围有白圈。后翅灰白色,中室以下略带灰褐色,中点深灰色;外线波状,深灰褐色;翅端部有 1 条深灰褐色带,亚缘线位于带内,灰白色波状;缘线灰褐色,在翅脉端深黄褐色,其两侧稍加粗形成小黑点,缘毛黄色与深灰褐色掺杂。前翅反面灰褐色,雄性色较深,隐见正面斑纹,均模糊;中点黑褐色,外线由前翅至 Cu_1 有 1 段褐色线。雄性前翅反面毛束发达,着生在 2A 两侧,大部分为灰黄色,仅靠外侧有 1 簇焦褐色。雄性后翅前缘内 1/3 处极度凸出。

采集记录:1♀,宁陕火地塘,1580~1650m,1999. Ⅵ. 25-26,采集人不详。

分布:陕西(宁陕)、四川。

18. 叉突尺蛾属 *Pareustroma* Sterneck, 1928

Pareustroma Sterneck, 1928: 149. **Type species**: *Eustroma propriaria* Leech, 1897.

属征:绝大多数特征同褥尺蛾属 *Eustroma* Hübner。但本种下唇须略长。雄性后翅中点处的橘黄色圆斑消失,或在中点内侧中室内有 1 个短条状橘黄色斑。雄性后翅反面后缘中部附近具 1 簇淡黄色毛簇(个别种类消失),是本属的重要特征。前翅 R_5 出自径副室顶角下方,中室端脉直立,至下 1/4 处向外弯折。后翅前缘不扩展,稍延长,顶角较前属略尖;$Sc + R_1$ 与 Rs 合并至中室前缘外 1/3 处分离,其余翅脉同前属。

分布:中国;印度。秦岭地区分布 3 种。

(31) 狭带叉突尺蛾 *Pareustroma propriaria* (Leech, 1897)(图版 14:12)

Eustroma propriaria Leech, 1897: 564.

Pareustroma propriaria: Sterneck, 1928: 149.

鉴别特征:雄性前翅长 14mm,雌性前翅长 18mm。额和头顶白色与黑褐色掺杂,头顶前半部黑褐色;下唇须粗壮,伸出额外部分略大于 1/3,深灰色,第 2 节端半部背面和第 3 节黄白色。胸腹部背面灰褐色,散布黑褐色,肩片灰白与黑褐色掺杂。前翅灰黄褐色,斑纹简单;基部有 1 个极模糊的黑褐色斑;中域有 1 条狭窄黑褐色带,在前缘处较宽,内缘外倾,在中室中部和臀褶处各向外凸出 1 个齿;中带外缘较直,在翅脉上微波曲;中带中部色较浅,由前缘至中室下缘有 1 条纤细黑色回纹;翅端部几乎无斑纹;缘线深褐色,缘毛灰褐与灰黄色掺杂。后翅灰白色,基部附近散布灰褐色;中点极弱;外线深灰褐色,在 M_3 以上锯齿形,M_3 以下微弯曲;翅端部近边缘处略带灰褐色,缘线和缘毛与前翅相同。翅反面灰黄色,散布灰褐色。前翅反面中带外缘以内带深灰褐色,其外侧紧邻 1 条深褐色锯齿形外线。后翅反面外线同正面。雄性前翅反面毛束黑色,后翅反面后缘中部毛束淡黄色,后翅正面中室内具橘黄色小斑,但有时很弱或消失。

采集记录:1♂,宁陕火地塘,1550m,2007.Ⅷ.18,杨玉霞采。

分布:陕西(宁陕)、四川。

(32) 秀叉突尺蛾 *Pareustroma aconisecta* Xue, 1999(图版 14:13)

Pareustroma aconisecta: Xue, 1999, *in* Xue & Zhu: 520, pl. 15: 6.

鉴别特征:雄性前翅长14～15mm,雌性前翅长16mm。额和头顶灰黄褐色;下唇须侧面深褐色,背面和腹面灰黄褐色;雄性触角纤毛极短。胸腹部背面灰褐色;中胸立毛簇发达,毛端白色。前翅灰红褐色,基部有1段黑褐色线,由前缘至中室下缘,其外侧紧邻1条黑褐色带,弧形,在中室下缘以下逐渐消失;中带黑褐色,其内缘弧形,在中室中央和臀褶处外凸成微小钝齿,中带外缘较直,在 M_1 与 M_2 之间向内凸出1个微小尖齿,在2A上方向外凸出1个微小钝齿;中带内由前缘至近中室下角处灰红褐色,其中有1条"U"形黑线,该线在R脉处略互相接近,中点黑色,位于"U"形线内,接近或接触其内侧边缘;亚缘线波状,色较翅面稍浅;缘线深褐色,在翅脉端断离;缘毛深灰褐色与灰黄色掺杂。后翅灰褐色,前缘附近色较浅;外线深灰褐色,弧形;缘线和缘毛同前翅。雄性后翅中室端脉内侧有1个橘黄色卵形斑,长度略大于1mm。前翅反面外线内侧深灰褐色,中点较正面小,色较浅;外线深褐色,在 M_3 以上锯齿形,其下略波曲;外线外侧色较浅,略带灰黄褐色。后翅反面灰黄色,散布大量深褐色鳞片;中点和外线黑褐色,后者锯齿形。雄性前翅反面毛束黑色,后翅反面后缘中部毛束黄白色。

采集记录:1♂,宝鸡天台山嘉陵江源头,1620m,2014.Ⅷ.08-09,薛大勇采。

分布:陕西(宝鸡)、四川。

(33)光叉突尺蛾 *Pareustroma fractifasciaria* (Leech, 1897)(图版14:14)

Eustroma fractifasciaria Leech, 1897: 563.

Pareustroma fractifasciaria: Xue, 1999, *in* Xue & Zhu: 524, pl. 15: 8.

鉴别特征:前翅长17～18mm。额和头顶灰黄色,掺杂浅灰褐色;下唇须侧面深褐至黑褐色,第2节端半部背面和第3节尖端黄白色。胸腹部背面灰白至浅灰褐色,肩片基部黑褐色,中胸立毛簇端部深灰褐色。前翅中线(黑褐色中带内缘)波曲,在中室内凸出1个尖齿伸达楔形斑下角;中带略宽,楔形斑分裂为3块小斑;外线(中带外缘)深波曲,在 M_1 与 M_2 之间向内凸出1个细长尖齿;外线外侧依次是1条灰红色带、深波状灰白色亚缘线(微带灰红色)和灰褐色端带。后翅浅灰褐色,中点和外线深灰褐色,后者波状;亚缘线灰白色细带状,波曲。前翅反面灰褐色,正面的黑褐色部分在反面黑灰色,中点黑褐色短条状。后翅反面灰黄色,散布大量灰褐色鳞片;中点和外线深褐色,后者锯齿形,隐见灰白色亚缘线。雄性后翅正面橘黄色小斑和后翅反面后缘中部毛束消失,前翅反面毛束黑色。

采集记录:1♂2♀,宝鸡天台山嘉陵江源头,1620m,2014.Ⅷ.08-09,薛大勇、班晓双采。

分布:陕西(宝鸡)、湖南、四川。

19. 祉尺蛾属 *Eucosmabraxas* Prout, L. B., 1937

Eucosmabraxas Prout, L. B., 1937, *in* Seitz (f): 107. **Type species**: *Abraxas placida* Butler, 1878.

属征:雄性和雌性触角均为线形,雄性具短纤毛;额平坦,额毛簇微小;下唇须约1/3伸出额外或更长。后足胫节具2对距。前翅顶角钝圆,外缘浅弧形;后翅圆。前翅具1个宽大径副室;后翅 $Sc+R_1$ 与 Rs 合并至中室前缘外1/3处,中室端脉为较弱的双折角,M_2 基部略接近 M_1,具3A。

分布:中国;日本,朝鲜半岛。秦岭地区分布1种。

(34)暗色祉尺蛾 *Eucosmabraxas placida propinqua* (Butler, 1881)(图版14:15)

Callabraxas propinqua Butler, 1881: 420.

Cidaria (*Epirrhoe*) *placida* ab. *propinqua*: Prout, L. B., 1914, *in* Seitz (e): 258, pl. 8: e (as *placida*).

Eucosmabraxas placida ab. *propinqua*: Prout, L. B., 1937, *in* Seitz (f): 107.

Calleulype placida propinqua: Inoue, 1959: 192, pl. 135: 8.

Eucosmabraxas placida propinqua: Inoue, 1982, in Inoue, *et al.*: 482,280, pl. 70: 20, 21.

鉴别特征:雄性前翅长15~18mm,雌性前翅长19mm。头部黑褐色,额下部掺杂黄色鳞片,下唇须近1/2伸出额外。胸腹部黄色,背中线两侧排列大块黑褐色斑。翅白色,基部略带黄色,斑点深褐至黑褐色,带黑灰色调。前翅基部至内线几乎完全被巨大的斑块占据,仅在亚基线处留下1条波折的白色细线,内线外侧边缘波折,中部凸出1个尖角;中域的斑块清晰但十分密集,由前缘至 Cu_2 下方形成1个形状不规则的大斑,其内部或多或少残留白色斑点,但其中的中点通常不可辨认,该斑下方在后缘处并列3个小斑,中间1个或为小黑点,或为环状,有时扩大成"Ω"形;亚缘线为1列大小不等的斑点,由前缘至 M_3 的斑点互相联合呈带状,并与其外侧至外缘的黑斑接触,二者之间留下1列细小白点,亚缘线外侧在 M_3 以下有3个较大的黑斑,通常互不接触;缘线黑褐色,缘毛黑褐色与黄色相间。后翅基部中室下缘脉两侧有2块小斑;中点椭圆形,上端(有时包括外侧)与外线内侧的细线接触,该细线中部极度外凸,呈弓形由中点外侧绕过;外线为起于 M_1 以下的斑点列,由 M_1 至 Cu_2 的4个斑点互相接触,Cu_2 以下呈向外弯曲的短带状;亚缘线的斑点列仅上端的2个较大并互相接触,亚缘线外侧的斑点以及缘线和缘毛同前翅。翅反面颜色、斑纹同正面。

采集记录:1♀,周至厚畛子,1350m,1999.Ⅵ.24,采集人不详。

分布:陕西(周至)、甘肃;日本。

20. 折线尺蛾属 *Ecliptopera* Warren, 1894

Ecliptopera Warren, 1894b: 679. **Type species**: *Eustroma triangulifera* Moore, 1888.

属征:中型蛾类。触角线形,雄性触角具短纤毛,中段各节长略大于宽;额宽阔,明显凸出,下端具 1 簇锥形额毛簇;喙发达;下唇须中等长度,约 1/4 至 1/3 伸出额外,少数种类较长。后足胫距 2 对,各对内侧一支略长。中后胸背面后缘具立毛簇。腹部有时具味刷,位置和大小在种间不同。前翅前缘中段平直,两端略呈浅弧形弯曲;顶角尖或钝圆,略凸出;外缘在 M_1、M_2 处微凹,其下浅弧形;臀角明显;后缘平直。后翅圆而宽阔。前翅亚缘线外侧由顶角发出 1 条斜线,伸达 M_2 并接近亚缘线后折向外缘中部,然后再次向内下方延伸接近亚缘线并与之并行,下端向外弯伸达臀角。前翅径副室 2 个,短小,R_1 出自径副室顶角前方,R_5 出自径副室顶角,M_1 自由,中室略短于前翅中部长之半,端脉倾斜,M_2 基部略接近 M_1;后翅 $Sc+R_1$ 与 Rs 合并过中室前缘中部后迅速分离,Rs 与 M_1 共柄较短,中室端脉弯曲或具 1 个折角,下半段十分倾斜,M_2 基部略接近 M_1,3A 正常。

分布:古北界,东洋界,澳洲界。秦岭地区分布 1 种。

(35) 方折线尺蛾 *Ecliptopera benigna* (Prout, L. B., 1914) (图版 14:16)

Euphyia benigna Prout, L. B., 1914: 247.

Ecliptopera benigna: Prout, L. B., 1940, *in* Seitz (i): 306, pl. 30: e.

鉴别特征:雄性前翅长 17 ~ 18mm,雌性前翅长 18 ~ 22mm。下唇须中等长,十分粗壮;额和头顶黄白色掺杂褐色,额凸出。胸腹部背面中央黄色,两侧深褐色。前翅顶角凸出,微呈钩状;红褐色,线纹白色;亚基线极纤细,上端浅弯曲,下半段较直;内线与中线接近,其间有浅色纹;内线在中室前缘有 1 个折角,其下较直;中线上半段直且外倾,在 Cu_2 下方凸出 1 个尖齿;外线较靠近外缘,由前缘至 Cu_2 直立,然后向内凸出 2 个尖齿,第 1 个尖齿粗大,有时与中线的尖齿相接形成粗壮白线;外线外侧的灰红色伴线和锯齿形亚缘线上端均未达前缘;翅端折线粗壮,由顶角向下呈弧形弯曲至 Cu_1 下方接近外缘,其下波状;缘线白色,缘毛在 M_3 以上黑褐色,顶角和 M_3 以下黄白色,在翅脉端灰褐色。后翅浅灰褐色,无中点;外线形状近似前翅,其外侧带黄褐色,在臀角附近尤其明显;白色缘线内侧有 1 条与前翅折线相似的白线,但距缘线较近,该线由 M_1 至 Cu_1 向内弯曲,与缘线之间形成 1 条狭窄深褐色斑。前翅反面浅灰褐色,隐见正面斑纹,外线内侧有 1 条模糊深褐色线。后翅反面灰白色至灰黄色,散布褐鳞,外线为 1 条深褐色线,其外侧有 1 列褐点。前后翅反面均有大而清晰的中点。

采集记录:1♀,宁陕火地塘,1538m,2012. Ⅶ. 11-15,杨秀帅采。

分布:陕西(宁陕)、安徽、浙江、湖南、江西、台湾、广西、四川。

21. 汇纹尺蛾属 *Evecliptopera* Inoue, 1982

Evecliptopera Inoue, 1982, *in* Inoue, *et al.*: 484. **Type species**: *Cidaria decurrens* Moore, 1888.

属征:中小型蛾类。触角线形,雄触角具短纤毛;额下端具 1 簇锥形额毛簇;下唇须长且粗壮,近 1/2 伸出额外;额毛簇十分发达。翅较狭窄;前翅顶角钝圆,臀角圆,径副室 2 个,第 2 径副室比第 1 个大得多;后翅前缘不明显扩展,$Sc+R_1$ 与 Rs 合并至近中室端部,Rs 与 M_1 短共柄,中室端脉 1 个折角,M_2 出自折角处,基部略接近 M_1。

分布:亚洲(东部)。秦岭地区分布 1 种。

(36)汇纹尺蛾 *Evecliptopera decurrens decurrens* (Moore, 1888)(图版 14:17)

Cidaria decurrens Moore, 1888a: 276.

Cidaria (*Euphyia*) *decurrens*: Prout, L. B., 1914, *in* Seitz (e): 250.

Cidaria (*Ecliptopera*) *decurrens*: Prout, L. B., 1938, *in* Seitz (f): 152, pl. 15: d.

Ecliptopera decurrens: Prout, L. B., 1940, *in* Seitz (i): 303.

Evecliptopera decurrens: Inoue, 1982, *in* Inoue, *et al.*: 484,281.

鉴别特征:雄性前翅长 13 ~ 15mm,雌性前翅长 16mm。额和头顶白色,边缘深褐色;额狭窄,倾斜,下端锥形额毛簇发达。下唇须深褐色,第 1、2 节鳞毛极粗糙,第 3 节几乎隐没在第 2 节端部的鳞毛之中。胸腹部背面深褐色,腹部末端颜色较浅,背中线黄白色。前翅深红褐色至黑褐色,线条黄白色;亚基线斜行,细弱;内线 1 条,极度外倾;中线 3 条,外倾,其中第 1 条起自中室内,端部弯曲;外线 4 条,第 2 条细弱,起自 R_5,第 3 条粗壮,第 4 条起自 R_{2-4};亚缘线 1 条,直;外线与亚缘线之间的 R_5、M_1、M_2 脉白色,由顶角发出的 1 条白线在 M_1 处与亚缘线交叉,然后在 M_2 下方与第 4 条外线汇合;除亚缘线外,上述所有线纹均汇入臀角处的 1 个浅色大斑中;内线下方另有 2 条白线起自后缘内 1/3 处,上行并外倾,在 2A 上方汇入大斑;大斑黄白色,在臀角处有黄褐色斑纹,上面有 2 ~ 3 个白点;缘线白色,缘毛黑褐色,在 Cu_1 两侧有 2 个鲜明的白点。后翅灰褐色,隐见 2 条灰白色外线;亚缘线灰白色,缘线深褐色,缘毛深灰褐色掺杂白色。前翅反面深褐色,正面的线纹模糊且不完整;后翅反面黄白色,散布深灰色鳞片,具深褐色中点和外线。

采集记录:1♀,宁陕火地塘,1979. Ⅶ. 30,采集人不详;1♀,宁陕火地塘,1538m,2012. Ⅶ. 11-15,杨秀帅采。

分布:陕西(宁陕)、湖北、江西、福建、四川;印度,不丹。

22. 窝尺蛾属 *Atopophysa* Warren, 1894

Atopophysa Warren, 1894a: 394. **Type species**: *Scotosia indistincta* Butler, 1889.

属征:中小型蛾类。触角线形,雄性触角具极短纤毛;额平,下缘具发达的额毛簇;喙发达;下唇须中等长,约1/3以上伸出额外,十分粗壮。后足胫距2对,各对内侧一支较长。翅宽阔。前翅前缘基部略隆起,中部浅凹,顶角近直角,外缘浅弧形,臀角明显,后缘平直。后翅前后缘平直,顶角圆,外缘浅波曲,臀角明显,后缘狭窄。雄性前翅反面2A基叉内有1囊泡状窝,窝内无鳞毛。前翅径副室2个,R_1 出自径副室顶角前方,R_{2-4}与 R_5 共同出自其顶角;M_1 与径副室下缘共柄极短;中室明显短于前翅中部长之半,端脉弧形弯曲,M_2 基部居中。后翅 $Sc+R_1$ 与 Rs 合并至中室前缘外1/5处;Rs 与 M_1 共柄非常短;中室端脉双折角,M_2 出自第2个折角,略接近 M_3;无3A。

分布:中国;印度,尼泊尔。秦岭地区分布1种。

(37) 窝尺蛾 *Atopophysa indistincta* (**Butler, 1889**)(图版14:18)

Scotosia indistincta Butler, 1889: 118.

Atopophysa indistincta: Warren, 1894a: 395.

Larentia indistincta: Hampson, 1895: 369.

鉴别特征:雄性前翅长12~16mm,雌性前翅长14~17mm。额和下唇须黑褐色。头顶和胸腹部背面灰褐色。前翅浅灰至灰色,散布白色和黑褐色鳞片,前缘附近颜色较深;线纹黑灰至黑褐色,通常较模糊,但在翅脉上和前后缘形成小黑点;亚基线和内线各1条,中线2条,外线3条;中点黑色,微小;翅端部色略深,有2条深色线,在翅脉上形成鲜明黑点;亚缘线灰白色波状;缘线为翅脉间1列半月形小黑斑,缘毛灰白色,在翅脉端掺杂黑灰色。后翅颜色较浅,端半部斑纹同前翅,但线纹不清,有时仅在后缘附近可见。前翅反面灰褐色,端部有深色带;后翅反面颜色较浅,有点状外线,亚缘线内侧有黑色点列;前后翅反面均有清晰中点。

采集记录:1♂,留坝庙台子,1350m,1998. Ⅶ. 21,采集人不详;1♂,佛坪,950m,1998. Ⅶ. 23-24,采集人不详。

分布:陕西(留坝、佛坪)、甘肃、湖北、湖南、四川、云南、西藏;印度,尼泊尔。

23. 灰涛尺蛾属 *Glaucorhoe* Herbulot, 1951

Glaucorhoe Herbulot, 1951: 26. **Type species**: *Cabera unduliferaria* Motschulsky, 1861.

属征:中型蛾类。触角线形,雄性具短纤毛;额平坦,狭窄,下端具1簇发达额毛簇;喙发达;下唇须约1/4~1/3伸出额外,鳞毛粗糙。后足胫距2对,各对内侧一支长度约为外侧一支的2倍。雄性腹部7~8节之间具1对极发达的味刷。翅中等宽度。前翅前缘基部隆起,中部以外浅弧形;顶角近直角,钝圆;外缘浅弧形,略波曲;臀角明显;后缘平直。后翅前缘平直;顶角圆;外缘波状;臀角明显;后缘平直。翅灰至灰黄色,排布数条白色波纹;前后翅斑纹连续。前翅径副室2个,第1径副室短小,R_1出自径副室顶角前方,R_5出自其顶角,M_1与径副室下缘短共柄,中室略短于前翅中部长之半,端脉中部弯折,下半段极倾斜;后翅$Sc+R_1$与Rs合并至近中室端部,Rs与M_1短共柄,中室略狭长,端脉1个折角,M_2出自折角处,略接近M_1,3A细弱。

分布:中国;俄罗斯,朝鲜,日本。秦岭地区分布1种。

(38)小灰涛尺蛾 *Glaucorhoe exilaria* Han *et* Xue, 2008(图版14:19)

Glaucorhoe exilaria Han & Xue, 2008, *in* Wu, Han & Xue: 58, figs. 8-9, 15, 21, 25, 29.

鉴别特征:雄性前翅长13~14mm,雌性前翅长14~15mm。头和体背白色至黄白色,雄性下唇须颜色略深。前翅灰黄色,略带黄褐色调,线纹白色;亚基线、内线和中线浅弧形,略波折;中域有2条白线,内侧1条粗壮并常呈细带状,但通常较模糊,外侧1条波状,十分细弱;外线清晰,细锯齿形,在M_3与Cu_1之间外凸1个粗大尖角;亚缘线锯齿形,略灰暗;缘线深灰褐色,缘毛与翅面同色。后翅颜色同前翅,中域第1条粗线至外缘的线纹与前翅连续。翅反面暗褐色,白色线纹与正面相同,前翅可见深褐色中点。

采集记录:2♀,宝鸡天台山嘉陵江源头,1620m,2014. Ⅷ. 08-09,薛大勇、班晓双采;11♂3♀,太白山,1954. Ⅶ. 24,1956. Ⅶ. 23-27、Ⅷ. 01,采集人不详。

分布:陕西(宝鸡,太白山)、甘肃。

24. 焰尺蛾属 *Electrophaes* Prout, L. B., 1923

Electrophaes Prout, L. B., 1923: 197. **Type species**: *Phalaena corylata* Thunberg, 1792.

Electra Curtis, 1838: 603(nec Lamouroux, 1816). **Type species**: *Geometra ruptata* Hübner, 1799.

属征:雄雌触角线形,雄性触角具短纤毛;额微凸出,额毛簇明显;下唇须长,约1/3~1/2伸出额外。后足胫节具2对距。前翅前缘近平直,后翅略狭长。前翅具2个径副室;后翅$Sc+R_1$与Rs合并至近中室端部,M_2略接近M_1,具3A。雄性腹部第5、6、7节腹侧面各具1对味刷。

分布:古北界,东洋界。秦岭地区分布1种。

(39)疏焰尺蛾 *Electrophaes aliena* (Butler, 1880)(图版14:20)

Cidaria aliena Butler, 1880: 230.

Cidaria (*Euphyia*) *aliena*: Prout, L. B., 1914, *in* Seitz (e): 252.

Electrophaes aliena: Prout, L. B., 1923: 198.

Cidaria (*Electrophaes*) *aliena*: Prout, L. B., 1938, *in* Seitz (f): 156, pl. 15: g.

鉴别特征:雄性前翅长14~15mm,雌性前翅长13~15mm。额和头顶白色,边缘褐色。体背白色、黑褐色与黄色间杂。前翅黑褐色,线纹白色;内线与中线间及外线外侧各形成1条橘黄至黄褐色带,两带边缘均有不规则波曲,下端互相接近;中点黑色条形;亚缘线外侧在顶角和M_3处各有1个黄斑,在Cu_1和Cu_2处有黄褐色小斑;缘线为翅脉间1列短条状白点,缘毛黄褐色与深灰褐色相间。后翅灰黄褐色,中点微小;外线和亚缘线纤细波状,灰褐色;缘线黑褐色不完整;缘毛黄色,在翅脉端掺杂少量灰褐色。前翅反面色较浅,隐见正面斑纹。后翅反面散布大量褐鳞,中点和外线较清楚。

采集记录:7♂7♀,宝鸡天台山嘉陵江源头,1620m,2014. Ⅷ. 08-09,薛大勇、班晓双采;5♂1♀,宁陕火地塘,1538m,2012. Ⅶ. 11-15,姜楠等采。

分布:陕西(宝鸡、宁陕)、甘肃、青海、湖北、湖南、四川、西藏;缅甸,印度,不丹。

25. 丽翅尺蛾属 *Lampropteryx* Stephens, 1831

Lampropteryx Stephens, 1831: 233. **Type species**: *Geometra suffumata* Denis *et* Schiffermüller, 1775.

Anisobole Warren, 1902b: 514. **Type species**: *Geometra suffumata* Denis *et* Schiffermüller, 1775.

属征:中型蛾类。雄性触角线形或锯齿形,具纤毛,或为双栉形,雌性触角线形;额略凸出,光滑,下端具1个弱小额毛簇;喙发达;下唇须短小。后足胫距2对,各对内侧一支略长。胸部背面鳞毛相当粗糙,中后胸具弱小立毛簇。雄性腹部5、6、7、8节各具1对味刷,常十分发达。前翅中等宽度或略狭窄;前缘中部微凹;顶角尖,近直角;外缘浅弧形;臀角圆;后缘平直。后翅狭长,前后缘平直,顶角和臀角圆,外缘浅弧形倾斜。有时后翅宽圆,翅反面后缘附近具发达毛簇。前翅径副室2个,第1径副室狭小,第2个宽大;R_1出自径副室顶角前方,R_5出自径副室顶角;M_1与径副室下缘极短共柄;中室略短于前翅中部长之半,端脉下1/3处向外弯折;M_2基部略接近M_1。后翅中室狭长,$Sc+R_1$与Rs合并至近中室端部;Rs与M_1共柄;中室端脉通常为强烈双折角,M_2由第2个折角发出,基部略接近M_3;但有时中室端脉双折角极弱或不为双折角,M_2略接近M_1。

分布:古北界,东洋界。秦岭地区分布1种。

(40)云雾丽翅尺蛾四川亚种 *Lampropteryx argentilineata nitidaria* (Leech, 1897)
(图版14:21)

Larentia nitidaria Leech, 1897: 657.

Cidaria (*Lampropteryx*) *nitidaria*: Prout, L. B., 1914, *in* Seitz (e): 283, pl. 13: n.
Lampropteryx argentilineata nitidaria: Prout, L. B., 1940, *in* Seitz (i): 295, pl. 29: c.

鉴别特征:雄性前翅长16~17mm,雌性前翅长16~19mm。雄性触角较光滑,纤毛短小;额及头顶深褐色,额毛簇明显;下唇须深褐至黑褐色,较长且较粗糙。胸部背面灰褐色,中胸后端和后胸灰白色,略带淡红色。腹部背面灰黄色。前翅褐至黑褐色,颜色深浅变化很大,斑纹白色;亚基线极细弱且模糊,浅弧形;内线深弧形;中线由前缘至臀褶外倾,在中室前缘、中室内各外凸1个微小凸齿,但有时消失,在Cu_2脉上有白线与外线相连,在臀褶处凸出1条细长尖齿伸达外线,其下内折至后缘,中线内侧散布白色;中域狭窄,中点小,黑色;外线弯曲和缓,中上部略外凸,在Cu_2至臀褶处浅内凹,其外侧有2条伴线;顶角处白色斜线到达R_5后倾斜地伸达外线,亚缘线白色波状,常不连续;翅端部由M_1至臀角大部灰白色,翅脉白色,有时略带黄褐色;臀角附近有少量褐色;缘线深褐色至黑褐色,点状,缘毛灰褐色。后翅浅灰褐色至深灰褐色,外线及其外侧有4条灰白色细纹,缘线同前翅,缘毛色较浅。前翅反面基部至外线深灰褐色,外线外侧及后翅反面浅灰褐色,后翅外线内侧有深色轮廓线;前后翅反面亚缘线为1列清晰白点。

采集记录:3♂1♀,宝鸡天台山嘉陵江源头,1620m,2014.Ⅷ.08-09,薛大勇、班晓双采;1♂,宁陕火地塘,1550m,2007.Ⅷ.18,杨玉霞采。

分布:陕西(宝鸡、宁陕)、河南、甘肃、青海、台湾、四川、西藏。

26. 旋尺蛾属 *Colostygia* Hübner, 1825

Colostygia Hübner, 1825: 328. **Type species**: *Geometra turbata* Hübner, 1799.

属征:雄性触角双栉形,端部1/4线形;雌性触角线形;额凸,额毛簇发达;下唇须略长,约1/4~1/3伸出额外。翅型与翅脉近似前属(丽翅尺蛾属)。前翅径副室2个;后翅前缘略延长,中室端脉强烈双折角。雄性腹部末端无味刷。

分布:古北界。秦岭地区分布1种。

(41) 暗旋尺蛾 *Colostygia pendearia* (Oberthür, 1894)(图版14:22)

Anticlea pendearia Oberthür, 1894: 39, pl. 5: 69.
Cidaria phaiosata Staudinger, 1895a: 337.
Cidaria (*Calostigia*) *pendearia*: Prout, L. B., 1914, *in* Seitz (e): 232.
Cidaria (*Colostygia*) *pendearia*: Prout, L. B., 1938, *in* Seitz (f): 135.
Colostygia pendearia: Prout, L. B., 1939, *in* Seitz (i): 267, pl. 26: k.

鉴别特征:前翅长15~17mm。头部黑褐色,额毛簇发达;胸腹部背面黑褐色与灰褐色掺杂。前翅浅灰褐至灰褐色，带明显黄褐色色调，亚基线、中线和外线黑色；亚基线浅弧形，其内侧色略深；中线在前缘下方向外弯曲，其下直立并微波曲；中域散布黑褐色，有 2 条波状线，中点黑色，小而圆；外线浅波状，直立或中部略外凸，其外侧色浅，有 2 ~ 3 条褐色伴线；亚缘线白色锯齿形，中部以下不完整或全部消失；缘线在各翅脉端两侧有 1 对黑点，缘毛黄褐色，在翅脉端深灰褐色。后翅白色，中点黑色微小；外线浅弧形，模糊细带状，在翅脉上加深形成小黑点；缘线同前翅，缘毛色较浅。翅反面浅灰褐色至灰褐色，两翅均有浅弧形外线和黑褐色中点。

采集记录：1♀，留坝县城，1020m，1998. Ⅶ. 18，采集人不详。

分布：陕西（留坝）、山西、甘肃、青海、四川、西藏；朝鲜。

27. 网尺蛾属 *Laciniodes* Warren, 1894

Laciniodes Warren, 1894a: 393. **Type species**: *Somatina plurilinearia* Moore, 1868.

Laciniodes Swinhoe, 1894 (May 11): 188 (nec Warren, 1894). **Type species**: *Somatina plurilinearia* Moore, 1868.

属征：雄性和雌性触均为角线形，具极短纤毛；额略凸出，粗糙，常具微小额毛簇；下唇须短粗，末端伸达额外。后足胫节具 2 对距。前翅顶角尖，略凸出，外缘浅弧形；后翅顶角圆，外缘锯齿形，在 M_1 和 M_3 处凸出成尖角。前翅具 2 个径副室；后翅 $Sc + R_1$ 与 Rs 合并至中室前缘外 1/5 处，中室端脉具 1 个折角，M_2 基部略接近 M_1，不具 3A。翅浅色，翅面斑纹常呈网状，前后翅斑纹连续。

分布：亚洲（东部）。秦岭地区分布 2 种。

(42) 淡网尺蛾四川亚种 *Laciniodes denigrata abiens* Prout, L. B., 1938（图版 14:23）

Laciniodes denigrata abiens Prout, L. B., 1938, *in* Seitz 4 (f): 181.

鉴别特征：雄性前翅长 12 ~ 16mm，雌性前翅长 13 ~ 17mm。额上部及头顶黄白色，额下部深褐色，有 1 个很小的额毛簇；下唇须褐色，略长，近 1/3 伸出额外。翅黄白色至灰黄色，斑纹褐色网状，略带红褐色，颜色较浅；外线和顶角下的斜线及亚缘线白点周围均不带黑褐色；前翅内线在中室内形成折角；前后翅中点黑色圆形，小而清晰。

采集记录：3♂，宝鸡天台山嘉陵江源头，1620m，2014. Ⅷ. 08-09，薛大勇采；1♂，宁陕火地塘，1550m，2007. Ⅷ. 18，杨玉霞采。

分布：陕西（宝鸡、宁陕）、内蒙古、北京、山西、甘肃、青海、四川、云南、西藏。

(43)单网尺蛾 *Laciniodes unistirpis* (Butler, 1878)(图版 14:24)

Acidalia unistirpis Butler, 1878b: 51, pl. 37: 7.

Laciniodes plurilinearia unistirpis: Prout, L. B., 1938, *in* Seitz (f): 181, pl. 16: i.

Laciniodes unistirpis: Inoue, 1977: 272.

鉴别特征:雄性前翅长 13 ~ 14mm,雌性前翅长 13 ~ 16mm。本种与淡网尺蛾相似,但翅面焦黄色,斑纹色较深;前后翅中点较小;前翅外线上半段较强弯曲;前翅外线和顶角下的斜线以及亚缘线白点周围带黑褐色。

采集记录:1♂,宝鸡天台山嘉陵江源头,1620m,2014. Ⅷ. 08-09,薛大勇采;1♀,宁陕火地塘,1580m,1998. Ⅶ. 26-27,采集人不详。

分布:陕西(宝鸡、宁陕)、甘肃、湖北、江西、湖南、福建、广西、四川;日本,朝鲜半岛。

28. 掩尺蛾属 *Pseudostegania* Butler, 1881

Pseudostegania Butler, 1881a: 416. **Type species**: *Pseudostegania chrysidia* Butler, 1881.

属征:非常近似网尺蛾属 *Laciniodes* Warren,翅脉与该属相同。与该属相比,本种下唇须较该属略短小细弱;额较光滑,无额毛簇,并略凸出;后翅外缘浅弧形微波曲;翅面斑纹不为网状。

分布:亚洲(东部)。秦岭地区分布 2 种。

(44)掩尺蛾 *Pseudostegania defectata* (Christoph, 1881)(图版 14:25)

Cidaria defectata Christoph, 1881: 108.

Pseudostegania chrysidia Butler, 1881a: 417.

Larentia defectata: Staudinger, 1901, *in* Staudinger & Rebel: 306.

Asthena defectata: Prout, L. B., 1914, *in* Seitz (e): 273, pl. 10: h.

Pseudostegania defectata: Inoue, 1959: 196, pl. 138: 26.

Pseudostegania defectata chrysidia: Parsons *et al.*, 1999, *in* Scoble: 799.

鉴别特征:雄性前翅长 13 ~ 14mm,雌性前翅长 14 ~ 15mm。额大部、头顶和体背黄白色至黄色,额下端和下唇须黑褐色。翅鲜黄色,线纹深褐至黑褐色。前翅前缘基部散布黑褐色,亚基线和中线弧形,后者略波折;外线在 M_1 和 M_3 处各有 1 个凸齿,由前缘至 M_3 增粗形成黑褐色斑块,外线下端逐渐细弱,有时在后缘附近消失;外线内侧有 2 条细弱伴线,其上下两端未达到前缘和后缘;外线外侧为 1 条浅色宽带,但在 M_3 与 Cu_1 之间散布黑褐色;亚缘线由 2 条深色线组成,上端常加粗合并成黑斑,下端逐渐细弱消失;缘线为1列小点,有时消失;缘毛黄色。后翅中线、外线和亚缘线与前翅连续,均细弱;缘线和缘毛同前翅。前后翅中点深褐色或黑色,十分细小。前翅反面基部至中点内侧由前缘至中室下缘下方为1个深灰褐色斑;外线和亚缘线的上半部及外线中部扩展至亚缘线的深色斑均较正面粗重,其中亚缘线上半部或多或少扩展至外缘;后翅反面线纹较正面浓重或与正面相同;前后翅反面中点较正面略大。

采集记录:1♂,周至厚畛子,1300m,2007. Ⅷ. 10,杨干燕采;16♂9♀,宝鸡天台山嘉陵江源头,1620m,2014. Ⅷ. 08-09,薛大勇、班晓双采;3♀,太白黄柏塬,1980. Ⅶ. 10-12,张宝林采。

分布:陕西(周至、宝鸡、太白)、黑龙江、吉林、内蒙古、北京、山西;俄罗斯,朝鲜,日本。

(45)秦岭掩尺蛾 *Pseudostegania qinlingensis* Xue *et* Han, 2010(图版14:26)

Pseudostegania qinlingensis Xue *et* Han, 2010, *in* Han, Stüning & Xue: 243.

鉴别特征:雄性前翅长14~15mm。额部黄白色,上缘黑褐色;下唇须深灰褐色,腹面黄白色;头顶黄白色。领片深褐色;掺杂少量白鳞;肩片白色,基部深褐色,胸腹部背面白色,第1腹节后缘黑褐色,第2~4腹节背中线后端有小黑点。翅白色,略带黄白色调。前翅前缘有1条浅黄色宽带,由基部至顶角渐宽,下缘到达M_1;亚基线、内线、中线和外线均为“>”形,折角位于黄带下缘,其中内线折角伸达黑色中点,中线上半部接近外线,外线上半部较粗,下半部为双线;亚缘线和缘线各为1列深褐色点,上大下小,下半部有时消失。后翅内线、中线、外线和亚缘线均为深灰褐色细线,前两条直,外线和亚缘线弧形弯曲;中点较前翅小;缘线为1列细小深褐色点。前后翅缘毛白色。翅反面线纹同正面,但较模糊;前翅反面无黄色宽带。

采集记录:3♀,留坝庙台子,1350m,1998. Ⅶ. 21,姚建采;1♂,Sued-Shensi, Tapai Shan im Tsinling,3000m,1935. Ⅵ. 26,coll. H. Höne。

分布:陕西(太白、留坝)、甘肃。

29. 大轭尺蛾属 *Physetobasis* Hampson, 1895

Physetobasis Hampson, 1895: 385. **Type species**: *Eupithecia annulata* Hampson, 1891.

属征:中小型蛾类。触角线形,雄性触角略加厚并具短纤毛;额光滑,微凸出;喙发达;下唇须细小,尖端到达额外。后足胫距2对,各对内侧一支长约为外侧一支的2倍。前翅狭长,前缘中部微凹,端半部浅弧形;顶角尖;外缘浅弧形倾斜;臀角圆;后缘近平直。雄性前翅反面翅轭特别巨大,在2A基部有1个深槽,该深槽在翅正面形成隆起,其上方有1个浅凸窝。后翅前缘平直,顶角圆,外缘浅弧形,在Cu_1以下浅凹;臀角微凸,后缘狭窄平直。前翅径副室2个,R_1出自径副室顶角前方，R_5 与 R_{2-4} 共同出自径副室顶角或有极短共柄；M_1 自由；中室略长于前翅中部长之半，端脉倾斜，略呈极弱双折角，M_2 基部略接近 M_3。后翅 $Sc+R_1$ 与 Rs 合并至近中室端部；Rs 与 M_1 短共柄；中室端脉双折角，有时倾斜但无明显双折角，M_2 出自第 2 个折角，略接近 M_3；无 3A。

分布：亚洲（东部）。秦岭地区分布 1 种。

（46）束大轭尺蛾四川亚种 *Physetobasis dentifascia mandarinaria* （Leech，1897）（图版 14:27）

Eupithecia mandarinaria Leech, 1897: 71.

Physetobasis dentifascia mandarinaria: Prout, L. B., 1938, *in* Seitz (f): 182.

鉴别特征：雄性前翅长 12～13mm，雌性前翅长 12～15mm。颜色较深。前翅灰褐色至深灰褐色，带灰红色调，斑纹黑色；中线和外线波状，在前缘处扩展成黑斑；中线上半部极外凸，外线中部凸出 1 个大齿；亚基线和外线外侧及中线内侧有白边；中点黑色巨大，其外下角有时与外线黑斑接触；中线和外线上端的黑斑之间颜色较深，散布黑鳞。后翅颜色略浅，灰褐色或浅灰褐色，不为污白色；黑色外线和灰白色亚缘线较清晰。

采集记录：1♀，佛坪偏岩子，1750m，1999. Ⅵ. 28，采集人不详。

分布：陕西（佛坪）、山西、四川、云南。

30. 翡尺蛾属 *Piercia* Janse，1933

Piercia Janse, 1933: 8 (key), 50. **Type species**: *Epirrhoe prasinaria* Warren, 1901 (Tanzania).

属征：小型蛾类。雄性触角为很弱的或不完全的双栉形，具纤毛，有时近线形，雌性触角线形；额平坦，下端具小额毛簇；喙发达；下唇须约 1/3 伸出额外，粗壮。前翅径副室 2 个。后翅中室端脉为弱双折角，M_2 基部居中或略接近 M_1。

分布：中国；缅甸，印度，非洲。秦岭地区分布 1 种。

（47）烟翡尺蛾 *Piercia fumataria* （Leech，1897）（图版 14:28）

Cidaria fumataria Leech, 1897: 649.

Cidaria (*Perizoma*) *fumataria*: Prout, L. B., 1914, *in* Seitz (e): 260, pl. 7: h.

Piercia fumataria: Prout, L. B., 1938, *in* Seitz (f): 173.

鉴别特征：雄性、雌性前翅长均为 11～12mm。雄性触角明显加粗。头部深灰褐色至黑褐色。前翅黑褐色中带鲜明，其两侧灰黄色至灰褐色，翅端部散布深灰褐色并掺杂大量黄褐色;亚基线黑色,略倾斜;中线浅弧形微波曲,在个体间形状略有变化;外线较光滑;黑色中点清晰,大小有变化;外线外侧白边很弱;顶角处有1个十分模糊的三角形浅色斑,亚缘线在该浅色斑内侧为白色,锯齿形,以下消失;缘线在翅脉端两侧有模糊深褐色点,缘毛灰白色与深灰褐色掺杂。后翅灰褐色,具弱小黑灰色中点;外线轮廓极弱或消失。翅反面灰褐色至深灰褐色,外线以内色较深,两翅中点均弱小。后翅中室端脉为极弱的双折角,其上半段弯曲,在 M_2 基部处微外凸,其下极倾斜,M_2 基部略接近 M_1。

采集记录:1♀,周至厚畛子,1300m,2007. Ⅷ. 10,李文柱采;1♀,宝鸡天台山嘉陵江源头,1620m,2014. Ⅷ. 08-09,薛大勇采;1♂,佛坪,950m,1998. Ⅶ. 24,采集人不详;1♂1♀,宁陕火地塘,1550m,2007. Ⅷ. 18,杨玉霞采;1♀,宁陕火地塘,1538m,2012. Ⅶ. 11-15,杨秀帅等采。

分布:陕西(周至、宝鸡、佛坪、宁陕)、甘肃、湖北、四川。

31. 大历尺蛾属 *Macrohastina* Inoue, 1982

Macrohastina Inoue, 1982, *in* Inoue, *et al.*: 471. **Type species**: *Erosia azela* Butler, 1878.

属征:雄性和雌性触角均为线形,具纤毛,纤毛长度接近触角干直径;额凸,圆,盾状;喙发达;下唇须短小细弱,尖端到达额下。后足胫距2对,各对外侧一支长不足内侧一支的1/2。前翅宽大;前缘平直,在近顶角处弯曲;顶角凸出,尖或钝圆;外缘锯齿形,在 R_5 与 M_3 之间凹,M_3 处凸出较长,Cu_1 以下波曲平缓;臀角钝圆,后缘在近臀角处明显下垂。后翅小;前缘短平,顶角圆;外缘深锯齿形,在 M_1 和 M_3 处形成两个长突,其间深凹陷;臀角略凸,后缘浅凹。前翅有1个狭小径副室,R_1 与 R_{2-4} 有较长共柄,R_5 与 R_{1-4} 短共柄;中室短小,端脉弯曲倾斜;M_1 与径副室下缘共柄至近径副室端部;Cu_1 与 M_3 共柄。后翅 $Sc+R_1$ 与 Rs 合并至中室端部;Rs 与 M_1 共柄;中室短,端脉倾斜弯曲,M_2 基部略接近 M_1;Cu_1 与 M_3 共柄;2A 正常,无3A。

分布:中国;日本,缅甸,印度,尼泊尔。秦岭地区分布1种。

(48)白尖大历尺蛾 *Macrohastina stenozona* (Prout, 1926)(图版14:29)

Hastina azela stenozona Prout, L. B., 1926c: 143.

Macrohastina azela stenozona: Xue, 1993, *in* Chen: 930.

Hastina stenozona Prout, Xue *et* Zhu, 1999: 791.

Macrohastina stenozona: Xue & Scoble, 2002: 99.

鉴别特征:雄性前翅长10~11mm,雌性前翅长11~13mm。头和胸部背面黑褐色,额上缘白色。腹部背面灰黄色。前翅顶角较钝,在顶角尖端和 R_5 端部各有1个微小凸尖;前翅基部至外线大部分黑褐色,后缘附近由内线至外线白色,黑褐色部分无白线,内线和中线在黑褐色部分隐见黑点,在白色部分有粗细不均的红褐色线段;外线外侧由前缘至 M_3 大部分白色,仅在亚缘线附近散布 1 列大小不均的黑褐色斑,外缘处在 M_1 以下黑褐色,外线外侧在 M_3 以下至外缘完全黑褐色。后翅基部至外线白色,中线在中室下角和后缘各有 1 个红褐色点;外线外侧为 1 条黑褐色宽带,带上有银色鳞片,该带外侧与黑褐色外缘之间为宽窄不均的白色区域。翅反面黑褐色区域同正面,较模糊,白色部分不掺杂黄色,无红褐色,前翅亚缘线处的黑褐色带较发达。

采集记录:2♂,宝鸡天台山嘉陵江源头,1620m,2014. Ⅷ. 08-09,薛大勇采;1♀,宁陕火地塘,1538m,2012. Ⅶ. 11-15,程瑞采。

分布:陕西(宝鸡、宁陕)、湖北、四川、云南;印度,缅甸。

32. 白尺蛾属 *Asthena* Hübner, 1825

Asthena Hübner, 1825: 310. **Type species**: *Geometra candidata* Denis *et* Schiffermüller, 1775.
Roessleria Breyer, 1869: xix. **Type species**: *Geometra candidata* Denis *et* Schiffermüller, 1775.

属征:触角线形,雄性触角纤毛短;额大多狭窄,不凸出;下唇须尖端伸达额外。后足胫节具 2 对距。前翅宽阔,顶角钝圆,外缘浅弧形;后翅外缘在 M_3 处凸出 1 个尖角。前翅具 2 个径副室,R_5 与 R_{2-4} 共柄;后翅 $Sc+R_1$ 与 Rs 合并至中室前缘外 1/3 处,Rs 与 M_1 共柄较短,中室端脉浅弧形弯曲,M_2 基部略接近 M_1,无 3A 脉。

分布:古北界,东洋界(北部),新北界。秦岭地区分布 3 种。

(49) 睡莲白尺蛾 *Asthena nymphaeata* (Staudinger, 1897)(图版 14:30)

Cidaria nymphaeata Staudinger, 1897: 97.
Asthena nymphaeata: Staudinger, 1901: 308.
Acidalia ainoica Matsumura, 1927b: 183.

鉴别特征:前翅长 9 ~ 12mm。额上半浅黄褐色,下半白色;头顶、体背和翅白色。翅上排列污黄色波状线,前翅 7 条、后翅 4 条,其中前翅外线 2 条,互相接近并为深波曲状;缘线为 1 列污黄至深褐色小点;缘毛黄白色;前后翅均无中点。翅反面色略灰暗,隐见正面波纹,可见灰色中点。

采集记录:4♀,周至厚畛子,1300m,2007. Ⅷ. 10,李文柱采;3♀,宝鸡天台山嘉陵江源头,1620m,2014. Ⅷ. 08-09,薛大勇、班晓双采;2♀,佛坪,876m,2007. Ⅷ. 15-16,杨玉霞等采;1♀,佛坪龙草坪,1200m,2008. Ⅶ. 03,白明采;1♀,宁陕火地塘,1580m,1998. Ⅷ. 15-18,采集人不详。

分布:陕西(周至、宝鸡、佛坪、宁陕)、北京、河北、甘肃、湖南、四川;俄罗斯,朝鲜,日本。

(50)四星白尺蛾 *Asthena anseraria* (Herrich-Schäffer, 1856)(图版 14:31)

Acidalia anseraria Herrich-Schäffer, 1856: 134.

Asthena anseraria: Prout, L. B., 1914, *in* Seitz (e): 272, pl. 13: e.

鉴别特征:前翅长 10 ~ 12mm。近似睡莲白尺蛾。翅面线纹略灰,较稀疏,前翅各线纹在前缘略加深,有时代深褐色;外线 2 条,其间距离与其他线纹相仿,不特别接近,波曲较浅;前后翅均有微小黑色且十分清晰的中点。前翅反面基部至外线散布黑灰色;两翅外线、亚缘线和缘线同正面,中点同正面。

采集记录:3♂3♀,宝鸡天台山嘉陵江源头,1620m,2014. Ⅷ. 08-09,薛大勇、班晓双采。

分布:陕西(宝鸡)、青海;俄罗斯,欧洲。

(51)麻白尺蛾 *Asthena albosignata* (Moore, 1888)(图版 14:32)

Acidalia albosignata Moore, 1888a: 253.

Asthena albosignata: Hampson, 1895: 418.

鉴别特征:雄性前翅长 11 ~ 13mm,雌性前翅长 14mm。头和体背深灰褐色与白色掺杂,额宽阔凸出。翅浅灰色,密布褐至深褐色波状纹;基半部线纹模糊;外线通常较清楚,波状双线,中部外凸,在翅脉上形成黑褐色点;翅端部颜色较深,亚缘线和缘线各为 1 列黑点,但常不完整;缘毛灰褐色。前翅反面浅灰褐色,后翅反面灰白色,隐见正面斑纹。

采集记录:1♂,佛坪偏岩子,1750m,1999. Ⅵ. 28,采集人不详。

分布:陕西(佛坪)、甘肃、广西、云南、西藏;印度,克什米尔地区。

33. 维尺蛾属 *Venusia* Curtis, 1839

Venusia Curtis, 1839: 759. **Type species**: *Venusia combrica* Curtis, 1839.

Discoloxia Warren, 1895: 105. **Type species**: *Cidaria obliquisigna* Moore, 1888.

Nomenia Pearsall, 1905: 126. **Type species**: *Larentia duodecimlineata* Packard, 1873.

属征:雄性触角短双栉形或纤毛形,雌性触角线形具短纤毛;额凸出;下唇须短且纤细,仅尖端伸达额外。后足胫节具 2 对距。翅宽阔,前翅顶角略尖,外缘浅弧形;后翅外缘浅波曲。前翅具 1 个径副室,R_{2-4}与 R_5 共柄;后翅 $Sc + R_1$ 与 Rs 共柄至中室前缘外1/4,中室端脉双折角,M_2 接近 M_3,无 3A。

分布:全北界,东洋界。秦岭地区分布 2 种。

(52)拉维尺蛾 *Venusia laria laria* Oberthür, 1894(图版14:33)

Venusia laria Oberthür, 1894: 30, pl. 3: 34.

Discoloxia laria: Prout, L. B., 1914, *in* Seitz (e): 271, pl. 8: b.

Venusia (*Discoloxia*) *laria*: Inoue, 1977: 270.

鉴别特征:雄性前翅长11~12mm,雌性前翅长12mm。雄性触角纤毛形。翅灰白色,间有灰绿色,斑纹黑褐色。前翅中线在臀褶处有1个尖齿伸达外线;中点为1段黑色短线;外线3条,中部外凸,在臀褶处内凹,第3条外线上半段粗壮,在Cu_1两侧凸出1对尖齿;顶角附近为1个黄褐色大斑,亚缘线在其间黄褐色,在M_3处过渡为黑色双线;缘线为翅脉间1列黑点。后翅色浅,向端部渐加深,中点小而圆,端半部有数条波状细线。

采集记录:1♂,佛坪,950m,1998.Ⅶ.23-24,采集人不详。

分布:陕西(佛坪)、甘肃、福建、四川、云南、西藏。

(53)红黑维尺蛾 *Venusia nigrifurca* (Prout, L. B., 1927)(图版14:34)

Discoloxia nigrifurca Prout, L. B., 1927: 782.

Venusia nigrifurca: Xue, 1999, *in* Xue & Zhu: 804, pl. 21: 23.

鉴别特征:前翅长12~13mm。雄性触角纤毛形。额和下唇须黑褐色,头顶和体背灰白色。前翅灰白色至淡灰色,有明显的紫灰色调;亚基线黑色弧形;内线2条,灰褐色细弱,较近中线,波状;中线2条,内侧1条灰褐色,外侧1条黑色但较细弱,上端与黑色中点相接触;中点特别粗大,上端伸达前缘,下端略向外折,伸达M_3基部附近;外线黑色,上半段粗壮,中部呈楔形外凸,其内侧有2条细弱伴线,上半部外侧有1块不完整的紫褐色至深紫灰色大斑;缘线黑色纤细,在翅脉端断离,缘毛灰白色。后翅白色,可见弱小深灰色中点,外线和2条亚缘线细弱,灰褐色,在翅脉上略加深,亚缘线十分接近外缘;缘线和缘毛较前翅色浅。前翅反面淡灰褐色,隐见正面中点和外线上半段。后翅反面白色,中点、外线和亚缘线褐色清晰。

采集记录:2♀,宝鸡天台山嘉陵江源头,1620m,2014.Ⅷ.08-09,薛大勇采。

分布:陕西(宝鸡)、山西、甘肃、湖北、云南;缅甸。

34. 水尺蛾属 *Hydrelia* Hübner, 1825

Hydrelia Hübner, 1825: 322. **Type species**: *Geometra sylvata* Denis *et* Schiffermüller, 1775.

Autallacta Warren, 1893: 365. **Type species**: *Timandra subobliquaria* Moore, 1867.

属征:小型蛾类。触角线形,雄性触角具短纤毛;额宽阔凸出;下唇须短小细弱,仅尖端伸达额外或更短。翅宽阔;前翅顶角尖,外缘浅弧形;后翅外缘弧形,部分种类后翅中部外凸成1尖角。前翅1个径副室,大小变化很大,R_1、R_5 与 R_{2-4}不同程度共柄,但 R_1 总在 R_5 之前分离;少数种类前后翅 M_3 与 Cu_1 共柄;后翅中室端脉不为双折角。

分布:全北界,东洋界,澳洲界,非洲界。秦岭地区分布1种。

(54)赤尖水尺蛾 *Hydrelia sanguiniplaga* Swinhoe, 1902(图版14:35)

Hydrelia sanguiniplaga Swinhoe, 1902b: 655.

鉴别特征:雄性前翅长11～13mm,雌性前翅长12～15mm。雄性触角纤毛极短;额和下唇须白色,额上缘黄褐色;头顶和体背灰黄色,掺杂少量黄褐色或红褐色鳞,后胸和第1腹节黑色。翅较宽阔,白色半透明,后翅外缘中部凸出1个尖角。前翅基部至浅弧形亚基线为1个黄褐色至红褐色斑,顶角处有1个宽大钩形大斑,与翅基部斑同色,由顶角起,沿前缘至外线处向外下方弯曲,其下端变为黑褐色,外线由大斑下端至后缘纤细黑色,大斑上端在亚缘线处略有间断,亚缘线由该处延伸1条细线至 M_3 下方,扩大成1个黑点后消失;缘线在顶角下方有2～3个小黑点,缘毛白色。后翅基部和后缘近臀角处各有1个小黑斑,后缘附近散布稀疏黑鳞。前后翅中点黑色,较小。翅反面颜色和斑纹同正面,前翅基部和顶角大斑颜色较暗。

采集记录:1♂2♀,周至厚畛子,1300m,2006. Ⅶ. 27-30,李文柱等采;1♂,周至钓鱼台,1480m,2008. Ⅵ. 29,刘万岗采;1♀,留坝庙台子,1350m,1998. Ⅶ. 21,采集人不详;1♂1♀,佛坪偏岩子,1750m,1999. Ⅵ. 28,采集人不详;1♀,佛坪凉风垭,1750～2150m,1999. Ⅵ. 28,采集人不详;1♂4♀,宁陕火地塘,1580～1650m, 1979. Ⅶ. 23、1998. Ⅶ. 26-27、1999. Ⅵ. 25-26,采集人不详;1♀,宁陕火地塘,1538m,2012. Ⅶ. 11-15,程瑞等采;1♂1♀,宁陕广货街保护站,1189m,2014. Ⅶ. 26-28,班晓双采。

分布:陕西(周至、留坝、佛坪、宁陕)、甘肃、湖北、四川、云南;缅甸。

35. 异序尺蛾属 *Agnibesa* Moore, 1888

Agnibesa Moore, 1888a: 256. **Type species**: *Somatina pictaria* Moore, 1867.

属征:非常近似水尺蛾属 *Hydrelia* Hübner。体型平均略大,额略平,略狭。前翅有1个狭小径副室,R_1 与 R_{2-4}共柄较长,R_5 几乎不共柄,如共柄则在 R_1 之前与 R_{2-4}分离;后翅外缘波状或锯齿形。

分布:中国;印度。秦岭地区分布3种。

(55)点线异序尺蛾 *Agnibesa punctilinearia* (**Leech, 1897**)(图版14:36)

Hydrelia punctilinearia Leech, 1897: 80.
Agnibesa punctilinearia: Prout, L. B., 1938: 180.

鉴别特征:雄性前翅长13~15mm,雌性前翅长14~16mm。下唇须白色掺杂黄褐色;额黄褐色,上缘色较深;头顶、体背和翅银白色,翅面线纹黑色。前翅亚基线、内线和中线中上部极度凸出,其中亚基线和内线凸出的端部在中室内消失,中线由黑色中点外侧绕过,凸出部分圆,与外线内侧1块黄斑接触,在该处或多或少变为黄色;外线及其内侧伴线浅波状,在黄斑处变为黄色,但外线在 R_5 和 M_1 上有2个黑点;亚缘线为1列黑点,其外侧在前缘处有1个较小的黑点;缘线有时可见1列黑点,但大多消失,缘毛白色。后翅中线及其外侧线纹与前翅连续,中点紧邻中线内侧。前翅反面前缘深灰褐色,基部至中线灰褐色,中线隐约可见,中点黑褐色;外线和亚缘线深灰褐色,中部以下逐渐消失,外线内侧黄斑较模糊;顶角处深灰褐色。后翅反面白色,中点黑灰色,中线、外线和亚缘线淡灰色,隐约可见。

采集记录:1♂,佛坪,950m,1998. Ⅶ. 23-24,采集人不详;1♀,佛坪偏岩子,1750m,1999. Ⅵ. 28,采集人不详。

分布:陕西(佛坪)、甘肃、四川、云南。

(56)银白异序尺蛾峨眉亚种 *Agnibesa recurvilineata meroplyta* **Prout, L. B., 1938**(图版14:37)

Agnibesa recurvilineata meroplyta Prout, L. B., 1938, *in* Seitz (f): 179, pl. 16: h.

鉴别特征:雄性前翅长13~14mm,雌性前翅长14~16mm。近似点线异序尺蛾 *A. punctilinearia*。前后翅线纹较模糊;前翅基部散布黑灰色,中线凸出较弱,由黑色中点外侧绕过,但较近中点而远离外线,凸出部分呈折角状,不为圆弧形,其外侧和外线内侧在M脉附近弥漫黄至黄褐色,一般不形成清晰黄斑;前翅亚缘线仅在前缘附近清楚,在 M_3 以下至后翅减弱或消失;前翅顶角处散布黑灰色,在反面深灰褐色,有时向下扩展至 Cu_1 以下。

采集记录:7♂3♀,宝鸡天台山嘉陵江源头,1620m,2014. Ⅷ. 08-09,薛大勇、班晓双采;1♀,宁陕火地塘,1550m,2007. Ⅷ. 18,杨玉霞采。

分布:陕西(宝鸡、宁陕)、湖北、四川、云南、西藏。

(57)丰异序尺蛾 *Agnibesa pleopictaria* **Xue, 1999**(图版14:38)

Agnibesa pleopictaria Xue, 1999, *in* Xue & Zhu: 846, pl. 22: 33.

鉴别特征:前翅长14~15mm。下唇须灰黄色;额宽阔凸出,灰黄褐色;头顶灰褐色,前缘白色。胸部和第1腹节背面深灰褐色,有银色光泽,其余腹节黄白色。前翅白色,带不均匀的淡黄色调;基部有1个深褐色与黄褐色掺杂的大斑,长3.50~4.0mm,其外缘圆弧形;斑内可见灰白色“>”形亚基线;中线黄色模糊带状;中点深褐色,与中线外缘接触;外线处大斑由前缘至臀褶,大部黑褐色,内半带黄褐色,其上半部为向外的楔形,在 M_1 附近向外凸出,下半部球形,斑内有灰白色细纹,在 M_3 与 Cu_1 上有银鳞;大斑外侧至外缘灰褐色,在 M_1 以上有白色;亚缘线在 R_5 以上为白色,其下消失;无缘线;缘毛在大斑外侧灰黄色,其余白色。后翅白色,中点黑灰色,其外侧排布3条淡灰色带,其中第2条较宽,外缘双峰状凸出;缘毛白色。翅反面白色,前翅斑块在反面深灰褐色。

采集记录:4♂,宝鸡天台山嘉陵江源头,1620m,2014. Ⅷ. 08-09,薛大勇、班晓双采。

分布:陕西(宝鸡)、湖北、四川。

36. 铅尺蛾属 *Gagitodes* Warren, 1893

Gagitodes Warren, 1893: 381. **Type species**: *Anticlea schistacea* Moore, 1888.

属征:小至中型蛾类。触角线形,雄性触角具短纤毛;额不凸出;下唇须粗糙,较短,仅尖端伸达额外,少数种类约1/3伸出额外。后足胫节具2对距。翅狭长;前翅前缘平直,顶角略凸出,顶角下方微凹,外缘在 M_3 处微凸;后翅外缘浅弧形。前翅具2个径副室,第1径副室狭小,R_5 与 R_{2-4} 共柄,有时出自径副室顶角;后翅 $Sc+R_1$ 与 Rs 合并至近中室端部,Rs 与 M_1 共柄,中室端脉中等强度双折角,Cu_1 不与 M_3 共柄,后缘狭窄,2A正常,无3A。

分布:古北界,东洋界。秦岭地区分布1种。

(58)高足铅尺蛾 *Gagitodes costinotaria* (Leech, 1897)(图版14:39)

Larentia costinotaria Leech, 1897: 670.

Cidaria (*Coenotephria*) *costinotaria*: Prout, L. B., 1914, *in* Seitz (e): 244, pl. 13: c.

Perizoma costinotaria: Prout, L. B., 1939, *in* Seitz (i): 275.

Gagitodes costinotaria: Xue, 1999, *in* Xue & Zhu: 891, pl. 23: 36.

鉴别特征:雄性前翅长12~15mm,雌性前翅长13~16mm。雄性触角纤毛发达,长度超过触角干直径的一半;头顶黄白色,额黑褐色,光滑;下唇须黑褐色,短粗,尖端伸达额外。胸部背面土黄色,后胸具黑色横带。腹部背面黄褐色,各腹节后缘在背中线处有1个小黑点。前翅深灰褐色,带铅灰色调或暗红褐色调;亚基线为1条黑色带,在前缘处较宽,向下逐渐收缩,在 2A 上方向外扩展,到 2A 下方折向后缘,外侧有白边;内线、中线和外线在前缘处黑褐色,向下变为褐色,迅速消失,留下浅灰色影状带,外线的晕影在 M_3 与 Cu_1 之间凸出 1 个尖齿;中线与外线之间有 1 个较大的黑斑,其中部略缢缩,下端到达 M_3,下缘沿 M_3 略向外伸展,有白边,有时大斑下方在后缘处有 1 ~2 个小黑斑;亚缘线白色锯齿形,不完整,但中部凸齿通常清晰;缘毛灰褐与黑褐色相间。后翅灰白色至灰褐色,中点小,黑灰色;外线及其内侧颜色略深,在 M_3 处弯折。前翅反面灰褐色,斑块深灰褐色。后翅反面颜色较浅,具清晰黑褐色中点;外线较正面清晰。

采集记录:1♂,宝鸡天台山嘉陵江源头,1620m,2014. Ⅷ. 08-09,薛大勇采。

分布:陕西(宝鸡)、甘肃、青海、四川、云南、西藏。

37. 小花尺蛾属 *Eupithecia* Curtis, 1825

Eupithecia Curtis, 1825: 64. **Type species**: *Phalaena absinthiata* Clerck, 1759.

Dyscymatoge Hübner, 1825: 324. **Type species**: *Phalaena innotata* Hüfnagel, 1767.

Emmesocoma Warren, 1907: 155. **Type species**: *Emmesocoma deviridata* Warren, 1907.

Pena Walker, 1863: 130. **Type species**: *Pena costalis* Walker, 1863.

Eurypeplodes Warren, 1893: 382. **Type species**: *Eurypeplodes irambata* Warren, 1893.

Catarina Vojnits *et* Laever, 1973: 427. **Type species**: *Eupithecia suboxydata* Staudinger, 1897.

属征:雄性和雌性触角均为线形,雄性有时具非常短的纤毛;额下半部凸出,常具额毛簇;下唇须短或中等长。后足胫节具 2 对距。前翅外缘极度倾斜,后缘短于外缘。前翅具 2 个径副室;后翅中室端脉不为双折角。除下述种类体型略大外,均为小型蛾类,多为灰褐色,斑纹简单。

分布:全世界。秦岭地区分布 1 种。

(59) 球果小花尺蛾 *Eupithecia gigantea* Staudinger, 1897(图版 15:1)

Eupithecia gigantea Staudinger, 1897: 109, pl. 3, fig. 70.

Cidaria (*Euphyia*) *karafutonis* Matsumura, 1925a: 167, pl. 10, fig. 13.

鉴别特征:雄性前翅长 12 ~15mm,雌性前翅长 11 ~16mm。下唇须粗壮,大于 1/3 伸出额外,大部分黑色,第 1 节腹面和第 2 节腹面基半部黄白色,第 3 节微小,黄褐色;额上半部白色,下半部凸出,额毛簇发达,黑色。头顶和胸部背面灰白色;腹部背面浅灰色,各节后缘淡黄褐色,背中线上有小黑点;第 2 腹节背面黄褐色,两侧有黑斑。翅浅灰褐色,斑纹黑褐色。前翅前缘基部黑褐色,亚基线细弱模糊;内线粗壮带状,在中室前缘附近近于消失,其下内斜,并掺杂红褐色鳞片;中线和外线均“<”形,在前缘形成黑斑,折角以下略波曲;中点黑色巨大,在中线较完整时与上半段合为一体;外线外侧为 1 条浅色细带,其中有 1 条细弱伴线;翅端部色较深,带暗黄褐色调;缘线黑色,在

翅脉端断离;缘毛灰褐色。后翅内、外线与前翅连续;中点较小;无中线;翅端部颜色略深,无黄褐色;缘线和缘毛同前翅。翅反面色较浅,无黄褐色;前后翅外线和中点同正面,两翅外线内侧均有3条细弱波状线。

采集记录:1♀,周至厚畛子,1300m,2007. Ⅷ. 10,李文柱采;12♂3♀,宝鸡天台山嘉陵江源头,1620m,2014. Ⅷ. 08-09,薛大勇、班晓双采;1♂4♀,留坝庙台子,1350m,1998. Ⅶ. 21,采集人不详;2♀,佛坪,950m,1998. Ⅶ. 24,采集人不详;2♂2♀,宁陕火地塘,1580m,1998. Ⅶ. 26-27,采集人不详;2♂1♀,宁陕火地塘,1538m,2012. Ⅶ. 11-15,姜楠等采。

分布:陕西(周至、宝鸡、留坝、佛坪、宁陕)、黑龙江、甘肃;俄罗斯,日本,朝鲜半岛。

(四)尺蛾亚科 Geometrinae

鉴别特征:成虫体型变化大。同种雄雌触角通常不同。雄性触角多为双栉形,栉齿上具纤毛,或为线形、锯齿形、纤毛状;雌性常为线形,偶尔为短双栉形。绝大多数属种后足胫节具2对距。后翅 M_2 接近 M_1,远离 M_3。翅绿色。雄性外生殖器常具发达背兜侧突,阳茎具纵向骨化带。雌性外生殖器肛瓣钝突状,常具小瘤状突,囊片常双角状。

分类:陕西秦岭地区分布26属48种。

38. 峰尺蛾属 *Dindica* Moore, 1888

Dindica Moore, 1888a: 248. **Type species**: *Hypochroma basiflavata* Moore, 1868.

Perissolophia Warren, 1893: 350. **Type species**: *Perissolophia subrosea* Warren, 1893.

属征:雄性触角双栉形,雌性线形。额下缘向前凸伸。下唇须粗壮,雌性第3节略延长。雄性后足胫节有时膨大,具毛束。前翅中等宽度至狭长;后翅宽大,顶角圆。前翅 R_{2-5} 与 M_1 分离,有时同出自中室上角;后翅 Rs 有时与 M_1 短共柄,Cu_1 接近 M_3。前翅灰绿色或橄榄绿色,散布黑褐色、红褐色鳞片或斑块;后翅基部区域常较端带色浅。胸腹部背面具发达立毛簇。

分布:东洋界。秦岭地区分布1种。

(60)赭点峰尺蛾 *Dindica para* Swinhoe, 1891(图版15:2)

Dindica para Swinhoe, 1891: 490.

Pseudoterpna para: Swinhoe, 1894: 170.

Pseudoterpna polyphaenaria (part.): Hampson, 1895: 477.

Dindica erythropunctura Chu, 1981: 115, pl. 30, fig. 782.

鉴别特征:雄性前翅长18~21mm,雌性前翅长23~24mm。前翅黄绿色;内外线及中点较清晰,外线近">"形;翅面散布黑色碎纹和少量灰红色,并在翅基部中室下缘脉下方、外线外侧 M_1 和 Cu_2 下方各形成1个红斑;缘线在翅脉间为1列小黑点;缘毛在翅脉端黑褐色,其余与翅面同色。后翅浅黄色;翅端部深色带较窄,其外侧散布深色碎纹。

采集记录:1♂,宁陕火地塘,1550m,2008. Ⅶ. 08,刘万岗采;1♂,宁陕火地塘,1538m,2012. Ⅶ. 11-15,姜楠采。

分布:陕西(宁陕)、河南、甘肃、浙江、湖北、江西、湖南、福建、海南、广西、四川、云南、西藏;泰国,印度,尼泊尔,不丹,马来西亚。

39. 涡尺蛾属 *Dindicodes* Prout, L. B., 1912

Dindicodes Prout, L. B., 1912, *in* Wytsman: 41. **Type species**: *Hypochroma crocina* Butler, 1880.

属征:雄性触角短,双栉形,端部线形;雌性触角线形。额中度至强凸出。雌性下唇须第3节几乎不延长。雄性后足胫节有时膨大,具毛束和短端突。前后翅外缘浅波曲;后翅前缘有时短,后缘略延长。前翅 R_{2-5} 与 M_1 均出自中室上角;后翅 Rs 和 Cu_1 分别出自中室上角、下角前方。前翅黄绿色,散布黑红褐色;后翅鲜黄色或白色。

分布:东洋界。秦岭地区分布2种。

(61)豹涡尺蛾 *Dindicodes davidaria* (Poujade, 1895)(图版15:3)

Pachyodes daivdaria Poujade, 1895a: 311.
Pseudoterpna davidaria: Leech, 1897: 229.
Terpna davidaria: Prout, L. B., 1912, *in* Wytsman: 41.
Terpna (*Dindicodes*) *davidaria*: Prout, L. B., 1932, *in* Seitz (i): 57.
Dindicodes davidaria: Pitkin *et al.*, 2007: 373.

鉴别特征:雄性前翅长25~27mm,雌性前翅长27~30mm。额凸出,灰绿色。下唇须深灰绿色,侧面带灰褐色,第1、2节粗糙,雄性第3节尖端伸出额外,雌性约1/3伸出额外。头顶灰绿色。胸部背面深灰绿色,且具深灰绿色隆起的毛簇。腹部背面具深灰绿色发达立毛簇。胸腹部腹面污白色,胸部前方略带污黄色。雄性后足胫节不膨大,无端突,胫距2对。前翅黄绿色,大部分覆盖黑色,前翅基部及外缘区域绿色较浓;亚基线斜行,黑色;内线锯齿形斜行、模糊;外线上半段锯齿形,M_3 下方为脉上小黑点;中点为黑色细线,周围黑绿色;亚缘线为脉间1列黄白点,缘线为脉间黑色点;缘毛灰绿色和黑绿色相间。后翅黄色,翅基部灰褐色并沿后缘扩展至近臀角处;外缘下半部和臀角附近带绿色;中点大而圆,外线为3个大黑斑;缘线和缘毛同前翅。

采集记录:2♂,周至厚畛子,1300m,2007. Ⅷ. 10,李文柱采;3♂1♀,宝鸡天台山嘉陵江源头,1620m,2014. Ⅷ. 08-09,薛大勇、班晓双采;4♂4♀,宁陕火地塘,1580m,1998. Ⅶ. 26-27、Ⅷ. 14-17,袁德成采;1♂,同前,1979. Ⅷ. 06,韩寅恒采;1♂2♀,宁陕

火地塘,1550m,2007. Ⅷ. 19,李文柱采。

分布:陕西(周至、宝鸡、宁陕)、甘肃、湖北、湖南、四川。

(62)砂涡尺蛾 ***Dindicodes vigil* (Prout, L. B., 1926)**(图版15:4)

Terpna vigil Prout, L. B., 1926c: 131, pl. 1, fig. 12.

Terpna (*Dindicodes*) *vigil*: Prout, L. B., 1932, *in* Seitz (i): 57.

"*Pachyodes*" *vigil*: Parsons *et al.*, 1999, *in* Scoble: 690.

鉴别特征:雄性前翅长24~26mm,雌性前翅长26mm。额灰绿色,两侧黑褐色。下唇须第1、2节粗糙,第3节极短,黑褐色,雄性尖端、雌性约1/3伸出额外。头顶及胸部背面灰绿色,腹部背面有隆起的灰绿色毛簇。后足胫节不膨大,无端突;前足及中足黑色,各节端部黄绿色。翅面黄绿色,散布黑色碎纹,较少黑褐色。前翅黑色内线不连续,在前缘、中室下缘及2A至后缘间各有1个黑斑;中点黑色,周围为边缘不清晰的黑斑;外线较清晰,黑色,多为脉上黑点,有时在M_3上方连续,在M_3上凸出1个大钝齿;缘线黑色,为脉间黑斑;缘毛黄绿色和黑褐色相间,在翅脉端为黑褐色。后翅前缘和后缘近等长,顶角圆,外缘圆;黄色,基部污白色,并沿后缘扩散,有些接近臀角;中点黑色,大;外线宽阔黑色,在M_2至Cu_2附近有间断,其外侧近外缘多黑褐色碎纹。

采集记录:1♂,留坝韦驮沟,1600m,1998. Ⅶ. 21,陈军采。

分布:陕西(留坝)、湖南、四川、云南;缅甸。

40. 京尺蛾属 *Epipristis* Meyrick, 1888

Epipristis Meyrick, 1888: 836 (key), 916. **Type species**: *Epipristis oxycyma* Meyrick, 1888.

Terpnidia Butler, 1892: 131. **Type species**: *Hypochroma nelearia* Guenée, 1858.

Pingarmia Sterneck, 1927: 147. **Type species**: *Pingarmia transiens* Sterneck, 1927.

属征:雄性触角线形或极短双栉形;雌性线形;额略凸出,鳞片光滑;雌性下唇须第3节略延长。腹部通常有小立毛簇。雄性后足胫节膨大或不膨大,有或无毛束;雄性、雌性胫距2对。雄性第3腹节腹板通常无刚毛斑。体型小。前后翅外缘波曲;后翅前缘短,顶角圆,外缘圆。翅暗绿色、浅灰色或麦秸色;前翅内线波状或锯齿形,外线锯齿形或弯曲,亚缘线白色;外线外侧较内侧色深,常伴有红褐色或暗灰褐色斑块;前后翅均有中点。翅反面翅基部污白色或灰白色,常具宽阔黑褐色端带;中点短杆状或水滴形。翅缰发达或无。前翅R_1与Sc融合一段距离,后和R_2融合或接近,R_2出自R_5之前,M_1与R_{2-5}不共柄,M_2出自中室端脉上方,中室端脉深弯曲,M_3与Cu_1不共柄。后翅$Sc+R_1$与中室在基部接近一段,未超过中室的1/2,Rs与M_1不共柄,M_3与Cu_1不共柄,具3A脉。

分布:东洋界,澳洲界。秦岭地区分布1种。

(63)北京尺蛾 *Epipristis transiens* (Sterneck, 1927)(图版 15:5)

Pingarmia transiens Sterneck, 1927: 148.

Epipristis transiensi: Prout, L. B., 1934, *in* Seitz (f): 6, pl. 1: f.

鉴别特征:雄性前翅长 15 ~ 16mm,雌性前翅长 16 ~ 18mm。额黑色,光滑。下唇须背面黑色,第 1、2 节腹面白色,第 3 节均为黑色,雄性 1/3 伸出额外,雌性 1/2 伸出额外。头顶灰白色。雄性后足胫节膨大,有毛束,胫距 2 对。腹部背面第 2 节至第 4 节有黑褐色立毛簇。雄性第 8 腹节无特化。无翅缰。翅灰白色,散布大量黑褐色点。前翅前缘黑褐点较多;内线黑褐色浅波状;中点为黑褐色小点;外线锯齿形,黑褐色,内外线均在前缘形成黑褐色斑。外线外侧有红褐色斑块,中部较少;亚缘线白色波状,接近外线;缘线为翅脉间 1 列三角形小斑,缘毛灰白与褐色掺杂,在翅脉端褐色较多。后翅基本同前翅,黑褐色中点较前翅大。

采集记录:1♂, Sued-Shensi, Tapai Shan im Tsinling, 1935. Ⅶ. 03, coll. H. Höne (BMNH).

分布:陕西(太白山)、北京、山西、河南。

41. 始青尺蛾属 *Herochroma* Swinhoe, 1893

Herochroma Swinhoe, 1893a: 148. **Type species**: *Herochroma baba* Swinhoe, 1893.

Chloroclydon Warren, 1894a: 464. **Type species**: *Scotopteryx usneata* Felder *et* Rogenhofer, 1875.

Archaeobalbis Prout, L. B., 1912, *in* Wytsman: 9, 24. **Type species**: *Hypochroma viridaria* Moore, 1868.

Neobalbis Prout, L. B., 1912, *in* Wytsman: 10, 26. **Type species**: *Pseudoterpna elaearia* Hampson, 1903.

属征:雄性和雌性触角均为线形。额中度凸出。下唇须中等长,雄性第 3 节短小,雌性第3 节略延长。雄性后足胫节具发达的毛束。前翅外缘波状;后翅外缘深波状或钝齿状,有些种类雄性后翅臀角凸出,后缘延长。前翅 R_2 出自中室或与 R_{3-5} 共柄;后翅 Rs 不共柄,M_3 和 Cu_1 不共柄。翅通常为黄绿色或草绿色,散布灰色或红褐色。

分布:古北界,东洋界。秦岭地区分布 1 种。

(64)夕始青尺蛾 *Herochroma sinapiaria* (Poujade, 1895)(图版 15:6)

Hypochroma sinapiaria Poujade, 1895a: 309, pl. 6: 5.

Pseudoterpna sinapiaria: Leech, 1897: 229.

Archaeobalbis sinapiaria: Prout, L. B., 1912, *in* Wytsman: 25.

Herochroma sinapiaria: Inoue, 1999: 82, figs. 10-12, 63, 89.

鉴别特征:雄性前翅长 23 ~ 24mm,雌性前翅长 28mm。下唇须第 3 节伸出额外,光滑,第2节鳞片粗糙,侧面有灰黑色。额、头顶、胸部背面暗绿色。后足胫节端突长度达第1跗节的1/2。腹部背面成对的立毛簇从第1节末端到第5节均清晰。雄性第3腹节具刚毛斑。雄性第8腹节不特化。翅面灰绿色,密布暗绿色小点。前翅外缘波曲;内线为1条模糊黑褐色带,在后缘形成1个红褐色斑,其内侧的鳞片凸起,斑呈窝状;中点不清晰;外线较直,略呈锯齿形;外线外侧有黄褐色和黑褐色混杂的碎斑。后翅外缘锯齿形,在 Cu_1 脉端的齿最大,臀角凸出;中点深绿至黑褐色;外线锯齿形,外侧有浅色阴影和黄黑褐色的碎点。前后翅缘线墨绿色至黑色。

采集记录:2♀,宝鸡天台山嘉陵江源头,1620m,2014. Ⅷ. 08-09,班晓双采;2♂, Sued-Shensi, Tapai Shan im Tsinling, 1700m, 1936. Ⅷ. 05-13, coll. H. Höne (ZFMK); 1♂1♀,宁陕火地塘,1550m,2007. Ⅷ. 18-19,杨玉霞等采。

分布:陕西(宝鸡、太白、宁陕)、湖南、四川、云南、西藏。

42. 巨青尺蛾属 *Limbatochlamys* Rothschild, 1894

Limbatochlamys Rothschild, 1894b: 540. **Type species**: *Limbatochlamys rosthorni* Rothschild, 1894.

属征:雄性和雌性触角均为双栉形,雌性栉齿短。额中度凸出。下唇须第3节短小。雄性后足胫节不膨大。前翅顶角尖,略呈镰状;后翅顶角圆且后缘延长;前后翅外缘光滑。前翅 R_{2-5} 与 M_1 出自中室上角或短共柄;后翅 M_3 和 Cu_1 不共柄。前翅均匀橄榄绿色,前缘具1条草黄色宽带;后翅前缘区草绿色,端部灰绿色。

分布:中国。秦岭地区分布2种。

(65) 中国巨青尺蛾 *Limbatochlamys rosthorni* Rothschild, 1894(图版15:7)

Limbatochlamys rosthorni Rothschild, 1894b: 540, pl. 12, fig. 9.

鉴别特征:雄性前翅长28~37mm,雌性前翅长38mm。前翅橄榄绿色,前缘灰黄色,散布黑色碎纹,局部带灰红色;外线在翅脉上为1列小黑点;缘线黑色纤细,在翅脉端断离。后翅灰黄色,后缘基部附近和外缘附近带灰绿色调;翅面散布黑色碎纹;中点细长模糊;外线灰黑色锯齿形。

采集记录:1♂,周至厚畛子,1276m,2008. Ⅶ. 01,白明采;1♂,太白黄柏塬,1980. Ⅶ. 17,韩寅恒采;1♂,太白黄柏塬,1750m,1980. Ⅶ. 13,采集人不详;1♂,留坝庙台子,1350m,1998. Ⅶ. 19,张学忠采;1♂,佛坪县城,900m,2008. Ⅶ. 06,白明采;1♂,佛坪县城,袁德成采;1♂,宁陕火地塘,1580m,1998. Ⅶ. 26,姚建采;2♂2♀,宁陕火地塘,1550m,2007. Ⅷ. 18,杨玉霞等采。

分布:陕西(周至、太白、留坝、佛坪、宁陕)、甘肃、上海、江苏、浙江、湖北、江西、湖南、福建、广西、四川、重庆、云南。

(66)异巨青尺蛾 *Limbatochlamys pararosthorni* Han *et* Xue, 2005(图版 15:8)

Limbatochlamys pararosthorni Han *et* Xue, 2005: 197, figs. 8, 9, 14, 15.

鉴别特征:雄性前翅长 30 ~ 32mm,雌性前翅长 33 ~ 34mm。额略凸,黑褐色。下唇须短小,灰黄色,雌性第 3 节不延长。头顶灰黄色,胸部背面灰绿色,肩片基部灰黄色。腹部背面灰黄色。胸部腹面和腿节多毛,后足胫距 2 对。雄性第 8 腹节腹板、背板弱骨化。前翅颜色斑纹同中国巨青尺蛾 *L. rosthorni*,后翅外线锯齿较小。翅反面灰黄褐色,端部密布黑色碎纹,前后翅均无中点;前翅灰黑色直带状外线或有或无。

采集记录:1♂(副模),太白黄柏塬,1980. Ⅷ. 17,韩寅恒采;1♀,太白黄柏塬,采集人不详;1♂(正模),宁陕火地塘,1998. Ⅷ. 15,袁德成采;1♂(副模),宁陕火地塘,1979. Ⅷ. 06,韩寅恒采;5♂2♀,宁陕火地塘,1580m,1998. Ⅶ. 26、Ⅷ. 15-18,袁德成采。

分布:陕西(太白、宁陕)、四川。

43. 冠尺蛾属 *Lophophelma* Prout, L. B., 1912

Lophophelma Prout, L. B., 1912, *in* Wytsman: 40. **Type species**: *Hypochroma vigens* Butler, 1880.

属征:雄性触角双栉形,端部线形;雌性线形或短双栉形。额凸出。下唇须较短,雌性第 3 节略延长。雄性后足胫节常不膨大。前后翅外缘略波曲;后翅前缘短,顶角圆,后缘延长。前翅 R_{2-5}与 M_1 出自中室上角;后翅 Cu_1 出自中室下角前方。前后翅中点短条状,外线强锯齿形。

分布:东洋界。秦岭地区分布 1 种。

(67)江浙冠尺蛾 *Lophophelma iterans iterans* (Prout, L. B., 1926)(图版 15:9)

Terpna iterans Prout, L. B., 1926a: 2.

Pachyodes (*Pachista*) *iterans*: Inoue, 1992a: 120.

Pachyodes iterans: Xue, 1992, *in* Liu: 811, fig. 2601.

"*Pachyodes*" *iterans*: Parsons *et al.*, 1999, *in* Scoble: 690.

Lophophelma iterans: Pitkin, Han & James, 2007: 383.

鉴别特征:雄性前翅长 26 ~ 35mm,雌性前翅长 34mm。翅面浅灰黄绿色,斑纹黑色。前翅亚基线浅弧形;内线微波曲,向外倾斜;中点细长,弯;外线深锯齿形,中部外凸,其外侧具银灰色鳞片。后翅外线在 M_3 上凸出,锯齿表现为在翅脉上延伸的黑条,其外侧有 1 条模糊黑灰色带。

采集记录:2♀,周至厚畛子,3120m,1999. Ⅵ. 21,姚建采;1♂,周至厚畛子,1300m,2007. Ⅷ. 10,杨干燕采;1♂2♀,宁陕火地塘,1580m,1998. Ⅷ. 18-21,袁德成

采;1♂,宁陕火地沟,1580~1650m,1999.Ⅶ.01,袁德成采;2♂,宁陕火地塘,1538m,2012.Ⅶ.11-15,姜楠采;1♀,宁陕广货街保护站,1189m,2014.Ⅶ.26-28,班晓双采;1♂,柞水营盘镇,953~995m,2014.Ⅶ.29-31,刘淑仙采。

分布:陕西(周至、宁陕、柞水)、河南、甘肃、上海、浙江、湖北、江西、湖南、福建、海南、广西、四川;越南。

44. 异尺蛾属 *Metaterpna* Yazaki, 1992

Metaterpna Yazaki, 1992: 8. **Type species**: *Terpna differens* Warren, 1909.

属征:雄性触角短双栉形;雌性线形或纤毛状。额轻微至中度凸出,鳞片粗糙。中胸立毛簇较弱,腹部立毛簇发达;后足胫距2对。前后翅外缘浅波状;后翅后缘略延长。前翅褐色,有时带橄榄色;内线清晰,黑色、倾斜;外线黑色,锯齿形,中部极外凸;外线外侧近顶角处有粉白色或模糊红褐色斑,有时在臀角处亦有另1个浅色斑;亚缘线不清晰。后翅外线内侧米色或灰色,外线外侧散布橄榄色或深褐色斑纹;外线接近外缘,下端接近臀角,基本光滑,下半部有时弱,具另1条黑褐色伴线,连续或间断。翅缰发达。前翅 R_1 出自中室上角前方,与 Sc 接近一段距离或不接近;R_{2-5} 共柄,与 M_1 均出自中室上角;Cu_1 出自中室下角前方。后翅 $Sc+R_1$ 与中室接近一段距离,Rs 和 M_1 均出自中室上角,Cu_1 出自中室下角前方,有3A脉。

分布:中国;印度,尼泊尔。秦岭地区分布1种。

(68) 粉斑异尺蛾 *Metaterpna thyatiraria* (Oberthür, 1913)(图版15:10)

Hypochroma thyatiraria Oberthür, 1913b: 290, pl. 173, fig. 1703.

Dindica thyatiroides Sterneck, 1928: 134.

Metaterpna thyatiraria: Yazaki, 1992: 8.

鉴别特征:雄性前翅长19~23mm,雌性前翅长24~25mm。额黄绿色。下唇须较长,黑褐色,尖端伸出额外。头顶灰绿色。胸腹部背面黑色与灰绿色相杂,具黄绿色立毛簇,腹部第2~4节立毛簇发达,腹部第1节白色。雄性后足胫节不膨大,2对距。前翅黄绿色杂黑色碎纹;内线黑色,外倾;外线黑色,锯齿形,中部外凸,从前缘至 M_2 与 M_3 间内弯,在 M_3 至 Cu_2 间形成3个大小不等的齿,在 Cu_2 下方至臀褶间内弯,两次内弯处外侧各有1个大斑,白色上散布少量粉红色,上部大斑外缘有波状白色亚缘线;M_3 至 Cu_2 间外侧有浅色阴影,并有少量红褐色;中点纤细,黑色;缘线黑色波曲;缘毛黑色与黄色相间。后翅白色,无中点;外线较近外缘,弧形,灰褐色,较粗;外线内侧自 Cu_1 脉以下有1条若隐若现的黑色伴线,波曲不连续;外线外侧白色,在外缘附近散布黄绿色,杂黑色碎纹;外线内侧的后缘亦散布黑色与灰绿色小斑;缘线、缘毛同前翅。

采集记录:4♂4♀,周至厚畛子,1300m,2007.Ⅷ.10,李文柱采;1♀,宁陕火地塘,1979.Ⅷ.07,采集人不详;1♂,宁陕火地塘,1580m,1998.Ⅶ.26-27,采集人不详;1♀,宁陕火地塘,1550m,2007.Ⅷ.19,李文柱采;1♂,宁陕火地塘,1550m,2008.Ⅶ.09,李文柱采。

分布:陕西(周至、宁陕)、甘肃、四川、云南。

45. 染尺蛾属 *Psilotagma* Warren, 1894

Psilotagma Warren, 1894b: 678. **Type species**: *Psilotagma decorata* Warren, 1894.

属征:雄性和雌性触角均为线形或短双栉形。额中度凸出,中部黑褐色;雌性下唇须第3节短小。胸腹部背面具发达的立毛簇。前翅较窄,前后翅外缘浅波曲;后翅前缘长度中等,后缘略延长。前翅淡褐色至褐色,或橄榄绿色;内线不清晰,有时无,在前缘形成黑褐色斑;中点细长弯曲;外线在前缘至 M_3 脉间清晰,后弯折,断续或不清晰;外线外侧在前缘处有清晰的中等至巨大黑褐色斑块,有时掺杂红褐色且在 Cu_2 两侧亦有分散的红褐色斑,或在臀角处具1个红褐色斑;亚缘线白色,锯齿形,通常不清晰。后翅颜色较浅,常白色;中点较前翅短小模糊;外线不清晰,仅在翅脉上有清晰黑点,外侧有红褐色至黑褐色斑块。前翅 R_1 出自中室上角前方;R_{2-5} 共柄,R_2 出自 R_5 前方,R_{2-5} 与 M_1 均出自中室上角;Cu_1 出自中室下角前方。后翅 $Sc+R_1$ 与中室接近一段距离,Rs出自中室上角,Cu_1 出自下角前方,有3A脉。

分布:中国;印度,不丹,尼泊尔。秦岭地区分布1种。

(69) 染尺蛾 *Psilotagma decorata* Warren, 1894(图版15:11)

Psilotagma decorata Warren, 1894b: 678.
Terpna dorsorcristata Poujade, 1895a: 313, pl. 7: 18, 18a.
Pseudoterpna dorsocristata: Leech, 1897: 229.
Terpna decorata: Prout, L. B., 1912, *in* Wytsman: 39.
Pachyodes decorata: Inoue, 1982: 131.

鉴别特征:雄性前翅长25~29mm,雌性前翅长29mm。雄性和雌性触角均为线形。额略凸出,下唇须短小,均黑褐色。体及翅灰至灰白色,带灰绿色调。胸腹部背面具发达的立毛簇。雄性后足胫节膨大,2对距,有短端突。雄性第3腹节腹板具1对刚毛斑。前翅前缘散布黑色碎纹;内线在前缘处留下1个三角形黑斑,其下消失或仅在翅脉上隐约可见;中点为1条弧形弯曲短线,黑色,周围有深灰色阴影;外线细弱,在翅脉上形成小黑点,在前缘形成1个小黑斑,弧形弯曲,中部极外凸;外线外侧在前缘处有清晰的黑褐色斑块,向下至 M_2 处掺杂红褐色,并扩展至外缘,Cu_1 以下在翅脉间排列紫红色圆斑;顶角附近散布灰色鳞;亚缘线灰白色锯齿形,十分模糊;缘线为翅脉间的 1 列黑点;缘毛黑灰色与灰白色掺杂。后翅颜色较浅,中点及其外侧斑纹同前翅。

采集记录:2♂,周至厚畛子,1350m,1999. Ⅵ. 24,姚建采;1♂,周至厚畛子,1276m,2008. Ⅶ. 01,白明采;11♂2♀,太白黄柏塬,1350m,1980. Ⅶ. 12-18,张宝林等采;2♂,留坝庙台子,1350m,1998. Ⅶ. 19-21,姚建采;1♂,留坝庙台子,1470m,1999. Ⅶ. 01,朱朝东采;1♂,佛坪,950m,1998. Ⅶ. 23-24,姚建、袁德成采;1♂,佛坪龙草坪,1200m,2008. Ⅶ. 03,刘万岗采;13♂6♀,宁陕火地塘,1979. Ⅶ. 23-Ⅷ. 05,韩寅恒采;2♂1♀,宁陕火地塘,1580m,1998. Ⅶ. 26-27,袁德成、姚建采;3♂3♀,宁陕火地塘,1580~1650m,1999. Ⅵ. 25-26,袁德成采;10♂5♀,宁陕火地塘,1550m,2008. Ⅶ. 08,白明等采;5♂,宁陕火地塘,1538m,2012. Ⅶ. 11-15,姜楠等采;1♂,宁陕广货街保护站,1189m,2014. Ⅶ. 26-28,刘淑仙采;1♂,柞水营盘镇,953~995m,2014. Ⅶ. 29-31,刘淑仙采;3♂,商南金丝峡,777m,2013. Ⅶ. 23-25,姜楠、崔乐采。

分布:陕西(周至、太白、留坝、佛坪、宁陕、柞水、商南)、河南、甘肃、湖北、湖南、广西、四川、云南;印度,不丹,尼泊尔。

46. 粉尺蛾属 *Pingasa* Moore, 1887

Pingasa Moore, 1887: 419. **Type species**: *Hypochroma ruginaria* Guenée, 1858.

Skorpisthes Lucas, 1900: 143. **Type species**: *Skorpisthes undascripta* Lucas, 1900.

属征:雄性触角短双栉形,外侧栉齿略长于内侧;雌性线形。额中度凸出,中间有宽阔或窄黑带;下唇须雌性第 3 节延长,光滑,第 1、2 节鳞片粗糙。大多数种类雄性后足胫节膨大,有毛束和极短端突,2 对距。腹部背面有中等发达或较小立毛簇。前后翅外缘浅波状,后翅前缘短,后缘延长。后翅通常在中点位置及中点外下方各覆盖有长毛;前翅有清晰的内线、外线、亚缘线;后翅有清晰的外线;内线波状或锯齿形;外线为不规则锯齿形,或圆滑但沿翅脉向外延伸尖齿;翅面被外线分割成两部分,外线内侧通常色浅,由白色至灰褐色;外线外侧由淡灰色至粉褐色、红褐色、灰红褐色、深灰色、深灰绿色等;亚缘线锯齿形或波状,清晰或不清晰。翅缰发达。前翅 R_1 自由;R_{2-5} 出自中室上角,有时与 M_1 短共柄;M_2 出自中室端脉中部以上,Cu_1 不共柄。后翅 Rs 出自中室上角前方,有时出自中室上角,偶有与 M_1 短共柄;Cu_1 接近 M_3;有 3A 脉。

分布:古北界,东洋界,非洲界,澳洲界。秦岭地区分布 1 种。

(70) 红带粉尺蛾 *Pingasa rufofasciata* Moore, 1888(图版 15:12)

Pingasa rufofasciata Moore, 1888, *in* Hewitson & Moore: 247.

鉴别特征:前翅长 21~22mm。下唇须、额、头顶灰白色,额上缘为 1 条黑褐色横线。胸部背面和腹面白色杂黄褐色和黑色鳞片。前后翅外缘圆锯齿形；外线以内白色，散布大量黑灰色鳞片。前翅前缘多灰褐色，翅基部色略深；内线黑色波曲，在臀褶处形成1个大齿；中点黑色细长，中部弯曲；外线黑色，弧形浅锯齿形，在翅脉上有短线状延伸；外线外侧为深灰色带黄褐色或粉红色，向外缘处黄褐色渐少，亚缘线白色锯齿形，较模糊。后翅外线、亚缘线和翅端部颜色基本同前翅；在中点位置上暗褐色，上有白色长鳞毛覆盖。前后翅缘线黑褐色，在翅脉间呈小斑状；缘毛白色。

采集记录：1♂，宁陕广货街保护站，1189m，2014. Ⅶ. 26-28，刘淑仙采。

分布：陕西（宁陕）、浙江、湖北、江西、湖南、福建、广西、四川、贵州、云南；印度。

47. 青尺蛾属 *Geometra* Linnaeus, 1758

Geometra Linnaeus, 1758: 519. **Type species**: *Phalaena papilionaria* Linnaeus, 1758.

Hipparchus Leach, 1815: 134. **Type species**: *Phalaena papilionaria* Linnaeus, 1758.

Leptornis Billberg, 1820: 90. **Type species**: *Phalaena papilionaria* Linnaeus, 1758.

Terpne Hübner, 1822: 38. **Type species**: *Phalaena papilionaria* Linnaeus, 1758.

Holothalassis Hübner, 1823: 285. **Type species**: *Phalaena papilionaria* Linnaeus, 1758.

Loxochila Butler, 1881b: 615. **Type species**: *Tanaorhinus smaragdus* Butler, 1880.

Hydrochroa Gumppenberg, 1887: 328 (key). **Type species**: *Geometra glaucaria* Ménétriès, 1859.

Megalochlora Meyrick, 1892: 93 (key), 95. **Type species**: *Chlorochroma sponsaria* Bremer, 1864.

属征：雄性触角双栉形，尖端线形；雌性触角线形。额圆形凸出；下唇须粗壮，雌性第3节略延长。胸腹部背面无立毛簇。雄性后足胫节常膨大，有毛束和端突；雄雌性均具2对距。前翅顶角略呈镰状，钝或较尖，外缘光滑或锯齿形，有时顶角下方外缘呈缺刻状；后翅外缘光滑或锯齿形，或在 M_3 脉端有尾突。翅绿色，通常带蓝绿色调。内外线通常白色，纤细或粗壮，波曲或直；亚缘线模糊或微弱，或为脉间白斑；中点通常不清晰，偶尔清晰。有翅缰。中室长度短于翅长的1/2。前翅 R_1 自由或与 R_2 有一段接触；R_{2-5}出自中室上角前方；M_3 与 Cu_1 分离。后翅 $Sc+R_1$ 脉和中室不接触，Rs 自由，M_3 与 Cu_1 分离，有3A 脉。

分布：古北界，东洋界。秦岭地区分布7种。

(71) 白脉青尺蛾四川亚种 *Geometra albovenaria latirigua* (Prout, L. B., 1932)（图版15:13）

Hipparchus albovenaria latirigua Prout, L. B., 1932, *in* Seitz (i): 75.

Geometra albovenaria latirigua: Xue, 1992, *in* Liu: 816, fig. 2622.

鉴别特征：雄性前翅长24～25mm，雌性前翅长28～29mm。额圆形凸出，下半部白色；上半部中间绿色，两侧略带褐色。下唇须褐色，鳞片粗糙；雄性1/3～1/2伸出额外，雌性1/2伸出额外。头顶白色杂绿色。胸腹部背面淡绿色。翅面蓝绿色，翅脉白色。前翅前缘在近顶角处弓形；外缘浅锯齿形；前缘白色；内外线白色、粗壮、直，内线外侧及外线内侧有深绿色阴影；中点深绿色，将白色中室端脉断离；白色亚缘线细弱，微波曲；前缘在内线、外线、亚缘线和顶角各有1个细长褐斑；缘毛白色，在翅脉端为褐色。后翅外线宽且直，亚缘线细，白色，在 M_2 脉附近外凸；缘毛同前翅。

采集记录：2♂1♀，周至楼观台，680m，2008. Ⅵ. 23-24，刘万岗采；3♂，周至钓鱼台，1480m，2008. Ⅵ. 29，白明等采；2♂，太白黄柏塬，1350m，1980. Ⅶ. 13，韩寅恒采；1♀，留坝庙台子，1470m，1999. Ⅶ. 01，贺同利采；1♂1♀，佛坪龙草坪，1200m，2008. Ⅶ. 03，刘万岗采；1♂2♀，宁陕火地塘，1580m，1998. Ⅶ. 26-27，袁德成等采；2♀，宁陕火地塘，1979. Ⅶ. 23-Ⅷ. 04，韩寅恒采；8♂，宁陕火地塘，1550m，2008. Ⅶ. 08-09，李文柱采；1♀，宁陕火地塘，1538m，2012. Ⅶ. 11-15，姜楠采。

分布：陕西（周至、太白、留坝、佛坪、宁陕）、甘肃、湖北、湖南、四川、云南。

（72）宽线青尺蛾 *Geometra euryagyia* (**Prout, L. B., 1922**)（图版15：14）

Hipparchus euryagyia Prout, L. B., 1922: 252.

Geometra euryagyia: ICZN, 1957: 254.

鉴别特征：雄性前翅长23～26mm，雌性前翅长25～29mm。额下半部白色，上半部浅褐色。下唇须1/2伸出额外。头顶浅褐色。雄性后足胫节不膨大，无毛束；各足关节处有褐点。翅绿色，前后翅翅脉均带白色，但不均匀。前翅前缘端半部微拱形，白色；顶角尖，微凸出；外缘光滑，顶角下方稍内凹，中部略外凸，后几乎直；内线、外线、亚缘线均白色，几乎均直行，内线近后缘外弯，外线在 M_3 上方略外凸，亚缘线中部略内凹；内线外侧、外线内侧、亚缘线内侧均具深黄绿色阴影；中点白色细长。后翅顶角圆，外缘光滑，较平直，后缘延长；外线和亚缘线白色，均直行；亚缘线达臀角，外线达臀角附近，两线有汇聚趋势。

采集记录：1♂，留坝庙台子，1470m，1999. Ⅶ. 01，贺同利采；3♂，佛坪龙草坪，1200m，2008. Ⅶ. 03，白明等采；1♂3♀，宁陕火地塘，1979. Ⅶ. 21-Ⅷ. 03，韩寅恒采；1♂1♀，宁陕火地塘，1580m，1998. Ⅶ. 26，姚建、袁德成采；2♂，宁陕火地塘，1538m，2012. Ⅶ. 11-15，程瑞等采。

分布：陕西（留坝、宁陕、佛坪）、河南、甘肃、云南。

（73）细线青尺蛾 *Geometra neovalida* **Han, Galsworthy *et* Xue, 2009**（图版15：15）

Geometra neovalida Han, Galsworthy *et* Xue, 2009: 907, fig. 1I, 2I, 3I, 4I, 5I.

鉴别特征：雄性前翅长23mm，雌性前翅长25mm。额下半部大部分白色，上半部绿色。雄性下唇须近1/2伸出额外，褐色。头顶、胸部背面绿色，腹部背面浅绿色，褪色后为黄褐色。翅绿色。前后翅外缘锯齿形，在 M_2 脉端齿均较小，似在 M_1 至 M_3 脉间有缺刻；前翅内线白色，细弱，较直，但有微弱不规则波曲；两翅外线白色，细，略有弯曲；前翅内外线在前缘略增粗；亚缘线极微弱；缘毛白色，在翅脉端褐色。

采集记录：1♂，太白黄柏塬，1980. Ⅷ. 17，韩寅恒采。

分布：陕西（太白）、内蒙古、北京、甘肃。

（74）云青尺蛾 *Geometra symaria* Oberthür, 1916（图版 15：16）

Geometra symaria Oberthür, 1916a: 102, pl. 387, fig. 3257.

Hipparchus symaria: Prout, L. B., 1932, *in* Seitz (i): 75.

鉴别特征：前翅长 26 ~ 30mm。额、头顶、下唇须、胸部背面、腹面、足均呈绿色。下唇须 1/3 伸出额外。雄性后足胫节稍膨大。翅面绿色，带蓝色调。前后翅外缘锯齿较深，前翅顶角下方和后翅 M 脉之间略凹入。前翅内线波状，白色，并向内弥散，外侧为深绿色阴影；白色外线向外弥散，锯齿形，几乎和外缘平行，齿间呈月牙形，在臀褶处略内凹，其内侧为深绿色阴影，内外线之间绿色带比内线以内、外线以外的绿色深，且上宽下窄；中点深绿色，短条状；亚缘线白色，除在后缘处外折外，几乎和外线平行。后翅外线、中点、亚缘线等和前翅相似。

采集记录：2♂，宁陕火地塘，1979. Ⅶ. 25-Ⅷ. 04，韩寅恒采；1♂，宁陕火地塘，1550m，2007. Ⅷ. 18，杨玉霞采；1♀，周至厚畛子，1300m，2007. Ⅷ. 10，李文柱采。

分布：陕西（周至、宁陕）、河南、甘肃、湖北、四川、云南。

（75）乌苏里青尺蛾 *Geometra ussuriensis* (Sauber, 1915)（图版 15：17）

Megalochlora ussuriensis Sauber, 1915: 203.

Hipparchus ussuriensis: Prout, L. B., 1935, *in* Seitz (f): 9, pl. 2: d.

Hipparchus herbeus Kardakoff, 1928: 421, pl. 9, fig. 18.

Geometra ussuriensis: ICZN, 1957: 254.

鉴别特征：雄性前翅长 18 ~ 23mm，雌性前翅长 23 ~ 25mm。额下半部白色，上半部绿色。雄性下唇须 1/2 伸出额外，深褐色。头顶绿色，杂白色。胸部背面和翅绿色。足各节末端有褐点。前翅顶角尖，外缘波曲，顶角下方深凹陷，在 M_3 脉端凸出 1 个大齿，其他各脉端均有小齿；前缘黄白色；内、外线白色，清晰细线形；内线微波曲，略呈弧形；外线在前缘处略向内弯曲，两线在前缘处各形成 1 个褐斑，前缘在顶角也有 1 个褐斑；亚缘线模糊白色，略波曲。后翅顶角圆，外缘在 M_3 脉处有尖尾突，顶角至 M_3 各脉端有小齿；外线直，白色，较前翅粗；亚缘线白色，模糊，波曲。前后翅缘毛白色，在翅脉端为 1 个褐点。

采集记录：1♂，留坝庙台子，1350m，1998. Ⅶ. 21，姚建采；10♂，佛坪龙草坪，1200m，2008. Ⅶ. 03，李文柱等采；1♂1♀，宁陕火地塘，1979. Ⅶ. 23-24，韩寅恒采；4♂，

宁陕火地塘,1538m,2012. Ⅶ. 11-15,姜楠等采。

分布:陕西(留坝、佛坪、宁陕)、黑龙江、河南、甘肃、浙江、湖北、四川;俄罗斯(东南部),日本,朝鲜半岛。

(76)直脉青尺蛾 *Geometra valida* Felder *et* Rogenhofer, 1875(图版 16:1)

Geometra valida Felder *et* Rogenhofer, 1875: pl. 127, fig. 37.

Geometra dioptasaria Christoph, 1881: 41.

Hipparchus valida: Prout, L. B., 1912, *in* Wytsman: 72.

鉴别特征:雄性前翅长 27 ~ 29mm,雌性前翅长 29 ~ 32mm。额下半部白色,上半部绿色。下唇须腹面基半部白色,其余褐色,第 1、2 节鳞片粗糙,第 3 节端部白色。头顶绿色。胸部背面绿色。翅面青绿色。前翅外缘锯齿形,在 M_3 和 Cu_1 处略凸出 1 个较大的齿;前缘浅灰绿色;内线白色,较直,其外侧有暗绿色阴影;中点深绿色;外线白色,倾斜,在前缘处内弯,较细,向下逐渐加粗,内侧有暗绿色阴影;亚缘线白色波状,极细弱;缘毛白色,在翅脉端有褐点。后翅外缘锯齿形,在 M_3 上的凸齿大;外线白色、直,较前翅粗,内侧有暗绿色阴影;亚缘线白色波曲,细弱;缘毛同前翅。

采集记录:11♂,周至厚畛子,1350 ~ 3120m,1999. Ⅵ. 21-24,姚建等采;1♂,周至钓鱼台,1480m,2008. Ⅵ. 29,葛斯琴采;14♂,太白黄柏塬,1350m,1980. Ⅶ. 10-18,韩寅恒采;1♂,太白,1350m,1980. Ⅶ. 18,采集人不详;1♂,太白,1981. Ⅵ. 05,王江水采;4♂1♀,留坝庙台子,1350 ~ 1470m,1998. Ⅶ. 21-22、1999. Ⅶ. 01,姚建等采;1♂,留坝县城,1020m,1998. Ⅶ. 18,姚建采;1♂4♀,佛坪,870 ~ 1000m,1998. Ⅶ. 23-25,姚建、张学忠采;1♂,佛坪偏岩子,1750m,1999. Ⅵ. 28,姚建采;1♂,佛坪凉风垭,1250m,1999. Ⅵ. 28,姚建采; 3♂,佛坪龙草坪,1200m,2008. Ⅶ. 03,白明等采;5♂2♀,宁陕火地塘,1580 ~ 1650m,1998. Ⅶ. 26-27、Ⅷ. 18,1999. Ⅵ. 25-26、Ⅶ. 06,姚建等采;1♀,宁陕火地塘,1979. Ⅶ. 25,韩寅恒采。

分布:陕西(周至、太白、留坝、佛坪、宁陕)、黑龙江、吉林、辽宁、内蒙古、北京、山西、山东、河南、宁夏、甘肃、上海、浙江、湖北、江西、湖南、福建、广西、四川、贵州、云南;俄罗斯(东南部),日本,朝鲜半岛。

(77)曲白带青尺蛾 *Geometra glaucaria* Ménétriès, 1859(图版 16:2)

Geometra glaucaria Ménétriès, 1859: 220.

Geometra usitata Butler, 1878b: ix, 49, pl. 36, fig. 3.

Hipparchus glaucaria: Prout, L. B., 1912, *in* Wytsman: 72.

鉴别特征:雄性前翅长 24 ~ 26mm,雌性前翅长 25 ~ 28mm。额圆形凸出,上 1/3 褐色,下 2/3 白色;下唇须腹面基半部白色,背面褐色;头顶白色。胸腹部背面淡绿杂白色；胸部腹面白色，略带淡绿色调。翅面蓝绿色。前翅较短，顶角尖，略凸出，外缘近平直；前缘白色，有绿色窄斑；内线白色，倾斜，中部微内凹，在前缘处扩展成白斑；外线白色，上端向内弯曲，在前缘处形成白斑，在脉上有小齿，下部在 Cu_2 和 2A 间增粗并向内凹；亚缘线由脉间白斑组成，不清晰，下端在 Cu_2 下方折向臀角；缘毛白色。后翅顶角圆；外缘光滑，在中部凸出，后缘略延长；外线上端向外弯曲，下端渐细并在近后缘处向内弯曲；亚缘线白色，细弱，不规则波曲；缘毛同前翅。前后翅均无中点。

采集记录：12♂3♀，周至钓鱼台，1480m，2008. Ⅵ. 29，白明等采；3♂，周至楼观台，680m，2008. Ⅵ. 23-24，刘万岗采；1♀，太白黄柏塬，1980. Ⅶ. 13，韩寅恒采；1♂，留坝庙台子，1470m，1999. Ⅶ. 01，贺同利采；1♀，佛坪龙草坪，1200m，2008. Ⅶ. 03，白明采；2♂，佛坪县城，900m，2008. Ⅶ. 06，白明采；3♂，宁陕火地塘，1580～1650m，1999. Ⅵ. 25-26，袁德成采；1♀，宁陕火地塘，1979. Ⅶ. 25，韩寅恒采；1♂1♀，宁陕火地塘，1538m，2012. Ⅶ. 11-15，姜楠等采。

分布：陕西（周至、太白、留坝、佛坪、宁陕）、黑龙江、吉林、辽宁、内蒙古、北京、山西、河南、甘肃、湖北、四川、云南；俄罗斯（东南部），日本，朝鲜半岛。

48. 新青尺蛾属 *Neohipparchus* Inoue, 1944

Neohipparchus Inoue, 1944: 60. **Type species**: *Thalassodes vallata* Butler, 1878.

属征：雄性触角双栉形，尖端线形；雌性线形，有极短纤毛。额圆形凸出，雌性下唇须第 3 节延长。腹部背面无立毛簇。雄性后足胫节膨大、有毛束，2 对距，有时有短端突。前翅顶角略尖，外缘较直或浅弧形，臀角近直角；后翅顶角大多明显，外缘在 M_3 脉处凸出成发达尾突，其上下接近直线，后缘延长。前翅浅色内线、外线粗壮，较直，有时细弱；后翅多有倾斜的白色外线；多数种类两翅有微弱的白色亚缘线；多数种类后翅外缘尾突处缘毛为褐色，似褐斑状。翅缰发达。前翅 R_1 自由；R_{2-5} 与 M_1 分离；M_2 略接近 M_1；Cu_1 与 M_3 分离，接近中室下角。后翅 Rs 与 M_1、Cu_1 与 M_3 均分离，M_2 和 M_1 距离很近，有 3A 脉。

分布：东洋界。秦岭地区分布 1 种。

(78) 双线新青尺蛾 *Neohipparchus vallata* (Butler, 1878)（图版 16：3）

Thalassodes vallata Butler, 1878b: ix, 50, pl. 36, fig. 9.

Megalochlora vallata: Warren, 1896a: 108.

Hipparchus vallata: Prout, L. B., 1912, *in* Wytsman: 72.

Neohipparchus vallata: Inoue, 1944: 60.

鉴别特征：雄性前翅长 15mm，雌性前翅长 16～18mm。下唇须黄白色，第 1、2 节鳞片粗糙;额、头顶和胸部背面蓝绿色。翅面蓝绿色,散布黄褐色鳞片,亚缘线外侧褐色鳞片在前翅较少,在后翅无。前翅外缘浅弧形;前缘污白色,散布褐色斑点;内线白色,在近前缘处略有弯曲,外侧有黄褐色伴线;中点褐色;外线白色,位于翅中部,上端微弯,M_2 以下较直,内侧有黄褐色伴线;亚缘线隐约可见,中部内凹;缘毛基半部褐色,端半部白色。后翅顶角明显;外缘在 M_3 和 Cu_1 脉端具1个宽阔凸起;外线直,白色,内侧有黄褐色伴线;亚缘线白色波状,不清晰;缘毛同前翅,在 M_3 和 Cu_1 脉端的缘毛黑褐色。

采集记录:1♂,留坝庙台子,1350m,1998.Ⅶ.21,姚建采;1♀,佛坪,950m,1998.Ⅶ.23,姚建采;1♀,宁陕火地塘,1580m,1998.Ⅶ.27,姚建采。

分布:陕西(留坝、佛坪、宁陕)、山西、甘肃、江苏、浙江、湖北、江西、湖南、福建、台湾、四川、云南、西藏;日本,越南,印度,尼泊尔,朝鲜半岛。

49. 绿雕尺蛾属 *Chloroglyphica* Warren, 1894

Chloroglyphica Warren, 1894a: 387. **Type species**: *Loxochila variegata* Butler, 1889.

属征:雄性触角约4/5短双栉形,端部线形;雌性线形。额圆形凸出。下唇须粗糙,较发达。腹部背面无立毛簇。雄性后足胫节膨大,有毛束,2对距。前翅顶角钝圆,外缘略凸出或在 M_1 脉下方直;后翅顶角圆,外缘在 M_3 处有尾突。翅面深绿色;前翅前缘黄色,顶角处渐黄;某些种类在顶角下方具深褐色区域;内外线锯齿形,与伴线一起呈宽带状或窄带状,粗细不匀;外线外侧散布深褐色碎斑,或浓或淡。翅反面颜色浅,某些种类后翅大部分白色,有深色边。有翅缰。前翅 R_1 自由;R_{2-5} 与 M_1 共柄或均出自中室上角,M_2 居中,Cu_1 与 M_3 分离;后翅 Rs 接近中室上角,M_2 接近 M_1,M_3 与 Cu_1 分离,有3A脉。

分布:东洋界。秦岭地区分布1种。

(79) 绿雕尺蛾 *Chloroglyphica glaucochrista* (Prout, L. B., 1916)(图版16:4)

Hipparchus (*Chloroglyphica*) *glaucochrista* Prout, L. B., 1916: 12.

Hipparchus grearia Oberthür, 1916a: 120, pl. 390, fig. 3292.

Chloroglyphica glaucochrista: Yazaki, 1992: 10.

鉴别特征:雄性前翅长22.00~23.50mm。额凸出,黄色(褪色);头顶白色。胸部背面绿色。腹部背面有1列小白斑。翅面青绿色。前翅前缘黄绿色,散布大小不等的褐斑;外缘在 M_3 上方略凸出,在 M_3 下直,在 R_5 上方和 R_5 与 M_1 脉间各有1个小褐斑;内线灰褐色,浅弧形,两侧有白色伴线,不达前缘;中点为黑色小点,周围有模糊白圈;外线灰褐色,直行,不规则波曲,在翅脉上可见向外凸出的尖齿,两侧有白色伴线,呈窄带状,在 M_1 脉上方消失,仅在 R_5 脉上方有1个小褐点;内线和外线之间散布银灰色,并扩展至外线外侧;亚缘线位置在 M_3 下方为不连续的斑,每个斑由几条灰褐色短线组成,有白边;缘毛在 M_2 上方为褐色,M_2 下方基半部蓝绿色,端半部白色。后翅顶角圆;外缘在 M_3 脉端有 1 个尾突;中点为褐色小点;外线同前翅,呈锯齿形;外线外侧有由短褐条组成的不连续的线;亚缘线同前翅;缘毛基半部蓝绿色,端半部白色,在 M_3 脉端为褐色。

采集记录:1♂,周至厚畛子,1350m,1999. Ⅵ. 24,朱朝东采;1♀,太白黄柏塬,1980. Ⅶ. 12-13,张宝林采;1♀,佛坪龙草坪,1200m,2008. Ⅶ. 03,崔俊芝采。

分布:陕西(周至、太白、佛坪)、甘肃、湖北、四川、云南、西藏。

50. 缺口青尺蛾属 *Timandromorpha* Inoue, 1944

Timandromorpha Inoue, 1944: 62. **Type species**: *Tanaorhinus discolor* Warren, 1896.

属征:雄性触角双栉形,端部线形;雌性线形。额中度凸出。雄性后足胫节不膨大,无毛束。前翅顶角镰状,外缘在顶角至 M_3 之间深凹陷,并在 M_3 脉端形成 1 个尖齿或 1 个折角,臀角凸出;后翅外缘在 M_3 脉端凸出。前翅 R_{2-5} 共同出自中室上角;后翅 Rs 与 M_1 分离,M_3 与 Cu_1 分离,无 3A 脉。翅面紫色和灰绿色相间,前翅外线外侧具黄白斑;后翅中部具黄白色宽带。

分布:东洋界。秦岭地区分布 1 种。

(80) 小缺口青尺蛾 *Timandromorpha enervata* Inoue, 1944(图版 16:5)

Timandromorpha enervata Inoue, 1944: 63, figs. 4,5.

Timandromorpha discolor enervata: Inoue, 1956a: 165, pl. 21, fig. 1.

鉴别特征:雄性前翅长 18 ~ 23mm,雌性前翅长 24mm。翅面暗绿色。前翅中域、顶角附近和后翅基部常为明显的暗绿色;内线深色波状,内侧有浅色边;其外侧至中点在中室内有强烈银灰色光泽,并略向下扩展;外线在 M_3 以下向内弯,其外侧有数个大小不等的黄白色斑,斑比缺口青尺蛾的宽,M_3 下的斑内有褐色线,外线上半段外侧和黄白斑外侧暗褐色,然后是 1 条模糊黑灰色带。后翅中线直,其外侧为宽大黄白色斑,斑内翅脉褐色,似网状,有黑色碎纹,斑外至外缘上半部灰黄褐色,下半部紫灰至灰黑色。

采集记录:1♀,佛坪龙草坪,1200m,2008. Ⅶ. 03,白明采;1♂,佛坪凉风垭,1750 ~ 2150m,1999. Ⅵ. 28,姚建采;1♂,佛坪,950m,1998. Ⅶ. 24,袁德成采;1♂,宁陕火地塘,1580m,1999. Ⅶ. 06,袁德成采;4♂,商南金丝峡,777m,2013. Ⅶ. 23-25,姜楠、崔乐采;1♂1♀,旬阳金鑫源山庄,386m,2014. Ⅷ. 01-03,刘淑仙、班晓双采。

分布:陕西(佛坪、宁陕、商南、旬阳)、河南、甘肃、浙江、湖北、江西、湖南、福建、台湾、四川;日本,朝鲜半岛。

51. 绿尺蛾属 *Comibaena* Hübner, 1823

Comibaena Hübner, 1823: 284. **Type species**: *Geometra bajularia* Denis *et* Schiffermüller, 1775.

Phorodesma Boisduval, 1840: 179. **Type species**: *Geometra bajularia* Denis *et* Schiffermüller, 1775.

Uliocnemis Warren, 1893: 355. **Type species**: *Phorodesma cassidara* Guenée, 1858.

Colutoceras Warren, 1895: 88. **Type species**: *Colutoceras diluta* Warren, 1895.

Myrtea Gumppenberg, 1895: 477, 478 (nec Turton, 1822). **Type species**: *Phalaena pustulata* Hüfnagel, 1767.

Probolosceles Meyrick, 1897: 73 (nec Warren, 1896). **Type species**: *Comibaena quadrinotata* Butler, 1889.

Chlorochaeta Warren, 1904a: 464. **Type species**: *Chlorochaeta longipennis* Warren, 1904.

属征:雄性触角双栉形,尖端线形带纤毛;雌性常线形具纤毛,极少数种类雄雌触角均双栉形。额不凸出。雌性下唇须第3节延长。雄性后足胫节多膨大,具毛束和端突。前翅宽阔,少数种类前翅顶角尖,外缘平直或浅弧形;后翅顶角和外缘圆。前翅 R_1 至 R_5 共柄,R_2 出自 R_5 前,或 R_1 自由,R_5 出自 R_2 前;后翅 Rs 与 M_1 共柄,无3A脉。翅绿色,前翅臀角和后翅顶角常具斑块,前后翅具小中点。

分布:世界广布。秦岭地区分布7种。

(81) 紫斑绿尺蛾 *Comibaena nigromacularia* (Leech, 1897) (图版16:6)

Euchloris nigromacularia Leech, 1897: 237.

Uliocnemis delicatior Warren, 1897c: 391.

Comibaena nigromacularia: Prout, L. B., 1912, *in* Wytsman: 100.

Phorodesma eurynomaria Oberthür, 1916a: 106, pl. 388, fig. 3274.

Comibaena nigromacularia delicatior: Inoue, 1961: 73, pl. 6: 138.

鉴别特征:雄性前翅长18mm,雌性前翅长21mm。翅绿色,有白色碎纹。前翅内线和外线白色波状;外线粗壮,其外侧在M脉间为白色斑块,且向外扩展近外缘,臀角处的斑块橘红色,较小,周围白色,其外侧在外缘上有2个黑点。后翅顶角斑紫红色,周围黑褐色,在 M_1 以上较宽,M_1 以下狭窄并沿外缘延伸至近 M_3 处;外缘处在紫斑以下为1条白色细带,在臀角处再次变宽成1个浅黄色斑块。前后翅中点黑色,小而圆。

采集记录:4♂7♀,周至厚畛子,1300m,2007. Ⅷ. 10,李文柱采;1♂,略阳,1981. Ⅵ,采集人不详;2♂,留坝县城,1020m,1998. Ⅶ. 18,张学忠采;4♂,留坝庙台子,1350m,1998. Ⅶ. 19-21,姚建采;3♂,宁陕火地塘,1538m,2012. Ⅶ. 11-15,姜楠采;1♂,柞水营盘镇,953~995m,2014. Ⅶ. 29-31,班晓双采;1♂,商南金丝峡,777m,2013. Ⅶ. 23-25,姜楠采。

分布:陕西(周至、略阳、留坝、宁陕、柞水、商南)、黑龙江、北京、河南、甘肃、安徽、浙江、湖北、江西、湖南、福建、台湾、广西、四川、云南;俄罗斯,日本,朝鲜半岛。

(82)洁绿尺蛾 *Comibaena striataria* (Leech, 1897)(图版16:7)

Euchloris striataria Leech, 1897: 239.

Comibaena striataria: Prout, L. B., 1912, *in* Wytsman: 20, pl. 2: c.

鉴别特征:前翅长13.50mm。翅面绿色,有白色短线;前翅前缘白色;几乎无其他斑纹;缘毛浅绿色。翅反面前缘基半部灰黑色,前翅有极微弱的褐色小中点。

采集记录:1♂, Sued-Shensi, Tapai Shan im Tsinling, 1935. Ⅲ. 17, H. Höne (ZFMK)。

分布:陕西(太白)、四川、云南。

(83)平纹绿尺蛾 *Comibaena tenuisaria* (Graeser, 1889)(图版16:8)

Phorodesma tenuisaria Graeser, 1889: 385.

Euchloris tenuisaria: Staudinger, 1901: 262.

Comibaena tenuisaria: Prout, L. B., 1912, *in* Wytsman: 99.

鉴别特征:雄性前翅长14~16mm,雌性前翅长17mm。翅面绿色。前翅内线白色、弧形;外线白色,始于前缘外1/3处,外倾至M_1附近形成1个钝突后直行至Cu_2,后外倾,在臀褶处形成1个钝突后外倾达后缘;臀角处具1个大斑,周围褐色,内部白色;缘线褐色。后翅顶角白斑内缘波曲,止于M_1,其内缘内侧伴有褐色;臀角白斑小。前后翅均有褐色小中点。

采集记录:1♀,太白黄柏塬,1980. Ⅶ. 18,采集人不详;2♀,佛坪龙草坪,1200m,2008. Ⅶ. 03,李文柱等采;2♀,宁陕火地塘,1550m,2008. Ⅶ. 08,白明等采。

分布:陕西(太白、佛坪、宁陕)、山西、河南、甘肃、江苏、安徽、福建;俄罗斯,朝鲜半岛。

(84)云纹绿尺蛾 *Comibaena pictipennis* Butler, 1880(图版16:9)

Comibaena pictipennis Butler, 1880: 215.

Geometra pictipennis: Hampson, 1895: 496.

Phorodesma superornataria Oberthür, 1916a: 104, pl. 387, figs. 3262, 3263.

鉴别特征:雄性前翅长13~16mm,雌性前翅长15.00~16.50mm。额黑褐色,有少量白色鳞片,有时杂有红褐色鳞片,不凸出。下唇须黑褐色杂少量白色。胸部背面和第1、2腹节背面绿至黄绿色,腹部其余各节黄褐色。翅绿色。前翅前缘绿色,前缘下方依次为黄色窄带和白色带,均由翅基部达顶角;中点黑褐色;内外线白色细弱,均较直;外线达 Cu_2 后沿翅脉内折,止于臀角大斑顶端;外线外侧的 M_3 上方散布灰白色,其外侧可见白色亚缘线,亚缘线终止于 M_2;Cu_2 下方至臀角具 1 个红褐色大斑,其内缘深褐色,斑内色较浅,外侧带灰褐色;缘线为脉间 1 列黑点;缘毛浅绿色。后翅外缘圆,后缘略延长;翅面散布白色碎纹;中点黑褐色略带红褐色;顶角具 1 个大紫红色斑,下缘沿 M_1 脉达外缘,在 M_1 上方翅脉间留有2 个小绿斑;翅端部在 M_1 以下至后缘为连续的黄褐色至紫红色斑,在 M_2 和 M_3 间和臀褶处各形成 1 个淡黄褐色凸齿,在臀角处形成紫红色大斑;顶角至臀角大斑内缘无白色亚缘线;缘线为脉间紫红色至黑色小点,在 M_2 以上呈粗壮的短条形;缘毛紫红色与黄褐色掺杂,后缘端半部缘毛紫红色。

采集记录:1♂1♀,宁陕火地塘,1538m,2012. Ⅶ. 11-15,姜楠等采。

分布:陕西(宁陕)、湖南、四川、云南、西藏。

(85)肾纹绿尺蛾 *Comibaena procumbaria* (Pryer, 1877)(图版 16:10)

Euchloris procumbaria Pryer, 1877: 232, pl. 4: 2.
Comibaena vaga Butler, 1881a: 410.
Comibaena procumbaria: Prout, L. B., 1912, *in* Seitz (e): 20, pl. 2b.

鉴别特征:雄性前翅长 11 ~ 14mm,雌性前翅长 12 ~ 14mm。额和头顶均绿色,额不凸出。下唇须灰褐色与白色掺杂。胸部背面绿色。腹部背面前半部绿色,后半部仅中部有绿色,两侧近白色,中央有小白斑。胸腹部腹面白色。翅鲜绿色。前翅前缘黄白色;中室短,中点深褐色,近翅基;内外线近白色,极细弱,不清晰;臀角处的红褐斑中部白色。后翅中点同前翅,近翅基部;顶角斑下端仅达 M_1,周围褐色,中间白色带少量褐色,Rs 脉在斑内褐色;臀角处有 1 个小斑,周围褐色,中间白色。前后翅缘线褐色,在翅脉端断离,在脉间为褐色小点,在后翅顶角处完整且粗壮,构成顶角斑的边缘;缘毛灰褐与灰白色相间。

采集记录:1♀,商南金丝峡,777m,2013. Ⅶ. 23-25,姜楠采。

分布:陕西(商南)、北京、河北、山西、山东、河南、甘肃、上海、浙江、湖北、江西、湖南、福建、台湾、广东、香港、广西、四川、云南;日本,朝鲜半岛。

(86)亚肾纹绿尺蛾 *Comibaena subprocumbaria* (Oberthür, 1916)(图版 16:11)

Phorodesma subprocumbaria Oberthür, 1916a: 103, pl. 387, fig. 3259.
Comibaena subprocumbaria: Prout, L. B., 1933, *in* Seitz (i): 93.

鉴别特征:雄性前翅长 10.00 ~ 11.50mm,雌性前翅长 13 ~ 14mm。头胸腹部特征和翅面斑纹与肾纹绿尺蛾很相似,此种前翅臀角白斑略大,周围褐色较多;后翅顶角斑较大,下缘达 M_2,内缘圆滑,$Sc+R_1$ 及 M_1 在斑中为褐色。

采集记录:7♂,商南金丝峡,777m,2013. Ⅶ. 23-25,姜楠采;1♀,旬阳金鑫源山庄,386m,2014. Ⅷ. 01-03,班晓双采。

分布:陕西(商南、旬阳)、北京、河北、河南、甘肃、江苏、浙江、湖北、江西、湖南、福建、海南、广西、四川、云南、西藏。

(87)隐角斑绿尺蛾 *Comibaena takasago* Okano, 1960(图版 16:12)

Comibaena takasago Okano, 1960: 9, pl. 8, fig. 5; text-figs. 1, 2.

鉴别特征:雄性前翅长 13.50mm。额绿色,不凸出;下唇须褐色;头顶白色。胸部背面绿色。腹部背面未知。翅面绿色。前翅前缘黄绿色;内线白色,较直;外线在 M 脉间略内凹,Cu_2 下方内折形成 1 个小折角,此处外线内外有褐色;外线上半部外侧散布不均匀灰白色;白色亚缘线仅在 M_3 上方清晰;缘线在 Cu_2 下方有 2 个小黑点;缘毛浅绿色。后翅白色外线两侧均有宽阔褐色伴线,呈带状,在后缘处扩展至外缘;缘线黑褐色,向臀角略细;缘毛杂褐色。前后翅中点为黑褐色小点。

采集记录:1♂,周至钓鱼台,1480m,2008. Ⅵ. 29,刘万岗采。

分布:陕西(周至)、河南、湖南、台湾。

52. 二线绿尺蛾属 *Thetidia* Boisduval, 1840

Thetidia Boisduval, 1840: 189. **Type species**: *Thetidia plusiaria* Boisduval, 1840.

Euchloris Hübner, 1823: 283(nec Billberg, 1820). **Type species**: *Phalaena smaragdaria* Fabricius, 1787.

Aglossochloris Prout, L. B., 1912, *in* Wytsman: 17 (key), 212. **Type species**: *Phorodesma fulminaria* Lederer, 1871.

Antonechloris Raineri, 1994: 365. **Type species**: *Phalaena smaragdaria* Fabricius, 1787.

属征:雄性触角双栉形,尖端无栉齿;雌性线形或锯齿形;额不凸出,鳞片粗糙;下唇须强壮,第 1、2 节鳞片粗糙,雌性第 2 节延长,第 3 节不延长。胸腹部背面无立毛簇。雄性后足胫节膨大或不膨大,毛束有或无;雄性和雌性均具 2 对距,无端突。前翅顶角钝,后翅顶角凸出且圆,前后翅外缘光滑或略波曲。翅绿色,斑纹白色。前翅通常有白色波状内线、强锯齿形、略波曲或较直的外线,内外线细弱或粗壮;亚缘线通常消失,有时由脉间一系列短条状斑组成;缘线有或无。后翅颜色通常较前翅浅,前缘区域尤其明显,无内线外线,通常有细弱亚缘线,接近外缘;两翅通常有圆形或短杆状白色中点,偶尔无。雄性和雌性均无翅缰。中室长度短于翅长的 1/2。前翅 R_1 自由或与 Sc 融合一段距离,R_{2-5}出自中室上角或与 M_1 短共柄,M_3 和 Cu_1 分离或短共柄;后翅

Rs 与 M_1 共柄或均出自中室上角，M_3 与 Cu_1 分离或均出自中室下角，无3A脉。

分布：古北界，非洲界，东南亚。秦岭地区分布3种。

(88) 菊四目绿尺蛾 *Thetidia albocostaria* (**Bremer, 1864**)（图版16：13）

Euchloris albocostaria Bremer, 1864: 76, pl. 6, fig. 22.

Phorodesma albocostaria: Staudinger, 1871, *in* Staudinger & Wocke: 144.

Thetidia albocostaria: Inoue, 1961: 75.

鉴别特征：雄性前翅长13～14mm，雌性前翅长14～18mm。额下2/3绿色，上1/3白色；下唇须褐色，鳞毛粗糙。头顶淡绿白色，胸腹部背面淡绿色。翅绿色。前翅前缘中部白色；内外线白色波状，外线在 M_3 上方波曲，密且小。前后翅中点为圆形大白斑，其周缘有黄褐色边，在后翅较显著，斑内中室端脉黄褐至深褐色，在前翅较小，后翅细长；缘线深黄褐色，在脉端有间断；缘毛白色，在翅脉端褐色。后翅除中点外无其他斑纹。

采集记录：1♂，宁陕火地塘，1979.Ⅶ.27，韩寅恒采；3♂，商南金丝峡，777m，2013.Ⅶ.23-25，姜楠采；1♂，旬阳金鑫源山庄，386m，2014.Ⅷ.01-03，班晓双采。

分布：陕西（宁陕、商南、旬阳）、黑龙江、吉林、辽宁、内蒙古、河南、甘肃、青海、上海、江苏、安徽、浙江、湖北、湖南；俄罗斯，日本，朝鲜半岛。

(89) 肖二线绿尺蛾 *Thetidia chlorophyllaria* (**Hedemann, 1878**)（图版16：14）

Phorodesma chlorophyllaria Hedemann, 1878: 510, pl. 3, fig. 7.

Phorodesma jankowskiaria Oberthür, 1879: 8.

Nemoria chlorophyllaria: Gumppenberg, 1895: 490.

Euchloris chlorophyllaria: Staudinger, 1901: 263.

Thetidia chlorophyllaria: Inoue, 1961: 75.

鉴别特征：雄性前翅长15mm，雌性前翅长17mm。额部绿色，鳞片粗糙；下唇须绿色；头顶、胸腹部背面、腹面绿色。翅面绿色，后翅色较前翅略浅。前翅顶角钝，后翅顶角圆，略凸；两翅外缘光滑；后翅后缘不延长。前翅前缘白色；内线白色，浅弧形；外线白色，直；无中点。后翅几乎无斑纹，隐见微小绿色中点；细弱白色亚缘线和外缘平行，极近外缘。两翅无缘线，缘毛基半部绿色，端半部白色。

采集记录：1♂，商南金丝峡，777m，2013.Ⅶ.23-25，姜楠采。

分布：陕西（商南）、黑龙江、内蒙古、北京、河北、山西、山东、青海、四川；俄罗斯，日本。

(90)凡二线绿尺蛾 *Thetidia volgaria* (Guenée, 1858)(图版 16:15)

Geometra volgaria Guenée, 1858, *in* Boisduval & Guenée: 344.

Geometra prasinaria Eversmann, 1837: 52.

Euchloris volgaria: Prout, L. B., 1912, *in* Wytsman: 211.

Thetidia volgaria: Inoue, 1961: 75.

鉴别特征:雄性前翅长 12mm。翅面不带蓝绿色调。前翅色较暗;内外线白且宽,微弱曲折或锯齿形。后翅正反两面白色较多,端半部绿色,具粗点状白色外线,弧形;亚缘线白色,纤细但清晰。

采集记录:3♂, Shaanxi, Taibaishan, 1935. Ⅴ. 30-Ⅵ. 01, H. Höne (ZFMK)。

分布:陕西(太白)、东北、内蒙古、上海、江苏;俄罗斯,日本,朝鲜半岛。

53. 亚四目绿尺蛾属 *Comostola* Meyrick, 1888

Comostola Meyrick, 1888: 836, 869. **Type species**: *Eucrostis perlepidaria* Walker, 1866.

Pyrrhorachis Warren, 1896b: 292. **Type species**: *Pyrrhorachis cornuta* Warren, 1896.

Leucodesmia Warren, 1899a: 25 (nec Howard, 1895). **Type species**: *Comibaena dispansa* Walker, 1861.

Chloeres Turner, 1910: 561 (key), 570. **Type species**: *Chlorochroma citrolimbaria* Guenée, 1858.

属征:雄性触角双栉形,向尖端栉齿渐短;雌性线形、纤毛状或锯齿形。额不凸出;下唇须细弱。雄性后足胫节常不膨大,少数种类膨大且具毛束和短端突。前翅前缘较直或略凸出,外缘平直或浅弧形;后翅顶角圆或略凸出,外缘浅弧形或略呈折角状。无翅缰。前翅 R_{2-5}与 M_1 短共柄;后翅 Rs 与 M_1 共柄,M_3 与 Cu_1 共柄,无 3A 脉。翅面蓝绿色或绿色,前翅内线和前后翅外线呈点状。

分布:东洋界,澳洲界。秦岭地区分布 2 种。

(91)亚四目绿尺蛾 *Comostola subtiliaria* (Bremer, 1864)(图版 16:16)

Euchloris subtiliaria Bremer, 1864: 76, pl. 6, fig. 23.

Racheospila nympha Butler, 1881a: 411.

Comostola subtiliaria: Prout, L. B., 1912, *in* Wytsman: 236.

Comostola demeritaria Prout, L. B., 1917: 304.

Comostola demeritaria vapida Prout, L. B., 1934, in Seitz (i): 130.

Comostola subtiliaria insulata Inoue, 1963: 29, pl. 7, figs. 3, 4.

Comostola subtiliaria kawazoei Inoue, 1963: 29, pl. 7, fig. 5.

鉴别特征:雄性前翅长 11mm。额锈红色,头顶白色杂蓝绿色。胸腹部背面蓝绿色。翅面蓝绿色。前翅外缘较直,略凸出;内线由中室下缘和 A 脉上 2 个小黄点组成,黄点内侧有红色鳞片;中点最内层银灰色,中间层褐色,外层白色略带淡黄色;外线亦由脉上小黄点组成,黄点外侧具红色鳞片,近后缘处的点较大。后翅外缘中部略外凸;中点比前翅大;外线同前翅,中部凸出较少,在 Cu_1 上的点距中点比距外缘近。前后翅缘线内侧粉褐色,外侧褐色。缘毛绿白色。

采集记录:1♂,佛坪,950m,1998. Ⅶ. 23,姚建采。

分布:陕西(佛坪)、河南、甘肃、青海、上海、浙江、江西、福建、广东、广西、四川、云南;俄罗斯,日本,印度,印度尼西亚。

(92)灵亚四目绿尺蛾 *Comostola meritaria* (Walker, 1861)(图版 16:17)

Geometra meritaria Walker, 1861: 522.

Comostolameritaria: Prout, L. B., 1912, *in* Wytsman: 236.

鉴别特征:前翅长 8~10mm。额部红褐色;下唇须腹面白色,侧面和背面红褐色;头顶前半部黄白色,后半部杂红褐色和蓝绿色。胸腹部背面蓝绿色,腹面白色。翅面绿色带蓝绿色调。前翅顶角尖,外缘略凸出;前缘淡黄色,黄色下缘带紫红色;内线不连续,仅在中室下缘及后缘上有红褐色杂淡黄白色斑;中点暗红褐色,形状不规则,周围有淡黄白色,中心沿中室端脉有银色金属光泽;外线不连续,散点状,外侧红褐色,内侧淡黄白色;缘线暗红褐色,粗壮,在顶角处增粗;缘毛淡黄白色。后翅顶角略凸出;外缘在 M_3 脉端略凸出;中点、外线、缘线、缘毛同前翅,中点略大于前翅,外线偶有连续。

采集记录:1♀,佛坪,876m,2007. Ⅷ. 16,杨玉霞采;1♂1♀,商南金丝峡,777m,2013. Ⅶ. 23-25,姜楠、崔乐采。

分布:陕西(佛坪、商南)、台湾、香港;印度,斯里兰卡,马来西亚,文莱,印度尼西亚。

54. 无缰青尺蛾属 *Hemistola* Warren, 1893

Hemistola Warren, 1893: 353. **Type species**: *Hemistola rubrimargo* Warren, 1893.

属征:雄性触角双栉形;雌性线形或短双栉形。额常不凸出。下唇须纤细,雄性常不伸出额外,雌性第 3 节延长。雄性后足胫节常膨大,具毛束和端突。前翅顶角尖或钝,前翅外缘光滑。后翅外缘光滑,在 M_3 端部具尾突;后翅 Rs 与 M_1 共柄;无 3A 脉。翅浅绿色,常带蓝绿色调或灰绿色调。

分布:全北界,东洋界,非洲界。秦岭地区分布 4 种。

(93)巧无缰青尺蛾 *Hemistola euethes* **Prout, L. B., 1934**(图版 16:18)

Hemistola euethes Prout, L. B., 1934, *in* Seitz (i): 124.

鉴别特征:雄性前翅长 12mm。额和下唇须深褐色;头顶、胸部背面和翅暗蓝绿色。翅略短宽,蓝灰色。前翅外缘略凸出,前缘黄褐色;内线近于消失;中点暗绿色微小;外线白色锯齿形清晰,上半部常断离为翅脉上的白点,偶尔有褐色小点;缘线褐色;缘毛白色,翅脉端缘毛褐色。后翅顶角略凸;外缘在 M_3 脉端凸出 1 个尖齿;外线白色,浅锯齿形,内侧伴有黄褐色阴影;中点、缘线、缘毛同前翅。

采集记录:2♂,宁陕火地塘,1580m,1998. Ⅶ. 26,袁德成采。

分布:陕西(宁陕)、四川、云南。

(94)荫无缰青尺蛾 *Hemistola inconcinnaria* (**Leech, 1897**)(图版 16:19)

Thalassodes inconcinnaria Leech, 1897: 242.

Hemistola inconcinnaria: Prout, L. B., 1934, *in* Seitz (i): 124, pl. 14: d,

鉴别特征:前翅长 13 ~ 17mm。额和下唇须红褐色。翅面绿色,略带蓝绿色。前翅顶角钝,外缘浅弧形;前缘黄褐色,翅面斑纹不清晰,隐约可见白色锯齿形内线和外线;无缘线;缘毛同翅色。后翅顶角圆,外缘在 M_3 处凸出;下方较直,在 M_3 上方呈凹陷状;外线白色锯齿形,在 M_3 与 Cu_1 处凸出;无缘线;缘毛同前翅。

采集记录:1♀,留坝庙台子,1350m,1998. Ⅶ. 21,姚建采。

分布:陕西(留坝)、甘肃、青海、四川。

(95)凯无缰青尺蛾 *Hemistola kezukai* **Inoue, 1978**(图版 16:20)

Hemistola kezukai Inoue, 1978: 214, figs. 20, 24.

鉴别特征:雄性前翅长 20mm。额及下唇须背面深红褐色,下唇须腹面白色;头顶前半部白色,后半部蓝绿色。胸部背面同翅色。翅面暗绿色,略带蓝绿色调。前翅前缘黄褐色,散布深褐色斑点;内线白色,波状;中点仅为中室端脉加深;外线白色,锯齿形,倾斜,在齿尖上有红褐色鳞片;缘线黑褐色,在翅脉端有小白点;缘毛白色,在脉端为黑褐色。后翅中点、缘线、缘毛同前翅,外线锯齿形,在中部外凸。

采集记录:1♂,宁陕火地塘,1970. Ⅶ. 27-Ⅷ. 07,韩寅恒采;2♂,宁陕火地塘,1580m,1999. Ⅶ. 07-26,姚建、袁德成采。

分布:陕西(宁陕)、甘肃、台湾、广西。

(96)点尾无缰青尺蛾 *Hemistola parallelaria* (Leech, 1897)(图版 16:21)

Thalassodes parallelaria Leech, 1897: 241.

Hemistola parallelaria: Prout, L. B., 1913, *in* Seitz (e): 31, pl. 2: h.

Hemistola parallelaria distans Sterneck, 1927: 25.

鉴别特征:雄性前翅长 17 ~ 19mm,雌性前翅长 18 ~ 21mm。额下缘白色,上部大部分褐色,略带粉色;头顶前端白色,后半部蓝绿色。腹部背面各节有浅蓝绿色立毛簇。翅蓝绿色至黄绿色。前翅前缘白色;内线白色,斜行向外,外侧有暗绿色伴线;外线白色,内侧有暗绿色伴线,几乎和外缘平行;缘线暗绿色;缘毛白色,在顶角处为红褐色。后翅顶角略凸,外缘在 M_3 脉端凸出 1 个尖角;外线白色,内侧有暗绿色伴线,直,有些标本上半部略外倾;缘线同前翅;缘毛白色,在 M_3 和 Cu_1 脉端为红褐色。

采集记录:1♀,宁陕火地塘,1979. Ⅶ. 29,韩寅恒采。

分布:陕西(宁陕)、甘肃、湖北、四川、云南、西藏。

55. 突尾尺蛾属 *Jodis* Hübner, 1823

Jodis Hübner, 1823: 286. **Type species**: *Geometra aeruginaria* Denis *et* Schiffermüller, 1775 (= *Phalaena* (*Geometra*) *lactearia* Linnaeus, 1758).

Pareuchloris Warren, 1894a: 386. **Type species**: *Phalaena vernaria* Linnaeus, 1761 (= *Phalaena* (*Geometra*) *lactearia* Linnaeus, 1758).

Leucoglyphica Warren, 1894a: 391. **Type species**: *Geometra pallescens* Hampson, 1891.

属征:雄性触角 1/2 以上双栉形,栉齿长,栉齿紧贴触角干上,有纤毛;雌性触角线形。额介于光滑与粗糙之间。下唇须中等或相当长,雌性第 3 节延长。胸腹部背面无立毛簇。雄性后足胫节膨大,有毛束和短端突,雄雌 2 对距。前翅顶角钝或较尖,后翅顶角圆或略凸出;前翅外缘通常光滑或浅波曲,后翅外缘中部具尾突,中等凸出或很微弱。翅通常灰绿色,褪色后为黄绿色。前后翅均有内线、外线,内线通常波状,两翅外线常锯齿形;前后翅中点常略深于翅色,有时为白圈状或杂白色鳞片。翅反面灰白色,无斑纹或隐见正面斑纹。无翅缰。中室短于翅长的 1/2。前翅 R_1 脉共柄或自由,R_1 在 M_1 之前或 M_1 之后与 R_{2-5}分离,通常和 Sc 脉融合,偶尔和 R_2 脉融合;M_1 与 R_{1-5}或 R_{2-5}共柄;Cu_1 脉通常与 M_3 分离或短共柄。后翅 Rs 与 M_1 共柄,M_3 与 Cu_1 共柄或分离,无 3A 脉。

分布:古北界,东洋界。秦岭地区分布 2 种。

(97)藕色突尾尺蛾 *Jodis argutaria* (Walker, 1866)(图版16:22)

Thalera argutaria Walker, 1866: 1614.

Gelasma concolor Warren, 1893: 352.

Thalera sinuosaria Leech, 1897: 244.

Iodis argutaria: Prout, L. B., 1934, *in* Seitz (i): 125, pl. 14: h.

Jodis argutaria: Inoue, 1961: 52.

鉴别特征:雄性前翅长13mm,雌性前翅长14mm。额黄绿色,不凸出;头顶前半部白色,后半部黄绿色。胸部背面灰绿色;腹部背面灰黄褐色,各节间有小白斑。前翅顶角钝,外缘光滑;后翅顶角略凸出,外缘浅波曲,中部尾突尖而长,小于或等于1mm。翅青绿色至灰绿色。前翅内线深波状,圆滑,白色,外侧有灰黄褐色边;中点黄褐色,下端掺杂白鳞,呈小白点状;外线锯齿形,白色,内侧有灰黄褐色边,在M_1、M_3和Cu_1处的凸齿长;缘线颜色略深,无白点;缘毛灰绿色。后翅斑纹同前翅,内线较细弱。

采集记录:1♂,宁陕火地塘,1580m,1998.Ⅷ.18,袁德成采。

分布:陕西(宁陕)、甘肃、浙江、湖北、湖南、台湾、四川、云南、西藏;日本,印度。

(98)奇突尾尺蛾 *Jodis irregularis* (Warren, 1894)(图版16:23)

Gelasma irregularis Warren, 1894a: 392.

Iodis irregularis: Prout, L. B., 1934, *in* Seitz (i): 126, pl. 14: f.

Jodis irregularis: Parsons *et al.*, 1999, *in* Scoble: 527.

鉴别特征:雄性前翅长16~18mm,雌性前翅长20mm。额黄褐色(褪色);下唇须褐色;头顶前半部白色,后半部暗灰绿色。胸腹部背面灰色,无立毛簇。前翅顶角尖,后翅顶角圆;两翅外缘光滑,极浅波曲,前翅外缘较直,后翅外缘中部有尾突。翅灰色,略带暗灰绿色,散布白色细纹;内线深波状,圆滑,白色,外侧有深灰绿色伴线;中点深灰褐色,细长;外线白色,浅锯齿形;缘线较翅色略深;缘毛灰色。后翅有浅波状内线;中点同前翅;外线、缘线、缘毛同前翅。

采集记录:1♂,周至厚畛子,1999.Ⅵ.21,姚建采。

分布:陕西(周至)、四川、云南;缅甸,印度,不丹。

56. 尖尾尺蛾属 *Maxates* Moore, 1887

Maxates Moore, 1887: 436. **Type species**: *Thalassodes coelataria* Walker, 1861.

Gelasma Warren, 1893: 352. **Type species**: *Jodis thetydaria* Guenée, 1858.

Thalerura Warren, 1894a (April 16): 392. **Type species**: *Thalerura prasina* Warren, 1894.

Thalerura Swinhoe, 1894 (May 11): 175(nec Warren, 1894). **Type species**: *Timandra goniaria* Felder *et* Rogenhofer, 1875.

属征:雄性触角双栉形,雌性线形。额不凸出至略凸出;下唇须细弱,雌性第 3 节延长。雄性后足胫节常膨大,具毛束和短端突。前后翅外缘光滑或微波曲;后翅外缘在 M_3 端部通常具尾突。前翅 R_{2-5}和 M_1 共柄或均出自中室上角;后翅 Rs 与 M_1 共柄,M_3 与 Cu_1 共柄,无 3A 脉。翅面灰色、灰绿色至鲜绿色。

分布:古北界,东洋界,澳洲界,非洲界。秦岭地区分布 1 种。

(99)鞭尖尾尺蛾 *Maxates flagellaria* (Poujade, 1895)(图版 16:24)

Hemithea flagellaria Poujade, 1895b: 56.

Gelasma flagellaria: Prout, L. B., 1913, *in* Seitz (e): 22, pl. 3: a.

Maxates flagellaria: Holloway, 1996: 274.

鉴别特征:前翅长 14~15mm。额部灰褐色;下唇须褐色,短小;头顶大部分白色,基部灰绿色。胸腹部背面灰色。前翅顶角较钝;后翅外缘中部凸出较钝,折角状,但不形成明显尖角。翅灰绿色。前翅前缘狭窄,浅赭黄色;隐见倾斜白色内线,其外侧伴有深色线。前后翅中点模糊;外线白色浅曲折,内侧有清晰深色伴线;缘线暗灰绿色,连续,在翅脉端无白点;缘毛灰色。

采集记录:1♂1♀, Sued-Shensi, Tapai Shan im Tsinling, 1935. Ⅵ. 08-22, coll. Höne (ZFMK)。

分布:陕西(太白)、四川、云南。

57. 波翅青尺蛾属 *Thalera* Hübner, 1823

Thalera Hübner, 1823: 285. **Type species**: *Phalaena thymiaria* Linnaeus, 1767(= *Phalaena fimbrialis* Scopoli, 1763).

Ptychopoda Stephens, 1827: 241(nec Curtis, 1826). **Type species**: *Phalaena thymiaria* Linnaeus, 1767 (= *Phalaena fimbrialis* Scopoli, 1763).

Heterothalera Bryk, 1948: 158. **Type species**: *Heterothalera chosensis* Bryk, 1948.

属征:雄性触角双栉形,端部栉齿短;雌性触角短双栉形。额光滑。下唇须相当短,第 2 节有发达鳞片,雄性和雌性第 3 节均很短。腹部背面无立毛簇。两性的后足胫节仅 1 对端距。前后翅外缘锯齿形,在前翅顶角下方、前后翅 M_1 至 M_3 间常有深缺刻。翅黄绿色或草绿色;前翅内线、前后翅外线白色、暗绿色或褐色,前翅内线波状或锯齿形,前后翅外线为不规则锯齿形,有的种类外线不清晰;前后翅均有中点。无翅缰。前翅 R_1 和 Sc 融合后又与 R_2 融合；R_{2-5} 与 M_1 共柄，部分种类不共柄，二者共同出自中室上角；M_3 与 Cu_1 分离。后翅 Sc + R_1 与中室接近一段距离，Rs 与 M_1 共柄，Cu_1 出自中室下角或与 M_3 短共柄，无 3A 脉。

分布：古北界，印度至太平洋地区的北部。秦岭地区分布 1 种。

(100) 四点波翅青尺蛾 *Thalera lacerataria lacerataria* Graeser, 1889（图版 16:25）

Thalera lacerataria Graeser, 1889: 387.

Chlorodontopera robustaria Leech, 1897: 230 (nec Guenée, 1858).

鉴别特征：雄性前翅长 13 ~ 14mm，雌性前翅长 16mm。额和下唇须橄榄绿色，头顶浅绿色。前后翅外缘均锯齿形。翅面亮橄榄绿色；前后翅均有大红褐色中点；前翅前缘和前后翅缘线均狭窄，深红褐色；缘毛淡褐色，翅脉端深红褐色；前翅内线和前后翅外线深绿色锯齿形，尤其后翅外线锯齿较强。

采集记录：4♀，宁陕火地塘，1979. Ⅶ. 25-Ⅷ. 03，韩寅恒采；1♀，宁陕火地塘，1580m，1998. Ⅶ. 26，姚建采。

分布：陕西（宁陕）、吉林、北京、湖北；俄罗斯，日本，朝鲜半岛。

58. 彩青尺蛾属 *Eucyclodes* Warren, 1894

Eucyclodes Warren, 1894a: 390. **Type species**: *Phorodesma buprestaria* Guenée, 1858.

Ochrognesia Warren, 1894a: 391. **Type species**: *Comibaena difficta* Walker, 1861.

Osteosema Warren, 1894a: 392. **Type species**: *Comibaena sanguilineata* Moore, 1868.

Chlorostrota Warren, 1897a: 36. **Type species**: *Chlorostrota praeampla* Warren, 1897.

Chloromachia Warren, 1897b: 209. **Type species**: *Comibaena divapala* Walker, 1861.

Galactochlora Warren, 1907: 133. **Type species**: *Galactochlora nivestrota* Warren, 1907.

Lophomachia Prout, L. B., 1912, *in* Wytsman: 11 (key), 85. **Type species**: *Thalera semialba* Walker, 1861.

属征：雄性触角双栉形、锯齿形或纤毛状，雌性触角线形。额不凸出。下唇须短，第 3 节短。雄性后足胫节常膨大有毛束和端突。前翅 R_2 出自 R_5 前或后；后翅 Rs 与 M_1 共柄，M_3 与 Cu_1 共柄，无 3A 脉。很多种类的翅呈半透明状，上有白色至褐色碎斑或斑块；雄雌二态，雄性白色区域，雌性相应的散布红色或黑色鳞片。

分布：古北界，东洋界，澳洲界。秦岭地区分布 2 种。

(101) 美彩青尺蛾 *Eucyclodes aphrodite* (Prout, L. B., 1933)（图版 16:26）

Anisozyga gavissima aphrodite Prout, L. B., 1933, *in* Seitz (i): 85.

Chloromachia gavissima aphrodite: Prout, L. B., 1935, *in* Seitz (f): 10, pl. 1: c.

Eucyclodes gavissima aphrodite: Holloway, 1996: 236, fig. 232, pl. 7: 26.

Eucyclodes aphrodite: Han & Xue, 2011: 516.

鉴别特征:雄性前翅长 14 ~ 20mm,雌性前翅长 21mm。额上半部绿色,下部 1/3 及头顶白色;下唇须白色掺杂黄褐色。胸腹部背面白斑和绿斑相间。前后翅外缘浅波曲,后翅外缘中部微弱凸出。前翅绿色,有白色亚基线、内线、中点、外线,其中内线弧形波状,中点长椭圆形,外线锯齿形;外线上端前缘处有 1 个大褐斑,斑内线纹灰白色,大斑周围至外线外侧黄色,外线下半部外侧有红色伴线;翅端部有 2 列白点,其间在 M_3 上有 1 个橘红色点;缘线为 1 列白点。后翅基半部灰褐色带少量绿色,基部有数个白色大斑块;外线位于翅中部,白色,深锯齿形,其外侧为 1 条黄色带;翅端部绿色,有 2 列白点,散布少量橘黄色,白点之间在 M_3 脉上有 1 个橘黄色小斑;缘线同前翅。前后翅缘毛淡绿色,在翅脉端白色。

采集记录:1♂,留坝县城,1020m,1998. Ⅶ. 18,刘大军采;2♂,留坝庙台子,1350m,1998. Ⅶ. 21,姚建采;1♂,佛坪,950m,1998. Ⅶ. 24,袁德成采;1♂,宁陕火地塘,1580m,1998. Ⅶ. 26-27,袁德成采;2♂,宁陕火地塘,1538m,2012. Ⅶ. 11-15,姜楠采;1♂2♀,宁陕广货街保护站,1189m,2014. Ⅶ. 26-28,刘淑仙采;1♀,商南金丝峡,777m,2013. Ⅶ. 23-25,姜楠采。

分布:陕西(留坝、佛坪、宁陕、商南)、河南、甘肃、上海、江苏、湖北、江西、湖南、广西、四川、重庆、云南。

(102)枯斑翠尺蛾 *Eucyclodes difficta* (Walker, 1861)(图版 16:27)

Comibaena difficta Walker, 1861: 576.

Phorodesma gratiosaria Bremer, 1864: 77, pl. 7: 1.

Ochrognesia difficta Warren, 1894a: 391.

Myrtea gratiosaria: Gumppenberg, 1895: 479.

Euchloris difficta: Leech, 1897: 236.

Euchloris gratiosaria: Staudinger, 1901: 262.

Eucyclodes difficta: Holloway, 1996: 235.

鉴别特征:雄性前翅长 14 ~ 16mm,雌性前翅长 14 ~ 18mm。额上部绿色,下部白色;下唇须短小,黄白色(新鲜标本可能是绿色);头顶白色。胸部和腹部第 1 节背面绿色,腹部其余部分白色带黄褐色。翅绿色,斑纹黄白色带枯褐色调。前翅顶角尖,外缘凸出;前缘白色,有黑褐色碎纹;有纤细内线和微小暗绿色中点;外线上端消失,M_1 以下不规则波曲在 M_2 与 M_3 之间和 Cu_2 以下向外扩展成斑块,其中 Cu_2 以下扩展至臀角,斑内有白色亚缘线及其内外侧褐色阴影状斑;外缘内侧中部有 1 个白斑;缘线黑褐色,在翅脉端色较浅;缘毛白色,在翅脉端灰褐色。后翅外缘在 M_3 脉端略凸出;外

线在 M_3 与 Cu_2 之间弓形外凸，其外侧斑纹与前翅 Cu_2 以下相连续，内有灰绿色小斑块、红褐色杂灰褐色碎斑和白色亚缘线；缘线缘毛同前翅。

采集记录：2♂，周至厚畛子，1300m，2008. Ⅵ. 03-Ⅶ. 01，李文柱等采；3♂2♀，留坝庙台子，1350～1550m，1998. Ⅶ. 21，1999. Ⅶ. 01-02，姚建等采；1♂，佛坪，950m，1998. Ⅶ. 23，姚建采；1♂，宁陕火地塘，1580～1650m，1999. Ⅵ. 26，袁德成采；2♂2♀，宁陕火地塘，1979. Ⅶ. 02-04，27，韩寅恒采；1♂，宁陕火地塘，1550m，2008. Ⅶ. 08，刘万岗采；1♂1♀，宁陕火地塘，1538m，2012. Ⅶ. 11-15，杨秀帅采；1♀，柞水营盘镇，953～995m，2014. Ⅶ. 29-31，刘淑仙采。

分布：陕西（周至、留坝、佛坪、宁陕、柞水）、黑龙江、吉林、辽宁、内蒙古、北京、河北、河南、甘肃、上海、江苏、安徽、浙江、湖北、江西、湖南、福建、台湾、重庆、云南；俄罗斯，日本，朝鲜半岛。

59. 艳青尺蛾属 *Agathia* Guenée, 1858

Agathia Guenée, 1858, *in* Boisduval & Guenée: 380. **Type species**: *Geometra lycaenaria* Kollar, 1844.

Lophochlora Warren, 1894a: 389. **Type species**: *Thalera cristifera* Walker, 1861.

Hypagathia Inoue, 1961: 32. **Type species**: *Agathia carissima* Butler, 1878.

属征：雄性和雌性触角均为线形。额凸出，粗糙。雌性下唇须第 3 节略延长或极延长。雄性后足胫节常强膨大，有毛束，通常有短宽端突。前翅外缘光滑；后翅顶角通常圆，外缘在 M_1 和 M_3 脉端均有齿，在 M_3 上的齿大；后缘有时略延长。前翅 R_{2-5} 出自中室上角前方；后翅 Rs 与 M_1 分离，M_2 接近 M_1，M_3 与 Cu_1 分离。翅面鲜绿色，无中点。

分布：古北界（东部），东洋界，澳洲界，非洲界。秦岭地区分布 1 种。

(103) 萝摩艳青尺蛾 *Agathia carissima* Butler, 1878（图版 16：28）

Agathia carissima Butler, 1878b: ix, 50, pl. 36: 7.

Agathia lacunaria Hedemann, 1878: 512, pl. 3: 4.

Agathia (*Hypagathia*) *carissima*: Inoue, 1961: 32.

Agathia prasina Swinhoe, 1893b: 219.

鉴别特征：雄性前翅长 16～20mm，雌性前翅长 17～19mm。额黑褐色掺杂红褐色；下唇须腹面污白色，背面和侧面红褐色杂少量黑褐色；头顶前半部黑褐色与红褐色掺杂，后半部绿色。前胸基部、肩片基部、中胸后部及第 2、3 腹节有绿斑，其余部分红褐色与黑褐色掺杂。前翅外缘微弱波曲；后翅外缘在 M_1 和 M_3 脉端有凸齿。翅鲜绿色。前翅前缘黄白色，散布少量黑色鳞片，下缘红褐色；基部红褐色与黑褐色掺杂，其外缘在中室上方弧形，下方较直；中带边缘浅褐色，中间灰白色，稍波曲，在 2A 处向外倾斜,到达后缘外1/3处;端带深褐色,内缘在 R_5 至 M_3 浅弧形内凹,在 M_3 处向外凸出,由 M_3 至臀褶直,其下有2次波曲;外线为端带内的浅褐色带;在顶角处有1个绿斑,绿斑中间粗,绿斑内 R_5 脉为褐色,在 M_3 与 Cu_1 间有1个小绿白斑,有时在 Cu_1 与 Cu_2 间亦有1个小绿白斑,绿斑下端带浅褐色,在臀角上方有1个狭长黑斑;缘毛基部白色,端部带粉色,顶角、R_5、M_1 和 M_3 脉端缘毛带黑灰色。后翅后缘深褐色;端带内缘波曲,中部在翅脉上呈锯齿形;外线在 M_3 以上模糊,其外侧灰褐色带灰红色调,在 M_3 下方为清晰灰白色;端带在 M_3 端突具黑红斑,其内侧有1个粉白色条形斑;顶角下方有1个狭长绿斑,R_5 脉在斑内褐色;Cu_2 两侧各有1个小绿斑。

采集记录:1♂,周至钓鱼台,1480m,2008. Ⅵ. 29,李文柱采;2♂,周至楼观台,680m,2008. Ⅵ. 23-24,白明等采;2♀,周至厚畛子,1300m,2007. Ⅷ. 10,李文柱采;1♀,宝鸡天台山嘉陵江源头,1620m,2014. Ⅷ. 08-09,薛大勇采;1♀,佛坪,890m,1999. Ⅵ. 26,姚建采;1♀,佛坪龙草坪,1200m,2008. Ⅶ. 03,白明采;1♀,宁陕火地塘,1538m,2012. Ⅶ. 11-15,程瑞采;1♂,旬阳金鑫源山庄,386m,2014. Ⅷ. 01-03,班晓双采。

分布:陕西(周至、宝鸡、佛坪、宁陕、旬阳)、黑龙江、吉林、辽宁、内蒙古、北京、山西、河南、甘肃、浙江、湖北、湖南、四川、云南;俄罗斯,日本,印度,朝鲜半岛。

60. 瓷尺蛾属 *Chlororithra* Butler, 1889

Chlororithra Butler, 1889: 22, 106. **Type species**: *Chlororithra fea* Butler, 1889.

属征:雄性触角3/4双栉形,雌性线形。额不凸出,鳞片粗糙;下唇须第2节鳞片粗糙,第3节短小,雌性略延长。腹部背面无立毛簇。雄性后足胫节膨大,有毛束和短端突,胫距2对。前后翅顶角圆,后翅外缘中部略外凸。翅面亚基线、内线、外线、亚缘线浅黄绿色,有白色伴线,均波曲。翅反面通常无斑纹,但可见正面斑纹,前翅臀角和后翅顶角有时有黑斑。有翅缰。中室长度接近翅长的1/2。前翅 R_1 和 R_{2-5} 均出自中室上角前方远离 M_1,R_1 自由,R_2 出自 R_5 前;M_2 远离 M_3;Cu_1 不共柄。后翅 $Sc+R_1$ 与中室接近一段距离,Rs 出自中室上角前,M_2 脉极接近 M_1,Cu_1 自由,无3A脉。

分布:东洋界。秦岭地区分布1种。

(104) 堇瓷尺蛾 *Chlororithra missioniaria* Oberthür, 1916(图版16:29)

Chlororithra fea var. *missioniaria* Oberthür, 1916: 116, pl. 389, fig. 3280, 3281.

Chlororithra fea ab. *missioniaria*: Prout, L. B., 1935, *in* Seitz (f): 10, pl. 2f.

Chlororithra fea missioniaria: Parsons *et al.*, 1999, *in* Scoble: 149.

Chlororithra missioniaria: Han *et al.*, 2006: 36, fig. 7-8.

鉴别特征:前翅长 16~17mm。翅面浅黄绿色,斑纹深黄绿色,内侧或外侧伴随白色斑纹。前翅亚基线白色浅弧形;内线黄绿色,波曲,其内侧具白色宽阔伴线;中点黄绿色,并向前缘延伸;外线黄绿色,锯齿形,其外侧具白色伴线;亚缘线由脉间小斑块组成,外侧的白色伴线弧形,并沿翅脉和外线外侧的白色伴线相连,其外侧在脉间亦有黄绿色斑点;缘线由脉间白点组成。缘毛在脉间白色,脉端灰色。后翅外缘在 M_3 脉端略凸出,斑纹同前翅,顶角处无黑斑是与瓷尺蛾 *Ch. fea Butler*, 1889 区分的重要特征。

采集记录:1♀,周至钓鱼台,1480m,2008. Ⅵ. 29,白明采;1♀,周至厚畛子,1276m,2008. Ⅵ. 30,李文柱采。

分布:陕西(周至)、北京、河南、云南。

61. 赞青尺蛾属 *Xenozancla* Warren, 1893

Xenozancla Warren, 1893: 342. **Type species**: *Xenozancla versicolor* Warren, 1893.

Yinchie Yang, 1978: 329. **Type species**: *Yinchie zaohui* Yang, 1978 (= *Xenozancla versicolor* Warren, 1893).

属征:雄性和雌性触角均为线形;额中度凸出,鳞片粗糙;雄性下唇须尖端伸出额外,雌性第2、3节极延长。腹部背面有立毛簇。雄性后足胫节膨大,有毛束,雄雌2对距。前翅顶角钝,前后翅外缘波曲,前翅顶角下外缘缺刻深,在 M_3 至 Cu_1 间圆钝凸出,后斜行向内至臀角。后翅顶角圆,后缘无明显延长,外缘在 M_1 脉端部凸出,其下有浅缺刻。翅面灰褐色杂紫褐色、橄榄色。有翅缰。前翅 R_{1-5}共柄,出自中室上角前方,R_1 与 Sc 在一点上接触后分离,M_3 与 Cu_1 分离;后翅 $Sc+R_1$ 与中室在一点上接触,Rs 与 M_1 分离,M_2 接近 M_1,M_3 与 Cu_1 分离,无3A脉。

分布:中国;印度。秦岭地区分布1种。

(105)赞青尺蛾 *Xenozancla versicolor* Warren, 1893(图版 16:30)

Xenozancla versicolor Warren, 1893: 342, pl. 32: 17.

Yinchie zaohui Yang, 1978: 329, pl. 21: 11.

鉴别特征:雄性前翅长 10~11mm,雌性前翅长 12mm。额部黑褐色,下唇须褐色,头顶污白色。胸腹部背面灰褐色。翅面灰褐色杂紫褐色、橄榄色,在翅基半部纵行排列,似木纹状。前翅内线深褐色,波状,不清晰;无中点;外线较近外缘,在 Cu_1 下方为黑褐色线形,Cu_1 上方由脉上小点组成,中部外凸;缘线、缘毛褐色。后翅外线在前缘和后缘附近清晰线形,中部由脉上黑褐点组成;缘线、缘毛同前翅。

采集记录:1♂,留坝庙台子,1350m,1998. Ⅶ. 19,姚建采。

分布:陕西(留坝)、北京、河北、山东、河南、湖北、广西、四川;印度。

62. 辐射尺蛾属 *Iotaphora* Warren, 1894

Iotaphora Warren, 1894a: 384. **Type species**: *Panaethia iridicolor* Butler, 1880.

Iotaphora Swinhoe, 1894: 168(nec Warren, 1894). **Type species**: *Panaethia iridicolor* Butler, 1880.

Grammicheila Staudinger, 1897: 3. **Type species**: *Metrocampa admirabilis* Oberthür, 1884.

属征:雄性触角部分双栉形,尖端线形;雌性触角锯齿形,具纤毛。额中度凸出,光滑。下唇须中等长,第3节很短。雄性后足胫节膨大,有毛束。前翅前缘弓形,顶角钝;后翅顶角圆、凸出,前缘长于后缘;两翅外缘波曲,前翅外缘较凸出。前翅 R_{2-5} 均出自中室上角;后翅 Rs 与 M_1 分离,M_2 极近 M_1,M_3 与 Cu_1 分离。前后翅外线外侧具放射状黑线。

分布:中国;俄罗斯,越南,缅甸,印度,尼泊尔。秦岭地区分布1种。

(106)青辐射尺蛾 *Iotaphora admirabilis* (Oberthür, 1884)(图版16:31)

Metrocampa admirabilis Oberthür, 1884c: 84.

Iotaphora admirabilis: Prout, L. B., 1912, *in* Wytsman: 18, pl. 1: i.

鉴别特征:雄性前翅长28~29mm,雌性前翅长31~32mm。翅面浅绿色,具黄色和白色斑纹。前翅基部有1个黑点,黑点至内线黄色,内线弧形,内黄外白;中点黑色月牙形;外线中部向外凸出,并在 M_3 和 Cu_1 上形成2个小齿,内白外黄;外线外侧色较浅,排列辐射状黑纹。后翅外线较直,较圆滑,内白外黄,中点和外线外侧同前翅。前后翅缘线黑色,缘毛白色。

采集记录:1♂,宝鸡天台山嘉陵江源头,1620m,2014. Ⅷ. 08-09,班晓双采;1♂,佛坪,950m,1998. Ⅶ. 23-24,袁德成采;1♂,佛坪县城,900m,2008. Ⅶ. 06,白明采;1♂,佛坪龙草坪,1200m,2008. Ⅶ. 03,李文柱采;1♀,宁陕旬阳坝,1981. Ⅷ. 19,采集人不详;3♂,宁陕火地塘,1580m,1998. Ⅶ. 26-27,袁德成采;1♂2♀,宁陕火地塘,1550m,2007. Ⅷ. 18,李文柱采。

分布:陕西(宝鸡、佛坪、宁陕)、黑龙江、吉林、辽宁、北京、山西、河南、甘肃、浙江、湖北、江西、湖南、福建、广西、四川、云南;俄罗斯,越南。

63. 芦青尺蛾属 *Louisproutia* Wehrli, 1932

Louisproutia Wehrli, 1932: 220. **Type species**: *Louisproutia pallescens* Wehrli, 1932.

属征:雄性和雌性触角均为线形;额中度凸出;下唇须短小,雌性第3节不延长。

胸腹部背面无立毛簇。雄性后足胫节略膨大,2 对距,有毛束。前翅顶角不凸出,后翅顶角圆;前后翅外缘光滑,前翅外缘浅弧形,后翅外缘中部微凸;后翅前缘和后缘长度相当。体及翅淡黄绿色。有翅缰。中室约为翅长的 1/2,前翅 R_1 自由,R_{2-5}与 M_1 分离,M_2 远离 M_3,M_3 与 Cu_1 分离。后翅 $Sc+R_1$ 与中室在基部短距离接近,Rs 出自中室上角,M_3 与 Cu_1 分离,有 3A。

分布:中国。秦岭地区分布 1 种。

(107)褪色芦青尺蛾 *Louisproutia pallescens* Wehrli, 1932(图版 16:32)

Louisproutia pallescens Wehrli, 1932: 220, fig. 1.

鉴别特征:前翅长 20mm。额部白色杂淡褐色;头顶前半部白色,后半部灰绿色。体及翅淡黄绿色。前翅内线浅弧形,白色模糊,其外侧色略深;中点隐约可见,暗绿色;外线远离外缘,白色,内侧色略深,上半段浅弧形,在 M_3 以下平直;亚缘线极模糊;缘毛与翅面同色。后翅斑纹同前翅,无内线,外线浅弧形。

采集记录:1♂, Sued-Shensi, Tapai Shan im Tsinling, 3000m, 1936. Ⅷ. 13, coll. Höne; 1♀, ibidem, 1935. Ⅶ. 29, coll. Höne (ZFMK)。

分布:陕西(太白)、山西、湖南、四川、云南、西藏。

(五)灰尺蛾亚科 Ennominae

鉴别特征:小至大型蛾类,体型、翅型和翅色变化很大。其主要鉴别特征是后翅 M_2 脉退化消失,M_1 与 M_3 脉略相向弯曲,在翅端部与其他翅脉保持相同的距离;$Sc+R_1$脉与中室前缘有一段接近并同时向上弧形弯曲。

分类:陕西秦岭地区分布 97 属 158 种。

64. 金星尺蛾属 *Abraxas* Leach, 1815

Abraxas Leach, 1815: 134. **Type species**: *Phalaena grossulariata* Linnaeus, 1758.

Calospilos Hübner, 1825: 305. **Type species**: *Phalaena ulmata* Fabricius, 1775.

Potera Moore, 1879b: 852. **Type species**: *Potera marginata* Moore, 1878.

Omophyseta Warren, 1894a: 414. **Type species**: *Abraxas triseriaria* Herrich-Schäffer, 1855.

Silabraxas Swinhoe, 1900a: 305. **Type species**: *Abraxas lobata* Hampson, 1895.

Isostictia Wehrli, 1934a: 139. **Type species**: *Abraxas picaria* Moore, 1868.

Dextridens Wehrli, 1934a: 140. **Type species**: *Abraxas sinopicaria* Wehrli, 1934.

Spinuncus Wehrli, 1935a: 162. **Type species**: *Abraxas celidota* Wehrli, 1931.

Mesohypoleuca Wehrli, 1935b: 1. **Type species**: *Abraxas metamorpha* Warren, 1893.

Diceratodesia Wehrli, 1935c: 117. **Type species**: *Abraxas pusilla* Butler, 1880.

Rhabdotaedoeagus Wehrli, 1935c: 101. **Type species**: *Abraxas martaria* Guenée, 1858.

Trimeresia Wehrli, 1935c: 119. **Type species**: *Abraxas miranda* Butler, 1878.

属征:雄性和雌性触角均为线形。额平坦。下唇须短小,尖端不伸达额外。雄性后足胫节膨大。前翅顶角圆,外缘平滑;后翅圆。雄性前翅基部不具泡窝。前翅 R_1 脉在 Sc 脉近后端与 R_2 脉分离,之后与 Sc 脉合并。前翅基部常具黄色鳞片,前后翅外线在后缘附近常扩大为斑块。腹部黄色,背面和侧面具成列的黑斑。

分布:古北界,东洋界,澳洲界。秦岭地区分布 2 种。

(108)丝棉木金星尺蛾 *Abraxas suspecta* Warren, 1894(图版 16:33)

Abraxas suspecta Warren, 1894a: 419.

Abraxas lepida Wehrli, 1935c: 116, pl. 1, fig. 4; pl. 2, fig. 4.

Abraxas lepida obscurifrons Wehrli, 1935c: 116, pl. 1, fig. 5.

鉴别特征:前翅长 18~23mm。翅面污白色。前翅基部和前后翅外线在后缘处具黄褐色大斑,其余斑纹灰色。前翅中域灰斑常有变化,有时可扩展至中室下缘之下并与臀褶处灰斑相连;外线外侧零散斑点极少;缘线上的斑点相互连接成带状,内缘不整齐,在 M_2 脉下方至 Cu_1 脉下方向内扩展成 1 个大斑,有时可与外线接触。后翅前缘基部和中部各有 1 个灰斑,后者伸达中室上角;外线同前翅,斑点较小,其外侧偶有零星散点;缘线的斑点独立或部分连接。

采集记录:7♂6♀,宝鸡天台山嘉陵江源头,1620m,2014. Ⅷ. 08-09,薛大勇、班晓双采;1♂,佛坪偏岩子,1750m,1999. Ⅵ. 28,采集人不详;5♂7♀,宁陕广货街保护站,1189m,2014. Ⅶ. 26-28,刘淑仙、班晓双采;7♂7♀,柞水营盘镇,953~995m,2014. Ⅶ. 29-31,刘淑仙、班晓双采;5♂6♀,旬阳金鑫源山庄,386m,2014. Ⅷ. 01-03,刘淑仙、班晓双采。

分布:陕西(宝鸡、佛坪、宁陕、柞水、旬阳)、甘肃、山西、上海、江苏、湖北、湖南、江西、台湾、四川。

(109)榛金星尺蛾 *Abraxas sylvata* (Scopoli, 1763)(图版 17:1)

Phalaena sylvata Scopoli, 1763: 220, fig. 546.

Phalaena ulmata Fabricius, 1775: 632.

Calospilos ulmata: Hübner, 1825: 305.

Calospilos sylvata: Hübner, 1825: 305.

Abraxas sylvata: Meyirick, 1892: 116.

鉴别特征:前翅长 17~19mm。头部、胸部、腹部橘黄色,散布黑斑。前翅白色,基部有黄褐色斑,后缘近外缘处有 1 个略显银色的斑。在中室末端有 1 个灰斑伸至前缘。卷曲的外线由一系列翅脉上的黑斑组成。外线外侧仍有一些黑斑,一些靠近边缘的斑在外缘中部形成 1 个大斑。后翅白色,内线或多或少有一系列的点儿,外线由一系列翅脉上的黑斑组成,通常在后缘处形成 1 个黄褐色略带银色的大斑。外缘处或多或少有一些斑点。

采集记录:1♂,周至厚畛子,1300m,2008. Ⅵ. 30,崔俊芝采;1♀,周至钓鱼台,1480m,2008. Ⅵ. 29,李文柱采;4♀,佛坪偏岩子,1750m,1999. Ⅵ. 28,朱朝东采;3♀,宁陕火地塘,1580~1650m,1999. Ⅵ. 25-Ⅶ. 05,袁德成采;1♂3♀,宁陕火地塘,1550m,2007. Ⅷ. 19,2008. Ⅶ. 08, 李文柱等采;1♀,宁陕火地塘,1538m,2012. Ⅶ. 11-15,程瑞采。

分布:陕西(周至、佛坪、宁陕)、黑龙江、吉林、辽宁、甘肃、山西、江苏、浙江、海南;俄罗斯,日本, 欧洲,中亚。

65. 晶尺蛾属 *Peratophyga* Warren, 1894

Peratophyga Warren, 1894a (April): 407. **Type species**: *Acidalia aerata* Moore, 1868.

Peratophyga Swinhoe, 1894 (May): 204. **Type species**: *Acidalia aerata* Moore, 1868.

Euctenostega Prout, L. B., 1916: 38. **Type species**: *Euctenostega hypsicyma* Prout, L. B., 1916.

属征:雄性触角双栉形、锯齿形或线形,雌性触角线形。额平坦。下唇须仅尖端伸达额外。雄性后足胫节膨大,具毛束。前后翅外缘常弧形;后翅外缘有时在 M_3 端部凸出。雄性前翅基部常具泡窝。前翅 R_1 在 Sc 近后端与 R_2 分离,之后与 Sc 合并,M_2 与 M_1 接近或出自中室上角。翅面通常为浅黄色,前后翅外线在 M 脉之间和 Cu_2 下方向内弯曲,外线外侧具深色带。

分布:东洋界,东亚。秦岭地区分布 1 种。

(110)长晶尺蛾 *Peratophyga grata* (Butler, 1879)(图版 17:2)

Ephyra grata Butler, 1879: 438.

Peratophyga hyalinata grata: Prout, L. B., 1930: 315.

Peratophyga grata: Jiang *et al.*, 2012: 407.

鉴别特征:前翅长 9~12mm。前后翅基部至中线、外线及近外缘之间灰褐色,中线与外线间淡黄色。前翅内线浅黄色,在前缘处加粗;中点深灰色,短条状;中线灰褐色,在 M_3 处向外形成 1 个小齿,其外侧淡黄色区域中具 1 条模糊并间断的灰褐色宽带;外线灰褐色,在 M 脉之间和 Cu_2 下方向内凸进;外线内侧具 1 列灰褐色小点;缘毛黄色。后翅中点模糊,其余斑纹与前翅相似。

采集记录:1♀,留坝庙台子,1350m,1998. Ⅶ. 21,姚建采;1♂1♀,商南金丝峡,

777m,2013. Ⅶ. 23-25,姜楠、崔乐采。

分布:陕西(留坝、商南)、黑龙江、辽宁、山东、河南、甘肃、青海、浙江、江西、湖南、福建、广东、广西;日本,朝鲜半岛。

66. 泼墨尺蛾属 *Ninodes* Warren, 1894

Ninodes Warren, 1894a: 407. **Type species**: *Ephyra splendens* Butler, 1878.

属征:雄性和雌性触角均为线形,雄性具纤毛。额不凸出。下唇须短小细弱,未伸达额外。前翅顶角圆,前后翅外缘近弧形。雄性前翅基部具泡窝。前翅 R_1 和 R_2 完全合并。翅面浅黄色,基半部常具不规则黑斑。

分布:中国;日本,巴布亚新几内亚,朝鲜半岛。秦岭地区分布 1 种。

(111)泼墨尺蛾 *Ninodes splendens* (Butler, 1878)(图版 17:3)

Ephyra splendens Butler, 1878b: ix, 51, pl. 37, fig. 1.

Ninodes miegi Sterneck, 1931: 88.

Ninodes scintillans Thierry-Mieg, 1915: 46.

Ninodes splendens: Prout, L. B., 1915, *in* Seitz (e): 317, pl. 15: f.

鉴别特征:前翅长 8 ~ 9mm。翅灰黄色。前后翅基半部在中室以下散布黑色,但常有不同程度消失;外线带状,波曲,深褐至黑褐色,其外侧有几块大小不等的褐斑和黑褐点,有时外线向外扩展成宽带并与其外侧斑点融合。

采集记录:7♂2♀,商南金丝峡,777m,2013. Ⅶ. 23-25,姜楠、崔乐采。

分布:陕西(商南)、内蒙古、北京、山东、甘肃、上海、湖北、江西、湖南、福建、广东、四川、云南;日本,朝鲜半岛。

67. 黄云尺蛾属 *Anemmetresa* Wehrli, 1938

Anemmetresa Wehrli, 1938b: 357. **Type species**: *Boarmia flavimacularia* Leech, 1897.

属征:触角线形,雄性具短纤毛;额光滑;下唇须细小,尖端伸达额外。雄性后足胫节具毛束。翅宽阔,前翅顶角钝圆,其下微凹,外缘中部略凸出,凸出以下平直;后翅外缘锯齿形。前翅 R_1 与 R_2 合并,并与 Sc 一段合并,R_{3-5} 共柄。翅深色,前翅顶角有 1 个巨大的浅色半斑。

分布:中国。秦岭地区分布 1 种。

(112)黄云尺蛾 *Anemmetresa flavimacularia* (Leech, 1897)(图版 17:4)

Boarmia flavimacularia Leech, 1897: 428.
Hypephyra flavimacularia: Prout, L. B. 1915, *in* Seitz (e): 319, pl. 15: g.
Anemmetresa flavimacularia: Wehrli, 1938b: 357.

鉴别特征:前翅长 14 ~ 15mm。下唇须黄褐色;额和胸腹部背面黑灰色,腹部第 4 节以后各节后缘有黄褐色横纹。前翅中室至 M_3 以下深灰至黑灰色,散布黑鳞;中室以上黄褐色与灰褐色掺杂;内线弧形,在前缘附近深褐色,向下逐渐过渡为黑色双线;中线由前缘至中室下缘深褐色,弧形,中室下缘以下黑色,平直;外线双线,在 Cu_1 以上深褐色掺杂黑色,反弧形,Cu_1 以下黑色且模糊;外线外侧为 1 个黄白色大斑,斑内中央略带黄褐色,外缘在 M_2 两侧有 1 对黑点。后翅黑灰色,内线黑色;中线和外线黑色,仅在后缘附近清晰;翅中部有不均匀的黄褐色。

采集记录:1♂7♀,宝鸡天台山嘉陵江源头,1620m,2014. Ⅷ. 08-09,薛大勇、班晓双采;1♀,佛坪凉风垭,1750 ~2150m,1999. Ⅵ. 28,采集人不详;6♂1♀,宁陕火地塘,1580m,1998. Ⅶ. 26-27,采集人不详。

分布:陕西(宝鸡、佛坪、宁陕)、甘肃、湖北、四川。

68. 白沙尺蛾属 *Cabera* Treitschke, 1825

Cabera Treitschke, 1825 (October 18): 437. **Type species**: *Phalaena pusaria* Linnaeus, 1758.
Cabera Stephens, 1829: 44 (nec Treitschke, 1825). **Type species**: *Phalaena pusaria* Linnaeus, 1758.
Deilinia Hübner, 1825 (December 31) 1816: 310. **Type species**: *Phalaena pusaria* Linnaeus, 1758.
Gyalomia Prout, L. B., 1913: 218. **Type species**: *Gyalomia elatina* Prout, L. B., 1913.
Thysanochilus Butler, 1878: 404. **Type species**: *Thysanochilus purus* Butler, 1878.

属征:雄性触角双栉形,雌性线形。额光滑,不凸出;下唇须短小,仅尖端伸出额外。雄性后足胫节不膨大,有 2 对距。翅宽阔;前翅前缘微隆起,顶角近直角,外缘浅弧形;后翅顶角圆,外缘弧形。翅面大多白色,斑纹简单,偶有淡黄色或灰黄色。前翅 R_2 至 R_5 共柄,R_2 在 R_5 之后与 R_{3-4}分离。雄性前翅基部无泡窝,后翅基部具泡窝。

分布:全北界,东洋界,澳洲界,非洲界。秦岭地区分布 1 种。

(113)灰边白沙尺蛾四川亚种 *Cabera griseolimbata apotaeniata* Wehrli, 1939(图版 17:5)

Cabera griseolimbata apotaeniata Wehrli, 1939, *in* Seitz (f): 308, pl. 23: e.

鉴别特征:前翅长 14mm。体及翅淡黄色,散布深褐色碎纹,以翅基部和外线外侧最为显著。前翅 3 条、后翅 2 条深褐色线十分清晰,其中外线在 M 脉之间外凸;中点短条状;翅中部翅脉深褐色;前翅臀角处有 1 个巨大的深褐色斑;缘线黑褐色,在翅脉端断离;翅脉在近端部处逐渐变为鲜黄色;缘毛黄白色。翅反面白色,斑纹同正面,较弱。

采集记录:2♀,周至厚畛子,1276m,2008. Ⅵ. 30,李文柱采;1♀,周至钓鱼台,1480m,2008. Ⅵ. 29,白明采;1♀,留坝庙台子,1350m,1998. Ⅶ. 21,采集人不详;1♀,佛坪偏岩子,1750m,1999. Ⅵ. 28,采集人不详;4♀,佛坪龙草坪,1256m,2008. Ⅶ. 03,刘万岗采;2♂2♀,宁陕火地塘,1580~1650m,1999. Ⅵ. 25-Ⅶ. 05,采集人不详;7♀,宁陕火地塘,1538m,2012. Ⅶ. 11-15,姜楠等采;1♂1♀,宁陕大水沟,1500~1760m,1999. Ⅵ. 30,采集人不详;1♂1♀,商南金丝峡,777m,2013. Ⅶ. 23-25,姜楠、崔乐采。

分布:陕西(周至、留坝、佛坪、宁陕、商南)、甘肃、浙江、湖南、四川。

69. 皎尺蛾属 *Myrteta* Walker, 1861

Myrteta Walker, 1861: 814, 831. **Type species**: *Myrteta planaria* Walker, 1861.

属征:雄性触角通常双栉形,偶有线形;雌性触角线形。额不凸出,下唇须细小。雄性后足胫节略膨大,具 2 对距。翅宽大;前翅顶角不凸出,外缘浅弧形;后翅外缘由顶角至中部直,在 M_3 处形成圆钝折角,臀角圆,后缘通常长于前缘。雄性前翅基部不具泡窝。翅通常白色,具深色线纹。前翅 R_1 与 R_2 共柄,并与 Sc 有一小段合并。

分布:亚洲(东部),非洲。秦岭地区分布 2 种。

(114) 三点皎尺蛾 *Myrteta tripunctaria* Leech, 1897(图版 17:6)

Myrteta tripunctaria Leech, 1897: 195.

鉴别特征:前翅长 20mm。雄性触角双栉形。额部灰褐色,下唇须黄褐色。胸部和第 1、2 腹节背面白色,腹部其他部分灰黄色。后翅外缘中部凸出不明显,不形成折角。翅白色;前翅 3 条特征鲜明的黑灰色斜线由前缘伸达臀角附近;前缘基部和后缘基部至内线黑灰色;缘线黑灰色。后翅 Cu_2 和 2A 脉黑灰色;外线波状,细弱,仅在 Cu_1 以下可见;臀角附近有 1 个模糊黄斑,其上有 3 个黑点,第 1 个较小,有时消失。前翅反面端部具黑褐色宽带;后翅反面端部附近有 1 条较窄的黑褐色带。

采集记录:3♂,宝鸡天台山嘉陵江源头,1620m,2014. Ⅷ. 08-09,班晓双采;1♀,宁陕火地塘,1580m,1998. Ⅶ. 26-27,采集人不详;2♂,宁陕火地塘,1538m,2012. Ⅶ. 11-15,杨秀帅采;3♂,宁陕广货街保护站,1189m,2014. Ⅶ. 26-28,刘淑仙、班晓双采。

分布:陕西(宝鸡、宁陕)、四川。

(115) 黑星皎尺蛾 *Myrteta argentaria* Leech, 1897(图版 17:7)

Myrteta argentaria Leech, 1897: 196.

别名:银灰斑尾尺蛾。

鉴别特征:前翅长 20mm。雄性触角线形。胸部背面和翅白色,翅面线纹灰色。后翅外缘中部形成 1 个圆钝折角。前翅具内线、中线、外线和 2 条亚缘线,均细带状;缘线黑色,纤细,清晰;中点深灰色,短条形。后翅中点深灰色,圆形;翅端半部散布深灰色,但在黑色缘线内侧留 1 条白边;缘线在外缘折角处有 1 个长椭圆形黑斑,其上下各有 1 个小黑点。翅反面中点清晰,黑褐色。

采集记录:1♀,周至厚畛子,1350m,1999. Ⅵ. 24,采集人不详;1♀,留坝庙台子,1470m,1999. Ⅶ. 01,采集人不详; 1♀,宁陕火地塘,1580~1650m,1999. Ⅵ. 25-26,采集人不详。

分布:陕西(周至、留坝、宁陕)、甘肃、四川。

70. 格尺蛾属 *Neolythria* Alphéraky, 1892

Neolythria Alphéraky,1892a, *in* Romanoff: 71,figs. **Type species**: *Neolythria abraxaria* Alphéraky, 1892.

Incudifera Fletcher, 1979, *in* Nye: 108. **Type species**: *Neolythria tenuiarcuata* Wehrli, 1934.

Kataschisia Fletcher, 1979, *in* Nye: 111. **Type species**: *Neolythria latimarginata* Wehrli, 1934.

属征:触角线形,雄性具纤毛簇;额光滑,不凸出;下唇须细小。雄性后足胫节膨大,具毛束。翅面鳞片较薄,呈半透明状。前翅顶角钝圆;前后翅外缘浅弧形,不波曲;后翅前缘略延长。雄性前翅基部无泡窝。前翅 R_1 与 R_2 合并,并与 Sc 有一段合并,通常还与 R_{3-5}有一段合并或一点接触。

分布:中国。秦岭地区分布 1 种。

(116)黄带格尺蛾 *Neolythria maculosa* Wehrli, 1934(图版 17:8)

Neolythria maculosa Wehrli, 1934c: 145, pl. 1, fig. 19.

Neolythria svenhedeni Djakonov, 1936b: 35, fig. 1a: 7, fig. 7.

鉴别特征:前翅长 16~17mm。头和胸部背面黑色,领片和肩片黄色;腹部背面黄色,背中线两侧及侧线位置排列黑斑。翅白色,半透明。前翅翅脉黑色,基半部沿翅脉排列黑灰色细带;中点大,椭圆形;外线黄色,波状,两侧在翅脉间排列黑灰色大斑;缘线为翅脉间的 1 列黑灰色斑。后翅具微小黑色中点,外线仅存数个小黑点,缘线的斑点较前翅小。

采集记录:1♂,宝鸡天台山嘉陵江源头,1620m,2014. Ⅷ. 08-09,薛大勇采;1♂,宁陕火地塘,1550m,2007. Ⅷ. 19,李文柱采。

分布:陕西(宝鸡、宁陕)、甘肃、青海、四川、云南。

71. 锦尺蛾属 *Heterostegane* Hampson, 1893

Heterostegane Hampson, 1893: 35, 142. **Type species**: *Macaria subtessellata* Walker, 1863.
Chrostobapta Warren, 1907: 164. **Type species**: *Chrostobapta deludens* Warren, 1907.
Liposchema Warren, 1914: 494. **Type species**: *Liposchema bifasciata* Warren, 1914.
Deuterostegane Wehrli, 1939, *in* Seitz (f): 294. **Type species**: *Lomographa hoenei* Wehrli, 1925.

属征:雄性和雌性触角均为线形,雄性具纤毛。额不凸出。下唇须仅尖端伸达额外。雄性后足胫节膨大,具2对距。前翅顶角圆,外缘平滑;后翅圆。雄性前翅基部不具泡窝。前翅 R_1 和 R_2 完全合并,Sc 与 R_{1+2} 由1短柄相连。翅面常为浅黄色,斑纹深灰色或褐色。前后翅外线纤细,不规则或齿状,亚缘线常粗壮,在 M_2 和 Cu_2 向外凸出;缘线清楚。

分布:古北界,东洋界,非洲界。秦岭地区分布1种。

(117)织锦尺蛾 *Heterostegane cararia lungtanensis* (Wehrli, 1939)(图版17:9)

Lomographa cararia lungtanensis Wehrli, 1939, *in* Seitz (f): 294, pl. 22: f.
Stegania cararia lungtanensis: Parsons *et al.*, 1999, *in* Scoble: 903.
Heterostegane cararia lungtanensis: Xue & Han, 2005: 614.

鉴别特征:前翅长11~12mm。体和翅草黄色,散布黄褐至红褐色鳞。前翅前缘色略深;两翅均无中线,中点和亚缘线深褐色;前翅中点短条状,浅弯曲,后翅中线较小;前翅亚缘线上端远离外缘,下端伸达臀角,在 M_2 处和 Cu_2 下方各凸出1个尖齿,前者有细线伸达外缘,后者齿尖到达外缘;后翅亚缘线细弱,在 M_2 处凸出1个尖齿,并有细线伸达外缘;缘线深褐色,缘毛灰黄色。翅反面污白至浅灰黄色,中点和亚缘线同正面,色较灰,M_2 处凸齿外侧的细线较弱或消失。

采集记录:7♂2♀,周至厚畛子,1350~3120m,1999. Ⅵ. 21-24,姚建、朱朝东采;1♂,周至钓鱼台,1480m,2008. Ⅵ. 29,白明采;1♂1♀,太白黄柏塬,1350m,1980. Ⅶ. 13-14,韩寅恒采;1♂,留坝县城,1020m,1998. Ⅶ. 18,姚建采;1♂1♀,佛坪县城,950m,1998. Ⅶ. 23-25,姚建采;1♂1♀,宁陕火地塘,1580~1650m,1999. Ⅵ. 26,袁德成采;1♂1♀,宁陕火地塘,1538m,2012. Ⅶ. 11-15,程瑞等采。

分布:陕西(周至、太白、留坝、佛坪、宁陕)、甘肃、江苏、四川。

72. 缘点尺蛾属 *Lomaspilis* Hübner, 1825

Lomaspilis Hübner, 1825: 306. **Type species**: *Phalaena marginata* Linnaeus, 1758.
Poecilophasia Stephens, 1831: 314. **Type species**: *Phalaena marginata* Linnaeus, 1758.

属征:触角线形,雄性具短纤毛;额光滑,略凸出;下唇须短小,尖端不伸出额外。雄性后足胫节略膨大。腹部光滑,有丝样光泽。前翅顶角圆钝,外缘浅弧形;后翅外缘弧形。翅白色,具黑斑。前翅 R_1 和 R_2 完全合并,R_{3-5}共柄。

分布:古北界。秦岭地区分布1种。

(118)缘点尺蛾 *Lomaspilis marginata amurensis* (Heydemann, 1881)(图版17:10)

Abraxas opis amurensis Hedemann, 1881: 44.

Lomaspilis marginata amurensis: Wehrli, 1939, *in* Seitz (f): 291, pl. 22: e.

鉴别特征:前翅长12~13mm。头和体背黑色,胸腹部具丝样光泽。翅白色;前翅基部具1个大黑斑,伸达前缘中部附近;前后翅外线各为3个黑点;翅端部为1条黑带,其内缘中部外凸。翅反面斑纹与正面相同。

采集记录:1♂,周至厚畛子,1350m,1999. Ⅵ. 24,朱朝东采;1♂,宁陕火地塘,1580m,1998. Ⅶ. 26-27,袁德成采。

分布:陕西(周至、宁陕)、黑龙江、吉林、内蒙古、山西、甘肃;俄罗斯,朝鲜,日本。

73. 银瞳尺蛾属 *Tasta* Walker, 1863

Tasta Walker, 1863: 1569. **Type species**: *Tasta micaceata* Walker, 1863.

Dissophthalmus Butler, 1880: 219. **Type species**: *Dissophthalmus iridis* Butler, 1880.

属征:雄性和雌性触角均为线形,雄性触角具短纤毛。额不凸出。下唇须短小细弱。雄性后足胫节略膨大。前翅顶角圆,外缘近弧形;后翅圆。雄性前翅基部不具泡窝。前翅 R_1 和 R_2 分离。前后翅亚缘线常具银色反光的鳞片,后翅亚缘线在 M_3 下方常具1个黑色眼斑。

分布:东洋界。秦岭地区分布1种。

(119)白银瞳尺蛾 *Tasta argozana* Prout, L. B., 1926(图版17:11)

Tasta argozana Prout, L. B., 1926c: 784, pl. 1, fig. 21.

鉴别特征:雄性前翅长12~13mm,雌性前翅长13mm。额和下唇须褐色至深褐色;头顶和胸部背面白色;腹部背面灰色。翅污白色,斑纹深灰至深灰褐色。前翅前缘基部2/3深灰褐色;中域由 M_1 至后缘为1个宽带状大斑,上端绕过椭圆形中点,斑上及周围散布银鳞;亚缘线在前缘附近有2个暗银灰色点,其内侧及顶角处弥散黄褐色;亚缘线在 M_1 以下为1列银灰色点;无缘线,缘毛银白色。后翅基部至中部之外为1个大斑,斑上散布银鳞,中点在斑内;亚缘线在 M_2 以上为 1 列银点;翅端部在 M_2 以下为 1 个大斑,其上端带黄褐色且边界不清,下端深灰褐色,有银色光泽;斑内在 Cu_1 处有 1 个白圈,其中为 1 个黑色圆斑;缘线和缘毛同前翅。翅反面污白色,隐见正面斑纹。

采集记录:1♂,佛坪龙草坪,1256m,2008. Ⅶ. 03,崔俊芝采;4♂1♀,宁陕火地塘,1580m,1999. Ⅵ. 25-Ⅶ. 07,袁德成采;2♀,宁陕大水沟,1500~1760m,1999. Ⅵ. 30,袁德成采。

分布:陕西(佛坪、宁陕)、甘肃、湖南、台湾、四川、云南;缅甸。

74. 褶尺蛾属 *Lomographa* Hübner, 1825

Lomographa Hübner, 1825: 311. **Type species**: *Geometra taminata* Denis *et* Schiffermüller, 1775.

Bapta Stephens, 1829: 45. **Type species**: *Phalaena bimaculata* Fabricius, 1775.

Anhibernia Staudinger, 1892b: 170. **Type species**: *Hybernia orientalis* Staudinger, 1892.

Leucetaera Warren, 1894a: 405. **Type species**: *Acidalia inamata* Walker, 1861.

Akrobapta Wehrli, 1924: 136. **Type species**: *Bapta perapicata* Wehrli, 1924.

Earoxyptera Djakonov, 1936a: 492, 515, 517. **Type species**: *Anhibernia buraetica* Staudinger, 1892.

Cirretaera Wehrli, 1939, *in* Seitz (f): 298. **Type species**: *Somatina simplicior* Butler, 1881.

属征:雄性和雌性触角均为线形,不具纤毛。额不凸出。下唇须仅尖端伸出额外。雄性后足胫节不膨大。前翅顶角有时凸出,外缘平直或弧形;后翅圆。雄性前翅基部通常不具泡窝。前翅 R_1 和 R_2 常完全合并。翅面常白色或灰色。

分布:全世界。秦岭地区分布 1 种。

(120)云褶尺蛾 *Lomographa eximiaria* (Oberthür, 1923)(图版 17:12)

Corycia eximiaria Oberthür, 1923: 234, pl. 553, fig. 4707.

Bapta eximia Wehrli, 1939, *in* Seitz (f): 301, pl. 23: a.

Lomographa eximiaria: Parsons *et al.*, 1999, *in* Scoble: 553.

鉴别特征:雄性前翅长 17mm,雌性前翅长 17~18mm。翅白色。前后翅中点为黑色小点;前翅中线和前后翅外线为深灰色云状纹;前后翅亚缘线为 1 列模糊灰斑,在前翅 Cu 脉附近常消失或减弱;缘线黑色,在前翅绕过顶角延伸到前缘端部,并在 R_5 至 M_3 各翅脉端加粗形成内凸的小齿,该处亚缘线与缘线间散布深灰色鳞;缘毛白色,在前翅顶角和 M_3 之间掺杂灰色。

采集记录:1♀,留坝庙台子,1470m,1999. Ⅶ. 01,采集人不详;1♀,宁陕火地塘,1580m,1999. Ⅶ. 02,采集人不详。

分布:陕西(留坝、宁陕)、浙江、湖南、福建、四川。

75. 鲨尺蛾属 *Euchristophia* Fletcher, 1979

Euchristophia Fletcher, 1979: 80. **Type species**: *Pogonitis cumulata* Christoph, 1881.

属征:雄性触角双栉形,雌性触角线形。额略凸出。下唇须尖端不伸达额外。雄性后足胫节膨大。前翅前缘基部常隆起,顶角圆,前后翅外缘弧形。雄性前翅基部具泡窝。前翅 R_1 自由,R_2 与 R_{3+4}共柄,R_{2-4}与 R_5 共柄。前后翅中点黑色,近长方形。

分布:中国;俄罗斯,日本,朝鲜半岛。秦岭地区分布 1 种。

(121)金鲨尺蛾 *Euchristophia cumulata sinobia* (Wehrli, 1939)(图版 17:13)

Pogonitis cumulata sinobia Wehrli, 1939, *in* Seitz (f): 306, pl. 23: d.

Euchristophia cumulata sinobia: Xue, 1997: 1243.

鉴别特征:前翅长 12~14mm。翅面黄白色。前翅除前缘、中室和顶角区域外,其余密布黑色短横纹;内线、中线、外线和亚缘线为黄褐色弧形宽带,其中亚缘线最宽;中点黑色,清楚,近长方形;缘线不可见;缘毛黄白色。后翅中点内侧密布黑色短横纹;中点较前翅小;中线不可见;其余斑纹与前翅相似。

采集记录:1♀,周至厚畛子,1350m,1999. Ⅵ. 24,采集人不详;1♀,周至厚畛子,1300m,2008. Ⅲ. 10,李文柱采;1♀,佛坪偏岩子,1750m,1999. Ⅵ. 28,采集人不详;1♀,宁陕大水沟,1500~1760m,1999. Ⅵ. 30,采集人不详;1♂,宁陕火地塘,1550m,2008. Ⅱ. 09,崔俊芝采;1♀,柞水营盘镇,953~995m,2014. Ⅶ. 29-31,刘淑仙采。

分布:陕西(周至、佛坪、宁陕、柞水)、甘肃、浙江、福建、广西、四川。

76. 紫云尺蛾属 *Hypephyra* Butler, 1889

Hypephyra Butler, 1889: 20, 101. **Type species**: *Hypephyra terrosa* Butler, 1889.

Visitara Swinhoe, 1902b: 621. **Type species**: *Visitara brunneiplaga* Swinhoe, 1902.

属征:雄性和雌性触角均为线形,雄性具纤毛;额凸出,额毛簇发达;下唇须长,端部伸出额外,第 3 节明显;毛隆不横向延长。雄性后足胫节膨大,具毛束。前翅顶角尖,有时凸出,外缘平直;后翅圆,外缘有时在 M_1 端部凸出。雄性前翅基部不具泡窝。前翅 Sc 与 R_1 部分合并,在近端部分离,R_2 自由。翅面褐色或黄褐色。

分布:中国;日本,印度,菲律宾,马来西亚,印度尼西亚。秦岭地区分布 1 种。

(122)紫云尺蛾日本亚种 *Hypephyra terrosa pryeraria* (Leech, 1891)(图版17:14)

Tacparia terrosa pryeraria Leech, 1891b: 56.

Hypephyra cyanargentea Wehrli, 1925: 51, pl. 1, fig. 20.

Hypephyra terrosa pryeraria: Inoue, 1977: 287.

鉴别特征:前翅长23～25mm。翅灰褐色,斑纹黑褐色,前翅内线与外线之间区域颜色较浅。前翅内线为双线,锯齿形,内侧的较模糊;中点短条状;中线波曲,在M_3之前清楚;外线锯齿形,在M_3之前加粗;亚缘线微波曲,模糊,其内侧在M_3与Cu_1之间具黑色斑块;缘线连续;缘毛深灰色掺杂黄褐色。后翅中点微小,中线模糊,外线锯齿形,其余斑纹与前翅相似。

采集记录:1♀,周至楼观台,680m,2008. Ⅵ. 24,葛斯琴采;4♂5♀,佛坪龙草坪,1200m,2008. Ⅶ. 03,白明等采;1♂,宁陕火地塘,1580～1650m,1999. Ⅵ. 25-26,采集人不详;3♂5♀,宁陕火地塘,1538m,2012. Ⅶ. 11-15,姜楠等采;1♂,商南金丝峡,777m,2013. Ⅶ. 23-25,姜楠采;1♂1♀,旬阳金鑫源山庄,386m,2014. Ⅷ. 01-03,刘淑仙采。

分布:陕西(周至、佛坪、宁陕、商南、旬阳)、甘肃、上海、安徽、浙江、湖北、江西、湖南、福建、广东、广西、四川、贵州、云南、西藏;日本,印度,马来西亚,印度尼西亚。

77. 云庶尺蛾属 *Oxymacaria* Warren, 1894

Oxymacaria Warren, 1894a: 438. **Type species**: *Azata palliata* Hampson, 1891.

Heterocallia Leech, 1897: 212. **Type species**: *Heterocallia truncaria* Leech, 1897.

Ligdiformia Wehrli, 1937a: 119. **Type species**: *Macaria temeraria* Swinhoe, 1891.

属征:雄性触角双栉形或线形,具纤毛;雌性触角线形。额略凸出。下唇须短,端部不伸出额外。毛隆横向延长。雄性后足胫节不膨大,不具毛束。翅狭长,前翅在顶角和M_3端部凸出,顶角与M_3之间凹;后翅外缘浅波曲,中部凸出成尖角。雄性前翅基部常具泡窝。前翅Sc与R_1部分合并,在近端部分离,R_2自由,R_{3+4}与R_5共柄。前后翅亚缘线常白色。

分布:古北界,东洋界,澳洲界。秦岭地区分布3种。

(123)云庶尺蛾 *Oxymacaria temeraria temeraria* (Swinhoe, 1891)(图版17:15)

Macaria temeraria temeraria Swinhoe, 1891: 492.

Oxymacaria temeraria: Parsons *et al.*, 1999, *in* Scoble: 686.

鉴别特征:前翅长13～16mm。体和翅浅灰褐色,额中部、下唇须和胸部前端灰褐色。前翅外缘中部凸角弱小,其上方凹入不明显。前翅内线和前后翅中线灰褐色细带状，均十分模糊；中点微小，紧邻中线外侧；外线纤细，在前翅 M_1 处凸出 1 个尖角，其下方至后翅浅锯齿形；亚缘线白色，在前翅 Cu_1 以上为 1 列白点，Cu_1 以下为白线，伸达臀角，后翅亚缘线为稍粗的白线，下端伸达臀角；前后翅亚缘线与外线之间为 1 条灰褐色带，颜色深浅不均；亚缘线外侧浅色，但在前翅 M 脉附近深灰褐色；缘线灰褐色，在翅脉间形成深灰褐色小点；缘毛灰褐色。翅反面淡黄褐色，散布深灰褐色碎纹；斑纹较正面清晰，深褐至深灰褐色；翅端部浅色，部分白色。

采集记录：1♀，佛坪，876m，2007. Ⅷ. 16，李文柱采。

分布：陕西（佛坪）、甘肃、湖北、湖南、福建、台湾、海南、广西、四川、云南；日本，印度，尼泊尔，克什米尔地区。

（124）常云庶尺蛾衡山亚种 *Oxymacaria normata hoengshanica*（**Wehrli, 1940**）（图版 17：16）

Semiothisa normata hoengshanica Wehrli, 1940, *in* Seitz (f): 388, pl. 31: a.

Oxymacaria normata hoengshanica: Parsons *et al.*, 1999, *in* Scoble: 686.

鉴别特征：雄性前翅长 15mm，雌性前翅长 16mm。雄性和雌性触角均为线形。体和翅灰白色，额中部和下唇须灰黄褐色。翅面散布灰色碎纹，外线外侧色略暗；前翅内线、中线、外线均近于直立，上端向内弯折并略加粗；中点短条形，位于中线外侧；外线外侧紧邻 1 条灰白色细线，其两侧由 M_1 上方至 Cu_1 下方排列黑褐色斑块，其中翅中部斑块大而鲜明，其间翅脉灰白色；后翅中线直，较近基部，远离黑色圆形中点；外线上半段弧形弯曲，下半段直；前后翅亚缘线为 1 列白点，其外侧色略浅，在前翅顶角处形成浅色斑；缘线灰褐色，纤细，在翅脉间加粗；缘毛灰白色。翅反面斑纹较正面清晰，亚缘线内侧紧邻 1 条灰褐色线。

采集记录：1♀，周至厚畛子，1300m，2007. Ⅷ. 10，李文柱采；1♂，佛坪县城，900m，2008. Ⅶ. 05，崔俊芝采；1♂，宁陕火地塘，1550m，2007. Ⅷ. 18，杨玉霞采；1♀，宁陕广货街保护站，1189m，2014. Ⅶ. 26-28，班晓双采。

分布：陕西（周至、佛坪、宁陕）、湖南。

（125）白棒云庶尺蛾 *Oxymacaria truncaria*（**Leech, 1897**）（图版 17：17）

Heterocallia truncaria Leech, 1897: 212, pl. 6, fig. 1.

Oxymacaria truncaria: Holloway, 1994: 159.

别名：白棒绥尺蛾。

鉴别特征：前翅长 17 ~ 18mm。雄性和雌性触角均为线形。头和体背淡灰褐色掺杂深灰褐色，领片和前翅前缘基部深灰褐色。翅淡灰褐色，带肉红色调，散布不均匀的深灰褐色。前翅内线和中线细弱，模糊；外线黑色，纤细，外侧伴 1 条由顶角内侧向内倾斜的深色带，其中部有1个深褐色楔形斑；亚缘线由前缘至 M_2 白色，其下消失；亚缘线外侧由前缘至 M_3 深灰色。后翅内线直；外线和亚缘线弧形，前者下半段增粗增黑；具圆形中点。前翅反面可见亚缘线的白点，有时扩大至顶角。

采集记录：2♂3♀，周至厚畛子，1350m，1999. Ⅵ. 24，采集人不详；4♂，周至厚畛子，1300m，2007. Ⅷ. 10，2008. Ⅵ. 30-Ⅶ. 01，李文柱等采；1♂，周至钓鱼台，1480m，2008. Ⅵ. 29，白明采；1♀，留坝庙台子，1350m，1998. Ⅶ. 21，采集人不详；3♂，佛坪龙草坪，1200m，2008. Ⅶ. 03，刘万岗等采；2♂2♀，宁陕火地塘，1550m，2007. Ⅷ. 18，2008. Ⅶ. 08-09，李文柱等采；3♂，宁陕火地塘，1538m，2012. Ⅶ. 11-15，姜楠等采；1♂，商南金丝峡，777m，2013. Ⅶ. 23-25，崔乐采；2♂，柞水营盘镇，953～995m，2014. Ⅶ. 29-31，刘淑仙采。

分布：陕西（周至、留坝、佛坪、宁陕、商南、柞水）、甘肃、山西、青海、台湾、四川、云南、西藏。

78. 奇尺蛾属 *Chiasmia* Hübner, 1823

Chiasmia Hübner, 1823: 295. **Type species**: *Phalaena clathrata* Linnaeus, 1758.
Arte Stephens, 1829: 373. **Type species**: *Phalaena clathrata* Linnaeus, 1758.
Strenia Duponchel, 1829: 112 (key). **Type species**: *Phalaena clathrata* Linnaeus, 1758.

属征：雄性和雌性触角均为线形，雄性具纤毛。额不凸出。下唇须细，尖端伸出额外。毛隆横向延长。雄性后足胫节膨大，具毛束。前后翅外缘中部有时凸出；后翅外缘微波曲。前翅 R_1 与 R_2 合并。雄性前翅基部有时具泡窝。

分布：全世界。秦岭地区分布3种。

（126）网目奇尺蛾 *Chiasmia clathrata* (Linnaeus, 1758)（图版17：18）

Phalaena (*Geometra*) *clathrata* Linnaeus, 1758: 524.
Phalaena retialis Scopoli, 1763: 217, fig. 536.
Phalaena decussata Schrank, 1802: 27.
Geometra cancellaria Hübner, 1809: pl. 62, fig. 322.
Phalaena radiata Haworth, 1809: 348.
Chiasmia clathrata: Hübner, 1823: 295.
Phasiane clathrata nivea Rocci, 1923: 9.
Semiothisa clathrata tschangkuensis Wehrli, 1940, *in* Seitz (f): 389, pl. 31: g.
Chiasmia clathrata vandarbana Wehrli, 1940, *in* Seitz (f): 389, pl. 31: k.

鉴别特征：前翅长11～13mm。前翅外缘浅弧形；后翅外缘弧形，中部不凸出。翅面白色，斑纹深褐至黑褐色。前翅内线浅弧形；前后翅中线带状，直；外线浅弧形；亚缘线带状，紧邻外线，略折曲，中部有时接触外线；缘线带状；两翅翅脉与线纹同色，使翅面呈网格状；缘毛深褐色与白色相间。

采集记录:2♀,留坝庙台子,1350m,1998. Ⅶ.21,采集人不详。

分布:陕西(留坝)、甘肃、内蒙古、青海;俄罗斯,朝鲜,日本,欧洲,非洲(北部)。

(127)槐尺蠖 *Chiasmia cinerearia cinerearia* (**Bremer** *et* **Grey, 1853**)(图版17:19)

Philobia cinerearia Bremer *et* Grey, 1853a: 20, pl. 9, fig. 4.

Macaria elongaria Leech, 1897: 308, pl. 6, fig. 14.

Semiothisa cinerea: Wehrli, 1940, *in* Seitz (f): 387.

Semiothisa (*Macaria*) *cinerearia*: Zhu, 1981: 127, pl. 35: 913.

Chiasmia cinerearia: Parsons *et al.*, 1999, *in* Scoble: 128.

鉴别特征:前翅长20~22mm。下唇须较短,仅尖端伸达额外。前翅外缘平直;后翅外缘中部凸出,凸角之上波曲较深。体和翅灰白至浅灰色,密布深灰褐色鳞;斑纹深灰褐色,略带灰绿色调。前翅内线、中线和外线上端向外凸出,然后向内倾斜至后缘,中线的凸角由外侧绕过深灰褐色短条状中点;外线由前缘至 M_1 形成1条倾斜的黑纹,在 M_2 下方内侧和 M_3 以下两侧翅脉间排列鲜明的黑斑;翅端部色较深,顶角有1个浅色大斑。后翅中线直,较近翅基;外线浅波曲,其外侧色较深;中点黑色,小而圆。翅反面黄白色,线纹深褐色,翅端部散布黄褐色,前翅顶角有浅色斑,白色鲜明,有深褐色边。

采集记录:1♂,留坝县城,1020m,1998. Ⅶ.18,采集人不详;1♂,山阳土桥村凤凰山庄,722m,2014. Ⅷ.06,刘淑仙、班晓双采;1♂,商南金丝峡,777m,2013. Ⅶ.23-25,姜楠、崔乐采。

分布:陕西(留坝、山阳、商南)、黑龙江、吉林、辽宁、北京、天津、河北、山西、山东、河南、宁夏、甘肃、江苏、安徽、浙江、湖北、江西、台湾、广西、四川、西藏;朝鲜,日本。

寄主:槐,国槐。

(128)合欢奇尺蛾 *Chiasmia defixaria* (**Walker, 1861**)(图版17:20)

Macaria defixaria Walker, 1861: 932.

Macaria zachera Butler, 1878a: 405.

Semiothisa defixaria: Wehrli, 1940, *in* Seitz (f): 383.

Chiasmia defixaria: Parsons *et al.*, 1999, *in* Scoble: 129.

鉴别特征:雄性前翅长13~16mm,雌性前翅长15~17mm。前翅外缘中部微凸;后翅外缘中部凸出1个尖角。翅灰黄色,密布黑褐色小斑点,斑纹灰褐色。前翅顶角处有1个灰白色斑;内线在中室上方向外弯曲,在中室下方近平直;中点在中线外侧,短条状,有时其上端与中线接触;中线平直;外线在M脉之间向外呈圆形凸出,凸角内侧有1条浅弧形灰线;外线外侧有时有灰褐色带;缘线连续;缘毛浅黄色,在翅脉端黑褐色。后翅中点小;外线为双线,近平直,其外侧在 M_3 与 Cu_1 之间有1个小黑点,有时消失;其余斑纹与前翅相似。

采集记录:1♂,柞水营盘镇,953～995m,2014. Ⅶ. 29-31,刘淑仙、班晓双采;4♂2♀,旬阳金鑫源山庄,386m,2014. Ⅷ. 01-03,刘淑仙、班晓双采。

分布:陕西(柞水、旬阳)、山东、河南、甘肃、江苏、浙江、湖北、江西、湖南、福建、广西、四川、贵州;日本,朝鲜半岛。

79. 庶尺蛾属 *Macaria* Curtis, 1826

Macaria Curtis, 1826 (September) 1, *Br. Ent.* 3: 132. **Type species**: *Phalaena liturata* Clerck, 1759.

Psamatodes Guenée, 1858, *in* Boisduval & Guenée: 107. **Type species**: *Psamatodes rimosata* Guenée, 1858.

Azata Walker, 1860: 272. **Type species**: *Azata idriasaria* Walker, 1860.

Physostegania Warren, 1894a: 406. **Type species**: *Stegania pustularia* Guenée, 1858.

Dysmigia Warren, 1895: 134. **Type species**: *Fidonia loricaria* Eversmann, 1837.

属征:雄性触角双栉形或线形,雌性触角线形或短双栉形;额具毛簇;下唇须中等长,约1/3伸出额外。前翅顶角圆或略凸出,外缘在顶角下方常微凹;后翅外缘浅弧形或中部凸出。雄性前翅基部不具泡窝。前翅 R_1 与 R_2 合并,并与 Sc 有一段合并,R_{3-5}共柄。

分布:古北界,新北界,新热带界。秦岭地区分布2种。

(129) 中国威庶尺蛾 *Macaria wauaria chinensis* (Sterneck, 1928)(图版17:21)

Itame wauaria chinensis Sterneck, 1928: 236.

鉴别特征:前翅长13～15mm。雄性和雌性触角均为双栉形,雌性栉齿极短,长度不及触角干直径之半。头和体背淡黄褐色。前翅外缘在顶角下方浅凹,前后翅外缘中部略凸出。翅面淡灰褐色,略带灰红色调,散布大量灰褐色鳞片;前翅前缘有4块黑褐色斑,第1、3块为小三角形,第2块略大,与黑色条形中点连接,第4块短宽;前后翅外缘附近色略深。

采集记录:1♀,周至楼观台,680m,2008. Ⅵ. 24,葛斯琴采;3♀,佛坪龙草坪,1200m,2008. Ⅶ. 03,白明等采;1♀,宁陕火地塘,1550m,2008. Ⅶ. 08,葛斯琴采。

分布:陕西(周至、佛坪、宁陕)、内蒙古、山西、甘肃、四川。

(130) 上海庶尺蛾 *Macaria shanghaisaria* Walker, 1861(图版17:22)

Macaria shanghaisaria Walker, 1861: 926.

Semiothisa (*Macaria*) *graphata* Hedemann, 1881: 51, pl. 10, fig. 4.

Semiothisa (*Macaria*) *shanghaisaria wehrliaria* Bryk, 1948: 198.

鉴别特征：前翅长14～15mm。雄性触角短双栉形，雌性线形。头和体背黄白至浅黄褐色。前翅顶角凸出，其下方凹入明显，外缘中部凸出；后翅外缘中部凸出成尖角。翅面污白至浅污黄色；前翅内线纤细，上半段弧形弯曲；前后翅中线双线，在前翅前缘形成黑斑，其下略波曲；外线纤细，其外侧紧邻1条深灰褐色带，该带在前翅前缘下方形成2个小黑斑；前翅顶角下方凹入处具黑褐色缘线；前后翅中点深灰色，微小，在前翅有时不明显。

采集记录：3♂2♀，周至楼观台，680m，2008. Ⅵ. 23-24，白明等采；1♀，周至钓鱼台，1480m，2008. Ⅵ. 29，李文柱采。

分布：陕西（周至）、上海；俄罗斯（东南部），朝鲜。

80. 辉尺蛾属 *Luxiaria* Walker, 1860

Luxiaria Walker, 1860: 231. **Type species**: *Luxiaria alfenusaria* Walker, 1860.

属征：雄性和雌性触角均为线形，雄性具纤毛。额不凸出。下唇须细，端半部伸出额外。雄性后足胫节膨大，具毛束。前翅顶角有时凸出，外缘倾斜；后翅外缘锯齿形或平滑，有时中部凸出。雄性前翅基部常具泡窝。前翅 R_1 和 R_2 合并，Sc 和 R_1 在近端部具1点合并。

分布：古北界，东洋界，澳洲界。秦岭地区分布2种。

(131) 辉尺蛾 *Luxiaria mitorrhaphes* Prout, L. B., 1925（图版17：23）

Luxiaria mitorrhaphes Prout, L. B., 1925: 64.

鉴别特征：雄性前翅长18mm，雌性前翅长19～20mm。翅面灰黄色，斑纹灰褐色。前翅内线模糊或消失，常在前缘、中室下缘和后缘形成暗色斑点；中点微小；中线模糊，在前缘形成暗色小斑；外线在翅脉上有1列小点，其外侧为1条宽窄不均匀的深色带；亚缘线浅色，锯齿形；缘线极细弱，在翅脉间有小黑点；缘毛浅黄色。后翅外缘锯齿形，中点较前翅小但清晰，中线近弧形，其余斑纹与前翅相似。

采集记录：1♂，宝鸡天台山嘉陵江源头，1620m，2014. Ⅷ. 08-09，班晓双采；2♂，太白黄柏塬，1350m，1980. Ⅶ. 13，韩寅恒采；1♂3♀，宁陕火地塘，1538m，2012. Ⅶ. 11-15，姜楠等采。

分布：陕西（宝鸡、太白、宁陕）、吉林、北京、甘肃、江苏、浙江、湖北、江西、湖南、福建、台湾、广东、海南、广西、四川、贵州、云南、西藏；日本，缅甸，印度，不丹。

(132) 云辉尺蛾 *Luxiaria amasa* (Butler, 1878)（图版17：24）

Bithia amasa Butler, 1878b: 405.

Luxiaria fasciosa Moore, 1888a, *in* Hewitson & Moore: 254.

Luxiaria fulvifascia Warren, 1894a: 440.

Luxiaria contigaria amasa: Prout, L. B. 1915, *in* Seitz (e): 350.

Luxiaria amasa: Wehrli, 1940, *in* Seitz (f): 407, pl. 33: b.

鉴别特征:前翅长 19 ~ 21mm。翅面黄褐色,斑纹深褐色。前翅顶角略凸出;内线、中线和外线在前缘处形成 3 个大斑点;内线和中点模糊;中线在 M_3 处呈手肘状转折;外线近弧形,在各脉上呈点状,其外侧至外缘为深褐色宽带,仅在顶角处色浅;亚缘线锯齿形,常间断,在近后缘处颜色较深;缘线深褐色不明显。后翅外缘锯齿形;基部具 1 个小黑斑;中线近平直,近前缘处模糊;外线近后缘处略波曲,外线外侧的深色宽带较前翅宽,下半部分裂;亚缘线较前翅连续;缘线和中点与前翅相似。

采集记录:1♂,宁陕火地塘,1538m,2012. Ⅶ. 11-15,姜楠采。

分布:陕西(宁陕)、甘肃、浙江、湖北、江西、湖南、福建、台湾、广东、海南、香港、广西、四川、云南、西藏;俄罗斯,日本,印度,尼泊尔,印度尼西亚,朝鲜半岛。

81. 拟长翅尺蛾属 *Epobeidia* Wehrli, 1939

Epobeidia Wehrli, 1939, *in* Seitz (f): 267. **Type species**: *Abraxas tigrata* Guenée, 1858.

属征:本属外部形态特征与狭翅尺蛾属相似,体型较小,前翅外缘倾斜较少。

分布:中国;日本,越南,印度,尼泊尔,朝鲜半岛。秦岭地区分布 2 种。

(133)猛拟长翅尺蛾 *Epobeidia tigrata leopardaria* (Oberthür, 1881)(图版 17:25)

Rhyparia leopardaria Oberthür, 1881: 17, pl. 9, fig. 5.

Obeidia tigrata var. *neglecta* Thierry-Mieg, 1899: 20.

Obeidia tigrata leopardaria: Prout, L. B., 1915, *in* Seitz (e): 307, pl. 17: a.

Obeidia tigrata (*Epobeidia*) *leopardaria*: Wehrli, 1939, *in* Seitz (f): 267.

Epobeidia tigrata leopardaria: Inoue, 2003: 143.

鉴别特征:前翅长 30mm。前翅黄至橘黄色,后缘中部少量白色;后翅端部与前翅同色,外线以内白色;前后翅基部和端部有很多细碎小斑;前翅内线和前后翅外线近弧形,由 1 列大斑点构成;中点大,位于前翅的肾形,位于后翅的圆形。

采集记录:3♂,周至钓鱼台,1480m,2008. Ⅵ. 29,白明等采;1♂,留坝庙台子,1350m,1998. Ⅶ. 21,采集人不详;1♂,留坝庙台子,1470m,1999. Ⅶ. 01,采集人不详;1♀,佛坪,890m,1999. Ⅵ. 26,采集人不详;2♂,宁陕火地塘,1580m,1998. Ⅶ. 26-27,采集人不详;1♂,宁陕火地塘,1580 ~ 1650m,1999. Ⅵ. 25-26,采集人不详;4♂,宁陕广货街保护站,1189m,2014. Ⅶ. 26-28,刘淑仙、班晓双采;1♂,柞水营盘镇,953 ~ 995m,

2014. Ⅶ. 29-31,刘淑仙、班晓双采。

分布:陕西(周至、留坝、佛坪、宁陕、柞水)、甘肃、浙江、广东、广西、福建、四川、贵州、西藏;日本,朝鲜半岛。

(134)散长翅尺蛾 *Epobeidia lucifera conspurcata* (Leech, 1897)(图版 17:26)

Obeidia conspurcata Leech, 1897: 458.

Obeidia lucifera conspurcata: Parsons *et al.*, 1999, *in* Scoble: 651.

Epobeidia lucifera conspurcata: Inoue, 2003: 147.

鉴别特征:前翅长 28 ~ 33mm。翅较猛拟长翅尺蛾狭长。翅面中部大部分白色,前翅白色区域向上扩展至中室内,向外扩展至外线;其余橘黄色,密布黑灰色斑,翅中部的斑块较大;两翅斑点颜色较猛拟长翅尺蛾色淡,特别细碎,局部连成不规则片状。

采集记录:1♂,留坝庙台子,1350m,1998. Ⅶ. 21,采集人不详;2♂,佛坪,950m,1998. Ⅶ. 23-24;19♂6♀,宁陕火地塘,1580m,1998. Ⅶ. 26-27,采集人不详;5♂1♀,宁陕广货街保护站,1189m,2014. Ⅶ. 26-28,刘淑仙、班晓双采。

分布:陕西(留坝、佛坪、宁陕)、甘肃、浙江、湖北、湖南、福建、四川、贵州。

82. 狭翅尺蛾属 *Parobeidia* Wehrli, 1939

Parobeidia Wehrli, 1939, *in* Seitz (f): 268. **Type species**: *Obeidia gigantearia* Leech, 1897.

属征:体型大。触角线形;额凸出;下唇须细长,端部伸出额外。雄性后足胫节膨大,具毛束。雄性腹部特别细长。前翅极狭长,顶角凸且尖,外缘倾斜;后翅圆。前翅基部、前后翅前缘和端部橘黄色。雄性前翅基部不具泡窝。前翅 R_1 和 R_2 分离,R_2 与 R_{3-5} 由一短柄相连。前翅和后翅端半部橘黄色,翅面散布黑色斑点。

分布:中国。秦岭地区分布 1 种。

(135)巨狭翅尺蛾 *Parobeidia gigantearia* (Leech, 1897)(图版 17:27)

Obeidia gigantearia Leech, 1897: 458.

Obeidia (*Parobeidia*) *gigantearia*: Wehrli, 1939, *in* Seitz (f): 268.

Obeidia (*Parobeidia*) *gigantearia longimacula* Wehrli, 1939, *in* Seitz (f): 268.

Parobeidia gigantearia: Inoue, 2003: 149.

鉴别特征:雄性前翅长 37 ~ 42mm,雌性前翅长 41 ~ 42mm。前后翅基部、前缘和端部黄色,密布大小不等的黑色斑点,其他区域白色。前翅无内线;中点巨大,圆形;外线由 1 列大斑构成,近平直,在 M_3 处的斑与中点接触;外线外侧碎斑点连成宽带状;

缘毛黄色掺杂黑色。后翅斑纹与前翅相似。

采集记录:1♂,佛坪长角坝,1200m,2008. Ⅶ. 05,白明采;1♂,宁陕火地塘,1580m,1998. Ⅶ. 26-27;1♂,宁陕火地塘,1550m,2008. Ⅶ. 09,李文柱采;1♂,宁陕火地塘,1538m,2012. Ⅶ. 11-15,姜楠采;1♀,山阳土桥村凤凰山庄,722m,2014. Ⅷ. 06,刘淑仙、班晓双采。

分布:陕西(佛坪、宁陕、山阳)、甘肃、浙江、湖北、江西、湖南、福建、台湾、广东、四川、贵州、云南;缅甸。

83. 丰翅尺蛾属 *Euryobeidia* Fletcher, 1979

Euryobeidia Fletcher, 1979: 84. **Type species**: *Abraxas languidata* Walker, 1862.

Euryobeidia Wehrli, 1939, *in* Seitz (f): 269 [An unavailable name under Article 13(b) of the Code, no Type species was designated].

属征:本属与拟长翅尺蛾属 *Eplbeidia* Wehrli,外部形态相似,区别在于本属体型较小,前翅较短宽,外缘不倾斜,浅弧形;前翅 R_2 与 R_{3-5}共柄。

分布:中国;日本,印度,尼泊尔。秦岭地区分布1种。

(136) 银丰翅尺蛾 *Euryobeidia languidata* (Walker, 1862) (图版 17:28)

Abraxas languidata Walker, 1862: 1122.

Obeidia languidata: Prout, L. B., 1915, *in* Seitz (e): 308, pl. 14: h.

Euryobeidia languidata: Wehrli, 1939, *in* Seitz (f): 269.

Euryobeidia languidata: Fletcher, 1979: 84.

鉴别特征:前翅长20~22mm。翅面白色,散布灰黑色大斑。前翅内线、前后翅中线和外线由1列斑点构成。前翅内线斑点融合,弧形;中点巨大,圆形;外线在前缘、M_1、M_3、Cu_1、Cu_2 和2A处各具1个斑点,位于 M_3 和 Cu_1 上的斑点较靠外;亚缘线至外缘具黑色短横纹组成的宽带,近顶角处略宽。后翅斑纹大致与前翅相同,仅亚缘线至外缘区域黄色,缘线在各脉间有黑色大斑。

采集记录:1♂,周至厚畛子,1300m,2007. Ⅷ. 10,李文柱采;1♂,宁陕火地塘,1580m,1998. Ⅷ. 15-18,采集人不详。

分布:陕西(周至、宁陕)、江西、福建、台湾、广西、四川;日本,印度,尼泊尔。

84. 柿星尺蛾属 *Parapercnia* Wehrli, 1939

Parapercnia Wehrli, 1939, *in* Seitz (f): 265. **Type species**: *Abraxas giraffata* Guenée, 1858.

属征:雄性触角锯齿形,具纤毛,雌性线形;额不凸出;下唇须短粗。体型大;翅宽大;前翅顶角圆钝,外缘浅弧形;后翅顶角圆,外缘较前翅略平直。翅白色,散布黑灰色斑点,前后翅中点巨大。前翅 M_2 出自中室端脉中央偏上方。

分布:东洋区,东亚。秦岭地区分布 1 种。

(137)柿星尺蛾 *Parapercnia giraffata* (Guenée, 1858)(图版 18:1)

Abraxas giraffata Guenée, 1858, *in* Boisduval & Guenée: 205.

Parapercnia giraffata: Wehrli, 1939, *in* Seitz (f): 265.

Parapercnia giraffata lienpingensis Wehrli, 1939, *in* Seitz (f): 265.

Rhyparia grandaria C. Felder & R. Felder, 1862: 39.

Percnia giraffata: Xue, 1992, *in* Liu: 865, fig. 2843.

鉴别特征:雄性前翅长 34 ~ 37mm。此种为本属体型最大的种类。翅白至灰白色,斑纹黑灰色,粗大。前翅内线和外线为双线,每条线由 1 列斑点构成,部分融合;中点特别巨大,延伸至前缘,略呈长方形;亚缘线由 1 列斑点构成,在前缘附近与端部的斑点融合。后翅基部具 1 个圆点;中线仅在中点下方清楚,由 2 个斑点构成;中点较前翅小;外线弧形,由 1 列斑点构成。

采集记录:1♂2♀,留坝庙台子,1350 ~ 1470m,1998. Ⅶ. 21、1999. Ⅶ. 01,采集人不详;1♀,佛坪,890 ~ 900m,1999. Ⅵ. 26-27,采集人不详;3♂1♀,商南金丝峡,777m,2013. Ⅶ. 23-25,姜楠、崔乐采;3♂1♀,旬阳金鑫源山庄,386m,2014. Ⅷ. 01-03,刘淑仙、班晓双采。

分布:陕西(留坝、佛坪、商南、旬阳)、北京、河北、河南、山西、甘肃、安徽、浙江、湖北、江西、湖南、福建、台湾、广西、四川、贵州、云南;日本,缅甸,印度,印度尼西亚,朝鲜半岛。

85. 匀点尺蛾属 *Antipercnia* Inoue, 1992

Antipercnia Inoue, 1992b: 167. **Type species**: *Percnia albinigrata* Warren, 1896.

属征:雄性触角锯齿形,具纤毛簇;雌性触角线形。额略凸出。下唇须纤细,仅尖端伸达额外。雄性后足胫节膨大,具毛束。前翅顶角圆,外缘弧形;后翅圆。雄性前翅基部具泡窝。前翅 M_2 出自中室端脉中央偏上方。翅面白色,斑纹由成列的黑点构成。

分布:东亚,印度次大陆。秦岭地区分布 2 种。

(138) 拟柿星尺蛾 *Antipercnia albinigrata* (**Warren, 1896**)(图版 18:2)

Percnia albinigrata Warren, 1896d: 395.

Percnia albinigrata inquinata Inoue, 1941: 26.

Antipercnia albinigrata: Inoue, 1992b: 167.

鉴别特征:雄性前翅长 24 ~ 27mm,雌性前翅长 25 ~ 29mm。翅面白色,前翅前缘浅灰色,斑纹黑色。前翅基部具 2 个斑点;内线和中线弧形,由 4 个斑点组成;中点大于其他斑点,圆形;外线近"S"形,由 1 列斑点组成;亚缘线和缘线的 2 列斑点整齐,二者距离远较亚缘线与外线的距离近。后翅中点较前翅小;中线仅可见 2 个斑点;其余斑纹与前翅相似。

采集记录:1♂,留坝县城,1020m,1998. Ⅶ. 18,采集人不详;2♀,宁陕火地塘,1580m,1998. Ⅶ. 26-27,采集人不详;1♀,宁陕广货街保护站,1189m,2014. Ⅶ. 26-28,刘淑仙、班晓双采;2♂2♀,商南金丝峡,777m,2013. Ⅶ. 23-25,姜楠、崔乐采;1♀,柞水营盘镇,953 ~ 995m,2014. Ⅶ. 29-31,刘淑仙、班晓双采;2♂4♀,旬阳金鑫源山庄,386m,2014. Ⅷ. 01-03,刘淑仙、班晓双采。

分布:陕西(留坝、宁陕、商南、柞水、旬阳)、河南、甘肃、江苏、安徽、浙江、湖北、江西、湖南、福建、台湾、广西、贵州、四川;日本,朝鲜半岛。

(139) 匀点尺蛾 *Antipercnia belluaria* (**Guenée, 1858**)(图版 18:3)

Percnia belluaria Guenée, 1858, *in* Boisduval & Guenée: 217.

Percnia guttata Felder *et* Rogenhofer, 1875: pl. 130, fig. 15.

Percnia longimacula Warren, 1897a: 89.

Antipercnia belluaria: Parsons *et al.*, 1999, *in* Scoble: 49.

鉴别特征:前翅长 32 ~ 33mm。此种的翅面斑纹与拟柿星尺蛾相似,但此种翅面带淡灰至淡灰红色调;前后翅各列斑点较细小,常大小均匀;中点仅略大于其他斑点;亚缘线斑点列与外线和缘线的点列距离相近。

采集记录:1♂,留坝庙台子,1470m,1999. Ⅶ. 01,采集人不详;2♂1♀,佛坪偏岩子,1750m,1999. Ⅵ. 28,采集人不详;1♂2♀,佛坪凉风垭,1750 ~ 2150m,1999. Ⅵ. 28,采集人不详;4♂1♀,宁陕火地塘,1580 ~ 1650m,1999. Ⅵ. 26- Ⅶ. 01,采集人不详;3♀,宁陕火地塘,1538m,2012. Ⅶ. 11-15,姜楠等采;1♂,宁陕鸦雀沟,1580 ~ 1750m,1999. Ⅶ. 07,采集人不详。

分布:陕西(留坝、佛坪、宁陕)、甘肃、湖北、湖南、福建、广西、四川、贵州、云南、西藏;印度,尼泊尔。

86. 后星尺蛾属 *Metabraxas* Butler, 1881

Metabraxas Butler, 1881: 419. **Type species**: *Metabraxas clerica* Butler, 1881.

属征:雄性触角双栉形;雌性锯齿形,具纤毛。额凸出。下唇须短粗,尖端伸达额外。雄性后足胫节膨大。前翅顶角圆,外缘弧形;后翅圆。雄性前翅基部具泡窝。前翅 R_2 与 R_{3-5}共柄。翅面斑纹由成列斑点构成,前翅基部具黄色或褐色鳞片。

分布:中国;日本,泰国,印度,印度尼西亚。秦岭地区分布 1 种。

(140) 中国后星尺蛾 *Metabraxas clerica inconfusa* Warren, 1894(图版 18:4)

Metabraxas clerica var. *inconfusa* Warren, 1894a: 415.

Metabraxas clerica inconfusa: Prout, L. B., 1915, *in* Seitz (e): 305.

Metabraxas inconfusa: Parsons *et al.*, 1999, *in* Scoble: 595.

鉴别特征:雄性前翅长 33 ~ 35mm。翅面白色,前后翅基部各具 1 个深灰色斑点。前翅内线及前后翅中线、外线、亚缘线和缘线均由深灰色斑点构成,缘线上的斑点颜色较深。前翅中点小;外线和亚缘线为双线;缘毛在前翅顶角附近为深灰色,其下至后翅白色。后翅外线仅 1 条,其余斑纹与前翅相似。

采集记录:2♂,宝鸡天台山嘉陵江源头,1620m,2014. Ⅷ. 08-09,薛大勇采;1♂1♀,留坝庙台子,1350 ~ 1470m,1998. Ⅶ. 21、1999. Ⅶ. 01,采集人不详;3♂,宁陕火地塘,1580m,1998. Ⅶ. 26-27,Ⅷ. 19,采集人不详;2♂1♀,宁陕广货街保护站,1189m,2014. Ⅶ. 26-28,刘淑仙采;3♂1♀,旬阳金鑫源山庄,386m,2014. Ⅷ. 01-03,刘淑仙、班晓双采。

分布:陕西(宝鸡、留坝、宁陕、旬阳)、甘肃、浙江、湖北、湖南、福建、广西、四川、云南、西藏。

87. 弥尺蛾属 *Arichanna* Moore, 1868

Arichanna Moore, 1868: 658. **Type species**: *Scotosia plagifera* Walker, 1866.

Rhyparia Hübner, 1825: 305(nec Hübner, 1820). **Type species**: *Phalaena melanaria* Linnaeus, 1758.

Icterodes Butler, 1878b: Ⅸ. **Type species**: *Rhyparia fraterna* Butler, 1878.

Paricterodes Warren, 1893: 389. **Type species**: *Abraxas tenebraria* Moore, 1868.

Phyllabraxas Leech, 1897: 441. **Type species**: *Phyllabraxas curvaria* Leech, 1897.

Epicterodes Wehrli, 1933: 29, 41, 47, 51. **Type species**: *Arichanna flavomacularia* Leech, 1897.

属征:雄性触角双栉形或锯齿形,具纤毛簇;雌性触角线形。额不凸出。下唇须粗壮,尖端伸达额外。雄性后足胫节膨大。翅宽大;前翅顶角钝圆,外缘浅弧形;后翅圆。雄性前翅基部常具泡窝。前翅 R_1 常与 Sc 部分合并。

分布:古北界,东洋界。秦岭地区分布 1 种。

(141)黄星尺蛾 *Arichanna melanaria fraterna* (Butler, 1878)(图版 18:5)

Phyparia fraterna Butler, 1878: ix, 53, pl. 37, fig. 9.

Arichanna fraterna: Staudinger, 1901: 323.

Arichanna (*Icterodes*) *melanaria franterna*: Prout, L. B., 1915, *in* Seize (e): 304, pl. 14: b.

鉴别特征:雄性前翅长 18 ~ 24mm,雌性前翅长 18 ~ 26mm。前翅黄色;后翅基半部灰色,端半部黄色。前翅亚基线为 2 个小黑斑;内线和外线为双列黑斑;中点巨大,圆形;中线、亚缘线和缘线各为 1 列黑斑;缘毛灰黑色与黄色相间。后翅外线、亚缘线、缘线各为 1 列黑斑,中点较前翅小,缘毛与前翅相似。

采集记录:5♂5♀,周至厚畛子,1276m,2008. Ⅵ. 30,崔俊芝采;3♂2♀,佛坪龙草坪,1200m,2008. Ⅶ. 03,白明、李文柱采;5♂9♀,宁陕火地塘,1580m,1998. Ⅶ. 26-27,采集人不详;1♂,宁陕火地塘,1538m,2012. Ⅶ. 11-15,姜楠等采;1♂1♀,宁陕广货街保护站,1189m,2014. Ⅶ. 26-28,刘淑仙、班晓双采。

分布:陕西(周至、佛坪、宁陕)、黑龙江、辽宁、内蒙古、河北、河南、山西、甘肃、湖南、福建;蒙古,俄罗斯,日本,朝鲜半岛,欧洲。

寄主:侵木,油松,杨,桦。

88. 伯尺蛾属 *Diaprepesilla* Wehrli, 1937

Diaprepes Wehrli, 1936a: 513 (nec Schoenherr, 1823). **Type species**: *Rhyparia flavomarginaria* Bremer, 1864.

Diaprepesilla Wehrli, 1937: 20 (Replacement name for *Diaprepes* Wehrli, 1936). **Type species**: *Rhyparia flavomarginaria* Bremer, 1864.

属征:雄性触角双栉形;雌性线形。下唇须短小细弱。雄性后足胫节膨大,具毛束。前翅顶角钝圆,外缘浅弧形;后翅外缘弧形。雄性前翅基部不具泡窝。前翅 R_1、R_2 和 R_3 共柄,在与 Sc 一点接触处 R_1 并入 Sc,与 Sc 合并一段以后分离,R_2 与 R_3 共柄至全长的 2/3 处分离,R_4 与 R_5 共柄至中部分离。

分布:中国;俄罗斯东部至东南部。秦岭地区分布 1 种。

(142)黄缘伯尺蛾甘肃亚种 *Diaprepesilla flavomarginaria djakonovi* Bryk, 1948 (图版 18:6)

Diaprepesilla flavomarginaria djakonovi Bryk, 1948: 188.

鉴别特征:前翅长 18 ~21mm。头和胸腹部背面及前翅基部黄色。翅白色,端部有 1 条鲜明的黄带;翅上散布大小不等的灰褐色至黑灰色斑;中点大,近长圆形或肾形;外线斑点较大,排成单列,部分互相融合;翅端部斑点细小但较密集;缘线在翅脉端有深褐色斑;缘毛黄色,在翅脉端深褐色。翅反面颜色、斑纹同正面。

采集记录:1♂,周至厚畛子,1300m,2007. Ⅷ. 10,李文柱采;1♂,宁陕广货街保护站,1189m,2014. Ⅶ. 26-28,刘淑仙采;1♂,商南金丝峡,777m,2013. Ⅶ. 23-25,崔乐采;1♂,旬阳金鑫源山庄,386m,2014. Ⅷ. 01-03,班晓双采。

分布:陕西(周至、宁陕、商南、旬阳)、甘肃、湖南、四川。

89. 璃尺蛾属 *Krananda* Moore, 1868

Krananda Moore, 1868: 648. **Type species**: *Krananda semihyalina* Moore, 1868.

Trigonoptila Warren, 1894a: 441. **Type species**: *Krananda latimarginaria* Leech, 1891.

属征:雄性触角线形,具纤毛;雌性触角线形。额不凸出。下唇须仅尖端伸达额外。雄性后足胫节略膨大。前翅顶角常呈钩状凸出;后翅在顶角处缺刻,外缘在 Rs 处常具 1 个尖突。雄性前翅基部具泡窝。前翅 R_1 和 R_2 分离。前后翅基部至外线之间翅面颜色略浅,常透明,外线外侧常具深色带。

分布:东洋界,东亚。秦岭地区分布 1 种。

(143) 三角璃尺蛾 *Krananda latimarginaria* Leech, 1891(图版 18:7)

Krananda latimarginaria Leech, 1891b: 56.

Orsonoba orthogrammaria Longstaff, 1905: 184.

鉴别特征:雄性前翅长 18 ~20mm,雌性前翅长 19 ~21mm。前翅顶角不凸出,外缘平直;后翅顶角凹,外缘在 Rs 处凸出 1 个尖角,在 Rs 与 M_3 之间波曲,其余平直。翅面浅黄褐色,斑纹褐至黑褐色。雄性前翅内线在中室呈“八”字形岔开,雌性在中室呈手肘状转折;中点黑色微小;外线平直,略向内倾斜,其外侧为不均匀的褐色至深褐色,未伸达外缘;缘毛黄褐色掺杂灰白色;顶角处有 1 个白斑,臀角内侧有不规则形黑斑。后翅中线为双线,模糊;外线上半部微弯曲,其外侧由深黄褐色逐渐过渡为浅黄褐色;亚缘线白色,较前翅清楚,内侧在 M_1 上方具黑斑;其余斑纹与前翅相似。

采集记录:1♀,宁陕火地塘,1979. Ⅷ. 03,韩寅恒采。

分布:陕西(宁陕)、吉林、上海、江苏、浙江、江西、湖南、福建、台湾、广东、海南、香港、广西、四川;日本,朝鲜半岛。

90. 达尺蛾属 *Dalima* Moore, 1868

Dalima Moore, 1868: 614. **Type species**: *Dalima apicata* Moore, 1868.
Panisala Moore, 1868: 620. **Type species**: *Panisala truncataria* Moore, 1868.
Metoxydia Butler, 1886: 2, 55. **Type species**: *Oxydia calamina* Butler, 1880.
Hololoma Warren, 1893: 395. **Type species**: *Hololoma lucens* Warren, 1893.
Leptostichia Warren, 1893: 397. **Type species**: *Leptostichia latitans* Warren, 1893.
Calladelphia Warren, 1894a: 442. **Type species**: *Dalima patnaria* Felder *et* Rogenhofer, 1875.
Homoeoctenia Warren, 1894a: 442. **Type species**: *Xandrames subflavata* Felder *et* Rogenhofer, 1875.
Heterabraxas Warren, 1894a: 416. **Type species**: *Abraxas spontaneata* Walker, 1862.
Erebabraxas Thierry-Mieg, 1907: 212. **Type species**: *Abraxas metachromata* Walker, 1862.

属征:雄性触角双栉形,具纤毛;雌性触角线形。额光滑,不凸出。下唇须短粗,仅尖端伸达额外,第3节不明显。雄性后足胫节膨大。前翅顶角常凸出呈钩状,外缘直;后翅外缘弧形,常在Sc和Rs之间凹入,有时在Rs和M_1之间具尾突。雄性前翅基部具泡窝。前翅R_1自由,R_2与R_{3-5}共柄。

分布:古北界,东洋界。秦岭地区分布1种。

(144)洪达尺蛾 *Dalima honei* Wehrli, 1923(图版18:8)

Dalima hoenei Wehrli, 1923: 68, pl. 1, fig. 3: 14.

鉴别特征:雄性前翅长19~21mm,雌性前翅长19~22mm。前翅顶角呈钩状,后翅外缘在Rs和M_1之间具1个尖突。翅面灰紫色,密布大量深灰色碎点。前翅内线、中线和外线在近前缘处各形成1条黑褐色细纹;中点灰色,扁圆形;外线内侧浅黄色,外侧黄褐色,在R_5下方极度向外凸出至近外缘处,之后平直,向内倾斜至后缘中部;外线内侧在近后缘具1个黑褐色长方形斑;外线外侧在M_2以下有1条深灰色线;缘毛红褐色。后翅中线黄褐色,在近后缘处较清楚;外线平直,颜色如前翅,外侧的深灰色线仅在近前缘处清楚;缘毛红褐色。

采集记录:1♂,周至钓鱼台,1480m,2008. Ⅵ. 20,葛斯琴采;1♀,太白黄柏塬,1350m,1980. Ⅶ. 14,韩寅恒采;1♀,佛坪龙草坪,1200m,2008. Ⅶ. 03,白明采;1♂5♀,宁陕火地塘,1979. Ⅶ. 21-30,韩寅恒采;2♀,宁陕火地塘,1580m,1998. Ⅶ. 26,姚建采;1♀,宁陕火地塘,1500~2000m,2008. Ⅶ. 08,刘万岗采;2♂1♀,宁陕火地塘,1538m,2012. Ⅶ. 11-15,姜楠等采;3♂1♀,宁陕广货街保护站,1189m,2014. Ⅶ. 26-28,刘淑仙、班晓双采。

分布:陕西(周至、太白、佛坪、宁陕)、河南、宁夏、甘肃、江苏、浙江、湖北、江西、湖南、福建、广东、广西、四川、西藏。

91. 钩翅尺蛾属 *Hyposidra* Guenée, 1858

Hyposidra Guenée, 1858, *in* Boisduval & Guenée: 150. **Type species**: *Hyposidra janiaria* Guenée, 1858.

Lagyra Walker, 1860: 5 (key), 58. **Type species**: *Lagyra talaca* Walker, 1860.

Chizala Walker, 1860: 263. **Type species**: *Chizala decipiens* Walker, 1860.

Kalabana Moore, 1879c: 415. **Type species**: *Lagyra picaria* Walker, 1866.

属征:雄性触角双栉形,雌性触角线形。额略凸出。下唇须尖端伸达额外。雄性后足胫节膨大。前翅顶角凸出呈钩状。雄性前翅基部具泡窝。中型蛾类,前翅顶角凸出呈钩状,其下外缘平直;后翅外缘弧形或中部凸出成尖角;前翅 R_1 和 R_2 短共柄。

分布:东洋界,澳洲界,非洲界。秦岭地区分布 1 种。

(145)钩翅尺蛾 *Hyposidra aquilaria* (Walker, 1863)(图版 18:9)

Lagyra aquilaria Walker, 1863: 1485.

Hyposidra albipunctata Warren, 1893: 398.

Hyposidra davidaria Poujade, 1895b: 55.

Hyposidra kala Swinhoe, 1893a: 153.

Hyposidra aquilaria: Hampson, 1895: 214.

鉴别特征:雄性前翅长 18 ~ 25mm,雌性前翅长 28 ~ 32mm。翅面深褐至深紫褐色,斑纹黑色。前翅内线近弧形,中线平直,中点微小,外线波曲;雌性外线外侧具 1 个灰褐色大斑;外线外侧在后缘处有 1 个小白斑,雌性较明显;无亚缘线和缘线;缘毛深褐色。后翅外缘弧形;亚缘线带状,模糊;其余斑纹与前翅相似。

采集记录:1♂,留坝县城,1020m,1998. Ⅶ. 18,姚建等采;1♂,佛坪,950m,1998. Ⅶ. 23-24,采集人不详;1♂,宁陕广货街保护站,1189m,2014. Ⅶ. 26-28,刘淑仙采;柞水营盘镇,953 ~ 995m,2014. Ⅶ. 29-31,刘淑仙采;2♂,旬阳金鑫源山庄,386m,2014. Ⅷ. 01-03,刘淑仙、班晓双采。

分布:陕西(留坝、佛坪、宁陕、柞水、旬阳)、甘肃、浙江、湖北、江西、湖南、福建、台湾、广东、海南、广西、四川、重庆、贵州、云南、西藏;印度,马来西亚,印度尼西亚。

92. 歹尺蛾属 *Deileptenia* Hübner, 1825

Deileptenia Hübner, 1825: 316. **Type species**: *Phalaena ribeata* Clerck, 1759.

属征:雄性触角双栉形,雌性触角线形。额略凸出。下唇须尖端伸达额外。雄性后足胫节略膨大。前翅外缘弧形,后翅圆。雄性前翅基部不具泡窝。前翅 Sc 与 R_1 部分合并,在近端部分离,R_2 与 Sc + R_1 具 1 个短柄相连。

分布:古北界,东南亚。秦岭地区分布 1 种。

(146)满洲里歹尺蛾 *Deileptenia mandshuriaria* (Bremer, 1864)(图版 18:10)

Boarmia mandshuriaria Bremer, 1864: 74, pl. 6, fig. 19.

Boarmia (*Deileptenia*) *mandshuriaria*: Wehrli, 1943, *in* Seitz (f): 497, pl. 43: h.

Deileptenia mandshuriaria: Parsons *et al.*, 1999, *in* Scoble: 220.

鉴别特征:雄性前翅长 20 ~ 21mm,雌性前翅长 22 ~ 23mm。翅面白色,散布黑色小点,斑纹黑色。前翅内线波状;中点椭圆形;中线清楚,在 M 脉之间向外凸出;外线在脉上呈点状,与中线近平行;亚缘线由大小不等的斑块构成,在 R_5 和 M_1 之间与 M_3 和 Cu_1 之间缺失;缘线在各脉间呈短条状;亚缘线与缘线之间的斑块在 M_3 和 Cu_1 之间缺失。后翅中线和亚缘线模糊;中点较前翅小;外线较前翅连续;亚缘线与缘线之间不具斑块。

采集记录:1♀,周至厚畛子,1350m,1999. Ⅵ. 24,采集人不详。

分布:陕西(周至)、东北、福建;俄罗斯(东南部)。

93. 霜尺蛾属 *Cleora* Curtis, 1825

Cleora Curtis, 1825: 88. **Type species**: *Geometra cinctaria* Denis *et* Schiffermüller, 1775.

Cerotricha Guenée, 1858, *in* Boisduval & Guenée: 284. **Type species**: *Cerotricha licornaria* Guenée, 1858.

Aegitrichus Butler, 1886b: 434. **Type species**: *Aegitrichus lanaris* Butler, 1886.

Chogada Moore, 1887: 415. **Type species**: *Boarmia alienaria* Walker, 1860.

Carecomotis Warren, 1896d: 402. **Type species**: *Carecomotis perfumosa* Warren, 1896.

Neocleora Janse, 1932: 119 (key), 266. **Type species**: *Boarmia tulbaghata* Felder *et* Rogenhofer, 1875.

属征:雄性触角双栉形,近端部线形,栉齿长;雌性触角线形。额不凸出。下唇须第 3 节细长,尖端伸达额外。雄性后足胫节不膨大,具毛束。雄性第 1 腹节背面具 1 列鳞毛。前翅外缘浅弧形;后翅圆,外缘微波曲。雄性前翅基部具泡窝。前翅 R_1 和 R_2 分离。前后翅中点常中空,外线锯齿形。

分布:古北界,新北界,东洋界,澳洲界,非洲界。秦岭地区分布 1 种。

(147)瑞霜尺蛾 *Cleora repulsaria* (Walker, 1860)(图版 18:11)

Boarmia repulsaria Walker, 1860: 374.

Boarmia (*Carecomotis*) *repulsaria kobeensis* Wehrli, 1943, *in* Seitz (f): 495.

Boarmia (*Carecomotis*) *repulsaria*: Wehrli, 1943, *in* Seitz (f): 495.

Carecomotis repulsaria: Fletcher, 1953: 118.

Cleora repulsaria: Fletcher, 1967: 113.

鉴别特征:雄性前翅长 17~20mm,雌性前翅长 20~21mm。前后翅外线以内灰白色,散布不均匀的灰褐色;外线至外缘为深灰褐色宽带。前翅内线黑色,细锯齿形,弧形弯曲;中点大,其上常密布黑灰色鳞片;外线黑色,细锯齿形,在 M 脉间外凸,其下斜行至后缘中部;亚缘线灰白色,波状,其外侧在外缘中部有 1 个模糊白斑。后翅中线位于中点内侧;中点较小;外线同前翅,但在 M 脉间凸出较弱;亚缘线同前翅。

采集记录:7♂,旬阳金鑫源山庄,386m,2014.Ⅷ.01-03,刘淑仙、班晓双采。

分布:陕西(旬阳)、上海、江苏、浙江、江西、湖南、台湾、广东、海南、香港、广西、四川、重庆、贵州、云南;日本,越南,泰国,缅甸,菲律宾,朝鲜半岛。

94. 用克尺蛾属 *Jankowskia* Oberthür, 1884

Jankowskia Oberthür, 1884a: 25. **Type species**: *Jankowskia athleta* Oberthür, 1884.

Pleogynopteryx Djakonov, 1926: 66, 70. **Type species**: *Pleogynopteryx tenebricosa* Djakonov, 1926 (=*Boarmia bituminaria* Lederer, 1853).

属征:雄性触角双栉形,雌性触角线形。额不凸出。下唇须短粗,仅尖端伸达额外,第 3 节不明显。雄性后足胫节膨大。前翅顶角和臀角圆;外缘平直或凸出,后缘平直;后翅圆,前后缘直,外缘微波曲。雄性前翅基部具泡窝。前翅 R_1 与 R_2 在雄性中分离,在雌性中合并。前翅外线在 M 脉之间向外凸出,之后与中线近平行;前后翅外线外侧具黄褐色斑。

分布:中国;蒙古,俄罗斯,日本,泰国,朝鲜半岛。秦岭地区分布 4 种。

(148) 小用克尺蛾 *Jankowskia fuscaria* (Leech, 1891) (图版 18:12)

Boarmia fuscaria Leech, 1891b: 45.

Jankowskia fuscaria: Leech, 1897: 429.

Boarmia unmon Sonan, 1934: 212, fig. 1.

Boarmia (*Jankowskia*) *athleta geloia* Wehrli, 1941, *in* Seitz (f): 469, pl. 41: e.

Boarmia (*Jankowskia*) *athleta nanaria* Bryk, 1948: 200.

鉴别特征:雄性前翅长 18~21mm,雌性前翅长 21~26mm。翅面灰褐色。前翅内线黑色,微波曲;中线模糊,后端与外线接近;中点短条状;外线黑色,雄性外线波曲,在 M_1 与 M_2 之间向外凸出,M_2 之后向内凹,与中线接近且平行,外线外侧至外缘黄褐色,雌性外线较平直,黄褐色斑不明显。后翅基部浅灰色;中线黑色,平直,较外线宽;外线黑色,下半段向内弯曲;其余斑纹与前翅相似。中线在前后翅反面大部消失,不连续。

采集记录:2♂,留坝县城,1020m,1998. Ⅶ. 18,采集人不详;1♂,宁陕火地塘,1580m,1998. Ⅶ. 26-27,采集人不详;2♂,柞水营盘镇,953~995m,2014. Ⅶ. 29-31,班晓双采;20♂1♀,旬阳金鑫源山庄,386m,2014. Ⅷ. 01-03,刘淑仙、班晓双采。

分布:陕西(留坝、宁陕、柞水、旬阳)、河南、甘肃、安徽、浙江、湖北、江西、湖南、福建、广东、海南、广西、四川、重庆、贵州、云南;日本,泰国,朝鲜半岛。

(149)茶用克尺蛾 *Jankowskia athleta* Oberthür, 1884(图版 18:13)

Jankowskia athleta Oberthür, 1884a: 25, pl. 2, fig. 7.

Boarmia (*Jankowskia*) *athleta*: Wehrli, 1941, *in* Seitz (f): 469, pl. 41: e, f.

鉴别特征:雄性前翅长 23~25mm。本种与小用克尺蛾 *J. fuscaria* 非常相似,不同之处在于本种体型较大,后翅斑纹较模糊,中线较窄,外线下半段较平直;前后翅反面中线呈连续的带状。

采集记录:1♂,太白黄柏塬,1980. Ⅶ. 14,张宝林采;2♂,留坝县城,1020m,1998. Ⅶ. 18,袁德成采;1♂,宁陕火地塘,1580m,1998. Ⅶ. 26,袁德成采;1♂,宁陕火地塘,1538m,2012. Ⅶ. 11-15,程瑞采。

分布:陕西(太白、留坝、宁陕)、黑龙江、吉林、河南、湖北、江西;俄罗斯,朝鲜半岛。

(150)弯用克尺蛾 *Jankowskia curva* Jiang, Xue *et* Han, 2010(图版 18:14)

Jankowskia curva Jiang, Xue *et* Han, 2010: 7, figs. 9, 10, 26, 34.

鉴别特征:雄性前翅长 23mm。翅面黑褐色,前翅外缘近平直,前缘满布灰褐色纵向短条纹;内线黑色,在中室下方略向内凸出;中线黑色,清楚;中点黑色,条状,模糊;外线黑色,在 M 脉之间向外凸出,之后向内凸出与中线近平行并加粗;外线外侧具 1 个黄褐色斑,斑块中央具 1 条深褐色模糊带。后翅中线黑色,模糊,与外线近等宽;外线黑色,在 M_3 下方明显向内弯曲,在近后缘处加粗;外线外侧具 1 个黄褐色斑,斑块中央的深褐色带较前翅的清楚。翅反面灰黑色,后翅斑纹较前翅的清楚。

采集记录:1♂(副模),周至厚畛子,1276m,2008. Ⅶ. 08,李文柱采;1♂(副模),宁陕火地塘,1500~2000m,2008. Ⅶ. 08,刘万岗采。

分布:陕西(周至、宁陕)、河南。

(151)黑用克尺蛾 *Jankowskia improjecta* Jiang, Xue *et* Han, 2010(图版 18:15)

Jankowskia improjecta Jiang, Xue *et* Han, 2010: 8, figs. 13, 14, 28, 36.

鉴别特征:雄性前翅长 19~21mm。前翅外缘略凸出。翅面灰黑色,斑纹模糊。前翅前缘满布深灰褐色纵向短条纹;内线黑色,在中室下方明显凸出;中线黑色,模糊,在近后缘处加深;中点黑色,模糊;外线黑色,在 M 脉之间略向外凸出,之后向内凸出与中线大致平行;外线外侧具 1 个模糊黄褐色斑,斑块中央的深褐色带模糊。后翅中线黑色,模糊,与外线近等宽;外线黑色,在 M 脉之间略向外凸出,在 M_3 下方略向内凸出;外线外侧黄褐色斑模糊,斑块中央的深褐色带较前翅的清楚。翅反面灰黑色,斑纹模糊,外线外侧模糊,宽带色较深,前翅前缘灰黄色。

采集记录:1♂(正模),周至厚畛子,1276m,2008.Ⅶ.01,李文柱采。

分布:陕西(周至)、甘肃。

95. 埃尺蛾属 *Ectropis* Hübner, 1825

Ectropis Hübner, 1825: 316. **Type species**: *Geometra crepuscularia* Denis *et* Schiffermüller, 1775.

Boarmia Stephens, 1829: 43(nec Treitschke, 1825). **Type species**: *Geometra crepuscularia* Denis *et* Schiffermüller, 1775.

Tephrosia Boisduval, 1840: 198. **Type species**: *Geometra crepuscularia* Denis *et* Schiffermüller, 1775.

属征:雄性触角锯齿形,每节具 2 对纤毛簇;雌性触角线形。额凸出。下唇须尖端伸达额外。雄性后足胫节膨大,有时具毛束。前翅外缘浅弧形,后翅外缘浅波曲。雄性前翅基部具 1 个小泡窝,有时较不发达。雄性前翅 R_1 和 R_2 共柄,雌性 R_1 和 R_2 常完全合并。前翅外线外侧在 M_3 至 Cu_1 处常形成 1 个叉形斑块。

分布:全世界。秦岭地区分布 1 种。

(152)埃尺蛾 *Ectropis crepuscularia* (Denis *et* Schiffermüller, 1775)(图版 18:16)

Geometra crepuscularia Denis *et* Schiffermüller, 1775: 101.

Phalaena (*Geometra*) *biundularia* Borkhausen, 1794: 162.

Boarmia strigularia Stephens, 1831: 192.

Boarmia defessaria Freyer, 1847: 46, pl. 510, fig.

Tephrosia abraxaria Walker, 1860: 403.

Boarmia (*Ectropis*) *crepuscularia*: Wehrli, 1943, *in* Seitz (f): 533.

Ectropis crepuscularia: Lempke, 1970: 213.

鉴别特征:雄性前翅长 16~18mm,雌性前翅长 20~21mm。翅面浅灰色。前翅内线黑色,细弱,在中室处向外弯曲,内侧具 1 个灰褐色带;中线模糊;中点黑色,短条状;外线黑色,在各脉上向外凸出 1 个尖齿,在 R_5 和 Cu_2 处向内弯曲;外线外侧具 1 条灰褐色带,在 M_3 至 Cu_1 处颜色加深形成 1 个叉形斑;亚缘线灰白色,锯齿形,内侧具 1 条间断的黑色带;缘线为 1 列细小黑点;缘毛灰白与浅灰色掺杂。后翅外线锯齿形较前翅明显,外侧不具叉形斑;其余斑纹与前翅相似。

采集记录:1♂1♀,宝鸡天台山嘉陵江源头,1620m,2014. Ⅷ. 08-09,薛大勇、班晓双采;1♂4♀,宁陕广货街保护站,1189m,2014. Ⅶ. 26-28,刘淑仙、班晓双采;4♂,商南金丝峡,777m,2013. Ⅶ. 23-25,姜楠、崔乐采;8♂1♀,旬阳金鑫源山庄,386m,2014. Ⅷ. 01-03,刘淑仙、班晓双采。

分布:陕西(宝鸡、宁陕、商南、旬阳)、黑龙江、吉林、辽宁、内蒙古、甘肃、浙江、湖南、江西、福建、广西、四川、贵州;俄罗斯,日本,朝鲜半岛,欧洲,北美洲。

96. 鹿尺蛾属 *Alcis* Curtis, 1826

Alcis Curtis, 1826: 113. **Type species**: *Phalaena repandata* Linnaeus, 1758.

Poecilalcis Warren, 1893: 427. **Type species**: *Cleora nigridorsaria* Guenée, 1858.

Dictyodea Wehrli, 1934b: 509. **Type species**: *Arichanna maculata* Moore, 1868.

Alcisca Wehrli, 1943, *in* Seitz (f): 511. **Type species**: *Boarmia fredi* Wehrli, 1941.

属征:雄性触角双栉形,雌性触角线形。额略凸出。下唇须第 3 节细长,伸出额外。雄性后足胫节有时膨大,具毛束。前翅顶角圆,外缘浅弧形;后翅圆,外缘微波曲。雄性前翅基部具泡窝。前翅 R_1 和 R_2 游离。前翅外线常在中室和臀褶处两次向外凸出。

分布:古北界,东洋界,新热带界。秦岭地区分布 4 种。

(153) 白鹿尺蛾 *Alcis diprosopa* (Wehrli, 1943)(图版 18:17)

Boarmia diprosopa Wehrli, 1943, *in* Seitz (f): 509, pl. 44: f.

Alcis diprosopa: Xue, 1992, *in* Liu: 869, fig. 2861.

鉴别特征:雄性前翅长 19 ~ 21mm,雌性前翅长 22 ~ 23mm。前翅基部至内线和外线外侧至外缘黑褐色,中域白色,在前缘中部有 1 个小黑斑;中点黑色,短条状;外线在中室处向外呈圆形凸出,凸出端部浅分叉,并在 M_3 和 Cu_2 之间形成 2 个圆形凸出;亚缘线灰白色,锯齿形,内侧具黑色带;缘线黑色;缘毛黑色与灰黄色掺杂。后翅白色,基部散布灰色;中点较前翅小;外线至外缘黑褐色;其余斑纹与前翅相似。

采集记录:2♀,周至厚畛子,1300m,2007. Ⅷ. 10,李文柱采;1♂,留坝县城,1020m,1998. Ⅶ. 18,采集人不详;2♂,宁陕广货街保护站,1189m,2014. Ⅶ. 26-28,刘淑仙采。

分布:陕西(周至、留坝、宁陕)、甘肃、湖北、湖南、福建、广西、四川。

(154)天鹿尺蛾 *Alcis arisema* Prout, L. B., 1934(图版 18:18)

Alcis arisema Prout, L. B., 1934b: 118.

Alcis arisema francki Prout, L. B., 1934b: 119.

Boarmia (*Alcis*) *arisema*: Wehrli, 1943, *in* Seitz (f): 509, pl. 44: f.

鉴别特征:雄性前翅长 21 ~ 22mm,雌性前翅长 21mm。此种与白鹿尺蛾 *A. diprosopa* 相似,但区别如下:体型较大;前翅中部的白色区域较宽,两侧的深色区域为深褐色至深灰褐色,不为黑褐色;后翅外线外侧至亚缘线之间白色,而白鹿尺蛾 *A. diprosopa* 该处为黑褐色。

采集记录:2♂,宝鸡天台山嘉陵江源头,1620m,2014. Ⅷ. 08-09,薛大勇、班晓双采。

分布:陕西(宝鸡)、甘肃、湖北、四川、贵州、云南、西藏;缅甸,尼泊尔。

(155)马鹿尺蛾 *Alcis postcandida* (Wehrli, 1924)(图版 18:19)

Boarmia postcandida Wehrli, 1924: 139.

Boarmia (*Alcis*) *postcandida* Wehrli, 1943, *in* Seitz (f): 509, pl. 44: f.

Alcis postcandida: Xue, 1992, *in* Liu: 869, fig. 2862.

鉴别特征:雄性前翅长 14 ~ 17mm,雌性前翅长 17 ~ 19mm。前翅基部和外线外侧黑褐色;内外线距离近,中域狭窄;中域由前缘至中室下缘大部分黑褐色,仅在外线内侧留下窄小浅色斑,中点在黑褐色斑内,黑色;中域在中室下缘以下白色,在 Cu_2 上有 1 个黑点,在 2A 附近散布少量褐鳞。后翅白色,局部散布灰褐色,中室下缘至 M_3 以下散布褐鳞;中点深灰色,外线在翅脉上有灰色或黑褐色点。

采集记录:3♂,宝鸡天台山嘉陵江源头,1620m,2014. Ⅷ. 08-09,薛大勇采。

分布:陕西(宝鸡)、江西、湖南、福建、广东、广西、云南。

(156)半白鹿尺蛾 *Alcis semialba* (Moore, 1888)(图版 18:20)

Pseudocoremia semialba Moore, 1888a: 241.

Boarmia semialba: Hampson, 1895: 266.

Alcis semialba: Sato, 1991: 283.

Alcis chiangmaiensis nepalina Sato, 1993: 8.

鉴别特征:前翅长 15 ~ 17mm。前翅基部至外线深灰褐色,外线内侧由前缘至 M_2 有 1 个白斑;中点黑色,短条形;外线至外缘黑褐色;亚缘线白色,锯齿形,大部分消失,其外侧在顶角和翅中部各有 1 个小灰白斑。后翅基部至外线之间白色,散布黑色碎纹;中点深灰色,近椭圆形;中线较模糊;外线弧形,在各脉上呈点状,外线外侧至近外缘具黑色宽带。

采集记录:1♂,佛坪老县城,900m,2008. Ⅶ. 05,刘万岗采;1♀,旬阳金鑫源山庄,386m,2014. Ⅷ. 01-03,班晓双采。

分布:陕西(佛坪、旬阳)、湖北、江西、福建、广西、四川、云南;泰国,印度,尼泊尔。

97. 皮鹿尺蛾属 *Psilalcis* Warren, 1893

Psilalcis Warren, 1893: 430. **Type species**: *Tephrosia inceptaria* Walker, 1866.

Paralcis Warren, 1894a: 435. **Type species**: *Menophra conspicuata* Moore, 1888.

属征:雄性触角常线形,具纤毛或双栉形;雌性线形。额不凸出。下唇须尖端伸达额外。雄性后足胫节膨大,具毛束。前翅外缘浅弧形;后翅圆,外缘微波曲。雄性前翅基部具泡窝。前翅 Sc 和 R_1 长共柄,R_2 与 R_{3+4} 常具短柄相连。前翅中线和外线在 Cu_2 下方常接近或接触。

分布:东洋界,澳洲界。秦岭地区分布 1 种。

(157)茶担皮鹿尺蛾 *Psilalcis diorthogonia* (Wehrli, 1925)(图版 19:1)

Boarmia diorthogonia Wehrli, 1925: 57, pl. 1, fig. 23.

Boarmia (*Heterarmia*) *diorthogonia*: Wehrli, 1943, *in* Seitz (f): 492, pl. 45: i.

Heterarmia diorthogonia: Inoue, 1978: 245, fig. 105.

Abaciscus diorthogonia: Wang, 1998: 239.

Psilalcis diorthogonia: Sato, 1999: 36.

鉴别特征:雄性前翅长 14 ~ 19mm,雌性前翅长 17 ~ 19mm。雄性触角线形。翅灰黄色,前后翅外线外侧至外缘色较深。前翅中线黑褐色带状,呈“ > ”形,后半部分较粗壮;中点黑色,短条状;外线黑色,细弱,在翅脉上有小锯齿,在 M 脉间向外凸出,在 Cu_2 下方与中线融合形成 1 个黑色大斑;外线外侧近中部具 1 条黑色斜带,延伸至顶角下方;亚缘线灰白色,模糊;缘线黑色,短条状;缘毛黄褐色掺杂黑色。后翅中线黑色,粗壮,平直;其余斑纹与前翅相似。

采集记录:1♂,留坝庙台子,1470m,1999. Ⅶ. 01,贺同利采。

分布:陕西(留坝)、湖北、湖南、福建、台湾、广东、广西、四川、重庆、贵州、云南、西藏。

98. 佐尺蛾属 *Rikiosatoa* Inoue, 1982

Rikiosatoa Inoue, 1982, *in* Inoue, *et al.*: 541. **Type species**: *Boarmia grisea* Butler, 1878.

属征:雄性触角双栉形,雌性触角线形。额不凸出。下唇须尖端伸达额外。雄性后足胫节膨大。前翅外缘浅弧形;后翅圆,外缘微波曲。雄性前翅基部具泡窝。前翅 R_1 和 R_2 短共柄,Sc 和 R_1 部分合并。雄性第 3 腹节腹板具刚毛斑。前后翅外线清楚,外侧至外缘色略深。雄性外生殖器的钩形突近三角形,端部粗壮且圆,背面具刚毛;颚形突中突细;抱器背内侧中部常具突起,其上具刚毛;抱器腹有时具骨化结构;阳端基环分叉;阳茎圆柱形;阳茎端膜有时具角状器。雌性外生殖器后阴片发达;交配孔周围骨化;囊体长,后端常骨化且具纵纹,常不具囊片。

分布:中国;日本,泰国,不丹,朝鲜半岛。秦岭地区分布 1 种。

(158)丫佐尺蛾 *Rikiosatoa euphiles* (**Prout, L. B., 1916**)(图版 19:2)

Cleora euphiles Prout, L. B., 1916: 54.

Boarmia (*Alcis*) *grisea* Wehrli, 1943, *in* Seitz (f): 507.

Rikiosatoa euphiles: Sato, 1992b: 559, figs. 1-4, 7, 10, 14.

鉴别特征:雄性前翅长 18mm。翅面浅灰色,前后翅外线外侧至外缘紫灰色。前翅内线黑色,细弱,弧形,内侧至翅基部灰褐色;中线模糊;中点黑色,短条状;外线黑色,在 M 脉间明显向外凸出,在 Cu_2 下方略向外凸出;外线外侧大部分深紫灰色,中部具黑色斜带,向外延伸至顶角下方;亚缘线灰白色,模糊;顶角处有 1 个灰白色斑;缘线黑色,纤细;缘毛灰黄色与灰褐色掺杂。后翅中线黑色,模糊,平直;中点较前翅小;外线黑色,平直;亚缘线内侧具 1 条黑色波曲细线,其余斑纹与前翅相似。

采集记录:2♂,宝鸡天台山嘉陵江源头,1620m,2014.Ⅷ.08-09,薛大勇、班晓双采;8♂4♀,宁陕火地塘,1580m,1998.Ⅶ.26-27,Ⅷ.15-21,采集人不详;3♀,宁陕广货街保护站,1189m,2014.Ⅶ.26-28,刘淑仙、班晓双采。

分布:陕西(宝鸡、宁陕)、甘肃、青海、四川、西藏;老挝,泰国,缅甸。

99. 尘尺蛾属 *Hypomecis* Hübner, 1821

Hypomecis Hübner, 1821: 7. **Type species**: *Cymatophora umbrosaria* Hübner, 1813.

Boarmia Treitschke, 1825 (October 18): 433. **Type species**: *Geometra roboraria* Denis *et* Schiffermüller, 1775.

Dryocoetis Hübner, 1825: 316. **Type species**: *Geometra roboraria* Denis *et* Schiffermüller, 1775.

Alcippe Gumppenberg, 1887: 335 (nec Blyth, 1844). **Type species**: *Macaria castigataria* Bremer, 1864.

Narapa Moore, 1887: 410. **Type species**: *Boarmia adamata* Felder *et* Rogenhofer, 1875.

Pseudangerona Moore, 1887: 413. **Type species**: *Boarmia separata* Walker, 1860.

Serraca Moore, 1887: 416. **Type species**: *Boarmia transcissa* Walker, 1860.

Astacuda Moore, 1888a: 243. **Type species**: *Astacuda cineracea* Moore, 1888.

Maidana Swinhoe, 1900a: 280. **Type species**: *Macaria tetragonata* Walker, 1863.

Pseudoboarmia McDunnough, 1920: 21. **Type species**: *Cymatophora umbrosaria* Hübner, 1813.

Erobatodes Wehrli, 1943, *in* Seitz (f): 521. **Type species**: *Boarmia eosaria* Walker, 1863.

属征:雄性触角双栉形,雌性触角线形。额略凸出。下唇须尖端伸达额外。雄性后足胫节膨大,有时具毛束。前翅外缘浅弧形;后翅外缘浅波曲。雄性前翅基部具泡窝。前翅 R_1 和 R_2 完全合并。前后翅外线常锯齿形,亚缘线内侧具深色带。体和翅多灰褐至黑褐色,斑纹较模糊。

分布:全世界。秦岭地区分布 6 种。

(159)尘尺蛾 *Hypomecis punctinalis* (Scopoli, 1763)(图版 19:3)

Phalaena punctinalis Scopoli, 1763: 217, fig. 537.

Phalaena urticaria Hüfnagel, 1767: 508.

Phalaena turcaria Fabricius, 1775: 624.

Phalaena (*Geometra*) *griseonigra* Goeze, 1781: 426.

Phalaena bandevillaea Fourcroy, 1785: 275.

Phalaena consortaria Fabricius, 1787: 187.

Boarmia (*Serraca*) *punctinalis*: Wehrli, 1943, *in* Seitz (f): 526.

Serraca punctinalis: Sato, 1981d: 77.

Hypomecis punctinalis: Inoue, 1982, *in* Inoue, *et al.*: 543/298, pl. 92: 25-27.

鉴别特征:雄性前翅长 22 ~ 25mm,雌性前翅长 24 ~ 25mm。翅面灰褐色,外线外侧色较深。前翅内线黑色,弧形;中线黑色,模糊,在 M 脉之间向外凸出,在 M_3 之后向内斜行;中点黑色,扁圆形,中空;外线黑色,锯齿形,在 M 脉之间略向外凸出,在 M_3 之后与中线平行;亚缘线灰白色,模糊,内侧具 1 条锯齿形黑线;缘线在各脉间呈黑色短条状;缘毛灰褐色。后翅中线黑色,近平直;中点较前翅小;其余斑纹与前翅相似。

采集记录:1♀,太白黄柏塬,1350m,1980. Ⅶ. 12,采集人不详;3♂,宁陕广货街保护站,1189m,2014. Ⅶ. 26-28,刘淑仙、班晓双采;4♂,商南金丝峡,777m,2013. Ⅶ. 23-25,姜楠、崔乐采;1♂,柞水营盘镇,953 ~ 995m,2014. Ⅶ. 29-31,刘淑仙、班晓双采;5♂3♀,旬阳金鑫源山庄,386m,2014. Ⅷ. 01-03,刘淑仙、班晓双采。

分布:陕西(太白、宁陕、商南、柞水、旬阳)、黑龙江、吉林、内蒙古、北京、山东、河南、宁夏、甘肃、安徽、浙江、湖北、湖南、福建、台湾、广东、广西、四川、贵州、云南、西藏;俄罗斯,日本,朝鲜半岛,欧洲。

(160)假尘尺蛾 *Hypomecis pseudopunctinalis* (Wehrli, 1923)(图版 19:4)

Boarmia pseudopunctinalis Wehrli, 1923: 74, pl. 1, fig. 9, 20.

Boarmia pseudopunctinalis subconferenda Wehrli, 1943, *in* Seitz (f): 527, pl. 45: a.

Boarmia (*Serraca*) *pseudopunctinalis*: Wehrli, 1943, *in* Seitz (f): 526, pl.45: b.

Serraca pseudopunctinalis: Sato, 1981b: 83.

Hypomeics pseudopunctinalis: Xue, 1992, *in* Liu: 871, fig. 2870.

鉴别特征:前翅长 21～23mm。此种翅面斑纹与尘尺蛾非常相似,但两者的区别在于,本种雄性前翅较尘尺蛾宽阔;后翅反面臀褶附近无毛;翅面颜色较尘尺蛾深;外线锯齿较尘尺蛾深,在翅反面尤其明显;前后翅中点深灰色,近椭圆形,不中空。

采集记录:1♂,留坝庙台子,1350m,1998. Ⅶ. 21,采集人不详。

分布:陕西(留坝)、黑龙江、北京、山东、甘肃、青海、浙江、江西、湖南、福建、广西;朝鲜半岛。

(161)杂尘尺蛾 *Hypomecis crassestrigata* (Christoph, 1881)(图版 19:5)

Boarmia crassestrigata Christoph, 1881: 75.

Boarmia concursaria Walker, 1860: 377.

Boarmia contectaria Walker, 1863: 1537.

Boarmia (*Serraca*) *crassestrigata eunotia* Wehrli, 1943, *in* Seitz (f): 528, pl. 45: c.

Boarmia (*Serraca*) *crassestrigata*: Wehrli, 1943, *in* Seitz (f): 527.

Serraca crassestrigata: Inoue, 1977: 298.

Hypomecis crassestrigata: Inoue, 1982, *in* Inoue, *et al.*: 544/198, pl. 93: 1-3.

鉴别特征:雄性前翅长 16～18mm,雌性前翅长 18mm。此种特征与尘尺蛾 *H. punctinalis* 非常相似,但本种体型远较该种小;后翅外缘波曲较深,外线较平直;前后翅外线外侧具不完整的深灰褐色带。

采集记录:1♀,留坝县城,1020m,1998. Ⅶ. 18,张学忠采;1♂,柞水营盘镇,953～995m,2014. Ⅶ. 29-31,刘淑仙、班晓双采。

分布:陕西(留坝、柞水)、黑龙江、辽宁、北京、江苏、浙江、湖南、四川、西藏;俄罗斯,日本,印度,朝鲜半岛。

(162)暮尘尺蛾 *Hypomecis roboraria* (Denis *et* Schiffermüller, 1775)(图版 19:6)

Geometra roboraria Denis *et* Schiffermüller, 1775: 101.

Geometra consobrinaria Hübner, 1799: pl. 29, fig. 152.

Boarmia isabellae Fernάndez, 1931: 219, pl. 2, fig. 15.

Boarmia roboraria: Prout, L. B., 1915, *in* Seitz (e): 374, pl. 21: d.

Hypomecis roboraria: Inoue, 1982, *in* Inoue, *et al.*: 542/298, pl.92: 3-9.

鉴别特征:雄性前翅长 23～27mm,雌性前翅长 24～32mm。此种与尘尺蛾 *H. punctinalis* 相似,但本种前后翅中线清楚,较粗壮;前翅内线和前后翅外线黑色,较该种鲜明;前后翅中点为短条状,不中空。雄性触角栉齿较长。

采集记录:1♂,留坝县城,1020m,1998. Ⅶ. 18,张学忠采;1♂1♀,宁陕火地塘,1580m,1998. Ⅶ. 27,姚建采;1♂,宁陕广货街保护站,1189m,2014. Ⅶ. 26-28,刘淑仙、班晓双采; 2♂,商南金丝峡,777m,2013. Ⅶ. 23-25,姜楠、崔乐采;7♂,柞水营盘镇,953 ~995m,2014. Ⅶ. 29-31,刘淑仙、班晓双采;3♂1♀,旬阳金鑫源山庄,386m,2014. Ⅷ. 01-03,刘淑仙、班晓双采。

分布:陕西(留坝、宁陕、商南、柞水、旬阳)、黑龙江、吉林、内蒙古、河南、甘肃、浙江、江西、湖北、台湾、西藏;俄罗斯,日本,朝鲜半岛,欧洲。

(163)齿纹尘尺蛾 *Hypomecis percnioides* (Wehrli, 1943)(图版 19:7)

Boarmia percnioides Wehrli, 1943, *in* Seitz (f): 520.

Hypomecis percnioides: Inoue, 1992a: 115.

鉴别特征:雄性前翅长 25 ~29mm,雌性前翅长 28 ~32mm。翅面白色,斑纹灰褐色,散布大量灰褐色碎纹。前翅内线在前缘形成 1 个黑斑,其下大部消失,在中室上下缘可见 2 个尖齿;外线亦大部消失,仅在翅脉上留有尖齿;翅端部大部灰褐色,白色亚缘线波状,断续;中点黑灰色,小。后翅中点大,不规则形;外线较连续,中部外凸;翅端部同前翅。

采集记录:1♂,宁陕火地塘,1580 ~1650m,1999. Ⅵ. 26,袁德成采。

分布:陕西(宁陕)、河南、湖北、浙江、福建、台湾、广西、四川、云南。

(164)黎明尘尺蛾 *Hypomecis eosaria* (Walker, 1863)(图版 19:8)

Boarmia eosaria Walker, 1863: 1535.

Hypomecis eosaria: Xue, 1992, *in* Liu: 870, fig. 2867.

鉴别特征:雄性前翅长 22 ~25mm,雌性前翅长 25 ~26mm。翅面紫灰色。前翅内线黑褐色,细弱;中线模糊,在前缘和近后缘处清楚,在 2A 附近与外线接触或接近;中点模糊;外线黑褐色,略呈锯齿形,在 M 脉间向外明显凸出,之后向内倾斜;外线外侧常具不均匀深褐色鳞片;亚缘线灰白色,锯齿形,内侧具 1 条模糊锯齿形黑线;缘线在各脉间呈黑褐色点状,有时模糊;缘毛灰褐色掺杂黑褐色。后翅中线黑褐色,细弱;中点黑褐色,短条状;外线较前翅平直;其余斑纹与前翅相似。

采集记录:1♂1♀,宁陕广货街保护站,1189m,2014. Ⅶ. 26-28,刘淑仙、班晓双采。

分布:陕西(宁陕)、江苏、安徽、浙江、湖北、江西、湖南、福建、广东、海南、香港、广西、四川、重庆。

100. 矶尺蛾属 *Abaciscus* Butler, 1889

Abaciscus Butler, 1889: 20, 102. **Type species**: *Abaciscus tristis* Butler, 1889.

Enantiodes Warren, 1896a: 133. **Type species**: *Enantiodes stellifera* Warren, 1896.

Prionostrenia Wehrli, 1939, *in* Seitz (f): 317. **Type species**: *Alcis costimacula* Wileman, 1912.

属征:雄性触角锯齿形或线形,具纤毛;雌性触角线形。额不凸出。下唇须短粗,端半部伸出额外。后足细长,雄性后足胫节极度膨大,具毛束。前翅外缘平滑;后翅圆,外缘微波曲。雄性前翅基部具泡窝。前翅 Sc 与 R_1 常部分合并,R_1 和 R_2 游离。前后翅亚缘线常模糊呈小点状,在 M_3 和 Cu_1 之间略扩大。

分布:东洋界。秦岭地区分布 1 种。

(165)秦岭矶尺蛾 *Abaciscus tsinlingensis* (Wehrli, 1943)(图版 19:9)

Boarmia (*Abaciscus*) *tsinlingensis* Wehrli, 1943, *in* Seitz (f): 541.

Abaciscus tsinlingensis: Parsons *et al.*, 1999, *in* Scoble: 5.

鉴别特征:前翅长 14 ~ 15mm。翅面灰黑色;斑纹黑色,细弱。前翅前缘黄褐色;内线弧形;中线波曲;中点条状;外线细锯齿形,在 M_1 与 Cu_2 之间呈弧形凸出;亚缘线为 1 列白色微点,在 M_3 与 Cu_1 之间扩大为 1 块白斑;缘线连续;缘毛灰黑色。后翅中点较前翅小,其余斑纹与前翅相似。

采集记录:3♂,商南金丝峡,777m,2013. Ⅶ. 23-25,姜楠、崔乐采;1♂,柞水营盘镇,953 ~ 995m,2014. Ⅶ. 29-31,刘淑仙、班晓双采。

分布:陕西(商南、柞水)、云南。

101. 小盅尺蛾属 *Microcalicha* Sato, 1981

Microcalicha Sato, 1981a: 108. **Type species**: *Boarmia fumosaria* Leech, 1891.

属征:雄性触角双栉形,栉齿非常长;雌性触角线形。额不凸出。雄性后足胫节膨大,具发达毛束。下唇须端部伸达额外。前翅顶角圆,外缘平直或微波曲;后翅外缘波曲。雄性前翅基部具泡窝。前翅 R_1 和 R_2 常完全合并。

分布:中国;俄罗斯,日本,印度,缅甸,马来西亚,朝鲜半岛。秦岭地区分布 1 种。

(166)凸翅小盅尺蛾 *Microcalicha melanosticta* (Hampson, 1895)(图版 19:10)

Boarmia melanosticta Hampson, 1895: 266.

Selidosema catotaeniata Poujade, 1895b: 58.

Microcalicha melanosticta: Holloway, 1994: 248.

鉴别特征:前翅长 12 ~ 17mm。翅面黄褐色,斑纹黑色。前翅内线和外线模糊;中线在前缘和后缘处清楚；中点微小；亚缘线粗壮，仅在近前缘和近后缘处清楚；臀角处为1个大斑块；缘线间断，在脉间呈短条状；缘毛灰黄色掺杂黑色。后翅外缘中部凸出；外线至中线之间具黑色宽带，上端延伸至顶角处；亚缘线在近前缘处较粗壮，其余部分较弱或消失。

采集记录：1♂，佛坪龙草坪，1200m，2008. Ⅶ. 03，白明采；1♂，宁陕广货街保护站，1189m，2014. Ⅶ. 26-28，刘淑仙采；1♂，旬阳金鑫源山庄，386m，2014. Ⅷ. 01-03，班晓双采。

分布：陕西（佛坪、宁陕、旬阳）、山东、河南、甘肃、浙江、湖北、湖南、福建、台湾、广东、海南、广西、四川、云南；缅甸，印度。

102. 盅尺蛾属 *Calicha* Moore, 1888

Calicha Moore, 1888a: 236. **Type species**: *Calicha retrahens* Moore, 1888.

属征：雄性触角双栉形，栉齿非常长；雌性触角线形。额不凸出。下唇须第3节小，尖端略伸出额外。雄性后足胫节膨大，具毛束。前翅外缘凸出；后翅圆，外缘波曲。雄性前翅基部具泡窝。前翅 R_1 和 R_2 完全合并。前后翅外线外侧常具黄褐色或红褐色斑块。

分布：中国；俄罗斯，日本，印度，朝鲜半岛。秦岭地区分布1种。

（167）金盅尺蛾 *Calicha nooraria* (Bremer, 1864)（图版19:11）

Boarmia nooraria Bremer, 1864: 75, pl. 6, fig. 20.

Deileptenia nooraria: Meyrick, 1892: 105.

Boarmia ornataria nigrisignata Wehrli, 1927: 98, pl. 11, fig. 37.

Boarmia (*Calicha*) *ornataria chosenicola* Bryk, 1948: 208.

Boarmia ornataria yangtseina Wehrli, 1943, *in* Seitz (f): 523.

Calicha nooraria: Inoue, 1953: 16.

鉴别特征：雄性前翅长25～29mm，雌性前翅长18～26mm。翅面绿褐色，密布黑色小点。前翅内线黑色，弧形；中线黑色，模糊；中点黑色，短条状；外线黑色，在翅脉上向外凸出呈细小尖齿状，向内倾斜；亚缘线灰白色，锯齿形；亚缘线内侧具黄褐色宽带，其上具红褐色斑块，在M脉之间和近后缘处的呈黑褐色。后翅中线黑色，近平直；外线波曲；亚缘线内侧黄褐色宽带上具红褐色斑块，在 M_2 上和近后缘处颜色深，黑褐色；其余斑纹与前翅相似。

采集记录：1♂，佛坪县城，950m，1998. Ⅶ. 25，袁德成采；1♂，佛坪偏岩子，1750m，1999. Ⅵ. 28，朱朝东采。

分布：陕西（佛坪）、黑龙江、甘肃、浙江、湖南、福建、广东、广西、四川、云南；俄罗斯（远东地区），日本，朝鲜半岛。

103. 四星尺蛾属 *Ophthalmitis* Fletcher, 1979

Ophthalmodes Guenée, 1858, *in* Boisduval & Guenée: 283 (nec Fischer, 1834). **Type species**: *Ophthalmodes herbidaria* Guenée, 1858.

Ophthalmitis Fletcher, 1979: 146. **Type species**: *Ophthalmodes herbidaria* Guenée, 1858 (new name for *Ophthalmodes* Guenée, 1858).

属征:雄性和雌性触角部分或全部为双栉形,但雌性栉齿较雄性的短。额不凸出。下唇须仅尖端伸达额外。雄性后足胫节不膨大,不具毛束。前翅外缘略凸出,后翅圆。雄性前翅基部具泡窝。前翅 Sc 和 R_1 常长共柄,并在中室后分离,$Sc+R_1$ 与 R_2 常具一短柄相连,R_2 和 R_{3-5}分离,在近基部接近,在中室上角前方分离。前翅外线在 Cu_1 下方向内凸出,前后翅中点常星状,中空。第 1~6 腹节背面具成对的黑点,第 1 腹节上的点较小,第 2 至第 6 腹节上的点较大,且相互靠近。

分布:东洋界,东亚。秦岭地区分布 5 种。

(168) 核桃四星尺蛾 *Ophthalmitis albosignaria* (Bremer *et* Grey, 1853) (图版 19:12)

Boarmia albosignaria Bremer *et* Grey, 1853a: 21, pl. 9, fig. 6.

Boarmia ocellata Leech, 1889b: 143, pl. 9, fig. 11.

Boarmia saturniaria Graeser, 1889: 398.

Diastictis saturniaria: Meyrick, 1892: 104.

Ophthalmodes ocellata: Leech, 1897: 334.

Ophthalmodes ocellata juglandaria Oberthür, 1913: 292, pl. 175, fig. 1714.

Ophthalmodes albosignaria: Prout, L. B., 1930: 331.

Boarmia (*Ophthalmodes*) *albosignaria*: Wehrli, 1943, *in* Seitz (f): 530.

Boarmia (*Ophthalmodes*) *albosignaria isorphnia* Wehrli, 1943, *in* Seitz (f): 530.

Ophthalmitis albosignaria: Inoue, 1982, *in* Inoue, *et al.*: 545, 299, pl. 93: 18, 19.

鉴别特征:雄性前翅长 26~28mm,雌性前翅长 30~32mm。翅面灰白色;翅面斑纹灰褐色,模糊,仅中点大而清楚,边缘粗壮;前后翅亚缘线和外线之间具灰色宽带,在 M_3 和 Cu_1 之间断开;翅反面端带在中间断开。

采集记录:3♂,留坝县城,1020m,1998. Ⅶ. 18,采集人不详;1♂2♀,佛坪,890~950m,1998. Ⅶ. 23-24,1999. Ⅵ. 26-27,采集人不详;8♂5♀,宁陕广货街保护站,1189m,2014. Ⅶ. 26-28,刘淑仙、班晓双采;5♂4♀,柞水营盘镇,953~995m,2014. Ⅶ. 29-31,刘淑仙、班晓双采;3♂1♀,旬阳金鑫源山庄,386m,2014. Ⅷ. 01-03,刘淑仙、班晓双采。

分布:陕西(留坝、佛坪、宁陕、柞水、旬阳)、黑龙江、吉林、辽宁、内蒙古、北京、河南、甘肃、江苏、安徽、浙江、湖北、江西、湖南、福建、台湾、广西、四川、云南；俄罗斯（阿穆尔、乌苏里），日本，朝鲜半岛。

(169)四星尺蛾 *Ophthalmitis irrorataria* (Bremer *et* Grey, 1853)(图版 19:13)

Boarmia irrorataria Bremer *et* Grey, 1853a: 20, pl. 9, fig. 5.
Boarmia senex Butler, 1878b: 396.
Boarmia hedemanni Christoph, 1881: 79.
Ophthalmodes lectularia Swinhoe, 1891: 489, pl. 19, fig. 4.
Boarmia (*Ophthalmodes*) *irrorataria*: Prout, L. B., 1915, *in* Seitz (e): 376.
Ophthalmodes irrorataria: Prout, L. B., 1930, Novit. Zool., 35: 331.
Boarmia (*Ophthalmodes*) *irrorataria episcia* Wehrli, 1943, *in* Seitz (f): 530.
Boarmia (*Ophthalmodes*) *irrorataria specificaria* Bryk, 1948: 209, pl. 7, fig. 12.
Ophthalmitis irrorataria: Inoue, 1982, *in* Inoue, *et al.*: 545,299, pl. 93: 15-17.

鉴别特征:雄性前翅长 22 ~ 27mm,雌性前翅长 25 ~ 27mm。翅面绿至深绿色,斑纹黑褐色。前翅内线深波曲,清楚;中线锯齿形,模糊;中点星状,中空,边缘黑褐色;外线深锯齿形,在 M 脉之间向外凸出;外线与中线之间密布黑褐色小点;亚缘线白色,锯齿形,内侧在各脉间具三角形小黑斑;缘线在各脉间呈短条状。后翅基部密布黑褐色小点,中线至外线间具深色宽带;中点较前翅小;外线深锯齿形;亚缘线和缘线与前翅相同。

采集记录:2♂,留坝庙台子,1350m,1998. Ⅶ. 21,采集人不详;3♂,宁陕广货街保护站,1189m,2014. Ⅶ. 26-28,刘淑仙、班晓双采;1♂1♀,旬阳金鑫源山庄,386m,2014. Ⅷ. 01-03,刘淑仙、班晓双采。

分布:陕西(留坝、宁陕、旬阳)、黑龙江、吉林、北京、河北、宁夏、甘肃、浙江、湖北、江西、湖南、福建、广东、广西、四川、云南;俄罗斯,日本,印度,朝鲜半岛。

寄主:苹果,柑橘,海棠,鼠李,棉,麻,桑,木槿等。

(170)锯纹四星尺蛾 *Ophthalmitis herbidaria* (Guenée, 1858)(图版 19:14)

Ophthalmodes herbidaria Guenée, 1858, *in* Boisduval & Guenée: 283.
Ophthalmodes pulsaria Swinhoe, 1891: 489.
Boarmia herbidaria: Matsumura, 1931: 875.
Boarmia (*Ophthalmodes*) *herbidaria*: Wehrli, 1943, *in* Seitz (f): 529.
Ophthalmitis herbidaria: Fletcher, 1979: 146.

鉴别特征:雄性前翅长 26 ~ 28mm,雌性前翅长 28 ~ 30mm。本种与四星尺蛾 *O. irrorataria*相似,但本种与之相比,有如下特征:前后翅中点较大;外线与亚缘线之间和亚缘线与缘线之间常具灰褐色斑块;外线内侧区域不具黑褐色鳞片;翅反面端带较宽,中点较大。

采集记录:1♂,留坝庙台子,1350m,1998. Ⅶ. 19,姚建采;2♂,旬阳金鑫源山庄,386m,2014. Ⅷ. 01-03,班晓双采。

分布:陕西(留坝、旬阳)、上海、浙江、湖北、江西、湖南、福建、台湾、海南、香港、四川、云南;印度,尼泊尔。

(171)中华四星尺蛾 *Ophthalmitis sinensium* (Oberthür, 1913)(图版 19:15)

Ophthalmodes sinensium Oberthür, 1913: 292, pl. 175, fig. 1713.
Boarmia (*Ophthalmodes*) *sinensium*: Prout, L. B., 1915, *in* Seitz (e): 376.
Boarmia (*Ophthalmodes*) *sinensium* var. *abundantior* Wehrli, 1943, *in* Seitz (f): 529.
Boarmia (*Ophthalmodes*) *sinensium hypophayla* Wehrli, 1943, *in* Seitz (f): 529.
Ophthalmitis lushanaria Sato, 1992a: 298, figs. 5, 6, 18, 24, 29.
Ophthalmitis sinensium: Parsons *et al.*, 1999, in Scoble: 670.

鉴别特征:雄性前翅长 28 ~ 31mm,雌性前翅长 29 ~ 32mm。翅面淡绿色;前后翅中点较小,前翅中点椭圆形,后翅中点近圆形;后翅中线与中点内缘接近,不形成黑褐色宽带。

采集记录:2♂1♀,宁陕广货街保护站,1189m,2014. Ⅶ. 26-28,班晓双采;柞水营盘镇,953 ~ 995m,2014. Ⅶ. 29-31,班晓双采。

分布:陕西(宁陕、柞水)、河南、甘肃、安徽、浙江、湖北、湖南、台湾、广东、广西、四川、云南、西藏;越南,泰国,印度。

(172)带四星尺蛾 *Ophthalmitis cordularia* (Swinhoe, 1893)(图版 19:16)

Ophthalmodes cordularia Swinhoe, 1893a: 155.
Boarmia (*Ophthalmodes*) *cordularia*: Wehrli, 1943, *in* Seitz (f): 530, pl. 45: f.
Ophthalmitis cordularia: Sato, 1992a: 295, figs. 7, 8, 17, 23, 28, 34.

鉴别特征:雄性前翅长 29 ~ 33mm,雌性前翅长 30 ~ 32mm。前翅外线模糊,在脉上呈点状;前后翅外线和亚缘线之间,亚缘线和缘线之间不具灰褐色斑块。

采集记录:1♀,周至厚畛子,1350m,1999. Ⅵ. 24,采集人不详。

分布:陕西(周至)、河南、宁夏、湖北、江西、湖南、台湾、广西、四川、重庆、云南;印度,尼泊尔。

104. 造桥虫属 *Ascotis* Hübner, 1825

Ascotis Hübner, 1825: 313. **Type species**: *Geometra selenaria* Denis *et* Schiffermüller, 1775.

Burichura Moore, 1888a: 245. **Type species**: *Boarmia imparata* Walker, 1860.

Hypopalpis Guenée, 1862: 29. **Type species**: *Hypopalpis terebraria* Guenée, 1862.

Trigonomelea Warren, 1904: 475. **Type species**: *Trigonomelea semifusca* Warren, 1904.

属征:雄性触角锯齿形,具纤毛簇;雌性触角线形。额不凸出。下唇须尖端不伸达额外。雄性后足胫节膨大,具毛束。前翅外缘平直;后翅圆,外缘微波曲。雄性前翅基部具泡窝。前翅 Sc 游离,R_1 与 R_2 共柄。前后翅中点常呈星状,中间色浅。

分布:古北界,东洋界,非洲界。秦岭地区分布 1 种。

(173)大造桥虫 *Ascotis selenaria* (Denis *et* Schiffermüller, 1775)(图版 19:17)

Geometra selenaria Denis *et* Schiffermüller, 1775: 101.

Phalaena furcaria Fabricius, 1794: 141.

Ascotis selenaria: Hübner, 1825: 313.

Boarmia selenata Herrich-Schäffer, 1863: 12.

Boarmia (*Ascotis*) *selenaria*: Hampson, 1895: 264.

Boarmia selenaria: Leech, 1897: 346.

Boarmia selenaria var. *lutescens* Wagner, 1923: 43.

鉴别特征:雄性前翅长 21 ~ 25mm,雌性前翅长 22 ~ 24mm。翅面灰白色,密布深灰色小点。前翅内线黑色,波曲,内侧具深褐色带;中线模糊;中点星状,中空,灰蓝色,边缘黑色;外线黑色,细锯齿形,在 M 脉之间略向外凸出;亚缘线灰白色,锯齿形;亚缘线内侧和外侧具深灰色带,在 M 脉间颜色加深;缘线黑色,在脉间呈短条状;缘毛白色掺杂深灰色。后翅中线黑色,近平直;中点较前翅小;其余斑纹与前翅相似。

采集记录:5♂1♀,留坝县城,1020m,1998. Ⅶ. 18,采集人不详;1♂,佛坪,950m,1998. Ⅶ. 23-24,采集人不详;3♂,宁陕广货街保护站,1189m,2014. Ⅶ. 26-28,刘淑仙、班晓双采;1♂,商南金丝峡,777m,2013. Ⅶ. 23-25,姜楠、崔乐采;4♂1♀,柞水营盘镇,953 ~ 995m,2014. Ⅶ. 29-31,刘淑仙、班晓双采;23♂1♀,旬阳金鑫源山庄,386m,2014. Ⅷ. 01-03,刘淑仙、班晓双采。

分布:陕西(留坝、佛坪、宁陕、商南、柞水、旬阳)、黑龙江、吉林、辽宁、内蒙古、北京、河北、山西、甘肃、新疆、江苏、安徽、浙江、湖北、江西、湖南、福建、台湾、广东、海南、香港、广西、四川、重庆、贵州、云南、西藏;俄罗斯,日本,印度,斯里兰卡,朝鲜半岛,欧洲,非洲。

寄主:杉树,板栗,黑荆树,漆树,黄檀,棉,豆类。

105. 烟尺蛾属 *Phthonosema* Warren, 1894

Phthonosema Warren, 1894a: 428. **Type species**: *Amphidasys tendinosaria* Bremer, 1864.

属征：雄性双栉形，栉齿非常长；雌性触角线形。额不凸出。下唇须仅尖端伸达额外。雄性后足胫节膨大，不具毛束。前翅顶角圆，外缘平直；后翅圆。雄性前翅基部具泡窝。前翅 Sc 与 R_1 分离，R_1 与 R_2 之间共柄或完全合并。前后翅外线外侧常具红褐色或黄褐色斑块。

分布：中国；俄罗斯，日本，印度，尼泊尔，朝鲜半岛。秦岭地区分布 2 种。

(174) 锯线烟尺蛾 *Phthonosema serratilinearia* (Leech, 1897) (图版 19:18)

Biston serratilinearia Leech, 1897: 323.

Boarmia serratilinearia: Prout, L. B., 1915, *in* Seitz (e): 365.

Boarmia (*Phthonosema*) *serratilinearia*: Wehrli, 1943, *in* Seitz (f): 471.

Phthonosema serratilinearia: Xue, 1992, *in* Liu: 872, fig. 2874.

鉴别特征：雄性前翅长 30~35mm，雌性前翅长 34~40mm。翅面灰白色，端部色略深。前翅内线灰色，模糊，弧形；内线内侧浅黄褐色；中点浅灰色，短条状，模糊；外线黑色，清楚，浅锯齿形，M_3 之上较平直，M_3 之后向内弯曲；外线外侧近后缘具 1 块深红褐色斑；缘线在各脉间呈短条状；缘毛灰褐色掺杂黄褐色。后翅中线灰色，模糊；中点较前翅的清楚；外线黑色，较前翅的细，细锯齿形；外线外侧黄褐色带模糊；其余斑纹与前翅相同。

采集记录：2♂，留坝庙台子，1350m，1998. Ⅶ. 21，采集人不详；1♂，佛坪，950m，1998. Ⅶ. 23-24；3♂，留坝县城，1020m，1998. Ⅶ. 18，采集人不详；1♂，宁陕广货街保护站，1189m，2014. Ⅶ. 26-28，刘淑仙采；2♂，商南金丝峡，777m，2013. Ⅶ. 23-25，崔乐采；1♂，柞水营盘镇，953~995m，2014. Ⅶ. 29-31，刘淑仙采；1♀，旬阳金鑫源山庄，386m，2014. Ⅷ. 01-03，班晓双采。

分布：陕西（留坝、佛坪、宁陕、商南、柞水、旬阳）、吉林、辽宁、北京、甘肃、江苏、浙江、湖北、湖南、福建、广西、四川、贵州、云南。

(175) 槭烟尺蛾 *Phthonosema invenustaria* (Leech, 1891) (图版 20:1)

Amphidasys invenustaria Leech, 1891b: 43.

Biston invenustaria var. *sinicaria* Leech, 1897: 324.

Boarmia invnustaria: Prout, L. B., 1915, *in* Seitz (e): 374, pl. 21: e.

Boarmia (*Phthonosema*) *invnustaria*: Wehrli, 1943, *in* Seitz (f): 471.

Phthonosema invenustaria: Inoue, 1977: 298.

鉴别特征：雄性前翅长 25~27mm，雌性前翅长 24~28mm。此种外形与锯线烟尺蛾 *P. serratilinearia* 相似，区别在于此种前翅中点较清楚，短条状，略弯曲；前后翅外线外侧宽带深褐色。

采集记录：1♀，周至厚畛子，3120m，1999. Ⅵ. 21，姚建采；1♂，宁陕火地塘，

1580m,1998. Ⅶ.26,袁德成采;1♂,宁陕广货街保护站,1189m,2014. Ⅶ.26-28,刘淑仙采;2♂1♀,柞水营盘镇,953~995m,2014. Ⅶ.29-31,刘淑仙、班晓双采;2♂,商南金丝峡,777m,2013. Ⅶ.23-25,姜楠采。

分布:陕西(周至、宁陕、柞水、商南)、北京、山东、甘肃、湖北、四川、云南;俄罗斯,日本,朝鲜半岛。

106. 玉臂尺蛾属 *Xandrames* Moore, 1868

Xandrames Moore, 1868: 634. **Type species**: *Xandrames dholaria* Moore, 1868.

属征:雄性和雌性触角均为双栉形,雌性触角栉齿较短;额凸出;下唇须尖端伸出额外。雄性后足胫节膨大。体大型,翅宽大。前翅顶角圆,外缘浅弧形;后翅外缘微波曲。雄性前翅基部具泡窝。前翅 Sc 和 R_1 游离,R_2 与 R_{3-5}共柄。前翅常具1块大斑,由前缘近中部向外斜行至后缘处。

分布:东洋界,东亚。秦岭地区分布3种。

(176)细玉臂尺蛾川滇亚种 *Xandrames albofasciata tromodes* Wehrli, 1943(图版20:2)

Xandrames albofasciata tromodes Wehrli, 1943, *in* Seitz (f): 554, pl. 46: g.

鉴别特征:雄性前翅长39~43mm,雌性前翅长46mm。前翅翅面深黄褐色,密布黑色长碎纹;翅中部大斑浅黄色,较其他种类的窄,其内缘沿 Cu_1 略外凸成1个折角;大斑后半段外侧具1条深黄褐色带,其上端与亚缘线相连;亚缘线深黄褐色,自顶角前方发出,向内弯曲至白斑;缘毛黑色,在翅脉端和 Cu_1、Cu_2 之间黄色。后翅大部分黑褐色,端部散布黄褐色长碎纹,外缘由顶角至 Cu_1 下方黄色,其外侧缘毛黄色,Cu_1 以下缘毛黑色。

采集记录:1♂,留坝庙台子,1350m,1998. Ⅶ.21,采集人不详;1♂,佛坪龙草坪,1200m,2008. Ⅶ.03,白明采;1♂,宁陕火地塘,1979. Ⅶ.24,采集人不详;1♂,宁陕火地塘,1538m,2012. Ⅶ.11-15,姜楠等采。

分布:陕西(留坝、佛坪、宁陕)、河南、甘肃、湖北、江西、湖南、福建、四川、云南、西藏;泰国,印度,尼泊尔。

(177)黑玉臂尺蛾 *Xandrames dholaria* Moore, 1868(图版20:3)

Xandrames dholaria Moore, 1868: 634.

鉴别特征:雄性前翅长35~41mm,雌性前翅长44~45mm。前翅基半部灰白色,散布黑色碎纹,前缘中部内侧有2条黑色斜纹,后缘内1/3处有1个小黑斑,外1/3处有1对黑色弯纹;翅中部具1块宽大向外斜行白斑,其上散布灰色碎纹,下端灰纹较多,伸达外缘下半段;白斑外侧上方为1条黑色斜线,其外侧至顶角黑褐色。后翅黑褐色,隐见黑色锯齿形外线;顶角附近白色。

采集记录:1♂,留坝庙台子,1350m,1998. Ⅶ. 21,采集人不详;1♂,佛坪偏岩子,1750m,1999. Ⅵ. 28,采集人不详;1♂,佛坪龙草坪,1200m,2008. Ⅶ. 03,白明采;1♂,宁陕火地塘,1538m,2012. Ⅶ. 11-15,姜楠采。

分布:陕西(留坝、佛坪、宁陕)、河南、甘肃、浙江、湖北、湖南、福建、台湾、广东、广西、四川、贵州、云南、西藏;日本,越南,印度,尼泊尔,朝鲜半岛。

(178)折玉臂尺蛾 *Xandrames latiferaria* (Walker, 1860)(图版20:4)

Pachyodes? latiferaria Walker, 1860: 445.

Xandrames latiferaria: Hampson, 1895: 250.

Xandrames cnecozona Prout, L. B., 1926a: 21.

鉴别特征:雄性前翅长28~32mm,雌性前翅长33~38mm。翅面浅褐色,排布黑褐色碎纹。前翅基半部碎纹细长且排列整齐,有时可见黑色内线和中线;翅中部大白斑上具灰黑色碎纹,白斑内缘沿 Cu_1 外凸成1个鲜明折角,折角下方下垂至臀角内侧;白斑外上方有1段黑色带和白色亚缘线。后翅翅脉色较浅;隐见黑灰色中点;白色亚缘线十分鲜明,其中部接近外缘;顶角附近色较浅,但不为白色。

采集记录:1♂1♀,宁陕火地塘,1580m,1998. Ⅷ. 20-21,袁德成采;1♀,宁陕火地塘,1979. Ⅷ. 03,韩寅恒采。

分布:陕西(宁陕)、浙江、湖北、江西、湖南、福建、台湾、广东、海南、四川、贵州、云南、西藏;日本,泰国,印度,尼泊尔,印度尼西亚,加里曼丹岛。

107. 杜尺蛾属 *Duliophyle* Warren, 1894

Duliophyle Warren, 1894a: 432. **Type species**: *Boarmia agitata* Butler, 1878.

属征:雄性触角双栉形,雌性触角线形。额凸出。下唇须尖端伸达额外。雄性后足胫节膨大。前翅外缘平滑,后翅外缘微波曲。雄性前翅基部具泡窝。前翅 R_1 和 R_2 游离。

分布:中国;日本。秦岭地区分布3种。

(179)杜尺蛾四川亚种 *Duliophyle agitata angustaria* (Leech, 1897)(图版20:5)

Xandrames angustaria Leech, 1897: 327.

Xandrames (*Duliopphyle*) *agitata angustaria*: Prout, L. B., 1915, *in* Seitz (e): 381.
Duliophyle agitata angustaria: Xue, 1992, *in* Liu: 879, fig. 2905.

鉴别特征:雄性前翅长 21 ~ 30mm,雌性前翅长 30 ~ 31mm。翅面灰黄色,密布深灰褐色碎纹,斑纹深灰褐色至黑褐色。前翅中点条状,其外侧有 1 块清晰白斑;外线由前缘至 M_3 呈清晰的带状,其外缘锯齿形,外侧为 1 条白线;雌性外线外侧扩展为 1 块白斑;亚缘线白色,内侧具 1 条深灰色带;缘线黑色,在脉端常间断;缘毛黑褐色与灰黄色相间。后翅外线弧形,亚缘线仅在 M_3 以下可见,其余斑纹与前翅相似。

采集记录:6♂,宁陕火地塘,1580m,1998. Ⅷ. 14,袁德成采。

分布:陕西(宁陕)、北京、甘肃、浙江、湖南、江西、福建、四川、西藏;日本。

(180)大杜尺蛾 *Duliophyle majuscularia* (Leech, 1897)(图版 20:6)

Boarmia majuscularia Leech, 1897: 420.
Xandrames majuscularia: Prout, L. B., 1915, *in* Seitz (e): 381, pl. 23: a.
Xandrames (*Duliophyle*) *majuscularia*: Wehrli, 1943, *in* Seitz (f): 554.
Duliophyle majuscularia: Inoue, 1959: 215, pl. 152: 3.

鉴别特征:雄性前翅长 36 ~ 37mm,雌性前翅长 40 ~ 41mm。前翅内线、中线和外线在前缘处形成 3 个黑色大斑点;内线黑色,平直;中线黑色,穿过中点,在中室向外凸出,之后与后缘近垂直;中点黑色,条状;外线黑色,在 M 脉之间向外凸出,之后向内倾斜,与中线近平行,在后缘处与中线一起加粗,形成 1 块黑色斑块;亚缘线白色,锯齿形,内侧具 1 条模糊黑线。后翅中线黑色,平直;中点较前翅的小;外线黑色,弧形;亚缘线仅近后缘清楚;其余斑纹与前翅相似。

采集记录:2♂2♀,宁陕火地塘,1580m,1998. Ⅶ. 26-27,采集人不详。

分布:陕西(宁陕)、甘肃、湖南、福建、西藏;日本。

(181)黑杜尺蛾 *Duliophyle incongrua incongrua* Sterneck, 1928(图版 20:7)

Duliophyle incongrua Sterneck, 1928: 228, pl. 2, fig. 8.

鉴别特征:雄性前翅长 25 ~ 32mm,雌性前翅长 28 ~ 29mm。此种翅面斑纹与杜尺蛾 *D. agitata* 相似,区别在于本种翅面黑色,前翅中部白斑向外斜行至近臀角处,并在 M_3 下方向外过渡为灰褐色。

采集记录:1♂,宁陕火地塘,1550m,2007. Ⅷ. 19,李文柱采。

分布:陕西(宁陕)、甘肃、湖北、四川。

108. 树尺蛾属 *Mesastrape* Warren, 1894

Mesastrape Warren, 1894a: 432. **Type species**: *Erebomorpha consors* Butler, 1878.

Stygomorpha Thierry-Mieg, 1899: 21. **Type species**: *Erebomorpha fulguraria* Walker, 1860.

属征:雄性和雌性触角均为双栉形,栉齿背面不具鳞片;额凸出;下唇须端部伸达额外。雄性后足胫节膨大。体大型,翅宽大。前翅外缘平滑,后翅外缘在 Rs 和 M_3 处各凸出1 个尖角。雄前翅基部不具泡窝。前翅 R_1 和 R_2 共柄。

分布:中国;日本,印度,尼泊尔。秦岭地区分布 1 种。

(182)细枝树尺蛾 *Mesastrape fulguraria* (Walker, 1860)(图版 20:8)

Erebomorpha fulguraria Walker, 1860: 495.

Mesastrape fulguraria: Stüning, 2000: 116.

鉴别特征:雄性前翅长 37 ~ 43mm,雌性前翅长 36 ~ 39mm。翅面绿褐色,密布黑色长碎纹,斑纹白色带状。前翅内线中部极度向外呈尖状凸出,在 Cu_2 处插入外线;中点黑条状;外线中部略向外凸出;亚缘线锯齿形,纤细,仅在 M_3 下方清楚;由顶角发出 1 条白色带,向内弯曲至 M_3,之后与外线平行,在后缘附近减弱或消失,其内侧至外线之间在 M_2 下方绿褐色;缘线黑色;缘毛黑色,在顶角和 M_3 下方白色。后翅前缘自基部至外线之间白色;中点较前翅短粗;外线近弧形;亚缘线较前翅清楚;Rs 脉端发出 1 条白色带,向内弯曲至 M_3,之后与外线平行,在后缘附近减弱或消失,其内侧至外线之间在 M_1 下方绿褐色;亚缘线与外缘之间的黑色碎纹较前翅的稀少;缘线黑色;缘毛黑色,在前缘和 Rs 之间以及 M_3 下方白色。

采集记录:1♂,周至厚畛子,1350m,1999. Ⅵ. 24,采集人不详;1♂,留坝县城,1020m,1998. Ⅶ. 18,采集人不详;1♂,留坝庙台子,1350m,1998. Ⅶ. 21,采集人不详;1♂,佛坪,950m,1998. Ⅶ. 23-24,采集人不详;5♂,宁陕火地塘,1580 ~ 1650m,1998. Ⅶ. 26-27,1999. Ⅵ. 25-26,采集人不详;1♂,宁陕广货街保护站,1189m,2014. Ⅶ. 26-28,刘淑仙、班晓双采;1♀,柞水营盘镇,953 ~995m,2014. Ⅶ. 29-31,刘淑仙采。

分布:陕西(周至、留坝、佛坪、宁陕、柞水)、河南、甘肃、浙江、湖北、江西、湖南、福建、台湾、广西、四川、云南、西藏;日本,印度,尼泊尔。

109. 方尺蛾属 *Chorodna* Walker, 1860

Chorodna Walker, 1860: 311, 314. **Type species**: *Chorodna erebusaria* Walker, 1860.

Erebomorpha Walker, 1860: 494. **Type species**: *Erebomorpha fulgurita* Walker, 1860.

Medasina Moore, 1888b: 408. **Type species**: *Hemerophila strixaria* Guenée, 1858.

属征:雄性触角双栉形,雌性触角线形。额凸出。下唇须仅尖端伸达额外。雄性后足胫节膨大。前翅顶角有时凸出,外缘常平直;后翅外缘常波曲,在 M_3 上方较明显。雄性前翅基部不具泡窝。前翅 R_1 和 R_2 长共柄,在近端部分离。前后翅亚缘线常清楚。

分布:东洋界,非洲界。秦岭地区分布 1 种。

(183)默方尺蛾 *Chorodna corticaria* (Leech, 1897)(图版 20:9)

Boarmia corticaria Leech, 1897: 419.
Medasina corticaria: Prout, L. B., 1915, *in* Seitz (e): 361, pl. 20: a.
Chorodna corticaria: Parsons *et al.*, 1999, *in* Scoble: 150.

鉴别特征:雄性前翅长 31 ~ 40mm,雌性前翅长 35 ~ 37mm。翅面黄褐色。前翅中线黑色,仅在前缘和近后缘处清楚;中点黑色,点状;外线黑色,浅锯齿形,常在 M_2 下方清楚,向内倾斜,与中线平行;亚缘线黄褐色,在 M_3 上方不规则波曲,在 M_3 处向内弯折,之后平直,内侧散布不均匀黑色鳞片;缘线在脉间呈黑色短条状;缘毛黄褐色掺杂灰褐色。后翅亚基线黑色,外侧至外缘密布黑色碎纹;中线较前翅清楚,平直;其余斑纹与前翅相似。

采集记录:1♀,太白黄柏塬,1980. Ⅶ. 13,张宝林采;1♂,留坝庙台子,1981. Ⅴ. 20,张宝林采;2♀,宁陕火地塘,1538m,2012. Ⅶ. 11-15,程瑞采。

分布:陕西(太白、留坝、宁陕)、甘肃、浙江、湖北、湖南、福建、台湾、广西、四川、云南、西藏。

110. 蛮尺蛾属 *Darisa* Moore, 1888

Darisa Moore, 1888a: 243. **Type species**: *Boarmia mucidaria* Walker, 1866.

属征:雄性触角双栉形,雌性触角线形。额凸出。下唇须第 3 节小,伸出额外。雄性后足胫节膨大,具毛束。前翅顶角圆,外缘浅弧形;后翅外缘微波曲。雄性前翅基部不具泡窝。前翅 R_1 和 R_2 长共柄,在近端部分离。

分布:中国;越南,泰国,缅甸,印度,尼泊尔。秦岭地区分布 1 种。

(184)花蛮尺蛾 *Darisa differens* Warren, 1897(图版 20:10)

Darisa differens Warren, 1897c: 398.
Medasina differens: Prout, L. B., 1915, *in* Seitz (e): 361, pl. 20: a.
Chorodna differens: Parsons *et al.*, 1999, *in* Scoble: 151.

鉴别特征:前翅长 27 ~ 29mm。翅面白色,密布黑褐色斑点。前翅内线黑褐色双线,近弧形;中线在近前缘处清楚,其余模糊,呈点状;中点深灰色,短条状,模糊;外线锯齿形,在臀褶处向内弯曲,常模糊,在脉上呈点状;外线与亚缘线之间在 M_3 和 Cu_1 之间具 1 块黑斑;亚缘线白色,锯齿形;亚缘线内侧和外线外侧各具 1 条黑褐色带,其外缘锯齿形;缘线在脉间呈黑褐色短条状;缘毛白色掺杂黑褐色。后翅中线黑褐色,平直,仅后半段清楚;外线黑褐色,锯齿形;其余斑纹与前翅相似。前后翅反面中点黑色,清楚,前翅反面顶角处具 1 块黑色近方形斑块。

采集记录:1♂,宁陕火地塘,1580 ~ 1650m,1999. Ⅵ. 25-26,采集人不详。

分布:陕西(宁陕)、甘肃、湖北、广东、广西、四川、云南。

111. 拉克尺蛾属 *Racotis* Moore, 1887

Racotis Moore, 1887: 418. **Type species**: *Hypochroma boarmiaria* Guenée, 1858.

属征:雄性和雌性触角均为线形,雄性基部 2/3 具纤毛,有时雄性为较弱的双栉形;额不凸出;下唇须端部伸出额外,第 3 节细长,明显。雄性后足胫节不膨大。前后翅外缘微波曲。雄性前翅基部具泡窝。前翅 R_1 和 R_2 分离。翅面暗绿色,前后翅外线清楚,锯齿形,其外侧至外缘颜色略深。

分布:古北界,东洋界,澳洲界,非洲界。秦岭地区分布 1 种。

(185)拉克尺蛾 *Racotis boarmiaria* (Guenée, 1858)(图版 21:1)

Hypochroma boarmiaria Guenée, 1858, *in* Boisduval & Guenée: 282.

Racotis boarmiaria: Moore, 1887: 418.

Boarmia boarmiaria: Hampson, 1895: 261.

Racotis anaglyptica Prout, L. B., 1935: 234.

Boarmia (*Racotis*) *boarmiaria*: Wehrli, 1943, *in* Seitz (f): 541.

Racotis quadripunctata Holloway, 1994: 194, pl. 10, fig. 406.

鉴别特征:雄性前翅长 21 ~ 24mm,雌性前翅长 22 ~ 23mm。翅面暗绿色,斑纹黑色,密布深灰色短条纹。前翅内线和中线波状,模糊;中点近方形;外线细锯齿形;外线外侧 M_2 与 Cu 之间具黑色斑块;外线至外缘之间深绿褐色;亚缘线黄褐色;亚缘线内侧 M 脉之间具黑色斑块。后翅中线近平直,中点较前翅小,其余斑纹与前翅相似。

采集记录:1♀,旬阳金鑫源山庄,386m,2014. Ⅷ. 01-03,刘淑仙采。

分布:陕西(旬阳)、浙江、江西、湖南、福建、台湾、广东、海南、广西、四川;日本,越南,印度,不丹,斯里兰卡,印度尼西亚,巴布亚新几内亚。

112. 掌尺蛾属 *Amraica* Moore, 1888

Amraica Moore, 1888a: 245. **Type species**: *Amraica fortissima* Moore, 1888.

属征:雄性触角单栉形,端部线形;雌性触角线形。额不凸出,具发达的额毛簇。下唇须尖端不伸达额外。雄性后足胫节膨大,具毛束。前翅外缘平直,后翅圆,外缘微波曲。雄性前翅基部具泡窝。前翅 R_1 和 R_2 共柄。前翅近顶角和基部常具深褐色或红褐色斑。

分布:东洋区,东亚。秦岭地区分布 1 种。

(186)掌尺蛾 *Amraica superans* (Butler, 1878)(图版 21:2)

Amphidasys superans Butler, 1878b: ix, 48, pl. 35, fig. 3.

Buzura (*Amraica*) *superans*: Prout, L. B., 1915, *in* Seitz (e): 360, pl. 24: a.

Buzura recursaria superans: Prout, L. B., 1930: 327.

Buzura (*Amraica*) *superans decolorans* Wehrli, 1941, *in* Seitz (f): 435, pl. 37: b.

Buzura (*Amraica*) *superans subnigrans* Wehrli, 1941, *in* Seitz (f): 435, pl. 37: a.

Amraica superans: Inoue, 1982, *in* Inoue, *et al.*: 557,303, pl. 100: 10-12.

鉴别特征:雄性前翅长 24 ~ 32mm,雌性前翅长 33 ~ 35mm。翅面灰褐色。前翅基部和前缘端部具深红褐色大斑;内线黑色,波状,在 Cu_2 与 2A 之间向内深弯曲;中线模糊;中点为深灰色圆点;外线黑色,仅前缘至 M_1 之间清楚,在 R_5 与 M_1 之间向内深弯曲;亚缘线白色,微波状;亚缘线外侧各脉上具褐色斑点;缘线黑色短条状;缘毛褐色掺杂深灰色。后翅基部具深灰色鳞片,外线模糊,中点较前翅小,中线、亚缘线、缘线和缘毛与前翅相似。

采集记录:3♂1♀,周至厚畛子,1350m,1999. Ⅵ. 24,采集人不详;2♀,周至厚畛子,1276m,2008. Ⅵ. 30,崔俊芝等采;2♂3♀,周至厚畛子,1550 ~ 4000m,1999. Ⅵ. 21-25,姚建等采;3♂,周至楼观台,680m,2008. Ⅵ. 24,白明采;6♂1♀,太白黄柏塬,1980. Ⅶ. 12-18,韩寅恒采;1♂1♀,留坝庙台子,1350 ~ 1470m,1998. Ⅶ. 21,1999. Ⅶ. 01,姚建等采;1♂2♀,佛坪,890 ~ 1750m,1999. Ⅵ. 26-28,姚建等采;1♂4♀,佛坪龙草坪,1200 ~ 1256m,2008. Ⅶ. 03,白明等采;1♂,宁陕火地塘,1979. Ⅷ. 02,韩寅恒采;1♀,宁陕火地塘,1580m,1998. Ⅶ. 26-27,采集人不详;1♂,柞水营盘镇,953 ~ 995m,2014. Ⅶ. 29-31,刘淑仙采;4♂,旬阳金鑫源山庄,386m,2014. Ⅷ. 01-03,刘淑仙、班晓双采。

分布:陕西(周至、太白、留坝、佛坪、宁陕、柞水、旬阳)、黑龙江、吉林、北京、河北、河南、甘肃、上海、江苏、安徽、浙江、湖北、江西、湖南、福建、台湾、四川、重庆、贵州;俄罗斯,日本,朝鲜半岛。

113. 摩尺蛾属 *Cusiala* Moore, 1887

Cusiala Moore, 1887: 407. **Type species**: *Cusiala boarmoides* Moore, 1887.

属征:雄性触角线形,具纤毛;雌性触角线形。额不凸出。下唇须尖端不伸达额外。雄性后足胫节略膨大。雄性前翅基部泡窝不明显。前翅外缘平滑,后翅圆,外缘微波曲。

分布:东洋界,东亚。秦岭地区分布 1 种。

(187)摩尺蛾 *Cusiala stipitaria* (Oberthür, 1880)(图版 21:3)

Boarmia stipitaria Oberthür, 1880: 45, pl. 4, fig. 6.

Boarmia doerriesiaria Christoph, 1881: 77.

Boarmia stipitaria var. ? *piperitaria* Oberthür, 1880: 46, pl. 9, fig. 13.

Boarmia (*Cusiala*) *stipitaria*: Wehrli, 1943, *in* Seitz (f): 532.

Cusiala stipitaria: Inoue, 1977: 299.

鉴别特征:雄性前翅长 22 ~ 25mm,雌性前翅长 25 ~ 29mm。翅面灰白色,斑纹黑色。前翅内线波曲,内侧具 1 条浅褐色细线;中线在中室下方模糊;中点为短条状;外线在 M 脉间凸出并呈双峰状,其余部分波曲;外线外侧具 1 条浅褐色细线;亚缘线常模糊;缘线在各脉间呈短条状;缘毛白色掺杂灰色。后翅中线和外线在 M 脉间略向外凸出,其余斑纹与前翅相似。翅反面中点较正面清楚,前翅中点为椭圆形,近顶角处具黑斑。

采集记录:1♀,留坝县城,1020m,1998. Ⅶ. 18,袁德成采;1♂,宁陕火地塘,1580m,1998. Ⅶ. 27,袁德成采;1♂,宁陕火地塘,1979. Ⅶ. 30,韩寅恒采;1♂,柞水营盘镇,953 ~ 995m,2014. Ⅶ. 29-31,班晓双采。

分布:陕西(留坝、宁陕、柞水)、吉林、北京、河南、甘肃、湖北、海南、台湾、四川、云南;俄罗斯,日本,朝鲜半岛。

114. 鹰尺蛾属 *Biston* Leach, 1815

Biston Leach, 1815: 134. **Type species**: *Geometra prodromaria* Denis *et* Schiffermüller, 1775 (= *Phalaena strataria* Hüfnagel, 1767).

Dasyphara Billberg, 1820: 89. **Type species**: *Geometra prodromaria* Denis *et* Schiffermüller, 1775.

Pachys Hübner, 1822: 38-44, 46, 47, 49, 50, 52. **Type species**: *Geometra prodromaria* Denis *et* Schiffermüller, 1775.

Eubyja Hübner, 1825: 318. **Type species**: *Phalaena betularia* Linnaeus, 1758.

Amphidasis Treitschke, 1825: 434. **Type species**: *Geometra prodromaria* Denis *et* Schiffermüller, 1775.

Buzura Walker, 1863: 1531. **Type species**: *Buzura multipunctaria* Walker, 1863.

Culcula Moore, 1888a: 266. **Type species**: *Culcula exanthemata* Moore, 1888.
Eubyjodonta Warren, 1893: 416. **Type species**: *Eubyjodonta falcata* Warren, 1893.
Blepharoctenia Warren, 1894a: 428. **Type species**: *Amphidasys bengaliaria* Guenée, 1858.
Epamraica Matsumura, 1910: 130. **Type species**: *Epamraica bilineata* Matsumura, 1910.

属征:雄性触角双栉形或锯齿形,雌性触角线形。额不凸出。下唇须尖端不伸达额外。足密布鳞毛。雄性后足胫节略膨大,不具毛束。前后翅外缘平直或波曲;后翅圆,外缘平滑,有时在 M 脉之间凹入或在 M_1 和 Cu_1 之间凸出。雄性前翅基部不具泡窝。前翅 R_1 和 R_2 常共柄。前翅内线内侧和前后翅外线外侧常具宽带。

分布:全北界,东洋界,非洲界。秦岭地区分布 9 种。

(188)桦尺蛾 *Biston betularia* (Linnaeus, 1758)(图版 21:4)

Phalaena (*Geometra*) *betularia* Linnaeus, 1758: 521.
Phalaena (*Noctua*) *p-graecum* Poda, 1761: 90.
Marmoraria Sepp, 1792: pl. 10, pl. 11.
Phalaena (*Geometra*) *ulmaria* Borkhausen, 1794: 181.
Eubyja betularia: Hübner, 1825: 318.
Amphidasis huberaria Ballion, 1866: 29, pl. 1, fig. 1.
Amphidasys betularia var. *doubledayaria* Millière, 1870: 117, pl. 111, fig. 1.
Eurbyjodonta concinna Warren, 1899a: 50.
Biston betularia: Prout, L. B., 1915, *in* Seitz (e): 358, pl. 19: g.
Biston cognataria alexandrina Wehrli, 1941, *in* Seitz (f): 432, pl. 36: a.
Biston (*Eubyjodonta*) *huberaria tienschana* Wehrli, 1941, *in* Seitz (f): 435, pl. 36: d, g.
Biston cognataria sinitibetica Wehrli, 1941, *in* Seitz (f): 433, pl. 36: a.

鉴别特征:雄性前翅长 20 ~ 24mm,雌性前翅长 23 ~ 28mm。翅面灰褐色,散布灰色小点。前翅内线黑色,双弧线;中点黑色,短条状;中线黑色,模糊;外线黑色,在 M 脉之间向外凸出 1 个大齿,在 Cu_2 和 A 脉之间微向外凸出;外线外侧具灰色斑块。后翅中点较前翅小,其余斑纹与前翅相似。

采集记录:2♂,留坝县城,1020m,1998. Ⅶ. 18,采集人不详。

分布:陕西(留坝)、内蒙古、山西、甘肃、青海、四川、云南、西藏;俄罗斯,朝鲜,日本,印度,欧洲,北美洲。

(189)小鹰尺蛾 *Biston thoracicaria* (Oberthür, 1884)(图版 21:5)

Jankowskia thoracicaria Oberthür, 1884a: 26, pl. 2, fig. 8. 4.
Lycia tortuosa Wileman, 1911: 310, pl. 30, fig. 1, pl. 31, fig. 27.
Biston thoracicaria: Prout, L. B., 1915, *in* Seitz (e): 359, pl. 19: g.

鉴别特征:雄性前翅长 15 ~ 18mm,雌性前翅长 19 ~ 20mm。本种外形与桦尺蠖 *B. betularia*相似,前翅外线在 M、Cu_2 和 2A 之间向外凸出,前后翅中点条状。但本种体型较小;翅面深褐色,而桦尺蠖 *B. betularia* 为灰黑色;后翅具基线;前翅 R_1 和 R_2 分离,但在桦尺蠖 *B. betularia* 中共柄。

采集记录:8♂1♀, Sued-Shensi, Tapai Shan im Tsinling, coll. Höne (ZFMK);1♂,太白黄柏塬,1980. Ⅶ. 13,张宝林采。

分布:陕西(太白)、北京、河北、山东、河南、甘肃、江苏、浙江、湖北、云南;俄罗斯,日本,朝鲜半岛。

(190)圆突鹰尺蛾 *Biston mediolata* Jiang, Xue *et* Han, 2011(图版 21:6)

Biston mediolata Jiang, Xue *et* Han, 2011: 59, figs. 21-24, 76, 103, 121.

Biston contectaria Walker, sensu Xue, 1992, *in* Liu: 880.

鉴别特征:雄性前翅长 32 ~ 34mm,雌性前翅长 42mm。翅面白色,散布浅灰色条纹。前翅内线黑色,粗壮,浅弧形,内侧具浅黄色带;中线灰黄色,在前缘处为 1 个黑斑;中点为灰色圆点,模糊;外线黑色,在 M 脉之间向外凸出 1 个大齿,在 Cu_2 和 A 之间略向外凸出,在翅脉上向内凸出小尖齿;外线外侧具 1 条浅黄色带。后翅亚基线黑色;外线黑色,在 M 之间向外呈圆形凸出。

采集记录:2♂,留坝庙台子,1470 ~ 1550m,1999. Ⅶ. 01-02,贺同利采。

分布:陕西(留坝)、甘肃、湖北、湖南、福建、海南、广西、四川;越南。

(191)白鹰尺蛾 *Biston contectaria* (Walker, 1863)(图版 21:7)

Amphidasis contectaria Walker, 1863: 1529.

Biston (*Cusiala*) *bengaliaria* f. *contectaria*: Hampson, 1895: 248.

Biston contectaria: Yazaki, 1992: 33.

鉴别特征:雄性前翅长 27 ~ 28mm。本种外形与油桐尺蠖 *B. suppressaria* 相似,但本种体型较油桐尺蠖大;前翅外线在 M 脉之间呈尖状,而在油桐尺蠖中呈圆形或双峰状;后翅亚基线较油桐尺蠖清楚。

采集记录:1♂,留坝庙台子,1350m,1998. Ⅶ. 21,采集人不详;2♂,留坝庙台子,1470m,1999. Ⅶ. 01,采集人不详。

分布:陕西(留坝)、甘肃、湖北、湖南、福建、广西、云南;印度,尼泊尔。

(192)油桐尺蠖 *Biston suppressaria* Guenée, 1858(图版 21:8)

Amphidasys suppressaria Guenée, 1858, *in* Boisduval & Guenée: 210.

Buzura multipunctaria Walker, 1863: 1531.

Biston suppressaria: Hampson, 1895: 247.

Buzura suppressaria benescripta Prout, L. B., 1915, *in* Seitz (e): 360.

Biston (*Buzura*) *suppressaria*: Wehrli, 1941, *in* Seitz (f): 436.

Biston (*Buzura*) *suppressaria* f. *benesparsa* Wehrli, 1941, *in* Seitz (f): 436, pl. 36: f.

Biston luculentus Inoue, 1992b: 171, figs. 59, 60, 62-64.

鉴别特征:雄性前翅长 24 ~ 27mm,雌性前翅长 37 ~ 39mm。翅面灰白色,带淡黄色调,密布黑色小点。前翅内线黑色,微波曲;内线内侧具浅黄色宽带;中线浅黄色,模糊;中点为浅灰色圆点;外线黑色,在 M 脉之间向外呈双峰形凸出;外线至外缘之间具浅黄色带,其上掺杂黑色鳞片。后翅亚基线黑色,不与前翅内线组成 1 个弧形;中线黄色,模糊;外线黑色,在 M 脉之间呈圆形凸出;外线外侧具浅黄色带,其上掺杂黑色鳞片。

采集记录:1♂,佛坪,890 ~ 900m,1999. Ⅵ. 26-27,采集人不详;10♂,旬阳金鑫源山庄,386m,2014. Ⅷ. 01-03,刘淑仙、班晓双采。

分布:陕西(佛坪、旬阳)、河南、江苏、安徽、浙江、湖北、江西、湖南、福建、广东、海南、香港、广西、四川、重庆、贵州、云南、西藏;缅甸,印度,尼泊尔。

(193)双云尺蛾 *Biston regalis comitata* (Warren, 1899)(图版 21:9)

Eubyjodonta comitata Warren, 1899a: 50.

Biston comitata: Prout, L. B., 1915, *in* Seitz (e): 359, pl. 19: h.

Biston regalis comitata: Inoue, 1977: 306.

鉴别特征:雄性前翅长 27 ~ 32mm,雌性前翅长 20 ~ 22mm。翅面白色,散布稀疏浅褐色条纹,在前翅前缘和外缘附近较密集。前翅内线黑色,不规则锯齿形,内侧具褐色宽带;中线褐色,模糊;中点模糊;外线黑色,在 R_5 和 M_3 之间向外呈圆形凸出,在 Cu_2 和臀褶之间略向外凸出;外线外侧至外缘具不规则褐色斑块,但在顶角区域和 M_3 与 Cu_1 之间常为白色。后翅亚基线黑色,微波曲,内侧具褐色宽带;外线在 M 脉之间向外凸出,其外侧褐色斑块较弱;其余与前翅相似。

采集记录:3♂,留坝庙台子,1350 ~ 1470m,1998. Ⅶ. 21、1999. Ⅶ. 01,采集人不详;3♂,佛坪,950m,1998. Ⅶ. 23-24,采集人不详;2♂,宁陕火地塘,1580m,1998. Ⅶ. 26-27,采集人不详;5♂,宁陕广货街保护站,1189m,2014. Ⅶ. 26-28,刘淑仙、班晓双采;12♂,柞水营盘镇,953 ~ 995m,2014. Ⅶ. 29-31,刘淑仙、班晓双采;6♂,旬阳金鑫源山庄,386m,2014. Ⅷ. 01-03,刘淑仙、班晓双采。

分布:陕西(留坝、佛坪、宁陕、柞水、旬阳)、辽宁、河南、甘肃、浙江、湖北、江西、湖南、福建、台湾、广东、海南、四川、云南;俄罗斯,日本,朝鲜半岛。

(194)褐鹰尺蛾 *Biston quercii* (Oberthür, 1910)(图版21:10)

Amphidasis quercii Oberthür, 1910a: 676, pl. 51, fig. 433.

Biston quercii: Prout, L. B., 1915, *in* Seitz (e): 359.

Biston (*Eubyjodonta*) *quercii*: Wehrli, 1941, *in* Seitz (f): 434, pl. 36: f.

鉴别特征:雄性前翅长29~31mm。前后翅外缘深波曲,中部明显呈齿状凸出;翅面白色,前翅内线内侧和前后翅外线外侧至外缘的宽带为深褐至黑褐色,基本不带黄褐色;前翅内线黑色,波状,弧形弯曲;前后翅外线黑色,略波曲,向内凸出小齿;前后翅亚缘线黑色,锯齿形,常扩展并断裂成粗细不等、大小不均的黑色斑块,外侧有白边;前后翅中点黑色,大,椭圆形;前翅基部,内、外线之间和后翅外线以内散布不均匀的黑色或黑灰色细点。

采集记录:1♂,周至钓鱼台,1480m,2008. Ⅵ. 29,白明采;1♂,宁陕鸦雀沟,1580~1750m,1999. Ⅶ. 07,采集人不详;4♂,宁陕广货街保护站,1189m,2014. Ⅶ. 26-28,刘淑仙、班晓双采。

分布:陕西(周至、宁陕)、河南、甘肃、湖北、四川。

(195)鹰翅尺蛾 *Biston falcata satura* (Wehrli, 1941)(图版21:11,12)

Biston erilda satura Wehrli, 1941, *in* Seitz (f): 434, pl. 36: e.

Biston falcata satura: Jiang *et al.*, 2011: 72.

鉴别特征:雄性前翅长25~32mm,雌性前翅长30~36mm。特征近似褐鹰尺蛾 *B. quercii*,主要区别为此种前后翅外缘波曲较和缓,中部隆起但不呈齿状;前翅内线内侧和前后翅外线外侧的宽带常呈明显的黄褐色,该带在亚缘线外侧常断离成大小不等的卵圆形斑块;前翅内外线之间距离较宽;后翅无中点。

采集记录:1♂, Shaanxi, Tapai Shan in Tsinling, Sued-Shensi, 1935. Ⅵ. 25, coll. H. Höne。

分布:陕西(太白)、宁夏、甘肃。

(196)木橑尺蠖 *Biston panterinaria panterinaria* (Bremer *et* Grey, 1853)(图版21:13)

Amphidasis panterinaria Bremer *et* Grey, 1853a: 21, pl. 10, fig. 1.

Buzura abraxata Leech, 1889b: 143, pl. 9, fig. 14.

Culcula panterinaria lienpingensis Wehrli, 1939, *in* Seitz (f): 266, pl. 20: b.

Culcula panterinaria szechuanensis Wehrli, 1939, *in* Seitz (f): 266, pl. 20: b.

Culcula panterinaria: Inoue, 1946: 37.

Biston panterinaria: Sato, 1996: 225.

鉴别特征:雄性前翅长 28 ~ 34mm,雌性前翅长 37 ~ 39mm。雄性触角锯齿形,具纤毛簇。翅面斑纹与金星尺蛾属 *Abraxas* Leach, 1815 种类相似。翅面白色,散布浅灰色斑块,在后翅外线内侧分布较稀少;前翅基部灰色,具 1 个褐色大斑;内线黄褐色;前后翅外线黄色,细,在 M 脉之间向外凸出,散布深褐色椭圆形斑;前后翅中点为浅灰色大圆点;翅反面中点中部深褐色。

采集记录:22♂2♀,佛坪,890 ~ 900m,1999. Ⅵ. 26-27,采集人不详;1♂,佛坪龙草坪,1200m,2008. Ⅶ. 03,白明采;1♂,宁陕火地塘,1580 ~ 1650m,1999. Ⅵ. 25-26,采集人不详;1♂,宁陕火地塘,1538m,2012. Ⅶ. 11-15,姜楠采;1♂1♀,柞水营盘镇,953 ~ 995m,2014. Ⅶ. 29-31,刘淑仙采;47♂3♀,旬阳金鑫源山庄,386m,2014. Ⅷ. 01-03,刘淑仙、班晓双采。

分布:陕西(佛坪、宁陕、柞水、旬阳)、辽宁、北京、河北、山西、山东、河南、宁夏、甘肃、安徽、浙江、湖北、江西、湖南、福建、广东、海南、广西、四川、重庆、贵州。

115. 罴尺蛾属 *Anticypella* Meyrick, 1892

Anticypella Meyrick, 1892: 101 (key), 108. **Type species**: *Nychiodes gigantaria* Staudinger, 1897.

属征:体大型。雄性触角双栉形,末端线形,栉齿极长;雌性触角线形。额光滑,不凸出,无额毛簇;下唇须较短,约 1/4 伸出额外,略向上翘,第 3 节微小。胸部腹面多毛;雄性后足胫节略膨大,无毛束,2 对距。翅宽大,前后翅外缘锯齿形,雌性锯齿较深;前翅基部有成片翘起的粗鳞。前翅 R_1 与 R_2 共柄,该共柄有 1 条短横脉与 Sc 相连。

分布:中国;俄罗斯,朝鲜。秦岭地区分布 1 种。

(197) 罴尺蛾 *Anticypella diffusaria* (Leech, 1897) (图版 22:1)

Medasina diffusaria diffusaria Leech, 1897: 432.

Nychiodes gigantaria Staudinger, 1897: 48, pl. 1, fig. 32.

Anticypella diffusaria: Prout, L. B., 1915, *in* Seitz (e): 361, pl. 19: I.

鉴别特征:雄性前翅长 35 ~ 37mm,雌性前翅长 40 ~ 42mm。头、体背和翅灰褐色至深灰褐色。前翅后缘附近和外缘中部至臀角附近以及整个后翅均散布密集黑褐色碎纹,前翅其余部分碎纹较少或消失。前翅内线、中线和外线在前缘形成小黑斑,其下大部消失;中线有时隐约可见,在后缘处增粗;外线在翅脉上存留 1 列黑点,在 M 脉处弧形外凸;亚缘线灰白色,锯齿形,不规则弯曲,有时不可见,其内侧在 M_1 与 M_3 之间和 Cu_1 至后缘有两块不规则形黑灰色斑;雄性缘线为翅脉间 1 列小黑点,雌性缘线黑色,较连续,仅在翅脉端或多或少断离,缘毛与翅面同色。后翅中线和外线大多完整,前者浅弧形,后者浅锯齿形;黑色短条形中点明显;亚缘线模糊不清,但其内侧黑灰色带通常完整;缘线和缘毛同前翅。

采集记录:1♂1♀,留坝庙台子,1350m,1998. Ⅶ. 21,采集人不详;1♀,佛坪,950m,1998. Ⅶ. 23-24,采集人不详;3♂3♀,宁陕广货街保护站,1189m,2014. Ⅶ. 26-28,刘淑仙、班晓双采;1♂1♀,宁陕火地塘,1580m,1998. Ⅶ. 26-27,采集人不详;1♀,柞水营盘镇,953~995m,2014. Ⅶ. 29-31,刘淑仙、班晓双采。

分布:陕西(留坝、佛坪、宁陕、柞水)、黑龙江、辽宁、内蒙古、北京、山西、甘肃、江苏、浙江、湖北、湖南、四川、云南;俄罗斯,朝鲜。

116. 展尺蛾属 *Menophra* Moore, 1887

Hemerophila Stephens, 1829(June): 43(nec Hübner, 1817). **Type species**: *Phalaena abruptaria* Thunberg, 1792.

Menophra Moore, 1887: 409(new name for *Hemerophila* Stephens, 1829). **Type species**: *Phalaena abruptaria* Thunberg, 1792.

Ephemerophila Warren, 1894a: 434. **Type species**: *Hemerophila humeraria* Moore, 1868.

Leptodontopera Warren, 1894a: 445. **Type species**: *Selenia decorata* Moore, 1868.

Ceruncina Wehrli, 1941, *in* Seitz (f): 454. **Type species**: *Hemerophila senilis* Butler, 1878.

Malacuncina Wehrli, 1941, *in* Seitz (f): 461. **Type species**: *Hemerophila prouti* Sterneck, 1928.

属征:雄性触角双栉形,雌性触角线形。额不凸出,下唇须端部伸出额外。雄性后足胫节膨大。前后翅外缘浅波状或锯齿形。雄性前翅基部不具泡窝。前翅 R_1 和 R_2 在近基部具 1 段合并。

分布:古北界,东洋界,非洲界,新热带界。秦岭地区分布 1 种。

(198)桑尺蠖 *Menophra atrilineata* (Butler, 1881)(图版 22:2)

Hemerophila atrilineata atrilineata Butler, 1881: 405.

Hemerophila brunnearia Herz, 1904: 367, pl. 1, fig. 5.

Phthonandria emarioides Wehrli, 1941: 1067.

Phthonandria emarioides epistygna Wehrli, 1941: 1068.

Hemerophlia (*Phthonandria*) *atrilineata*: Prout, L. B., 1915, *in* Seitz (e): 363, pl. 20: c.

Phthonandria atrilineata: Wehrli, 1941, *in* Seitz (f): 460.

Menophra atrilineata: Inoue, 1982, *in* Inoue, *et al.*: 560, 305, pl. 102: 18-20.

鉴别特征:前翅长 26mm。体翅灰黑色,翅面密布不规则黑纹。前翅内线与外线略平行,在中室端折向前缘,外线由后缘中部斜向顶角而折至前缘,两线之间及其附近灰黑色,外缘呈钝齿状,顶角具长方形黄褐色大斑。后翅只外线明显且较直,其外侧间为黄褐及黑褐色纹，外缘钝锯齿形。

采集记录：1♀，留坝庙台子，1350m，1998. Ⅶ. 21，采集人不详；1♂，佛坪，950m，1998. Ⅶ. 23-24，采集人不详；1♂，宁陕火地塘，1500～2000m，2008. Ⅶ. 08，白明采；1♂，商南金丝峡，777m，2013. Ⅶ. 23-25，崔乐采；6♂，旬阳金鑫源山庄，386m，2014. Ⅷ. 01-03，刘淑仙、班晓双采。

分布：陕西（留坝、佛坪、宁陕、商南、旬阳）、内蒙古、山西、甘肃、江苏、安徽、浙江、湖北、湖南、台湾、广东、广西、四川、贵州、云南；朝鲜，日本。

寄主：桑，梨，苹果。

117. 焦边尺蛾属 *Bizia* Walker, 1860

Bizia Walker, 1860: 261. **Type species**: *Bizia aexaria* Walker, 1860.

属征：雄性触角双栉形，末端无栉齿；雌性线形。额凸出。下唇须尖端伸达额外。雄性后足胫节极度膨大。前翅外缘浅弧形，中部微凸出；后翅外缘锯齿形。雄性前翅基部不具泡窝。前翅 Sc 和 R_1 长共柄，在近端部分离，R_2 自由。翅面黄色，前翅端部至后翅顶角深褐色。

分布：中国；日本，越南，朝鲜半岛。秦岭地区分布 1 种。

（199）演焦边尺蛾 *Bizia altera* (**Wehrli, 1954**)（图版 22：3）

Angerona altera Wehrli, 1954, *in* Seitz (f): 711.

Bizia altera: Sato, 1994: 1.

鉴别特征：前翅长 26～33mm。头和翅面斑纹深褐色，体和翅淡黄色。前翅顶角凸出，外缘锯齿形，中部凸出；后翅外缘锯齿形。前翅前缘有 3 个小斑；前后翅散布稀疏灰点，圆形中点和细带状中线较弱，后翅中线穿过中点；外线在前翅为 1 列褐点，在后翅为灰线；前翅端部至后翅顶角有 1 块深褐色大斑，由上向下渐宽，大斑上有数块黑灰色小斑和深灰色碎纹；缘毛在前翅、后翅顶角和各翅脉端深褐色与深灰褐色掺杂，在后翅各翅脉间黄色。翅反面淡黄色，斑纹色深清晰；前后翅外线完整；前翅端部褐斑向内扩展至外线，仅在顶角处留下 1 个三角形小黄斑。

采集记录：2♂6♀，周至楼观台，680m，2008. Ⅵ. 23-24，白明等采；3♂2♀，周至厚畛子，1300m，2007. Ⅷ. 10，李文柱等采；2♀，留坝庙台子，1350m，1998. Ⅶ. 21，采集人不详；1♀，佛坪，890～900m，1999. Ⅵ. 26-27，采集人不详；1♂，宁陕火地塘，1550m，2008. Ⅶ. 08，李文柱采。

分布：陕西（周至、留坝、佛坪、宁陕）、甘肃、内蒙古、北京、河北、浙江、湖北、广西。

118. 幽尺蛾属 *Gnophos* Treitschke, 1825

Gnophos Treitschke, 1825 (October 18): 432. **Type species**: *Geometra furvata* Denis *et* Schiffermüller, 1775.

Catascia Hübner, 1825: 313. **Type species**: *Geometra obfuscata* Denis *et* Schiffermüller, 1775.

Scotopterix Hübner, 1825 (December 31) 1816: 313. **Type species**: *Geometra furvata* Denis *et* Schiffermüller, 1775.

Zystrognophos Wehrli, 1945: 335. **Type species**: *Gnophos nimbata* Alphéraky, 1888.

Chelegnophos Wehrli, 1951: 27. **Type species**: *Gnophos ravistriolaria* Wehrli, 1922.

Cnestrognophos Wehrli, 1951: 26. **Type species**: *Gnophos praeacutaria* Wehrli, 1922.

Dicrognophos Wehrli, 1951: 10. **Type species**: *Gnophos orthogonia* Wehrli, 1939.

Dysgnophos Wehrli, 1951: 23. **Type species**: *Gnophos difficilis* Alphéraky, 1883.

Organognophos Wehrli, 1951: 24. **Type species**: *Gnophos sibiriata* Guenée, 1858.

Pterygnophos Wehrli, 1951: 25. **Type species**: *Gnophos ochrofasciata* Staudinger, 1895.

Rhinognophos Wehrli, 1951: 22. **Type species**: *Gnophos similaria* Rothschild, 1914.

Rhipignophos Wehrli, 1951: 26. **Type species**: *Gnophos pervicinaria* Wehrli, 1922.

Sacrognophos Wehrli, 1951: 11. **Type species**: *Gnophos sacraria* Staudinger, 1895.

Trilobignophos Wehrli, 1951: 23. **Type species**: *Gnophos pollinaria* Christoph, 1887.

Acrognophos Wiltshire, 1967: 168. **Type species**: *Gnophos iveni* Erschov, 1874.

属征:雄性触角线形或双栉形,雌性触角线形。成虫大小不一,前翅长 17~40mm。翅通常宽大,前翅外缘微波曲,后翅外缘中等波曲;翅面灰白色或灰黑色;内线波浪状,锯齿形,有时模糊,在前缘、中室下缘及后缘处具黑色小斑点;一般内线内侧翅面颜色较深;中点黑色、灰黑色,大部分中央具灰白色点;中线灰色或黑色,有时在前缘处具深色斑块,大部分种类无中线;外线锯齿形或波浪状,有时由翅脉上的黑色或灰色小点组成;内线与外线之间翅面色较浅,一般为灰色、深灰色、灰黄色或褐色;亚缘线灰白色、灰黑色或黑色,有时由翅脉上的小点组成;缘线灰色、黑色或由翅脉间黑色小点组成,有时中点至后缘处具小宽带;外线锯齿形、波浪状、线形或由翅脉上黑色点组成;缘线、缘毛同前翅。翅缰发达;雄性前翅基部不具泡窝;前翅 Sc 和 R_1 几乎平行;R_5 和 M_1 不共柄。后翅 Rs 和 M_1 出自中室上角,M_3 与 Cu_1 分离;具 3A。

分布:古北界,非洲界,东洋界。秦岭地区分布 1 种。

(200) 雕幽尺蛾四川亚种 *Gnophos albidior superba* (Prout, L. B., 1915)(图版 22:4)

Gnophos accipitraria superba Prout, L. B., 1915, *in* Seitz (e): 386, pl. 22: k.

Gnophos albidior superba: Parsons *et al.*, 1999, *in* Scoble: 407.

鉴别特征:雄性前翅长 31~36mm,雌性前翅长 35~40mm。雄性和雌性触角均为线形,向尖端逐渐变细。额黑褐色;鳞片粗糙;下缘具浓密鳞毛,灰白色。下唇须粗壮,灰褐色至黑褐色,鳞片浓密。头顶黑褐色,肩片灰白色,胸部背面灰白色,腹部背面灰白色至褐色,腹部腹面灰白色或黄褐色。前后翅外缘中等波状;前翅顶角钝圆,臀角圆;后翅顶角和臀角圆。翅面灰白、灰黑鳞片掺杂。前翅内线模糊,在翅脉上为灰褐色,呈弧形;中点灰褐色,近圆形;其上方前缘处有1个灰褐色斑点;外线灰褐色,外侧具灰白色伴线;向外倾至 M_3 后向内微折,呈锯齿形;亚缘线灰白色,波状;缘线黑褐色;亚缘线与缘线间多为灰黑色,M_3 与 Cu_2 脉间有灰白色大斑块;缘毛在翅脉端灰褐色,脉间灰白色或灰褐色。后翅中点灰褐色,较前翅略大,中间灰白色;外线、亚缘线、缘线、缘毛同前翅;后缘缘毛灰白色。翅反面灰白色,前翅顶角和臀角有深褐色斑块,臀角处斑块较小;中点深褐色,近似长方形;外线呈锯齿形,连续或在翅脉间间断;后翅亚缘线外侧、Rs 至 M_1 间有深褐色大斑,偶尔向上方扩展;外线由翅脉上的深褐色小点组成;中点较前翅小。

采集记录:1♀,宁陕火地塘,1580m,1979. Ⅶ. 30,韩寅恒采;1♂,宁陕火地塘,1580m,1998. Ⅶ. 20,袁德成采。

分布:陕西(宁陕)、甘肃、湖北、湖南、四川、云南、西藏。

119. 虚幽尺蛾属 *Ctenognophos* Prout, L. B., 1915

Ctenognophos Prout, L. B., 1915, *in* Seitz (e): 384. **Type species**: *Gnophos eolaria* Guenée, 1858.

属征:雄性触角双栉形,雌性触角线形。雄性后足胫节通常不膨大,无毛束,偶有略膨大或具毛束,雄雌具2对距。前翅外缘中等波状,后翅外缘中等或深度波状。翅面灰色、深灰色、灰黄色或灰黑色调。翅缰发达,雄性前翅基部不具泡窝;前翅 Sc 和 R_1 交叉,R_5 和 M_1 不共柄。后翅 Sc + R_1 与 Rs 近基部几乎合并,M_3 与 Cu_1 分离,具3A。

分布:东北亚,中亚,南亚次大陆。秦岭地区分布2种。

(201)虚幽尺蛾甘肃亚种 *Ctenognophos ventraria kansubia* Wehrli, 1953(图版22:5)

Ctenognophos ventraria kansubia Wehrli, 1953, *in* Seitz (f): 570.

鉴别特征:雄性前翅长21~25mm,雌性前翅长22~28mm。额褐色至灰褐色,鳞片粗糙;下唇须褐色至灰色;头顶褐色至黄褐色;肩片灰白色至灰色;胸部背面灰色至灰白色;腹部背面灰褐色至黄褐色;雄性后足胫节具毛束。前翅外缘中等波状,后翅深度波状;前翅顶角略尖,后翅顶角、臀角钝圆;翅面暗黄色至灰色。前翅基部深灰褐色;内线模糊;中点深褐色,长点状;中线为暗黄色宽带;外线黑色,小波浪状;亚缘线为暗黄色宽带;中线与亚缘线之间为黄褐色;缘线黄褐色至黑色;缘毛暗黄色或灰黄色。后翅中线以内翅色较浅;中点为暗黄色宽带;外线黑色,近似弧形;亚缘线、缘线、缘毛同前翅。翅反面灰黄色,前翅中点灰褐色,长点状;外线呈弧形,由翅脉上深褐色小点组成;缘线深褐色;后翅中点深褐色,点状,较前翅小;外线、缘线同前翅。

采集记录:1♂,华县金堆,1980.Ⅷ.17,采集人不详;1♂1♀,宁陕火地塘,1978.Ⅷ.03-1979.Ⅶ.29,韩寅恒采;4♂2♀,宁陕火地塘,1580m,1998.Ⅷ.14-21,袁德成采。

分布:陕西(华县、宁陕)、甘肃、四川。

(202)长虚幽尺蛾 *Ctenognophos incolraia* (Leech, 1897)(图版22:6)

Gnophos incolraia Leech, 1897: 330.

Ctenognophos incolraia: Wehrli, 1953, *in* Seitz (f): 570.

鉴别特征:雄性前翅长20~25m,雌性前翅长20~26mm。雄性触角双栉形,雌性触角线形;额灰色至灰褐色;下唇须灰褐色;头顶褐色;肩片、胸部背面深灰色;腹部背面深灰色,腹部腹面浅灰色;雄性后足胫节稍膨大,无毛束。前后翅外缘中等波状;翅面灰色至深灰色调。前翅基部及前缘深灰色;内线模糊;中点褐色;中线深灰色,弧形;中线以内翅面为深灰色;中线与外线之间翅面为灰色;外线褐色,小波浪状;中线以外翅面为深灰色;亚缘线由脉间灰色小点组成;缘线、缘毛灰色。后翅中点深灰色,较前翅小;中线模糊;外线褐色,翅脉上颜色较深,呈弧形;外线以内翅面颜色为灰色,以外为深灰色;亚缘线、缘线、缘毛同前翅。翅反面前翅前缘深灰色;前后翅顶角处具灰白色斑块,近似圆形;后翅臀角处具灰色斑块,近似长方形;前翅中点褐色;外线由翅脉上褐色小点组成,呈弧形;外线以外具深灰色宽带;后翅中点褐色,较前翅小;外线同前翅。

采集记录:1♂,佛坪,876m,2007.Ⅷ.15,李文柱采。

分布:陕西(佛坪)、湖北、湖南、福建、四川、贵州、云南。

120. 苔尺蛾属 *Hirasa* Moore, 1888

Hirasa Moore, 1888a: 238. **Type species**: *Tephrosia scripturaria* Walker, 1866.

Hirasichlora Wehrli, 1951: 8. **Type species**: *Gnophos muscosaria* Walker, 1866.

Hirasodes Warren, 1899a: 51. **Type species**: *Hirasa contubernalis* Moore, 1888.

属征:雄性触角双栉形或线形,雌性触角线形。额略向外凸出。雌性下唇须向外略伸出,第3节短小。后足胫节具2对距,雄性后足胫节有时膨大,有时具毛束。胸部背面鳞片粗糙。前后翅外缘中等波曲;前翅顶角尖;后翅顶角、臀角圆。翅面墨绿色调或灰色调,线条清晰;前翅内线黑色,波浪状或锯齿形;中点黑色,点状;中线有时为波浪状,有时模糊;外线多为"S"形或锯齿形,或近似线形,一般脉上颜色较深;亚缘线点状或小波浪状;缘线黑色,一般脉间颜色较深;缘毛同翅色。后翅中点黑色,有时中点与外缘之间具黑色宽带,偶与外线在外缘处汇合;外线小波浪状或锯齿形;亚缘线、缘线、缘毛同前翅。翅反面灰色调,无明显斑纹,前后翅外线清晰,由脉上灰色小点组成。

雄性前翅基部不具泡窝。前翅 R_1 和 R_2 在近基部部分合并。

分布:中国;日本,缅甸,印度,不丹,尼泊尔。秦岭地区分布 2 种。

(203)粗苔尺蛾 *Hirasa austeraria* (**Leech, 1897**)(图版 22:7)

Synopsia austeraria Leech, 1897: 430.

Hirasa austeraria: Prout, L. B., 1915, *in* Seitz (e): 380, pl. 23 b.

Hirasa paupera grisea Sterneck, 1928: 226.

鉴别特征:雄性前翅长 21 ~ 22mm,雌性前翅长 20 ~ 27mm。雄性触角双栉形,雌性线形。额灰白色,下唇须灰黑色,头顶灰色,肩片灰黑色。胸部背面灰色与灰黑色鳞片掺杂,鳞片粗糙。腹部背面灰黑色,腹部腹面灰色。雄性后足胫节稍膨大,具毛束。前后翅外缘中等波曲,翅面灰色调。前翅内线黑色,近似弧形,较模糊;中点黑色,点状;外线黑色,翅脉上颜色较深,前缘至 R_5 之间向内稍微凹陷,之后向内弯曲延伸,在 Cu_2 至外缘处向内凹陷;亚缘线由脉间灰白色小点组成;缘线由脉间黑色小点组成;缘毛灰色。后翅中点黑色,点状,较前翅小,中点与外缘之间具黑色宽带,在外缘处与外线汇合;外线黑色,小波浪状。亚缘线、缘线、缘毛同前翅。翅反面灰色调,前翅中点灰黑色,点状;外线灰黑色,翅脉上颜色深,近似弧形;外线外侧具宽带或模糊;后翅中点灰黑色,较前翅大;外线灰黑色,近似弧形。

采集记录:1♂,宁陕火地塘,1580m,1998. Ⅶ. 27,袁德成采;1♂,宁陕火地塘,1979. Ⅶ. 29,韩寅恒采。

分布:陕西(宁陕)、甘肃、浙江、湖北、湖南、四川、云南。

(204)前苔尺蛾甘肃亚种 *Hirasa provocans lihsiensis* **Wehrli, 1953**(图版 22:8)

Hirasa provocans lihsiensis Wehrli, 1953, *in* Seitz (f): 549.

鉴别特征:前翅长 23 ~ 25mm。雄性触角双栉形,雌性线形。额灰黑色;下唇须灰黑色,第 3 节色较浅;头顶灰白色;肩片、领片灰白色和灰黑色鳞片掺杂,粗糙;腹部背面灰色,腹部腹面灰白色;雄性后足胫节稍膨大,具毛束。翅面灰色,散布橄榄绿色鳞片。前翅外缘微波曲,后翅外缘深度波曲;前翅顶角钝圆,后翅顶角、臀角圆。前翅内线黑色,从前缘向外延伸至中室上缘后向内倾斜,在 2A 处向内凹陷;中点灰黑色,点状,周围具灰白色斑块;外线从前缘 3/4 处向内凹陷至 M_1 后向外凸出,从 Cu_2 处向内倾斜,Cu_2 至外缘内侧具黑色伴线,色较深;亚缘线灰白色,均匀小锯齿形;缘线灰色,脉间颜色较深;缘毛同翅色。后翅中点灰黑色,较前翅小;外线黑色,波浪状;M_3 至外缘内线具黑色伴线,色较深;亚缘线、缘线、缘毛同前翅。翅反面无明显斑纹,深灰色。

采集记录:1♀,周至厚畛子,1700m, 2007. Ⅷ. 12, 杨干燕采;1♀,宁陕火地塘,

1580m,1998.Ⅷ.17,袁德成采。

分布:陕西(周至、宁陕)、甘肃、湖北。

121. 斜尺蛾属 *Loxaspilates* Warren, 1893

Loxaspilates Warren, 1893: 413. **Type species**: *Aspilates obliquaria* Moore, 1868.

属征:雄性和雌性触角均为线形。雄性后足胫节稍膨大,无毛束。雄性第8腹节腹板具1对骨化刺。翅面灰色、灰白色或均匀散布灰黑色斑点;前翅前缘近末端稍凸出,顶角尖,有时稍呈钩状;外缘平滑,通常较直,有时浅弧形;臀角钝圆。前翅在前缘、中室下缘及2A处具黑色或灰黑色斑点,有的种类内线缺失;外线斜行,有时由翅脉上小斑点组成,斑点为小三角形或圆点状;亚缘线几乎与外线平行,近似线形,有时在M_1至M_3之间向内稍凹陷或具小斑块;缘线由脉间黑色小圆点组成;缘毛同翅色。后翅翅面白色、灰白色;中点圆点状,较前翅小;外线灰黑色,弧形或前缘至M_3处消失,M_3至外缘为灰黑色宽带,渐变宽;有的种类仅在后缘处具灰黑色小斑块或无外线;缘线由脉间黑色小点组成,较前翅小,色浅;缘毛同翅色。前翅R_1出自中室上缘近后端,M_1与R_{2-5}不共柄。后翅Rs和M_1出自中室上角,M_3与Cu_1分离,具3A脉。

分布:东洋界,非洲(北部)。秦岭地区分布1种。

(205) 亚斜尺蛾 *Loxaspilates fixseni* (Alphéraky, 1892)(图版22:9)

Panagra fixseni Alphéraky, 1892b: 456.

Loxaspilates fixseni: Prout, L. B., 1920, *in* Seitz (e): 410, pl. 25: k.

鉴别特征:雄性前翅长18mm,雌性前翅长20~22mm。额灰白色;下唇须灰褐色;头顶白色;肩片、领片灰白色;腹部背面灰白色,腹部腹面白色。翅面灰黄色;前翅外缘倾斜,平直,顶角稍呈钩状。前翅翅面灰黄色调;内线消失,在中室下缘及2A处具黑色斑点;中点灰黑色,点状;中线有时为灰黑色小宽带;外线为直宽带,灰黑色,在前缘处颜色较浅;亚缘线灰黑色,在R_5与M_3之间具黑色小斑块;缘线由脉间黑色小点组成;缘毛同翅色。后翅灰白色,中点点状,黑色,较前翅小;外线由脉上灰黑色小点组成;缘毛灰白色。翅反面灰白色;前翅中点圆点状,灰黑色;外线为灰黑色宽带,较翅正面色浅;亚缘线灰黑色宽带,较外线窄,有时候模糊;缘线由脉间黑色小点组成;后翅中点黑色,圆点状,较前翅小,缘线、缘毛同前翅。

采集记录:1♀,周至厚畛子,2500~4000m,1999.Ⅵ.21,姚建采。

分布:陕西(周至)、甘肃、青海、湖北、四川、云南、西藏。

122. 碴尺蛾属 *Psyra* Walker, 1860

Psyra Walker, 1860: 311, 482. **Type species**: *Psyra cuneata* Walker, 1860.

Orbasia Swinhoe, 1894: 222. **Type species**: *Hyperythra spurcataria* Walker, 1863.

Oncodocnemis Rebel, 1901, *in* Staudinger & Rebel: 354. **Type species**: *Phasiane boarmiata* Graeser, 1892.

属征:雄性和雌性触角均为线形。额平滑。下唇须端部伸出额外。雄性后足胫节膨大,具毛束。前翅顶角凸出,略呈钩状,外缘中部略凸出;后翅外缘微波曲。前翅灰白色、灰黄色或灰褐色,夹杂黑色或褐色斑块,斑纹灰色、褐色;内外线常呈点状;外线常在 M_1 至 M_3 之间形成 2 个向外的黑色尖齿,在臀褶处形成 1 个向内的尖齿。后翅较前翅色浅,有时具深色端带。雄前翅基部不具泡窝。前翅 Sc 和 R_1 常在中部有 1 段或 1 点合并,R_{2-5} 由中室上角发出。前翅亚缘线在 M_1 至 M_3 之间常具黑斑。

分布:中国;俄罗斯,日本,印度,尼泊尔,朝鲜半岛。秦岭地区分布 2 种。

(206) 小斑渣尺蛾 *Psyra falcipennis* Yazaki, 1994(图版 22:10)

Psyra falcipennis Yazaki, 1994: 32, pl. 71, figs. 11, 14; text-figs. 374, 380.

鉴别特征:前翅长 21 ~ 28mm。额灰黄色;下唇须褐色,向上微翘;头顶灰白色。肩片灰黄色;胸部背面灰白色,鳞片较粗糙。腹面背面灰色,腹部腹面灰白色。雄性后足胫节极度膨大。翅面灰黄色,夹杂灰色斑点。前翅内线灰色,小波浪状,近似弧形;中点灰色,圆形,有时中间具白色点;中线灰黄色,近似线形,外线灰黄色,翅脉上具黑色小点,外线在 M_1 与 M_2 之间、Cu_1 与 2A 之间具 2 个黑色小斑块,近似小三角形;外线以内翅面颜色较深;缘线由脉间灰色小点组成;缘毛同翅色。后翅中点不明显,中线为灰色宽带,缘线、缘毛同前翅。翅反面灰黄色与灰色斑点掺杂;前翅中点灰色,点状;外线灰色,近似线形;后翅中线为灰色宽带;缘线由脉间灰色斑点组成;缘毛同翅色。

采集记录:1♀,宁陕火地塘,1580m,1988. Ⅷ. 16,袁德成采;1♀,宁陕广货街保护站,1189m,2014. Ⅶ. 26-28,刘淑仙采。

分布:陕西(宁陕)、甘肃、浙江、湖北、湖南、福建、广西、四川、云南;尼泊尔。

(207) 四川渣尺蛾 *Psyra szetschwana* Wehrli, 1953(图版 22:11)

Psyra cuneata szetschwana Wehrli, 1953, *in* Seitz (f): 670.

Psyra cuneata lidjangica Wehrli, 1953, *in* Seitz (f): 671.

Psyra szetschwana: Liu *et al.*, 2013: 465.

鉴别特征：雄性前翅长21～22mm，雌性前翅长21～23mm。额灰白色，稍凸出；下唇须黑褐色；头顶灰白色。肩片、领片灰白色，中部具1对黑色小点。雄性后足胫节膨大。翅面灰白色。前翅内线灰色，在前缘及中室下缘具黑色小点，近外缘2A处具黑色斑块，倒三角形，顶角尖；外线由翅脉上黑色小点组成，前缘至M脉处稍外凸；亚缘线灰色，前缘处具黑色小三角斑块，M脉之间具2个黑色三角连接，近似横"M"形，臀褶处具三角形黑色大斑块；缘线由脉间黑色小点组成；缘毛灰白色；中点黑色，近似菱形。后翅较前翅色浅，布满灰色斑点；中点灰色，点状；中线与外线灰色，在外缘处汇合；亚缘线为灰色宽带，从顶角至外缘色渐浅；缘线由脉间黑色小点组成，色较前翅浅；缘毛同前翅。前翅反面亚缘线以内色较深，斑块较翅面色浅；后翅反面灰白色，布满灰色斑点，较翅面色深。

采集记录：1♀，Sued-Shensi，Tapai Shan im Tsinling，1935. Ⅵ. 19，coll. Höne (BMNH)。

分布：陕西（太白）、四川、云南。

123. 免尺蛾属 *Hyperythra* Guenée, 1858

Hyperythra Guenée, 1858, *in* Boisduval & Guenée: 99. **Type species**: *Hyperythra limbolaria* Guenée, 1858.

Pseuderythra Swinhoe, 1894: 204. **Type species**: *Hyperythra phoenix* Swinhoe, 1891.

Tycoonia Warren, 1894a: 439. **Type species**: *Tycoonia obliqua* Warren, 1894.

Callipona Turner, 1904: 236. **Type species**: *Callipona metabolis* Turner, 1904.

属征：雄性触角双栉形，雌性触角线形。额略凸出。下唇须第3节伸出额外。雄性后足胫节不膨大。前后翅外缘锯齿形。翅面黄色至灰黄色，中线和外线平行，十分接近，略呈浅弧形，两线间色浅；外线外侧色较深。雄性前翅基部有时具泡窝。前翅 R_1 自由，R_2 与 R_{3+4} 共柄。雄性第3腹节腹板不具刚毛斑。

分布：东洋界，澳洲界，中亚。秦岭地区分布1种。

(208) 红双线免尺蛾 *Hyperythra obliqua* (Warren, 1894)（图版22：12）

Tycoonia obliqua Warren, 1894a: 439.

Syrrhodia obliqua: Prout, L. B., 1915, *in* Seitz (e): 320.

Hyperythra obliqua: Holloway, 1994: 99.

鉴别特征：雄性前翅长20～22mm，雌性前翅长23mm。雄性前翅臀褶基部附近处有1束翘起的鳞片。翅面黄色，散布灰褐色鳞。前翅内线红褐色，细弱；中点深灰褐色，短条状；中线红褐色，平直，向内倾斜；外线深灰褐色，与中线平行；中线和外线之间区域色较浅，外线外侧大部分区域红褐色；雄性外线外侧在Rs两侧有深褐色斑块；缘毛紫红色、红褐色与深褐色掺杂。后翅斑纹与前翅相似。前翅反面近顶角处具灰白色斑块。

采集记录:1♀,留坝庙台子,1470m,1999. Ⅶ. 01,采集人不详;1♂1♀,商南金丝峡,777m,2013. Ⅶ. 23-25,姜楠、崔乐采;3♂,旬阳金鑫源山庄,386m,2014. Ⅷ. 01-03,班晓双采。

分布:陕西(留坝、商南、旬阳)、北京、河北、山东、甘肃、江苏、浙江、江西、湖南、福建、广东、广西、四川、贵州。

124. 丸尺蛾属 *Plutodes* Guenée, 1858

Plutodes Guenée, 1858, *in* Boisduval & Guenée: 117. **Type species**: *Plutodes cyclaria* Guenée, 1858.

属征:雄性和雌性触角均为单栉形,末端 1/4 无栉齿;下唇须短小;额光滑,不凸出。雄性后足胫节不膨大,无毛束。前翅顶角钝圆,前后翅外缘浅弧形。翅面大多为鲜黄色,两翅基部和端部各有 1 个大褐斑;翅端部的大斑通常圆形或卵圆形,内部有 1 条暗褐色波状线,大斑边缘为暗褐色双线。前翅 R_1 与 R_{2-5}共柄较长,分离后不与 Sc 接触。

分布:东洋界,澳洲界。秦岭地区分布 1 种。

(209)黄缘丸尺蛾 *Plutodes costatus* (Butler, 1886)(图版 22:13)

Garaeus costatus Butler, 1886: xi, 53, pl. 114, fig. 4.

Plutodes triangularis Warren, 1893: 388.

Plutodes costatus: Hampson, 1895: 161.

鉴别特征:雄性前翅长 17 ~ 19mm,雌性前翅长 18 ~ 19m。额和下唇须灰褐色;头顶和胸部前端黄色,体背灰褐色,带灰红色调。翅红褐色,常有成片黑褐色或灰褐色;前翅前缘为 1 条黄色带,其下缘波状,并在前缘外 1/3 处向下凸出大齿;黄带下有时可见黑色内线和外线;前翅臀角和后翅顶角处各有 1 块黄斑;缘毛在前翅 M 脉之间和各黄斑之外黄色,其余灰褐色。翅反面灰褐色,正面的黄斑在翅反面黄白色,较模糊。

采集记录:1♂,宁陕火地塘,1538m,2012. Ⅶ. 11-15,姜楠采。

分布:陕西(宁陕)、湖北、江西、湖南、福建、海南、广西、四川、贵州、云南;印度,尼泊尔。

125. 叉线青尺蛾属 *Tanaoctenia* Warren, 1894

Tanaoctenia Warren, 1894a: 464. **Type species**: *Geometra haliaria* Walker, 1861.

属征:雄性触角双栉形,雌性触角线形。额凸出。下唇须端部伸达额外。雄性后足胫节不膨大。前翅顶角尖,外缘平直;雄性后翅顶角方,外缘中部凸出;雌性后翅外缘浅弧形。雄性前翅基部不具泡窝。前翅 R_1 与 Sc 部分合并，R_2 与 R_{3-5}共柄。翅面绿色，斑纹细，近平直。

分布：中国；越南，印度，尼泊尔。秦岭地区分布 1 种。

(210) 叉线青尺蛾 *Tanaoctenia dehaliaria* (Wehrli, 1936)（图版 22:14）

Metrocampa dehaliaria Wehrli, 1936b: 2.

鉴别特征：前翅长 20～22mm。额淡黄色，额上缘和下唇须浅黄褐色；头顶白色。胸部背面和翅绿色。前翅内线白色，直，纤细外斜；外线白色，较内线略粗，直，由顶角内侧内斜至后缘中部之外。后翅外线与前翅连续。

采集记录：1♀，周至钓鱼台，1480m，2008. Ⅵ. 29，刘万岗采；2♂1♀，佛坪偏岩子，1750m，1999. Ⅵ. 28，采集人不详；1♀，佛坪偏岩子，1750m，1999. Ⅵ. 28，采集人不详；1♀，宁陕火地塘，1580～1650m，1999. Ⅵ. 25-26，采集人不详。

分布：陕西（周至、佛坪、宁陕）、内蒙古、甘肃、山西、湖南、海南、四川、云南、西藏；尼泊尔。

126. 边尺蛾属 *Leptomiza* Warren, 1893

Leptomiza Warren, 1893: 406. **Type species**: *Hyperythra calcearia* Walker, 1860.

Pristopera Swinhoe, 1900b: 309. **Type species**: *Pristopera hepaticata* Swinhoe, 1900.

属征：雄性触角双栉形或线形，雌性触角线形。额不凸出。下唇须仅尖端伸达额外。雄性后足胫节不膨大。前后翅外缘不规则波曲或锯齿形，后翅外缘中部有时凸出。雄性前翅基部不具泡窝。前翅 R_1 和 R_2 分离。

分布：中国；俄罗斯，印度。秦岭地区分布 4 种。

(211) 双线边尺蛾 *Leptomiza bilinearia* (Leech, 1897)（图版 22:15）

Selenia bilinearia Leech, 1897: 206.

Leptomiza bilinearia: Prout, L. B., 1915, *in* Seitz (e): 328, pl. 16: c.

鉴别特征：雄性前翅长 14mm。翅面枯黄色，密布浅褐色碎纹。前翅内线模糊；中线浅褐色，在中室处向外呈尖角状凸出，之后平直并向内倾斜；外线浅褐色，近平直，向内倾斜至后缘中部附近；缘毛褐色掺杂灰黄色。后翅仅外线清楚，与前翅相似，其外侧的白色细线较前翅清楚。

采集记录：1♀，周至厚畛子，1350m，1999. Ⅵ. 24，采集人不详；2♀，佛坪凉风垭，

1750～2150m,1999. Ⅵ. 28,采集人不详;1♂2♀,佛坪偏岩子,1750m,1999. Ⅵ. 28,采集人不详;2♀,宁陕火地塘,1580～1650m,1999. Ⅵ. 26-Ⅶ. 05,采集人不详;1♂1♀,宁陕大水沟,1500～1760m,1999. Ⅵ. 30,采集人不详。

分布:陕西(周至、佛坪、宁陕)、甘肃、浙江、湖北、福建。

(212)红褐边尺蛾 *Leptomiza hepaticata* (Swinhoe, 1900)(图版 22:16)

Pristopera hepaticata Swinhoe, 1900b: 309.

Leptomiza hepaticata f. *vicina* Wehrli, 1936b: 127, fig. 43.

Leptomiza hepaticata: Prout, L. B., 1915, *in* Seitz (e): 328.

鉴别特征:前翅长 17～18mm。雄性触角锯齿形。头、体背和前翅外线以内玫红色,前翅外线以外和后翅灰红色。前后翅外缘锯齿形。前翅前缘略带黄色,排布细碎黑斑;内线灰白色,外侧深色边,由前缘外行至中室前缘内折,直行至后缘;中点灰白色,短条形;外线灰白色,内侧深色边,在 R_5 与 M_1 之间略弯折。后翅外线与前翅连续,较直。翅反面红褐色,带黄褐色调,散布大量灰点;前翅无内线;中点深灰褐色;前后翅外线与正面相仿,但灰白色较少,深色边较重。

采集记录:1♂,Shaanxi, Foping Natural Reseve, 1600m,1999. Ⅳ. 20-Ⅴ. 11(ZFMK)。

分布:陕西(佛坪)、湖北、四川。

(213)黄褐边尺蛾 *Leptomiza parableta* Prout, L. B., 1926(图版 22:17)

Leptomiza parableta Prout, L. B., 1926b: 255.

鉴别特征:前翅长 17～18mm。雄性触角锯齿形。头和体背灰黄褐色。翅型与红褐边尺蛾 *L. hepaticata* 相近,但本种前翅顶角处浅凹,不凸出。翅面斑纹亦近似该种,但前后翅外线以内灰黄褐色,掺杂大量红褐色;外线以外仅略带红褐色调;前翅内线和前后翅外线灰白色较少,深色边较重;前翅内线在折角之下较直立;内外线之间距离较宽;中点深褐色,无灰白色;外线较波曲。翅反面大部分黄色;前翅具内线,中点短小,顶角灰白色;后翅具纤细浅弧形亚缘线;两翅外线无灰白边。

采集记录:1♂, South-Shensi, Tapai Shan im Tsinling, 1935. Ⅵ. 26, coll. Höne (ZFMK)。

分布:陕西(太白);印度。

(214)粉红边尺蛾 *Leptomiza crenularia* (Leech, 1897)(图版 22:18)

Selenia crenularia Leech, 1897: 206.

Auaxa ouvrardi Oberthür, 1912: 275, pl. 155, figs. 1500, 1501.

Leptomiza crenularia: Prout, L. B. 1915, *in* Seitz (e): 328, pl. 16: c.

Ocoelophora crenularia: Parsons *et al.*, 1999, *in* Scoble: 653.

鉴别特征:雄性前翅长 19 ~ 23mm,雌性前翅长 21 ~ 24mm。雄性触角线形。下唇须黄色,末端灰褐色;额和头顶深灰褐色,略带粉红色;额下端具毛簇。体淡黄色,胸部前端深灰至深灰褐色;胸腹部侧面和足上有粉红色。两翅外缘均锯齿形;翅面淡黄至黄色;前翅内线、中线和外线在前缘各留下 1 个小褐斑;前翅基部至内线粉红色,其下方散布团块状橄榄绿色斑;中线处有 2 ~ 3 块橄榄绿色斑点;后翅基半部散布暗绿色点,有微小中点;前后翅外线暗绿色,纤细,常部分或全部消失,其外侧除顶角附近外大部粉红色;缘毛深褐色与黄色掺杂。翅反面颜色、斑纹与正面相同,前翅亦有清晰中点。

采集记录:3♂,宝鸡天台山嘉陵江源头,1620m,2014. Ⅷ. 08-09,班晓双采;1♂,宁陕火地塘,1500m,2008. Ⅶ. 08,白明采;2♂,宁陕火地塘,1538m,2012. Ⅶ. 11-15,姜楠等采。

分布:陕西(宝鸡、宁陕)、甘肃、湖南、福建、四川、云南。

127. 白尖尺蛾属 *Pseudomiza* Butler, 1889

Pseudomiza Butler, 1889: 20, 100. **Type species**: *Cimicodes castanearia* Moore, 1868.

Heteromiza Warren, 1893: 405. **Type species**: *Cimicodes castanearia* Moore, 1868.

属征:雄性触角线形,具纤毛簇,有时为双栉形;雌性触角线形。额不凸出。下唇须仅尖端伸达额外。雄性后足胫节膨大,具毛束。前翅顶角略凸出,外缘直;后翅外缘浅弧形或近平直。前翅外线出自顶角,斜行达后缘中部,其与前缘夹角处有白斑;后翅外线通常与前翅连续。雄性前翅基部有时具泡窝。前翅 R_1 与 R_2 分离,R_2 与 R_{3+4} 具 1 个短柄相连。

分布:东洋界。秦岭地区分布 1 种。

(215)紫白尖尺蛾 *Pseudomiza obliquaria* (Leech, 1897)(图版 22:19)

Auzea obliquaria Leech, 1897: 182.

Pseudomiza obliquaria: Prout, L. B., 1915, *in* Seitz (e): 328, pl. 19: k.

鉴别特征:雄性前翅长 18 ~ 20mm,雌性前翅长 20 ~ 22mm。前后翅外缘浅弧形。翅紫褐色,散布黑灰色短条状碎纹。前翅中线黑褐色,纤细,在中室呈尖角状凸出,之后向内倾斜;外线黑褐色,粗壮,外线上半段“ > ”形,折角之后向内倾斜至后缘中部附近,其外侧具深灰色边;顶角处白斑下缘黑灰色,斑上有黑灰色碎纹;无亚缘线、缘线和中点;缘毛深褐色。后翅外线黑褐色,粗壮,平直;亚缘线深灰色,模糊;缘毛深褐色。

采集记录:6♂4♀,周至厚畛子,1300m,2007. Ⅷ. 10,李文柱等采;4♀,宝鸡天台山嘉陵江源头,1620m,2014. Ⅷ. 08-09,薛大勇、班晓双采;1♀,佛坪,950m,1998. Ⅶ. 23-24,采集人不详;5♂4♀,宁陕火地塘,1580m,1998. Ⅶ. 26-27,1998. Ⅷ. 17-18,采集人不详;3♂,宁陕火地塘,1538m,2012. Ⅶ. 11-15,程瑞等5人采;2♀,宁陕广货街保护站,1189m,2014. Ⅶ. 26-28,班晓双采;2♂3♀,商南金丝峡,777m,2013. Ⅶ. 23-25,姜楠、崔乐采;3♂1♀,柞水营盘镇,953~995m,2014. Ⅶ. 29-31,刘淑仙、班晓双采;5♂,旬阳金鑫源山庄,386m,2014. Ⅷ. 01-03,刘淑仙、班晓双采。

分布:陕西(周至、宝鸡、佛坪、宁陕、商南、柞水、旬阳)、甘肃、浙江、湖北、江西、湖南、福建、台湾、海南、广西、四川、云南、西藏;尼泊尔。

128. 拟尖尺蛾属 *Mimomiza* Warren, 1894

Mimomiza Warren, 1894a: 444. **Type species**: *Cimicodes cruentaria* Moore, 1868.

属征:雄性触角双栉形,雌性触角线形。额不凸出,具发达的额毛簇。下唇须尖端伸达额外。雄性后足胫节膨大。前翅顶角略凸出,外缘微呈浅弧形;后翅外缘平滑。雄性前翅基部不具泡窝。前翅 R_1 和 R_2 分离,R_2 与 R_{3+4}有1个短柄相连。前翅外线与前缘夹角具白色斑块。

分布:中国;印度。秦岭地区分布1种。

(216) 白拟尖尺蛾 *Mimomiza cruentaria* (Moore, 1868)(图版22:20)

Cimicodes cruentaria Moore, 1868: 616.

Mimomiza cruentaria: Warren, 1894a: 444.

Heteromiza cruentaria: Hampson, 1895: 237.

Pseudomiza (*Mimomiza*) *cruentaria*: Prout, L. B., 1915, *in* Seitz (e): 328, pl. 16: c.

鉴别特征:雄性前翅长19~21mm,雌性前翅长24mm。翅面黄色,散布橘黄色和深褐色小点。前翅基部至中线为不均匀橘黄色;中线在 M_1 之前黑点状,在 M_2 处向外呈尖角状凸出,在 M_2 之后为暗绿色点状;中点黑点状;外线暗绿色,平直,由顶角伸至后缘中部,并逐渐加粗;外线与前缘夹角处有3个椭圆形斑,斑内白色,边缘黑色;外线外侧除顶角下方区域外,大部分橘黄色;缘毛黄色掺杂橘黄色,在 M_3、Cu_1、Cu_2 和2A脉末端黑色。后翅基部具1个暗红色圆点;外线暗绿色,粗壮,平直;亚缘线呈黑点状;外线至外缘大部分橘黄色,近外缘 M_1 和 M_3 之间黄色。

采集记录:1♂2♀,宁陕火地塘,1580m,1998. Ⅶ. 26-27,1999. Ⅵ. 25,采集人不详;1♀,宁陕鸦雀沟,1580~1750m,1999. Ⅶ. 07,采集人不详。

分布:陕西(宁陕)、甘肃、青海、湖北、湖南、福建、广西、四川、云南、西藏;印度。

129. 浮尺蛾属 *Synegia* Guenée, 1858

Synegia Guenée, 1858, *in* Boisduval & Guenée: 423. **Type species**: *Synegia botydaria* Guenée, 1858.
Syntaracta Warren, 1894a: 408. **Type species**: *Anisodes hadassa* Butler, 1878.
Eugnesia Warren, 1897a: 76. **Type species**: *Eugnesia correspondens* Warren, 1897.

属征:雄性触角双栉形,雌性线形;额狭窄光滑;下唇须中等长。体细弱,足细长,雄性腹部细长。翅略狭长;前翅顶角尖或圆钝,不凸出;外缘浅弧形;后翅外缘弧形。雄性前翅基部无泡窝。翅面大多淡黄色,散布碎斑;具清晰黑色中点;外线和亚缘线通常清晰。前翅 R_1 自由,R_{2-5}共柄,R_2 在 R_5 之后与 R_{3-4}分离。

分布:古北界(东南部),东洋界,澳洲界。秦岭地区分布 1 种。

(217)云浮尺蛾西南亚种 *Synegia hadassa subomissa* Wehrli, 1939(图版 23:1)

Synegia hadassa subomissa Wehrli, 1939, *in* Seitz (f): 309, pl. 23: f.

鉴别特征:雄性前翅长 17mm,雌性前翅长 17 ~ 20mm。体和翅黄色。头和体背点缀橘黄色小点,翅上散布密集橘黄色小点和碎斑;前胸和前翅前缘灰褐色。前后翅中点黑色,小而清晰;外线灰褐色,带状,其外侧边缘色深并呈锯齿形;亚缘线灰褐色,在前翅上常不完整,在后翅上为 1 列灰褐色斑或连成带状,上端外倾至顶角;缘线和缘毛在翅脉端有褐至黑褐色小点。翅反面灰白色,斑纹均灰褐色。

采集记录:2♂,周至钓鱼台,1480m,2008. Ⅵ. 29,白明等采;4♀,佛坪龙草坪,1200m,2008. Ⅶ. 03,白明等采;2♀,宁陕火地塘,1550m,2008. Ⅶ. 08-09,崔俊芝等采;2♀,宁陕火地塘,1538m,2012. Ⅶ. 11-15,姜楠等采。

分布:陕西(周至、佛坪、宁陕)、甘肃、湖北、湖南、江西、福建、四川。

130. 觅尺蛾属 *Petelia* Herrich-Schäffer, 1855

Petelia Herrich-Schäffer, 1855: 109, 122. **Type species**: *Petelia medardaria* Herrich-Schäffer, 1856.
Bargosa Walker, 1860: 311 (key), 479. **Type species**: *Bargosa chandubija* Walker, 1860.
Antipetelia Inoue, 1943: 20. **Type species**: *Bargosa rivulosa* Butler, 1881.

属征:雄性触角双栉形,端部无栉齿;雌性触角线形。额略凸出,有时具发达额毛簇;下唇须粗壮,中等长,约 1/3 ~ 1/2 伸出额外。体较粗壮,胸部腹面和中足腿节披毛;雄性后足胫节不膨大。翅宽大,鳞片致密;前翅顶角钝圆或略尖,外缘浅弧形;后翅外缘弧形。前翅 R_1 自由,R_{2-5}共柄,R_2 通常远在 R_5 之前与共柄分离。雄性前翅基部不具泡窝，后翅基部有时具泡窝。

分布：东洋界，澳洲界，古北界（东南部），非洲（东部），南美洲。秦岭地区分布 1 种。

(218) 彤觅尺蛾天目山亚种 *Petelia riobearia erythroides* (Wehrli, 1936) Stat. nov.（图版 23：2）

Apopetelia erythroides Wehrli, 1936a: 568, fig. 17.
Petelia erythroides: Parsons *et al.*, 1999, *in* Scoble: 737.

鉴别特征：前翅长 19～22mm。下唇须约 1/3 伸出额外。雄性后翅前缘基部附近隆起 1 个凸角，凸角下方有 1 个透明泡窝，在翅反面泡窝上半部被由翅基延伸的长毛覆盖。触角干红褐色与黑色相间，栉齿黑色；下唇须黄色，背面红褐色；额和体背灰红褐色。翅基部至外线红褐色，后翅散布较多深灰褐色；中线模糊，带状，深灰褐色；中点微小但清晰，前翅黑色，后翅白色；外线至外缘形成深灰褐色宽带，其内缘不规则波曲。

采集记录：1♀，周至厚畛子，1300m，2007. Ⅷ. 10，杨干燕采；1♂，宁陕广货街保护站，1189m，2014. Ⅶ. 26-28，刘淑仙采。

分布：陕西（周至、宁陕）、浙江、江西、湖南、广西、云南。

131. 灰尖尺蛾属 *Astygisa* Walker, 1864

Astygisa Walker, 1864: 192. **Type species**: *Astygisa larentiata* Walker, 1864.
Alana Walker, 1866: 1567. **Type species**: *Alana rubiginata* Walker, 1866.
Apopetelia Wehrli, 1936a: 567. **Type species**: *Tacparia morosa* Butler, 1881.

属征：雄性触角双栉形，雌性触角线形。额略凸出。下唇须短粗，尖端不伸出额外。雄性后足胫节不膨大。前翅顶角有时略凸出，外缘浅弧形；后翅圆。雄性前翅基部不具泡窝。前翅 R_1 和 R_2 合并。翅面深红色至深褐色，后翅中点白色或黄色。雄性部分腹节具味刷。

分布：中国；日本，印度，马来西亚，印度尼西亚。秦岭地区分布 1 种。

(219) 大灰尖尺蛾 *Astygisa chlororphnodes* (Wehrli, 1936)（图版 23：3）

Apopetelia chlororphnodes Wehrli, 1936a: 567, fig. 18.
Astygisa chlororphnodes: Parsons *et al.*, 1999, *in* Scoble: 74.

鉴别特征：雄性前翅长 15～17mm，雌性前翅长 17mm。翅宽大，紫灰至紫褐色，斑纹大部分模糊。前翅顶角下方有 1 个鲜明蓝灰色斑；中点黑色，短条状，十分模糊。后翅中点白色，微小。前后翅中部具 1 条黄褐色宽带；缘线白色；缘毛在前翅顶角灰白色,其余紫灰色。

采集记录:1♂,宁陕广货街保护站,1189m,2014. Ⅶ. 26-28,班晓双采;5♂1♀,商南金丝峡,777m,2013. Ⅶ. 23-25,姜楠、崔乐采。

分布:陕西(宁陕、商南)、浙江、江西、湖南、福建、广西、四川、云南;日本。

132. 惑尺蛾属 *Epholca* Fletcher, 1979

Ephoria Meyrick, 1892: 102 (key), 109 (nec Herrich-Schäffer, 1855). **Type species**: *Epione arenosa* Butler, 1878.

Epholca Fletcher, 1979: 73 (new name for *Ephoria* Meyrick, 1892). **Type species**: *Epione arenosa* Butler, 1878: x.

属征:雄性触角短双栉形,具短纤毛;雌性触角线形。额毛簇发达。下唇须尖端伸达额外,粗壮。前翅略狭长,两翅外缘浅弧形。雄性前翅基部不具泡窝。翅面常黄色,斑纹深褐色或黑褐色。前翅 R_1 自由,R_2 与 R_{3-5} 共柄。

分布:中国;日本,朝鲜半岛。秦岭地区分布1种。

(220) 桔黄惑尺蛾 *Epholca auratilis* Prout, L. B., 1934(图版23:4)

Ephoria auratilis Prout, L. B., 1934b: 126.

Epholca auratilis: Xue, 1997: 1256.

鉴别特征:雄性前翅长15~16mm。翅橘黄色,斑纹黑褐色。前翅内线弧形;中点纤细短条状;外线上半段“>”形,折角位于 M_1 处,折角上方紧邻1个卵圆形浅色斑;外线外侧至外缘散布不均匀黑褐色,在 M_3 以下逐渐减弱,至 Cu_2 附近消失,顶角内侧有1个清晰的半月形小白斑;亚缘线深波曲,在外线折角处和 M_3 至 Cu_1 附近与外线接触;缘毛深褐至黑褐色。后翅中点较前翅小;外线浅弯曲,由上向下渐粗,向内倾斜,下端到达后缘中部;亚缘线纤细,波曲,远离外线,其外侧在顶角附近散布黑褐色;缘毛与前翅相似。

采集记录:1♂,周至厚畛子,1350m,1999. Ⅵ. 24,采集人不详;1♂,周至钓鱼台,1480m,2008. Ⅵ. 29,李文柱采;1♂,留坝庙台子,1470m,1999. Ⅶ. 01,采集人不详;4♂3♀,佛坪偏岩子,1750m,1999. Ⅵ. 28,采集人不详;1♂2♀,佛坪凉风垭,1750~2150m,1999. Ⅵ. 28,采集人不详;1♂1♀,佛坪龙草坪,1200m,2008. Ⅶ. 03,李文柱采;1♂,宁陕火地塘,1580~1650m,1999. Ⅵ. 25-26,采集人不详;1♂,宁陕大水沟,1500~1760m,1999. Ⅵ. 30,采集人不详;4♂,宁陕火地塘,1538m,2012. Ⅶ. 11-15,姜楠等采。

分布:陕西(周至、留坝、佛坪、宁陕)、北京、甘肃、浙江、湖北、福建、广西、四川、云南。

133. 傲尺蛾属 *Proteostrenia* Warren, 1895

Proteostrenia Warren, 1895: 153. **Type species**: *Epione strenioides* Butler, 1878.
Scardostrenia Sterneck, 1928: 188. **Type species**: *Scardostrenia reticulata* Sterneck, 1928.

属征:雄性触角双栉形,雌性触角线形。额不凸出,有时具额毛簇;下唇须较短,尖端至1/4伸出额外。前翅顶角钩状凸出,雌性凸出较强;雄性前翅外缘在顶角下浅凹,其下浅弧形;雌性外缘在顶角下深凹,使顶角呈鸟喙状,外缘在M脉间强烈凸出,其下浅波曲;后翅外缘浅波曲。雄性前翅基部具泡窝。前翅 R_1 与 R_2 长共柄,R_{3-5} 共柄。翅面颜色和斑纹在同一种内常有多种变化。

分布:中国;日本。秦岭地区分布1种。

(221)佳傲尺蛾 *Proteostrenia eumimeta* Wehrli, 1936(图版23:5)

Proteostrenia eumimeta Wehrli, 1936b: 1.

鉴别特征:前翅长20mm。下唇须灰褐色掺杂深灰褐色;额深灰褐色,上缘黄白色;领片和肩片端部深灰褐色,胸部背面其他部分黄白色;腹部背面灰黄褐色。翅面污白色,斑纹灰褐至黑褐色。前翅内线、中线和外线黑褐色,在中室中部至 M_2 处外凸;中点为1个长椭圆形黑环,内部白,紧邻中线外侧;中线至外线外侧 M_2 至 Cu_2 各脉黑褐色;外线外侧伴1条灰褐色锯齿形线;亚缘线灰褐色,与外缘平行;外缘凹入处边缘黑褐色,其内侧有1个黑点,黑点之下亚缘线与外缘之间大部分灰褐色。后翅中线、外线黑褐色,浅弧形;外线外侧伴线、亚缘线和缘线灰褐色;亚缘线沿各翅脉凸出尖齿伸达缘线。翅反面与正面颜色斑纹相同。

采集记录:2♀,宁陕火地塘,1538m,2012. Ⅶ. 11-15,姜楠等采。

分布:陕西(宁陕)、四川。

134. 俭尺蛾属 *Spilopera* Warren, 1893

Spilopera Warren, 1893: 402. **Type species**: *Heterolocha debilis* Butler, 1878.

属征:雄性触角线形,偶有双栉形;雌性触角线形。额不凸出,下唇须短小至中等长。前翅狭长,顶角尖或近直角其下方至 M_3 端部凹,有时波状;M_3 端部常凸出呈角状;后翅宽阔,外缘波状或中部凸出成尖角。前翅 R_1 出自中室,R_2 自由,或与 R_1 或 R_{3-5} 有短柄相连。翅面通常颜色鲜艳。

分布:中国;日本,印度。秦岭地区分布3种。

(222)玫缘俭尺蛾 *Spilopera roseimarginaria* Leech, 1897(图版 23:6)

Spilopera roseimarginaria Leech, 1897: 301.

Spilopera roseimarginaria: Prout, L. B. 1915, *in* Seitz (e): 345, pl. 18: f.

鉴别特征:雄性前翅长 16 ~ 19mm,雌性前翅长 17 ~ 22mm。触角线形。头和胸部前端灰色,体背和翅淡黄色。翅狭长;前翅顶角凸出,其下方凹;前后翅外缘在 M_3 处凸出 1 个尖角。前翅前缘基部深灰褐色;翅基半部散布粉红色,有 2 条模糊且不完整的暗绿色带;前后翅均有黑色微小中点;外线极近外缘;前翅外线外侧暗绿色,有少量粉红色,散布数块墨绿色小斑,缘毛黑褐色;后翅外线外侧粉红色,但在臀角处有暗绿或墨绿色斑点;缘毛深褐色。翅反面黄色,斑纹近似正面,但粉红色消失。

采集记录:1♂,宝鸡天台山陵江源头,1620m,2014. Ⅷ. 08-09,薛大勇采;2♀,留坝庙台子,1350 ~ 1470m,1998. Ⅶ. 21,1999. Ⅶ. 01,采集人不详;1♂,宁陕火地塘,1538m,2012. Ⅶ. 11-15,姜楠采;2♂,宁陕广货街保护站,1189m,2014. Ⅶ. 26-28,刘淑仙、班晓双采。

分布:陕西(宝鸡、留坝、宁陕)、甘肃、山西、湖北、湖南、四川。

(223)波俭尺蛾秦岭亚种 *Spilopera crenularia lepta* Wehrli, 1940(图版 23:7)

Spilopera crenularia lepta Wehrli, 1940, *in* Seitz (f): 379, pl. 30: h.

鉴别特征:雄性前翅长 14mm,雌性前翅长 16mm。雄性触角双栉形,雌性线形。额和下唇须端部黄褐色,体和翅浅黄色。前翅顶角凸出,两翅外缘均波曲,雌性波曲较深。前翅内线深黄色,在前缘形成 1 个小褐斑;外线暗黄色,纤细,略呈浅弧形,其外侧顶角处有 1 个深褐色大方斑,斑内顶角一半粉红色;外线外侧在大斑下方有 1 条模糊黄绿色带。后翅具纤细外线和灰色亚缘线。前后翅缘毛黄色,在前翅大斑外深黄色,在前翅 M 脉之间和后翅各翅脉间掺杂黄褐色。翅反面黄色,散布黄褐色碎点;线纹和前翅大斑下方的模糊带均黄褐色。

采集记录:1♀,佛坪,950m,1998. Ⅶ. 23-24,采集人不详;2♀,宁陕火地塘,1580 ~ 1650m,1999. Ⅵ. 30- Ⅶ. 01,采集人不详;1♀,宁陕鸦雀沟,1580 ~ 1750m,1999. Ⅶ. 07,采集人不详;1♂,柞水营盘镇,953 ~ 995m,2014. Ⅶ. 29-31,班晓双采。

分布:陕西(佛坪、宁陕、柞水)、甘肃、湖北、湖南、云南。

(224)朱俭尺蛾 *Spilopera chui* Stüning, 1987(图版 23:8)

Spilopera chui Stüning, 1987: 346, figs. 9-12, 14, 17-20, 44, 49.

鉴别特征:前翅长 16mm。触角线形。前翅顶角略尖,顶角下方凹,外缘中部弧形隆起;后翅外缘弧形。翅面淡黄色,散布大量灰色至灰褐色鳞片,前翅前缘基半部深色鳞片密集;后翅基部深色鳞片形成多个小斑点;前翅内线和外线在前缘形成深褐色斑块,其下向外斜行,极模糊甚至消失,内线在 M_3 附近、外线在 M_1 附近向内弯并逐渐清晰,呈黄褐色细线,其下直行内斜至后缘;前翅顶角下方为 1 个狭长褐斑,其内缘浅弧形;后翅外线起自 Rs,在 M_1 与 Cu_1 之间略向内凹,其下直。

采集记录:1♂,South-Shensi, Tapai Shan im Tsinling, 1700m, 1935. Ⅵ. 30, coll. Höne (ZFMK)。

分布:陕西(太白)。

135. 夹尺蛾属 *Pareclipsis* Warren, 1894

Pareclipsis Warren, 1894a: 462. **Type species**: *Endropia gracilis* Butler, 1879.

属征:雄性和雌性触角均为线形,额不凸出,下唇须约 1/3 伸出额外。翅略狭长,两翅外缘中部凸出成尖角,有时后翅凸出较弱或不凸出。前翅 R_1 自由,R_2 出自中室或与 R_{3-5} 共柄,R_{3-5}长共柄,出自中室上角前方。翅面淡黄至灰黄色,斑纹简单,褐色至深褐色。

分布:亚洲(东部),非洲。秦岭地区分布 1 种。

(225) 双波夹尺蛾 *Pareclipsis serrulata* (Wehrli, 1937)(图版 23:9)

Spilopera serrulata Wehrli, 1937a: 118.

Pareclipsis serrulata: Stüning, 1987: 356.

鉴别特征:雄性前翅长 15 ~ 19mm,雌性前翅长 17 ~ 20mm。额和头顶黄色,下唇须黄褐色,体背黄白色。翅面淡黄色,散布黑褐色碎纹;前翅内线深灰褐色,细带状,中部呈锯齿形外凸;前后翅中点黑色,微小但清晰;外线为波状双线,斜行,在前翅顶角内侧略展宽,颜色较深;前翅外缘在 M_3 以上有 1 个狭窄的灰褐色斑,其外侧缘毛深灰褐色,其余缘毛黄白色。翅反面色较黄,散点较密;前翅外线为不连续的黑褐色斑块;外线大部分黄褐色。

采集记录:1♀,宝鸡天台山嘉陵江源头,1620m,2014. Ⅷ. 08-09,班晓双采;1♀,宁陕火地塘,1550m,2007. Ⅷ. 18,李文柱采。

分布:陕西(宝鸡、宁陕)、浙江、湖北、湖南、广西、四川、云南。

136. 芽尺蛾属 *Scionomia* Warren, 1901

Scionomia Warren, 1901b: 35. **Type species**: *Cidaria mendica* Butler, 1879.

Xandramella Matsumura, 1911: 54. **Type species**: *Xandramella marginata* Matsumura, 1911.

属征:雄性和雌性触角均为线形;额不凸出;下唇须短小,尖端伸达额外。胸后足胫节膨大,具毛束,2 对距。雄性腹部细长。雄性前后翅狭长;雄性和雌性前翅顶角不凸出,前后翅外缘浅弧形。雄性前翅基部具泡窝。前翅 R_1 自由,R_2-R_5 长共柄,仅在末端分为二岔。

分布:亚洲(东部)。秦岭地区分布 1 种。

(226) 长突芽尺蛾 *Scionomia anomala* (Butler, 1881)(图版 23:10)

Cidaria ? anomala Butler, 1881a: 425.

Scionomia anomala nasuta Prout, L. B. 1915, *in* Seitz (e): 338.

Xandramella marginata Matsumura, 1911: 54.

鉴别特征:雄性前翅长 16mm,雌性前翅长 17 ~ 20mm。触角线形,下唇须尖端伸达额外。体和翅深灰褐至黑褐色,或多或少显露出黄白色底色。前翅顶角不凸出,外缘浅弧形;后翅外缘微波曲。前翅中点黑色;外线中部凸出 1 个钝圆长突;外线外侧有清晰黄白色轮廓线,长突外侧色较浅;亚缘线黄白色,其外侧色浅;后翅中点模糊;外线及其外侧的浅色轮廓线不清晰;亚缘线通常消失;前后翅缘线黑褐色,在翅脉间断;缘毛灰黄色与黑褐色相间。翅反面颜色较浅,斑纹同正面,色浅;前后翅中点均黑色;后翅外线在翅脉上形成 1 列黑褐色点。

采集记录:1♂1♀,宁陕火地塘,1550m,2008. Ⅶ. 09,李文柱等采;3♀,宁陕火地塘,1538m,2012. Ⅶ. 11-15,杨秀帅采。

分布:陕西(宁陕)、浙江、湖北、江西、湖南、四川;俄罗斯,日本。

137. 炫尺蛾属 *Neuralla* Djakonov, 1936

Neuralla Djakonov, 1936b: 59, 66. **Type species**: *Neuralla albata* Djakonov, 1936.

属征:雄性和雌性触角均为线形;额狭窄,不凸出;下唇须细小。翅宽大;前翅顶角略凸出;外缘由顶角至 Cu_1 较平直,其下呈浅弧形至臀角;后翅顶角圆,外缘浅弧形。雄性前翅基部不具泡窝。翅白色,无斑纹。

分布:中国。秦岭地区分布 1 种。

(227) 炫尺蛾 *Neuralla albata* Djakonov, 1936(图版 23:11)

Neuralla albata Djakonov, 1936b: 59.

鉴别特征:前翅长 20mm。体和翅白色,散布稀疏灰点。翅面无斑纹,前翅缘毛自

顶角至 Cu_2 端部深灰褐色。前翅反面前缘有褐色边。

采集记录:1♂,Sued-Shensi, Tapai Shan im Tsinling, 1935. Ⅵ.26, coll. Höne (ZFMK)。

分布:陕西(太白)、甘肃、青海、四川。

138. 蟠尺蛾属 *Eilicrinia* Hübner, 1823

Eilicrinia Hübner, 1823: 287. **Type species**: *Phalaena cordiaria* Hübner, 1790, by subsequent designation by Guenée, 1858.

Pareilicrinia Warren, 1894a: 462. **Type species**: *Noreia flava* Moore, 1888.

属征:雄性和雌性触角均为线形。额不凸出。下唇须短小细弱,仅尖端伸达额外。雄性后足胫节膨大。前翅顶角略凸,两翅外缘浅弧形。雄性前翅基部不具泡窝。前翅 R_1 和 R_2 完全合并。前翅顶角下方常具1块深色斑块。

分布:古北界,东洋界。秦岭地区分布1种。

(228) 黄蟠尺蛾 *Eilicrinia flava* (Moore, 1888)(图版 23:12)

Noreia flava Moore, 1888a: 233, pl. 8, fig. 2.

Hyperythra rufofasciata Poujade, 1891: 65.

Hyperythra rufofasciata Poujade, 1892: 274, pl. 11, fig. 8.

Eilicrinia flava: Prout, L. B., 1915, *in* Seitz (e): 345, pl. 18: d.

鉴别特征:前翅长 15~18mm。翅面黄色。前翅内线黄褐色,细弱,向外倾斜;中点巨大,黑褐色,圆圈状,中空;外线深褐色,较近外缘,细锯齿形,近前缘处模糊;顶角下方有1个半月形褐斑,其外侧缘毛深灰褐色,其余缘毛黄色。后翅中点黑褐色,微小;外线深褐色,近平直,缘毛黄色。

采集记录:1♀,宁陕火地塘,1580m,1999. Ⅵ. 25-26,采集人不详;1♀,宁陕广货街保护站,1189m,2014. Ⅶ. 26-28,刘淑仙采;1♀,商南金丝峡,777m,2013. Ⅶ. 23-25,崔乐采;2♀,旬阳金鑫源山庄,386m,2014. Ⅷ. 01-03,刘淑仙、班晓双采。

分布:陕西(宁陕、商南、旬阳)、黑龙江、吉林、新疆、江苏、浙江、湖北、湖南、福建、台湾、海南、广西、四川、云南;印度。

139. 滨尺蛾属 *Exangerona* Wehrli, 1936

Exangerona Wehrli, 1936b: 145. **Type species**: *Cidaria prattiaria* Leech, 1891.

属征:雄性触角双栉形,雌性线形。额光滑,不凸出;下唇须粗糙,端部伸达额外。

雄性后足胫节不膨大。前翅顶角略凸；雄性前翅外缘浅弧形，不波曲，后翅外缘浅波曲；雌性前翅外缘浅波曲，后翅外缘锯齿形。雄性前翅基部不具泡窝。前翅 R_1 与 R_2 共柄，分离后 R_1 与 Sc 有一点接触，R_2 在中部之外与 R_{3-5} 有一点接触。

分布：中国；日本。秦岭地区分布 1 种。

(229) 焦点滨尺蛾 *Exangerona prattiaria* (Leech, 1891)(图版 23:13,14)

Cidaria prattiaria Leech, 1891b: 51.

Exangerona prattiaria: Wehrli, 1940, *in* Seitz (f): 351, pl. 27: f.

鉴别特征：前翅长 20～24mm。头、体背和翅面淡黄色至黄色，常带枯黄色调。翅上散布大量灰褐色碎点；前翅内线、前后翅中线和外线清晰，深灰褐色；前翅 3 条线在中室至 M 脉弯曲；外线外侧至外缘在 M_2 以下深褐色至焦褐色，但有时不同程度消失；亚缘线在 M_3 与 Cu_1 之间留有 1 块清晰白斑；后翅外线以外常不同程度带深褐色。有时两翅均灰褐色，线纹仅隐约可见，但前翅亚缘线的白斑仍清晰。

采集记录：1♂，周至厚畛子，1300m，2007.Ⅷ.10，杨干燕采；1♂，宝鸡天台山嘉陵江源头，1620m，2014.Ⅷ.08-09，薛大勇采；1♂2♀，宁陕火地塘，1580m，1998.Ⅶ.26-27，采集人不详；1♂2♀，宁陕火地塘，1550m，2007.Ⅷ.18，杨玉霞采；1♂，柞水营盘镇，953～995m，2014.Ⅶ.29-31，刘淑仙采。

分布：陕西（周至、宝鸡、宁陕、柞水）、甘肃、山西、湖北、四川、云南；日本。

140. 秋黄尺蛾属 *Ennomos* Treitschke, 1825

Eugonia Hübner, 1823: 291(nec Hübner, 1819). **Type species**: *Eugonia autumnaria* Werneburg, 1859.

Ennomos Treitschke, 1825: 427(new name for *Eugonia* Hübner, 1823). **Type species**: *Eugonia autumnaria* Werneburg, 1859.

Deuteronomos Prout, L. B., 1914, *in* Pierce: XXⅦ, 8. **Type species**: *Phalaena alniaria* Linnaeus, 1758.

属征：雄性和雌性触角均为双栉形，雌性栉齿很短或锯齿形；下唇须中等长，雌性第 3 节延长，十分粗糙；额具极发达的额毛簇，倾斜，铲状。胸部背腹面和足均披长毛；后足胫节中距短小或消失。前翅顶角凸出；前后翅外缘不规则波曲，中部凸出，前翅外缘在 M_3 以下常凹入。雄性前翅基部不具泡窝。翅脉常有变化，在下述两种中，R_1 和 R_2 均出自中室上角前方，R_1 与 Sc 在一点接触后再与 R_2 有一点接触。

分布：古北界，新北界。秦岭地区分布 2 种。

(230) 秋黄尺蛾天目山亚种 *Ennomos autumnaria pyrrosticta* Wehrli, 1940(图版 23:15)

Ennomos autumnaria pyrrosticta Wehrli, 1940, *in* Seitz (f): 324.

鉴别特征：前翅长 23～24mm。头和胸部背面黄色，掺杂黄褐色或橘红色，腹部背面灰黄色。前翅顶角凸出,两翅外缘不规则波曲,翅中部凸齿较大,齿尖下垂。翅面黄色,散布大量暗黄褐色至红褐色斑点,斑点中心常带深灰色;前翅外缘上半部和后翅外缘中下部红褐色;前翅具模糊内线和外线;两翅均有深灰色中点,大而模糊,中空;缘毛致密整齐,基半部橘黄色,端半部在翅脉间黄白色,翅脉端有 1 个黑褐色大点。翅反面黄色,散点同正面;前后翅端部的深色斑在反面深褐色,中点黑褐色。

采集记录:1♀,留坝县城,1020m,1998. Ⅶ. 18,采集人不详;1♂,宁陕火地塘,1580m,1998. Ⅷ. 15-18,采集人不详;1♂,宁陕广货街保护站,1189m,2014. Ⅶ. 26-28,刘淑仙采;1♂,柞水营盘镇,953~995m,2014. Ⅶ. 29-31,刘淑仙采。

分布:陕西(留坝、宁陕、柞水)、内蒙古、甘肃、青海;俄罗斯,朝鲜,日本,欧洲。

(231)小秋黄尺蛾 *Ennomos infidelis* (Prout, L. B., 1929)(图版 23:16)

Deuteronomos infidelis Prout, L. B., 1929: 148.

Ennomos infidelis: Wehrli, 1940, *in* Seitz (f): 325, pl. 24: h.

鉴别特征:前翅长 18~21mm。体型较小,颜色浅淡,体和翅几乎无红褐色。雌性下唇须 1/2 以上伸出额外,第 3 节特别延长。前翅顶角凸出,两翅外缘中部各凸出 1 个巨大尖角,前翅尖角下垂,外缘其他部分光滑,不波曲。翅面浅黄色,不鲜艳,略带黄褐色调,有时呈砖红色调,散布稀疏深灰色散点;前翅顶角附近和后翅中部凸角附近至臀角色较灰暗;前翅中部有 2 条清晰的深灰色线(中线和外线),其中中线在中室前缘处有 1 个尖锐折角;后翅无中线,外线消失或仅中段可见;缘毛黄白色,在翅脉端有弱小深褐色点。翅反面深灰色散点较粗大明显,线纹较正面模糊。

采集记录:4♀,周至厚畛子,1350m,1999. Ⅵ. 24,采集人不详;3♀,周至厚畛子,1276m,2008. Ⅶ. 01,李文柱等采;1♀,周至楼观台,680m,2008. Ⅵ. 24,李文柱采;6♀,周至钓鱼台,1480m,2008. Ⅵ. 29,白明等采;1♂,宝鸡天台山嘉陵江源头,1620m,2014. Ⅷ. 08-09,班晓双采;1♀,留坝庙台子,1470m,1999. Ⅶ. 01,采集人不详;2♀,佛坪,890~900m,1999. Ⅵ. 26-27,采集人不详;2♀,宁陕火地塘,1580~1650m,1999. Ⅵ. 25-26,采集人不详;2♀,宁陕鸦雀沟,1580~1750m,1999. Ⅶ. 07,采集人不详;1♀,宁陕大水沟,1500~1760m,1999. Ⅵ. 30,采集人不详;3♀,宁陕火地塘,1550m,2008. Ⅶ. 08,白明等采。

分布:陕西(周至、宝鸡、留坝、佛坪、宁陕)、辽宁、内蒙古、甘肃;俄罗斯,日本。

141. 月尺蛾属 *Selenia* Hübner, 1823

Selenia Hübner, 1823: 292. **Type species**: *Geometra illunaria* Hübner, 1799.

属征:雄性触角双栉形,雌性锯齿形;额具毛簇;下唇须中等长,约 1/3 伸出额外。足短,各足腿节多毛;雄性后足胫节略膨大。前翅顶角和 M_3 处凸出,M_3 以下凹入;后翅外缘不规则波曲。雄前翅基部不具泡窝。前后翅中点常透明或半透明。前翅 R_1 和 R_2 分离，M_1 与 R_{3-5} 共柄；后翅 Rs 与 M_1 共柄或共同出自中室上角，M_2 存留有残迹。

分布：古北界。秦岭地区分布 2 种。

(232)污月尺蛾 *Selenia sordidaria* Leech, 1897(图版 23:17)

Selenia sordidaria Leech, 1897: 205.

Selenia hypomelathiaria Oberthür, 1912: 292, pl. 159, fig. 1541.

Selenia hypomelathiaria filipjevi Bang-Haas, 1927: 96, pl. 11, fig. 28.

Selenia hypomelathiaria schojina Wehrli, 1940, *in* Seitz (f): 327, pl. 25: a, b.

Selenia schojina: Wehrli, 1940, *in* Seitz (f): 327, pl. 25: h.

Selenia takaosana Inoue, 1956b: 118.

鉴别特征：前翅长 18 ~ 22mm。头、体背和翅污白色至污黄色。前翅前缘排列密集小黑点，前缘下方由基部至内线颜色较黄，排布黄褐色短纹；内线和外线灰褐色，前者上端外行，至中室中部折向后缘，由上至下逐渐变细；中点黑色微小，不呈透明状，其上方前缘处有 1 块模糊褐斑；外线直，在前缘处扩大为褐斑；顶角内侧有时有不规则灰褐色斑块。后翅内线、外线和中点同前翅。

采集记录：1♀，周至厚畛子，1276m，2008. Ⅶ. 01，李文柱采；1♀，留坝庙台子，1350m，1998. Ⅶ. 21，采集人不详；1♂2♀，宁陕火地塘，1580m，1998. Ⅶ. 26-27，采集人不详；2♂5♀，宁陕广货街保护站，1189m，2014. Ⅶ. 26-28，刘淑仙、班晓双采。

分布：陕西(周至、留坝、宁陕)、甘肃、内蒙古、湖北；俄罗斯，日本。

(233)四月尺蛾 *Selenia tetralunaria* (Hüfnagel, 1769)(图版 23:18)

Phalaena tetralunaria Hüfnagel, 1767: 506.

Geometra illustraria Hübner, 1799: pl. 7, fig. 35.

Phalaena lunaria Fabricius, 1775: 623.

Phalaena phoebearia Schrank, 1802: 14.

Phalaena (*Geometra*) *quadrilunaria* Esper, 1801: 72, pl. 12, figs. 5, 6.

Selenia tetralunaria: Leech, 1897: 205.

Selenia tetralunaria coreana Wehrli, 1940, *in* Seitz (f): 328, pl. 25: c.

鉴别特征：前翅长 16 ~ 19mm。额、头顶和体背灰白色与灰褐色掺杂，额两侧下方、下唇须、胸部腹面和足腿节黄色至焦黄色。前后翅基部至外线为不均匀的深紫褐色，前缘附近淡粉紫色；外线外侧淡粉紫色，向外缘逐渐过渡为黄褐色；前翅内线黑褐色，弧形弯曲或在中室内形成和缓折角；前后翅中线黑褐色，浅弧形，细带状，由白色透明月牙形中点上穿过；前翅外线在 M 脉间凸出，其下深凹；顶角处有 1 个褐斑；后翅外线浅弧形,下端稍波曲;前后翅缘毛黑褐色,掺杂少量黄色。前翅反面斑纹同正面,淡粉紫色部分较多,翅基部和中点附近散布黄色;后翅反面外线以内和外缘附近大部分黄色。

采集记录:2♂,宝鸡天台山嘉陵江源头,1620m,2014. Ⅷ. 08-09,薛大勇、班晓双采;1♀,宁陕火地塘,1580m,1998. Ⅶ. 26-27,采集人不详;2♂,宁陕火地塘,1550m,2008. Ⅶ. 08,李文柱采。

分布:陕西(宝鸡、宁陕)、甘肃、内蒙古;俄罗斯,朝鲜,日本,欧洲。

142. 妖尺蛾属 *Apeira* Gistel, 1848

Pericallia Stephens, 1828: 151(nec Hübner, 1820). **Type species**: *Phalaena syringaria* Linnaeus, 1758.

Apeira Gistel, 1848: Ⅺ(new name for *Pericallia* Stephens, 1828). **Type species**: *Phalaena syringaria* Linnaeus, 1758.

属征:雄性触角双栉形;雌性锯齿形,有时双栉形;额凸出,具额毛簇;下唇须第3节细长,伸出额外。各足腿节多毛,雄性后足胫节膨大。前翅外缘波曲,顶角和 M_3 处凸出;后翅外缘锯齿形;前后翅外缘有时不波曲,仅中部凸出成折角状。雄性前翅基部不具泡窝。前翅中室狭长,可达翅长的2/3;R_1 和 R_2 分离,R_{3-5} 出自中室,不与 M_1 共柄。

分布:古北界,东洋界。秦岭地区分布2种。

(234)缘斑妖尺蛾 *Apeira latimarginaria* (Leech, 1897)(图版23:19)

Pericallia latimarginaria Leech, 1897: 209.

Phalaena latimarginaria: Prout, L. B., 1915, *in* Seitz (e): 326, pl. 16: b.

鉴别特征:前翅长15~16mm。头、体背和翅面淡黄褐色。前翅顶角凸出很小,外缘在 M_3 处凸出成折角状,其上下均平直;后翅外缘由顶角至 M_3 浅波曲,M_3 处凸出,其下方略呈浅弧形。前翅内线深褐色,弧形弯曲,不规则锯齿形;前后翅中点微小,黑色;外线深灰褐色,弯曲和缓;亚缘线深褐色,细但清晰,不规则折曲;外线和亚缘线之间色较深;亚缘线外侧在 Cu_1 以下散布不均匀深褐色斑块;前后翅外缘由顶角至 M_3 有1个狭长深褐色斑。

采集记录:1♀,宁陕火地塘,1580~1650m,1999. Ⅵ. 25-26,采集人不详;1♂,柞水营盘镇,953~995m,2014. Ⅶ. 29-31,刘淑仙采。

分布:陕西(宁陕、柞水)、甘肃、浙江、湖北、湖南、四川、西藏。

(235)妖尺蛾 *Apeira syringaria* (**Linnaeus, 1758**)(图版 23:20)

Phalaena (*Geometra*) *syringaria* Linnaeus, 1758: 520.
Phalaena circularia Thunberg, 1792: 58, pl. 4.
Phalaena jaspoides Fourcroy, 1785: 267.
Apeira syringaria: Gistel, 1848: xi.

鉴别特征:前翅长 17～22mm。触角双栉形。额和下唇须灰黄褐色,额毛簇端部和下唇须端部深灰褐色;头顶前端至两触角间白色;胸腹部背面灰黄褐色。前翅前缘外 1/4 处浅凹,顶角凸出,其下微凹,然后在 M_1 处呈弧形凸出,M_1 以下倾斜至臀角;后翅顶角圆或微凹,外缘在 M 脉间浅凹,M_3 以下平直,臀角向下凸出。翅面底色灰白,散布不均匀的灰红褐色至深褐色以及稀疏黑色鳞片;前翅内线灰褐色,锯齿形,内侧有白边,白边以内色较深;外线由前缘至 R 脉基部附近后外折,沿 M_1 脉向外延伸至顶角内下方后内折,其内外两侧在折角以下至臀褶均有影带状伴线;外线折角外上方和臀角内侧各有 1 块深色斑块。后翅外线灰白,内侧在翅脉上有小黑点;中线与前翅外线连续,直;外线外侧色较深,可见不连续的白色亚缘线;外缘附近在 M 脉间常形成 1 块模糊深色斑块。前后翅无缘线,缘毛灰褐色掺杂灰黄色。

采集记录:1♀,宁陕火地塘,1580m,1998. Ⅷ. 21,采集人不详。

分布:陕西(宁陕)、甘肃、北京、青海;俄罗斯,日本,中亚,欧洲。

143. 蕈尺蛾属 *Ephalaenia* Wehrli, 1936

Ephalaenia Wehrli, 1936b: 4. **Type species**: *Pericallia variaria* Leech, 1897.

属征:雄性触角双栉形,雌性线形;额不凸出;下唇须中等长,约 1/3 伸出额外。雄性后足胫节不膨大。前翅顶角略呈圆钝状凸出;外缘在 Cu_2 以上直,微波曲,Cu_2 以下凹入;后缘基半部隆起,端半部凹入,呈浅"S"形。后翅前缘基部和外 1/3 处强烈隆起,中部和顶角前方深凹;顶角凸出,较尖锐,外缘在顶角下方浅凹;后缘平直。雄性前翅基部不具泡窝。

分布:中国。秦岭地区分布 1 种。

(236)红蕈尺蛾 *Ephalaenia xylina* **Wehrli, 1936**(图版 23:21)

Ephalaenia xylina Wehrli, 1936b: 5, figs. 42, 45.

鉴别特征:前翅长 17～20mm。头、体背和翅面灰红褐色,有时色较深,翅面散布稀疏黑点。前后翅中点黑色,前翅较大;前翅内线在前缘有 1 个弧形黑褐色斑,其下消失;外线深褐色,直,其内侧由中室中部至后缘为 1 块宽窄不均的白斑,斑上带不均匀绿色或黄绿色；外线至亚缘线之间在 Cu_1 以下常带深褐色，亚缘线在 R_5 与 M_1 之间有1个黑点。后翅外线深褐色，纤细；外线内侧有时散布黄绿色。

采集记录：1♂，宁陕火地塘，1580m，1998. Ⅶ. 26-27，采集人不详。

分布：陕西（宁陕）、湖南、四川、云南。

144. 娴尺蛾属 *Auaxa* Walker, 1860

Auaxa Walker, 1860: 271. **Type species**: *Auaxa cesadaria* Walker, 1860 (China).

属征：触角线形。额略凸出。下唇须细弱，伸出额外。雄性后足胫节膨大，具毛束。前翅顶角凸出，两翅外缘微波曲。雄性前翅基部不具泡窝。前翅 R_1 与 R_2 共柄，在近端部分离。翅面黄色，前翅外线外侧除臀角区域外橘黄色。雄性第3腹节腹板不具刚毛斑。雄性外生殖器钩形突短粗，末端尖锐；颚形突中突小，密被小刺；抱器瓣简单，端部圆；抱器瓣腹缘有时中部凸出；囊形突末端圆；阳端基环腹侧具突起，常不对称，其末端常具小刺；阳茎端膜有时具角状器。雌性外生殖器肛瓣卵圆形；前阴片发达；囊导管短，具骨环；囊体大，具1个囊片。

分布：中国；日本，印度，朝鲜半岛。秦岭地区分布2种。

(237) 娴尺蛾 *Auaxa cesadaria* Walker, 1860（图版 23：22）

Auaxa cesadaria Walker, 1860: 271.

鉴别特征：雄性前翅长 16～20mm。翅面黄色，散布黄褐色碎纹。前翅中点为橘黄色圆点；外线黄褐色，由顶角内侧伸至后缘中部，在近前缘处微波曲；外线外侧除臀角区域外橘黄色；缘毛与其内侧翅面同色，在翅脉端具小褐点。后翅无中点；外线黄褐色，近平直；缘毛在翅脉端有小褐点。

采集记录：2♀，留坝庙台子，1470m，1999. Ⅶ. 01，采集人不详；5♀，宁陕火地塘，1580m，1998. Ⅶ. 26-27，采集人不详；1♂，宁陕火地塘，1550m，2008. Ⅶ. 09，崔俊芝采；1♀，宁陕火地塘，1538m，2012. Ⅶ. 11-15，姜楠采。

分布：陕西（留坝、宁陕）、山西、宁夏、甘肃、浙江、江西、湖南、福建、台湾、广西、四川、贵州、云南、西藏；日本，印度，朝鲜半岛。

(238) 齿缘娴尺蛾 *Auaxa lanceolata* Inoue, 1992（图版 23：23）

Auaxa lanceolata Inoue, 1992c: 71, figs. 7, 8, 25, 26, 33.

鉴别特征：近似娴尺蛾 *Auaxa cesadaria*，但前翅顶角凸出较长，外缘在顶角下方深凹,前后翅外缘的锯齿明显较该种深。

采集记录:4♂2♀, Sued-Shensi, Tapai Shan im Tsinling, 1935. Ⅵ-Ⅶ, coll. Höne (ZFMK)。

分布:陕西(太白)、山西、江苏、湖南、四川。

145. 贡尺蛾属 *Odontopera* Stephens, 1831

Odontopera Stephens, 1831: 162. **Type species**: *Phalaena bidentata* Clerck, 1759.

Corotia Moore, 1868: 624. **Type species**: *Corotia cervinaria* Moore, 1868.

Niphonissa Butler, 1878b: 394. **Type species**: *Niphonissa arida* Butler, 1878.

Caripetodes Warren, 1895: 139. **Type species**: *Colotois kametaria* Felder *et* Rogenhofer, 1875.

Cenoctenucha Warren, 1897a: 115. **Type species**: *Crocallis similaria* Moore, 1888.

Lioptilesia Wehrli, 1936b: 129. **Type species**: *Gonodontis prolita* Wehrli, 1936.

Paragonodontis Wehrli, 1936b: 129. **Type species**: *Gonodontis postobscura* Wehrli, 1936.

属征:雄性触角短双栉形,雌性线形。额不凸出,额毛簇发达。下唇须发达,端部伸达额外。雄性后足胫节不膨大。前翅顶角有时凸出,外缘波曲;后翅外缘微波曲。雄性前翅基部不具泡窝。前翅 R_1 和 R_2 分离。前后翅中点常为小圆圈状,中间色浅。

分布:古北界,东洋界,非洲界。秦岭地区分布1种。

(239) 秃贡尺蛾 *Odontopera insulata* Bastelberger, 1909(图版23:24)

Odontopera insulata Bastelberger, 1909: 77.

Gonodontis variegata Wileman, 1910: 348.

Odonodontis insulata: Prout, L. B., 1915, *in* Seitz (e): 331, pl. 25: g.

鉴别特征:雄性前翅长17~18mm,雌性前翅长19mm。前翅顶角不凸出,外缘在 M_1 和 M_3 端部凸出,凸角圆钝,其间深凹,M_3 以下浅波曲并内凹。翅深褐色,翅端色深且较灰。前翅内线和外线十分细弱,但在前缘处形成清晰的小白斑;中点为清晰的黑圈,圈内深灰色;外缘内侧在 M_1 两侧有1对黑点;缘毛黑灰至黑褐色,其端半部在翅脉间白色。后翅颜色较灰,雌性近黑灰色;中点模糊;外线黑灰色,近弧形;缘毛同前翅。

采集记录:2♂,宝鸡天台山嘉陵江源头,1620m,2014. Ⅷ. 08-09,班晓双采;1♂,留坝庙台子,1350m,1998. Ⅶ. 21,采集人不详;1♂1♀,佛坪龙草坪,1256m,2008. Ⅶ. 03,崔俊芝采;2♂1♀,宁陕火地塘,1580m,1998. Ⅶ. 26-27,1998. Ⅷ. 19,采集人不详;3♂,宁陕火地塘,1538m,2012. Ⅶ. 11-15,姜楠等采。

分布:陕西(宝鸡、留坝、佛坪、宁陕)、甘肃、湖南、福建、台湾、四川。

146. 卑尺蛾属 *Endropiodes* Warren, 1894

Endropiodes Warren, 1894a: 463. **Type species**: *Macaria indictinaria* Bremer, 1864.

属征:雄性触角双栉形,雌性线形。下唇须约1/4伸出额外;额略凸出。前翅顶角尖,略凸出;外缘光滑,中部隆起;后翅外缘在Rs和M_3端部凸出成尖角,二者之间浅凹,M_3以下平直。前翅R_1和R_2均出自中室前缘;R_1与Sc合并一段后分离,再与R_2合并一段;R_{3-5}共柄。

分布:亚洲(东部)。秦岭地区分布1种。

(240)叉线卑尺蛾 *Endropiodes abjecta* (Butler, 1879)(图版23:25)

Endropia abjecta Butler, 1879: 371.

Endropiodes indictinaria occidentalis Wehrli, 1940, *in* Seitz (f): 340.

Endropia snelleni Hedemann, 1881: 46, pl. 10, fig. 1.

Selenia versicoloraria Christoph, 1881: 66.

鉴别特征:前翅长15~16mm。下唇须黄色掺杂橘红色,额黄色掺杂深褐色,头顶和体背灰褐色带紫灰色调,胸腹部腹面黄色掺杂紫红色。翅黄褐色,密布紫灰褐至黑褐色碎纹。前翅内线在前缘下弯折,以下直;中点黑色;外线在M_1下方凸出1个尖角。后翅外线直;具深灰褐色弧形亚缘线;中点较前翅小,有时近于消失。前后翅端部常有深浅不均、大小不等的深褐至黑褐色模糊斑块,缘毛深褐色。翅反面斑纹同正面,颜色较正面鲜艳,外线以内底色为鲜黄色。

采集记录:2♀,宁陕广货街保护站,1189m,2014. Ⅶ. 26-28,刘淑仙采。

分布:陕西(宁陕)、内蒙古、山西、浙江、湖南;俄罗斯,朝鲜,日本。

147. 灵尺蛾属 *Aplochlora* Warren, 1893

Aplochlora Warren, 1893: 386. **Type species**: *Jodis vivilaca* Walker, 1861.

属征:雄性触角线形、锯齿形或双栉形,具纤毛簇;雌性触角线形。额下端略凸出,具小额毛簇;下唇须短粗,尖端不伸出额外。翅宽阔;前翅顶角尖,外缘近平直;后翅外缘浅弧形。翅面通常绿色,具鲜明黑色中点。前翅R_1与R_2合并,基部远离中室上角,R_{3-5}共柄。

分布:东洋界,澳洲界,非洲界。秦岭地区分布1种。

(241)绿灵尺蛾 *Aplochlora dentisignata* (Moore, 1868)(图版 23:26)

Geometra dentisignata Moore, 1868: 636.

Nothomiza dentisignata f. *subbasalis* Wehrli, 1940, *in* Seitz (f): 321, pl. 24: e.

Aplochlora dentisignata: Parsons *et al.*, 1999, *in* Scoble: 55.

别名:绿霞尺蛾。

鉴别特征:前翅长 19mm。雄性触角线形,具纤毛。下唇须第 1 节背面黄褐色,腹面白色,第 2 节和第 3 节灰褐色;额灰褐色;头顶黄白色;胸腹部背面黄白色,领片和肩片带绿色。翅绿色,略带灰绿色调,散布少量黄褐色碎点;前翅前缘污黄色,排布深褐色碎纹;内线和外线黄褐色,在前缘略扩大形成褐斑,均弧形弯曲;后翅外线黄褐色,较直;前后翅中点黑褐色,边缘黄褐色,清晰。翅反面污白色,略带淡绿色调;外线隐约可见,不连续;中点黑灰色。

采集记录:1♀,周至厚畛子,1300m,2007. Ⅷ. 10,李文柱采。

分布:陕西(周至)、甘肃、四川、云南、西藏;印度。

148. 片尺蛾属 *Fascellina* Walker, 1860

Fascellina Walker, 1860: 67, 215. **Type species**: *Fascellina chromataria* Walker, 1860.

属征:雄性和雌性触角均为线形,雄性具短纤毛。额略凸出。下唇须粗壮,尖端伸达额外。雄性后足胫节不膨大。前翅顶角有时凸出,外缘直,臀角下垂,后缘端部凹入;后翅顶角有时凹入,外缘浅弧形。雄性前翅基部不具泡窝。前翅 R_1 和 R_2 长共柄,在近端部分离,Sc 与 R_{1+2}部分合并。

分布:东洋界,澳洲界。秦岭地区分布 1 种。

(242)紫片尺蛾 *Fascellina chromataria* Walker, 1860(图版 23:27)

Fascellina chromataria Walker, 1860: 215.

Geometra usta Walker, 1866: 1602.

Fascellina ceylonica Moore, 1887: 394.

Fascellina chromataria subchromaria Wehrli, 1936b: 126, fig. 39.

Fascellina chromataria nigrochromaria Inoue, 1955b: 4.

鉴别特征:雄性前翅长 16~19mm,雌性前翅长 19~20mm。后翅顶角凹,外缘接近平直。翅面紫褐至黑紫色,雄性色较雌性浅,散布黑褐色碎纹,后翅较前翅明显。前翅前缘中部和近顶角处有浅色小斑;中点黄色,雌性较弱;内线和外线黑色,波状,后者在 M_2 以上消失;亚缘线在 M_2 以下有 1 列黑点;缘毛深褐色或紫褐色,在臀角附近黑色。后翅外线较近外缘;无中点;顶角和臀角常有黄斑的痕迹。

采集记录:3♂,太白黄柏塬,1350m,1980. Ⅶ. 13,张宝林采;6♂1♀,宁陕火地塘,1500~2000m,1998. Ⅶ. 26-27,1998. Ⅷ. 18,2007. Ⅷ. 18,2008. Ⅶ. 08,袁德成等采;1♂,宁陕火地塘,1538m,2012. Ⅶ. 11-15,程瑞采;1♂1♀,宁陕广货街保护站,1189m,2014. Ⅶ. 26-28,刘淑仙、班晓双采;1♂,旬阳金鑫源山庄,386m,2014. Ⅷ. 01-03,班晓双采;1♂,商南金丝峡,777m,2013. Ⅶ. 23-25,崔乐采。

分布:陕西(太白、宁陕、旬阳、商南)、吉林、甘肃、江苏、浙江、湖北、江西、湖南、福建、台湾、广东、海南、广西、四川、云南;日本,越南,印度,斯里兰卡。

149. 木纹尺蛾属 *Plagodis* Hübner, 1823

Plagodis Hübner, 1823: 294. **Type species**: *Phalaena dolabraria* Linnaeus, 1767.

Anagoga Hübner, 1823: 294. **Type species**: *Phalaena pulveraria* Linnaeus, 1758.

Eurymene Duponchel, 1829: 105, 185. **Type species**: *Phalaena dolabraria* Linnaeus, 1767.

Apoplagodis Wehrli, 1939, *in* Seitz (f): 358. **Type species**: *Plagodis reticulata* Warren, 1893.

属征:雄性触角锯齿形或双栉形,具纤毛簇;雌性触角线形。额略凸出。下唇须细,仅尖端伸达额外。雄性后足胫节略膨大。前翅外缘弧形,有时在 M_3 处凸出;后翅圆,中部或近臀角处有时内凹。雄性前翅基部不具泡窝。前翅 R_1 和 R_2 分离或共柄。翅面密布黄褐至深褐色横纹。

分布:全北界,东洋界。秦岭地区分布 5 种。

(243) 斧木纹尺蛾 *Plagodis dolabraria* (Linnaeus, 1767) (图版 23:28)

Phalaena (*Geometra*) *dolabraria* Linnaeus, 1767: 861.

Phalaena ustulataria Hüfnagel, 1767: 516.

Eurymene dolabraria: Duponchel, 1829: 148, fig. 5.

Metrocampa dolabraria: Meyrick, 1892: 112.

Plagodis dolabraria: Prout, L. B., 1915, *in* Seitz (e): 337.

鉴别特征:前翅长 15~17mm。雄性触角双栉形,雌性触角线形。前翅前缘平滑;顶角稍尖;外缘 Cu_1 脉以上直,以下向内形成缺刻状。后翅顶角钝圆;外缘 Cu_2 脉下方浅缺刻状。翅面黄色,前翅翅面与后翅端部区域密布木纹状横纹;前翅前缘脉各具两块不规则形黑斑,模糊,将前缘脉三等分;顶角具 1 个小黑点;臀角区域具烧焦状斑,内侧与后缘相连,具黑色倾斜的短横纹,此处缘毛黑色,其余黄褐色。后翅臀角相同位置具黑褐色不规则烧焦斑,翅面除端部区域外具褐色斑点,缘毛与前翅颜色相同。翅反面两翅臀角处焦斑不明显。

采集记录:2♂,留坝县城,1020m,1998. Ⅶ. 18,采集人不详; 1♂,宁陕旬阳坝,

1350m,1998. Ⅶ. 29,采集人不详;3♂3♀,宁陕广货街保护站,1189m,2014. Ⅶ. 26-28,刘淑仙、班晓双采;1♂1♀,柞水营盘镇,953 ~ 995m,2014. Ⅶ. 29-31,刘淑仙采。

分布:陕西(留坝、宁陕、柞水)、甘肃、江苏、浙江、湖北、湖南、四川;俄罗斯,日本,欧洲。

(244)纤木纹尺蛾 *Plagodis reticulata* Warren, 1893(图版 23:29)

Plagodis reticulata Warren, 1893: 408.

鉴别特征:前翅长 17 ~ 18mm。雄性和雌性触角均为线形,雄性具纤毛。前翅外缘在 M_3 处凸出,后翅外缘中部内凹。翅面黄白色,密布黄褐至深褐色横纹。前翅顶角和后翅 Rs 端部各有 1 个黑点;两翅臀角处各有 1 个灰红褐色大斑,此斑在前翅十分模糊。前翅前缘基半部红褐色;中点深褐色,条状;外线深褐色,波曲,在近后缘处清楚;缘线深褐色;缘毛黄色。后翅中点为黑色圆点,较前翅小,其余斑纹与前翅相似。

采集记录:4♀,宁陕火地塘,1550 ~ 1580m,1998. Ⅶ. 26,1998. Ⅷ. 15-16,2007. Ⅷ. 19,姚建等采。

分布:陕西(宁陕)、甘肃、湖南、福建、台湾、广西、四川、云南、西藏;泰国,印度,尼泊尔。

(245)粗木纹尺蛾 *Plagodis excisa* Wehrli, 1938(图版 24:1)

Plagodis excisa Wehrli, 1938a: 85.

鉴别特征:前翅长 16mm。雄性触角双栉形,雌性线形。前翅黄色,密布深黄褐色横纹,端部区域黄褐色,后翅浅黄色,密布黑色小点,无内外线。前翅前缘端部稍弯曲;顶角稍尖锐,外缘 M_3 与 Cu_1 脉间向外凸出,Cu_1 脉之后向内凹陷成缺刻状;顶角具小黑点;缘毛端部黄色,在外缘突起上部和下部黑褐色;臀角烧焦状,近臀角处具黑褐色大斑;中点黑色,边缘模糊;外线可见轮廓。后翅臀角密布黑点,形成不规则黑斑;缘毛黄色,臀角处黑色。

采集记录:5♀ (Syntypes), Shensi, Tapai Shan, Tsingling (ZFMK)。

分布:陕西(太白)、甘肃。

(246)碎木纹尺蛾 *Plagodis pulveraria* (Linnaeus, 1758)(图版 24:2)

Phalaena (*Geometra*) *pulveraria* Linnaeus, 1758: 521.

Aspilates diffusaria Walker, 1862: 1075.

Plagodis pulveraria: Parsons *et al.*, 1999, *in* Scoble: 762.

鉴别特征:前翅长15~17mm。雄性触角双栉形,雌性线形。两翅顶角均钝圆;前翅外缘稍直,后翅外缘浅弧形。翅面浅黄褐色,带红褐色调,密布深褐色短纹和斑点;斑纹深褐色。前翅内线较直;外线 Cu_1 以上波浪状,以下部分内凹,之后斜向下止于后缘;内线与外线之间色较暗,形成条带状,有时内外线深褐色,中央不形成条带。后翅外线仅 Cu_1 以下清晰。翅反面可见正面斑纹,但前翅斑纹较完整。

采集记录:1♀,宁陕广货街保护站,1189m,2014. Ⅶ. 26-28,刘淑仙采;4♀,柞水营盘镇,953~995m,2014. Ⅶ. 29-31,刘淑仙、班晓双采。

分布:陕西(宁陕、柞水)、黑龙江、吉林、河南、甘肃、湖北、江西;蒙古,日本,欧洲。

(247)海木纹尺蛾 *Plagodis hypomelina* Wehrli, 1938(图版24:3)

Plagodis hypomelina Wehrli, 1938a: 85.

鉴别特征:前翅长18mm。翅面黄色,翅面具木纹状横纹,翅基部颜色深,前缘脉处分别具3块斑,与翅面木纹相连;外缘 Cu_1 下方浅缺刻状,此处缘毛颜色较深。后翅同样位置具浅缺刻。两翅外线隐约可见,弯曲,后翅外线自 M_1 脉后颜色变深;翅反面黄褐色,两翅边缘稍白。

采集记录:1♀,1987. Ⅶ. 21,采集人、采集地点不详。

分布:陕西(太白)。

150. 隐尺蛾属 *Heterolocha* Lederer, 1853

Heterolocha Lederer, 1853b: 176, 202, 207. **Type species**: *Hypoplectis laminaria* Herrich-Schäffer, 1852.

Nabla Walker, 1866: 1668. **Type species**: *Nabla pyreniata* Walker, 1866.

Symmetresia Wehrli, 1937c: 502. **Type species**: *Hyperythra aristonaria* Walker, 1860.

属征:雄性触角双栉形,尖端无栉齿;雌性触角线形。额不凸出或略凸出。下唇须1/3~1/2伸出额外。雄性后足胫节不膨大,具2对距,无毛束。翅缰发达。前翅顶角尖或圆,外缘平直;后翅外缘近平直。雄性前翅基部不具泡窝。前翅 R_1 和 R_2 长共柄,端部分离,或二者完全合并。翅面常黄色或浅黄褐色,斑纹浅红黄色或浅黄褐色,有时浅灰褐色;前后翅外线,前翅内线和中点常清楚。

分布:古北界(东部),东洋界。秦岭地区分布4种。

(248)拉隐尺蛾 *Heterolocha laminaria* (Herrich-Schäffer, 1852)(图版24:4)

Hypoplectis laminaria Herrich-Schäffer, 1852: 71.

Heterolocha sachalinensis Matsumura, 1925a: 177.

Heterolocha laminaria: Wehrli, 1940, *in* Seitz (f): 363, pl. 29: i.

鉴别特征:前翅长 11mm。额深黄褐色,稍凸出;下唇须腹面黄褐色,背面深黄褐色,约 1/3 伸出额外。头顶、领片黄褐色。肩片上部黄褐色,下部黄色。胸部黄色。前翅前缘稍弯曲,顶角圆,两翅外缘均弯曲,后翅顶角钝圆。前翅前缘具黑褐色点,中室上缘间基部 1/3 处褐色;内线模糊;顶角处具半卵圆形褐色斑;边缘颜色较深;外线起始于顶角斑,M_1 脉之下较清晰,浅橙黄色,外侧至外缘散布褐色点;中点长圆形,空心,外缘褐色。后翅外线 M_1 以上密布褐色点,成斑状,M_1 以下细,由褐色点组成;中点小于前翅中点。缘毛黄色。翅反面斑纹颜色较深。

采集记录:2♂,商南金丝峡,777m,2013. Ⅶ. 23-25,崔乐、姜楠采。

分布:陕西(商南)、河南、江苏、浙江、湖北;俄罗斯,日本,小亚细亚。

(249)紫玫隐尺蛾 ***Heterolocha rosearia* Leech, 1897**(图版 24:5)

Heterolocha rosearia Leech, 1897: 230.

鉴别特征:前翅长 11 ~ 12mm。额深褐色,头顶浅褐色或深褐色,领片及肩片灰黄色。胸部背面及腹面黄色。前翅前缘直,端部稍弯曲;顶角稍尖;两翅外缘均直。翅面浅黄色,斑纹红黄色。前翅前缘脉与中室间基部 1/4 以内红黄色;内线模糊,宽;外线起始于 M_1 与 M_3 脉间,M_3 以上呈块状斑,占据整个臀角区域;中点较圆,空心。后翅内线仅在近翅基部形成斑,外线内缘直,端部内侧稍凹陷;延伸至近外缘;中点小。缘毛黄色。翅反面斑纹较正面清晰。

采集记录:2♂1♀,宝鸡天台山嘉陵江源头,1062m,2014. Ⅷ. 08-09,班晓双采;1♂,宁陕火地塘,1550m,2007. Ⅷ. 19,李文柱采。

分布:陕西(宝鸡、宁陕)、甘肃、湖北、湖南、台湾、海南、四川、贵州、西藏。

(250)深黑隐尺蛾 ***Heterolocha atrivalva* Wehrli, 1937**(图版 24:6)

Heterolocha atrivalva Wehrli, 1937c: 516.

鉴别特征:前翅长 13mm。额紫红色,前缘具黄色鳞片;下唇须 1/3 伸出额外,第 1、2 节黄褐色,第 3 节灰褐色;头顶及领片与额颜色相同,紫红色;雄性肩片上部灰黄色,基部掺杂着紫红色毛,下部黄色;胸部背面及腹面均黄色。前翅前缘稍弯曲,顶角尖,两翅外缘均直。翅面黄色,散布灰褐色斑纹;翅面条带橙黄色;两翅均具橙黄色中点,前翅中点空心圆形,后翅中点卵圆形;前翅顶角处具灰褐色卵圆形斑,中央颜色浅;前缘基部 1/3 处具 1 条黑褐色短横纹,止于中室前缘脉,向内至基部橙黄色;前翅内线宽,弧形,似与基部相连形成斑,并与后翅内线连续;外线 M_1 处以上消失，M_3 以下成斑。后翅外线 M_1 脉以上细，以下宽，接近外缘；Rs 与 M_1 脉间内凹；外线条带内侧具灰褐色细线。缘毛橙黄色。翅反面斑纹较正面清晰，颜色较深。

采集记录：1♂，佛坪，876m，2007. Ⅷ. 15，李文柱采；1♂，宁陕火地塘，1550m，2007. Ⅷ. 19，李文柱采。

分布：陕西（佛坪、宁陕）、河南、甘肃、浙江、湖北、江西、湖南、福建、台湾、广东、海南、广西、四川、贵州。

（251）黄玫隐尺蛾 *Heterolocha subroseata* Warren, 1894（图版 24：7）

Heterolocha subroseata Warren, 1894a: 449.

鉴别特征：雄性前翅长 15 ~ 17mm，雌性前翅长 18 ~ 19mm。翅面黄至黄绿色，散布深灰色散点，斑纹紫灰色。前翅内线模糊，仅在前缘处清楚；中点为圆圈状；外线向内倾斜，在 M_3 以上模糊，仅在 M 脉之间留下两个黑灰色点；顶角内侧具 1 个小斑；缘毛与翅面同色。后翅中点短条状；外线平直，缘毛与翅面同色。

采集记录：1♀，周至厚畛子，1300m，2007. Ⅷ. 10，李文柱采；1♀，周至钓鱼台，1480m，2008. Ⅵ. 29，李文柱采；1♀，留坝，1983. Ⅷ. 26，采集人不详。

分布：陕西（周至、留坝）、甘肃、浙江、湖北、江西、湖南、福建、四川、云南。

151. 离隐尺蛾属 *Apoheterolocha* Wehrli, 1937

Apoheterolocha Wehrli, 1937c: 517. **Type species**: *Heterolocha quadraria* Leech, 1897.

属征：雄性触角双栉形，雌性触角线形。前翅顶角尖锐，有时略外凸。翅面黄色到绿色，或灰色。前翅内线明显或模糊，多数种类前翅前缘脉处具两块倒三角形黑斑，外线直或弯曲，起始于顶角或第 2 块三角斑；后翅外线外凸弧形，细线状或粗条状。

分布：中国；缅甸，印度，尼泊尔，喜马拉雅山（北部）。秦岭地区分布 1 种。

（252）绿离隐尺蛾 *Apoheterolocha patalata* (Felder *et* Rogenhofer, 1875)（图版 24：8）

Heterolocha patalata Felder *et* Rogenhofer, 1875: pl. 132, figs. 9: 9a.

Marcala varians Swinhoe, 1891: 487.

Apoheterolocha patalata: Stüning, 2000, *in* Haruta: 101-102.

鉴别特征：前翅长 14mm。翅面淡黄色。前翅顶角略外凸；前缘具两块黑斑，有时不明显；内线直或弯曲；外线始于顶角，较直。后翅外线弧形，宽带状，在后缘处略增粗并形成 1 块黑斑，上半段有时扩展至顶角和外缘。

采集记录：1♂4♀，宝鸡天台山嘉陵江源头，1620m，2014. Ⅷ. 08-09，薛大勇、班晓双采;1♂2♀,宁陕火地塘,1580m,1998. Ⅶ. 26-27,1998. Ⅷ. 17,袁德成等采;1♀,宁陕火地塘,1550m,2007. Ⅷ. 18,杨玉霞采。

分布:陕西(宝鸡、宁陕)、甘肃、浙江、湖北、湖南、海南、四川、云南;印度,尼泊尔,喜马拉雅山。

152. 斜灰尺蛾属 *Loxotephria* Warren, 1905

Loxotephria Warren, 1905a: 13. **Type species**: *Loxotephria olivacea* Warren, 1905.

属征:雄性和雌性触角均为线形。额不凸出,额毛簇发达。下唇须顶端伸出额外。雄性后足胫节具 2 对距,不膨大,无毛束。翅面黄褐至红褐色,斑纹条带状,直。Sc 与 R_{1-2}具短脉相连,R_1 和 R_2 共柄,R_3 和 R_4 共柄,M_2 靠近 M_1。

分布:中国;缅甸。秦岭地区分布 1 种。

(253) 同斜灰尺蛾 *Loxotephria convergens* (Warren, 1899)(图版 24:9)

Tephrina convergens Warren, 1899a: 61.

Loxotephria convergens: Wehrli, 1943, *in* Seitz (f): 381.

鉴别特征:前翅长 13mm。额褐色;下唇须黄色,端部黄褐色,约 1/3 伸出额外;头顶和领片灰黄色或黄褐色,肩片黄褐色。前翅前缘稍弯曲,顶角稍圆,外缘稍弯曲;后翅顶角钝圆,外缘弯曲。翅面黄褐色,翅面密布褐色斑纹。内线中室上缘处向外凸出成尖锐角,内缘白色;顶角具白色斑,中间黄褐色;外线条带状,具白色鳞片,内缘深褐色,R_5 处外凸成尖锐角,折角处内缘深褐色,内侧颜色加深;两翅缘线均深褐色。后翅具黄褐色中线与外线,外线内侧具白色鳞片。缘毛黄褐色。翅反面黄绿色,两翅外线与后翅中线清晰,前翅外线以外具不规则黄褐色斑。

采集记录:1♀,商南金丝峡,777m,2013. Ⅶ. 23-25,崔乐采。

分布:陕西(商南)、湖北、福建、海南、四川、云南。

153. 魑尺蛾属 *Garaeus* Moore, 1868

Garaeus Moore, 1868: 623. **Type species**: *Garaeus specularis* Moore, 1868.

Drepanopsis Warren, 1896a: 144. **Type species**: *Drepanopsis ferrugata* Warren, 1896.

Epifidonia Butler, 1886c: 391. **Type species**: *Epifidonia signata* Butler, 1886.

属征:雄性和雌性触角均为双栉形,雌性栉齿极短。额凸出明显。下唇须多发达,粗壮,第 3 节伸出额外。雄性后足胫节略膨大。前翅顶角凸出,外缘呈弧形凸出;后翅外缘浅弧形；前后翅外缘有时浅波曲或浅锯齿形。雄性前翅基部不具泡窝。前翅 R_1 和 R_2 分离。前翅外线平直，向内倾斜。翅面黄褐色到红褐色，常具翅窗。

分布：东洋界，古北界。秦岭地区分布 2 种。

(254) 洞魑尺蛾 *Garaeus specularis* Moore, 1868（图版 24：10）

Garaeus specularis Moore, 1868: 623, pl. 32, fig. 3.

Endropia mactans Butler, 1878b: 393.

Pericallia olivescens Moore, 1888, *in* Hewitson & Moore: 228.

Garaeus specularis nankingensis Wehrli, 1940, *in* Seitz (f): 331, fig. 25: g.

鉴别特征：前翅长 15 ~ 17mm。翅面黄色掺杂黄褐色，具黑褐色斑纹；翅窗明显。前翅顶角稍尖锐，稍向外凸出，两翅外缘均波浪状；前翅前缘脉基部稍凸出。前翅内线弯曲外凸，外线双线，R_5 脉处外凸成尖角，Cu_2 以下稍内凹，亚缘线细，弯曲，外线与内线中间，M_3、Cu_1 和 Cu_2 脉间具小翅窗；中点小且圆，黑色，上部具黑褐色斜斑。后翅外线直，双线，亚缘线波浪状，几乎与外线平行；中室具大块翅窗，下侧具两块小翅窗；中点位于翅窗中间。翅反面褐色，翅窗明显，斑纹较模糊。

采集记录：2♂，周至楼观台，680m，2008. Ⅵ. 23-24，刘万岗等采；1♂，佛坪龙草坪，1200m，2008. Ⅶ. 03，刘万岗采；2♂，宁陕火地塘，1550m，2008. Ⅶ. 07-09，李文柱采。

分布：陕西（周至、佛坪、宁陕）、河南、甘肃、湖北、江西、湖南、台湾、福建、广西、四川、云南、西藏；朝鲜，日本，印度，喜马拉雅山（东部），欧洲。

讨论：亚种 *nankingensis* Wehrli, 1940（已被 Parsons *et al.*, 1999 异名）前后翅外线的双线不显，似为单线，后翅外线略呈浅弧形；翅窗扩大，并常扩展至后缘；后翅亚缘线位置在 M_3 与 Cu_1 之间有 1 个白点。陕西标本符合此“亚种”特征。

(255) 金魑尺蛾 *Garaeus chamaeleon* Wehrli, 1936（图版 24：11）

Garaeus chamaeleon Wehrli, 1936b: 6, figs. 36, 37.

鉴别特征：前翅长 19 ~ 20mm。前翅前缘基部稍隆起，顶角外凸尖锐，外缘弧形。后翅顶角钝圆，外缘稍凸出，M_3 下方较直。翅面黄褐色，散布褐色小点或褐色斑。前翅内线弯曲，黑褐色细线，有时较粗，边缘具黄褐色阴影，内侧具银白色鳞片，有时在前缘脉、中室基部及后缘形成黑点；近顶角处具褐色斑，边缘黄白色，下方与外线相连接；外线斜向下伸至后缘，内侧深褐色，外侧具银白色细线，有时银白色线不明显，有时外线至外缘区域具白色鳞片；外线外侧在 M_1 脉上部具黑点；外线与内线均在前缘处形成褐色斑，二者中间位置另具 1 块褐色斑，下方向外侧形成折角，之后斜向下形成褐色条带状中线，基部与外线相邻，雌性有时在 Cu_1 以下与外线重合；中点深褐色，小点状；

缘线深黄褐色。后翅外线稍弯曲,两边为深褐色细线,中间银白色;臀角处具褐色或银白色不规则斑;中点小黑点状。翅反面黄色;两翅外线均为黄褐色细线,中点明显;缘线 Cu_1 以上黄色,以下深褐色。

采集记录:1♂,留坝庙台子,1350m,1998. Ⅶ. 21,张学忠采;1♂,佛坪县城,950m,1998. Ⅶ. 25,袁德成采;1♂7♀,宁陕火地塘,1550~1580m,1979. Ⅷ. 07,1998. Ⅶ. 26-27,Ⅷ. 18-20,2007. Ⅷ. 18,韩寅恒等采。

分布:陕西(留坝、佛坪、宁陕)、安徽、湖北、云南。

154. 穿孔尺蛾属 *Corymica* Walker, 1860

Corymica Walker, 1860: 230. **Type species**: *Corymica arnearia* Walker, 1860.

Caprilia Walker, 1866: 1568. **Type species**: *Caprilia vesicularia* Walker, 1866.

Thiopsyche Butler, 1878b: 393. **Type species**: *Thiopsyche pryeri* Butler, 1878.

属征:触角线形。额不凸出。下唇须中等长度。雄性后足胫节不膨大,不具毛束。前翅狭长,顶角钝圆、尖或略呈钩状,前后翅外缘在 M_3 上方略波曲,有时平滑。雄性前翅基部具泡窝,常极发达,长椭圆形,长度可达翅长的1/5以上,使翅基部呈穿孔状。前翅 R_1 和 R_2 完全合并,与 Sc 具一段合并。翅多为黄色,翅面斑纹模糊,前翅反面近顶角处常具1个褐色斑块。

分布:东洋界,东亚。秦岭地区分布2种。

(256)光穿孔尺蛾 *Corymica specularia nea* Wehrli, 1940(图版24:12)

Corymica specularia nea Wehrli, 1940, *in* Seitz (f): 362, pl. 29: f.

鉴别特征:雄性前翅长13~14mm,雌性前翅长14.50~15.00mm。额黄色,中部具1个宽的淡红褐色中央斑;下唇须浅红褐色,第1节黄色;头顶黄色;肩片黄色,基部淡红褐色。胸部背侧面黄色。翅黄色,散布褐色斑纹,正反面斑纹均可见。前翅长且窄,顶角尖锐,前缘脉基部稍隆起;外缘上半部锯齿形,臀角处凹陷;后缘端部2/3强烈向内弯曲。后翅几乎三角形,外缘略呈锯齿形。前翅前缘脉基部1/4处散布白色鳞片,稍弯曲的短棍状突起向内起始于前缘脉,近端部具1个大斑,中央具1个细小的褐色斑;后缘具褐色指状突,端部钝圆,沿着后缘延长;另1个短褐色棒状斑位于近臀角处,有时模糊;翅基部具1个椭圆形泡窝。后翅前缘脉中部具小型中空的褐色斑;另外两个较小的斑分别位于前缘脉端部1/4处和后缘中央。缘毛基半部深红褐色,端半部浅白色,在 M_2 和 Cu_1 间褐色。反面斑纹更加明显,前翅大型褐色顶角斑上半部窄,约为后半部的1/2,斑内部黄色。雌性翅面具更多斑点。

采集记录:1♀,周至厚畛子,1350m,1999. Ⅵ. 24,采集人不详;1♂1♀,宝鸡天台山嘉陵江源头,1620m,2014. Ⅷ. 08-09,薛大勇、班晓双采;1♂,留坝庙台子,1470m,1999. Ⅶ. 01,采集人不详;1♀,宁陕火地塘,1580m,1999. Ⅵ. 25-Ⅶ. 07,采集人不详;1♂,宁陕火地塘,1538m,2012. Ⅶ. 11-15,姜楠采;1♂,宁陕广货街保护站,1189m,2014. Ⅶ. 26-28,刘淑仙采。

分布:陕西(周至、宝鸡、留坝、宁陕)、甘肃、浙江、广西、四川、湖南。

(257)满月穿孔尺蛾 *Corymica pryeri* (Butler, 1878)(图版24:13)

Thiopsyche pryeri Butler, 1878b: 393.

Corymica oblongimacula Warren, 1896b: 305.

Corymica specularia pryeri: Prout, L. B., 1915, *in* Seitz (e): 339, pl. 17: i.

Corymica pryeri: Holloway, 1994: 51, pl. 2: 43.

鉴别特征:前翅长17mm。额宽大于高,平滑,黄色,中下部具深褐色条带。下唇须粗糙,稍长。翅面黄色,前翅前缘脉基部1/3褐色,两翅外缘均褐色。前翅窄,顶角稍微呈钩状,两翅外缘均在 M_3 脉上方锯齿形,臀角短,后缘端半部稍微向内弯曲,后翅前缘基半部隆起,雄性前翅基部具1个大型的透明的泡窝。前翅近顶角处具小型亚顶角斑,后缘中部斑和亚臀角短枝竖斑相连。后翅前缘脉部位具不规则形褐色斑,后缘中部具小型褐色斑。前后翅中点通常小点状,不明显;缘毛黑褐色。翅反面斑纹较正面更清晰,前翅反面具大型的顶角斑,正面可见其轮廓。

采集记录:1♀,旬阳金鑫源山庄,386m,2014. Ⅷ. 01-03,班晓双采。

分布:陕西(旬阳)、湖北、福建、海南、四川、云南;日本,马来西亚,印度尼西亚,巴布亚新几内亚。

155. 黄尺蛾属 *Opisthograptis* Hübner, 1823

Opisthograptis Hübner, 1823: 292. **Type species**: *Phalaena crataegata* Linnaeus, 1761.

Rumia Duponchel, 1829: 103, 117. **Type species**: *Phalaena crataegata* Linnaeus, 1761.

属征:雄性触角线形或锯齿形,雌性触角线形;额凸出;下唇须短,端部不伸达额外或仅尖端伸达额外。雄性后足胫节不膨大。前翅顶角微凸,外缘浅弧形;后翅外缘中部略凸出。雄性前翅基部具泡窝。前翅 R_1 和 R_2 长共柄或完全合并。翅面常黄色,前翅中点巨大。

分布:古北界,东洋界。秦岭地区分布1种。

(258)滇黄尺蛾 *Opisthograptis tsekuna tsekuna* Wehrli, 1940(图版24:14)

Opisthograptis tsekuna Wehrli, 1940, *in* Seitz (f): 363, pl. 29: h.

鉴别特征:前翅长 23mm。雄性触角锯齿形。下唇须深褐色,粗壮,端部伸出额外。额、头顶、体背和翅鲜黄色。前翅基部有 1 块深褐色小斑;内线、中线和亚缘线在前缘留有深褐色小斑,其下隐约可见黑灰色波状线;翅中部由前缘至中室下缘为 1 块巨大深褐色斑,宽达 4 ~ 5mm,大斑边缘和内部翅脉黑褐色,其外侧沿翅脉凸出 3 个小尖齿;外线在前缘无斑,其下与其他线纹相同;顶角有 1 个小黑点;缘毛黄色,在翅脉端黑色。后翅中点大,近方形;外线、亚缘线和缘毛同前翅。

采集记录:2♂,宝鸡天台山嘉陵江源头,1620m,2014. Ⅷ. 08-09,薛大勇、班晓双采;3♂,宁陕火地塘,1580m,1998. Ⅶ. 26-27,采集人不详;1♂,宁陕火地塘,1538m,2012. Ⅶ. 11-15,姜楠采。

分布:陕西(宝鸡、宁陕)、甘肃、四川、云南。

156. 赭尾尺蛾属 *Exurapteryx* Wehrli, 1937

Exurapteryx Wehrli, 1937b: 160. **Type species**: *Urapteryx aristidaria* Oberthür, 1911.

属征:雄性触角锯齿形,具纤毛簇;雌性触角线形。额略凸出。下唇须端部伸出额外。雄性后足胫节膨大。前翅顶角及外缘中部稍凸出,后翅外缘中部凸出成 1 个尖角。雄性前翅基部不具泡窝。前翅 Sc、R_1 和 R_2 均自由。翅面基半部黄色,端半部紫粉色。

分布:中国;缅甸。秦岭地区分布 1 种。

(259)赭尾尺蛾 *Exurapteryx aristidaria* (Oberthür, 1911)(图版 24:15)

Urapteryx aristidaria Oberthür, 1911a: 31, pl. 87, fig. 847.

Ourapterx aristidaria: Prout, L. B., 1915, *in* Seitz (e): 335, pl. 25: c.

Exurapteryx aristidaria: Wehrli, 1937b: 160.

鉴别特征:前翅长 15 ~ 17mm。翅面外线内侧黄色,外线外侧紫粉色,散布黑灰色碎条纹。前翅中点黑色,微小;外线黑褐色,在 M 脉之间略向内弯曲,其外侧隐约可见 1 条深灰色细线;外线外侧在 M_3 与 Cu_2 之间具黑灰色斑;缘线深褐色;缘毛灰褐色。后翅外线在 M 脉之间向外凸出,其余斑纹与前翅相似。

采集记录:1♀,留坝庙台子,1350m,1998. Ⅶ. 21,采集人不详;1♂,宁陕火地塘,1538m,2012. Ⅶ. 11-15,杨秀帅采。

分布:陕西(留坝、宁陕)、甘肃、安徽、浙江、湖北、江西、湖南、福建、广西、四川、贵州、云南;缅甸。

157. 黄尾尺蛾属 *Sirinopteryx* Butler, 1883

Sirinopteryx Butler, 1883a: 197, 201, pl. 9, figs. 15, 16. **Type species**: *Ourapteryx rufivinctata* Walker, 1863

Stenorumia Hampson, 1895: 143 (key), 182. **Type species**: *Rumia ablunata* Guenée, 1858.

属征:触角线形;额凸出,倾斜;下唇须约1/4伸出额外。前翅顶角尖,外缘直;后翅外缘中部凸出1个尖角。前翅 R_1 和 R_2 分别出自中室上角前方,R_1 与 Sc 合并一段后分离,再与 R_2 合并较长距离,至中部之外分离,两次合并之间形成1个径副室。

分布:中国;印度,尼泊尔,喜马拉雅山。秦岭地区分布1种。

(260) 黄尾尺蛾 *Sirinopteryx parallela* Wehrli, 1937(图版24:16)

Sirinopteryx parallela Wehrli, 1937b: 161.

鉴别特征:雄性前翅长17mm,雌性前翅长22mm。下唇须、额和前翅前缘基部橘黄色至黄褐色,胸部背面和翅黄色,腹部背面黄白色。翅面散布灰色碎点;前翅前缘灰黄色;中线及前后翅外线浅灰色,均向内倾斜;中点灰色;缘毛浅黄褐色。翅反面黄色,线纹很弱或消失。

采集记录:1♀,周至楼观台,680m,2008. Ⅵ. 23,白明采;2♀,佛坪龙草坪,1200m,2008. Ⅶ. 03,白明、李文柱采;3♀,宁陕火地塘,1550m,2008. Ⅶ. 08-09,李文柱等采。

分布:陕西(周至、佛坪、宁陕)、甘肃、湖南、广西、四川、云南、西藏。

158. 黄蝶尺蛾属 *Thinopteryx* Butler, 1883

Thinopteryx Butler, 1883a: 197, 202, pl. 9, figs. 13, 14. **Type species**: *Ourapteryx crocoptera* Kollar, 1844.

属征:雄性和雌性触角均为线形,雄性具纤毛簇。额略凸出。下唇须粗壮,伸出额外。雄性后足胫节不膨大。前翅宽大,顶角有时凸出,外缘浅弧形;后翅外缘在 M_3 处凸出成尾角。雄性前翅基部具泡窝。前翅 R_1 和 R_2 长共柄,Sc 与 R_{1+2} 具1点合并。

分布:中国;日本,印度,孟加拉国,印度尼西亚,朝鲜半岛。秦岭地区分布1种。

(261) 黄蝶尺蛾 *Thinopteryx crocoptera* (Kollar, 1844)(图版24:17)

Urapteryx crocoptera Kollar, 1844: 483.

Thinopteryx nebulosa Butler, 1883a: 203.

Thinopteryx crocoptera: Prout, L. B., 1915, *in* Seitz (e): 336, pl. 17: f.

Thinopteryx crocoptera erythrosticta Wehrli, 1939, *in* Seitz (f): 357, pl. 28: g.

鉴别特征:前翅长 29 ~ 31mm。翅面橘黄色,斑纹灰褐色。前翅前缘灰白色;内线细弱,向外倾斜;中点短条状;Cu_1 基部下方有 1 个灰褐色斑;外线略向外倾斜至臀角;亚缘线为翅脉上 1 列深褐色点,在 R_5 和 M_3 之间向外弯曲,在 M_3 下方向内倾斜,在臀角处与外线接触;缘毛鲜黄色。后翅中点弯曲,较前翅大,其外侧具灰褐色大椭圆形斑块;外线为双线,近外缘,中部略向外凸出;外缘中部凸出 1 个尾角,尾角两侧有两个黑斑;缘毛黄色,在尾角处黑色。

采集记录:1♂,宁陕十八丈瀑布景区,1150m,1999. Ⅵ. 28,采集人不详。

分布:陕西(宁陕)、河南、湖北、江西、湖南、福建、台湾、广东、海南、广西、四川、云南、西藏;日本,越南,印度,斯里兰卡,马来西亚,印度尼西亚,朝鲜半岛。

159. 扭尾尺蛾属 *Tristrophis* Butler, 1883

Tristrophis Butler, 1883a: 196, 199, pl. 9, figs. 3, 4. **Type species**: *Urapteryx veneris* Butler, 1878.

属征:雄性和雌性触角均为线形。额略凸出。下唇须细弱,尖端伸达额外或更短。雄性后足胫节膨大。前翅略狭长,顶角不凸出;后翅外缘在 M_3 处凸出成尾角,其上方波曲。雄性前翅基部具泡窝。前翅 R_1 和 R_2 长共柄,在近端部分离。翅面白色,斑纹平直。

分布:中国;日本。秦岭地区分布 1 种。

(262) 郁尾尺蛾 *Tristrophis veneris* (Butler, 1878)(图版 24:18)

Urapteryx veneris Butler, 1878: 392.

Tristrophis veneris: Prout, L. B., 1915, *in* Seitz (e): 336, pl. 17: f, g.

鉴别特征:前翅长 16 ~ 17mm。下唇须浅灰褐色,额、头顶和胸腹部背面白色。翅白色,斑纹灰褐色。前翅内线外斜,下端略向外弯曲;外线和亚缘线由前缘伸向臀角,上粗下细;中点短条形;缘线和缘毛灰褐色,掺杂少量黄色。后翅 M_3 端部尾角尖细,其上方在 M_1 端部形成 1 个较弱的肩角;中点短小;外线纤细,Cu_2 以上浅弧形,其下外弯;亚缘线带状,掺杂稀疏黑鳞,中段大部分黄色,并向外扩展至尾角附近;尾角上方有 1 ~ 2个黑点,下方有 1 个黑点;缘线十分纤细;缘毛灰褐色与黄色掺杂。

采集记录:1♀,佛坪龙草坪,1200m,2008. Ⅶ. 03,白明采;1♀,宁陕火地塘,1600m,1999. Ⅶ. 05,采集人不详;2♀,宁陕火地塘,1538m,2012. Ⅶ. 11-15,姜楠等采。

分布:陕西(佛坪、宁陕)、甘肃;俄罗斯,日本。

160. 尾尺蛾属 *Ourapteryx* Leach, 1814

Ourapteryx Leach, 1814: 79. **Type species**: *Phalaena sambucaria* Linnaeus, 1758.
Acaena Treitschke, 1825: 429. **Type species**: *Phalaena sambucaria* Linnaeus, 1758.
Uropteryx Agassiz, 1847: 267, 384, 385 (nec Agassiz, 1835). [Emendation of *Ourapteryx* Leach, 1814].
Euctenurapteryx Warren, 1894a: 399. **Type species**: *Acaena maculicaudaria* Motschulsky, 1866.
Energopteryx Thierry-Mieg, 1903: 383. **Type species**: *Ourapteryx nigrociliaris* Leech, 1891.
Phrudura Swinhoe, 1906: 554. **Type species**: *Bapta pura* Swinhoe, 1902.

属征:雄性触角双栉形或线形,雌性触角线形。额略凸出。下唇须短。雄性后足胫节不膨大,具毛束。前翅宽大,顶角有时凸出,外缘平直;后翅外缘在 M_3 处具尾突,其上方在 M_1 端部处常凸出成尖角状。雄性前翅基部不具泡窝。翅脉特征常变化,不稳定。翅面白色,斑纹平直;前后翅缘毛通常深色。

分布:古北界,东洋界。秦岭地区分布 3 种。

(263) 星尾尺蛾 *Ourapteryx puncticulosa* Inoue *et* Stüning, 1995(图版 24:19)

Ourapteryx puncticulosa Inoue *et* Stüning, 1995: 255, figs. 14.

鉴别特征:前翅长 17 ~ 19mm。雄性触角双栉形,雌性线形。额、下唇须、领片和肩片淡黄绿色;胸部其他部分白色;腹部污白色至浅污黄色,两侧散布不均匀黑灰色小点。前翅顶角钝圆,外缘浅弧形;后翅外缘浅弧形,无尾角,M_3 端部两侧亦无本属特征的大黑点。翅白色,前翅前缘排布黑褐色碎纹;两翅正面无其他斑纹,但可见翅反面的黑灰色碎点;前翅反面中部之上和后翅反面全部散布大量黑灰色碎点。

采集记录:2♂,周至厚畛子,1300m,2007. Ⅷ. 10,李文柱采;1♂,佛坪龙草坪,1200m,2008. Ⅶ. 03,刘万岗采;1♂,宁陕火地塘,1580m,1998. Ⅶ. 26,袁德成采;1♂,宁陕火地塘,1550m,2007. Ⅷ. 19,李文柱采;1♂,宁陕火地塘,1538m,2012. Ⅶ. 11-15,姜楠采。

分布:陕西(周至、佛坪、宁陕)、河南、湖北。

(264) 二点麻尾尺蛾 *Ourapteryx adonidaria* (Oberthür, 1911)(图版 24:20)

Urapteryx adonidaria Oberthür, 1911a: 28, pl. 86, fig. 836.
Ourapteryx adonidaria: Prout, L. B., 1915, *in* Seitz (e): 335, pl. 25: b.

鉴别特征:前翅长 20 ~ 24mm。触角均为线形。下唇须、额、头顶、领片和肩片白色带黄绿色调；胸腹部背面白色，腹面黄绿色，腹部侧面和腹面散布黑灰色小点。前翅顶角不凸出，外缘较直或略浅弧形；后翅外缘在 M_1 处不凸出，尾角短小三角形。翅面白色，常略带黄绿色调，斑纹深灰褐色；前后翅均散布大量深灰褐色碎纹，个体间疏密不等，变异较大。前翅内线外斜，下端延伸至后缘中部或更远；外线浅波曲，下端伸达臀角附近；内外线之间距离在个体间有很大变异。后翅亚缘线位置的碎纹常形成带状，其中部由 M_3 至 Cu_2 之间带黄色，并向外扩展至外缘黑点处，有时形成鲜明的黄斑；尾角上方有 1 个黑点，有时消失，下方有两个大而圆的黑点。前后翅缘线和缘毛深灰褐色，在前翅臀角附近、后翅顶角和尾角尖端与翅面同色。

采集记录：2♀，周至厚畛子，1300m，2007. Ⅷ. 10，李文柱采；2♀，太白黄柏塬，1323m，2012. Ⅵ. 17-18，李静、刘淑仙采；2♀，佛坪，950m，1998. Ⅶ. 23-24，袁德成采；1♂，佛坪岳坝，1093m，2012. Ⅵ. 29-Ⅶ. 01，刘淑仙采；1♂7♀，宁陕火地塘，1580m，1998. Ⅶ. 26-27，姚建等采；1♂2♀，宁陕火地塘，1538m，2012. Ⅶ. 11-15，姜楠等采。

分布：陕西（周至、太白、佛坪、宁陕）、甘肃、青海、四川。

（265）点尾尺蛾 *Ourapteryx nigrociliaris*（**Leech, 1891**）（图版 24：21）

Urapteryx nigrociliaris Leech, 1891a: 5.

Euctenurapteryx nigrociliaris: Prout, L. B., 1915, *in* Seitz (e): 335, pl. 17: c.

Ourapteryx nigrociliaris: Inoue, 1985: 109.

鉴别特征：雄性前翅长 38mm。雄性触角短双栉形。额和下唇须黄褐色，头顶、体背和翅白色。前翅顶角不凸出，外缘浅弧形；内外线和中点黑至黑褐色，中点内有黄鳞。后翅具黑色中点，中点外下方延伸 1 条灰褐色线；翅端部附近散布灰黄褐色细纹；尾角较短，其内侧有两个小黑斑，上侧黑斑较大，中心橘黄至橘红色。前后翅缘线和缘毛黑色。

采集记录：1♂，宁陕火地塘，1580m，1998. Ⅷ. 21，采集人不详。

分布：陕西（宁陕）、甘肃、湖南、江西、福建、台湾、四川、贵州、西藏。

十一、舟蛾科 Notodontidae

鉴别特征：一般中等大小（翅展 35～60mm），少数较大（翅展达 100mm 以上），也有较小（翅展不到 20mm）的，大多褐色或暗灰色，少数洁白或为其他鲜艳颜色，夜间活动，具趋光性，外表与夜蛾相似，但口器不发达，喙柔弱或退化；无下颚须；下唇须中等大。雄蛾触角常为双栉形，部分栉齿形或锯齿形具毛簇，少数为线形或毛丛形，雌蛾常为线形，但也有与雄蛾相同的，如为双栉形，其分支必较雄性蛾短；头部具毛簇。胸部被浓厚的毛和鳞，不少的属背面中央有竖立纵行的脊形毛簇，或称冠形毛簇，极少数的属（如掌舟蛾属）在后胸背上有较短的竖立横行毛簇；鼓膜位于胸腹面的 1 个小凹窝,内膜向下（与夜蛾科不同）。前足胫节无距,但常具发达的叶突;中、后足胫节有距,中足1对,后足两对。翅的形状大多与夜蛾相似,少数像天蛾,个别像钩蛾。但在许多属里,前翅的后缘中央有1个齿形毛簇或呈月牙形的缺刻,缺刻两侧具齿形毛簇或梳形毛簇,静止时两翅后褶呈屋顶形,毛簇竖起如角。前后翅脉序与夜蛾总科中各科近似,分别由13支和9支脉组成,但前后翅肘脉（Cu）三叉型(广舟蛾亚科 Platychasmatinae 除外,为四叉型),即 M_2 位于中室横脉中央或稍上方,少数为稍下方（但不呈四叉型),与 M_3、Cu_1 脉平行;前翅臀脉1条（2A),但基部分叉,M_1 脉从中室上角伸出或与 R_5、R_4、R_3、R_2 脉共柄,R_{3-5}脉常共柄,有或无径副室,R_2 脉从径副室伸出或与 $R_{3,4,5}$脉共柄,极少数为单独游离从中室前缘伸出;后翅臀脉两条（2A、3A),M_2 脉有时微弱甚至消失,M_1 与 Rs 脉常共柄,$Sc+R_1$ 脉与中室前缘平行至中室中部以后,但不超过中室,$Sc+R_1$ 脉基部有时稍弯曲,无短脉与翅缰相连（与尺蛾科不同),翅缰发达。雄蛾第8节背片和腹片常形成各种各样的骨化物,它们（特别是腹片）的形状是种类（特别是近似种）鉴别特征之一。

分类:世界已知3500多种,我国已记载580多种,陕西秦岭地区分布69属141种。

（一）蕊舟蛾亚科 Dudusinae

鉴别特征:头部有大的单眼。雄蛾触角双栉形。喙比胸长,下唇须中等长。跗爪二分叉。腹部末端有明显的臀毛簇。幼虫的臀足特化。

分类:陕西秦岭地区分布5属10种。

1. 蕊舟蛾属 *Dudusa* Walker, 1865

Dudusa Walker, 1865: 446. **Type species**: *Dudusa nobilis* Walker, 1865.

Dudusopsis Matsumura, 1929c: 79. **Type species**: *Dudusa fumosa* Matsumura, 1925.

Dudusoides Matsumura, 1929c: 80. **Type species**: *Dudusa sphingiformis* Moore, 1872.

属征:雄性和雌性触角双栉形,分支超过中央,雌蛾分支较雄蛾短;胸背具竖立冠形毛簇,腿、胫节饰长毛,后足胫节只有1对距;腹部长而粗壮,约有1/2伸过后翅臀角,臀毛簇大而具匙形毛簇;前翅宽长,前缘外半部拱形,翅顶尖,外缘较斜,曲度不显,锯齿形,臀角明显,M_1 脉从中室上角伸出,具长径副室,R_5 脉和 R_{3+4}脉同出于径副室顶角,R_2 脉在径副室前缘近顶角伸出;后翅宽,Rs 与 M_1 脉共柄很短。雄性外生殖器有钩形突1对,细长;颚形突1对,细长;抱器瓣狭长,基部和端部有叶状突起;阳茎细长,近中部侧面有1枚大指突。

分布:东洋界,个别分布在古北界。世界已记载20种,中国已知5种,秦岭地区有2种。

(1)著蕊舟蛾 *Dudusa nobilis* Walker, 1865(图版24:22)

Dudusa nobilis Walker, 1865: 447.
Dudusa baibarana Matsumura, 1929b: 37.

别名:著蕊尾舟蛾。

鉴别特征:雄性前翅长36～43mm,雌性前翅长43～50mm。腹部背面有1条不间断的浅褐色背线。前翅黄褐偏棕色,前缘中央黄白色向后延伸至中室下角,似1块斑。

采集记录:1♂,太白山,1020m,1998.Ⅶ.18,采集人不详。

分布:陕西(太白山)、北京、浙江、湖北、台湾、海南、广西;越南,泰国。

寄主:荔枝。

(2)黑蕊舟蛾 *Dudusa sphingiformis* Moore, 1872(图版24:23)

Dudusa sphingiformis Moore, 1872: 577.
Dudusa sphingiformis birmana Bryk, 1949: 1.
Dudusa sphingiformis coreana Nakatomi, 1977: 41.
Dudusa sphingiformis tsushimana Nakamura, 1978: 220.

别名:黑蕊尾舟蛾。

鉴别特征:雄性前翅长32～40mm,雌性前翅长41～43mm。头和触角黑褐色。颈片、翅基片和前、中胸背面灰黄褐色,各有两条褐色线,前胸中央有两个黑点,冠形毛簇端部、后胸、腹部背面、臀毛簇和匙形毛簇黑褐色。前翅灰黄褐色,基部有1个黑点,前缘有五六个暗褐色斑点;从翅尖到后缘近基部的暗褐色略呈1个大三角形斑,中央的暗褐色斜带不清晰;亚基线、内线和外线灰白色,亚基线不清晰,内线呈不规则锯齿形,外线清晰,斜伸双曲线形;亚缘线(双道)和缘线均由脉间月牙形灰白色线组成;缘毛暗褐色。后翅暗褐色,前缘基部和后角灰褐色;亚缘线和缘线同前翅。

采集记录:1♂,周至厚畛子,1670m,2008.Ⅵ.30,白明采;1♂,太白黄柏塬,1350m,1980.Ⅶ.11-17,采集人不详;2♂,宁陕火地塘,1538m,2012.Ⅶ.11-15,姜楠采。

分布:陕西(周至、太白、佛坪、宁陕)、北京、河北、山东、河南、甘肃、浙江、湖北、江西、湖南、福建、广西、四川、贵州、云南;朝鲜,日本,越南,缅甸,印度。

寄主:栾树,槭属。

2. 窦舟蛾属 *Zaranga* Moore, 1884

Zaranga Moore, 1884: 357. **Type species**: *Zaranga pannosa* Moore, 1884.

属征:喙退化;下唇须短小,向前伸,不超过头顶;复眼无毛;两性触角双栉形,雌性分支较雄性短。胸部背面具冠形毛簇;腿、胫节饰长毛,后足胫节有 1 对距。腹部中等粗,被毛浓厚,约有 1/3 伸过后翅臀角。前翅长而大,三角形,前缘外半部拱形,翅顶圆,外缘斜波浪形;无径副室,M_1 脉和 $R_{2+3+4+5}$ 脉同出于中室上角;后翅三角形,外缘有点波浪形,Rs 与 M_1 脉的共柄长度不超过 M_1 脉长的 1/2。

分布:东洋界。世界已知 4 种,中国已记载 3 种,秦岭地区有 2 种。

(3)图库窦舟蛾 *Zaranga tukuringra* Streltzov *et* Yakovlev, 2007(图版 24:24)

Zaranga pannosa Wu *et* Fang, 2003c: 104(nec Moore, 1884).

Zaranga tukuringra Streltzov *et* Yakovlev, 2007: 24.

鉴别特征:雄性前翅长 27~30mm,雌性前翅长 35mm。前翅外线靠近前缘的内侧无黄白色点,以此可与点窦舟蛾相区别。与窦舟蛾 *Zaranga pannosa* Moore 在外形上几乎没有区别。但本种抱器瓣中部的突起宽大,颚形突末端不分叉,而后者抱器瓣中部的突起指状,颚形突末端分叉。

采集记录:1♂,太白山,1400m,1979. Ⅵ. 22-24,采集人不详。

分布:陕西(留坝、佛坪、宁陕、黄龙)、山西、甘肃、湖北、四川、云南、西藏;韩国,越南,印度。

寄主:梾木(*Cornus* sp.)。

(4)点窦舟蛾 *Zaranga citrinaria* Gaede, 1930(图版 24:25)

Zaranga citrinaria Gaede, 1930, *in* Seitz (b): 174.

鉴别特征:前翅长 20~32mm。前翅暗褐掺有少量黄白色,基部具 1 枚黄白色点;外横线靠近前缘的内侧,有 1 枚明显的黄白色点。

采集记录:2♂,周至厚畛子,1400m,1998. X. 22,采集人不详。

分布:陕西(周至、佛坪)、甘肃、湖北、四川、云南。

3. 钩翅舟蛾属 *Gangarides* Moore, 1865

Gangarides Moore, 1865: 821. **Type species**: *Gangarides dharma* Moore, 1865.

属征:喙中等;下唇须厚,向上伸至与头顶同高;复眼无毛;两性触角双栉形,分支到近末端时突然变得很短;胸足粗壮,腿、胫节饰浓密长毛,后足胫节有两对距;腹部长,约有 1/3 伸过后翅臀角;前翅宽,前缘外半部拱形,翅顶尖,凸出呈钩形,外缘有点垂直,波浪形,臀角明显,M_2 脉从中室横脉中央伸出,M_1 脉从中室上角伸出,具径副室，R_5 脉从径副室后缘近顶角伸出，R_2 脉和 R_{3+4} 脉从径副室顶角伸出；后翅宽，M_1 与 Rs 脉共柄短，约为 M_1 脉长度的1/4。雄性外生殖器的钩形突和颚形突均不发达；背兜两侧变宽，叶形；抱器瓣三角形，背缘略呈波浪形，近端部骨质增厚，呈角形突起，腹缘有大刺突和小齿形突；阳茎长，基部特别膨大，亚端部稍膨大并具角状器丛；囊形突不发达。

分布：东洋界，1种分布到古北界。世界已记载11种，中国已知4种，秦岭地区有1种。

（5）钩翅舟蛾 *Gangarides dharma* Moore, 1865（图版25：1）

Gangarides dharma Moore, 1865: 821.
Gangarides puerariae Mell, 1922a: 123.

鉴别特征：雄性前翅长30～34mm，雌性前翅长34～40mm。前翅以黄色为主，外缘平滑，仅翅顶处呈锯齿形。后翅灰黄褐带浅红色，具1条模糊暗褐色外带。

采集记录：2♂，留坝，1980. Ⅶ. 11-17；1♀，佛坪龙草坪，1200m，2008. Ⅶ. 03，刘万岗采；1♀，柞水营盘镇，953～995m，2014. Ⅶ. 29-31，刘淑仙采。

分布：陕西（太白、留坝、佛坪、柞水）、辽宁、北京、甘肃、浙江、湖北、江西、湖南、福建、海南、香港、广西、四川、云南、西藏；朝鲜，越南，泰国，缅甸，印度，孟加拉国。

4. 星舟蛾属 *Euhampsonia* Dyar, 1897

Euhampsonia Dyar, 1897: 16. **Type species**: *Trabala niveiceps* Walker, 1865.
Rabtala Draeseke, 1926: 105. **Type species**: *Trabala cristata* Butler, 1877.
Shachihoka Matsumura, 1925b: 403. **Type species**: *Shachihoka formosana* Matsumura, 1925.
Lampronadata Kiriakoff, 1967, *in* Wytsman: 23. **Type species**: *Trabala cristata* Butler, 1877.

别名：凹缘舟蛾属。

属征：喙不发达；下唇须斜向上伸至额中央；复眼无毛；雄蛾触角双栉形，分支达2/3以上，雌蛾触角双栉形，或为线形；胸部背面多具长冠形毛簇，腿、胫节饰长毛，后足胫节有两对距；腹部粗壮；前翅长而宽，前缘外半部拱形，翅顶钝，外缘具不规则缺刻，后缘中央前有1个小齿形毛簇，M_3 与 Cu_1 脉基部分离或有短共柄，M_2 脉从横脉中央伸出，具径副室，M_1 脉从中室上角或径副室后缘近中央伸出，R_5 脉和 $R_{2,3,4}$ 脉同出于径副室顶角；后翅 Cu_1、M_3 脉同一点伸出，M_2 脉从横脉中央或稍上方伸出，Rs 与 M_1 脉共柄短，约为脉长的1/3。雄性外生殖器的钩形突粗，末端尖；颚形突1对，细，末端尖；抱器瓣狭长，中背部有1枚大指突；阳茎末端有尖齿突。

分布：东洋界，古北界。世界已记载8种，中国已知5种，秦岭地区有4种。

(6)锯齿星舟蛾秦岭亚种 *Euhampsonia serratifera viridiflavescens* Schintlmeister, 2008 (图版25:2)

Euhampsonia serratifera viridiflavescens Schintlmeister, 2008: 44.

鉴别特征:前翅长36mm。前翅外缘的缺刻不规则,中部两个大而深。本亚种与指名亚种的区别在于体型较小,前翅底色黄绿色而指名亚种为红褐色,花纹较弱。本种抱器腹中端部呈片状隆起,边缘具小齿,以此可与其他种相区别。

采集记录:2♂1♀,周至厚畛子,1500m,2000. Ⅵ,采集人不详。

分布:陕西(周至、佛坪)、北京、湖北。

(7)黄二星舟蛾 *Euhampsonia cristata* (Butler, 1877)(图版25:3)

Trabala cristata Butler, 1877a: 480.

Lampronadata cristata: Cai, 1979a: 102.

Euhampsonia cristata: Schintlmeister, 1992: 46.

别名:槲天社蛾、大光头。

鉴别特征:雄性前翅长32~33mm,雌性前翅长35~42mm。头和颈片灰白色;胸部背面灰黄带赭色,冠形毛簇端部和后胸边缘黄褐色;腹部背面黄褐色。前翅黄褐色,中央横线间较灰白,有3条暗褐色横线,内、外线较清晰,内线微曲,伸达后缘齿形毛簇的基部,中线松散带形,外线稍直;横脉纹由两个同大的黄白色小圆点组成,脉间缘毛灰白色。后翅黄褐色,前缘色较淡。

采集记录:1♀,佛坪,1976. Ⅶ. 26,采集人不详;1♂,宁陕火地塘,1538m,2012. Ⅶ. 11-15,姜楠采;1♀,柞水营盘镇,953~995m,2014. Ⅶ. 29-31,刘淑仙采。

分布:陕西(留坝、佛坪、宁陕、汉中、柞水、紫阳)、黑龙江、吉林、辽宁、内蒙古、北京、河北、山西、山东、河南、甘肃、江苏、安徽、浙江、湖北、江西、湖南、台湾、海南、四川、云南;俄罗斯,朝鲜,日本,缅甸。

寄主:柞树,蒙古栎。

(8)银二星舟蛾 *Euhampsonia splendida* (Oberthür, 1880)(图版25:4)

Trabala splendida Oberthür, 1880: 65.

Lampronadata splendida: Cai, 1979a: 103.

Euhampsonia splendida: Schintlmeister, 1992: 46.

鉴别特征:雄性前翅长28~33mm,雌性前翅长36mm。头和颈片灰白色,胸部背面和冠形毛簇柠檬黄色,腹部背面淡褐黄色。前翅灰褐色,前缘灰白色,尤以外侧1/3较显著,Cu_2脉和中室下缘后方的整个后缘区柠檬黄色;外缘缺刻小;内线、外线暗褐色,呈“V”形汇合于后缘中央;横脉纹由两个银白色圆点组成,银点周围柠檬黄色;脉间缘毛灰白色。后翅暗灰褐色,前缘灰白色,后缘黄褐色,有1条模糊暗褐色中线。

采集记录:2♂1♀,留坝县城,1020m,1998.Ⅶ.18,采集人不详;1♂1♀,佛坪,890m,1999.Ⅵ.26,采集人不详;1♂,宁陕火地塘,1500m,2008.Ⅶ.08,白明采;1♂,宁陕广货街保护站,1189m,2014.Ⅶ.26-28,刘淑仙采;1♂,柞水营盘镇,953~995m,2014.Ⅶ.29-31,刘淑仙采;1♂,镇巴,1981.Ⅶ.10,采集人不详;1♂,铜川,1980.Ⅶ.16,采集人不详。

分布:陕西(太白、留坝、佛坪、宁陕、柞水、镇巴、铜川)、黑龙江、吉林、辽宁、北京、河北、山东、河南、浙江、湖北、湖南;俄罗斯,朝鲜,日本。

寄主:蒙古栎。

(9)辛氏星舟蛾 *Euhampsonia sinjaevi* Schintlmeister, 1997(图版25:5)

Euhampsonia sinjaevi Schintlmeister, 1997: 55.

鉴别特征:雄性前翅长34~38mm,雌性前翅长38~43mm。头和颈片灰白色,胸部背面和冠形毛簇红褐色(至少端部如此),腹部背面淡黄褐色。前翅灰褐色,有3条不清晰的横线,内线呈不规则弯曲,伸达后缘的齿形毛簇;中线和外线呈松散的带形,在横脉外弯曲。横脉纹为长椭圆形浅黄色小斑;脉间缘毛灰白色,其余褐色;后缘橘黄色。后翅黄褐色,前缘黄白色,后缘带赭色。

采集记录:1♀,太白黄柏塬,1350m,1980.Ⅶ.11-17,采集人不详;1♂,宁陕火地塘,1580m,1998.Ⅶ.26,采集人不详。

分布:陕西(周至、太白、宁陕)、甘肃、湖北、湖南、四川、云南;越南。

5. 银斑舟蛾属 *Tarsolepis* Butler, 1872.

Tarsolepis Butler, 1872: 125. **Type species**: *Tarsolepis remicauda* Butler, 1872.

属征:雄蛾触角双栉形,分支达2/3,端部线形;雌蛾与雄蛾相同,但栉齿较短。喙中等;下唇须短,斜向前伸,不超过额;复眼无毛。胸部腹面、各足腿节和后足胫节饰长毛,后足胫节有两对距。腹部长,较粗壮,几乎有一半伸过后翅臀角,腹面基部两侧各有1丛长毛簇;腹末尖削,具1丛大匙形臀毛簇。前翅宽大,中部有2~4个三角形的银斑;顶角尖;外缘倾斜,较直,锯齿形,臀角明显。前翅具径副室,R_5脉和R_{2+3+4}脉同出于副室顶角,M_1脉从中室上角伸出,M_2脉从中室端脉中央伸出,M_3与Cu_1脉几乎同出一点;后翅Rs与Cu_1脉共柄较短,M_3与Cu_1脉几乎同出一点。雄性外生殖器的钩形突长,端部多少二分支;颚形突细长;抱器瓣宽,端圆;抱器腹宽,末端有时有突起;阳茎相对短,角状器齿形密生;囊形突小,三角形。

分布:东洋界,个别分布在古北界。世界已记载 9 种,中国已知 6 种,秦岭地区分布 1 种。

(10)肖银斑舟蛾 *Tarsolepis japonica* Wileman *et* South, 1917(图版 25:6)

Tarsolepis japonica Wileman *et* South, 1917: 29.

Tarsolepis japonica inouei Okano, 1958: 52.

别名:肖剑心银斑舟蛾。

鉴别特征:雄性前翅长 33~35mm。下唇须灰黄褐色;额和头顶黑褐色,有灰红褐色横线。颈片和前、中胸背面灰褐色;腹部背面末节两边有 1 条黑褐色纵线,腹面基部毛簇鲜红色。前翅较暗,外缘灰褐色宽带较窄;A、Cu_2 脉间银斑内缘向外凹;外侧的银斑外缘向内凹;亚缘线和缘线细,较直。后翅暗褐色,可见模糊椭圆形黑色中点。前翅反面较暗,无银斑;从 M_3 脉中央至臀角有 1 个淡黄色的椭圆形斑;后翅反面黑色中点大而清晰。

采集记录:2♂,旬阳金鑫源山庄,386m,2014.Ⅷ.01-03,刘淑仙、班晓双采。

分布:陕西(旬阳)、江苏、浙江、湖北、福建、台湾、海南、广西、贵州、云南;韩国,日本。

(二)广舟蛾亚科 Platychasminae

鉴别特征:鼓膜器无结节片(nodular sclerite),后侧片凹陷,后盾区具蜡滴状的膨大区,雄性外生殖器有尾突(多数作者称此构造为颚形突)。本亚科的外形识别特征是前翅四叉型,后缘有两个齿形突,触角线状。

分类:陕西秦岭地区分布 1 属 1 种。

6. 广舟蛾属 *Platychasma* Butler, 1881

Platychasma Butler, 1881a: 596. **Type species**: *Platychasma virgo* Butler, 1881.

属征:足饰长毛,胫节距末端光滑。复眼无毛。下唇须中等长,第 2 节是第 1 节长度的 1.50 倍。前翅有 1 个很小的径副室,前缘中部凸出。雌蛾有两根翅缰。跗爪二分叉,后胫节有 2 对距。

分布:中国;朝鲜,日本。世界已记载 2 种,秦岭地区记录 1 种。

(11)黄带广舟蛾 *Platychasma flavida* Wu *et* Fang, 2003(图版 25:7)

Platychasma flavida Wu *et* Fang, 2003c: 307.

鉴别特征:雄性前翅长 22mm。前翅污黄色,有两条黄绿色的横带;中点黑色,清晰。

采集记录:1♂,太白山,1998. Ⅶ. 18;1♂,Shaanxi, Foping Natur. Reserve, 1600m, 1999. Ⅳ. 06-11, coll. Siniaev & Plutenko (WITT)。

分布:陕西(佛坪,太白山)、湖北。

寄主:槭树(*Acer diabolicum*)。

(三)角茎舟蛾亚科 Biretinae

鉴别特征:雄蛾触角短栉齿状,雌蛾线状。翅底色淡黄色到淡褐色,模拟竹子的叶片。幼虫取食单子叶植物,体长而光滑,绿色或褐色。

分类:陕西秦岭地区分布 6 属 17 种。

7. 篦舟蛾属 *Besaia* Walker, 1865

Besaia Walker, 1865: 458. **Type species**: *Besaia rubiginea* Walker, 1865.

Besaia Walker, 1865: 458. **Type species**: *Besaia rubiginea* Walker, 1865.

Ottachana Kiriakoff, 1962a: 179. **Type species**: *Pydna sideridis* Kiriakoff, 1962.

Palessa Kiriakoff, 1962a: 190. **Type species**: *Pydna alboflavida* Bryk, 1950.

Subniganda Kiriakoff, 1962b: 222. **Type species**: *Subniganda aurantiistriga* Kiriakoff, 1962.

Struba Kiriakoff, 1962a: 169. **Type species**: *Bireta argenteodivisa* Kiriakoff, 1962.

Kuohsingia Nakamura, 1974: 125. **Type species**: *Besaia nebulosa* Wileman, 1914.

属征:喙不发达;下唇须肥厚,斜向上举,不伸过头顶;复眼无毛。雄蛾触角锯齿形,具毛簇;雌蛾线形。足粗壮,后足胫节有两对距。腹部长,锥形,约有 1/3 以上伸过后翅臀角;臀毛簇长。前翅宽,前缘略拱,翅顶稍圆,外缘陡曲度大,M_2 脉从横脉中央伸出,M_1 脉从中室上角伸出,具径副室,R_1 脉和 R_{3+4+5}脉同出于径副室顶角。后翅 Rs + M_1 脉共柄短。

分布:中国、印度及其周边国家。中国记载约 40 种,根据雄性外生殖器分为 5 个亚属,秦岭地区分布 4 亚属 8 种。

7-1. 篦舟蛾亚属 *Besaia* Walker, 1865

鉴别特征:雄性外生殖器钩形突短,端部大多数具缺刻或分叉;颚形突多种变化,通常大;抱器瓣长,端部收缩,抱器端圆;阳茎一般略拱,端部大如喙或漏斗形;囊形突短;第 8 腹片长,基缘中央具缺刻,端缘有时也具缺刻,内面有 1 对瘤形突起并时常伴有脊形突起。

(12)竹篦舟蛾 *Besaia* (*Besaia*) *goddrica* (Schaus, 1928)(图版25:8,9)

Pydna goddrica Schaus, 1928: 87.

Besaia rubiginea simplicior Gaede, 1930, *in* Seitz (g): 646.

Besaia goddrica: Cai, 1979a: 93.

Besaia (*Besaia*) *goddrica*: Schintlmeister, 1992: 57.

别名:纵稻竹舟蛾。

鉴别特征:雄性前翅长23mm,雌性前翅长25mm。前翅从基部到外线的后缘区较暗,中央有1条暗灰褐色纵纹;横脉纹为1个黑点;外线双道平行,向外曲,其中里面1条为影状暗褐色带,外面1条由两列小黑点组成。

采集记录:1♀,宁陕火地塘,1979. Ⅶ. 29,采集人不详。

分布:陕西(宁陕)、江苏、浙江、江西、湖南、福建、广东、四川;越南,泰国。

寄主:毛竹。

(13)多点篦舟蛾 *Besaia* (*Besaia*) *multipunctata* Schintlmeister, 2008(图版25:10)

Besaia multipunctata Schintlmeister, 2008: 64.

鉴别特征:前翅长22mm。外形与竹篦舟蛾 *B. goddrica* (Schaus) 相似,但雄蛾两对翅的底色较暗,雄性外生殖器的钩形突长而末端深分叉,颚形突粗壮,三角形。

采集记录:1♂(正模),周至厚畛子,1600m,1999. Ⅸ. 20-Ⅹ. 12, V. Sinjaev & A. Plutenko采(存Schintlmeister处)。

分布:陕西(周至)。

(14)穆篦舟蛾 *Besaia* (*Besaia*) *murzini* Schintlmeister, 2008(图版25:11)

Besaia murzini Schintlmeister, 2008: 67.

鉴别特征:前翅长20mm。体型较大,翅的底色较浅。前翅外线双线,内侧1条点状或连成1条线,外侧1条点状;翅端半部翅脉间大部分浅灰色。雄性外生殖器的钩形突末端分叉。

采集记录:1♂(副模),周至厚畛子,2600m,2001. Ⅶ,采集人不详;1♂(副模),宁陕,1500m,2001. Ⅶ,采集人不详(存Schintlmeister处)。

分布:陕西(周至、宁陕)、四川。

(15)橙篦舟蛾 *Besaia* (*Besaia*) *aurantiistriga* (Kiriakoff, 1962)(图版25:12)

Subniganda aurantiistriga Kiriakoff, 1962b: 223.
Besaia (*Besaia*) *aurantiistriga*: Schintlmeister, 1992: 59.

鉴别特征:前翅长18~21mm。头部褐白色,颈片褐色。前翅浅黄褐色,前缘苍白色,内线单股或不明显;1条橘黄色的纵纹从翅基部经过中室和$M_{2,3}$脉间到达外缘前;从顶角伸出的斜线不太明显。后翅苍白色。

采集记录:1♂1♀(Paratype), Sued-Shensi, Taipai Shan im Tsinling, 1700m, 1936.Ⅱ.07, coll. Höne (ZFMK)。

分布:陕西(太白)、四川。

7-2. 偶舟蛾亚属 *Ogulina* Kiriakoff, 1962

Ogulina Kiriakoff, 1962a: 176. **Type species**: *Pydna plusioides* Bryk, 1949.
Innisca Kiriakoff, 1962a: 176. **Type species**: *Pydna eupatagia* Hampson, 1892.
Ptilurodes Kiriakoff, 1963: 255. **Type species**: *Ptilurodes castor* Kiriakoff, 1963.

鉴别特征:雄性外生殖器钩形突大,卵形,端部短窄,末端圆形;颚形突细长,弯曲;抱器瓣多少呈三角形,抱器端圆;阳茎长于抱器背,近基部漏斗形,随后稍细长,末端具板状突起和侧刺;囊形突非常短,圆形;第8腹节腹板端缘中央具缺刻,里面有两个小瘤形突。

(16)顶偶舟蛾 *Besaia* (*Ogulina*) *apicalis* (Kiriakoff, 1962)(图版25:13)

Bireta apicalis Kiriakoff, 1962b: 225.
Besaia (*Ogulina*) *apicalis*: Schintlmeister, 1992: 62.

鉴别特征:前翅长15mm。前翅浅黄褐色,后缘区颜色较暗,中室内无球杆状纵纹;从前缘3/5到外缘中部有1条暗色影带,中室下方从基部到翅中部有另1条,在这条暗带末端有1枚褐色圆斑;中室下缘白色,在Cu_1、Cu_2脉间形成白斑;从顶角到外线中部有1条暗色斜线,该斜线的内侧为1个白斑;翅基部有1个小褐点;中室端有两个小褐斑;外线和缘线均由褐色小点组成。后翅褐色。

采集记录:模式标本于1936年06月采自陕西秦岭太白山,存德国波恩。作者未见标本。

分布:陕西(太白山)、云南;尼泊尔。

(17)黑偶舟蛾秦岭亚种 *Besaia* (*Ogulina*) *melanius aethiops* Schintlmeister *et* Fang, 2001(图版25:14)

Besaia (*Ogulina*) *melanius aethiops* Schintlmeister *et* Fang, 2001: 39.

鉴别特征:雄性前翅长22~23mm,雌性前翅长24mm。前翅浅褐色,具松散暗褐色斑;从中室端脉上方到翅顶斜纹另有1条松散褐色斜带;横线黑褐色,亚基线只有在前缘上有一点痕迹;内线断续波浪形;外线锯齿形;从翅顶到外线有1条暗褐色斜纹,纹上方的翅顶区灰白色;外线和斜纹相截的外缘区褐色,其中R_5到Cu_2脉有1列脉间白色近椭圆形斑;缘线由1列小黑点组成;中室有1条黑褐色球杆形纵纹,从中室端脉伸至中室中部;中室端脉与褐灰色斜带间白色;外缘黄白色。后翅苍褐色,前缘和缘毛浅黄色。黑偶舟蛾外形与美偶舟蛾 *B. eupatagia* (Hampson) 很相似,但翅底色深,中室下方的黑带很宽。秦岭亚种翅的底色比指名亚种更暗,前翅顶角处的苍白色斑小,不伸达外线。

采集记录:1♂(副模),佛坪,1600m,1999. V.11,采集人不详。

分布:陕西(佛坪)。

7-3. 枯舟蛾亚属 *Curuzza* Kiriakoff, 1962

Curuzza Kiriakoff, 1962a: 171. **Type species**: *Pydna frugalis* Leech, 1898.

鉴别特征:雄性外生殖器钩形突狭长,端部分成两个尖端,腹面具短突起;尾突非常发达,通常分叉;抱器瓣稍窄,多少呈三角形;阳茎细长,近末端有1~2个突起;第8腹片基缘有两个近线形的细长突起。

(18)枯舟蛾 *Besaia* (*Curuzza*) *frugalis* (Leech, 1898)(图版25:15)

Pydna frugalis Leech, 1898: 302.
Bireta (*Curuzza*) *frugalis*: Kiriakoff, 1962b: 171.
Curuzza frugalis: Kiriakoff, 1968: 74.
Besaia (*Curuzza*) *frugalis*: Schintlmeister, 1992: 65

鉴别特征:前翅长22mm。前翅浅褐色,中室下有1个很明显的黑点;有浅黑色的基斑;从中室基部伸出有1条褐色的纵纹,止于外线扩大的斑纹;从翅顶到外线有1条暗色斜纹;内线由褐点组成,其中前缘两个和中室下的1个很明显;外线由两列点组成;亚缘线双股,由模糊的暗线组成;缘线由1列小点组成。后翅浅褐色。

采集记录:1♂,S. Shensi, Taipai Shan im Tsinling, 1000m, 1935. V.24, coll. Höne (ZFMK)。

分布:陕西(太白)、浙江、四川、云南。

7-4. 邻偶舟蛾亚属 *Subogulina* Schintlmeister *et* Pinratana, 2007

Subogulina Schintlmeister *et* Pinratana, 2007: 76. **Type species**: *Pydna crenelata* Swinhoe, 1896.

鉴别特征:外形与枯舟蛾亚属相似,但雄性外生殖器的钩形突二分叉,腹面有片状突起,两个颚形突粗而长,抱器瓣不分裂,抱器腹没有明显的骨化结构。

(19)荣邻偶舟蛾大陆亚种 *Besaia* (*Subogulina*) *ronkayorum congrua* Schintlmeister, 2008(图版25:16)

Besaia ronkayorum congrua Schintlmeister, 2008: 70.

鉴别特征:本亚种与指名亚种的区别在于前翅外缘区的褐色斑是椭圆形而不是圆形。

采集记录:4♂(副模),宁陕,1500m,2001. Ⅶ,采集人不详(存 Schintlmeister A 处)。

分布:陕西(宁陕、大巴山)、四川、湖北。

8. 拟皮舟蛾属 *Mimopydna* Matsumura, 1924

Mimopydna Matsumura, 1924: 37. **Type species**: *Pydna pallida* Butler, 1877.

属征:雄性外生殖器钩形突各异,有时延长和狭窄;下钩形突一般简单,少数具齿;抱器瓣边缘骨化,其余多少膜质,抱器腹缘常具齿;阳茎稍粗壮,拱形或扭曲;囊形突短;第8腹片末端具缺刻,端缘有1簇浓密缘毛或具小刺。

分布:世界已知9种,中国已记载8种,秦岭地区记录3种。

(20)黄拟皮舟蛾秦岭亚种 *Mimopydna sikkima stueningi* (Schintlmeister, 1989)(图版25:17)

Besaia (*Mimopydna*) *sikkima stueningi* Schintlmeister, 1989: 106.
Mimopydna sikkima stueningi: Schintlmeister, 2008: 77.

鉴别特征:雄性前翅长24mm。前翅橙黄色,后缘区灰红褐色;内线难认;横脉纹橙黄色,两侧灰红褐色,外侧向外延伸似呈带形;外线灰红褐色,双股平行,锯齿形,每股在脉上的点较暗且清晰;外线外侧从翅顶到后缘有两列由模糊灰红褐色点组成的斜带;亚缘线由1列脉间暗红褐色点组成;后翅暗褐色杂赭色。本亚种与指名亚种很相似,但颚形突中部无突起。

采集记录:1♂(Holotype), S. Shensi, Taipai Shan im Tsinling, 3000m, 1936. Ⅲ. 07, coll. Höne (ZFMK)。

分布:陕西(太白)。

(21)尖拟皮舟蛾 *Mimopydna cuspida* Wu *et* Fang, 2002(图版25:18)

Mimopydna cuspidata Wu *et* Fang, 2002: 813.

鉴别特征:本种与黄拟皮舟蛾相似,但前翅花纹不明显,雄性外生殖器的钩形突末端不分叉,抱器腹宽而有齿突。

采集记录:1♂,宁陕旬阳坝,1350m,1998.Ⅶ.29,采集人不详。

分布:陕西(宁陕)、甘肃。

(22)玛拟皮舟蛾 *Mimopydna magna* Schintlmeister, 1997(图版25:19)

Mimopydna magna Schintlmeister, 1997: 39.

鉴别特征:本种外形与黄拟皮舟蛾相似,但体型要大许多。雄性外生殖器的钩形突末端尖,抱器端圆,抱器腹有1枚明显的齿突。

采集记录:作者没有陕西秦岭的标本,根据Schintlmeister (2008) 的记录。

分布:陕西(宁陕、大巴山)、湖北;越南。

9. 角瓣舟蛾属 *Torigea* Matsumura, 1934

Torigea Matsumura, 1934b: 180. **Type species**: *Bireta plumosa* Leech, 1888.

Cutuza Kiriakoff, 1962a: 168. **Type species**: *Ceira straminea* Moore, 1877.

Dypna Kiriakoff, 1962b: 222. **Type species**: *Dypna triangularis* Kiriakoff, 1962.

Biraia Kiriakoff, 1962a: 174. **Type species**: *Ceira junctura* Moore, 1879.

属征:喙弱。下唇须斜向上举,第3节较第2节稍短。雄性触角双栉齿形,端部分支短;雌性线形。胫节有两对距。腹部勉强伸过后翅臀角。前翅宽,近三角形,前缘略拱,翅顶和臀角尖,外缘和后缘几乎是直的,中域靠后缘有暗斑;Cu_2、M_3脉出发点距离较宽,M_2脉从横脉中央伸出,有径副室;后翅Cu_2、M_3脉同前翅,M_2脉从横脉中央稍上方伸出,M_1+Rs脉共柄短,约为M_1脉长的1/4。

分布:东洋界,古北界。本属包括约20种,中国已知13种,秦岭地区记录3种。

(23)短纹角瓣舟蛾 *Torigea astrae* Schintlmeister *et* Fang, 2001(图版25:20)

Torigea astrae Schintlmeister *et* Fang, 2001: 44.

鉴别特征:前翅长20~21mm。前翅银带靠近基部,后翅黄白色。雄性外生殖器的钩形突小,颚形突粗而呈长方形,阳茎侧面的突起呈钩状弯曲。

采集记录:1♂,佛坪自然保护区,1400m,1999.Ⅳ.15-20,采集人不详。

分布:陕西(周至、佛坪)。

(24)银纹角瓣舟蛾 *Torigea argentea* Schintlmeister, 1997(图版25:21)

Torigea argentea Schintlmeister, 1997: 79.

鉴别特征:前翅长21～24mm。前翅底色赭黄色,有7～8条银色纵纹。雄性外生殖器的钩形突较短宽,末端稍尖;颚形突基部很宽,端部鸟喙状。

采集记录:1♂,佛坪自然保护区,1400m,1999.Ⅳ.06-09,采集人不详。

分布:陕西(佛坪、大巴山)、湖南、云南;越南。

(25)中国角瓣舟蛾 *Torigea sinensis* (Kiriakoff, 1962)(图版26:1)

Bireta junctura sinensis Kiriakoff, 1962b: 234.

Torigea sinensis: Schintlmeister, 1992: 75.

鉴别特征:前翅长20mm。本种曾作为连角瓣舟蛾 *T. junctura* 的一个亚种,但仅前翅的上半部与后者相似。其实本种外形与蒿角瓣舟蛾 *T. straminea* (Moore) 相似,但前翅颜色较浅而中部另有1枚暗色斑。雄性外生殖器与冕角瓣舟蛾 *T. ereptor* Schintlmeister 相似,但其识别特征是颚形突大而呈锯齿形,抱器瓣腹缘基部的突起光滑。

采集记录:模式标本(仅有正模)采自太白山,保存在德国波恩。

分布:陕西(太白山)、四川。

10. 角茎舟蛾属 *Bireta* Walker, 1856

Bireta Walker, 1856: 1754. **Type species**: *Bireta longivita* Walker, 1856.

属征:喙不发达,下唇须向前稍伸过头部。复眼无毛。雄蛾触角双栉齿形,雌蛾线形。足粗壮,后足胫节有两对距。腹部短,稍伸过后翅臀角,雄蛾具臀毛簇。前翅宽,近三角形,前缘拱,翅顶尖,外缘直斜,臀角钝,后缘直;Cu_1、M_3 脉出发点距离较宽,M_2 脉从横脉中央伸出,M_1 脉从中室上角伸出,具径副室,R_5 脉和 R_{4+3+2} 脉同出于径副室顶角。后翅宽,Cu_1、M_3 脉出发点距离较宽,M_2 脉从横脉中央伸出,M_1 + Rs 脉共柄很短,约为 M_1 脉长的1/12。

分布:秦岭地区记录1种。

(26)依角茎舟蛾 *Bireta extortor* Schintlmeister, 2008(图版26:2,3)

Bireta extortor Schintlmeister, 2008: 101.

鉴别特征:雄性前翅长 22 ~ 24mm,雌性前翅长 24mm。前翅淡赭黄色,褐色的斑纹较浅,中部靠近后缘的褐斑模糊而可见。

采集记录:1 对副模标本于 2000 年 07 月采自宁陕,存 Schintlmeister 处。

分布:陕西(宁陕、大巴山)。

11. 旋茎舟蛾属 *Liccana* Kiriakoff, 1962

Liccana Kiriakoff, 1962a: 177. **Type species**: *Bireta terminicana* Kiriakoff, 1962.

属征:有喙;下唇须斜向上伸过额中央;复眼无毛;雄蛾触角长双栉齿形,雌蛾触角线形。胸足粗壮,后足胫节有两对距;腹部细长,约有 1/3 伸过后翅臀角。前翅稍窄,前缘直,翅顶尖,外缘陡曲度大,臀角圆;M_3、Cu_1 脉出发点距离较宽,M_2 脉从横脉中央稍下方伸出,M_3 脉从中室上角伸出,具小径副室,R_5 脉和 R_{2+3+4}脉同出于径副室顶角。后翅宽,M_3、Cu_1 脉同前翅,M_2 脉从横脉中央伸出,Rs 与 M_1 脉共柄很短。雄性外生殖器的钩形突基部有 1 枚小突起,端部通常分为两个长支,支上具精细齿;颚形突简单细长;抱器瓣稍窄,抱器腹边缘大多具齿;阳茎长,稍粗壮,一般扭曲,有时端部具粗分叉小钩;囊形突短;第 8 腹片多种变异,一般基部具缺刻,有时侧端伴随有凹槽。

分布:中国。世界目前已知 3 种,秦岭地区记录 1 种。

(27) 淡黄旋茎舟蛾 *Liccana substraminea* (Kiriakoff, 1962)(图版 26:4)

Bireta substraminea Kiriakoff, 1962b: 226.

Liccana substraminea: Kiriakoff, 1967: 46.

Liccana terminicana substraminea: Schintlmeister, 1992: 76.

鉴别特征:前翅长 20mm。翅淡灰黄色,具褐色雾点,内外横线不清晰,缘线由 1 列脉间黑点组成。后翅白色杂淡赭色。

采集记录:模式标本于 1936 年 06 月采自太白山,存德国波恩动物博物馆,作者没有太白山的标本。

分布:陕西(太白山)、江苏、湖北。

12. 纡舟蛾属 *Periergos* Kiriakoff, 1959

Pydna Walker, 1856: 1753 (nec Herrich-Schäffer, 1855). **Type species**: *Pydna testacea* Walker, 1856.

Periergos Kiriakoff, 1959: 321. **Type species**: *Periergos obsolete* Kiriakoff, 1959.

Loudonta Kiriakoff, 1962a: 164. **Type species**: *Pydna* (?) *dispar* Kiriakoff, 1962.

Eupydna Watson, Fletcher *et* Nye, 1980, *in* Nye: 72. **Type species**: *Pydna testacea* Walker, 1856 (new name for *Pydna* Walker, 1856).

属征:下唇须长,向前伸;雄蛾触角长双栉齿形;后足胫节有2对距;前翅前缘微拱,翅顶尖,外缘几乎直;臀角圆;M_3、Cu_1 脉出发点靠近,M_2 脉从中室上角稍下方伸出,M_3 脉从中室上角伸出,具小径副室,R_5 脉和 $R_{2,3,4}$脉同出于径副室顶角。后翅宽,M_3、Cu_1 脉同前翅,M_2 脉从横脉中央稍上方伸出,Rs 与 M_1 脉共柄很短。雄性外生殖器的钩形突由两个侧突组成,模式种侧突细长,其他种较短;颚形突细长或缺;背兜窄;抱器瓣窄,抱器背延长成1个细长突起,多少有点弯曲;阳茎相对短;阳端基环常有很长的尾突;囊形突不发达。

分布:东洋界。世界已知15种以上,中国有8种,秦岭地区记录1种。

(28)皮纡舟蛾 *Periergos magna* (**Matsumura, 1920**)(图版26:5)

Pydna magna Matsumura, 1920: 151.
Ceira horishana Matsumura, 1925b: 404.
Periergos confusus Kiriakoff, 1962b: 220.
Periergos magna: Schintlmeister, 1992: 77.

别名:皮舟蛾。

鉴别特征:雄性前翅长24mm,雌性前翅长28~30mm。是该属中体型较小的一种。前翅淡黄色,满布褐色雾点;横脉纹为1个黑点;中室端部有1个较大的暗色影斑。后翅雄蛾红赭色,雌蛾黄白泛微红色。雄性外生殖器的钩形突宽而端部分两支,颚形突细长。

采集记录:作者没有陕西秦岭的标本,根据 Schintlmeister (2008) 的记录。

分布:陕西(秦岭)、福建、台湾、广东、广西、四川、云南。

(四)蚁舟蛾亚科 Stauropinae

鉴别特征:雄蛾触角羽状,端部突然变为线状、锯齿形或栉齿状。

分类:陕西秦岭地区分布14属26种。

13. 二尾舟蛾属 *Cerura* von Schrank, 1802

Cerura von Schrank, 1802: 155. **Type species**: *Phalana vinula* Linnaeus, 1758.
Andria Hübner, 1822: 15, 16, 18, 20. **Type species**: *Phalana vinula* Linnaeus, 1758.
Dicranura Boisduval, 1828: 54. **Type species**: *Phalana vinula* Linnaeus, 1758.

属征:喙不发达;下唇须短小,向前伸;两性触角长双栉齿形。后足胫节有1对距。腹部密被柔毛,末端约有1/3伸过后翅臀角。前翅长,前缘直,翅顶圆,外缘斜曲度小,臀角明显;M_2 脉从横脉上方近中室上角伸出;具大径副室;M_1 脉从径副室下缘近顶角伸出;R_2 脉和 $R_{3,4,5}$脉同出于径副室顶角或共短柄。后翅 Cu_1、M_3 脉几乎同出一点;M_2

脉从横脉中央伸出；M_1 + Rs 脉共柄短，约为 M_1 脉长的 1/4。

分布：全北界，东洋界。世界已知 16 种，我国已记载 6 种，秦岭地区记录 1 种。

(29) 杨二尾舟蛾大陆亚种 *Cerura erminea menciana* Moore, 1877（图版 26：6，7）

Cerura menciana Moore, 1877a: 89.

Cerura erminea menciana: Schintlmeister, 2008: 122.

鉴别特征：雄性前翅长 26 ~ 30mm，雌性前翅长 28 ~ 37mm。前翅灰白微带紫褐色，翅脉黑褐色，所有斑纹黑色；基部有 3 个黑点鼎立；亚基线由 1 列黑点组成；内线 3 股；中线从前缘中央开始，沿中室端脉内侧呈深齿形曲到中室下角，以后呈深锯齿形与外线平行达于后缘中央；横脉纹月牙形；外线双股，在脉间呈深锯齿形曲；缘线由脉间黑点组成，其中 R_4 至 M_3 脉间的黑点向内延长，呈两头粗中间细的纹。后翅灰白微带紫色，翅脉黑褐色，基部和后缘带灰黄色，横脉纹黑色，缘线由 1 列脉间黑点组成。本种在我国分为 3 个亚种，大陆亚种的前翅颜色较浅，雌蛾尤其显著。

采集记录：1♂，佛坪，950m，1998. Ⅶ. 24，采集人不详。

分布：陕西（佛坪），除台湾（台湾亚种）、甘肃、四川、云南（滇缅亚种）外的广大地区。

14. 邻二尾舟蛾属 *Kamalia* Kocak *et* Kemal, 2006

Paracerura Schintlmeister, 2002a: 106. **Type species**: *Cerura tattakana* Matsumura, 1927 (Preoccupied name).

Kamalia Kocak *et* Kemal, 2006: 3. **Type species**: *Cerura tattakana* Matsumura, 1927 (new name for *Paracerura* Schintlmeister, 2002).

属征：与二尾舟蛾属相似，但前翅底色为闪光的白色。雄性外生殖器的鉴别特征是第 8 腹板的骨化区“W”形。体型明显大于新二尾舟蛾属 *Neocerura*。

分布：东洋界。世界已知 15 种，中国已记载 4 种，秦岭地区记录 1 种。

(30) 白邻二尾舟蛾 *Kamalia tattakana* (Matsumura, 1927)（图版 26：8，9）

Cerura tattakana Matsumura, 1927: 7.

Neocerura tattakana: Kiriakoff, 1968: 115.

Kamalia tattakana: Schintlmeister, 2008: 124.

别名：大新二尾舟蛾、白二尾舟蛾。

鉴别特征：雄性前翅长 26 ~ 32mm，雌性前翅长 32 ~ 41mm。前翅白色带黄色，具丝质光泽。后翅白色，可与其他种相区别。阳茎细长是本种的鉴别特征。

采集记录:1♂,佛坪,950m,1998.Ⅶ.24,采集人不详。

分布:陕西(佛坪)、江苏、浙江、湖北、湖南、台湾、四川、云南,日本,越南,缅甸。

寄主:红花天料木(*Homalium hainanense*),杨,柳。

15. 燕尾舟蛾属 *Furcula* Lamarck, 1816

Furcula Lamarck, 1816: 581. **Type species**: *Phalaena furcula* Clerck, 1759.

属征:喙退化;下唇须短小,向前伸不过额;复眼无毛;两性触角双栉齿形,雌蛾分支较雄蛾短。胸部和足密被长柔毛,后足胫节有1对距。前翅脉序与二尾舟蛾属很近似,但 M_1 脉和 $R_{2+3+4+5}$ 脉同出于径副室顶角;后翅 M_3+Cu_1 脉同出一点或共短柄,从中室下角伸出,M_1+Rs 共柄长,超过 M_1 脉长的2/3。雄性外生殖器的钩形突喙状;颚形突单个,圆片状,末端中央有1个缺刻;抱器瓣膜质,基部背缘有1条与抱器瓣等长或更长的长角突;阳茎末端尖。本属各种的雄性外生殖器非常相似,有的种类间几乎没有差异,可外形区别明显。

分布:全北界。世界已知约16种,我国已记录6种,秦岭地区发现1种。

(31)燕尾舟蛾间亚种 *Furcula furcula intercalaris* (Grum-Grshimailo, 1900)(图版26:10,11)

Harpyia intercalaris Grum-Grshimailo, 1900: 470.

Furcula furcula intercalaris: Schintlmeister, 1992: 81.

鉴别特征:前翅长15~19mm。前翅灰色到灰白色,内、外横带间较暗,呈雾状烟灰色;基部有2个黑点;亚基线由四五个黑点组成,排列拱形;内横带黑色,中间收缩,两侧饰赭黄色点;外线黑色,从前缘近翅顶伸至 M_3 脉呈斑形,随后由脉间月牙形线组成,内衬灰白边,有些标本在外线内侧有两条不清晰黑线;横脉纹为1列黑点;缘线由1列脉间黑点组成。后翅灰白色,外带模糊松散,近臀角较暗;横脉纹黑色;缘线同前翅。本亚种前翅底色灰白色,雄性外生殖器抱器背基突末端的齿长。

采集记录:2♂,留坝县城,1020m,1998.Ⅶ.18,采集人不详;2♂,留坝庙台子,1350m,1998.Ⅶ.02,采集人不详;02♀,宁陕火地塘,1979.Ⅶ.30,采集人不详。

分布:陕西(留坝、宁陕)、甘肃。

16. 美舟蛾属 *Uropyia* Staudinger, 1892

Uropyia Staudinger, 1892a: 344. **Type species**: *Notodonta meticulodina* Oberthür, 1884.

Dracoskapha Yang, 1995: 159. **Type species**: *Dracoskapha pontada* Yang, 1995.

属征:喙退化;下唇须薄而小,向前伸不过头顶。复眼无毛。雄蛾触角双栉齿形分支达2/3,端部1/3短锯齿形;雌蛾线形。胸部背面中央被浓密的绒毛,腿、胫节饰长毛,后足胫节只有1对距。腹部约有1/3伸过后翅臀角。前翅长,前缘直,翅顶钝;外缘曲度小,锯齿形;臀角明显,后缘差不多与外缘同长;Cu_2、M_3脉出发点距离较宽,M_2脉从横脉中央伸出,M_1脉从中室上角伸出,具径副室,$R_{3,4,5}$脉从径副室顶角伸出,R_2脉从径副室前缘近顶角伸出。后翅Cu_2、M_3脉出发点距离较近,M_2脉同前翅,M_1+Rs脉共柄长,约为M_1脉长的2/3。

分布:东亚。世界已知3种,我国均有记载,秦岭地区记录1种。

(32)核桃美舟蛾 *Uropyia meticulodina* (Oberthür, 1884)(图版26:12)

Notodonta meticulodina Oberthür, 1884b: 16.

Uropyia meticulodina: Staudinger, 1892a: 344.

Uropyia hammamelis Mell, 1931: 377.

鉴别特征:雄性前翅长21~25mm,雌性前翅长25~30mm。前翅暗褐色,前缘、后缘各有1块黄褐色大斑(有些标本为黄白色),前者几乎占满了中室以上的整个前缘区,呈大刀形,后者半椭圆形;横脉纹暗褐色。后翅淡黄色,后缘较暗,脉端缘毛较暗。前翅横脉纹不明显,可与近缘种梅尔美舟蛾 *U. melli* Schintlmeister 相区别。

采集记录:1♂,留坝庙台子,1350m,1998. Ⅶ. 21,采集人不详;1♂,佛坪,950m,1998. Ⅶ. 23,采集人不详。

分布:陕西(太白、留坝、佛坪、韩城)、辽宁、吉林、北京、山东、甘肃、江苏、浙江、湖北、江西、湖南、福建、广西、四川、贵州、云南;俄罗斯,朝鲜,日本。

寄主:胡桃(*Juglans regia*),胡桃楸(*J. mandshurica*)。

17. 蚁舟蛾属 *Stauropus* Germar, 1812

Stauropus Germar, 1812: 45. **Type species**: *Phalaena* (*Noctua*) *fagi* Linnaeus, 1758.

Neostauropus Kiriakoff, 1967: 89. **Type species**: *Stauropus basalis* Moore, 1877.

属征:喙退化;下唇须向前伸,刚过额;复眼无毛。雄蛾触角2/3双栉齿形,末端1/3和雌蛾线形。后足胫节1对距。腹部背面第1~5节每节具1丛毛簇,臀毛族长。前翅宽长,前缘外半部微拱,翅顶钝角形,外缘较斜曲度平稳,与后缘连接成一弧形,臀角不明显;M_2脉从横脉中央伸出,M_1脉和$R_{2+3+4+5}$脉同出于中室上角,无径副室。后翅M_2脉同前翅,M_1+Rs脉共柄短,不超过M_1脉长的1/2。雄性外生殖器的钩形突分为两支,通常宽;无颚形突;抱器瓣窄小,通常有突起;阳茎长,超过抱器瓣长度的2倍。

分布:古北界,东洋界。秦岭地区分布 4 种。

(33)司寇蚁舟蛾 *Stauropus skoui* Schintlmeister, 2008(图版 26:13)

Stauropus skoui Schintlmeister, 2008: 152.

鉴别特征:外形与苹蚁舟蛾 *S. fagi* (Linnaeus) 无法区分,但本种雄性外生殖器的颚形突长片状,较抱器瓣稍大,背缘具齿,表面凹凸不平;阳茎较短而直。

采集记录:1♂(正模)和 6 头(副模),佛坪,1999. Ⅳ-Ⅴ,存 Schintlmeister 处。

分布:陕西(周至、佛坪、宁陕、大巴山)、湖北、四川。

(34)苹蚁舟蛾 *Stauropus fagi* (Linnaeus, 1758)(图版 26:4)

Phalaena (*Noctua*) *fagi* Linnaeus, 1758: 508.

Stauropus persimilis Butler, 1879: 353.

Stauropus fagi: Schintlmeister, 1992: 86.

别名:苹果天社蛾。

鉴别特征:雄性前翅长 28mm,雌性前翅长 37mm。前翅灰红褐色;内半部较暗,基部有 1 个红褐色点;内线及外线灰白色,内线不清晰,呈双波形曲;无中线;外线锯齿形;亚缘线由 6 个暗红褐色圆点组成;缘线由脉间暗红褐色锯齿形线组成;横脉纹暗红褐色。后翅灰红褐色,前缘较暗,中央有 1 个灰白色斑。雄性外生殖器颚形突背缘基部有 1 枚大突起,阳茎较长而弯曲。

采集记录:1♀,留坝庙台子 1350m,1998. Ⅶ. 21,采集人不详。

分布:陕西(太白、留坝)、吉林、内蒙古、山西、甘肃、浙江、广西、四川,俄罗斯,朝鲜,日本。

寄主:苹果,梨,李,樱桃,麻栎 (*Quercus acutissima*),赤杨 (*Alnus japonica*),胡枝子 (*Lespedeza bicolor*),连香树 (*Cercidiphyllum japonicum*),菝葜 (*Smilax china*)。

(35)茅莓蚁舟蛾 *Stauropus basalis* Moore, 1877(图版 26:15)

Stauropus basalis Moore, 1877a: 90.

Stauropus mediolinea Rothschild, 1917: 245

Stauropus usuguronis Matsumura, 1934b: 178.

Neostauropus basalis: Kiriakoff, 1967: 89.

鉴别特征:雄性前翅长 16 ~ 20mm,雌性前翅长 20 ~ 22mm。前翅灰褐带棕色,内半部灰白色,中部红褐色;基部有 1 个黑褐色点;内线不清晰,深褐色;中线为 1 条松散的带,在横脉外呈肘形曲;横脉纹暗棕色;外线灰黄白色,饰棕褐边;亚缘线由 1 列脉间黑褐色点组成,每点内衬灰白边;缘线由脉间黑褐色月牙形点组成,内衬灰白边。后翅灰褐带棕色,内半部和后缘灰白色,前缘较暗,有 2 条灰白色纹,缘线由 1 列脉间黑褐色点组成。

采集记录:1♂,留坝庙台子,1350m,1998. Ⅶ. 21,采集人不详;1♂,佛坪,950m,1998. Ⅶ. 23,采集人不详。

分布:陕西(周至、太白、留坝、佛坪)、北京、河北、山西、山东、甘肃、江苏、浙江、湖北、江西、湖南、福建、台湾、广西、四川、贵州、云南;俄罗斯,朝鲜,日本,越南。

寄主:茅莓 (*Rubus parvifolius*),千金榆 (*Carpinus cordata*)。

(36)花蚁舟蛾 *Stauropus picteti* Oberthür, 1911(图版 26:16)

Stauropus picteti Oberthür, 1911b: 322.

Quadricalcarifera picteti: Kiriakoff, 1967: 84.

鉴别特征:雄性前翅长 27mm。本种外形与台蚁舟蛾 *S. teikichiana* Matsumura 很相似,但前翅基部黄绿色是本种的识别特征。此外,本种的横脉纹及中室端斑黑色,大而明显,这也是本种的显著特征。其余斑纹同台蚁舟蛾。

采集记录:1♂,宁陕火地塘 1580m,1999. Ⅶ. 06,采集人不详。

分布:陕西(宁陕)、甘肃、湖南、四川。

18. 灰舟蛾属 *Cnethodonta* Staudinger, 1887

Cnethodonta Staudinger, 1887a: 214, 215. **Type species**: *Cnethodonta girsescens* Staudinger, 1887.

属征:喙退化;下唇须斜向上伸到额中央;复眼无毛;两性触角双栉齿形,雌蛾分支较雄蛾短。后足胫节 1 对距,具臀毛簇。前翅稍宽,前缘外半部微拱,外缘斜曲度平稳,Cu_2、M_3 脉出发点靠近,M_2 脉从横脉中央伸出,M_1 脉和 $R_{2+3+4+5}$ 脉同出于中室上角,无径副室。后翅 Cu_2、M_3 脉几乎同一点出,M_2 脉从横脉中央上方伸出,M_1 + Rs 脉共柄长,超过 M_1 脉长的一半。雄性外生殖器的钩形突宽,颚形突单个,抱器瓣长臂状,阳茎端基环宽大,背兜窄,囊形突窄而末端尖。

分布:东洋界,古北界。世界已知 5 种,我国已记载 4 种,秦岭地区记录 3 种。

(37)灰舟蛾 *Cnethodonta girsescens* Staudinger, 1887(图版 26:17)

Cnethodonta girsescens Staudinger, 1887a: 214.

鉴别特征:雄性前翅长 17 ~21mm,雌性前翅长 22mm。前翅灰白色,布满黑褐色雾点,所有斑纹黑褐色,由半竖起鳞片组成;无褐色的亚基线;4 条横线不清晰衬白边;内线外斜,微波浪形;外线双曲形;亚缘线和缘线由脉间黑褐色点组成;横脉纹较清晰。腹部没有浅灰色的背线。雄性外生殖器的钩形突短,背拱腹凹近半球形,末端具弧形缺刻。

采集记录:1♂,留坝庙台子,1350m,1998. Ⅶ. 21,采集人不详;2♂,宁陕火地塘,1580m,1998. Ⅶ. 26,采集人不详。

分布:陕西(太白、留坝、佛坪、宁陕)、黑龙江、吉林、辽宁、北京、河北、山西、甘肃、浙江、湖北、江西、湖南、福建、台湾、广西、四川;俄罗斯,朝鲜,日本。

寄主:春榆(*Ulmus japonica*),糠椴(*Tiliamanshurica*)。

(38)疹灰舟蛾秦岭亚种 *Cnethodonta pustulifer famelica* Schintlmeister, 2008 (图版26:18)

Cnethodonta pustulifer famelica Schintlmeister, 2008: 163.

鉴别特征:前翅长 19 ~24mm。本种外形与灰舟蛾 *C. girsescens* Staudinger 极其相似,但腹部有明显的浅白色背线。秦岭亚种体型比指名亚种小(前翅长小 1 ~2mm),前翅暗灰色。

采集记录:1♂,太白山,1900m,1999. Ⅷ. 06,采集人不详;7♂1♀,宁陕火地塘,1979. Ⅶ. 30-Ⅷ. 06,采集人不详;3♂1♀,宁陕火地塘,1580m,1998. Ⅷ. 15,采集人不详。

分布:陕西(宁陕,太白山,大巴山)。

(39)显灰舟蛾 *Cnethodonta dispicio* Schintlmeister, 2008(图版 26:19,20)

Cnethodonta dispicio Schintlmeister, 2008: 163.

鉴别特征:本种外形与灰舟蛾 *C. girsescens* Staudinger 极其相似,但本种前翅有 1 条褐色的亚基带可与之相区别。

采集记录:模式标本于 1999 年四五月采自陕西周至、佛坪、宁陕和大巴山,存 Schintlmeister 处。

分布:陕西(周至、佛坪、宁陕、大巴山)、甘肃、湖南、四川。

19. 胯舟蛾属 *Syntypistis* Turner, 1907

Syntypistis Turner, 1907: 405. **Type species**: *Syntypistis chloropasta Turner*, 1907.

Quadricalcarifera Strand, 1916a: 160. **Type species**: *Stauropus* (*Quadricalcarifera*) *subgeneris* Strand, 1916.

Egonocia Marumo, 1920: 333. **Type species**: *Somera cyanea* Leech, 1889.

Taiwa Kiriakoff, 1967: 51. **Type species**: *Stauropus confusa* Wileman, 1910.

属征:本属与蚁舟蛾属 *Stauropus* 近似,但本种下唇须较长;两性触角均为长双栉齿形分支达4/5,末端1/5锯齿形;后足胫节有2对距。前翅脉序与蚁舟蛾属相同,即 M_2 脉从横脉中央伸出,M_1 脉和 $R_{2+3+4+5}$ 脉同出于中室上角,无径副室。后翅 M_2 脉同前翅,$M_1 + Rs$ 脉共柄短,约为 M_1 脉长的1/3。雄性外生殖器的钩形突和颚形突发达,抱器瓣狭长,末端通常有刺突,阳茎端基环发达,阳茎细长,囊形突细长。雌性外生殖器有明显的导管端片,囊体上有2~3列细刻点,从基部向端部纵向排成缺环状。

分布:东洋界,少数分布在古北界。世界已知60多种,我国已记录20多种,秦岭地区记录5种。

(40)微灰胯舟蛾 *Syntypistis subgriseoviridis* (Kiriakoff, 1963)(图版26:21)

Quadricalcarifera subgriseoviridis Kiriakoff, 1963: 265.

Syntypistis subgriseoviridis: Schintlmeister & Fang, 2001: 13.

别名:青白胯舟蛾。

鉴别特征:雄性前翅长18~22mm,雌性前翅长24mm。前翅暗浅红褐色掺有灰白、灰褐和黄绿色鳞片,尤其沿前缘到基部较灰白;内、外线暗褐色很不清晰,内线在中室上呈齿状外曲,在A脉上呈深角状内曲,外线从前缘向内斜,在 M_3 脉上呈角状曲;亚缘线不明显。后翅灰褐色,前缘较暗,有1条模糊外带。

采集记录:1♂,留坝县城,1020m,1998. Ⅶ. 12,采集人不详;1♂,佛坪,950m,1998. Ⅶ. 05,采集人不详。

分布:陕西(留坝、佛坪)、甘肃、江苏、浙江、湖北、江西、湖南、广西、四川。

寄主:山核桃(*Carya cathayensis*)。

(41)胜胯舟蛾 *Syntypistis victor* Schintlmeister *et* Fang, 2001(图版26:22)

Syntypistis victor Schintlmeister *et* Fang, 2001: 49.

鉴别特征:雄性前翅长21mm,雌性前翅长26mm。前翅灰褐色,基部黑色带淡绿色,其余部分散布黑褐色细鳞片;内线黑褐色,两侧衬白边;前缘中部及中室内有3个白斑;外线白色波状,两侧衬黑边;亚缘线黑色,波状。后翅浅赭褐色到灰褐色,前缘有3条带。

采集记录:1♂(副模),佛坪自然保护区,1600m,1999. Ⅳ. 30,采集人不详。

分布:陕西(周至、佛坪)、辽宁、北京、河南、湖北。

(42)普胯舟蛾 *Syntypistis pryeri* (Leech, 1899)(图版 26:23)

Somera pryeri Leech, 1899: 216.

Quadricalcarifera pryeri: Kiriakoff, 1967: 83.

Syntypistis pryeri: Schintlmeister & Fang, 2001: 51.

鉴别特征:雄性前翅长 18 ~22mm,雌性前翅长 24 ~26mm。前翅浅灰褐色掺有灰白和暗黄绿色鳞片;前缘中部和中室横脉内外侧有 3 个不太明显的白斑;内外线暗褐色,双股;内线较直,细齿状;外线从前缘向内斜;亚缘线单股,波状。后翅灰褐色到灰白色,前缘较暗,有 1 条模糊外带。

采集记录:1♀,留坝,1983. Ⅷ. 15,采集人不详。

分布:陕西(太白、留坝)、甘肃、浙江、湖北、湖南、福建、台湾、广西、四川、云南;朝鲜,日本。

(43)葩胯舟蛾 *Syntypistis parcevirens* (de Joannis, 1929)(图版 26:24)

Stauropus parcevirens de Joannis, 1929: 455.

Stauropus sporadochlorus Bryk, 1949: 24.

Quadricalcarifera synechochlora Kiriakoff, 1963: 262.

Quadricalcarifera plebeja Kiriakoff, 1963: 265.

Syntypistis parcevirens: Schintlmeister & Fang, 2001: 13.

鉴别特征:雄性前翅长 19 ~21mm,雌性前翅长 21 ~26mm。前翅灰白色,散布褐色细鳞片;基部黑色,密布翠绿色鳞片;前缘中部密布翠绿色鳞片;外线黑色,波状,其外侧衬宽的翠绿色鳞片带;缘线黑褐色,外衬翠绿色鳞片。后翅灰白色到灰褐色,前缘色暗,外线隐约可见。

采集记录:2♂,留坝县城,1020m, 1998. Ⅶ. 18,采集人不详;1♂1♀,宁陕火地塘,1580m,1998. Ⅷ. 21,采集人不详。

分布:陕西(留坝、宁陕)、河南、甘肃、湖北、湖南、福建、四川、云南;越南,缅甸。

(44)希胯舟蛾 *Syntypistis sinope* Schintlmeister, 2002(图版 26:25,26)

Syntypistis sinope Schintlmeister, 2002b: 194.

鉴别特征:本种与普胯舟蛾 *S. pryeri* (Leech) 相似,但本种前翅颜色较浅,斑纹较不明显。

采集记录:1♀(副模),宁陕,1500m,2000. Ⅶ,采集人不详,存 Schintlmeister 处。

分布:陕西(宁陕、大巴山)、广东、广西;越南。

20. 枝舟蛾属 *Harpyia* Ochsenheimer, 1810

Harpyia Ochsenheimer, 1810: 19. **Type species**: *Bombyx milhauseri* Fabricius, 1775.

Hybocampa Lederer, 1853: 78. **Type species**: *Bombyx milhauseri* Fabricius, 1775.

Hoplitis Hübner, 1819: 147. **Type species**: *Bombyx terrifica* Denis *et* Schiffermüller, 1775.

Damata Walker, 1855: 1044. **Type species**: *Damata longipennis* Walker, 1855.

属征:喙退化;下唇须短,向前伸至额;复眼无毛。两性触角长双栉齿形,分支达3/4,末端1/4锯齿形。足被密长毛,后足胫节只有1对距。前翅狭长,雌蛾稍宽,前缘外半部略拱,翅顶稍尖,外缘斜曲度小;M_2 脉从横脉中央伸出,M_1 脉和 R_{2-5}脉同出于中室上角或共1短柄,大多无径副室。后翅 M_2 脉从横脉中央稍上方伸出,M_1+Rs 脉共柄短,占全脉长的1/4~1/3。后翅臀角有1块大暗斑是本属外形上的一个显著特征。

分布:古北界,东洋界。世界已知11种,中国记录5种,秦岭地区发现2种。

(45)小斑枝舟蛾 *Harpyia tokui* (Sugi, 1977)(图版26:27)

Hybocampa tokui Sugi, 1977: 9.

Harpyia tokui: Schintlmeister & Fang, 2001: 54.

鉴别特征:雄性前翅长21~23mm。前翅淡铅灰色,混有赭色,前缘基部1/3有1块黑色楔形大斑,该斑围有灰色边;该斑对应的翅后缘色暗;内线仅在前缘明显;外线浅灰色,前缘其内、外侧各有1块黑斑;横脉纹为1列黑点;脉端缘毛浅黄白色,其余部分暗褐色。后翅赭白色,前缘和外缘黑褐色;臀角黑色,内侧伴有1条短黑线;脉间缘毛赭白色,其余暗褐色。

采集记录:1♂,周至,1400m,1999.Ⅳ,采集人不详。

分布:陕西(周至)、浙江;日本。

(46)异瓣枝舟蛾 *Harpyia asymmetria* Schintlmeister *et* Fang, 2001(图版27:1)

Harpyia asymmetria Schintlmeister *et* Fang, 2001: 54.

鉴别特征:雄性前翅长21~22mm。前翅内线完整。雄性外生殖器的抱器瓣左右不对称,右瓣只有左瓣的一半长。

采集记录:1♂,佛坪自然保护区,1600m,1999.V.11,采集人不详。

分布:陕西(周至、佛坪)。

21. 涟舟蛾属 *Shachia* Matsumura, 1919

Shachia Matsumura, 1919: 75. **Type species**: *Shachia subrosea* Matsumura, 1919.

Microhoplitis Marumo, 1920: 296. **Type species**: *Drymonia circumscripta* Butler, 1885.

Toddia Kiriakoff, 1967: 111. **Type species**: *Fentonia eingana* Schaus, 1928.

Toddiana Kiriakoff, 1973: 42. **Type species**: *Fentonia eingana* Schaus, 1928.

属征:喙退化;下唇须短小,向前伸不过额;复眼无毛。雄蛾触角双栉齿形,分支到4/5,端部1/5锯齿形;雌蛾分支稍短。后足胫节只有1对距。腹部具长的臀毛簇。前翅近三角形,前缘直,近翅顶处微拱;翅顶圆;外缘斜,曲度平稳;M_2 脉从横脉中央伸出,M_1 与 R_{2-5}脉共柄,从中室上角伸出,无径副室。后翅 M_2 脉从横脉中央稍上方伸出,M_1+Rs 脉共柄长,约为 M_1 脉长的3/5。雄性外生殖器的钩形突基部大,近三角形,端部细长而略拱,端缘稍圆;颚形突细,略呈拱形;背兜侧缘基部有1对长突起;抱器瓣基部宽,逐渐向端部变窄,末端细尖;阳茎稍长于抱器瓣,略细,拱形;囊形突不发达。

分布:中国;日本。世界已知2种,中国记录1种,秦岭地区也有发现。

(47)艾涟舟蛾 *Shachia eingana* (Schaus, 1928)(图版27:2)

Fentonia eingana Schaus, 1928: 80.

Toddia eingana: Kiriakoff, 1967: 111.

Toddiana eingana Kiriakoff, 1973: 42.

Shachia eingana: Schintlmeister & Fang, 2001: 57.

鉴别特征:前翅长13~15mm。本种与绮涟舟蛾 *S. circumscripta*(分布在日本)的区别很小,外形上本种比后者翅形更长一点,雄性外生殖器的区别仅在于本种的钩形突和背兜侧突都更长一些。

采集记录:2♂,佛坪自然保护区,1600m,1999.Ⅳ.30,采集人不详;1♀,宁陕火地塘,1979.Ⅶ.24,采集人不详。

分布:陕西(周至、佛坪、宁陕)、河南、湖北、四川。

22. 纺舟蛾属 *Fusadonta* Matsumura, 1920

Fusadonta Matsumura, 1920: 146. **Type species**: *Notodonta basilinea* Wileman, 1911.

Pheosilla Kiriakoff, 1963: 274. **Type species**: *Pheosilla umbra* Kiriakoff, 1963.

属征:有喙。下唇须上举,第 3 节短小。雄性触角短双栉形,分支到 3/4。后足胫节有两对距。后胸背面有短毛簇。前翅后缘有明显的齿形突;M_2 脉出自横脉中央;有小径副室,M_1 和 R_{3-5}脉从径副室的顶角分出。后翅 M_3 和 Cu_1 脉同出一点,M_2 脉出自横脉的上半部,M_1 + Rs 脉共柄。雄性外生殖器的钩形突长,颚形突短小,抱器瓣狭长,阳茎粗长。

分布:古北界,东洋界。世界已知 3 种,中国均有记载,秦岭地区发现 1 种。

(48)阿纺舟蛾 *Fusadonta atra* Kobayashi, Kishida *et* Wang, 2008(图版 27:3,4)

Fusadonta atra Kobayashi, Kishida *et* Wang, 2008: 125.

鉴别特征:雄性触角的栉齿分支较短。前翅深灰褐色,亚基线和内线黑色波状,仅上半部明显,外衬浅黄色边;外线黑色波状,很明显,外侧衬浅黄色边;翅的端区中部黄褐色,脉纹浅黑色;横脉纹暗,其边缘浅黄色;脉端缘毛浅黑色;臀角有 1 个明显的黑斑。后翅浅灰褐色,顶角暗,内有白齿状带;外缘暗色。

采集记录:1♂, Shaanxi, Ningshan, 1500m, 2000. Ⅵ (in the collection of A. Schintlmeister)。

分布:陕西(宁陕)、江西、福建、广东。

23. 刹舟蛾属 *Parachadisra* Gaede, 1930

Parachadisra Gaede, 1930, *in* Seitz (g): 636. **Type species**: *Chadisra varians* Bethune-Baker, 1908.

属征:有喙,下唇须短。触角双栉形,分支到 2/3,雌蛾分支比雄蛾短。后胫节有两对距。前翅三角形,顶角较圆;有径副室,M_1 脉出自径副室顶角附近;R_{2-5}脉共柄很长,出自径副室顶角。雄性外生殖器的钩形突发达;颚形突 1 对,细长而弯;抱器瓣端部尖,背缘基部有长突起;阳茎细。

分布:东洋界,巴布亚新几内亚。世界已知 2 种,中国已记载 1 种,秦岭地区也有记录。

(49)白缘刹舟蛾 *Parachadisra atrifusa* (Hampson, 1897)(图版 27:5,6)

Chadisra atrifusa Hampson, 1897: 282.

Parachadisra atrifusa: Kiriakoff, 1968: 217.

鉴别特征:雄性前翅长 20~24mm,雌性前翅长 27mm。前翅暗褐色,亚缘线外侧的整个端区颜色浅,其中 M_1 脉以上的部分浅棕色,以下的部分白色,这是本种的显著特征。

采集记录:1♂,佛坪县城,950m,1998. Ⅶ.25,采集人不详。

分布:陕西(佛坪)、河南、浙江、湖南、福建、广西;越南,印度(北部)。

24. 纷舟蛾属 *Fentonia* Butler, 1881

Fentonia Butler, 1881a: 20. **Type species**: *Fentonia laevis* Butler, 1881.

Urocampa Staudinger, 1892a: 343. **Type species**: *Harpyia ocypete* Bremer, 1861.

Neoshachia Matsumura, 1925b: 400. **Type species**: *Neoshachia parabolica* Matsumura, 1925.

Subwilemanus Kiriakoff, 1963: 281. **Type species**: *Subwilemanus pictus* Kiriakoff, 1963.

属征:有喙;下唇须饰长毛,斜向上伸至额中央。雄蛾触角双栉齿形分支约达2/3,末端1/3锯齿形;雌蛾线形。后足胫节有2对距。腹部长,约有1/3伸过后翅臀角。前翅长,近三角形,前缘近翅顶处微拱,翅顶尖,外缘斜而曲度较小,约与后缘等长,臀角明显;M_2 脉从横脉上方伸出,有长径副室,M_1 脉靠近径副室后缘中央伸出,R_5 脉和 R_{4+3} 脉同出于径副室项角,R_2 脉从径副室前缘近项角处伸出。后翅 M_2 脉从横脉中央稍上方伸出,M_1 + Rs 脉共柄短,占脉长的1/6~1/5。雄性外生殖器的钩形突狭长,两侧有长缘毛;颚形突1对,细小;抱器瓣长,背缘骨化,腹缘膜质;阳茎细而直,通常比抱器瓣短,内有角状器。雌性外生殖器的第8背板和腹板发达,有明显的导管端片,囊导管细长,囊片大,有囊片2枚。

分布:东洋界,古北界。世界已知15种,中国已记录7种。秦岭地区发现3种。

(50)栎纷舟蛾 *Fentonia ocypete* (Bremer, 1861)(图版27:7)

Harpyia ocypete Bremer, 1861: 481.

Fentonia laevis Butler, 1881a: 20.

Fentonia crenulata Matsumura, 1922: 522.

Fentonia ocypete: Grünberg, 1912, *in* Seitz (a): 292.

Fentonia ocypete japonica Grünberg, 1912, *in* Seitz (a): 292.

Fentonia ocypete yun Yang *et* Lee, 1978, *in* Yang: 505.

鉴别特征:雄性前翅长21~23mm,雌性前翅长22~25mm。本种在中国分布很广,在个体大小、颜色和花纹上变异较大,因此,必须依赖外生殖器特征。雄性外生殖器第8腹板端缘中央呈倒"T"形凹入,这是本种特有的鉴别特征。

采集记录:1♂1♀,太白山,1980. Ⅶ.11,采集人不详;1♂1♀,留坝县城,1020m,1998. Ⅶ.18,采集人不详;1♂,佛坪,950m,1998. Ⅶ.24,采集人不详。

分布:陕西(留坝、佛坪、宁陕,太白山)、黑龙江、吉林、北京、山西、甘肃、江苏、浙江、湖北、江西、湖南、福建、广西、四川、重庆、贵州、云南;俄罗斯,朝鲜,日本。

寄主:日本栗(*Castanea japonica*),麻栎(*Quercus acutissima*),柞栎(*Q. dentata*),枹栎(*Q. glandulifera*),蒙栎(*Q. mongolica*)。

(51)曲纷舟蛾 *Fentonia excurvata* (Hampson, 1893)(图版 27:8)

Pheosia excurvata Hampson, 1893: 161.

Subwilemanus modestior Kiriakoff, 1963: 284

Fentonia excurvata: Schintlmeister & Fang, 2001: 60.

鉴别特征:雄性前翅长 19 ~ 22mm,雌性前翅长 23 ~ 26mm。前翅浅棕色,后缘基半部灰白色;中央有 1 条黑色纵纹,从中室基部下方向外伸至亚缘线,其内侧有 1 条赭白色纵带,从中室内线处直向外伸达亚缘线;亚缘线黑色,外衬灰白边,与纵纹弧形曲至 Cu_1 脉后不清晰;缘线黑色。后翅灰褐色,缘线细黑色。雄性外生殖器的抱器瓣窄,中基部只比端部略宽。

采集记录:1♀,宁陕,1979. Ⅶ. 23,采集人不详。

分布:陕西(宁陕)、江西、福建、海南、广西、四川、云南;越南,泰国,老挝,印度,尼泊尔。

(52)大涟纷舟蛾 *Fentonia macroparabolica* Nakamura, 1973(图版 27:9)

Fentonia macroparabolica Nakamura, 1973a: 67.

Fentonia modestior macroparabolica: Nakamura, 1976: 49.

鉴别特征:雄性前翅长 21 ~ 24mm。本种外形与曲纷舟蛾 *F. excurvata* (Hampson)十分相似,几乎无法区分,唯个体较大(台湾标本),曾被作为后者的亚种。但两者的雄性外生殖器差别十分明显,本种抱器瓣基部宽而无突起。甘肃宕昌的标本体型较小,与曲纷舟蛾相似。因此,必须解剖外生殖器才能正确鉴定。

采集记录:1♂,宁陕火地塘,1580 ~ 1650m,1999. Ⅵ. 26,采集人不详。

分布:陕西(宁陕)、甘肃、台湾、广东。

25. 云舟蛾属 *Neopheosia* Matsumura, 1920

Neopheosia Matsumura, 1920: 147. **Type species**: *Pheosia fasciata* Moore, 1888.

属征:喙弱;下唇须细小,斜向上伸,不达于额中央。复眼无毛。雄蛾触角基部2/3双栉齿形,端部 1/3 线形雌蛾触角线形。胸部被长毛,后足胫节有 2 对距。前翅狭,近三角形;前缘外半部微拱,翅顶略尖;外缘较斜,曲度小;臀角明显;M_2 脉从横脉较上方伸出;M_1+R_{2-5}脉从中室上角伸出。后翅 M_2 脉同前翅,M_1+Rs 脉共柄短,约为 M_1 脉长的 1/6。雄性外生殖器的钩形突长,有下钩形突;颚形突细长;抱器瓣背缘具内褶;囊形突短宽。雌性外生殖器有 2 枚囊片。

分布:东洋界。本属只包括模式种,中国也有记载。

(53)云舟蛾 *Neopheosia fasciata* (Moore, 1888)(图版 27:10)

Pheosia fasciata Moore, 1888b: 401.

Neopheosia fasciata: Matsumura, 1920: 147.

Neopheosia fasciata formosana Okano, 1959: 39.

鉴别特征:雄性前翅长 20mm,雌性前翅长 24 ~ 28mm。前翅淡黄褐带赭红色(雌蛾赭红色稍浓),翅基部和后缘黑褐色连接成带状;有 3 条暗褐色云雾状斜斑,前缘翅顶 1 条较窄,中间 1 条较宽大,从前缘中央斜伸至 M_3 脉外缘,内面 1 条从中室外半部斜伸至肘脉基部,但在中室较明显,近球形;外线不清晰,暗褐色,锯齿形,弧形外屈伸达后缘中央,前段横过中间的斜斑;外缘脉端和脉端缘毛暗褐色。后翅灰白带褐色,外缘暗褐色,臀角特别暗,脉端缘毛同前翅。

采集记录:2♀,太白黄柏塬,1350m,1980. Ⅶ. 11-17,采集人不详;1♀,佛坪,950m,1998. Ⅶ. 24,采集人不详;1♂1♀,宁陕火地塘,1580m,1998. Ⅶ. 26,采集人不详。

分布:陕西(太白、佛坪、宁陕)、北京、河南、甘肃、浙江、湖北、江西、湖南、福建、台湾、广东、海南、广西、四川、贵州、云南、西藏;日本,越南,泰国,缅甸,印度,菲律宾,马来西亚,印度尼西亚。

寄主:李属(*Prunus*)。

26. 威舟蛾属 *Wilemanus* Nagano, 1916

Wilemanus Nagano, 1916: 2. **Type species**: *Stauropus bidentatus* Wileman, 1911.

Chadisroides Matsumura, 1924: 35. **Type species**: *Ochrostigma ussuriensis* Püngler, 1912.

Ganminia Cai, 1979b: 462. **Type species**: *Ganminia hamata* Cai, 1979.

属征:喙中等;下唇须短小,向前伸到额。雄蛾触角双栉齿形分支接近到顶端(有时分支不对称,一侧长,另一侧短),末端锯齿形;雌蛾线形或同雄蛾。后足胫节有 2 对距。腹部较长,约有 2/5 伸过后翅臀角。前翅前缘直,近翅顶略拱;外缘斜曲度平稳;M_2 脉从横脉中央稍上方伸出;具径副室;M_1 脉从径副室下缘近中央伸出;R_5 脉、R_{2+3}脉和 R_2 脉分别从径副室顶角伸出。后翅 M_2 脉同前翅,M_{1+2}脉共柄短，约为6脉长的1/6～1/3。雄性外生殖器的钩形突长，颚形突较长，抱器瓣狭长，阳茎比抱器瓣稍短。雌性外生殖器有2枚囊片。

分布：古北界，东洋界。世界已知2种，中国均有记录，秦岭地区采到1种。

(54) 梨威舟蛾 *Wilemanus bidentatus* (Wileman, 1911)（图版27：11）

Stauropus bidentatus Wileman, 1911: 287.

Ochrostigma ussuriensis Püngler, 1912, *in* Seitz (a): 305.

Notodonta ? *pira* Druce, 1901: 77.

Chadisra coreana Matsumura, 1922: 521.

Wilemanus bidentatus: Matsumura, 1924: 30.

Wilemanus bidentatus coreanus Matsumura, 1924: 30.

Willemanus duli Yang *et* Lee, 1978, *in* Yang: 506.

Wilemanus bidentatus ussuriensis: Cai, 1979a: 143.

别名：黑纹银天社蛾、亚梨威舟蛾。

鉴别特征：前翅长17～19mm。前翅灰白泛赭色，有大小2个醒目的黑褐色斑：大斑几乎占满翅的内半部，在中室下呈双齿形分叉（有时分叉不明显），外叉下缘具1条黑色亚中褶纹（有时不明显），斑的内缘黑色，外衬灰白边；小斑在前缘外线与亚端线之间，近三角形，内有2条黑色楔形纹；横脉纹黑色，微弯；内线、外线和亚缘线均为模糊的灰白色带：内线仅在大斑下一段可见，呈内齿形曲；外线和亚缘线锯齿形，外线外曲在亚中褶处与大斑外叉相截；缘线细，黑褐色，锯齿形；脉端缘毛暗褐色，其余灰白带褐色。后翅灰褐色，具1条模糊灰白色外带；缘线由脉间月牙形暗褐色线组成；缘毛同前翅。

采集记录：1♂，凤县，1980.Ⅶ.07，采集人不详；1♂，留坝县城，1020 m，1998.Ⅶ.18，采集人不详；1♂，佛坪，950m，1998.Ⅶ.24，采集人不详；1♂，宁陕火地塘，1580m，1998.Ⅶ.27，采集人不详。

分布：陕西（凤县、留坝、佛坪、宁陕）、黑龙江、辽宁、北京、河北、山西、山东、河南、江苏、安徽、浙江、湖北、江西、湖南、福建、广东、广西、四川、贵州、云南；俄罗斯，朝鲜，日本。

寄主：梨，苹果。

（五）舟蛾亚科 Notodontinae

鉴别特征：雄蛾触角双栉形分支到末端。前翅后缘有 1 枚齿形突。喙极短，足的爪简单。幼虫相当光滑，没有特别的变化。

分类：陕西秦岭地区分布 18 属 36 种。

27．林舟蛾属 *Drymonia* Hübner，1819

Drymonia Hübner，1819：144．**Type species**：*Bombyx dodonaea* Denis *et* Schiffermüller，1775.

Chaonia Stephens，1828：29．**Type species**：*Noctua roboris* Fabricius，1777.

属征：喙退化；下唇须短，斜向上伸，仅至额。复眼无毛。雄蛾触角双栉齿形，雌蛾线形。后足胫节有 2 对距。前翅略宽，外缘斜曲度平稳，臀角明显，M_2 脉从横脉中央伸出，M_1 脉和 R_{2-5} 脉从中室上角伸出，无径副室。后翅 M_1 与 Rs 脉共柄长。雄性外生殖器的钩形突相对短，颚形突短粗，抱器瓣狭长，有抱器背基突和端突，阳茎粗壮。幼虫似夜蛾，身体光滑无瘤，仅具分散的单独小毛，通常绿色，具侧纹。

分布：古北界。世界已知 9 种，中国仅记载了 1 种。

（55）锯纹林舟蛾中华亚种 *Drymonia dodonides sinensis* Schintlmeister，1989
（图版27：12）

Drymonia dodonides sinensis Schintlmeister，1989：109.

鉴别特征：前翅底色带红褐，花纹清楚，基线尤其明显。雄性外生殖器的抱器背基突起有齿，颚形突细长。

采集记录：1♂（正模），1935 年 06 月 23 日采自太白山，存德国波恩（ZFMK）。

分布：陕西（太白山）、黑龙江、吉林、河南。

28．雾舟蛾属 *Nephodonta* Sugi，1980

Nephodonta Sugi，1980：179．**Type species**：*Nephodonta tsushimensis* Sugi，1980.

属征：有喙；下唇须短，下缘有毛，第 3 节光滑。触角雄性双栉形分支到 4/5，雌性线状。后胫节有 2 对距，但前 1 对的内距短或退化。腹部无臀毛簇。前翅相对窄，顶角雌蛾比雄蛾略凸出，后缘无齿形突；无径副室，R_{2-5} 脉共柄，M_1 脉出自中室上角，M_2 脉出自横脉中央。后翅 M_1 与 Rs 脉共柄到 3/5，M_2 脉出自横脉中央。雄性外生殖器的钩形突宽，末端分叉；颚形突 1 对，粗棒状；背兜短宽；抱器瓣弯；阳茎细长，有角状器。

分布:古北界,东洋界。世界已知2种,中国均有分布,秦岭地区采到1种。

(56)灰雾舟蛾太白亚种 *Nephodonta tsushimensis taibaiana* Schintlmeister *et* Fang, 2001(图版27:13,14)

Nephodonta tsushimensis taibaiana Schintlmeister *et* Fang, 2001: 60.

鉴别特征:雄性前翅长19~21mm,雌性前翅长20~22mm。雄蛾触角分支较长。前翅灰色,只有少数标本的中域混有淡白色鳞片,内线和外线外衬淡白色;亚缘线红褐色;只有1/10的标本臀角处有暗色斑。后翅灰白色,雌性比雄性颜色更浅。本亚种前翅没有指名亚种那么长,颜色更灰。

采集记录:1♂,周至厚畛子,1400m,1999.Ⅳ,采集人不详;1♂1♀,佛坪自然保护区,1400m,1999.Ⅴ.11,采集人不详。

分布:陕西(周至、佛坪)、湖北。指名亚种分布在日本。

29. 舟蛾属 *Notodonta* Ochsenheimer, 1810

Notodonta Ochsenheimer, 1810: 45. **Type species**: *Bombyx dromedaries* Linnaeus, 1767.

Mimodonta Matsumura, 1920: 144. **Type species**: *Mimodonta albicosta* Matsumura, 1920.

Microdontella Strand, 1934, *in* Gaede: 111(new name for *Mimodonta* Matsumura,1920). **Type species**: *Mimodonta albicosta* Matsumura, 1920.

Tritophia Kiriakoff, 1967, *in* Wytsman: 141. **Type species**: *Phalaena phoebe* Siebert, 1790.

Eligmodonta Kiriakoff, 1967, *in* Wytsman: 181. **Type species**: *Bombyx ziczac* Linnaeus, 1758.

属征:喙不发达;下唇须短,向前伸不过额。雄蛾触角双栉齿形,末端1/3分支很短,雌蛾线形。胸背无冠形毛簇,后足胫节有2对距。前翅宽,前缘外半部微拱,翅顶圆,外缘斜曲度平稳,后缘中央前有1丛大齿形毛簇;M_2脉从横脉中央伸出,M_1+R_{2-5}脉共柄,从中室上角伸出;无径副室。后翅M_2脉从横脉上方伸出,M_1+Rs脉共柄短,不超过脉长的1/2。雄性外生殖器的第8腹板端缘增厚,凸出或凹入;钩形突粗;颚形突多短粗;抱器瓣多为长椭圆形,背缘端部多有突起;阳茎比抱器瓣长。

分布:全北界,东洋界。中国已知9种,秦岭地区记录4种。

(57)烟灰舟蛾 *Notodonta torva* (Hübner,1803)(图版27:15)

Bombyx torva Hübner, 1803: fig. 29.

Bombyx tritophus Esper, 1876: 299.

Notodonta tritophus uniformis Oberthür, 1911b: 323.

Notodonta sugitanii Matsumura, 1924: 31.

Notodonta torva: Schintlmeister, 1992: 107.

鉴别特征:前翅长 19 ~ 22mm。前翅暗灰褐色,所有斑纹暗褐色;横脉纹清晰,衬灰白色边;外线锯齿形,在 M_1 脉上呈钝角形曲,Cu_2 脉以后垂直于后缘;亚缘线模糊,较粗;缘线细;脉端缘毛较暗。后翅浅灰褐色,臀角和横脉纹较暗;外线模糊,灰白色。

采集记录:2♂,太白山,3000m,1937. Ⅵ. 29,采集人不详,存德国波恩 (ZFMK)。

分布:陕西(太白山)、黑龙江、吉林、内蒙古、北京、山西、湖北;俄罗斯,日本,欧洲。

寄主:杨,桦属(*Betula*),榛属(*Corylus*),桤木属(*Alnus*)等。

(58)粗舟蛾 *Notodonta trachitso* Oberthür, 1894(图版 27:16)

Notodonta trachitso Oberthür, 1894: 21.

鉴别特征:前翅长 23 ~ 26mm。前翅浅锈红色,后缘和外缘黑褐色;亚基部中央有 1 个灰黄色圆斑;中室端部和顶角各有 1 枚灰黄色斑;横脉纹肾形,围灰黄色边;亚缘线灰黄色,细;缘线细而直,黑色。后翅浅棕色,散布黑色鳞片;横脉纹为 1 个模糊暗点。雌蛾有 1 条模糊的浅色亚缘线。

采集记录:2♂,周至厚畛子,3210m,1999. Ⅵ. 21,采集人不详。

分布:陕西(周至、太白)、甘肃、四川。

(59)瑰舟蛾 *Notodonta roscida* Kiriakoff, 1963(图版 27:17)

Notodonta roscida Kiriakoff, 1963: 286.

鉴别特征:前翅长 23 ~ 26mm。前翅浅黄褐色,密布红褐色鳞片,无亚基线;前缘、外缘和后缘褐色;从 R 脉主干沿翅室有 4 条黑褐色纵纹:中室下 1 条,中室内 1 条,中室外顶角附近 2 条;外线浅黄色,波状;亚缘线浅黄色,较直;缘线黑色,细而直。后翅浅黄褐色,臀角处色暗,缘线黑色。

采集记录:1♂,佛坪偏岩子,1750m,1999. Ⅵ. 28,采集人不详;2♂,宁陕,1979. Ⅶ. 23,采集人不详。

分布:陕西(太白、佛坪、宁陕)、河南、甘肃、湖北。

(60)黑色舟蛾 *Notodonta musculus* (Kiriakoff, 1963)(图版 27:18)

Peridea musculus Kiriakoff, 1963: 285.

Notodonta nigra Wu *et* Fang, 2003a: 146.

鉴别特征:本种外形与烟灰舟蛾 *N. torva* (Hübner) 十分相似,但本种前翅横脉纹不清晰,可与后者相区别。外生殖器也与后者较相似,但本种雄性外生殖器的抱器瓣背缘基部宽而不形成明显的垫状突起,端部的突起宽叶状而不是指状;本种雌性外生殖器的囊颈处多1块骨片。

采集记录:1♂3♀,太白黄柏塬,1350m,1980. Ⅶ. 11-17,采集人不详;1♀,宁陕火地塘,1979. Ⅶ. 23,采集人不详。

分布:陕西(太白、宁陕)。

30. 内斑舟蛾属 *Peridea* Stephens, 1828

Peridea Stephens, 1828: 32. **Type species**: *Bombyx serrata* Thunberg, 1792.

Mesodonta Matsumura, 1920: 145. **Type species**: *Notodonta monetaria* Oberthür, 1879.

属征:喙不发达;下唇须很短,第2节向前伸不过额。雄蛾触角锯齿形,具毛簇;雌蛾线形。胸背无冠形毛簇,后足胫节有2对距。前翅宽,前缘外半部微拱,翅顶圆,外缘斜曲度平稳,后缘中央前有1丛大齿形毛簇;M_2 脉从横脉中央伸出,M_1+R_{2-5} 脉共柄,从中室上角伸出;无径副室。后翅 M_2 脉从横脉上方伸出,M_1+Rs 脉共柄短,不超过脉长的1/3。本属与舟蛾属 *Notodonta* 在脉序和外生殖器方面都没有差异,两属唯一的差别在于雄性触角,本属为锯齿形,具毛簇,而舟蛾属为双栉齿形。

分布:古北界,东洋界。中国已知11种,秦岭地区记录6种。

(61)赭小内斑舟蛾 *Peridea graeseri* (Staudinger, 1892)(图版27:19)

Notodonta graeseri Staudinger, 1892a: 351.

Notodonta arnoldi Oberthür, 1911b: 322.

Peridea graeseri: Kiriakoff, 1967: 96.

鉴别特征:雄性前翅长26~30mm,雌性前翅长39mm。前翅灰褐色,亚基线以内的基部赭黄色;所有斑纹暗红褐色;横脉纹赭褐色;亚基线双波形曲,从前缘伸至A脉,外衬浅黄色边;内线波浪形,内衬灰白边;外线不清晰,锯齿形,外衬灰白边,在前缘赭黄色,其内侧为1块大纺锤形斑;亚缘线模糊,外衬灰白边;缘线细,脉端缘毛灰白色,其余带暗红褐色。后翅灰白色,后缘褐色;外线和亚缘线灰褐色,亚缘线宽带形;缘线细,暗褐色。

采集记录:1♂,留坝县城,1020m,1998. Ⅶ. 18,采集人不详。

分布:陕西(周至、留坝)、黑龙江、吉林、北京、山西、河南、甘肃、湖北、台湾;俄罗斯,朝鲜,日本。

(62)侧带内斑舟蛾中原亚种 *Peridea lativitta interrupta* Kiriakoff, 1963(图版27:20,21)

Peridea lativitta interrupta Kiriakoff, 1963: 284.

鉴别特征:前翅灰褐色,从基部沿臀褶到亚缘线有1条赭黄色宽带;亚基线和内线较清晰,暗红褐色:亚基线从前缘伸至A脉,呈双齿形曲;内线锯齿形,内衬灰白边;横脉纹暗褐色,周围灰白色;横脉纹上方的前缘有1个模糊的暗灰褐色斑点;外线暗褐色,锯齿形,在前缘、后缘较清晰,外衬灰白边;亚缘线模糊,外衬灰白边;缘线细,暗褐色。后翅灰白色,后缘浅灰褐色,前缘灰褐色;雌蛾有1条不清晰的灰褐色外带;缘线细,暗褐色;缘毛灰白色。

本亚种前翅底色较偏褐色。雄性外生殖器的钩形突末端分叉较深,颚形突近中部不加宽,边缘齿突少,主要集中在末端;雌性外生殖器第8腹板端缘两侧的突起较短。

采集记录:2♂,留坝县城,1020m,1998.Ⅶ.18,采集人不详。

分布:陕西(周至、留坝、佛坪)、河南、浙江、湖北、四川;韩国。

(63)厄内斑舟蛾 *Peridea elzet* Kiriakoff, 1963(图版27:22)

Peridea elzet Kiriakoff, 1963: 285.

鉴别特征:雄性前翅长22~26mm。前翅暗灰褐带暗红色,齿形毛簇黑褐色,4条横线暗红褐色:亚基线双齿形曲,两侧衬浅黄色边;内线波浪形,中央的弧度最大,内侧衬浅黄色边;外线锯齿形,前缘一段较显著,外侧衬浅黄色边;亚缘线模糊,由1列脉间暗红褐色点组成;缘线细,暗褐色;横脉纹暗红褐色,周围衬浅黄色边。后翅灰褐色,前缘和外缘较暗,后缘带黄褐色;外线和亚缘线模糊,灰白色;缘线细,黑褐色;缘毛浅灰黄色。

采集记录:2♂,留坝县城,1020m,1998.Ⅶ.18,采集人不详;1♂1♀,宁陕火地塘,1580m, 1998.Ⅶ.26,采集人不详。

分布:陕西(留坝、佛坪、宁陕)、辽宁、北京、山西、河南、甘肃、江苏、浙江、湖北、江西、湖南、福建、四川、云南;朝鲜,日本。

(64)卵内斑舟蛾 *Peridea moltrechti* (Oberthür, 1911)(图版27:23)

Notodonta moltrechti Oberthür, 1911b: 322.

Peridea moltrechti: Kiriakoff, 1967: 95.

鉴别特征:雄性前翅长27mm,雌性前翅长28~29mm。前翅灰褐微带暗红色,前缘内半部灰白色;基部有1块黑褐色卵形大斑,斑的外缘较暗,似呈1条弧形带;斑的内外两边分别为亚基线和内线,黑褐色,前者从前缘到中室呈齿形曲,随后呈弧形曲到A脉,后者拱形,从前缘伸达后缘的齿形毛簇基部;横脉纹灰白色,中央灰褐色;外线不清晰,暗褐色,锯齿形,仅在脉上的点隐约可见,从前缘到M_2脉一段稍外曲,以后几乎直向内斜,外衬灰白边;缘线细,暗褐色。后翅苍褐色,后缘黄褐色,外线和亚缘线灰褐色,外线直,亚缘线为1条渐细的宽带。

采集记录:2♂,太白山,1700~3000m,1936. Ⅵ. 23-29,采集人不详,存于德国波恩(ZFMK)处。

分布:陕西(太白山)、黑龙江、吉林、北京、河南、湖南、四川;朝鲜,日本。

寄主:日本山毛榉。

(65)扇内斑舟蛾 *Peridea grahami* (Schaus, 1928)(图版27:24)

Notodonta grahami Schaus, 1928: 74.

Notodonta scutellaris Bryk, 1949: 32.

Peridea grahami: Kiriakoff, 1967: 85.

鉴别特征:雄性前翅长25mm,雌性前翅长28~31mm。本种外形与卵内斑舟蛾近似,但可以从以下特征来区别:本种胸部背面黄褐色,具暗红褐色弧形线;前翅基线拱形,内线在A脉上呈1个小内齿形曲,外线较清晰;在Cu_2脉以后几乎垂直于后缘。

采集记录:1♀,留坝庙台子,1350m,1998. Ⅶ. 21,采集人不详;1♀,宁陕,1979. Ⅶ. 25,采集人不详。

分布:陕西(留坝、宁陕)、北京、河北、山西、河南、甘肃、湖北、湖南、台湾、四川、云南;越南,缅甸。

(66)分内斑舟蛾锈色亚种 *Peridea dichroma rubrica* Schintlmeister *et* Fang, 2001 (图版27:25)

Peridea dichroma rubrica Schintlmeister *et* Fang, 2001: 63.

鉴别特征:雄性前翅长24mm,雌性前翅长26~29mm。前翅灰褐色,齿形毛簇黑色,前缘内半部混有大量灰白色鳞片;内线以内的基部(除前缘外)锈黄色向外延伸到臀角;亚基线和内线暗红褐色,其内、外侧衬锈黄色边似呈1带;亚基线清晰,锯齿形;内线在中室下呈双深齿形曲;横脉纹暗红褐色,周围灰白色;外线暗灰褐色,锯齿形,具灰白边,在前缘横过1个锈黄色椭圆形斑;外线外M_1至R_4脉间基部各有1条暗红褐色楔形纹;亚缘线为1条断续的模糊暗褐色带,伸至臀角1段被染成暗红褐色;缘线模糊,暗红褐色。后翅苍灰褐色,后缘黄褐色,前缘和外缘较暗,有1条暗色宽外带。

本亚种与指名亚种的区别如下:体型比指名亚种小;前翅底色偏灰褐,后翅缺浅黄色;第8腹板端缘中部微凹;阳茎末端的刺突末端更细长。

采集记录:1♂,太白黄柏塬,1350m,1980. Ⅶ. 11,采集人不详;1♂,留坝庙台子,1350m,1998. Ⅶ. 21,采集人不详。

分布:陕西(周至、太白、留坝、佛坪)、甘肃、湖北、四川、贵州。

31. 岩舟蛾属 *Rachiades* Kiriakoff, 1967

Rachiades Kiriakoff, 1967, *in* Wytsman: 123. **Type species**: *Semidonta lichenicolor* Oberthür, 1911.

Horaia Nakamura, 1973b: 55(nec Tonnoir, 1930). **Type species**: *Peridea albimaculata* Okano, 1958.

Pulia Kiriakoff, 1974: 406. **Type species**: *Peridea albimaculata* Okano, 1958.

Peridopsis Nakamura, 1976: 50(new name for *Horaia* Nakamura, 1973).

属征:喙退化;下唇须短,第 2 节向前伸不过额。雄蛾触角锯齿形,具毛簇;雌蛾线形;胸背无冠形毛簇;后足胫节有 2 对距。前翅宽,前缘外半部微拱,翅顶圆,外缘斜曲度平稳,后缘中央前有 1 丛大齿形毛簇;M_2 脉从横脉中央伸出,M_1 从中室上角伸出,R_{2-5}脉共柄;无径副室。后翅 M_2 脉从横脉上方伸出,$M_1 + Rs$ 脉共柄短,不超过脉长的 1/4。雄性外生殖器的钩形突长;颚形突分为两类:一类宽,呈三角形;另一类则与内斑舟蛾属相似,为窄条状。第 8 腹板端缘中央无拱突。雌性外生殖器的肛乳突末端连成 1 个环,上密生短钩刺,这与内斑舟蛾属明显不同。

分布:东洋界。世界已知 3 种,中国已记载 1 种 4 亚种,秦岭地区发现 1 种。

(67)苔岩舟蛾陕甘亚种 *Rachiades lichenicolor murzini* Schintlmeister *et* Fang, 2001 (图版 27:26)

Rachiades lichenicolor murzini Schintlmeister *et* Fang, 2001: 64.

鉴别特征:前翅底色褐色、深褐色到黑褐色,前缘散布白色鳞片;中室端有 1 枚较大的肾形白斑;内线大锯齿形,双股,内股不太明显;外线锯齿形;亚缘线由 1 列短纹组成。后翅灰白到浅深褐色,前缘和臀角暗褐色,有时有不明显的中线和外带。

本亚种与其他亚种的区别:本亚种两翅底色深褐色,后翅尤其如此;前翅白斑不太明显。

采集记录:1♂3♀,太白黄柏塬,1350m,1980. Ⅶ. 11,采集人不详;1♂5♀,留坝庙台子,1350m,1998. Ⅶ. 21,采集人不详。

分布:陕西(周至、太白、留坝、佛坪、宁陕)、北京、河南、甘肃、湖北。

32. 同心舟蛾属 *Homocentridia* Kiriakoff, 1967

Homocentridia Kiriakoff, 1967, *in* Wytsman: 144. **Type species**: *Fentonia concentrica* Oberthür, 1911.

Khasidonta Kiriakoff, 1968, *in* Wytsman: 175. **Type species**: *Notodonta picta* Hampson, 1900.

属征:有喙;下唇须斜向上伸过额中央。两性触角短单栉齿形,具毛簇或短双栉齿形。后胫节有2对距。腹部前1/4背面具1丛基毛簇。前翅稍大,前缘近于直,近翅顶处微拱,翅顶圆,外缘斜曲度小,臀角不明显,后缘中央之前有1丛大而短的齿形毛簇;Cu_1脉和M_3脉出发点距离较宽,M_2脉从横脉中央伸出,具狭长径副室,M_1脉从中室上角伸出,R_5脉和$R_{2,3,4}$脉同出于径副室顶角。后翅翅顶圆,M_2脉从横脉中央稍上方伸出,M_1+Rs脉共柄短,约为脉长的1/4。雄性外生殖器的钩形突长;颚形突单个;抱器瓣末端尖,中部有突起;阳茎亚端有长突起。

分布:东洋界。世界已记载2种,中国均有记录,秦岭地区采到1种。

(68)同心舟蛾 *Homocentridia concentrica* (Oberthür, 1911)(图版27:27)

Fentonia concentrica Oberthür, 1911b: 336.

Homocentridia concentrica: Kiriakoff, 1967: 144.

鉴别特征:雄性前翅长20~23mm,雌性前翅长25~26mm。前翅暗灰褐色,中央泛紫色;亚基线不清晰,深锯齿形,后端仅达A脉,黑褐色,具灰白边;中线黑褐色,双股平行,呈不规则波浪形,在臀褶处呈1个锐角曲,其内侧衬1枚黑褐色斑,从前缘中央之前伸达后缘齿形毛簇的基部;外线双股,内面1条黑褐色,从前缘中央至Cu_2脉呈弧形曲,随后呈微波状斜向内伸达后缘中央齿形毛簇之前,外面1条灰白色,两侧衬黑褐色细边,但前端不达前缘,其余部分几乎与内侧1条平行;外线外侧的翅脉上有1列黑白相接的点;亚缘线由1列模糊的脉间灰白色点组成;缘线很不清晰,只在Cu_1脉以后有一段隐约可见,黑褐色,很细。后翅灰褐色。

采集记录:1♂,留坝县城,1020m,1998.Ⅶ.18,采集人不详;1♀,宁陕火地塘,1580m,1998.Ⅷ.04,采集人不详。

分布:陕西(留坝、宁陕)、河南、甘肃、江苏、浙江、湖北、江西、湖南、福建、四川、云南。

33. 白边舟蛾属 *Nerice* Walker, 1855

Nerice Walker, 1855: 1076. **Type species**: *Nerice bidentata* Walker, 1855.

Nericoides Matsumura, 1924: 35. **Type species**: *Nerice bipartite* Butler, 1885.

Pseudonerice Bryk, 1949: 40. **Type species**: *Pseudonerice unidentata* Bryk, 1949.

Chokaia Kiriakoff, 1967, *in* Wytsman: 195. **Type species**: *Pheosia pictibasis* Hampson, 1879.

属征:喙短;下唇须斜向上伸至额中央。两性触角双栉齿形。胸部背面具冠形毛簇;后足胫节有2对距。腹部长,约有1/3伸过后翅臀角。前翅长,前半部颜色暗而后半部颜色浅是本属外形上的一个显著特征;前缘直,近翅顶处微拱,翅顶略圆,外缘斜曲度平稳;M_2脉从横脉中央稍上方伸出,具径副室;M_1脉从中室上角或径副室下缘近基部伸出;R_5脉从径副室下缘近顶角伸出;$R_{2,3,4}$脉从径副室顶角伸出。后翅M_1+Rs脉共柄短,约为M_1脉长的1/3。雄性外生殖器的钩形突发达,有颚形突1对,抱器瓣背缘有突起。

分布:东洋界,古北界。中国已知6种,秦岭地区记录2种。

(69)榆白边舟蛾西部亚种 *Nerice davidi alea* Schintlmeister, 2008(图版27:28)

Nerice davidi alea Schintlmeister, 2008: 230.

别名:榆天社蛾、榆红肩天社蛾。

鉴别特征:雄性前翅长15~20mm,雌性前翅长17~21mm。前翅前半部暗灰褐带棕色,其后方边缘黑色,沿中室下缘纵伸在Cu_2脉中央稍下方呈1个大齿形曲;后半部灰褐,蒙有1层灰白色,尤与前半部分界处白色显著;前缘外半部有1个灰白色纺锤形影状斑;内线及外线黑色,内线只有后半段较可见,并在中室中央下方膨大成1个近圆形的斑点;外线锯齿形,只有前段和后段可见,前段横过前缘灰白斑中央,后段紧接分界线齿形曲的尖端内侧;外线内侧隐约可见1条模糊的暗褐色横带;前缘近翅顶处有2~3个黑色小斜点;缘线细,暗褐色。后翅灰褐色,具1条模糊的暗色外带。本亚种与指名亚种的区别在于本亚种雄蛾第8腹板端缘的内凹较浅,阳茎末端边缘锯齿形。

采集记录:1♂1♀,周至厚畛子,3210m,1999.Ⅵ.21,采集人不详;1♂1♀,太白黄柏塬,1350m,1980.Ⅶ.11-17,采集人不详;1♂(Holotype), Shaanxi, Foping Nature Reserve, 1600m, 1999.Ⅳ.20-Ⅴ.11,采集人不详(存SchintlmeisterA处)。

分布:陕西(周至、太白、留坝、佛坪)、甘肃。

寄主:榆树。

(70)大齿白边舟蛾 *Nerice upina* Alphéraky, 1892(图版27:29)

Nerice upina Alphéraky, 1892a: 17.

Nericoides minor Cai, 1979b: 464.

别名:小白边舟蛾。

鉴别特征:雄性前翅长13~17mm。前翅前半部灰黄褐色到灰黄白色,从前缘向后颜色逐渐变暗,呈黑褐色,其后方边缘沿中室下缘上方一点纵伸至中央呈1个梯形斑(偶尔呈三角形),斑至外缘一段拱形;后半部浅灰褐并蒙有1层灰白色,越近前半部分界处灰白色越浓;外线暗褐色,前半段隐约可见,尤在前缘处呈 1 个斑点。后翅灰褐色。

采集记录:1♂,石泉,1961. Ⅶ. 15,采集人不详。模式标本采自太白山,存德国波恩(ZFMK)处。

分布:陕西(石泉,太白山)、甘肃、青海。

34. 仿白边舟蛾属 *Paranerice* Kiriakoff, 1963

Paranerice Kiriakoff, 1963: 280. **Type species**: *Paranerice hoenei* Kiriakoff, 1963.

属征:有喙;下唇须向上伸至额中央。雄蛾触角锯齿形,具毛簇;雌蛾线形。胸背具冠形毛簇。后足胫节有 2 对距。腹部长,约有 1/3 伸过后翅臀角。前翅长,前缘直,近翅顶略拱,翅顶稍尖;外缘较斜,曲度小;Cu_2、M_1 脉出发点分离;M_2 脉从横脉中央伸出;具狭长的径副室,M_1 脉从径副室下缘近中央伸出,R_5 脉和 $R_{2,3,4}$ 脉同出于径副室顶角。后翅 M_2 脉从横脉中央伸出,M_1+Rs 脉共柄超过 M_1 脉全长的 1/4。本属外形与白边舟蛾属 *Nerice* 很相似,但两性触角均不相同。

分布:中国。本属只记载了模式种,分布在中国北方秦岭地区。

(71)仿白边舟蛾 *Paranerice hoenei* Kiriakoff, 1963(图版 27:30)

Paranerice hoenei Kiriakoff, 1963: 280.

Paranerice hoenei hobei Yang *et* Lee, 1978, *in* Yang: 510.

鉴别特征:雄性前翅长 23 ~ 25mm,雌性前翅长 24 ~ 29mm。前翅前半部暗褐色,后方边缘直,黑褐色;后半部在分界处白色,往后逐渐变成灰褐色,中央有 1 枚大黑褐色梯形斑,具白边;前缘外半部有 1 枚纺锤形灰白色影状斑;内线及外线不清晰,内线仅在梯形斑下一段隐约可见,外线分别在前缘影状斑和梯形斑下一段较可见。后翅雄蛾灰白色,前缘和后缘褐灰色,雌蛾暗灰褐色。

采集记录:1♂,宁陕火地塘,1580m,1998. Ⅶ. 26,采集人不详。

分布:陕西(宁陕)、辽宁、北京、山西、河南、甘肃。

寄主:桃,苹果。

35. 半齿舟蛾属 *Semidonta* Staudinger, 1892

Semidonta Staudinger, 1892a: 358. **Type species**: *Drymonia biloba* Oberthür, 1880.

Sinodonta Kiriakoff, 1967, *in* Wytsman: 107. **Type species**: *Semidonta bidens* Oberthür, 1914.

属征:喙中等;下唇须斜向上伸至额中央。复眼无毛。雄蛾触角双栉齿形分支接近到末端,雌蛾线形。胸背具脊形毛簇;后足胫节有 2 对距。前翅长,前缘外半部略拱,外缘斜曲度平稳,后缘中央内侧有 1 个大齿形毛簇;M_2 脉从横脉中央伸出;具径副室;M_1 脉从径副室下缘近基部伸出,R_5 脉和 $R_{2,3,4}$脉同出于径副室顶角。后翅 M_2 脉从横脉中央稍上方伸出,M_1 + Rs 脉共柄短,约为 M_1 脉长的 1/3。雄性外生殖器的颚形突不发达,抱器瓣腹缘膜质,端部端缘有突起。雌性外生殖器的囊片马蹄形。

分布:东洋界,古北界。世界已知 3 种,中国已记载 2 种,秦岭地区记录 1 种。

(72) 大半齿舟蛾 *Semidonta basalis* (Moore, 1865) (图版 28:1)

Notodonta basalis Moore, 1865: 813.

Semidonta bidens Oberthür, 1914: 59.

Semidonta basalis: Schintlmeister, 1992: 118.

鉴别特征:前翅长 21 ~ 26mm。前翅从基部到外线暗紫褐色,其余灰褐色;中室下从基部到内线有 1 枚淡赭黄色斑,外边为内线所包围似呈 2 个叶形;内线模糊,灰白色,两侧衬黑褐边;外线黑褐色,外衬灰白边,从前缘到 M_3 脉几乎垂直,随后在 Cu_2 至 M_3 脉间呈钝角外曲,以后内弯伸达齿形毛簇外侧;外线外侧有 1 列在脉上的黑褐色点;亚缘线为 1 条模糊的暗褐色带,波浪形,外衬灰白边;缘线细,黑褐色,微波浪形;横脉纹不清晰,黑褐色。后翅灰褐色,有 1 条模糊的浅色中带。本种体型比半齿舟蛾 *S. biloba* (Oberthür) 稍大,外形很难区分,但本种的钩形突短而腹面有飞机状突起。

采集记录:1♂,留坝庙台子,1470m,1999. Ⅶ. 01,采集人不详;1♀,宁陕,1980. Ⅵ. 07,采集人不详。

分布:陕西(周至、太白、留坝、宁陕、洋县、镇巴)、河南、甘肃、浙江、湖北、江西、湖南、福建、台湾、广东、海南、广西、四川、云南;越南,泰国,印度,尼泊尔。

36. 剑舟蛾属 *Pheosia* Hübner, 1819

Pheosia Hübner, 1819: 145. **Type species**: *Phalaena dictaea* Linnaeus, 1767.

Leiocampa Stephens, 1828: 24. **Type species**: *Phalaena dictaea* Linnaeus, 1767.

属征:喙退化;下唇须很短小,向前伸不过额。两性触角双栉形。后足胫节有 2 对距。前翅狭长,前缘外半部微拱,翅顶略尖,外缘斜曲度不大,臀角明显,后缘中央有 1 丛小齿形毛簇;无径副室,M_1 脉和 $R_{2+3+4+5}$ 脉同出于中室上角。后翅臀角微凸,

M_1+Rs脉共柄长,约为脉长的2/3。雄性外生殖器的钩形突十分宽大,末端中央内凹;颚形突1对,长;抱器瓣短,半椭圆形,背缘端部通常有1枚大突起;阳茎端部二叉状。雌性外生殖器的第8背板窄,端缘波状;第8腹板宽大,端缘齿状波曲。

分布:古北界,东洋界。中国已知3种,秦岭地区采到1种。

(73)杨剑舟蛾 *Pheosia rimosa* Packard, 1864(图版28:2)

Pheosia rimosa Packard, 1864: 358.

Pheosia fusiformis continentalis Tshistjakov, 1985: 59.

鉴别特征:前翅长20~27mm。前翅灰白色(由于暗色斑纹都集中在边缘,故在翅中央形成1条从基部到翅顶的灰白色宽带);A脉下从基部到齿形毛簇呈1枚灰黄褐色斑,其上方有1条黑色影状纵带从基部伸至外缘,接着呈灰褐色向上扩散到近翅顶;黑色纵带和黄褐斑之间有1条白线从基部伸至A脉2/5处间断并呈齿形曲;在外缘臀褶的前方有1条白色楔形纹,前缘外侧3/4灰黑色中央有两个距离较宽的影状斑;M_1至R_4脉间有2条黑色斜纹;Cu_2、Cu_1、M_3脉端部白色。后翅灰白带褐色,前缘浅灰褐色;臀角灰黑色,内有1条灰白色横线;缘线暗褐色。本种前翅翅中央形成1条从基部到翅顶的灰白色宽带,而本属其他种则最多从中室到翅顶形成灰白色带。

采集记录:1♀,宁陕火地塘,1580m,1998.Ⅶ.25,采集人不详。

分布:陕西(太白、宁陕)、黑龙江、吉林、内蒙古、北京、山西、甘肃、新疆、台湾;俄罗斯,朝鲜,日本。

寄主:杨树。

37. 冠舟蛾属 *Lophocosma* Staudinger, 1887

Lophocosma Staudinger, 1887a: 220. **Type species**: *Lophocosma atriplaga* Staudinger, 1887.

属征:喙不发达;下唇须斜向上伸到额中央。复眼具毛。雄蛾触角双栉齿形,雌蛾触角线形。胸背具冠形毛簇。后足胫节有2对距。腹部约有1/3伸过后翅臀角。前翅长,前缘直,翅顶略圆,外缘斜曲度小,微波浪形;M_2脉从横脉中央伸出;M_1脉从中室上角伸出;具径副室,R_5脉和R_{2-4}脉同出于径副室顶角。后翅外缘微波浪形,M_2脉从横脉中央上方伸出,M_1+Rs脉共柄不超过M_1脉长的1/2。雄性外生殖器的钩形突发达;颚形突1对;抱器瓣较宽短,中部靠背缘有1枚大叶状突起,抱器背基部呈褶皱状扩大,覆盖在抱器腹上;阳茎细长,末端总有1枚细长的刺突和1块生齿的骨片。雌性外生殖器的导管端片发达,囊片片状。

分布:古北界。世界已记载4种,中国已知3种,秦岭地区记录2种。

(74)弯臂冠舟蛾 *Lophocosma nigrilinea* (Leech, 1899)(图版28:3)

Stauropus nigrilinea Leech, 1899: 216.
Lophocosma curvatum Gaede, 1933, *in* Seitz (b): 177.
Lophocosma nigrilinea: Schintlmeister, 1992: 122.

鉴别特征:雄性前翅长22~26mm,雌性前翅长29~31mm。雄性触角的分支较短。前翅灰褐色,中线在到达中室下角时呈钝角状向外拐,直达外缘,形成1条弯臂状黑带。雄性外生殖器的钩形突窄,端部不膨大。

采集记录:1♂,周至厚畛子,1350~2000m,1999.Ⅵ.08,采集人不详。

分布:陕西(周至)、北京、山西、河南、甘肃、浙江、湖北、台湾、四川。

(75)中介冠舟蛾 *Lophocosma intermedia* Kiriakoff, 1963(图版28:4)

Lophocosma intermedia Kiriakoff, 1963: 280.
Lophocosma rectangula Yang, 1995, *in* Yang *et* Wu: 333.
Lophocosma recurvata Yang, 1995, *in* Yang *et* Wu: 334.

鉴别特征:雄性前翅长24~26mm,雌性前翅长29~31mm。前翅中线在到达中室下角时呈钝角或直角状向外拐,一些标本止于外线(与冠舟蛾相似),另一些标本直达外缘,形成1条弯臂状黑带(与弯臂冠舟蛾相似)。雄性外生殖器的钩形突粗,端部明显加宽。雌性第8腹板端缘两侧明显呈短指状凸出;导管端片比囊导管长,端缘平直。

采集记录:1♂,太白黄柏塬,1350m,1980.Ⅶ.11-17,采集人不详;1♂,佛坪自然保护区,1600m,1999.Ⅳ.20,采集人不详。

分布:陕西(太白、佛坪)、河南、浙江、湖北、湖南、云南。

38. 娓舟蛾属 *Ellida* Grote, 1876

Ellida Grote, 1876: 125. **Type species**: *Ellida gelida* Grote, 1876.
Urodonta Staudinger, 1887a: 217. **Type species**: *Urodonta albimacula* Staudinger, 1887.
Urodontopsis Matsumura, 1929b: 48. **Type species**: *Urodonta arcuata* Alphéraky, 1879.
Urodontoides Matsumura, 1929b: 48. **Type species**: *Uropus branickii* Oberthür, 1880.

属征:有喙;下唇须向前伸不过额。两性触角双栉齿形分支达3/4,基部具毛簇。后足胫节有2对距。前翅前缘外半部微拱,外缘斜曲度平稳,后缘无齿形毛簇;Cu_1、M_3脉出发点靠近,M_2脉从横脉中央伸出,无径副室;R_{2-5}脉共柄从中室上角伸出,后翅Cu_1、M_3脉同一点伸出,M_2脉从横脉中央伸出,M_1+Rs脉共柄不超过M_1脉长的1/2。雄性外生殖器的钩形突粗,颚形突1对,抱器瓣三角形,阳茎端基环明显,阳茎比抱器瓣长。雌性外生殖器的后表皮突短小,前表皮突很短,导管端片明显,囊导管短宽。

分布:全北界。世界已知6种,中国已记载4种,秦岭地区发现2种。

(76)布朗娓舟蛾 *Ellida branickii* (Oberthür, 1880)(图版28:5)

Uropus branickii Oberthür, 1880: 60.

Urodonta branickii: Kiriakoff, 1967: 104.

Ellida branickii: Schintlmeister & Fang, 2001: 17 (list).

鉴别特征:雄性前翅长25mm。前翅灰褐色,横脉纹椭圆形,围灰白色的边框;亚缘线由1列箭头状短纹组成,其内侧衬白边;顶角处有1枚椭圆形暗斑。

采集记录:1♂,武功,1965. Ⅷ. 16,采集人不详;1♂, Shaanxi, Foping Nature Reserve, 1600m, 1999. Ⅳ. 20-Ⅴ. 11 (存于Schintlmeister A处)。

分布:陕西(太白、武功、佛坪)、河南、湖北,俄罗斯,朝鲜,日本。

寄主:光叶榉 *Zelkova serrata*(榆科),蒙古栎(*Quercus mogolia*)。

(77)雅娓舟蛾 *Ellida ornatrix* Schintlmeister *et* Fang, 2001(图版28:6)

Ellida ornatrix Schintlmeister *et* Fang, 2001: 68.

鉴别特征:雄性前翅长20~21mm。前翅灰褐色,翅顶下有1枚灰黑色椭圆形大斑,斑内侧靠近前缘带黄绿色;横脉纹弧形,外侧衬灰白色边。

采集记录:1♂(副模),佛坪自然保护区,1600m,1999. Ⅴ. 11,采集人不详。

分布:陕西(周至、佛坪)、四川。

39. 新林舟蛾属 *Neodrymonia* Matsumura, 1920

Neodrymonia Matsumura, 1920: 143. **Type species**: *Phalera delia* Leech, 1888.

属征:喙弱;下唇须短,斜向上伸不过额中央。雄蛾触角单栉齿形具毛簇或双栉齿形,雌蛾线形。后足胫节有2对距。前翅前缘直,近翅顶微拱,翅顶稍尖,外缘斜曲度平稳;M_2脉从横脉上方伸出,M_1+R_{2-5}脉从中室上角伸出,无径副室。后翅M_2脉同前翅,M_1+Rs脉共柄短,约为脉长1/8。

分布:东洋界。世界已知20种,中国已记载15种,秦岭地区记录1种。

(78)连点新林舟蛾 *Neodrymonia seriatopunctata* (**Matsumura, 1925**)(图版28:7)

Disparia seriatopunctata Matsumura, 1925b: 394, pl. 7: 3.

Disparia lunulata Yang, 1995: 161.

Neodrymonia (*Neodrymonia*) *seriatopunctata*: Schintlmeister, 1992: 130.

别名:新月迥舟蛾。

鉴别特征:雄性前翅长19~20mm。雄蛾触角分支较其他近缘种的分支长。前翅灰黄白色;所有横线黑褐色;亚基线向外斜曲;内线呈不规则的波浪形,内衬灰白边;亚基线与内线间暗褐色,似呈1条宽带;在中室内的内线外侧有1个小黑点;横脉纹为1个黑短纹;外线双股,平行波浪形,在 Cu_1 脉上呈1个外齿形曲;前缘外侧2/3到近翅顶有1个大的暗褐色斑,向后延伸至 Cu_1 脉,几乎与亚缘线相接,近三角形;亚缘线锯齿形;脉端两侧缘毛暗褐色,其余灰白色。后翅灰红褐色。第8腹板端部两侧各有1枚垫状突起,端缘中央微凹;颚形突末端双齿状。

采集记录:1♂,宁陕火地塘,1580m,1999.Ⅶ.02,采集人不详。

分布:陕西(太白、宁陕)、河南、浙江、湖南、台湾、海南;越南,泰国,印度,尼泊尔。

40. 夙舟蛾属 *Pheosiopsis* Bryk, 1949

Pheosiopsis Bryk, 1949: 33. **Type species**: *Pheosiopsis niveipicta* Bryk, 1949.

属征:喙弱;下唇须饰长毛,向上伸至额中央。雄蛾触角锯齿形,内半段具毛簇;雌蛾触角线形。后足胫节有2对距。腹部粗钝。前翅窄,近长三角形,前缘外半部拱,翅顶尖,外缘稍斜,臀角明显;M_2 脉从横脉中央伸出,M_1+R_{2-5} 脉共柄从中室上角伸出,无径副室。后翅 M_2 脉从横脉中央伸出,M_1+Rs 脉共柄约为脉长的2/5。雄性外生殖器的钩形突绝大多数狭长;颚形突1对,细长;抱器瓣狭长,端部明显小于基部,上有指状突起。

分布:东洋界,古北界。秦岭地区记录7种。

(79)噶夙舟蛾 *Pheosiopsis gaedei* **Schintlmeister, 1989**(图版28:8)

Pheosiopsis gaedei Schintlmeister, 1989: 111.

鉴别特征:前翅长21~24mm。前翅灰白色带淡黄绿色,散布许多红褐色雾点;A脉前方有1条粗的黑纹从基部伸至内线;所有横线呈模糊的黑褐色;亚基线在前缘下仅见1个齿形点;内线呈肘状内曲;外线双股平行,锯齿形,两股之间灰白色;横脉纹粗直,内衬灰白边;亚缘线和缘线各由1列脉间黑褐色点组成;亚缘线黑点近三角形。后翅浅红褐色。雄性外生殖器的抱器腹中部有1枚指突,阳茎中部侧面有1枚长刺突。

采集记录:1♂,留坝县城,1020m,1998. Ⅶ. 18,采集人不详;1♂,宁陕火地塘,1580m,1998. Ⅶ. 26,采集人不详。

分布:陕西(留坝、宁陕)、河南、浙江、湖北、湖南、云南;越南。

(80)喜夙舟蛾秦岭亚种 *Pheosiopsis cinerea canescens* (Kiriakoff, 1963)(图版28:9)

Suzukia cinerea canescens Kiriakoff, 1963: 266.

Pheosiopsis cinerea canescens: Schintlmeister & Fang, 2001: 76.

鉴别特征:前翅长21~23mm。前翅灰白色,散布许多褐色雾点;A脉前方有1条较粗的黑纹从基部伸至内线;所有横线不清晰,黑褐色;亚基线在前缘下仅见1个齿形点;内线和外线双股锯齿形,内线呈肘形曲,外线仅在脉上的齿形点较可见,其中靠外面1条在Cu_1、Cu_2和M_3脉上的点较长,双股中间灰白色,在Cu_2、M_3脉上分别呈近直角形曲;横脉纹粗黑色,其外、前方有3~4个黑褐色点;亚缘线和缘线各由1列脉间黑褐色点组成;缘线黑点近长方形。后翅浅红褐色。本亚种前翅底色更暗,黑色的基纹较发达,但没有指名亚种明显。雄性外生殖器的阳茎有较短的侧刺突。

采集记录:1♂,留坝县城,1020m,1998. Ⅶ. 12,采集人不详;1♂,留坝庙台子,1350m,1998. Ⅶ. 21,采集人不详;1♀,秦岭,1979. Ⅷ. 22,采集人不详;3♂,宁陕火地塘,1580m,1998. Ⅷ. 14,采集人不详。

分布:陕西(太白、留坝、佛坪、宁陕)、北京、山西、河南、甘肃、浙江、湖北、湖南、四川、云南。

(81)岐夙舟蛾 *Pheosiopsis abludo* Schintlmeister *et* Fang, 2001(图版28:10)

Pheosiopsis abludo Schintlmeister *et* Fang, 2001: 78.

鉴别特征:前翅长20~23mm。前翅底色灰褐到褐色,散布暗褐色雾点;内线以内的A脉前方有1条斜粗纹;中室下的翅脉常呈黑色;内线仅在前缘可见痕迹;外线锯齿形,只有脉上的点较清晰,外衬灰白边;横脉纹直,与M_3脉的黑纹形成"Y"形;亚缘线不清晰;缘线由脉间1列短纹组成;缘毛褐色与灰白相间。后翅淡红褐色。雄性外生殖器的抱器瓣端半部只比基半部稍窄,末端有垫状突起。

采集记录:3♂,佛坪自然保护区,1400m,1999. Ⅳ. 06-11,采集人不详。

分布:陕西(周至、太白、佛坪、大巴山)、河南、湖北。

(82)苍白夙舟蛾 *Pheosiopsis inconspicua* (Kiriakoff, 1963)(图版 28:11)

Oligaeschra inconspicua Kiriakoff, 1963: 272.

Metraeschra pallidior Kiriakoff, 1963: 271.

Pheosiopsis inconspicua: Schintlmeister, 1992: 138.

鉴别特征:前翅长 20~21mm。前翅底色灰褐色,散布暗褐色雾点,所有横线和斑纹黑红褐色:内线以内的 A 脉前方有 1 条斜粗纹;基线仅在前缘可见痕迹,外衬白点;内线双股平行,波浪形;外线双股平行,锯齿形,从前缘到 M_3 脉向外斜伸,随后呈直角斜向内伸至 Cu_2 脉,以后稍斜直伸到后缘,其中 M_3 到 Cu_2 脉间只有脉上的点较清晰;横脉纹直;亚缘线不清晰;缘线由脉间 1 列长方形点组成。后翅淡红褐色。雄性外生殖器的抱器背末端有 1 枚长指突,阳茎端部二分叉。

采集记录:2♂,周至厚畛子,1900m,1999.Ⅷ.01-12,采集人不详。

分布:陕西(周至、太白)、山西。

讨论:尽管 *Metraeschra pallidior* Kiriakoff 的发表页面在 *Oligaeschra inconspicua* Kiriakoff 之前,但由于前者正模的外生殖器与幻心舟蛾 *Metriaeschra apatela* Kiriakoff 产生了混淆,即外形是 *Oligaeschra inconspicua* Kiriakoff,雄性外生殖器是 *Metriaeschra apatela* Kiriakoff,所以 *Metraeschra pallidior* Kiriakoff 不成立,故仍采用 *inconspicua* 为有效名。

(83)顶夙舟蛾 *Pheosiopsis plutenkoi* Schintlmeister *et* Fang, 2001(图版 28:12)

Pheosiopsis plutenkoi Schintlmeister *et* Fang, 2001: 78.

鉴别特征:前翅长 21~22mm。雄蛾触角分支很长。前翅浅褐色,密布黑褐色的鳞片;内线以内的 A 脉前方有 1 条粗纵纹;另有 1 条粗纵纹从前缘基部 1/3 处经中室下角斜伸到亚外缘;内线锯齿形;横脉纹细直;外线锯齿形,外衬浅黄白边;外线外从翅顶到 Cu_2 脉各脉间有暗色剑状斑;脉端缘毛黄白色,其余暗褐色。后翅浅黄褐色,散布黑褐色雾点,有 1 条模糊的浅色外线。雄性外生殖器的抱器瓣端部明显变窄,抱器腹端部边缘有锯齿。

采集记录:3♂,佛坪自然保护区,1400~1600m,1999.Ⅳ.06-11,采集人不详。

分布:陕西(周至、佛坪)、河南。

(84)心白夙舟蛾 *Pheosiopsis alboaccentuata* (Oberthür, 1911)(图版 28:13)

Microphalera alboaccentuata Oberthür, 1911b: 336.

Pheosiopsis alboaccentuata: Schintlmeister & Fang, 2001: 80.

鉴别特征:前翅长23mm。雄蛾触角分支较长。与噶夙舟蛾 *Ph. gaedei* Schintlmeister 相似,但阳茎中部侧面无长刺突。

采集记录:1♂,周至厚畛子,1900m,1999.Ⅷ.01-12,采集人不详。

分布:陕西(周至)、四川。

(85)平夙舟蛾 *Pheosiopsis li* Schintlmeister, 1997(图版28:14)

Pheosiopsis li Schintlmeister, 1997: 125.

鉴别特征:前翅长21~25mm。雄蛾触角分支短。前翅灰白色,散布褐色雾点,中域有淡黄绿色;内线以内的A脉前方有1条粗纵纹;内线波状,外衬灰白边;横脉纹细直;外线双股,锯齿形;外线外在臀角附近有暗色斑;亚缘线模糊,缘线由1列短纹组成。后翅褐色到浅红褐色。雄性外生殖器的钩形突端部二分支,抱器背有1枚长三角形的小突起。

采集记录:1♂,周至厚畛子,1600m,1999.Ⅵ,采集人不详;1♀,太白黄柏塬,1350m, 1980.Ⅶ.11-17,采集人不详。

分布:陕西(周至、太白、大巴山)、河南、云南;越南。

41. 心舟蛾属 *Metriaeschra* Kiriakoff, 1963

Metriaeschra Kiriakoff, 1963: 270. **Type species**: *Metriaeschra apatela* Kiriakoff, 1963.

属征:有喙;下唇须短粗,上举,末节小。雄性触角短双栉齿形分支到4/5。后足胫节有1对距。前翅后缘中部有1枚小齿形突;M_2脉出自横脉中央;M_1脉与R_{2-5}脉出自中室上角或有很短的共柄。后翅M_2脉出自中室横脉上半部;M_1与Rs脉共短柄。雄性外生殖器的钩形突短而宽;颚形突短小;抱器瓣狭长,端部膨大,抱器背有1枚刺突和1枚指突;阳茎细长,远长于抱器瓣的长度。

分布:中国。目前已知2种,为中国特有种。秦岭地区记录1种。

(86)戒心舟蛾 *Metriaeschra zhubajie* Schintlmeister *et* Fang, 2001(图版28:15)

Metriaeschra zhubajie Schintlmeister *et* Fang, 2001: 81.

鉴别特征:前翅长24~29mm。前翅有1条黑色的粗纵纹从基部中央斜向后伸达臀角(比幻心舟蛾 *M. apatela* Kiriakoff 宽而明显);亚缘线由1列灰白色菱形斑组成,Cu_2脉以上的部分较明显(斑比幻心舟蛾大)。雄性外生殖器的抱器背有2枚突起,而幻心舟蛾只有1枚。

采集记录:2♀,宁陕火地塘,1979. Ⅶ. 23,采集人不详。

分布:陕西(宁陕、周至、大巴山)、甘肃、湖北、湖南、四川。

42. 霭舟蛾属 *Hupodonta* Butler, 1877

Hupodonta Butler, 1877a: 475. **Type species**: *Hupodonta corticalis* Butler, 1877.

属征:下唇须粗,上举达头顶。雄性触角双栉齿形分支到末端,雌性触角线形。后足胫节有 2 对距。前翅狭长,前缘在顶角前稍拱,顶角较尖;外缘斜,弧形拱;臀角钝圆;后缘直,无齿形突;M_2 脉出自横脉中央,M_1 脉与 R_5 脉共柄;后翅 M_2 脉同前翅,M_1 与 Rs 脉共柄较长,达脉长的 1/4。雄性外生殖器的钩形突狭长;颚形突 1 对;抱器瓣长卵形;阳茎细,明显比抱器瓣短。

分布:古北界,东洋界。世界已记载 4 种,中国均有记录,秦岭地区发现 2 种。

(87) 皮霭舟蛾 *Hupodonta corticalis* Butler, 1877(图版 28:16,17)

Hupodonta corticalis Butler, 1877a: 475.

Hupodonta pulcherrima pallida Okano, 1959b: 38.

鉴别特征:前翅长 26 ~ 31mm。前翅黄白色到乳白色,散布黄褐色鳞片;亚缘线微波状,黄白色,内衬黄黑褐色。本种颜色变异较大,有些个体整体白化,翅面仅边缘和中部有模糊的黑褐色条纹。

采集记录:1♀,佛坪县城,950m,1998. Ⅶ. 25,采集人不详;1♂1♀,宁陕火地塘,1580m,1998. Ⅷ. 17-21,采集人不详。

分布:陕西(周至、佛坪、宁陕)、河南、甘肃、浙江、湖北、湖南、福建、台湾、云南;俄罗斯,朝鲜,日本。

寄主:山樱花(*Prunus serrulata* var. *spontanea*)。

(88) 木霭舟蛾 *Hupodonta lignea* Matsumura, 1919(图版 28:18)

Hupodonta lignea Matsumura, 1919: 75.

鉴别特征:雄性前翅长 23mm,雌性前翅长 26 ~ 31mm。雄蛾前翅黄白色,散布褐色鳞片,翅中部有数条黑色纵纹;亚缘线黄白色,锯齿形。

采集记录:1♀,周至厚畛子,1900m,1999. Ⅷ. 01-12,采集人不详;1♂,宁陕火地塘,1580m,1998. Ⅶ. 26,采集人不详。

分布:陕西(周至、宁陕)、北京、河南、甘肃、湖南、台湾、四川、云南。

43. 沙舟蛾属 *Shaka* Matsumura, 1920

Shaka Matsumura, 1920: 143. **Type species**: *Brachionycha atrovittata* Bremer, 1861.

Brachionycoides Marumo, 1920: 316. **Type species**: *Brachionycha atrovittata* Bremer, 1861.

Nagandopsis Matsumura, 1934a: 152. **Type species**: *Nagandopsis kawachiensis* Matsumura, 1934.

属征:喙发达;下唇须饰长毛,斜向上伸过头部。雄蛾触角锯齿形,具毛簇;雌蛾触角线形。胸部背面被毛浓厚;后足胫节具长毛簇和 2 对距。腹部长,约有 1/3 伸过后翅臀角。前翅长,前缘直,近翅顶处微拱;翅顶稍尖;外缘较斜,曲度小;臀角明显;后缘中央内侧有 1 丛小齿形毛簇;M_2 脉从横脉中央伸出;具径副室;M_1 脉从径副室下缘外方伸出;R_5 脉和 R_{2-4} 脉共短柄,从径副室顶角伸出。后翅 M_2 脉从横脉中央稍上方伸出;M_1 + Rs 脉共柄短,占脉长的 1/5 ~ 1/3。

分布:古北界。本属只包括模式种,中国也有分布。

(89) 沙舟蛾 *Shaka atrovittata* (Bremer, 1861) (图版 28:19)

Brachionycha (*Asteroscopus*) *atrovittata* Bremer, 1861: 438.

Destolmia insignis Butler, 1881a: 19.

Notodonta toddii Holland, 1889: 73.

Nagandopsis kawachiensis Matsumura, 1934a: 153.

Shaka atristrigatus Yang *et* Lee, 1978, *in* Yang: 508.

Shaka atrovittata: Kiriakoff, 1967: 121.

别名:黑条沙舟蛾。

鉴别特征:雄性前翅长 22 ~ 27mm,雌性前翅长 29 ~ 31mm。前翅青灰带棕色,前缘、后缘青灰色较浓;中室下方有 1 条黑褐色的大纵纹,从基部沿臀褶向外伸至 Cu_2 脉后稍向上翘,但不达于外缘;翅脉和横线黑褐色;亚基线不清晰,从前缘到纵纹一段隐约可见,双齿形曲;内线呈不规则锯齿形;横脉纹黑色,周围较明亮;外线锯齿形,外衬灰白边;外线外侧近翅顶和 M_3 至 M_1 脉间各有 1 枚黑褐色斑;缘线细。后翅灰褐色,基部和后缘较淡,外半部翅脉和缘线暗褐色;具模糊灰白色外带。

采集记录:2♂,太白黄柏塬,1350m,1980. Ⅶ. 11-17,采集人不详;1♂,佛坪县城,950m,1998. Ⅶ. 25,采集人不详。

分布:陕西(太白、佛坪)、黑龙江、吉林、辽宁、北京、河北、山西、河南、甘肃、江西、湖南、台湾、四川、云南;俄罗斯,朝鲜,日本。

寄主:槭属。

44. 围掌舟蛾属 *Periphalera* Kiriakoff, 1959

Periphalera Kiriakoff, 1959: 314. **Type species**: *Phalera albicauda* Bryk, 1949.

属征:雄性触角锯齿形,具毛簇;雌性触角线形。下唇须短,末节短小。后足胫节有2对距。腹部前3节背面有短的毛簇。前翅长三角形,顶角较尖;有很窄的径副室;M_2 脉出自横脉中央;M_1 脉出自径副室下缘1/3处;R_5 脉与 $R_{2,3,4}$ 脉同出自径副室末端。后翅 M_2 脉出自横脉中央;M_1 与 Rs 脉共柄短。雄性外生殖器的钩形突末端多少向腹面凸出;有颚形突1对;抱器瓣狭长,抱器背发达,末端膨大;阳茎长短不一,末端有齿突;第8腹板端部中央凹入较深。

分布:东洋界。世界已记载3种,中国均有分布,秦岭地区记录1种。

(90)黑围掌舟蛾 *Periphalera melanius* Schintlmeister, 1997(图版28:20)

Periphalera melanius Schintlmeister, 1997: 128.

鉴别特征:雄性前翅长29~33mm,雌性前翅长34~36mm。前翅黑褐色,散布乳白色鳞片;基部有2枚白斑;内线乳白色,由月牙形斑组成,围黑褐色边;横脉纹黑褐色,围乳白色边;外线为1条乳白色宽带,其内侧和外侧衬黑褐色锯齿形边,中央还有1条锯齿状褐色横线,该白带在 M_3 和 Cu_1 脉下向外延伸到亚缘线,形成2个椭圆形的乳白色大斑,但因黑褐色鳞片的分割变小而不显著;亚缘线乳白色,锯齿形;脉端缘毛棕色,其余乳白色。后翅褐色。

采集记录:1♂,周至厚畛子,2600m,2000. V. 10-12,采集人不详,存 Schintlmeister 处。

分布:陕西(周至、大巴山)、湖南、四川、云南;越南。

(六)羽齿舟蛾亚科 Ptilodoninae

鉴别特征:雄蛾触角双栉形分支到末端。前翅后缘无齿形突。腹部末端无臀毛簇。

分类:陕西秦岭地区分布15属25种。

45. 羽舟蛾属 *Pterostoma* Germar, 1812

Pterostoma Germar, 1812: 42. **Type species**: *Pterostoma salicis* Germar, 1812.

Euchila Billberg, 1820: 84. **Type species**: *Phalaena palpina* Clerck, 1759.

Orthorinia Boisduval, 1828: 56. **Type species**: *Phalaena palpina* Clerck, 1759.

Ptilodontis Stephens, 1828: 28. **Type species**: *Phalaena palpina* Clerck, 1759.

Epiptilodontis Kiriakoff, 1963: 256. **Type species**: *Epiptilodontis pterostomina* Kiriakoff, 1963.

属征:喙弱;下唇须非常粗长,约与胸部等长,斜向上伸过头顶。两性触角长双栉齿形,雌蛾分支比雄蛾稍短。胸背中央具冠形毛簇;后足胫节有2对距。雄蛾腹末具臀毛簇。前翅长,前缘几乎直,翅顶尖;外缘锯齿形,较斜,曲度平稳;后缘中央具月牙形缺刻,两侧各有1个大梳形毛簇;M_2脉从横脉中央伸出;M_1脉从中室上角伸出;具长大的径副室;R_5脉和R_{2+3+4}脉同出于径副室顶角。后翅半圆形,外缘微波浪形;M_2脉同前翅,M_1+Rs脉共柄短,不超过M_1脉长的1/4。雄性外生殖器的抱器腹发达而有大突起。雌性外生殖器的前后表皮突均不发达,通常无囊片。幼虫圆柱形,身体光滑,从第2胸节背面开始有4列颗粒状突起,侧面有2列比颗粒突起小的瘤,幼虫静止时头部平直向前,不特别翘起。

分布:古北界。中国已知6种。秦岭地区记录3种。

(91)槐羽舟蛾 *Pterostoma sinicum* Moore, 1877(图版28:21)

Pterostoma sinicum Moore, 1877a: 91.

Pterostoma grisea Graeser, 1888: 145.

别名:白杨天社蛾、中华杨天社蛾、国槐羽舟蛾。

鉴别特征:雄性前翅长27~31mm,雌性前翅长33~39mm。前翅稻黄褐色到灰黄白色,后缘梳形毛簇暗褐色到黑褐色,其中内面的1个较显著;翅脉黑褐色,脉间具褐色纹;亚基线、内线和外线暗褐色,双股锯齿形;亚基线深双齿形曲;内线前半段不清晰,后半段尤其在内梳形毛簇基部的可见;外线在R_{2+3+4}脉共柄处几乎呈直角形曲,以后呈弧形向外屈伸达后缘缺刻外方;内线和外线之间有1条模糊的暗褐色影状带;外线与翅顶之间的前缘有3~4个灰白色斜点;亚缘线由1列脉间暗褐色点组成,每点内衬灰白边;缘线由脉间弧形线组成;脉端缘毛稻黄色,其余黄褐色。后翅浅褐到黑褐色,后缘和基部稻黄色;外线为1条模糊的稻黄色带;缘线暗褐色;脉端缘毛和缘毛末端稻黄色。

采集记录:1♀,太白,1980.Ⅶ.10,采集人不详;1♂,武功,1951.Ⅷ.05,采集人不详;1♂,留坝县城,1020m,1998.Ⅶ.18,采集人不详;1♂,宁陕火地塘,1580m,1998.Ⅶ.26,采集人不详。

分布:陕西(太白、武功、留坝、宁陕)、辽宁、北京、河北、山西、山东、河南、甘肃、上海、江苏、安徽、浙江、湖北、江西、湖南、福建、广西、四川、云南、西藏;俄罗斯,朝鲜,日本。

寄主:槐(*Sophora japonica*),洋槐(*Robinia pseudoacacia*),多花紫藤(*Wistaria floribunda*),朝鲜槐(*Maackia amurensis*)。

(92)红羽舟蛾 *Pterostoma hoennei* Kiriakoff, 1963(图版28:22)

Pterostoma hoennei Kiriakoff, 1963: 257.

鉴别特征:雄性前翅长21~24mm,雌性前翅长24~28mm。成虫外表与槐羽舟蛾很近似,但体型较小,前翅底色较暗,全体带红褐色。前翅后缘梳形毛簇近黑色;暗色中带的内、外侧淡黄色,似呈2条横带;外线以外的外缘区较暗,其中在Cu_1至M_3脉间被1条模糊的淡黄色纵纹间断;所有横线较清晰,尤以亚缘线的1列黑点和缘线显著;臀角缘毛带黑色。后翅缘线较清晰,细黑色。

采集记录:1♂(正模),太白山,3000m,1936. Ⅵ. 29,采集人不详,存德国波恩(ZFMK)。

分布:陕西(太白山)、北京、河北、山西、河南、甘肃。

寄主:槐。

(93)灰羽舟蛾西部亚种 *Pterostoma griseum occidenta* Schintlmeister, 2008(图版28:23,24)

Pterostoma griseum occidenta Schintlmeister, 2008: 297.

鉴别特征:雄性前翅长25~26mm,雌性前翅长30~33mm。前翅灰褐色,翅顶较灰白色,后缘有1枚锈红褐色斑,但内梳形毛簇之前浅黄色,内梳形毛簇末端黑色;所有横线和斑纹与槐羽舟蛾相似,缘毛暗红褐色,末端灰白色。后翅灰褐色,基部和后缘浅灰黄色,外线为1条模糊的灰色带;端线由脉间黑色细线组成;脉端和缘毛浅灰黄色。本亚种与指名亚种在外形上没有区别,但体型较大。雄性外生殖器的钩形突末端圆而分叉,指名亚种则末端平截。

采集记录:8♂(正模和副模),太白山,2600m,2005. Ⅵ. 02-30,采集人不详,存德国Schintlmeister处。

分布:陕西(太白山)、四川、云南。

寄主:山杨(*Populus davidiana*),朝鲜槐(*Maackia amurensis*)。

46. 亮舟蛾属 *Megaceramis* Hampson, 1893

Megaceramis Hampson, 1893: 167. **Type species**: *Megaceramis lamprosticta* Hampson, 1893.

属征:下唇须小,前伸。雄性触角具毛簇。头部、胸部和颈片被很密的鳞片。后足胫节有2对距。前翅M_1脉出自中室上角,有短径副室;后缘有1枚小齿形突。后翅M_2脉出自横脉中央,M_1与Rs脉共柄。雄性外生殖器的钩形突宽大;有颚形突1对,短小;抱器瓣上有突起。

分布:东洋界。本属只包括模式种,中国也有记录。

(94)亮舟蛾 *Megaceramis lamprolepis* Hampson, 1893(图版 28:25)

Megaceramis lamprolepis Hampson, 1893: 167;

Megaceramis lamprosticta [sic!] Schintlmeister *et* Fang, 2001: 85.

鉴别特征:雄性前翅长 18mm。头部和胸部赭褐色。腹部黄褐色。前翅浅黄褐色,中部和翅顶颜色较浅,前缘和后缘颜色较暗,齿形突黑褐色;内线由 1 列模糊的暗点组成;横脉纹粗,两侧衬灰黄色;外线不清晰;亚缘线浅黄色,细,在各翅脉上衬 1 个暗点。后翅暗赭褐色。

采集记录:2♂,周至厚畛子,1400m,1999. Ⅷ. 01-12,采集人不详,存德国 Schintlmeister 处。

分布:陕西(周至、大巴山)、湖南、四川、云南;印度,尼泊尔,越南。

47. 华舟蛾属 *Spatalina* Bryk, 1949

Spatalina Bryk, 1949: 34. **Type species**: *Spatalina argentata birmalina* Bryk, 1949.

Xeropteryx Kiriakoff, 1963: 289. **Type species**: *Xeropteryx desiccata* Kiriakoff, 1963.

Inouella Kiriakoff, 1967, *in* Wytsman: 193. **Type species**: *Lophopteryx umbrosa* Leech, 1898.

属征:有喙;下唇须中等大,饰毛浓厚,斜向前伸刚过额。雄蛾触角锯齿形,具毛簇,雌蛾线形。胸背具冠形毛簇,后足胫节有 2 对距。腹部短,稍伸过后翅臀角。前翅宽,前缘直,翅顶圆,外缘斜曲度平稳而呈波浪形,后缘中央有 1 个浅弧形缺刻,两侧有梳形毛簇;M_2 脉从横脉中央伸出;具小径副室或无径副室;M_1 脉从中室上角或径副室下缘近基部伸出,$R_{2,3,4,5}$脉共短柄从径副室顶角伸出。后翅宽,M_2 脉从横脉中央稍上方伸出,$M_1 + Rs$ 脉共柄约为 M_1 脉长的 2/5。雄性外生殖器的钩形突发达,两侧有突起;颚形突多退化;阳茎细,端部有骨片。

分布:古北界,东洋界。世界已记载 4 种,中国均有分布,秦岭地区记录 1 种。

(95)荫华舟蛾 *Spatalina umbrosa* (Leech, 1898)(图版 28:26)

Lophopteryx umbrosa Leech, 1898: 313.

Inouella umbrosa: Kiriakoff, 1967: 193.

Spatalina umbrosa: Schintlmeister, 1992: 144.

别名:荫羽舟蛾。

鉴别特征:雄性前翅长18~20mm,雌性前翅长21mm。前翅暗红褐色,后半部较暗;外线在R_5脉上几乎成直角形,M_3脉上的尖齿较向外凸出,随后为1条直线伸到与内线接近的臀褶上,最后呈1个小齿形屈伸达弧形缺刻外端。

采集记录:1♂,留坝庙台子,1350m,1998.Ⅶ.21,采集人不详;2♂,宁陕火地塘,1580m,1998.Ⅷ.20,采集人不详。

分布:陕西(留坝、宁陕)、黑龙江、河南、湖北、广东、四川、云南;越南,泰国,缅甸,印度,尼泊尔。

48. 羽齿舟蛾属 *Ptilodon* Hübner, 1822

Ptilodon Hübner, 1822: 15. **Type species**: *Phalaena camelina* Linnaeus, 1758 (= *Phalaena capucina* Linnaeus, 1758).

Lophopteryx Stephens, 1828: 26. **Type species**: *Phalaena camelina* Linnaeus, 1758.

Fusapteryx Matsumura, 1920: 146. **Type species**: *Lophopteryx ladislai* Oberthür, 1879.

Ptilodontella Kiriakoff, 1967, *in* Wytsman: 176. **Type species**: *Bombyx cucullina* Denis *et* Schiffermüller, 1775.

属征:喙不发达;下唇须短,斜向上伸至额中央。雄蛾触角单栉齿形,具毛簇。胸背具冠形毛簇,后足胫节有2对距。腹部短,雄蛾端部两侧具毛簇。前翅直,翅顶钝,外缘斜曲度稍大,波浪形,后缘中央有1丛大齿形毛簇;M_2脉从横脉中央伸出;有短径副室;M_1脉从径副室下缘近基部伸出;R_5脉和R_{2-4}脉同出于径副室顶角。后翅M_2脉同前翅,M_1+Rs脉共柄短,约为M_1脉长的1/3;后翅臀角色暗而有1条白线。雄性外生殖器的钩形突发达,中部或端部腹面有指状突起;颚形突1对,有时退化;抱器瓣相对短,端部有瘤状突起,有时基部也有各种突起;阳茎细,端部有齿突。雌性外生殖器的后表皮突细长,前表皮突短;后阴片发达;囊片小而骨化程度弱,有时很不明显。幼虫略具毛,只有在臀节背面有1~2个圆锥形突起。

分布:古北界,东洋界。中国已知12种,秦岭地区记录4种。

(96)拟粗羽齿舟蛾 *Ptilodon pseudorobusta* Schintlmeister *et* Fang, 2001(图版28:27)

Ptilodon pseudorobusta Schintlmeister *et* Fang, 2001: 86.

鉴别特征:前翅长20mm。前翅黄褐色,后缘齿形毛簇周围灰带蓝色;亚基线和内线与细羽齿舟蛾近似,为不清晰的暗褐色,锯齿形;外线为1条暗褐色的宽带,外衬浅黄色边,在M_3脉处稍曲,从前缘伸达后缘齿形毛簇;外线外M_3至R_2脉上暗褐色。后翅浅黄灰色,外半部灰色较浓;臀角具暗褐色斑;外线模糊灰黄色,横过臀角斑中央一段淡黄色;缘线黄褐色。前翅外线粗黑是本种外形上的显著特征。

采集记录:1♂,周至厚畛子1900m,1999.Ⅷ.10,采集人不详。

分布:陕西(周至、宁陕、大巴山)、吉林、河南。

(97)绚羽齿舟蛾 *Ptilodon saturata* (Walker, 1865)(图版 28:28)

Lophopteryx saturata Walker, 1865: 415.
Ptilodon saturata: Kiriakoff, 1968: 232.

鉴别特征:前翅长 18~24mm。前翅暗深褐色,所有横线黑色;亚基线双波形曲,从前缘伸至 A 脉;内线锯齿形;外线双股,微锯齿形,其中以 M_3、M_1 和 R_5 脉上的齿形曲较向外凸出,靠内面 1 条较粗,靠外面 1 条模糊影状,外侧衬明亮边并有 1 列在脉上的灰白点;从外线到翅顶的前缘上有 3 个灰白点;亚缘线锯齿形,为 1 条模糊的宽带;缘线细,明亮;横脉纹不清晰。后翅褐灰色,臀角具黑斑,其上有 2 条灰白色的短线横过;缘线同前翅。雄性外生殖器的抱器腹基部有 1 枚长刺突是本种的识别特征。

采集记录:1♂,佛坪,1600m,1999. V. 10,采集人不详;4♀,宁陕旬阳坝,1979. Ⅷ. 07,采集人不详;1♂4♀,宁陕火地塘,1580m,1998. Ⅷ. 16,采集人不详。

分布:陕西(佛坪、宁陕)、吉林、北京、河北、河南、甘肃、浙江、四川、云南;越南,缅甸,印度,尼泊尔,不丹。

(98)富羽齿舟蛾 *Ptilodon ladislai* (Oberthür, 1879)(图版 28:29)

Lophopteryx ladislai Oberthür, 1879: 13.
Fusapteryx ladislai: Kiriakoff, 1967: 191.
Ptilodon ladislai: Schintlmeister, 1992: 147.

别名:富舟蛾。

鉴别特征:雄性前翅长 17~21mm,雌性前翅长 22mm。前翅褐带红褐色,后缘较暗,基部和 M_1 脉以下的外缘灰白色,M_3 脉以前的翅脉黑褐色,但以 M_3 脉上的最显著;所有横线黑褐色:亚基线双锐齿形曲,向后仅伸达 A 脉;内线钝,锯齿形,前缘部分较松散且两侧衬灰白色,向后伸达后缘齿形毛簇基部内侧并具灰白边;外线双股平行,锯齿形,前缘部分也较松散,从前缘到 M_1 脉几乎呈直角形曲,随后向内斜伸达后缘齿形毛簇与内线靠近;外线外侧脉上衬 1 列灰白色点;缘线由脉间月牙形线组成,但 M_1 脉以前的不清晰;脉端缘毛黑褐色,其余灰白色。后翅灰褐色;外线模糊,灰白色,只有在臀角一段两侧衬黑褐色斑点,较清楚;缘线细,灰白色。

采集记录:1♂,宁陕,1979. Ⅶ. 29,采集人不详。

分布:陕西(太白、宁陕)、黑龙江、辽宁、吉林、甘肃;俄罗斯,朝鲜,日本。

寄主:槭属。

(99)优羽齿舟蛾 *Ptilodon utrius* Schintlmeister, 2008(图版 29:1,2)

Ptilodon utrius Schintlmeister, 2008: 308.

鉴别特征:前翅长22~24mm。腹部赭黄色,各节后缘有棕色横带。前翅暗红褐色,翅脉为断续的黑褐色;内线大锯齿形,内缘A脉处衬1枚白斑;外线锯齿形,前缘和后缘内侧衬白色;横脉纹围浅色的边框。后翅赭褐色,外缘色暗,臀角黑褐色,内有1条白线。雄性外生殖器的钩形突末端中部呈三角形。

采集记录:6♂(正模和副模),周至厚畛子,1900m,1999.Ⅸ.20-Ⅹ.12,采集人不详,存德国Schintlmeister处。

分布:陕西(周至、宁陕)。

49. 小掌舟蛾属 *Microphalera* Butler, 1885

Microphalera Butler, 1885: 119. **Type species**: *Microphalera grisea* Butler, 1885.

属征:下唇须很小,前伸。复眼无毛。雄蛾触角双栉齿形,分支到末端;雌蛾触角线形。后足胫节有2对距。前翅三角形,前缘微拱,顶角较尖,外缘弧形,后缘有小梳形毛簇;无径副室;M_2脉出自横脉中央。后翅M_2脉出自横脉中央,M_1与Rs脉共柄长,约占脉长的1/2。

分布:古北界。本属只包括模式种,中国也有记录。

讨论:Schintlmeister(2008)将本属并入羽齿舟蛾属*Ptilodon* Hübner中,但本属雄蛾触角双栉形(后者单栉齿状),前翅无径副室(后者有径副室),雄性外生殖器的颚形突单个且长(后者1对短小)。考虑到本属在触角和脉序以及雄性外生殖器上的明显不同,我们仍做独立属处理。

(100)灰小掌舟蛾中国亚种 *Microphalera grisea vladmurzini* (**Schintlmeister, 2008**) **comb. nov.**(图版29:3)

Ptilodon grisea vladmurzini Schintlmeister, 2008: 311.

鉴别特征:雄性前翅长17mm,雌性前翅长20~21mm。前翅灰白色,散布褐色鳞片;中室内和顶角下前方各有1条黑色纵纹;内线灰白色,波状,两侧衬有黑点;外线锯齿形,两侧衬黑点边;缘线由小黑点组成;缘毛灰色与褐色相间。后翅浅褐色;脉端缘毛灰白色,其余褐色。本亚种体型较指名亚种大,阳茎有2枚侧齿突。

采集记录:1♀,佛坪偏岩子,1750m,1999.Ⅵ.28,采集人不详;2♀,宁陕,1979.Ⅶ.29-Ⅷ.06,采集人不详;1♀,宁陕火地塘,1580m,1998.Ⅷ.16,采集人不详。

分布:陕西(太白、佛坪、宁陕)、山西、甘肃、浙江、四川。

50. 冠齿舟蛾属 *Lophontosia* Staudinger, 1892

Lophontosia Staudinger, 1892a: 361. **Type species**: *Odontosia cuculus* Staudinger, 1887.

Olophontosia Yang *et* Lee, 1978, *in* Yang: 502. **Type species**: *Lophontosia draekei* Bang-Haas, 1927.

属征:喙不发达;下唇须斜向前伸过额中央。两性触角双栉齿形分支到顶端。后足胫节有2对距。腹部短,末端刚好伸过后翅臀角。前翅稍宽短,前缘直,近翅顶略拱;外缘斜曲度平稳,波浪形;后缘中央有1丛大齿形毛簇;M_2脉从横脉中央伸出;无径副室;M_1脉和R_{2-5}脉同出于中室上角。后翅宽,M_2脉从横脉中央上方伸出,M_1+Rs脉共柄短,约为M_1脉长的1/6。雄性外生殖器的钩形突端部通常膨大;颚形突1对,短小;抱器瓣狭长,背缘骨化而有突起。

分布:古北界,东洋界。中国已知6种。秦岭地区记录3种。

(101)冠齿舟蛾 *Lophontosia cuculus* (Staudinger, 1887)(图版29:4)

Odontosia cuculus Staudinger, 1887a: 226.

Lophontosia cuculus: Kiriakoff, 1967: 192.

鉴别特征:雄性前翅长16mm。本种是该属所有已知种类中体型最大的一种。前翅暗褐灰色,内线与外线之间暗灰褐色,齿形毛簇灰黑色;所有横线黑色;亚基线为不清晰的波浪形;内线为不规则的波浪形,外衬浅色边,以后缘附近最明显;外线锯齿形;亚缘线为1条很模糊的灰色带,其中在M_1、M_3脉端部各呈1个大齿形曲。后翅褐灰色,臀角黑斑上有2条白色的短横线。雄性外生殖器的钩形突端部呈三叉型。

采集记录:1♂,宁陕火地塘,1580m,1998.Ⅶ.27,采集人不详。

分布:陕西(宁陕)、黑龙江、吉林、山西、河南、江苏、浙江;俄罗斯,朝鲜,日本。

(102)北京冠齿舟蛾 *Lophontosia draesekei* Bang-Haas, 1927(图版29:5)

Lophontosia draesekei Bang-Haas, 1927: 81.

Olophontosia draesekei: Yang & Lee, 1978, *in* Yang: 502.

鉴别特征:雄性前翅长13~14mm,雌性前翅长15~16mm。前翅灰褐色,后缘齿形毛簇较大、钝圆,内线与外线之间不特别暗;内线与外线锯齿形,两线内外两侧各衬1条灰白边;内线在臀褶上的齿形曲较深长,外线在M_1脉和臀褶上呈角形曲;亚缘线不见,只有在外线外侧M_2至R_5脉间有2条黑褐色纵纹;缘线细,由脉间黑褐点组成。后翅赭褐色,臀角无黑白点组成的斑纹是本种外形上的识别特征。

采集记录:3♂2♀,周至厚畛子,1400m,1998. X,采集人不详,存德国 Schintlmeister 处。

分布:陕西(周至)、北京、甘肃、江苏。

(103)波冠齿舟蛾 *Lophontosia boenischnorum* Schintlmeister, 2008(图版 30:6)

Lophontosia boenischnorum Schintlmeister, 2008: 315.

鉴别特征:雄性前翅长 15 ~ 16mm,雌性前翅长 17mm。前翅暗赭黄色,具雾状黑点,内线与外线之间较暗,后缘齿形毛簇灰黑色;所有横线黑褐色;亚基线不清晰,波浪形曲,外衬苍褐色边;内、外线锯齿形,分别在内外侧衬苍褐色边,内线在 A 脉上的内齿形曲较深,外线外曲,从 A 脉至后缘衬有 1 条白色斜纹;常有 1 枚浅黄色的中室端斑;亚缘线为 1 条模糊的宽带,在 M_1、M_3 脉端部各呈 1 个大齿形曲,其内有 4 条黑色短纵线;缘线细,不清晰的微波浪形。后翅底色较前翅浅,臀角黑褐色斑上有 2 条白色的短横线,脉间缘毛色较淡。雄性外生殖器的钩形突末端宽而稍分叉。

采集记录:18♂6♀(正模和副模),周至厚畛子,1600m,2000. Ⅷ. 01-12,采集人不详,存德国 Schintlmeister 处。

分布:陕西(周至、宁陕)、四川。

51. 肖齿舟蛾属 *Odontosina* Gaede, 1933

Odontosina Gaede, 1933, *in* Seitz (b): 182. **Type species**: *Odontosina nigronervata* Gaede, 1933.

属征:喙不发达;下唇须很短,向前伸到额;雄蛾触角长双栉齿形,雌蛾触角线形。胸部和腿、胫节披毛浓厚,后足胫节有 2 对距。前翅宽,三角形,前缘直,翅顶尖,外缘斜曲度平稳,波浪形,后缘中央具齿形毛簇;Cu_1、M_3 脉出发点距离较宽;M_2 脉从横脉中央伸出;无径副室;M_1 脉与 R_{5+4+3}脉的共短柄从中室上角伸出;R_2 脉从中室前缘近上角伸出。后翅 Cu_1、M_3 脉出发点靠近,M_2 脉同前翅,M_1 + Rs 脉共柄约为 M_1 脉长的 1/2。雄性外生殖器的钩形突粗;有颚形突 1 对,短小;抱器瓣椭圆形,抱器腹发达,中部有 1 枚齿突;阳茎粗,有骨化的板或钩突。

分布:古北界。中国已知 4 种。秦岭地区记录 1 种。

(104)陕甘肖齿舟蛾 *Odontosina shaanganensis* Wu *et* Fang, 2003(图版 29:7)

Odontosina shaanganensis Wu *et* Fang, 2003b: 132.

鉴别特征:雄性前翅长 18 ~ 19mm。前翅红褐色,外线以内、中室以下的整个后缘区逐渐变暗,到后缘近黑色;内线模糊,黑褐色,在中室上角和臀褶上呈双齿形曲;外线黑褐色,锯齿形,外衬灰色边;外线以外的翅脉黑褐色;亚缘线为 1 条模糊的暗褐色带,其中以 M_1 脉和 M_3 脉下面较显著,似呈 2 个黑褐色斑点;脉端缘毛黑褐色,其余红褐色。后翅浅红褐色,具模糊的灰白色外带。本种与肖齿舟蛾 *O. nigronervata* Gaede 和察隅肖齿舟蛾 *O. zayuana* Cai 很相似,这 3 种在外形上很难区别,但雄性外生殖器明显不同。本种阳茎端部有 1 块生齿的骨板,第 8 腹板中央有 1 个小瘤突可与其他两种相区别。

采集记录:1♂(正模),宁陕火地塘,1580m,1998. Ⅷ. 16,袁德成采。

分布:陕西(宁陕)、甘肃。

52. 翼舟蛾属 *Ptilophora* Stephens, 1828

Ptilophora Stephens, 1828: 29. **Type species**: *Phalaena variegata* Villers, 1789.

Ptilophoroides Matsumura, 1920: 149. **Type species**: *Ptilophoroide jezoensis* Matsumura, 1920.

属征:下唇须小,被浓密的长毛。雄蛾触角有很长的羽毛状分支,雌蛾触角锯齿形。胸部无毛簇。后足胫节有 1 对距。前翅三角形,顶角较圆,外缘微拱,后缘无齿形突;无径副室;M_2 脉出自横脉中央偏上,M_1 脉出自中室上角。后翅 M_2 脉出自横脉中央偏上,M_1 + Rs 脉共柄长,约为 M_1 脉长的 1/2。

分布:古北界。世界已记载 4 种,中国已知 1 种,秦岭地区有分布。

(105)秦岭翼舟蛾 *Ptilophora ala* Schintlmeister *et* Fang, 2001(图版 29:8)

Ptilophora jezoensis ala Schintlmeister *et* Fang, 2001: 88.

Ptilophora fuscior Kishida *et* Kobayashi, 2002: 87.

Ptilophora ala: Schintlmeister, 2008: 323.

鉴别特征:前翅浅黄褐色,散布褐色鳞片,翅脉黑褐色;内线淡黄白色,几乎直,不太发达;外线淡黄白色,直而不十分显著;内线与外线之间颜色较浅;横脉纹不太明显;缘毛暗黄褐色。后翅鳞片稀少,浅赭黄色,外缘黄褐色,臀角黑褐色。

采集记录:1♂,周至厚畛子,1400m,1999. X,采集人不详。

分布:陕西(周至)、四川。

53. 怪舟蛾属 *Hagapteryx* Matsumura, 1920

Hagapteryx Matsumura, 1920: 149. **Type species**: *Lophopteryx admirabilis* Staudinger, 1887.

Margaropsecas Kiriakoff, 1963: 289. **Type species**: *Margaropsecas margarethae* Kiriakoff, 1963.

属征:喙中等;下唇须短,向前伸仅过额。雄蛾触角为很短的单栉齿形,具毛簇;雌蛾触角线形。胸部背面无冠形毛簇。后足胫节有2对距。腹部稍长,末端约有1/3伸过后翅臀角。前翅稍狭长,前缘外半部微拱,翅顶钝;外缘较斜而曲度小,锯齿形;后缘中央有1枚大齿形毛簇;M_2 脉从横脉中央稍下方伸出,M_1 脉从中室上角伸出,具径副室,R_5 脉和 R_{2-4}脉同出于径副室顶角。后翅 M_2 脉从横脉中央伸出;M_1 + Rs 脉共柄长,约为 M_1 脉长的1/2。雄性外生殖器的钩形突狭长;有颚形突1对,通常细长;抱器瓣狭长,抱器背骨化而基部有叶状突起;阳茎基部1/3窄,亚端侧面有齿突。

分布:古北界,东洋界。世界已记载6种,中国均有分布,秦岭地区记录2种。

(106)岐怪舟蛾 *Hagapteryx mirabilior* (Oberthür, 1911)(图版29:9)

Lophopteryx mirabilior Oberthür, 1911b: 324.

Hagapteryx kishidai Nakamura, 1978: 213.

Hagapteryx mirabilior: Schintlmeister, 1992: 151.

鉴别特征:雄性前翅长18~20mm,雌性前翅长22mm。前翅暗红褐色,较窄,所有横线灰白色衬暗边;亚基线不清晰,从前缘斜伸至A脉,在中室下向外弯曲;亚基线呈不规则的锯齿形向外斜伸;内线、外线和亚缘线的前缘部分较明亮而粗;内线锯齿形,伸达后缘齿形毛簇中央;外线锯齿形,从前缘到 Cu_2 脉近基部呈弧形曲,随后斜伸达后缘齿形毛簇外侧;亚缘线只有从前缘到 M_2 脉一段可见,在 R_5 脉上呈内齿形曲;缘线细锯齿形;横脉纹较宽大,月牙形,暗红褐色,具灰白边,其内侧有1条大的肾形纹,暗红褐色,具灰白边。后翅灰褐色,后缘带黄褐色,臀角缘毛暗红褐色;A脉缘毛呈尖齿形凸出;外线模糊,暗灰色。

采集记录:1♀,太白黄柏塬,1350m,1980. Ⅶ. 11-17,采集人不详;1♂,留坝庙台子,1350m,1998. Ⅶ. 21,采集人不详。

分布:陕西(太白、留坝)、吉林、北京、甘肃、浙江、湖北、江西、湖南、福建、四川、云南;俄罗斯,朝鲜,日本,越南。

(107)珍尼怪舟蛾 *Hagapteryx janae* Schintlmeister *et* Fang, 2001(图版29:10)

Hagapteryx janae Schintlmeister *et* Fang, 2001: 88.

鉴别特征:雄性前翅长18mm。前翅暗红褐色,所有横线灰白色衬暗边;亚基线呈不规则的锯齿形向外斜伸;内线、外线和亚缘线的前缘部分较明亮而粗;内线锯齿形,伸达后缘齿形毛簇中央;外线锯齿形,从前缘到 Cu_2 脉近基部呈弧形曲,随后斜伸达后缘齿形毛簇外侧;亚缘线只有从前缘到 M_2 脉一段可见,在 R_5 脉上呈内齿形曲;缘线细锯齿形;横脉纹较宽大,月牙形,暗红褐色,具灰白边,其内侧有1条大的肾形纹,暗红褐色,具灰白边。后翅灰褐色,后缘带黄褐色,臀角缘毛暗红褐色;A脉端缘毛呈尖齿形凸出;外线模糊,暗灰色。

采集记录:1♂,留坝县城,1020m,1998. Ⅶ.18,姚建采。

分布:陕西(周至、留坝、宁陕、大巴山)、河南、四川。

54. 土舟蛾属 *Togepteryx* Matsumura, 1920

Togepteryx Matsumura, 1920: 149. **Type species**: *Drymonia velutina* Oberthür, 1880.

Epicosmolopha Kiriakoff, 1963: 281. **Type species**: *Epicosmolopha dorsoflavida* Kiriakoff, 1963.

属征:有喙;下唇须饰长毛,斜向上伸至额中央。复眼具长毛。雄蛾触角双栉齿形,分支接近末端,末端6节锯齿形;雌蛾触角锯齿形。胸背具冠形毛簇。后足胫节有2对距。腹部短,雄蛾具臀毛簇。前翅前缘直,近翅顶稍拱,外缘斜曲度平稳,后缘中央内有1丛小齿形毛簇;M_2 脉从横脉中央伸出;M_1 脉从中室上角伸出;具径副室;R_5 脉和 R_{2-4}脉同出于径副室顶角。后翅 M_2 脉从横脉中央稍上方伸出;M_1 + Rs 脉共柄稍长,约为 M_1 脉长的1/2。雄性外生殖器的钩形突短宽,颚形突端部分为2支,抱器瓣上有锯片状或角状突起。本属各种的外形非常相似,但雄性外生殖器区别明显。

分布:古北界。世界已知5种,中国均有分布。秦岭地区记录2种。

(108)背黄土舟蛾 *Togepteryx dorsoflavida* (Kiriakoff, 1963)(图版29:11)

Epicosmolopha dorsoflavida Kiriakoff, 1963: 281.

Togepteryx dorsoflavida: Schintlmeister, 1992: 153.

鉴别特征:雄性前翅长18mm。前翅灰稍带红褐色,从前缘近基部到外缘有1条黑褐色纵带,纵带前方较灰色,纵带后方颜色逐渐变浅到后缘呈浅灰色;内、外线不清晰,黑褐色,锯齿形,只有后半段隐约可见,外线在前缘还可见到1点;脉端缘毛灰稍带红褐色,其余灰白色。后翅暗灰褐色,缘毛同前翅。后翅反面的前缘斑较大而明显。

采集记录:1♂, Shaanxi, South Taibai Shan, near Houzhenzi, 1500m, 2000. V. 01-20, coll. Siniaev & Plutenko (in the colloction of A. Schintlmeister)。

分布:陕西(周至)。

(109)梅氏土舟蛾 *Togepteryx meyi* Schintlmeister, 2008(图版29:12,13)

Togepteryx meyi Schintlmeister, 2008: 327.

鉴别特征:前翅长21~24mm。外形与背黄土舟蛾 *T. dorsoflavida* (Kiriakoff) 相似,但体型更大。钩形突更窄而深二裂,颚形突末端粗而圆。

采集记录:41♂6♀(正模和副模),佛坪自然保护区,1600m,1999.Ⅳ.20-Ⅴ.11,Ⅴ. Sinjaev采,存德国 Schintlmeister 处。

分布:陕西(周至、佛坪)。

55. 扁齿舟蛾属 *Hiradonta* Matsumura, 1924

Hiradonta Matsumura, 1924: 31, 36. **Type species**: *Hiradonta takaonis* Matsumura, 1924.

属征:喙退化;下唇须短,斜向上伸不到额中央。复眼具毛。雄蛾触角基部2/3锯齿形,端部1/3线形;雌蛾触角线形。胸部背面无冠形毛簇。后足胫节有2对距。腹部长,约有1/3伸过后翅臀角。前翅宽;前缘直,近翅顶处微拱;翅顶略尖;外缘斜曲度小,微锯齿形;后缘中央具齿形毛簇;M_2 脉从横脉中央伸出;具径副室;M_1 脉从中室上角或径副室后缘近基部伸出,R_5 脉和 R_{2+3+4}脉同出于径副室项角。后翅 M_1 + Rs 脉共柄短,约为 M_1 脉长的1/6。雄性外生殖器的钩形突粗短而表面粗糙;颚形突1对;抱器瓣狭长,抱器被骨化,中部有1枚突起;阳茎细长,端部一侧骨化,末端尖。

分布:古北界,东洋界。世界已记载4种,中国均有记录。秦岭地区记录1种。

(110) 白纹扁齿舟蛾 *Hiradonta hannemanni* Schintlmeister, 1989(图版29:14)

Hiradonta hannemanni Schintlmeister, 1989: 113.

鉴别特征:前翅长22~24mm。前翅暗褐带棕色,后缘和项角斑黄褐色;内、外线黑褐色,锯齿形,横过后缘黄褐色一段较可见;外线锯齿形较深,从前缘沿顶角斑内边向内弯曲,至 M_3 脉后向内斜伸达后缘齿形毛簇前方;内外线间的后缘部分略带灰褐色;外线外 M_2 至 M_3 脉间黄褐色,M_3 至 R_4 脉间各有1条模糊的黑褐色纵纹;横脉纹黑褐色。后翅灰黄褐色;外线模糊,苍褐色。雄性外生殖器抱器背中部的突起较小。

采集记录:1♂,太白黄柏塬,1350m,1980.Ⅶ.11-17,采集人不详;1♂,留坝庙台子,1250~1450m,1999.Ⅷ.02,采集人不详。

分布:陕西(太白、留坝、佛坪、铜川)、北京、河南、甘肃、浙江、湖北、江西、四川、云南、西藏。

56. 大齿舟蛾属 *Allodonta* Staudinger, 1887

Allodonta Staudinger, 1887a: 223. **Type species**: *Notodonta* (*Allodonta*) *tristis* Staudinger, 1887.

Coreodonta Matsumura, 1924: 32. **Type species**: *Coreodonta coreana* Matsumura, 1924.

属征:喙不大发达;下唇须斜向上伸至额中央。雄蛾触角双栉齿形分支不到2/3,端部线形;雌蛾触角线形。胸背具冠形毛簇;后足胫节有2对距。前翅长,前缘微拱;外缘斜曲度平稳,锯齿形;臀角明显;后缘中央齿形毛簇较大;M_2 脉从横脉中央伸出;$M_1+R_{5+2+4+3}$脉共柄从中室上角伸出;无径副室。后翅 M_1+Rs 脉共柄短,约为 M_1 脉长的2/5。

分布:古北界。本属只包括模式种,中国也有记录。

(111)大齿舟蛾 *Allodonta plebeja* (Oberthür, 1880)(图版29:15)

Notodonta plebeja Oberthür, 1880: 65.
Notodonta tristis Staudinger, 1892a: 223.
Coreodonta coreana Matsumura, 1924: 32.
Allodonta plebeja: Sugi, 1980: 182.

鉴别特征:雄性前翅长26~27mm,雌性前翅长28mm。前翅暗褐色,前缘外部1/3颜色较淡;内线黑色,深锯齿形,内衬黄褐色边,中室下方有1条黑色纵线与内线相连,使整个内线看似"W"形;外线不清晰,由1列黑点组成,斜向外曲;R_5 至 M_3 脉间的底色较淡,各脉间均有1条黑纵纹。后翅灰褐色。

采集记录:3♂,留坝县城,1020m,1998.Ⅶ.18,采集人不详;1♂,宁陕火地塘,1580m,1998.Ⅷ.18,采集人不详。

分布:陕西(留坝、宁陕)、辽宁、北京、河南、甘肃、湖北、云南;俄罗斯,朝鲜。

57. 异齿舟蛾属 *Hexafrenum* Matsumura, 1925

Hexafrenum Matsumura, 1925b: 400. **Type species**: *Hexafrenum maculifer* Matsumura, 1925.
Allodontina Kiriakoff, 1974: 409. **Type species**: *Allodontina apicalis* Kiriakoff, 1974.

属征:喙不太发达。下唇须斜向上伸至近头顶;第3节小,前伸。雄蛾触角双栉齿形分支不到2/3,端部线形;雌蛾触角线形。胸背具冠形毛簇;后足胫节有2对距。前翅长,前缘微拱;外缘斜曲度平稳,锯齿形;臀角明显;后缘中央齿形毛簇较大;M_2 脉从横脉中央伸出;$M_1+R_{5+2+4+3}$脉共柄从中室上角伸出;无径副室。后翅 M_1+Rs 脉共柄短,约为 M_1 脉长的2/5。雄性外生殖器的钩形突狭长而端部二分叉;有颚形突1对,细长;抱器瓣端部有大突起;阳茎端部有尖突起。

分布:东洋界。世界已知约20种,中国已知8种,秦岭地区记录2种。

(112)白颈异齿舟蛾 *Hexafrenum leucodera* (Staudinger, 1892)(图版29:16)

Allodonta leucodera Staudinger, 1892a: 357.
Allodonta elongata Oberthür, 1911b: 323.

Allodonta sikkima leucodera: Kiriakoff, 1967: 133.
Allodonta (*Hexafrenum*) *leucodera insularis* Nakamura, 1978: 214.
Hexafrenum leucodera: Sugi, 1980: 184.

鉴别特征:雄性前翅长22~24mm,雌性前翅长27mm。前翅暗褐色,基部有1个白点;顶角斑狭长,从翅顶到前缘端部1/3,黄白色,其内脉间具暗褐色纵纹;中室下从基部到外缘近中央的整个后缘区稍带黄白色;内线以内的臀褶上有2条红褐色纵纹;横脉到外缘暗红褐色似呈1条宽带;内线、外线不清晰,暗红褐色,内线双股波浪形,中央断裂,外线锯齿形,后半段较可见;横脉纹暗红褐色。后翅灰褐色。

采集记录:2♂,留坝庙台子,1981. Ⅴ. 20,1998. Ⅶ. 21,采集人不详;1♂,佛坪,950m,1998. Ⅶ. 29,采集人不详;2♂,宁陕火地塘,1580m,1998. Ⅷ. 15,采集人不详。

分布:陕西(留坝、佛坪、宁陕)、黑龙江、吉林、辽宁、北京、山西、河南、甘肃、浙江、湖北、福建、台湾、四川、云南;俄罗斯,朝鲜,日本。

寄主:栎属(*Quercus*),栗属(*Castanea*),榆属(*Ulmus*),榛属(*Corylus*),鹅耳枥属(*Carpinus*)和桦属(*Betula*)。

(113)耳异齿舟蛾 *Hexafrenum otium* Schintlmeister *et* Fang, 2001(图版29:17)

Hexafrenum otium Schintlmeister *et* Fang, 2001: 92.

鉴别特征:雄性前翅长21mm。前翅底色紫褐色,基部有1条白色纵纹,翅顶有数条白色条纹。后缘中部有一些淡黑色的斑点。内线不清晰;外线锯齿形,衬浅色边。横脉纹围有浅褐色的边框。后翅灰褐色。

采集记录:2♂(正模和副模),佛坪自然保护区,1400m,1999. Ⅳ. 01- 05,采集人不详,存德国Schintlmeiste处。

分布:陕西(佛坪)。

58. 须舟蛾属 *Barbarossula* Kiriakoff, 1963

Barbarossula Kiriakoff, 1963: 285. **Type species**: *Barbarossula rufibarbis* Kiriakoff, 1963.

属征:喙不太发达;下唇须斜向上伸至近头顶;第3节小,前伸。雄蛾触角线形,具毛簇。胸背具冠形毛簇,后足胫节有2对距。前翅长,前缘微拱;外缘斜曲度平稳,锯齿形;臀角明显;后缘中央齿形毛簇较大;M_2脉从横脉上部1/3处伸出;$M_1+R_{5+2+4+3}$脉共柄从中室上角伸出;无径副室。后翅M_1+Rs脉共柄较短,约为M_1脉长的1/3。雄性外生殖器的钩形突狭长而端部二分叉;有颚形突1对,细长;抱器瓣端部指状凸出;阳茎端部有生齿的骨片。

分布:古北界,东洋界。世界已知2种,中国均有分布。秦岭地区记录1种。

(114)红须舟蛾 *Barbarossula rufibarbis* Kiriakoff, 1963(图版 29:18)

Barbarossula rufibarbis Kiriakoff, 1963: 285.
Hexafrenum rufibarbis: Schintlmeister, 1992: 160.

鉴别特征:前翅长 22mm。前翅赭褐色,端部脉间有模糊的暗色纵条纹;后缘和外缘下半部锈褐色;横线不明显。后翅褐色,后缘淡黄褐色,有 1 条模糊的浅色中线。雄性外生殖器的抱器背中部有 1 枚指状突。

采集记录:2♂(正模和副模),太白山,1700m,1936. Ⅶ. 28-29,采集人不详,存德国波恩处(ZFMK)。

分布:陕西(太白山)、甘肃。

59. 后齿舟蛾属 *Epodonta* Matsumura, 1922

Epodonta Matsumura, 1922: 517. **Type species**: *Notodonta lineata* Oberthür, 1881.

属征:喙不发达;下唇须短,向上伸不达头顶;复眼具毛。两性触角双栉齿形,端部 1/4 微锯齿形。后足胫节有 2 对距。前翅稍宽,外缘斜曲度平稳,后缘中央有 1 丛齿形毛簇;M_2 脉从横脉中央伸出;M_1 脉和 $R_{5+2+3+4}$脉同出于中室上角;无径副室。后翅 M_2 脉从横脉中央稍上方伸出,M_1 + Rs 脉共柄约为脉长的 1/2。

分布:古北界。本属只包括模式种,中国也有分布。

(115)后齿舟蛾 *Epodonta lineata* (Oberthür, 1880)(图版 29:19)

Notodonta lineata Oberthür, 1880: 61.
Epodonta lineata: Kiriakoff, 1967: 110.

鉴别特征:前翅长 21 ~ 24mm。前翅烟灰色,基部较暗,所有斑纹黑色:内线双股近于平行,向内直斜,外面 1 条从横脉纹到后缘一段较可见;横脉纹黑色,较细;外线锯齿形,衬灰白边,在 M_3 脉呈直角曲,以后稍内弯;亚缘线模糊,锯齿形,衬灰白边;缘线细。后翅浅灰褐色到灰白色,外缘及脉端色暗。

采集记录:1♀,太白黄柏塬,1980. Ⅶ. 14,采集人不详;2♂,佛坪,890 ~ 950m,1998. Ⅶ. 25,1999. Ⅵ. 26,采集人不详;2♂1♀,宁陕火地塘,1580m,1998. Ⅶ. 26-Ⅷ. 17,采集人不详;1♂,南郑,1979. Ⅷ. 15,采集人不详。

分布:陕西(太白、佛坪、宁陕、洋县、南郑)、河南、甘肃、湖北、江西、湖南、四川、贵州;俄罗斯,朝鲜,日本。

（七）掌舟蛾亚科 Phalerinae

鉴别特征:雄性触角栉齿状分支短。喙相对短细,但可卷曲;下唇须中等长。雄性第8腹节有2个前缘突起,中部常有1对内陷。

分类:陕西秦岭地区分布2属10种。

60. 蚕舟蛾属 *Phalerodonta* Staudinger, 1892

Phalerodonta Staudinger, 1892a: 367. **Type species**: *Notodonta bombycina* Oberthür, 1880.

Naganoea Matsumura, 1920: 142. **Type species**: *Drymonia manleyi* Leech, 1889.

属征:喙弱,非常短小;下唇须向前伸过额。雄蛾触角单栉齿形,具毛簇;雌蛾线形。胸部和腿、胫节披浓厚的柔毛,后足胫节有2对距。腹部短,勉强伸过后翅臀角,末端两侧具毛簇。前翅宽,近三角形;前缘直,近翅顶微拱;翅顶圆;外缘斜曲度小;后缘中央内侧有1丛短宽的齿形毛簇;Cu_2、M_3脉出发点距离较宽;M_2脉从横脉上方伸出;无径副室;M_1脉和$R_{5+2+4+3}$脉同出于中室上角。后翅宽;Cu_2、M_1和M_2脉同前翅;M_1+Rs脉共柄短,约为脉长的1/3。雄性外生殖器的钩形突短粗;颚形突1对,短小;抱器瓣狭长,背缘骨化,端部有1个三角形叶状突起;阳茎细长,端部侧面有1块生齿的骨片;第8腹板端缘中央深裂到腹板长度的4/5。本属各种的雄性外生殖器差异较小。

分布:古北界,东洋界。世界已记载3种,中国均有分布。秦岭地区记录1种。

（116）幽蚕舟蛾 *Phalerodonta inclusa*(Hampson, 1910)（图版29:20）

Stauropus inclusa Hampson, 1910: 91.

Phalerodonta inclusa: Schintlmeister & Fang, 2001: 93.

鉴别特征:雄性前翅长21～22mm。前翅淡黄褐色,基部的暗色鳞片在下半部密集呈1条纵带;3条横线暗褐色,内线与外线之间颜色浅。

采集记录:1♂,周至厚畛子,1400m,1999. X,采集日期不详。

分布:陕西(周至)、湖北、台湾;日本,越南,印度,尼泊尔。

61. 掌舟蛾属 *Phalera* Hübner, 1819

Phalera Hübner, 1819: 147. **Type species**: *Phalaena bucephala* Linnaeus, 1758.

Acrosema Meigen, 1830: 24. **Type species**: *Phalaena bucephala* Linnaeus, 1758.

Hammatophora Westwood, 1843, *in* Humphreys *et* Westwood: 63. **Type species**: *Phalaena bucephala* Linnaeus, 1758.

Anticyra Walker, 1855: 1091. **Type species**: *Anticyra combusta* Walker, 1855.

Dinara Walker, 1856: 1699. **Type species**: *Dinara lineolata* Walker, 1856.

Horishachia Matsumura, 1929b: 40. **Type species**: *Horishachia infusca* Matsumura, 1929.

Phaleromimus Bryk, 1949: 9. **Type species**: *Phaleromimus albocalceolata* Bryk, 1949.

Erconholda Kiriakoff, 1968, *in* Wytsman: 220. **Type species**: *Fentonia mangholda* Schaus, 1928.

属征:喙不发达;下唇须短,勉强伸过额。雄蛾触角锯齿形,具毛簇(高粱掌舟蛾和雪花掌舟蛾为双栉齿形);雌蛾触角线形。后胸背面具竖立横行的毛簇;后足胫节有2对距。前翅稍宽,翅顶和臀角圆;顶角大多具掌形斑;外缘斜曲度平稳,微波浪形;M_2 脉从横脉中央稍上方伸出;具长径副室;M_1 脉从径副室伸出;R_5 脉、$1R_2$ 脉和 R_{3+4} 脉或 R_{2+3+4} 脉同出于径副室顶角。后翅 Cu_1、M_3 脉从同一点伸出;M_2 脉同前翅,M_1 + Rs 脉共柄短,约为 M_1 脉长的1/3。雄性外生殖器的钩形突通常细长;颚形突变化较大;抱器瓣狭长,背部和端部强度骨化而有片状突起;阳茎端基环发达;阳茎细长,端部侧面有齿或无齿。

分布:主要分布在古北界和东洋界,非洲界和澳洲界也有分布。世界已记录50多种,中国已知35种。秦岭地区记录9种。

(117)苹掌舟蛾 *Phalera flavescens* (Bremer *et* Grey, 1852)(图版29:21)

Pygaera flavescens Bremer *et* Grey, 1852: 31.

Trisula andreas Oberthür, 1880: 38.

Phalera flavescens: Mell, 1931: 380.

Phalera flavescens kuangtungensis Mell, 1931: 380.

鉴别特征:雄性前翅长16~24mm,雌性前翅长21~32mm。前翅黄白色,无顶角斑,基部和外缘各有1块暗灰紫褐色斑。

采集记录:1♂,太白黄柏塬,1350m,1980. Ⅶ. 13;1♂,留坝县城,1020m,1998. Ⅶ. 18;1♀,宁陕火地塘,1979. Ⅶ. 29。

分布:陕西(太白、留坝、宁陕)、黑龙江、辽宁、北京、河北、山西、山东、河南、甘肃、上海、江苏、浙江、湖北、江西、湖南、福建、台湾、广东、海南、广西、四川、贵州、云南;俄罗斯,朝鲜,日本,缅甸。

寄主:苹果,杏,梨,桃,李,樱桃,山楂,枇杷,海棠,沙果,榆叶梅,椒,栗,榆等。

(118)榆掌舟蛾 *Phalera takasagoensis* Matsumura, 1919(图版29:22)

Phalera takasagoensis Matsumura, 1919: 79.

Phalera takasagoensis matsumurai Okano, 1959a: 40.

Phalera takasagoensis ulmivora Yang *et* Lee, 1978, *in* Yang: 490.

鉴别特征:雄性前翅长 20 ~ 25mm,雌性前翅长 25 ~ 29mm。前翅灰褐色,具银色光泽;顶角斑淡黄白色,似掌形,从翅顶伸至 M_3 脉,斑内脉间具黄褐色纹,斑前缘有 3 个暗褐色斜点,斑后缘弧形平滑;亚基线、内线和外线黑褐色,较清晰;亚基线微波浪形,从前缘伸达 A 脉;内线在 A 脉上呈齿形曲;外线沿顶角斑呈弧形曲,随后呈波浪形;内线与外线间有3 ~ 4条不清晰的黑褐色波浪形横线;外线外侧臀角处有 1 块黑褐色斑;亚缘线由 1 列脉间黑褐色点组成;缘线黑褐色;横脉纹肾形,黄白色,中央灰褐色。后翅暗褐色,具 1 条模糊的灰白色外带。与栎掌舟蛾 *Ph. assimilis* (Bremer *et* Grey) 相似,但前翅外线沿顶角斑一段黑色。

采集记录:1♂,佛坪县城,950m,1998. Ⅶ. 25;1♂1♀,宁陕火地塘,1580m,1998. Ⅶ. 27。

分布:陕西(佛坪、宁陕)、北京、河北、山东、河南、甘肃、江苏、湖南、台湾;朝鲜,日本。

寄主:榆,栎属(*Quercus* spp.)。

(119) 栎掌舟蛾 *Phalera assimilis* (Bremer *et* Grey, 1852) (图版 29:23)

Pygaera assimilis Bremer *et* Grey, 1852: 30.

Phalera ningpoana Felder, 1862: 37.

Phalera fuscescens Butler, 1881a: 597.

Phalera staudingeri Alphéraky, 1895: 187.

Phalera jesoensis Matsumura, 1919: 78.

Phalera formosicola Matsumura, 1934b: 172.

Phalera muku Matsumura, 1934b: 173.

Phalera assimilis: Kiriakoff, 1967: 32.

鉴别特征:雄性前翅长 21 ~ 26mm,雌性前翅长 23 ~ 36mm。本种成虫体色和花纹与榆掌舟蛾 *Ph. takasagoensis* Matsumura 十分相似,不同的是本种前翅银白色光泽不如榆掌舟蛾显著,外线沿顶斑后缘一段不是黑色而是棕色。

采集记录:1♀,周至厚畛子,3120m,1999. Ⅵ. 21;1♀,太白黄柏塬,1350m,1980. Ⅶ. 12。

分布:陕西(周至、太白、留坝、佛坪)、辽宁、北京、河北、山西、河南、甘肃、江苏、浙江、湖北、江西、湖南、福建、台湾、海南、广西、四川、云南;俄罗斯,朝鲜,日本。

寄主:麻栎,栓皮栎,柞栎,白栎,锥栎,板栗,榆,白杨。

(120)宽掌舟蛾 *Phalera alpherakyi* Leech, 1898(图版29:24)

Phalera alpherakyi Leech, 1898: 299.

鉴别特征:雄性前翅长24~27mm,雌性前翅长31~36mm。前翅灰褐色,顶角斑淡黄白色,较宽,呈大半圆形。雄性外生殖器的颚形突末端的刺长,雌性外生殖器的囊片小。

采集记录:1♂2♀,太白黄柏塬,1350m,1980.Ⅶ.11;6♂1♀,留坝庙台子,1350m,1998.Ⅶ.21;2♂1♀,宁陕火地塘,1580m,1998.Ⅶ.26;5♂3♀,宁陕火地塘,1580m,1979.Ⅶ.18-27。

分布:陕西(太白、留坝、宁陕)、北京、山西、甘肃、江苏、浙江、湖北、福建、广西、四川、云南;越南。

(121)拟宽掌舟蛾 *Phalera schintlmeisteri* Wu *et* Fang, 2004(图版29:25)

Phalera schintlmeisteri Wu *et* Fang, 2004: 113.

鉴别特征:雄性前翅长24~27mm,雌性前翅长31~36mm。本种外形与榆掌舟蛾*Ph. takasagoensis* Matsumura十分相似,只是本种个体较大,前翅颜色偏褐色,雄性外生殖器明显不同。本种前翅的顶角斑长,雄性外生殖器颚形突末端的刺突较短;雌性外生殖器后阴片的双齿相互靠近,囊导管在囊颈处不骨化,囊片较大。

采集记录:1♂,留坝庙台子,1350m,1998.Ⅶ.19。

分布:陕西(留坝)、浙江、湖北、湖南、福建、四川、贵州、云南。

(122)迈小掌舟蛾 *Phalera minor* Nagano, 1916(图版29:26)

Phalera minor Nagano, 1916: 24.

别名:小掌舟蛾。

鉴别特征:雄性前翅长25~30mm,雌性前翅长30~33mm。前翅略呈三角形,外线沿顶角斑呈弧形曲(此段为棕色),随后呈波浪形。

采集记录:1♂,留坝县城,1020m,1998.Ⅶ.18。

分布:陕西(留坝)、河南、浙江、湖北、湖南、四川、云南;朝鲜,日本。

寄主:栎属(*Quercus* spp.)。

(123)脂掌舟蛾 *Phalera sebrus* Schintlmeister, 1989(图版29:27)

Phalera sebrus Schintlmeister, 1989: 114.

鉴别特征:雄性前翅长26~28mm,雌性前翅长32~37mm。银灰色的前翅与暗褐色的后翅组合是本种明显的识别特征。

采集记录:1♀,留坝庙台子,1350m,1998. Ⅶ. 21;1♂,留坝县城,1020m,1998. Ⅶ. 18。

分布:陕西(留坝)、甘肃、浙江、福建、广东、海南、云南。

(124)**壮掌舟蛾 *Phalera hadrian* Schintlmeister, 1989**(图版29:28)

Phalera hadrian Schintlmeister, 1989: 115.

鉴别特征:雄性前翅长21~28mm,雌性前翅长34mm。前翅灰褐色,前半部较暗,后半部较灰白;顶角斑灰白带褐色,狭窄,从翅顶伸至M_3脉,斑的前缘有3个暗褐色斜点,斑外缘白色,在M_1脉上呈齿形突;亚基线、内线和外线黑色;亚基线不清晰;内线微波浪形,近于垂直;外线波状;内、外线间有3~4条模糊的锯齿形暗横线;外线外侧臀角附近有1个暗斑;横脉纹暗褐色;亚缘线不清晰,由脉上暗褐色短线组成;缘线细。后翅灰褐色到褐色,隐约可见1条淡色外带。

采集记录:1♂,留坝庙台子,1350m,1998. Ⅶ. 21;1♂,佛坪,950m,1998. Ⅶ. 24。

分布:陕西(留坝、佛坪)、河南、甘肃、浙江、湖北、四川、贵州。

(125)**埃掌舟蛾 *Phalera elzbietae* Schintlmeister, 2008**(图版29:29)

Phalera elzbietae Schintlmeister, 2008: 367.

鉴别特征:雄性前翅长31~33mm,雌性前翅长35~37mm。前翅黑灰色,前半部较暗,后半部较灰白色;项角斑月牙形,较宽,灰白带黄褐色,斑内缘弧形平滑,斑前缘有3个黑色小斜点,斑外齿状内凹;横线黑色;亚基线微波状;内线拱形;外线波浪形;内、外线间有3~4条模糊的锯齿形暗线;横脉纹小而模糊;外线外的翅脉黑褐色;亚缘线由1列脉间灰白点组成,Cu_1脉以下部分的整个臀角区灰白色。后翅淡黄带暗褐色。

采集记录:23♂3♀(正模和副模),周至厚畛子,1400m,1999. Ⅳ,存德国Schintlmeister处。

分布:陕西(周至、佛坪、宁陕、大巴山)、湖北。

(八)扇舟蛾亚科 Pygaerinae

鉴别特征:成虫复眼有毛。触角栉齿状分支到末端。下唇须长。雄蛾腹部末端有臀毛簇。一些类群的前翅有明显银斑,如金舟蛾属 *Spatalia* Hübner、蒲舟蛾属 *Pterotes* Berg、裂翅舟蛾属 *Metaschalis* Hampson、锦舟蛾属 *Ginshachia* Matsumura、奇舟蛾属 *Al-*

lata Walke、玫舟蛾属 *Rosama* Walker 等。

分类:陕西秦岭地区分布 7 属 15 种。

62. 金舟蛾属 *Spatalia* Hübner, 1819

Spatalia Hübner, 1819: 145. **Type species**: *Bombyx argentina* Denis *et* Schiffermüller, 1775.

Heterodonta Duponchel, 1845: 92. **Type species**: *Bombyx argentina* Denis *et* Schiffermüller, 1775.

Spataloides Matsumura, 1924: 36. **Type species**: *Spatalia dives* Oberthür, 1884.

Stenospatalia Matsumura, 1924: 36. **Type species**: *Spatalia jezoensis* Wileman *et* South, 1916.

属征:喙不发达;下唇须饰浓厚的毛,斜向上伸达额中央。雄蛾触角双栉齿形分支接近到顶端或栉齿形具毛簇,雌蛾线形。胸部背面有冠形毛簇,后足胫节有 2 对距。腹部长,约有 1/3 伸过后翅臀角;具侧毛簇和分叉的臀毛簇。前翅宽,近三角形;前缘直,翅顶稍尖;外缘约与后缘同长,较斜,曲度小,波浪形;后缘中央有 1 个大浅弧形缺刻,两侧具齿形毛簇,其中内齿形毛簇较大;M_2 脉从横脉中央伸出;具径副室;M_1 脉从中室上角或径副室基部伸出;R_5 脉和 R_{4+3+2}脉同出于径副室顶角;或无径副室,M_1 脉和 $R_{5+4+3+2}$脉同出于中室上角。后翅 M_2 脉从横脉中央稍上方伸出;M_1 + Rs 脉共柄短,约为 M_1 脉长的 1/6。雄性外生殖器的钩形突较短粗,端部多少有些膨大;颚形突末端通常齿状;抱器瓣狭长,抱器背基突 1 ~ 2 枚,长钩状;阳茎细长,弯曲。雌性外生殖器的后表皮突细长,前表皮突很短;后阴片后缘两侧呈尖齿状凸出,前阴片发达;囊导管细;囊片月牙形,有小齿突。

分布:古北界,东洋界。世界已知 7 种,中国已记录 4 种,秦岭地区发现 3 种。

(126) 丽金舟蛾 *Spatalia dives* Oberthür, 1884(图版 29:30)

Spatalia dives Oberthür, 1884: 15.

Spatalia okamotonis Matsumura, 1909: 82.

Spatalia dives angustipennis Okano, 1959b: 39.

鉴别特征:雄性前翅长 18 ~ 21mm,雌性前翅长 23 ~ 26mm。前翅暗红褐色,翅脉黑色;基部中央有 1 个黑点;中室下方有 3 个较大的多角形银色斑,从中室下缘近中央斜向后缘,达内齿形毛簇外侧,排成 1 行,前两个银斑内侧伴有 2 ~ 3 个小银点;银斑外侧有 1 条不清晰的波浪形银线;外线只有从前缘到 M_3 脉一段可见,呈暗褐色斜影;亚缘线不清晰,暗褐色,锯齿形。后翅浅黄灰色,外半部带褐色。

采集记录:1♀,留坝县城,1020m,1998. Ⅶ. 18;1♂,宁陕火地塘,1580m,1998. Ⅶ. 27。

分布:陕西(留坝、宁陕)、黑龙江、吉林、辽宁、河南、湖北、湖南、台湾、贵州;俄罗斯,朝鲜,日本。

寄主:蒙古栎。

(127)富金舟蛾 *Spatalia plusiotis*(**Oberthür, 1880**)(图版29:31)

Ptilodontis plusiotis Oberthür, 1880: 65.

Spatalia plusiotis: Kiriakoff, 1967: 204.

鉴别特征:雄性前翅长20~21mm,雌性前翅长23~24mm。前翅顶角尖,外缘M_1脉端部稍凸出;后缘弧形缺刻较深;顶角无斑。前翅暗褐色,有时带红褐色;中室下方的后缘区有几个较分散的银斑;此外,在最外侧还有2个小银点,基部还有1个稍大的金点;横脉上有1个稍大的近长方形的黑斑点;内线、外线不清晰,只有在前缘一段可见;外线双股灰黑色,微波浪形;亚缘线由1列脉间灰黑色点组成,内衬灰白边;外线与亚缘线之间有1列模糊的灰黑色点组成的斜带;翅顶下M_2至R_5脉间有1个赭褐色斑点;缘线不清晰,灰黑色。后翅黄褐色或灰褐色,缘毛色浅。

采集记录:2♂,宁陕火地塘,1580m,1998.Ⅶ.27。

分布:陕西(宁陕)、黑龙江、吉林、北京、河南、甘肃、浙江、湖北、湖南、四川;俄罗斯,朝鲜。

寄主:蒙古栎。

(128)艳金舟蛾 *Spatalia doerriesi* **Graeser, 1888**(图版30:1,2)

Spatalia doerriesi Graeser, 1888: 141.

鉴别特征:雄性前翅长18~20mm,雌性前翅长21~23mm。前翅暗灰褐或黄褐色;中室下缘中央有1个三角形大银斑;外缘M_2和M_3脉间有1条灰黄色楔形纹。

采集记录:4♂,太白黄柏塬,1350m,1980.Ⅶ.11-17;1♂,留坝县城,1020m,1998.Ⅶ.18;6♂,留坝庙台子,1470m,1999.Ⅶ.01;1♂,宁陕火地塘,1580m,1998.Ⅶ.27。

分布:陕西(太白、留坝、宁陕)、黑龙江、吉林、内蒙古、北京、河南、甘肃、湖北、四川;俄罗斯,朝鲜,日本。

寄主:蒙古,紫椴(*Tilia amurensis*)。

63. 奇舟蛾属 *Allata* Walker, 1862

Allata Walker, 1862a: 140. **Type species**: *Allata argentifera* Walker, 1863.

属征:喙弱;下唇须稍宽,向上伸过额中央。两性触角双栉齿形分支到端部2/3,

末端1/3线形。胸背具冠形毛簇;后足胫节有2对距。腹部具基毛簇和分叉的臀毛簇。前翅稍窄,近三角形;前缘直,翅顶圆;外缘较斜,曲度小,波浪形;臀角略凸出;后缘中央有1个大的浅弧形缺刻,其两侧具齿形毛簇,内齿形毛簇较大;M_2 脉从横脉中央稍上方伸出;具短径副室(个别标本无径副室);M_1 脉从径副室下缘伸出;R_5 脉和 R_{2+4+3} 脉从径副室顶角伸出。后翅 M_2 脉同前翅,M_1 + Rs 脉共柄短,约为 M_1 脉长的1/5。

分布:东洋界,澳洲界。世界已知10余种,中国记录3种,秦岭地区记录1种。

(129)伪奇舟蛾 *Allata laticostalis* (Hampson, 1900)(图版30:3,4)

Spatalia laticostalis Hampson, 1900: 43.
Spatalia argyropeza Oberthür, 1914: 58.
Allata argentifera argyropeza: Kiriakoff, 1967: 208.
Allata argyropeza: Cai, 1979a: 139.
Allata (*Pseudallata*) *laticostalis*: Schintlmeister, 1992: 174.

别名:半明奇舟蛾、银刀奇舟蛾。

鉴别特征:雄性前翅长19~23mm,雌性前翅长24mm。雄蛾前翅中室以上的前半部浅苍褐色,R_5 脉以上的翅顶有1块暗红褐色斑;翅后半部暗红褐色,基部和外缘中央较暗,近黑色;中室下缘外半部有1块近刀形的银斑,内侧有1个小银点,外侧 $Cu_{1,2}$ 脉基部有1枚"工"字形银斑;内线与外线黑褐色,双股锯齿形,前半段只有两列黑点可见;前缘中央到横脉有1条暗褐色影状斜带;亚缘线为1条模糊的灰褐色带;缘线细,黑色,波浪形。后翅灰褐色,缘毛色较浅。雌蛾前翅前半部(除翅尖有1块暗褐色斑外)浅灰黄色,后缘沿中室下缘几乎成直线伸至外缘;翅后半部暗褐色,内半部近黑色,后缘缺刻边缘红褐色;前缘中央到横脉有1块褐色影状斑;中室下角无灰白色"V"形纹;外线和亚缘线不清晰,黑褐色,亚缘线锯齿形;缘线细,黑褐色。后翅灰褐色。

采集记录:1♂,留坝县城,1020m,1998.Ⅶ.18;4♂1♀,宁陕火地塘,1580m,1998.Ⅶ.26。

分布:陕西(留坝、宁陕)、北京、河北、山西、河南、甘肃、浙江、湖北、江西、福建、四川、云南;越南,印度,阿富汗,巴基斯坦。

64. 锦舟蛾属 *Ginshachia* Matsumura, 1929

Ginshachia Matsumura, 1929b: 45. **Type species**: *Ginshachia elongata* Matsumura, 1929.

属征:本属与金舟蛾属 *Spatalia* Hübner 相似,不同点如下:雄性触角分支长,端部1/3线状,雌蛾线状;下唇须大,棒状,具短鳞毛,第3节无毛,短而稍圆;前翅脉序与金舟蛾属相同,但无径副室;后翅 M_1 + Rs 脉共柄短;腹部长,臀毛簇不分叉。雄性外生殖器的钩形突分为 2 枝,长而末端尖;颚形突 1 对,基部片状,端部钩状;抱器瓣短小,基部有长钩状突起;阳茎细长;第 8 腹板中部有 1 对长剑状骨化区。

分布:东洋界。世界已知 6 种,中国记载 3 种,秦岭地区记录 1 种。

(130) 光锦舟蛾秦巴亚种 *Ginshachia phoebe shanguang* Schintlmeister *et* Fang, 2001 (图版 30:5)

Ginshachia phoebe shanguang Schintlmeister *et* Fang, 2001: 98.

鉴别特征:雄性前翅长 23 ~ 24mm,雌性前翅长 26 ~ 29mm。前翅浅红褐色,齿形毛簇黑色;基部有 1 块方形的银斑,其周围暗褐色;中室下有 1 块三角形银色大斑;沿中室下缘有 1 条暗褐色纵纹从翅基部伸到翅外缘;外线黄白色,波状,外衬黑褐色影带,前缘尤其明显;横脉纹黑褐色;亚缘线由 1 列褐色斑点组成,每点内衬黄白色。后翅淡黄带淡红褐色。本亚种外形与指名亚种无区别,雄性外生殖器抱器瓣基部的突起在左右瓣不等长,左瓣的比右瓣的短。钩形突狭长,基部不明显膨大是本种的鉴别特征。

采集记录:1♂,周至厚畛子,1900m,1999. Ⅷ. 12;1♂,留坝县城,1020m,1998. Ⅶ. 18,袁德成采;1♂,佛坪县城,950m,1998. Ⅶ. 25,袁德成采;2♂2♀,宁陕火地塘,1580m,1998. Ⅷ. 16-18,袁德成采。

分布:陕西(周至、太白、留坝、佛坪、宁陕、大巴山)、甘肃、广西、四川。

65. 谷舟蛾属 *Gluphisia* Boisduval, 1828

Gluphisia Boisduval, 1828: 56. **Type species**: *Bombyx crenata* Esper, 1758.
Paragluphisia Djakonov, 1927: 219. **Type species**: *Paragluphisia oxiana* Djakonov, 1927.

属征:喙退化;下唇须细小,向前伸不过额。额被长毛。复眼有毛,有单眼。两性触角双栉齿形(雌蛾触角分支很短)。后足胫节只有 1 对距。腹部短,仅伸至后翅臀角。前翅短宽,三角形;前缘直,翅顶圆;外缘斜曲度平稳,约与后缘等长;无径副室;M_1 脉与 $R_{5+2+3+2}$脉的共柄从中室上角伸出。后翅 M_1 + Rs 脉共柄长,约为 M_1 脉长的 3/5。雄性外生殖器的钩形突端部宽大,末端中部深凹;颚形突 1 个,细长;抱器瓣短而宽。幼虫头大,身体光滑无瘤,只有很少的细毛。

分布:全北界。世界记录 2 种,中国已知 1 种,秦岭地区有分布。

(131) 杨谷舟蛾细颚亚种 *Gluphisia crenata tristis* Gaede, 1933(图版 30:6)

Gluphisia crenata f. *tristis* Gaede, 1933, *in* Seitz(b): 177.

Gluphisia crenata tristis: Nakamura, 1956: 143.

鉴别特征:前翅长 13 ~ 16mm。前翅灰色到烟灰色,内半部带褐色或暗褐色;4 条横线黑色,锯齿形:亚基线不清晰,外衬灰白边;内线在 A 脉上稍向内弯,内衬灰白边;外线外衬灰白边;亚缘线较松散,内衬灰白边;横脉纹月牙形衬灰白边;脉端缘毛灰黑色,其余灰白色到浅灰色。后翅底色较前翅稍淡,中央有 1 条模糊亮带。前翅及后翅反面褐灰色,均有 1 条灰白色衬暗边的外带。本亚种前翅中区较暗。雄性外生殖器的钩形突较宽;颚形突细长,中部不膨大。

采集记录:8♂,太白黄柏塬,1350m,1980. Ⅶ. 14-16;1♂,留坝庙台子,1981. Ⅴ. 20;1♂,宁陕,1979. Ⅶ. 23。

分布:陕西(太白、留坝、宁陕)、吉林、河北、山西、甘肃、江苏、浙江、湖北、四川、云南。

寄主:杨。

66. 角翅舟蛾属 *Gonoclostera* Butler, 1877

Gonoclostera Butler, 1877a: 475. **Type species**: *Gonoclostera latipennis* Butler, 1877.

Plusiogramma Hampson, 1895: 278. **Type species**: *Plusiogramma aurosigna* Hampson, 1895.

属征:喙弱;下唇须较短宽,斜向上伸不及额中央。复眼具毛。两性触角双栉齿形(雌蛾分支较短)。胸部背面具弱冠形毛簇;后足胫节有 2 对距。腹部短,雄蛾具分叉的臀毛簇。前翅宽;前缘直,翅顶圆;外缘从翅顶到 M_2 脉呈浅弧形内切,M_1 至 M_2 脉间呈角形凸;M_2 脉从横脉中央伸出;M_1 脉和 $R_{5+2+4+3}$脉同出于中室上角。后翅 M_2 脉微弱或消失;M_1 + Rs 脉共柄短,约为 M_1 脉长的 1/5 ~ 1/3。雄性外生殖器的钩形突短宽;颚形突 1 个,短小;抱器瓣短宽,背缘垫状凸出;阳茎端较粗长;阳茎端基环发达。幼虫近纺锤形,中央具弱瘤,毛稀疏。

分布:亚洲。世界已知 4 种,中国已记录 3 种,秦岭地区有 3 种。

(132) 角翅舟蛾 *Gonoclostera timoniorum* (Bremer, 1861)(图版 30:7)

Pygaera timoniorum Bremer, 1861: 482.

Pygaera timonides Bremer, 1864: 45.

Gonoclostera timoniorum: Schintlmeister, 1992: 180.

鉴别特征:前翅长 13 ~ 15mm。前翅褐黄带紫色;内线与外线之间有 1 块暗褐色三角形斑,斑尖几乎达翅后缘,斑内颜色从内向外逐渐变浅,最后呈灰色,但从横脉到前缘较暗;内线前半段不清晰,后半段较可见,灰白色外衬暗褐边;外线灰白色,波浪形曲，明显；亚缘线为模糊的暗褐色，锯齿形；外线与亚缘线之间的前缘处有 1 块暗褐色影状楔形斑。后翅灰褐色，有 1 条模糊的灰白色外线。阳茎长，约为抱器瓣的 2 倍。交配囊有囊片 1 枚。

采集记录：3♂，宁陕，1620m，1979. Ⅶ. 27-Ⅷ. 05。

分布：陕西（宁陕）、黑龙江、吉林、辽宁、北京、山东、甘肃、上海、江苏、安徽、浙江、湖北、江西、湖南；俄罗斯，朝鲜，日本。

寄主：多种柳树。

（133）暗角翅舟蛾 *Gonoclostera denticulata*（Oberthür，1911）（图版 30：8）

Pygaera denticulata Oberthür, 1911b: 337.

Gonoclostera denticulata: Schintlmeister, 1992: 180.

鉴别特征：前翅长 17 ~ 20mm。前翅棕褐带紫色；斑纹与角翅舟蛾 *G. timoniorum*（Bremer）相似，但外线不明显。阳茎粗壮，比抱器瓣稍短。交配囊无明显的囊片。

采集记录：6♂，太白黄柏塬，1350m，1980. Ⅶ. 11-14；1♂，宁陕火地塘，1964. Ⅶ. 24；1♀，秦岭菜子坪，1500m，1979. Ⅷ. 21。

分布：陕西（太白、宁陕）、浙江、四川。

（134）金纹角翅舟蛾 *Gonoclostera argentata*（Oberthür，1914）（图版 30：9）

Pygaera argentata Oberthür, 1914: 59.

Plusiogramma transsecta Gaede, 1930, *in* Seitz(g): 609.

Gonoclostera argentata: Schintlmeister, 1992: 181.

别名：金纹舟蛾。

鉴别特征：雄性前翅长 16 ~ 17mm，雌性前翅长 19 ~ 20mm。前翅深褐色，有 2 个醒目的金色斑。钩形突短小，交配囊有囊片 2 枚。

采集记录：1♂，凤县，1979. Ⅷ. 24；1♂，太白黄柏塬，1350m，1980. Ⅶ. 11-17；3♂3♀，留坝庙台子，1500m，1979. Ⅷ. 14；2♂1♀，宁陕旬阳坝，1979. Ⅷ. 18。

分布：陕西（凤县、太白、留坝、宁陕）、北京、河南、甘肃、湖北、湖南、四川、云南。

67. 扇舟蛾属 *Clostera* Samouelle，1819

Clostera Samouelle, 1819: 247. **Type species**: *Phalaena curtula* Linnaeus, 1758.

Melalopha Hübner, 1822: 14, 16, 19, 20. **Type species**: *Phalaena curtula* Linnaeus, 1758.

Neoclostera Kiriakoff, 1963: 254. **Type species**: *Neoclostera insignior* Kiriakoff, 1963.

属征:喙退化;下唇须中等长,斜向上伸达额。复眼具毛。两性触角双栉齿形(雌蛾分支较短)。胸部披毛浓密,具冠形毛簇;足饰浓厚的柔毛,尤其前足毛一直长到跗节上;后足胫节有2对距。雄蛾腹部细,末端尖削,具分叉的臀毛簇。前翅宽,翅顶圆,外缘曲度平稳;M_2 脉从横脉上方近中室上角伸出,M_1 脉和 $R_{5+2+4+3}$脉同出于中室上角;无径副室。后翅 M_2 脉微弱或消失,从横脉中央上方伸出;M_1 + Rs 脉共柄短,不超过 M_1 脉长的1/3。雄性外生殖器通常有上钩形突;钩形突1对,细长;颚形突(尾突)1对,叶状,有刺毛;背兜两侧后缘增大,近正方形,末端凸出尖锐;抱器瓣短宽,呈扇形(上部满扇骨状的褶皱)。幼虫长圆柱形,全身密被长毛;第1和第8腹节背面生有大小不同的突起或横瘤;第2胸节背面和侧面具小疣,有时小疣增大成凸起。

分布:古北界,东洋界,非洲界。世界已知约50种,中国已记录12种,秦岭地区发现3种。

(135)短扇舟蛾 *Clostera albosigma curtuloides* Erschov, 1870 (图版30:10)

Clostera curtuloides Erschov, 1870, *in* Erschov & Filda: 193.

Clostera albosigma korecurtula Bryk, 1948: 9.

Clostera albosigma curtuloides: Schintlmeister, 1992: 324

鉴别特征:雄性前翅长12~17mm,雌性前翅长15~18mm。前翅灰红褐色;外线从前缘到M脉一段齿形曲白色鲜明;从 Cu_2 脉基部到外线间有1块斜三角形影状暗斑。

采集记录:13♂6♀,宁陕,1620m,1979. Ⅶ. 29-Ⅷ. 04,1998. Ⅶ. 27。

分布:陕西(宁陕)、黑龙江、吉林、北京、山西、河南、甘肃、青海、云南;俄罗斯,朝鲜,日本,北美洲。

寄主:山杨,日本山杨。

(136)杨扇舟蛾 *Clostera anachoreta* (Denis *et* Schiffermüller, 1775)(图版30:11)

Phalaena anachoreta Denis *et* Schiffermüller, 1775: 55.

Pygaera anachoreta pallida Staudinger, 1892b: 101.

Pygaera mahatma Bryk, 1949: 43.

Clostera anachoreta: Kiriakoff, 1967: 218.

别名:白杨天社蛾、白杨灰天社蛾、杨树天社蛾、小叶杨天社蛾。

鉴别特征:雄性前翅长12~17mm,雌性前翅长16~20mm。前翅褐灰色到褐色;亚缘线由1列脉间黑点组成,其中以 Cu_1 至 Cu_2 脉间的1个点较大而显著。

采集记录:2♂,凤县,1980. Ⅳ. 17;2♂,留坝县城,1020m,1998. Ⅶ. 18;3♂,留坝庙台子,1350m,1998. Ⅶ. 21;1♀,佛坪,950m,1998. Ⅶ. 23;10♂3♀,宁陕,1620m,1979.

Ⅶ.31-Ⅶ.15;1♂1♀,宁陕火地塘,1580m,1998.Ⅷ.15。

分布:陕西(凤县、留坝、佛坪、宁陕),除广西、海南和贵州外,全国各地均有分布;朝鲜,日本,越南,印度,斯里兰卡,印度尼西亚,欧洲。

寄主:多种杨柳。

(137)分月扇舟蛾 *Clostera anastomosis* (Linnaeus, 1758)(图版30:12)

Phalaena (*Bombyx*) *anastomosis* Linnaeus, 1758: 506.

Neoclostera insignior Kiriakoff, 1963: 254.

Clostera anastomosis: Kiriakoff, 1967: 219.

别名:银波天社蛾、山杨天社蛾、杨树天社蛾、杨叶夜蛾。

鉴别特征:雄性前翅长12~17mm,雌性前翅长17~22mm。前翅灰褐到暗灰褐色;亚缘线由1列脉间黑褐色点组成,波浪形,在Cu_1脉呈直角弯曲;横脉纹圆形,暗褐色,中央有1条灰白色线把圆斑横割成两半。

采集记录:1♂,留坝县城,1020m,1998.Ⅶ.18。

分布:陕西(留坝)、黑龙江、吉林、内蒙古、河北、河南、甘肃、新疆、江苏、安徽、浙江、湖北、湖南、福建、四川、贵州、云南;蒙古,俄罗斯,朝鲜,日本,欧洲。

寄主:杨,柳。

68. 小舟蛾属 *Micromelalopha* Nagano, 1916

Micromelalopha Nagano, 1916: 10. **Type species**: *Pygaera troglodyta* Graeser, 1890.

Bifurcifer Ebert, 1968: 203. **Type species**: *Bifurcifer afhanus* Ebert, 1968.

Closteroides Kiriakoff, 1976: 33 (nec Tomlin, 1929). **Type species**: *Closteroides dorsalis* Kiriakoff, 1976.

Closterellus Fletcher, 1980: 41 (new name for *Closteroides* Kiriakoff, 1976). **Type species**: *Closteroides dorsalis* Kiriakoff, 1976.

属征:喙弱;下唇须短,斜向上伸至额中央。复眼具毛。两性触角双栉齿形。胸部背面中央具冠形毛簇;足饰浓厚的柔毛;后足胫节只有1对距。腹部末端尖削,雄蛾具分叉的臀毛簇。前翅翅顶尖,外缘斜曲度平稳;M_2脉弱或消失;M_1脉和$R_{5+2+4+3}$脉同出于中室上角;无径副室。后翅M_2脉弱,M_1+Rs脉共柄很短。雄性外生殖器的钩形突末端分叉;颚形突退化;抱器瓣大部分膜质,末端圆;阳茎端基环端缘二分叉。幼虫长圆柱形,身体光滑,每一小疣上只有1根毛。

分布:古北界,东洋界。世界已知20多种,中国已记录11种,秦岭地区发现3种。

(138)杨小舟蛾 *Micromelalopha sieversi*(Staudinger, 1892)(图版30:13)

Pygaera sieversi Staudinger, 1892a: 370.

Micromelalopha populivona Yang *et* Lee 1978, *in* Yang: 498.

Micromelalopha sieversi: Schintlmeister, 1992: 187.

别名:杨褐天社蛾、小舟蛾。

鉴别特征:前翅长10~12mm。前翅后缘和顶角较暗,有3条精细的灰白色横线,每线两侧衬暗边;亚基线微波浪形;内线从前缘到臀褶直向外斜伸,然后呈屋脊状分叉,但外叉不如内叉清晰;外线波浪形;亚缘线由1列脉间黑点组成,波浪形;横脉纹为1个小黑点。后翅臀角有1个赭色或红褐色小斑;横脉纹为1个小黑点。相对粗壮的身体和相对狭窄的前翅是本种区别于其他近缘种的一个外部特征。

采集记录:11♂4♀,太白黄柏塬,1980.Ⅶ.14-19;14♂,宁陕,1979.Ⅶ.25-Ⅷ.06。

分布:陕西(太白、宁陕)、黑龙江、吉林、北京、山西、山东、江苏、安徽、浙江、湖北、江西、湖南、四川、云南、西藏;俄罗斯,朝鲜,日本。

寄主:杨,柳。

(139)赭小舟蛾 *Micromelalopha haemorrhoidalis* Kiriakoff, 1963(图版30:14)

Micromelalopha haemorrhoidalis Kiriakoff, 1963: 250.

Micromelalopha cinereibasis Kiriakoff, 1963: 250.

Micromelalopha troglodytes Kiriakoff, 1963: 253.

鉴别特征:前翅长12~13mm。前翅红褐带灰紫色,中室以下的后缘部分和顶角下(特别是M_1至Cu_1脉间)暗红褐色;3条灰白色横线与杨小舟蛾的近似,但不如它精细清晰:亚基线较模糊;内线较可见,其内外分叉同样清晰,但外叉较直;外线波浪形;亚缘线波浪形,由1列脉间黑点组成;横脉纹为1个黑点。后翅淡赭褐色,外半部较暗;臀角有1块暗红褐色小斑;横脉纹为1个小黑点。前翅前缘不像其他种那样直,在顶角附近稍弯曲。

采集记录:1♂,太白黄柏塬,1980.Ⅶ.14-19;18♂,宁陕,1979.Ⅶ.07-Ⅷ.06;7♂,宁陕火地塘,1580m,1998.Ⅷ.15。

分布:陕西(太白、留坝、宁陕、南郑)、内蒙古、北京、甘肃、湖北、四川、云南、西藏。

(140)内斑小舟蛾 *Micromelalopha dorsimacula* Kiriakoff, 1963(图版30:15)

Micromelalopha dorsimacula Kiriakoff, 1963: 253.

鉴别特征:前翅长13~15mm。前翅灰红褐色;有3条灰白色横线,每线两侧衬暗边;亚基线波状,较明显;内线波状弧形,不分叉;翅内缘在亚基线和内线间有 1 个明显的暗褐色大圆斑;外线波浪形;亚缘线波浪形,由 1 列脉间暗点组成;横脉纹为 1 个黑点。后翅淡赭褐色,外半部较暗;臀角有 1 块暗褐色小斑;横脉纹为 1 个小黑点。

采集记录:1♀,宁陕旬阳坝,1979. Ⅷ. 18;3♂1♀,宁陕,1979. Ⅶ. 07-Ⅷ. 06;2♂,宁陕火地塘,1580m,1998. Ⅶ. 26-Ⅷ. 15。

分布:陕西(宁陕)、甘肃、云南。

(九)异舟蛾亚科 Thaumetopoeinae

鉴别特征:喙退化或缺;下唇须小,常高度退化。单眼缺。后足胫节只有 1 对距。雄性腹部末端有 1 列简单的毛簇。本亚科常被作为独立的科。

分布:陕西秦岭地区分布 1 属 1 种。

69. 雪舟蛾属 *Gazalina* Walker, 1865

Gazalina Walker, 1865: 298. **Type species**: *Gazalina venosata* Walker, 1865.

Oligoclona Felder, 1874: pl. 94, fig. 10. **Type species**: *Oligoclona chordigera* Felder, 1874.

Ansonia Kiriakoff, 1967, *in* Wytsman: 57. **Type species**: *Liparis chrysolopha* Kollar, 1844.

属征:喙退化,下唇须短小。雄蛾触角双栉齿形,雌蛾锯齿形。胸部和腿、胫节饰长毛,后足胫节只有 1 对距。腹部披长毛,臀毛簇大。前翅宽,近三角形;前缘直,翅顶圆;外缘斜曲度微弱,臀角明显;M_2 脉从横脉中央上方伸出;无径副室;M_1 脉和 $R_{2+5+4+3}$脉共柄短,从中室上角伸出。后翅 M_2 脉同前翅;M_1 + Rs 脉共柄短,不超过 M_1 脉长的 1/3。雄性外生殖器的钩形突短;颚形突 1 对;抱器瓣大,背端多少有些凸出;阳茎细长,末端多少有些分叉。

分布:东洋界。世界已记录 5 种,中国已知 4 种,秦岭地区记录 1 种。

(141)三线雪舟蛾 *Gazalina chrysolopha*(**Kollar, 1844**)(图版 30:16)

Liparis chrysolopha Kollar, 1844: 470.

Gazalina chrysolopha: Cai, 1979a: 42.

Oligoclona chrysolopha: Cai, 1992, *in* Chen: 924.

别名:三线洁异舟蛾。

鉴别特征:雄性前翅长 14 ~ 18mm,雌性前翅长 19 ~ 23mm。前翅白色带丝质光泽,有 3 条黑色横线;亚基线不大清晰,只有从前缘到中室一段较可见;内线几乎直向内斜伸;外线从前缘斜伸至中室上角后沿横脉下行至中室下角呈角形曲,随后斜弯达于后缘中央;内线以内的前缘黑色;亚基线与内线间的中室下缘具黑线。后翅白色。

采集记录:15♂2♀,宁陕,1979. Ⅶ. 27-Ⅷ. 07;2♂,南郑黎坪,1600m,1979. Ⅷ. 15。

分布:陕西(宁陕、黎坪)、河南、甘肃、湖北、湖南、海南、广西、四川、贵州、云南、西藏;印度,巴基斯坦,尼泊尔。

十二、灯蛾科 Arctiidae

鉴别特征:头顶及额常密被毛,喙发达或不发达。下唇须由3节组成,常被毛或鳞片,向前平伸或向上伸,往往可作为分属特征。雄蛾触角多为栉齿形,少数为线状或锯齿形,雌蛾多为线形,具纤毛,少数为短栉齿状。触角形状可作为属级或种的分类特征。胸背面的翅基片与前面的颈片多具有斑点或斑带,常作为分类特征。除拟灯蛾亚科外,后胸前侧片尚具有发声功能的鼓膜器。胸部腹面3对足发达,胫节距通常较小,但发达,后足胫节中距在少数种类中退化。翅通常发达,只有少数种类的雌蛾翅稍退化而小于雄蛾。前翅通常较窄长,后翅较宽,某些种雄蛾后翅臀角延长成1个尖突。前翅的点斑或带纹从内向外可分成基线、亚基线、内线、中线、外线、亚缘线及缘线。前翅的颜色多为白色、灰色、浅黄色、黄色、红色、褐色及黑色等。后翅多为红色或黄色,翅面线斑较前翅少,但一般具横脉纹和亚缘线。脉序一般可作为分类特征,前翅最多有12条翅脉,最少有9条翅脉,M_2脉从中室下角微向上方伸出,M_1脉从中室上角或从上角微向下方伸出,径副室或有或无,某些种类缺R_3脉或R_4脉,有些缺M_3脉。苔蛾亚科的*Schistophleps*属Sc脉与前缘之间有4或5个短横脉相连,*Chrysorabdia*属的中室端部不封闭,中室内具有1条向后的逆行脉(recurrent)。后翅最多有9条脉,最少有7条脉,$Sc+R_1$脉与中室上缘并合至中部或中部以外,M_1与Rs脉在某些种类并合,如*Conilepia*属,有些种类缺M_2脉或M_3脉,或两者并合。腹部一般较粗钝,苔蛾亚科的腹部则较纤细,多为黄色或红色,除苔蛾亚科的大多数属种外,其背面与侧面常具黑色斑点,有警戒作用。

分类:中国灯蛾科已知约133属558种,陕西秦岭地区已知41属106种。

(一)苔蛾亚科 Lithosiinae

鉴别特征:身体通常细长,腹部常长达后翅的后缘。头宽,额扁平;通常无单眼,或很微弱;如果有单眼,则腹部无点斑或带纹。下唇须向上伸或平伸;喙通常发达;复眼较凸出。雄蛾触角栉齿形,或两性均为线形,具纤毛。足长,后足胫节通常有2对距,少数1对距。前翅通常窄长,后翅宽大,休息时,常将翅折叠在腹部上。腹部一般无黑点或带。幼虫通常以地衣、苔藓为食。

分类:陕西秦岭地区分布22属68种。

1. 佳苔蛾属 *Hypeugoa* Leech, 1899

Hypeugoa Leech, 1899: 189. **Type species**: *Hypeugoa flavogrisea* Leech, 1899.

属征:喙退化,极小;下唇须平伸不过额。雄蛾触角线形,具鬃和纤毛。足胫节距相当长。腹部鳞片光滑。前翅相当窄,前缘近基部拱,然后近于直;外缘斜圆。

分布:古北界,东洋界。中国已知1种。

(1)黄灰佳苔蛾 *Hypeugoa flavogrisea* Leech, 1899(图版30:17)

Hypeugoa flavogrisea Leech, 1899: 190.

鉴别特征:前翅长20~24mm。前翅灰色,散布暗褐色;中带宽,暗黑色;亚缘线为不规则齿状。后翅黄色,散布暗褐色鳞片。

采集记录:1♂♀,留坝庙台子,1350m,1998.Ⅶ.21;1♂,宁陕火地塘,1580m,1999.Ⅶ.07;1♂,佛坪,950m,1998.Ⅶ.24。

分布:陕西(留坝、佛坪、宁陕)、河北、山西、山东、河南、甘肃、江苏、浙江、湖北、江西、广西、四川、云南。

2. 痣苔蛾属 *Stigmatophora* Staudinger, 1881

Stigmatophora Staudinger, 1881: 399. **Type species**: *Setina micans* Bremer *et* Grey, 1853.

属征:喙极发达;下唇须平伸过额。雄蛾触角线形,具纤毛,足胫节距颇长。

分布:东洋界中印亚界。中国已知11种,秦岭地区记录4种。

(2)黄痣苔蛾 *Stigmatophora flava*(Bremer *et* Grey, 1853)(图版30:18)

Setina flava Bremer *et* Grey, 1853b, *in* Motschulsky: 63.

Stigmatophora flava: Hampson, 1900: 552.

鉴别特征:前翅长11~16mm。前翅前缘区深黄色,前缘基部有黑边;黑色亚基点1个;黑色内线点3个,斜置;外线6~7个黑点,翅顶下方亚端点1~2个。翅反面中央或多或少散布暗褐色点。

采集记录:1♀,留坝庙台子,1470m,1999.Ⅶ.01;1♂,佛坪,950m,1999.Ⅵ.21。

分布:陕西(留坝、佛坪)、黑龙江、吉林、辽宁、河北、山西、山东、河南、甘肃、新疆、江苏、浙江、湖北、江西、湖南、福建、台湾、广东、四川、贵州、云南;朝鲜,日本。

寄主:玉米,桑,高粱,牛毛毡。

(3)甘痣苔蛾 *Stigmatophora conjuncta* Fang, 1991(图版 30:19)

Stigmatophora conjuncta Fang, 1991a: 378.

鉴别特征:前翅长 12~14mm。外形与黄痣苔蛾 *S. flava*(Bremer *et* Grey)相似,但本种前翅中线至外线褐斑除中室端外连成一片。

采集记录:♂,周至厚畛子,3120m,1999. Ⅵ. 21;12♂,留坝庙台子,1470m,1999. Ⅶ. 01;1♂1♀,宁陕火地塘,1580m,1999. Ⅶ. 26。

分布:陕西(周至、留坝、宁陕)、北京、甘肃、湖北、广西。

(4)红脉痣苔蛾 *Stigmatophora rubivena* Fang, 1991(图版 30:20,21)

Stigmatophora rubivena Fang, 1991a: 378.

鉴别特征:前翅长 11~12mm。前翅底色黄色,翅脉和翅缘红色;后翅淡红色。

采集记录:2♂,宁陕火地塘,1580m,1999. Ⅶ. 27。

分布:陕西(宁陕)、甘肃、云南。

(5)玫痣苔蛾 *Stigmatophora rhodophila*(Walker, 1864)(图版 30:22)

Barsine rhodophila Walker, 1864: 254.
Stigmatophora rhodophila: Hampson, 1900: 551.

鉴别特征:前翅长 10~13mm。黄色染红色。前翅基部在前缘和中脉上具黑点,基部内线前方有 5 条暗褐色短带;内线在前缘下方折角,然后倾斜不达后缘;中线在中室及臀褶稍向外折角,在 2A 脉向内折角,然后向外曲至后缘,其外在中室末端有一些暗褐色;外线由 1 列位于脉间的暗褐色带组成;前缘及端区染红色。

采集记录:1♂,周至厚畛子,3120m,1999. Ⅵ. 21。

分布:陕西(周至)、黑龙江、吉林、河北、山西、山东、河南、浙江、湖北、江西、湖南、福建、广西、四川、云南;朝鲜,日本。

寄主:牛毛毡。

3. 美苔蛾属 *Miltochrista* Hübner, 1819

Miltochrista Hübner, 1819: 166. **Type species**: *Noctua rubicunda* Denis *et* Schiffermüller, 1775.

Calligenia Duponchel, 1845: 59. **Type species**: *Bombyx rosea* Fabricius, 1775.

Barsine Walker, 1854: 546. **Type species**: *Barsine defecta* Walker, 1854.

Sesapa Walker, 1854: 547. **Type species**: *Sesapa inscripta* Walker, 1854.

Ammatho Walker, 1855: 759. **Type species**: *Ammatho cuneonotatus* Walker, 1855.

Cabarda Walker, 1863: 435. **Type species**: *Cabarda molliculana* Walker, 1863.

Castabala Walker, 1865: 270. **Type species**: *Castabala roseata* Walker, 1865.

Mahavira Moore, 1878: 11. **Type species**: *Mahavira flavicollis* Moore, 1878.

Korawa Moore, 1878: 11. **Type species**: *Korawa pallida* Moore, 1878.

Gurna Swinhoe, 1892: 123. **Type species**: *Dysauxes indica* Moore, 1879.

属征:喙极发达,下唇须平伸过额。雄蛾触角线形,具长鬃和纤毛。胸部与腹部被粗毛,足胫节距正常。

分布:绝大多数分布于东洋界,少数种分布在古北界及非洲界。世界已记录150多种,中国记录70种,秦岭地区已知14种。

(6)之美苔蛾 *Miltochrista ziczac* (Walker, 1856)(图版30:23)

Hypoprepia ziczac Walker, 1856: 1681.

Miltochrista ziczac: Hampson, 1900: 470.

鉴别特征:前翅长9~15mm。身体白色。前翅前缘下方在内线以内具红带;外线至翅顶为红色前缘带,外缘区为红色带;前缘基部有1个暗褐色点;亚基线黑色;前缘从基部到内线具黑边;内线在前缘下方向外弯后斜,在臀褶处向外折角;黑色中线微波状,在中室内向内曲,中脉末端上方及横脉上具黑斜带;黑色外线起自前缘近中线处,高度齿状,在前缘下方向外曲后斜,其外方有1列黑点。后翅淡红色。

采集记录:1♀,留坝庙台子,1350m,1998.Ⅶ.21;1♂,留坝县城,1020m,1998.Ⅶ.18;4♂,佛坪,890m,1999.Ⅵ.28。

分布:陕西(留坝、佛坪)、山西、河南、江苏、浙江、湖北、江西、湖南、福建、台湾、广东、广西、四川、云南。

(7)秦岭美苔蛾 *Miltochrista tsinglingensis* Daniel, 1951(图版30:24,25)

Miltochrista tsinglingensis Daniel, 1951: 314.

鉴别特征:前翅长11~14mm。与曲美苔蛾相似,但本种体型稍小,下唇须雄蛾黑色,雌蛾黄色,末端黑色。前翅底色红,较曲美苔蛾稍淡;后缘区稍暗,无基点。

采集记录:3♂,宁陕火地塘,1580m,1999.Ⅶ.27。

分布:陕西(宁陕)、甘肃、湖北。

(8)曲美苔蛾 *Miltochrista flexuosa* Leech, 1899(图版 30:26)

Miltochrista flexuosa Leech, 1899: 196.

鉴别特征:前翅长 12 ~ 16mm。下唇须稍染黑色。前翅红色,中室基部有 1 个黑点,亚基区脉间有黑色斑点。

采集记录:2♂1♀,留坝庙台子,1350m,1998. Ⅶ. 18-21;3♂,佛坪,950m,1998. Ⅶ. 23-25;7♂2♀,宁陕火地塘,1580m,1998. Ⅶ. 18-27。

分布:陕西(留坝、佛坪、宁陕)、甘肃、浙江、湖北、湖南、福建、四川、云南。

(9)异美苔蛾 *Miltochrista aberrans* Butler, 1877(图版 30:27)

Miltochrista aberrans Butler, 1877a: 397.

鉴别特征:前翅长 9 ~ 13mm。前翅橙红色,有 1 个黑色基点;中室下方有 2 个斜置的黑色亚基点;前缘基部至内线处具黑边;内线在中室折角,中线在中室向内折角与内线相接;外线在前缘起点与中线同,在前缘下方强烈外曲后斜,成不规则齿状再向外曲至后缘;亚缘线为 1 列弯曲的短黑纹。后翅黄色,染红色。

采集记录:1♂,周至厚畛子,1350m,1999. Ⅵ. 24;1♀,留坝庙台子,1350m,1998. Ⅶ. 21;2♂,佛坪,950m,1998. Ⅶ. 23,25;4♂2♀,宁陕火地塘,1580m,1998. Ⅶ. 26-Ⅷ. 19。

分布:陕西(周至、留坝、佛坪、宁陕)、黑龙江、吉林、河南、江苏、浙江、湖北、江西、湖南、福建、台湾、广东、海南、四川;朝鲜,日本。

(10)玫美苔蛾 *Miltochrista rosacea* (Bremer, 1861)(图版 30:28,29)

Calligenia rosacea Bremer, 1861: 476.
Miltochrista rosacea: Hampson, 1900: 473.

鉴别特征:前翅长 9 ~ 11mm。本种与美苔蛾 *M. miniata* 非常相似,但体型较小,体色较苍白,前翅前缘中央不向上拱,前翅无内线,仅在前缘有 1 条短纹,外线不太清晰。

采集记录:2♂,周至厚畛子,1350m,1999. VI. 24;1♀,留坝庙台子,1350m,1998. Ⅶ. 21;2♂1♀,宁陕火地塘,1580m,1998. Ⅶ. 26-27。

分布:陕西(周至、留坝、宁陕)、河北、山西、甘肃、湖北、湖南、福建、四川;朝鲜。

(11)全轴美苔蛾 *Miltochrista longstriga* Fang, 1991(图版 30:30)

Miltochrista longstriga Fang, 1991b: 390.

鉴别特征:本种与黑轴美苔蛾 *M. cardinalis* 相近,但本种前翅纵条达基部,翅脉黑色,反面(除前缘及后缘带外)黑色,而后者前翅黑条不达基部,翅脉非黑色,前翅反面红色。

采集记录:1♂,太白黄柏源,1980. Ⅶ. 17,张宝林采;♂1♀,留坝庙台子,1350m,1998. Ⅶ. 19-21;16♂5♀,宁陕,1979. Ⅶ. 29-31,韩寅恒采。

分布:陕西(太白、留坝、宁陕)、甘肃、湖北、湖南、广西、云南。

(12)黄黑脉美苔蛾 *Miltochrista nigrovena* Fang, 2000(图版 30:31,32)

Miltochrista nigrovena Fang, 2000: 88, fig. 55.

鉴别特征:前翅长 15~19mm。本种与 *M. ruficollis* 相似,但体色黄,无任何红色,脉带明显,雄性外生殖器抱器背背缘中部有 1 个较长指突及 1 个短钝三角形突,基部有1 个大角突。

采集记录:1♂1♀,宁陕火地塘,1580~1650m,1999. Ⅶ. 25-26。

分布:陕西(宁陕)、河南、湖北。

(13)红黑脉美苔蛾 *Miltochrista rubrata* Reich, 1937(图版 30:33,34)

Miltochrista rubrata Reich, 1937: 119.

Miltochrista melanovena Fang, 1991b: 391.

鉴别特征:前翅长 18~22mm。前翅红色,前缘有黑边,黑色基点位于前缘上,中室上缘、下缘、中室中央纵条及各脉均为黑色。后翅红色,端区翅脉黑色。

采集记录:1♂1♀,留坝庙台子,1470m,1999. Ⅶ. 01。

分布:陕西(留坝)、湖北、四川。

(14)红边美苔蛾 *Miltochrista marginis* Fang, 1991(图版 30:35)

Miltochrista marginis Fang, 1991b: 391, 396, fig. 8.

鉴别特征:前翅长 10~12mm。前翅乳黄色,前缘及外缘区红色;前缘基部到内线及中线至翅顶处具黑边;亚前缘带红色;黑色基点与亚基点各 1 个;黑色内线在中室向外折角,然后内斜至 A 脉处向内弯;内线内方有 3 条黑短纹,分别位于中室上方及臀褶上方和下方;黑色中线在中室处与内线相接;外线波状;外线外的翅脉为黑短纹,其长短不一,各脉间具红纹;缘线及缘毛黑色。后翅黄白色。

采集记录:1♂1♀,留坝庙台子,1470m,1999. Ⅶ. 01;1♂,宁陕火地塘,1580m,

1998. Ⅷ. 18。

分布:陕西(留坝、宁陕)、河南、甘肃、湖北、四川。

(15)黑缘美苔蛾 *Miltochrista delineata* (Walker, 1854)(图版30:36)

Hypoprepia delineata Walker, 1854: 487.
Ammatho figuratus Walker, 1855: 759.
Hypocrita rhodina Herrich-Schäffer, 1855: 438.
Miltochrista delineata: Hampson, 1900: 485.

鉴别特征:前翅长11~17mm。前翅底色黄色,散布红色,前缘具黑边;中脉基部下方有1条短黑纹。后翅在顶角的翅脉黑褐色。

采集记录:留坝庙台子,1350m,1998. Ⅶ. 21;1♂,佛坪,890m,1999. Ⅵ. 26;1♀,1♂2♀,宁陕火地塘,1580m,1998. Ⅶ. 26-27。

分布:陕西(留坝、佛坪、宁陕)、甘肃、江苏、浙江、江西、湖南、台湾、福建、广东、香港、广西、四川、云南。

(16)优美苔蛾 *Miltochrista striata* (Bremer *et* Grey, 1853)(图版30:37)

Lithosiagratiosa ab. *striata* Bremer *et* Grey, 1853b, *in* Motschulsky: 63.
Miltochrista striata: Daniel, 1951: 327.

鉴别特征:雄性前翅长13~21mm,雌性前翅长17~24mm。前翅底色黄,脉间散布红色短带;基点、亚基点黑色;内线由黑灰色点连成;中线黑灰色点不相连;外线黑灰点较粗,在中室外折角后向内斜至后缘并在中室外分叉至翅顶前。雄蛾后翅底色淡红,雌蛾黄或淡红色。雌蛾前翅的点线有时不清晰,以黄色为主。

采集记录:1♂1♀,周至厚畛子,3120m,1999. Ⅶ. 01-02;1♀,留坝庙台子,1470m,1998. Ⅶ. 21;1♂,佛坪,950m,1998. Ⅶ. 23;4♂2♀,宁陕火地塘,1580~1650m,1998. Ⅶ. 26。

分布:陕西(周至、留坝、佛坪、宁陕)、吉林、河北、山东、河南、甘肃、江苏、浙江、湖北、江西、湖南、福建、广东、海南、广西、四川、云南;日本。

寄主:地衣,大豆。

(17)东方美苔蛾 *Miltochrista orientalis* Daniel, 1951(图版30:38)

Miltochrista orientalis Daniel, 1951: 324.

鉴别特征:前翅长12~19mm。与硃美苔蛾相似,但本种黑灰的中线在中室折角。

抱器腹末端分叉,钩形突细长。

采集记录:1♂1♀,宁陕,1979. Ⅶ. 29-31,韩寅恒采。

分布:陕西(太白、宁陕)、甘肃、浙江、湖北、江西、福建、台湾、广东、海南、广西、四川、云南、西藏;尼泊尔。

(18)硃美苔蛾 *Miltochrista pulchra* Butler, 1877(图版30:39)

Miltochrista gratiosa ab. *pulchra* Butler, 1877a: 396.
Miltochrista pulchra: Daniel, 1952a: 75.

鉴别特征:前翅长10~17mm。前翅朱红色;黑灰中线点带稍斜,向后缘几乎直;黑灰外线点带在中室外向外折角后至后缘,其外方的翅脉为长短不一的黑灰带,所有的黑灰线点以黄色包围。

采集记录:1♂,佛坪,890m,1999. Ⅵ. 26。

分布:陕西(佛坪)、黑龙江、河北、山东、河南、浙江、湖北、江西、福建、广西、四川、云南;朝鲜,日本。

(19)黄边美苔蛾 *Miltochrista pallida* (Bremer, 1864)(图版30:40,41)

Calligena pallida Bremer, 1864: 97.
Miltochrista pallida: Hampson, 1900: 494, 495.

鉴别特征:前翅长8~12mm。前翅前缘及外缘区具黄色宽带,前缘基部具黑边;横脉纹黑色。后翅淡黄色。

采集记录:1♂,太白山,1700m,1935. Ⅴ. 27。

分布:陕西(太白山)、黑龙江、辽宁、河北、山东、江苏、安徽、浙江、湖北、江西、湖南、福建、台湾、广西、四川、云南;朝鲜,日本。

4. 云彩苔蛾属 *Nudina* Staudinger, 1887

Nudina Staudinger, 1887a: 186. **Type species**: *Nudaria nubilosa* Staudinger, 1887.

属征:喙发达,下唇须短而向上举。足胫节距正常。前翅相当宽。

分布:亚洲(东部)。中国已知2种,秦岭地区记录1种。

(20)云彩苔蛾 *Nudina artaxidia* (Butler, 1881)(图版30:42,43)

Miltochrista artaxidia Butler, 1881a: 8.

Nudaria nubilosa Staudinger, 1892a: 186.
Nudina artaxidia: Hampson, 1900: 468.

鉴别特征:前翅长 10~13mm。与藏云彩苔蛾 *N. xizangensis* Fang 相似,主要区别是本种雄蛾触角双栉形、雌蛾 M_2 与 M_3 脉共柄。

采集记录:1♀,留坝庙台子,1470m,1998. Ⅶ. 19。

分布:陕西(留坝)、黑龙江、吉林、河北、山西、甘肃、湖南、台湾、广东、云南;朝鲜,日本。

5. 艳苔蛾属 *Asura* Walker, 1854

Asura Walker, 1854: 484. **Type species**: *Asura cervicalis* Walker, 1854.
Pitane Walker, 1854: 462. **Type species**: *Pitane fervens* Walker, 1854.
Pallene Walker, 1854: 542. **Type species**: *Pallene structa* Walker, 1854.
Cyllene Walker, 1854: 543. **Type species**: *Cyllene humilis* Walker, 1854.
Stonia Walker, 1863: 187. **Type species**: *Stonia bipars* Walker, 1865.
Cymella Felder, 1874: 3, pl. 106: 14. **Type species**: *Cymella congerens* Felder, 1874.
Setinochroa Felder, 1874: 9. **Type species**: *Setinochroa infumata* Felder, 1874.
Adites Moore, 1882: 61. **Type species**: *Doliche hilaris* Walker, 1854.
Xanthocraspeda Hampson, 1894: 42, 121. **Type species**: *Nudaria marginata* Walker, 1865.

属征:喙极发达;下唇须平伸,细长不过额,被毛。足胫节距短;腹部背面被粗毛;翅具毛鳞。

分布:东洋界,澳洲界。中国已记录 25 种,秦岭地区记录 5 种。

(21)褐脉艳苔蛾 *Asura esmia* (Swinhoe, 1894)(图版 30:44,45)

Miltochrista esmia Swinhoe, 1894b: 217.
Asura esmia: Hampson, 1900: 437, 463.

鉴别特征:前翅长 11~14mm。前翅粉红色,边缘围以红色;翅脉、中室上下缘,以及中室中央的纵带、横脉纹、臀褶为暗褐色,脉间为红色。

采集记录:1♂,宁陕火地塘,1580m,1998. Ⅶ. 26。

分布:陕西(宁陕)、河南、浙江、湖北、江西、湖南、四川、云南;缅甸。

(22)拟暗脉艳苔蛾 *Asura mentiens* Fang, 1993(图版 30:46)

Asura mentions Fang, 1993: 356, 359.

鉴别特征:前翅长 11 ~ 15mm。前翅橙红色,前缘基部至内线处具黑边,从内线处至翅顶为黄边;无中线;横脉纹黑色;中室外在外线处的翅脉黑色,长短不一;缘线在翅脉上具黑点;缘毛黄色。后翅色稍淡。

采集记录:1♂1♀,周至厚畛子 1350m,1999. Ⅵ. 24;1♀,留坝庙台子,1350m,1998. Ⅶ. 19;1♂,佛坪,890m,1999. Ⅵ. 26;1♂,宁陕火地塘,1580 ~ 1650m,1999. Ⅵ. 30。

分布:陕西(周至、留坝、佛坪、宁陕)、河南、甘肃、湖北。

(23)条纹艳苔蛾 *Asura strigipennis* (Herrich-Schäffer, 1855)(图版 30:47,48)

Paidia strigipennis Herrich-Schäffer, 1855: fig. 437.

Miltochrista strigipennis sinica Moore, 1877a: 87.

Asura strigipennis: Hampson, 1900: 456.

鉴别特征:前翅长 7 ~ 14mm。本种变异较大,由黄色至橙红色,斑纹强弱不等。前翅常染红色,特别是前缘及外缘;有 1 个黑色亚基点;前缘基部有黑边;内线为 5 个短黑带,在中室内及 Cu_1 脉上的黑带向外移;中线黑色,斜,稍成波状;横脉纹为 1 个黑点;外线为 1 列短黑纹;缘线为 1 列黑点。后翅翅顶染红色,亚端室有时存在。

采集记录:1♂,佛坪县城,950m,1998. Ⅶ. 25;1♂1♀,宁陕火地塘,1580,1998. Ⅶ. 26。

分布:陕西(佛坪、宁陕)、河南、甘肃、江苏、浙江、湖北、江西、湖南、福建、台湾、广东、海南、广西、四川、云南、西藏;印度,印度尼西亚等。

寄主:柑橘。

(24)点艳苔蛾北米亚种 *Asura unipuncta megala* Hampson, 1900(图版 31:1,2)

Asura megala Hampson, 1900: 462.

Asura unipuncta megala: Daniel, 1952a: 82.

鉴别特征:前翅长 11 ~ 20mm。黄色。腹部黑色,背面被赭色毛。前翅前缘基部有黑边,除黑色基点及横脉纹点外,还有 1 列亚缘线黑点。分布在山西绵山的绵山亚种 *ssp. mienshanica* Daniel 主要为红色,红色与黄色的比例为 92:8。

采集记录:1♀,周至厚畛子,1350m,1999. VI. 24;1♂,宁陕火地塘,1580m,1999. Ⅶ. 06。

分布:陕西(周至、宁陕)、北京、河北、河南、山西、山东、湖北、四川。

(25)肉色艳苔蛾 *Asura carnea*(**Poujade, 1886**)(图版 31:3,4)

Calligenia carnea Poujade, 1886: 143.

Asura carnea: Hampson, 1900: 437, 459.

鉴别特征:前翅长 14 ~ 19mm。下唇须黑色。前翅污肉色,前缘基部有黑边,横脉纹黑色,还有 1 列亚缘线黑点。

采集记录:1♀,周至厚畛子,1350m,1999. Ⅵ. 24;1♂,佛坪,950m,1998. Ⅶ. 24;1♂1♀,宁陕火地塘,1580,1998. Ⅶ. 26。

分布:陕西(周至、佛坪、宁陕)、甘肃、湖北、四川。

6. 绣苔蛾属 *Asuridia* Hampson, 1900

Asuridia Hampson, 1900: 412. **Type species**: *Ammatho carnipicta* Butler, 1877.

属征:喙退化,微小;下唇须平伸不过额。雄蛾触角具鬃及纤毛。足胫节距正常。前翅狭窄,前缘弓形。

分布:东洋界。中国已知 5 种,秦岭地区记录 1 种。

(26)绣苔蛾 *Asuridia carnipicta*(**Butler, 1877**)(图版 31:5,6)

Ammatho carnipicta Butler, 1877c: 342.

Asuridia carnipicta: Hampson, 1900: 412.

鉴别特征:前翅长 9 ~ 12mm。前翅红色,前缘基部至内线处及中线到翅顶有黑边,横脉纹黑色,外线外方的翅脉为黑短线。

采集记录:1♂,宁陕火地塘,1580m,1998. Ⅶ. 28。

分布:陕西(宁陕)、甘肃、浙江、江西、福建、广东、广西、四川、西藏;日本。

7. 分苔蛾属 *Idopterum* Hampson, 1894

Idopterum Hampson, 1894: 103. **Type species**: *Idopterum ovale* Hampson, 1894.

属征:喙发达;下唇须上举,细长不过额。雌蛾腹部第 3 节膨大。前翅相当窄,前缘弓形,翅顶圆,外缘斜圆。

分布:东洋界。中国已知 2 种,秦岭地区记录 1 种。

(27)半黄分苔蛾 ***Idopterum semilutea*(Wileman, 1911)**(图版31:7,8)

Nudaria semilutea Wileman, 1911b: 110.

Ovipennis postalba Fang, 1986b: 178.

Idopterum semilutea: Fang, 2000: 142.

鉴别特征:前翅长7~10mm。前翅白色,内半有橘黄色或黄褐色大斑,前缘外线处有1个黑点,其下方有1条断开的黑褐色宽带。

采集记录:1♂,宁陕火地塘,1580m,1999. Ⅵ.25。

分布:陕西(宁陕)、湖南、台湾、四川、云南。

8. 斑苔蛾属 *Parasiccia* Hampson, 1900

Parasiccia Hampson, 1900: 407. **Type species**: *Aemene maculifascia* Moore, 1878.

属征:喙极其发达,下唇须向上伸达头顶。足胫节距长。

分布:东洋界。中国已知7种,秦岭地区记录1种。

(28)迹斑苔蛾 ***Parasiccia maculata*(Poujade, 1886)**(图版31:9,10)

Nudaria maculata Poujade, 1886: 40.

Parasiccia maculate: Hampson, 1900: 408.

鉴别特征:前翅长11~13mm。雄蛾触角褐色,锯齿形,具长鬃及纤毛。前翅白色,具褐色大斑,中域的褐色斑有白色齿状线横向穿过,后翅褐色区较窄。

采集记录:3♂1♀,宁陕,1979. Ⅶ.23。

分布:陕西(宁陕)、台湾、四川。

9. 雪苔蛾属 *Cyana* Walker, 1854

Cyana Walker, 1854: 528. **Type species**: *Cyana detriata* Walker, 1854.

Doliche Walker, 1854: 529. **Type species**: *Doliche gelida* Walker, 1854.

Isine Walker, 1854: 548. **Type species**: *Isine trigutta* Walker, 1854.

Bizone Walker, 1854: 548. **Type species**: *Bizone perornata* Walker, 1854.

Chionaema Herrich-Schäffer, 1855: 100-101. **Type species**: *Phalaena puella* Drury, 1773.

Clerckia Aurivillius, 1882: 157. **Type species**: *Phalaena fulvia* Linnaeus, 1758.

Exotrocha Meyrick, 1886: 691, 693. **Type species**: *Phalaena liboria* Stoll, 1781.

Sphragidium Butler, 1887: 218. **Type species**: *Sphragidium miles* Butler, 1887.

Gnophrioides Heylaerts, 1891: 412. **Type species**: *Gnophrioides flaviplaga* Heylaerts, 1891.
Macronola Kirby, 1892: 299. **Type species**: *Cyana detrita* Walker, 1854.

属征:喙极发达;下唇须通常平伸,少数向上伸。额圆且稍凸出。雄蛾触角线形,具鬃和纤毛;足胫节距正常;腹部被粗毛。前翅长而窄。

分布:东洋界,非洲界,澳洲界。中国已记录43种,秦岭地区记录8种。

(29)草雪苔蛾 *Cyana pratti* (Elwes, 1890)(图版31:11,12)

Bizone pratti Elwes, 1890: 394.
Cyana pratti: Fang, 1992: 258.

鉴别特征:雄性前翅长11~15mm,雌性前翅长14~16mm。翅基片端部具红纹;腹部染红色。雄蛾前翅红色;前缘缨毛发达;反面红色,后缘区白色,叶突三裂,红色。雌蛾前翅中室横脉纹2个黑点斜置,中室近中部有1个黑点。后翅红色,前缘区及缘毛白色。

采集记录:1♂,宁陕火地塘,1580m,1998.Ⅷ.18。

分布:陕西(宁陕)、辽宁、河北、山西、河南、江苏、浙江、湖北、江西、湖南。

(30)黄雪苔蛾 *Cyana dohertyi* (Elwes, 1890)(图版31:13)

Bizone dohertyi Elwes, 1890: 394.
Cyana dohertyi: Hampson, 1894: 6.

鉴别特征:雄性前翅长15~16mm,雌性前翅长16~21mm。前翅黄色,亚基带短;端带黄色。后翅白色,端区染黄色。雄蛾前翅反面叶突二裂。雌蛾外带在前缘下方不内曲,也不变细。

采集记录:2♂,太白山,1700m,1935.Ⅵ.26。

分布:陕西(太白山)、河南、四川、云南;印度,尼泊尔。

(31)明雪苔蛾 *Cyana phaedra* (Leech, 1889)(图版31:14,15)

Bizone phaedra Leech, 1889b: 126.
Cyana Phaedra: Fang, 1992: 259.

鉴别特征:雄性前翅长16~20mm,雌性前翅长19~23mm。前翅白色;不规则的红色亚基带在前缘及臀褶与内带相连;内带红色,在前缘扩宽,在前缘下方向外弯;中室端半部及中室上、下角各有1个黑点;外带红色,从前缘外曲至臀褶向内折角,然后外弯达后缘;端带红色,在前缘区扩大成1块大斑,其内边齿状,几乎与外带相接;后翅红色。前翅反面中域黑色。雄蛾前翅反面前缘基部至内线边红色,叶突红色,单一,极小。

采集记录:1♂1♀,宁陕火地塘,1580m,1999. Ⅶ.07。

分布:陕西(宁陕)、河南、浙江、湖北、江西、湖南、四川、云南。

(32)合雪苔蛾 *Cyana connectilis* Fang, 1992(图版30:16,17)

Cyana connectilis Fang, 1992: 262.

鉴别特征:雄性前翅长18~20mm,雌性前翅长22~24mm。雄蛾前翅前缘至内线处有黑边;横线黄色。前翅反面前缘基部具短黑边,中室近中部有1个黑点,横脉纹黑色;叶突极小。雌蛾前翅中室有3个黑点。

采集记录:2♂,宁陕火地塘,1580m,1998. Ⅶ.18-27。

分布:陕西(宁陕、留坝)、甘肃、湖北。

(33)离雪苔蛾 *Cyana abiens* Fang, 1992(图版31:18)

Cyana abiens Fang, 1992: 261.

鉴别特征:雄性前翅长14~16mm,雌性前翅长19~20mm。本种与黄雪苔蛾*C. dohcrtyi*相似,但本种雌蛾前翅反面叶突退化不见。

采集记录:5♂2♀,秦岭,1979. Ⅶ.30,韩寅恒采。

分布:陕西(秦岭)、甘肃、湖北。

(34)白颈雪苔蛾 *Cyana albicollis* Fang, 1992(图版31:19)

Cyana albicollis Fang, 1992: 259, 263, 266, fig. 7.

鉴别特征:前翅长19~23mm。颈片白色,翅基片与胸部具不明显的黄纹。前翅前缘基部至内线处有黑边;横线黄色:亚基带从前缘达臀褶;内带在臀褶处稍向内折角;中室近端部有1个较大的黑圆点,中室下角1个黑点,中室上角处在黄色外线上有1个小黑点;外带在中室下角处变粗,从前缘至臀褶上,然后直达后缘;无亚缘线。前翅反面中室黑色,叶突极微小。后翅反面中室横脉纹有1个黑点。

采集记录:2♂1♀,宁陕火地塘,1580m,1998. Ⅶ.26-27。

分布:陕西(宁陕)、河南、甘肃、四川。

(35)优雪苔蛾 *Cyana hamata*(**Walker, 1854**)(图版 31:20,21)

Bizone hamata Walker, 1854: 549.
Cyana hamate: Inoue, 1988: 111.

鉴别特征:前翅长 12 ~ 19mm。前翅前缘红色亚基带向前缘扩宽;横脉纹 2 个黑点;外带和端带红色。前翅反面前缘带红色;叶突单一,红色。后翅黄红色,前缘区基部及缘毛白色。

采集记录:1♀,留坝庙台子,1350m,1998. Ⅶ. 21;2♂,佛坪,890m,1999. Ⅵ. 26。

分布:陕西(留坝、佛坪)、河南、甘肃、江苏、浙江、湖北、江西、湖南、福建、台湾、广东、海南、广西、四川、贵州、云南;朝鲜,日本。

(36)血红雪苔蛾 *Cyana sanguinea*(**Bremer *et* Grey, 1853**)(图版 31:22,23)

Calligenia sanguinea Bremer *et* Grey, 1853b, *in* Motschulsky: 63.
Bizone sanguinea cruent Leech, 1890: 49.
Cyana sanguinea: Fang, 1992: 259.

鉴别特征:前翅长 10 ~ 17mm。前翅亚基线红色,短,前缘亚基线处有红带与内线相连;红色内带从前缘外斜到中脉,在中室以 1 条短红纹与之相连,然后直向后缘;雄蛾前翅中室具 2 个黑点,前翅毛缨及反面叶突极小。雌蛾前翅中室具 1 个黑点。

采集记录:1♀,周至厚畛子,3120m,1999. Ⅵ. 21;1♀,留坝庙台子,1470m,1999. Ⅶ. 01;1♂,佛坪,1750 ~ 2150m,1999. Ⅵ. 28。

分布:陕西(周至、留坝、佛坪)、黑龙江、河北、山西、河南、甘肃、湖北、湖南、台湾、广西、四川、云南。

10. 阳苔蛾属 *Paraheliosia* Dubatolov, Kishida *et* Wu, 2014

Paraheliosia Dubatolov, Kishida *et* Wu, 2014: 374. **Type species**: *Asura elegans* Reich, 1937.

属征:喙极发达;下唇须向上伸,不达头顶。雄蛾触角线形,具纤毛;足胫节距正常。与 *Heliosia* Hampson 相似,但外生殖器特征明显不同。本属的抱器瓣基部有短三角形凸起,抱器端膜质,抱器腹有 1 枚长指状的端突;阳茎端基环端部有 2 枚刺突。

分布:中国;俄罗斯(远东地区)。世界已知 3 种,秦岭地区记录 1 种。

(37)红阳苔蛾 *Paraheliosia rufa*(**Leech, 1890**)(图版 31:24)

Miltochrista rufa Leech, 1890: 82.

Heliosia rufa: Hampson, 1900: 275.

Paraheliosia rufa: Dubatolov, Kishida & Wu, 2014: 375.

鉴别特征:前翅长 11 ~ 13mm。前翅橙红色;内线为暗褐色斜带,横过翅脉为橙色,从前缘下方逐渐加宽至后缘,在后缘与端区的暗褐色宽带相接;端区的宽带不达前缘。后翅橙色,稍染红色,端带暗褐色,宽。

采集记录:1♂,留坝庙台子,1350m,1998. Ⅶ. 23。

分布:陕西(留坝)、甘肃、湖北;俄罗斯。

11. 滴苔蛾属 *Agrisius* Walker, 1855

Agrisius Walker, 1855: 723. **Type species**: *Agrisius guttivitta* Walker, 1855.

属征:喙极发达;下唇须向上伸,细长,第 3 节长过头顶。雄蛾触角线形,具丛毛;足胫节距正常。前翅相当窄。

分布:东洋界。中国已记载 3 种,秦岭地区记录 1 种。

(38) 滴苔蛾 *Agrisius guttivitta* Walker, 1855(图版 31:25)

Agrisius guttivitta Walker, 1855: 723.

鉴别特征:前翅长 20 ~ 25mm。前翅前缘基部具黑边;黑色亚基点外有 3 个斜置黑点;内线黑点向前缘分叉,中室中央及上方各有 1 个黑点;中线为 1 列黑点,向外弯至前缘后倾斜;横脉纹为 1 个黑点;外线 1 列黑点起自中室上角外,在中室下方内曲;中室外的翅脉为很浓的黑带;顶部缘毛黑色。后翅端半部翅脉为浓黑带。腹部黑带在中央断裂。

采集记录:1♀,留坝庙台子,1350m,1998. Ⅶ. 21;1♂,佛坪,1750 ~ 2150m,1998. Ⅶ. 25;1♀,宁陕火地塘,1580m,1998. Ⅶ. 27。

分布:陕西(留坝、佛坪、宁陕)、河南、甘肃、安徽、浙江、湖北、江西、湖南、广西、四川;印度。

12. 网苔蛾属 *Macrobrochis* Herrich-Schäffer, 1855

Macrobrochis Herrich-Schäffer, 1855: 95, 97. **Type species**: *Macrobrochis interstitialis* Herrich-Schäffer, 1855.

Tripura Moore, 1858: 298. **Type species**: *Tripura prasena* Moore, 1860.

属征:下唇须向上伸达头顶,第3节短。雄性外生殖器的抱器瓣窄长,端半部较基部细窄;钩形突细长,顶端尖;阳茎扁,侧顶端具1个小钩突,下半部具1个梳形齿,上半部具刺突若干。

分布:东洋界中印亚界。中国已记录9种,秦岭地区记录2种。

(39)乌闪网苔蛾 *Macrobrochis staudingeri* (Alphéraky, 1897)(图版31:26)

Paraona staudingeri Alphéraky, 1897a: 168.

Macrobrochis staudingeri: Kishida, 1993, *in* Haruta: 36.

鉴别特征:前翅长16~26mm。身体和翅暗灰褐色稍带蓝色光,颈片、下唇须除顶端外,足腿节及腹部腹面金黄色至橙红色,臀簇簇基部染赭色。后翅色淡,无蓝光。

采集记录:1♀,周至厚畛子,1350m,1999. Ⅵ.25;1♀,留坝县城,1020m,1998. Ⅶ.18;2♂,佛坪,900m,1999. Ⅵ.27;2♂1♀,宁陕火地塘,1580m,1998. Ⅶ.27。

分布:陕西(周至、留坝、佛坪、宁陕)、吉林、河南、甘肃、湖北、江西、湖南、福建、台湾、四川、云南;朝鲜,日本,尼泊尔。

(40)微闪网苔蛾 *Macrobrochis nigra* (Daniel, 1952)(图版31:27)

Paraona nigra Daniel, 1952b: 318.

Macrobrochis nigra: Fang, 2000: 192.

鉴别特征:前翅长19~27mm。深褐色。与乌闪网苔蛾的区别是体翅基本上无光泽,底色与翅脉颜色一致,后翅颜色稍淡,不透明。

采集记录:1♀,留坝庙台子,1350m,1998. Ⅶ.23;1♂,佛坪,1750~2150m,1999. Ⅵ.28;1♂1♀,宁陕火地塘,1580m,1998. Ⅶ.18。

分布:陕西(留坝、佛坪、宁陕)、甘肃、湖北、四川、云南。

13. 清苔蛾属 *Apistosia* Hübner, 1818

Apistosia Hübner, 1818: 13. **Type species**: *Apistosia judas* Hübner, 1818 .

属征:喙极其发达,下唇须短而斜向上伸;足胫节距正常;腹部被粗毛;前翅有副室。

分布:世界已知6种,其中4种分布在南美洲,澳大利亚和中国各1种。

(41)点清苔蛾 ***Apistosia subnigra*(Leech, 1899)**(图版31:28)

Oeonistisia subnigra Leech, 1899: 179.
Apistosia subnigra: Daniel, 1952b: 320.

鉴别特征:前翅长12~19mm。前翅淡橙黄色,前缘基部有黑边;外线处黑点位于前缘及臀褶上,前缘的黑点大,从黑点到基部有1条窄的浅色前缘带。后翅色淡。雌蛾前翅色深,为黄褐色。

采集记录:作者没有采到秦岭的标本,本种根据Daniel(1952b)的记录。

分布:陕西(秦岭)、浙江、湖北、湖南、福建、四川、云南。

14. 苔蛾属 *Lithosia* Fabricius, 1798

Lithosia Fabricius, 1798: 418, 459. **Type species**: *Phalaena quadra* Linnaeus, 1758.
Setina Schrank, 1802: 165. **Type species**: *Phalaena irrorella* Linnaeus, 1758.
Oeonistis Kirby, 1897: 161. **Type species**: *Phalaena entella* Cramer, 1779.

属征:喙极发达;下唇须向上伸达额中部并被粗毛;额圆;雄蛾触角线形,具纤毛及鬃;足胫节距相当短。前翅长而窄,外缘短。

分布:古北界,东洋界。中国已记载2种,秦岭地区记录1种。

(42)四点苔蛾 ***Lithosia quadra*(Linnaeus, 1758)**(图版31:29,30)

Phalaena quadra Linnaeus, 1758: 511.
Oeonistis dives Butler, 1877a: 398.
Lithosia quadra: Hampson, 1900: 220.

鉴别特征:雄性前翅长15~23mm,雌性前翅长20~27mm。前翅灰色,基部橙色,前缘区具闪光蓝黑带,端区黑色。后翅橙黄色。雌蛾橙黄色,前翅前缘近中部及2脉中部各具1块金属蓝绿色斑点。

采集记录:1♀,留坝庙台子,1350m,1998. Ⅶ. 21;1♂,佛坪,890m,1999. Ⅵ. 26;1♂1♀,宁陕火地塘,1580m,1998. Ⅶ. 26-27。

分布:陕西(留坝、佛坪、宁陕)、黑龙江、吉林、辽宁、山东、河南、甘肃、湖南、广西、四川、云南;俄罗斯,日本,欧洲。

寄主:苹果,樟子松,地衣。

15. 荷苔蛾属 *Ghoria* Moore, 1878

Ghoria Moore, 1878: 12. **Type species**: *Ghoria albocinerea* Moore, 1878.

属征:喙发达;下唇须向上伸不过头顶。触角线形,具纤毛和鬃;足胫节距正常。前翅窄长。雄性外生殖器的抱器瓣窄长,端部尖,常弯曲;颚形突存在,但不明显;钩形突细长;阳茎长,角状器有或无。

分布:东洋界。中国已记录10种,秦岭地区记录7种。

(43)银荷苔蛾 *Ghoria albocinerea* Moore, 1878(图版31:31,32)

Ghoria albocinerea Moore, 1878: 13.

Ghoria sericeipennis Moore, 1878: 13.

鉴别特征:前翅长16~21mm。前翅银白色,后缘区、前缘边及缘毛褐色。雄蛾后翅淡褐色,少数白色;雌蛾后翅白色。

采集记录:1♂,太白黄柏塬,1980. Ⅶ. 12。

分布:陕西(太白)、甘肃、湖北、湖南、广西、四川、云南;印度。

(44)全黄荷苔蛾 *Ghoria holochrea* (Hampson, 1901)(图版31:33)

Agylla holochrea Hampson, 1901: 182.

Ghoria holochrea: Fang, 2000: 204.

鉴别特征:前翅长19~20mm。前、后翅均为淡黄色。前翅前缘基部黑色,反面除前缘及外缘外褐色。

采集记录:2♂1♀,周至厚畛子,3120m,1999. Ⅵ. 21;2♂1♀,留坝庙台子,1470m,1999. Ⅶ. 01;2♂,佛坪,1750m,1999. Ⅵ. 28;4♂2♀,宁陕火地塘,1580~1630m,1999. Ⅵ. 27。

分布:陕西(周至、留坝、佛坪、宁陕)、甘肃、湖北、江西、湖南、福建、四川。

(45)土黄荷苔蛾 *Ghoria yuennanica* (Daniel, 1952)(图版31:34)

Agylla yuennanica Daniel, 1952b: 323.

Agylla lutea Fang, 1990: 163.

Ghoria yuennanica: Fang, 2000: 204.

鉴别特征：前翅长 14 ~ 18mm。前翅土黄色稍带光泽，前缘基部有黑边，前缘下方有不明显的淡黄色窄带，后缘区淡褐色，反面烟灰色，前缘及外缘区灰黄色。

采集记录：2♂，秦岭，1935. Ⅵ. 21-Ⅶ. 02。

分布：陕西（秦岭）、四川、云南。

（46）锯角荷苔蛾 *Ghoria serrata* (**Fang, 1986**)（图版 31：35）

Agylla serrata Fang, 1986c: 181.

Ghoria serrata: Fang, 2000: 204.

鉴别特征：前翅长 19 ~ 21mm。雄性触角锯齿形。前翅黑褐色，带闪光，从中室基部到缘毛前有 1 条橙黄色的窄纵带。后翅橙黄色。

采集记录：2♂1♀，宁陕火地塘，1580m，1998. Ⅶ. 26-27。

分布：陕西（宁陕）、湖北。

（47）头褐荷苔蛾 *Ghoria collitoides* **Butler, 1885**（图版 31：36）

Ghoria collitoides Butler, 1885: 115.

鉴别特征：前翅长 15 ~ 22mm。头部褐色。前翅黑褐色，稍带光泽，前缘基部有黑边，橙色的前缘带至翅顶前渐尖细。后翅灰褐色。

采集记录：1♂，留坝庙台子，1470m，1999. Ⅶ. 01；1♂，佛坪，1750m，1999. Ⅵ. 28；1♀，宁陕火地塘，1580m，1998. Ⅶ. 27。

分布：陕西（留坝、佛坪、宁陕）、黑龙江、吉林、辽宁、甘肃、湖北、湖南、台湾、四川、云南；日本。

（48）头橙荷苔蛾 *Ghoria gigantea* (**Oberthür, 1879**)（图版 31：37）

Lithosia gigantea Oberthür, 1879: 6.

Ghoria gigantea: Kishida, 1994, *in* Haruta: 68.

鉴别特征：前翅长 14 ~ 20mm。头部黄色。翅灰褐色。前翅黄色的前缘带较宽，至翅顶逐渐尖削；前缘基部具黑边。后翅色较前翅淡。腹部末端及腹面黄色。

采集记录：1♂1♀，周至厚畛子，1350m，1999. Ⅵ. 21-24；4♂2♀，留坝庙台子，1350m，1999. Ⅶ. 21；2♂，佛坪，950m，1998. Ⅶ. 24；4♂2♀，宁陕火地塘，1580m，1999. Ⅶ. 27。

分布：陕西（周至、留坝、佛坪、宁陕）、黑龙江、吉林、辽宁、河北、山西、河南、甘肃、浙江；俄罗斯，朝鲜，日本。

(49)窄条荷苔蛾 *Ghoria angustifascia*(**Fang, 1986**)(图版31:38)

Agylla angustifascia Fang, 1986c: 181.

Ghoria angustifascia: Fang, 2000: 205.

鉴别特征:前翅长20~22mm。前翅黑褐色带闪光,中室基部至缘毛前有1条较窄的黄色纵带;前翅反面外缘区黄色。后翅黄色。腹部黄色,末端深黄色。

采集记录:1♂,佛坪,950m,1998.Ⅶ.24。

分布:陕西(佛坪)、甘肃、四川。

16. 金苔蛾属 *Chrysorabdia* Butler, 1877

Chrysorabdia Butler, 1877c: 357. **Type species**: *Lithosia viridata* Walker, 1865.

属征:有喙,下唇须斜向上伸过额。触角线形,具纤毛。足胫节距正常。腹部被粗毛。前翅窄长。后翅中室横脉几乎消失,中室具1条回归脉从横脉纹角伸出。

分布:东洋界中印亚界。中国已记录6种,秦岭地区记录2种。

(50)金苔蛾 *Chrysorabdia viridata*(**Walker, 1865**)(图版32:1)

Lithosia viridata Walker, 1865: 225.

Chrysorabdia viridata: Hampson, 1900: 183.

鉴别特征:前翅长19~25mm。前翅黄色,雄蛾A脉上具有1块斜置的香鳞斑,几乎与中室末端的斜斑相遇;前缘及其下方向端部扩展的宽带,以及A脉上向端部变窄的宽带黑色,闪绿色光;前缘墨绿色带在翅顶前变窄;后缘上的墨绿带从基部达端部中央。后翅淡黄色。雌蛾臀簇簇基部黑色。

采集记录:1♂,太白山,1700~3000m,1936.Ⅷ.25。

分布:陕西(宁陕)、河南、四川、云南。

(51)均带金苔蛾 *Chrysorabdia equivitta* **Fang, 1986**(图版32:2)

Chrysorabdia equivitta Fang, 1986a: 175.

鉴别特征:前翅长16~19mm。前翅黄色,前缘带黑色,从基部达外缘;后缘上方黑色纵带从近基部至外缘;这两条黑带的宽度较均匀。前翅反面黑带较宽。后翅黄色。

采集记录:1♂,宁陕火地塘,1580m,1999. Ⅶ. 27。

分布:陕西(宁陕)、河南、四川、云南。

17. 苏苔蛾属 *Thysanoptyx* Hampson, 1894

Thysanoptyx Hampson, 1894: 40,74. **Type species**: *Lithosia tetragona* Walker, 1854.

属征:下唇须平伸,第2节被毛缨。触角线形,具长的鬃和纤毛。足长。前翅长而窄,雄蛾中室基部具长鳞片缨。翅反面中室端有褶,前翅具径副室。雄性外生殖器的钩形突细长,抱器腹端部尖。

分布:东洋界。中国已知4种,秦岭地区记录3种。

(52) 圆斑苏苔蛾 *Thysanoptyx signata* (Walker, 1854) (图版32:3)

Lithosia signata Walker, 1854: 495.

Thysanoptyx directa Leech, 1899: 180.

Thysanoptyx signata: Leech, 1899: 179.

鉴别特征:前翅长12~19mm。雌蛾前翅灰黄色,外线黑点位于前缘上;中室末端下方至后缘处具有黑色大圆斑。雄蛾前翅底色较灰,前翅中室具褶,褶的基部有大簇和短的黄色鳞片缨。后翅后缘区有一些粗鳞片。

采集记录:1♂,宁陕火地塘,1580m,1999. Ⅶ. 25。

分布:陕西(宁陕)、甘肃、浙江、湖北、江西、湖南、福建、广西、四川、云南。

(53) 线斑苏苔蛾 *Thysanoptyx brevimacula* (Alphéraky, 1897) (图版32:4)

Lithosia signata ab. *brevimacula* Alphéraky, 1897b: 130.

鉴别特征:前翅长15~20mm。与圆斑苏苔蛾 *Th. signata* (Walker) 相似,但本种前翅后缘上方的圆斑变小或成1条短线。

采集记录:1♀,留坝庙台子,1350m,1999. Ⅶ. 21;1♂,佛坪,1750m,1999. Ⅵ. 28;1♂,宁陕火地塘,1580m,1999. Ⅵ. 26。

分布:陕西(留坝、佛坪、宁陕)、湖北、四川。

(54) 流苏苔蛾 *Thysanoptyx fimbriata* (Leech, 1890) (图版32:5)

Tegulata fimbriata Leech, 1890: 81.

Thysanoptyx fimbriata: Fang, 2000: 236.

鉴别特征:前翅长 14～18mm。前翅前缘中部具叶突,臀角不成钩状,灰褐色;中室具褶,前缘区基半部缘缨灰色,后缘区褐色染暗褐色;中室有大的鳞片缨;前缘区具有延长的黑色内线点,从前缘至中室末端上方有 1 条短斜线;前缘区顶角处有稍模糊的暗褐色三角形斑。后翅淡黄褐色,端区散布暗褐色。

采集记录:1♂,佛坪,1800～2100m,1999. Ⅵ. 28;1♂1♀,宁陕火地塘,1580m,1999. Ⅵ. 25。

分布:陕西(佛坪、宁陕)、甘肃、湖北、湖南、广西、云南、西藏。

18. 颚苔蛾属 *Strysopha* Arora *et* Chaudhury, 1982

Strysopha Arora *et* Chaudhury, 1982: 27. **Type species**: *Bombyx aureola* Hübner, 1803.

属征:喙发达,下唇须平伸达额,第 2 节下方具毛;额圆,单眼有弱痕迹。触角线形,具纤毛和鬃。足细长,胫节距相当短;腹部被粗毛。前翅长而窄,有时较短。

分布:东洋界。中国已记录 6 种,秦岭地区记录 1 种。

(55) 黄颚苔蛾 *Strysopha xanthocraspis* (Hampson, 1900) (图版 32:6)

Ilema xanthocraspis Hampson, 1900: 149.

Strysopha xanthocraspis: Arora & Chaudhury, 1982: 27.

鉴别特征:前翅长 12～19mm。翅黄白色,前翅前缘具黄边。前翅反面除前缘区及端区外染暗褐色。腹部暗褐色,端部黄色。

采集记录:1♂,宁陕火地塘,1580～1650m,1999. Ⅶ. 01。

分布:陕西(宁陕)、山西、甘肃、湖北、福建、云南;印度。

19. 雀苔蛾属 *Tarika* Moore, 1878

Tarika Moore, 1878: 14. **Type species**: *Lithosia varana* Moore, 1865.

属征:与土苔蛾属 *Eilema* 相似,主要区别是本属雄性外生殖器的钩形突鸟头状,阳茎长且上端具冠刺环。

分布:东洋界。中国已知 1 种,秦岭地区有分布。

(56)**银雀苔蛾** ***Tarika varana*** **(Moore, 1866)**(图版 32:7)

Lithosia varana Moore, 1866: 797.

Tarika varana: Moore, 1878: 15.

鉴别特征:雄性前翅长 15 ~ 19mm,雌性前翅长 17 ~ 20mm。雄蛾暗白色,前翅覆盖粉鳞,后翅黄白色。雌蛾纯白色,前翅前缘具橙色边,翅面常带光泽。

采集记录:1♂,佛坪县城,950m,1998.Ⅶ.25;3♂,宁陕,1979.Ⅶ.30。

分布:陕西(佛坪、宁陕)、山东、江苏、福建、四川、云南、西藏;印度。

20. 朵苔蛾属 *Dolgoma* Moore, 1878

Dolgoma Moore, 1878: 20. **Type species**: *Lithosia reticulata* Moore, 1865.

属征:与土苔蛾属 *Eilema* 相似,主要区别是雄性外生殖器的阳茎椭圆形,短而宽,无角状器。

分布:东洋界。中国已知 3 种,秦岭地区记录 1 种。

(57)**圆朵苔蛾** ***Dolgoma ovalis*** **Fang, 2000**(图版 32:8)

Dolgoma ovalis Fang, 2000: 254.

鉴别特征:前翅长 13 ~ 14mm。前翅黄色,后翅浅黄色。雄性外生殖器的抱器瓣短而宽,抱器腹顶端有 1 丛微刺。

采集记录:1♂,太白黄柏塬,1980.Ⅶ.11;1♀,留坝庙台子,1981.Ⅴ.20;1♂,宁陕,1979.Ⅶ.21。

分布:陕西(太白、留坝、宁陕)。

21. 土苔蛾属 *Eilema* Hübner, 1819

Eilema Hübner, 1819: 165. **Type species**: *Bombyx caniola* Hübner, 1806.

属征:喙发达,下唇须平伸达额,第 2 节下方具毛;额圆,单眼有弱痕迹。触角线形,具纤毛和鬃。足细长,胫节距相当短;腹部被粗毛。前翅长而窄,有时较短。雄性外生殖器无颚形突;钩形突短或长;抱器瓣简单或骨化;阳茎有或无角状器。

分布:古北界,东洋界。世界已知 400 余种。中国已记录 38 种,秦岭地区记录 10 种。

(58)缘点土苔蛾 *Eilema costipuncta*(Leech, 1890)(图版 32:9)

Lithosia costipuncta Leech, 1890: 82.
Eilema costipuncta: Strand, 1922: 547.

鉴别特征:前翅长 17~19mm。触角及足的大部分黑色。身体深橙色。前翅前缘基部有黑边,前缘中部有 1 个小黑点。腹部腹面除末端外各节都有黑斑。

采集记录:1♂,秦岭,1700m,1936. Ⅶ. 05。

分布:陕西(秦岭)、山东、河南、安徽、浙江、湖北、江西、湖南、福建、台湾、四川。

(59)前痣土苔蛾 *Eilema stigma* Fang, 2000(图版 32:10)

Eilema stigma Fang, 2000: 261.

鉴别特征:前翅长 14~17mm。触角褐色。前翅淡黄间或褐色,尤以中室外翅顶部褐色较深;前缘从基部到中室末端上缘具淡黄色的亚前缘带,其末端在前缘处有 1 个黑褐点;前缘基部到内线处具短黑边。后翅淡黄色。本种前翅 R_5 与 R_{3+4} 脉不共柄,据此可与其他种相区别。

采集记录:1♀,留坝,1470m,1999. Ⅶ. 01;1♂,佛坪,950m,1998. Ⅶ. 23;2♂1♀,宁陕火地塘,1580m,1998. Ⅶ. 26-27。

分布:陕西(留坝、佛坪、宁陕)、甘肃、湖北、福建、广西、四川、云南。

(60)乌土苔蛾 *Eilema ussurica*(Daniel, 1954)(图版 32:11)

Lithosia ussurica Daniel, 1954: 111.
Eilema ussurica: Fang, 1982, *in* Zhu: 200.

鉴别特征:前翅长 12~17mm。前翅土黄色至灰褐色,前缘区带浅黄色,不达翅顶;反面前缘及端区带黄色,其余褐色。后翅黄色染褐色或全部灰黄色。前翅 Sc 与 R_1 脉分开是本种与灰土苔蛾 *E. griseola* 及亲土苔蛾 *E. affineola* 的主要区别特征。

采集记录:1♀,留坝庙台子,1350m,1998. Ⅶ. 19;1♂,佛坪,890m,1999. Ⅵ. 26。

分布:陕西(留坝、佛坪)、黑龙江、辽宁、河北、山西、山东、河南、甘肃、江苏、浙江、湖北、湖南、云南;朝鲜。

(61)灰土苔蛾 *Eilema griseola*(Hübner, 1827)(图版 32:12)

Bombyx griseola Hübner, 1827: 97, fig. 126.
Lithosia aegrota Butler, 1877a: 397.

Lithosia flava Haworth, 1809: 147.

Eilema griseola: Seitz, 1910: 65.

鉴别特征:前翅长 13 ~ 19mm。淡灰黄色到浅黑灰色。前翅有少许光泽,前缘区从基部到外线处有很窄的淡黄色带。前翅反面灰褐色,前缘区及端区黄带较明显。后翅灰黄色。

采集记录:1♀,周至厚畛子,3120m,1999. Ⅵ. 24;1♂,留坝庙台子,1350m,1999. Ⅶ. 21;4♂2♀,宁陕火地塘,1580m,1998. Ⅶ. 27。

分布:陕西(周至、留坝、宁陕)、黑龙江、吉林、辽宁、北京、山西、山东、甘肃、安徽、浙江、江西、福建、广西、四川、云南;朝鲜,日本,印度,尼泊尔,欧洲。

(62)亲土苔蛾 *Eilema affineola* (Bremer, 1864)(图版 32:13)

Lithosia affineola Bremer, 1864: 97.

Manulea calamaria Moore, 1878: 18.

Lithosia tsinlingica Daniel, 1954: 115.

Eilema affineola: Strand, 1922: 533.

鉴别特征:前翅长 10 ~ 14mm。头、颈片黄色。触角褐色。前翅基部具黑边,翅顶圆,浅黄褐色;前缘具黄色带。前翅反面前缘及端区黄色,其余灰褐色。后翅灰黄色。前翅 Rs 与 R_1 脉并接。

采集记录:1♂1♀,宁陕,1979. Ⅶ. 31。

分布:陕西(宁陕)、河北、山西、河南、甘肃;俄罗斯,朝鲜,日本。

(63)筛土苔蛾 *Eilema cribrata* (Staudinger, 1887)(图版 32:14)

Lithosia cribrata Staudinger, 1887a: 189.

Eilema cribrata: Strand, 1922: 548.

鉴别特征:前翅长 11 ~ 15mm。黄色至橙黄色。前翅前缘基部有黑边,翅脉间散布成群的黑色小点。前翅反面中域有或深或浅的褐纹。后翅色淡。

采集记录:1♂,宁陕火地塘,1580m,1999. Ⅶ. 06。

分布:陕西(宁陕)、黑龙江、吉林、甘肃、湖北、广西、四川、云南、西藏;朝鲜,日本。

(64)后褐土苔蛾 *Eilema flavociliata* (Lederer, 1853)(图版 32:15)

Lithosia flavociliata Lederer, 1853c: 364.

Eilema flavociliata: Strand, 1922: 556.

鉴别特征:前翅长 11 ~ 14mm。身体橙黄色,腹部背面基半部灰色。触角除基部外黑色。前翅橙黄色,基部 1/3 具黑边。反面前缘外半部及外缘橙黄色,其余暗褐色。后翅暗褐色,后缘区稍黄。有些个体翅色变暗。

采集记录:1♂,秦岭,1935. Ⅵ. 04。

分布:陕西(秦岭)、黑龙江、北京、甘肃、青海。

(65)耳土苔蛾 *Eilema auriflua*(Moore, 1878)(图版 32:16)

Systropha auriflua Moore, 1878: 18.

Eilema auriflua: Strand, 1922: 535.

鉴别特征:前翅长 9 ~ 13mm。身体草黄色。触角除基部外暗褐色。前翅长而窄,M_1 脉从中室上角下方伸出,R_{3-5} 共柄,R_2 游离,R_1 与 R_2 并接。

采集记录:1♂,佛坪,890m,1999. Ⅵ. 26。

分布:陕西(佛坪)、河南、甘肃、浙江、湖北、江西、湖南、福建、广东、广西、四川;印度。

(66)粉鳞土苔蛾 *Eilema moorei*(Leech, 1890)(图版 32:17,18)

Katha moorei Leech, 1890: 81.

Eilema moorei: Strand, 1922: 571.

鉴别特征:雄性前翅长 13 ~ 22mm,雌性前翅长 16 ~ 24mm。雄蛾前翅覆盖粉状灰白色鳞片,前缘区基部 1/3 及端区饰暗褐色;反面暗褐色。后翅灰褐色。雌蛾前翅颜色一致,暗褐色,覆盖灰白色鳞片。

采集记录:1♂1♀,周至厚畛子,3120m,1999. Ⅵ. 21;4♂2♀,宁陕火地塘,1580m,1998. Ⅶ. 27。

分布:陕西(周至、宁陕)、河北、山西、河南、甘肃、浙江、湖北、江西、湖南、四川、云南。

(67)黄土苔蛾 *Eilema nigripoda*(Bremer, 1852)(图版 32:19)

Lithosia nigripoda Bremer, 1852: 63.

Lithosia ibsolita Walker, 1854: 497.

Lithosia praecipua Walker, 1864: 229.

Eilema nigripoda: Strand, 1922: 572.

鉴别特征:雄性前翅长 19 ~ 22mm,雌性前翅长 21 ~ 24mm。雄蛾前翅暗白色,覆盖粉状粗鳞片;前缘基半部具黑边,端区黄色;前翅反面中域染暗褐色,与端区黄色分界明显;后翅淡黄色。雌蛾橙黄色,前翅反面中区具浅褐色纹,与端区无明显分界。

采集记录:2♂,宁陕火地塘,1580m,1979.Ⅶ.27。

分布:陕西(宁陕)、河南、上海、浙江;日本。

22. 泥苔蛾属 *Pelosia* Hübner, 1827

Pelosia Hübner, 1827: 185. **Type species**: *Phalana muscerda* Hüfnagel, 1767.

Samera Wallengren, 1863: 146. **Type species**: *Phalaena muscerda* Hüfnagel, 1766.

Paidina Staudinger, 1887a: 184. **Type species**: *Lithosia ramosula* Staudinger, 1887.

Paralithosia Daniel, 1954: 131. **Type species**: *Paralithosia hoenei* Daniel, 1954.

属征:下唇须平伸;额被粗鳞。雄性触角锯齿形或线形。足胫节距正常,腹部被粗毛。前翅前缘向上拱,外缘圆。

分布:古北界,东洋界。中国已记录4种,秦岭地区记录1种。

(68)泥苔蛾 *Pelosia muscerda*(Hüfnagel, 1766)(图版32:20)

Phalana muscerda Hüfnagel, 1766: 400.

Noctua cinerina Esper, 1786: 67.

Noctua pudorina Esper, 1786: 67.

Tinea perlella Fabricius, 1787: 241.

Pelosia muscerda: Seitz, 1910: 70.

鉴别特征:前翅长9~14mm。褐灰色。前翅狭长,前缘区淡色至中部,前缘基部有黑边;臀褶及Cu_2脉中部斜置2个黑点,从前缘外线处至中室下角外斜置4个黑点。后翅基部色淡。

采集记录:1♀,留坝县城,1020m,1998.Ⅶ.18;1♂,佛坪950m,1998.Ⅶ.24。

分布:陕西(留坝、佛坪)、黑龙江、吉林、河南、甘肃、江苏、浙江、江西、湖南、福建、台湾、海南、广西、四川、云南;日本,欧洲。

(二)灯蛾亚科 Arctiinae

鉴别特征:成虫一般为中到大型,腹部具有斑点或带。有单眼。前翅较长而阔,后翅较宽。

分类:陕西秦岭地区分布3族19属38种。

Ⅰ. 灯蛾族 Arctiini Forbes, 1960

鉴别特征:成虫一般为中等大小,体色多为白色、黄色、红色或黑色等,头、胸、腹部常密被毛。雄蛾触角多为双栉齿形,少数为锯齿形或线形,具纤毛。除 *Preparctia*、*Utetheisa* 等属外,喙退化,极小;具单眼;足短而强壮,腹部具有斑点或带;前翅较长,后翅较宽。喜夜间活动,具有趋光性。幼虫大多为多食性,习性活泼。

分布:世界各大动物地理区。中国已记录 44 属 147 种,秦岭地区发现 14 属 30 种。

23. 花布灯蛾属 *Camptoloma* Felder, 1874

Camptoloma Felder, 1874, *in* Felder & Rogenhofer: pl. 93, fig. 7. **Type species**: *Camptoloma erythropygum* Felder, 1874.

属征:下唇须细长平伸;雄性触角简单线形。足胫节距长。前翅前缘基部弓形,翅顶圆,外缘很斜,后缘短而圆。本属为灯蛾科中较特殊的一个类群,其分类地位不十分确定,Holloway(1988)将其移入夜蛾科中。

分布:东洋界。中国已记录 3 种,秦岭地区已记录 1 种。

(69)花布灯蛾 *Camptoloma interiorata* (Walker, 1864)(图版 32:21)

Numenes interiorata Walker, 1864: 290.

Camptoloma erythropygum Felder, 1874, *in* Felder & Rogenhofer: 2, pl. 93, fig. 7.

Camptoloma interiorata: Swinhoe, 1892: 129.

鉴别特征:前翅长 14~18mm。腹部金黄色,雌蛾腹部末端 3 节红色,且毛簇厚密。前翅黄色,有光泽,自前缘基部至臀褶中部具 1 条黑色斜纹,自前缘内线处至臀角上方有 1 条黑色横斜纹;横脉纹为 1 条黑色短斜纹;自前缘中部稍外方至 Cu_1 脉中部有 1 条黑色斜纹;翅顶前至 Cu_1 脉端部具 1 条黑色横纹;外缘上半部有 1 条黑线,下半部及臀角向内放射红色斑纹,下半部的缘毛上有 3 个黑点。后翅金黄色。

采集记录:1♂,佛坪,890m,1999. Ⅵ.26;1♀,宁陕火地塘,1580m,1998. Ⅶ.27。

分布:陕西(佛坪、宁陕)、黑龙江、辽宁、河北、山东、河南、甘肃、江苏、安徽、浙江、湖北、江西、湖南、福建、广东、广西、四川、云南;日本。

寄主:栎属(*Quercus* spp.)和乌桕(*Sapium sebiferum*),东北楠,柳(*Salix babylonica*)。

24. 线灯蛾属 *Spiris* Hübner, 1819

Spiris Hübner, 1819: 169. **Type species**: *Phalaena grammica* Linnaeus, 1758.

Coscinia Hübner, 1819: 169. **Type species**: *Phalaena cribrum* Linnaeus, 1761.

Callopis Billberg, 1820: 91. **Type species**: *Phalaena grammica* Linnaeus, 1758.

Eulepia Curtis, 1825: 56. **Type species**: *Phalaena grammica* Linnaeus, 1758.

Ctenia Le Peleties, 1825, *in* Le Peleties & Serville: 650. **Type species**: *Phalaena grammica* Linnaeus, 1758.

Emydia Boisduval, 1828: 39. **Type species**: *Phalaena grammica* Linnaeus, 1758.

Euprepia Herrich-Schäffer, 1846: 141. Type species not given.

属征:喙微小;下唇须平伸不过额,被粗毛。足胫节距正常。体瘦。前翅狭长。雄性外生殖器的抱器背基突有强烈骨化的突起,钩形突顶端扁凹而钝。

分布:古北界。中国已知 1 种,秦岭地区有分布。

(70) 石楠线灯蛾 *Spiris striata* (**Linnaeus, 1758**)(图版 32:22,23)

Phalaena striata Linnaeus, 1758: 502.

Phalaena grammica Linnaeus, 1758: 502.

Spiris striata: Dubatolov, 1990: 128.

鉴别特征:前翅长 13 ~ 15mm。翅色变化较大,从黄白、橙黄色至黑色,有些前翅前缘及翅脉间有黑色纵纹,有的则完全无斑纹。腹部背面橙黄色,具黑带,侧面具黑点列;腹面灰白色,有 1 列黑点。

采集记录:1♂,周至厚畛子,3120m,1999. Ⅵ. 24。

分布:陕西(周至)、黑龙江、内蒙古、山西、青海、新疆;俄罗斯,叙利亚,欧洲。

寄主:欧石楠属(*Erica*)。

25. 浑黄灯蛾属 *Rhyparioides* Butler, 1877

Rhyparioides Butler, 1877a: 395. **Type species**: *Rhyparioides nebulosa* Butler, 1877.

属征:身体较细长,下唇须也较细长,平伸不向下斜;雄蛾触角双栉齿形或锯齿形。雄性外生殖器的钩形突细长(*R. subvarius* 除外,其钩形突短而粗),侧面具若干短毛;背兜分为强骨化的前部和弱骨化的后部,背面观前部的基部宽,向后窄,后部向侧面扩宽;抱器瓣小,阳茎端基环近长方形,侧面有若干短齿(*R. subvarius* 除外,光滑);阳茎长而较粗,向背面弯曲,阳茎上部有许多锯齿形脊针。

分布:古北界,东洋界。中国已记录4种,秦岭地区记录1种。

(71)肖浑黄灯蛾 *Rhyparioides amurensis*(Bremer, 1861)(图版32:24,25)

Chelonia amurensis Bremer, 1861: 477.

Rhyparioides amurensis: Kirby, 1892: 250.

鉴别特征:雄性前翅长20~27mm,雌性前翅长24~29mm。雄蛾触角双栉齿形。雄蛾深黄色;下唇须上方黑色,下方红色;额部黑色,触角暗褐色。前翅前缘具黑边;中线在前缘处有2~3个黑点,在后缘处有1~2个黑点;中室下角有1个黑点,有时在中室上角及下角外部有黑点。后翅红色,中室中部下方有1个黑点,有时在A脉上方有1个黑点;横脉纹为新月形黑纹;亚端点黑色。雌蛾前翅黄褐色,大部分黑点消失,被暗褐色所替代;内线点褐色;中线暗褐色,在中室下方折角;横脉纹有1个褐点,在中室下角处与1个大块暗褐斑相连;外线褐色,在中间折角;亚端点暗褐色,不太清晰;外缘染暗褐色。后翅红色,具黑色中带,斑纹较雄蛾的大。前翅翅脉不染红色,可与近缘的点浑黄灯蛾 *R. metelkana* 相区别。

采集记录:1♀,周至厚畛子,1350m,1999. Ⅵ. 24;1♂,留坝庙台子,1470m,1999. Ⅶ. 01;2♂2♀,佛坪,890m,1999. Ⅵ. 26。

分布:陕西(周至、留坝、佛坪)、黑龙江、吉林、辽宁、内蒙古、河北、山西、山东、河南、甘肃、江苏、浙江、湖北、江西、湖南、福建、广西、四川、云南;朝鲜,日本。

寄主:栎,柳,榆,蒲公英,染料木(*Genista tinetoria*)。

26. 黄臀灯蛾属 *Epatolmis* Butler, 1877

Epatolmis Butler, 1877c: 348. **Type species**: *Atolmis japonica* Walker, 1865.

属征:与篱灯蛾属 *Phragmatobia* Stephens 相近,雄性外生殖器基腹弧有发达的端腹片,区别特征是钩形突宽,抱器背不发达,抱器瓣长角形,抱器内突与瓣的腹端部特别凸出。

分布:古北界。中国已记录1种,秦岭地区有分布。

(72)黄臀灯蛾 *Epatolmis caesarea*(Goeze, 1781)(图版32:26)

Phalaena caesarea Goeze, 1781: 63.

Atolmis japonica Walker, 1865: 223.

Epatolmis caesarea: Koda, 1988: 9.

鉴别特征:前翅长 17～19mm。头、胸及腹部第 1 节黑褐色,腹部其余各节背面橙黄色,背面、侧面各有 1 列黑点;胸腹部腹面黑褐色。翅黑褐色,翅脉色深;后翅臀角有橙黄色斑;翅面鳞片稀薄。

采集记录:3♂,太白山,1700m,1936. Ⅴ. 22。

分布:陕西(太白山)、黑龙江、吉林、辽宁、内蒙古、河北、山西、山东、河南、江苏、江西、湖南、四川、云南;俄罗斯,日本,土耳其,欧洲。

寄主:柳,蒲公英,车前,珍珠菜(*Lysimachia clethroides*)。

27. 篱灯蛾属 *Phragmatobia* Stephens, 1828

Phragmatobia Stephens, 1828: 73. **Type species**: *Phalaena fuliginosa* Linnaeus, 1758.

属征:喙退化,下唇须平伸,达额或过额,被长毛。复眼小。足胫节距短。雄性外生殖器的阳茎右侧有小的角状器。

分布:古北界。中国已知 1 种,秦岭地区有分布。

(73) 亚麻篱灯蛾 *Phragmatobia fuliginosa* (Linnaeus, 1758) (图版 32:27)

Phalaena fuliginosa Linnaeus, 1758: 509.

Phragmatobia fuliginosa: Hampson, 1901: 243.

鉴别特征:前翅长 14～19mm。前翅红褐色,中室端有 2 个黑点。后翅红色,散布暗褐色,中室端有 2 个黑点;亚端带黑色,有时断裂成斑点。前翅反面前缘下方有窄红带。后翅在不同的亚种中呈红、浅红和黄色。

采集记录:1♂,留坝庙台子,1350m,1998. Ⅶ. 21。

分布:陕西(留坝)、黑龙江、吉林、辽宁、内蒙古、河北、山西、宁夏、甘肃、青海、新疆、四川;日本,西亚,欧洲,北美洲。

寄主:亚麻,酸模属(*Rumex*),蒲公英,勿忘草属(*Myosotis*)。

28. 缘灯蛾属 *Aloa* Walker, 1855

Aloa Walker, 1855: 699. **Type species**: *Phalaena lactinea* Cramer, 1777.

属征:喙退化,极小。下唇须平伸过额,下方被长毛;额通常被粗毛。前足胫节内侧有发达或不发达的弯爪,外侧有短爪;后足胫节有 1 对距。雄性外生殖器的钩形突宽,端部微分叉;抱器瓣窄,抱器腹密生短刺;阳茎端基环三角形;背兜宽,囊形突圆。

分布:印澳区。中国已记录 1 种,秦岭地区有分布。

(74)红缘灯蛾 *Aloa lactinea*(**Cramer, 1777**)(图版 32:28)

Phalaena lactinea Cramer, 1777: 58.

Bombyx sanguinolenta Fabricius, 1793: 473.

Aloa frederici Kirby, 1892: 223.

Aloa lactinea: Walker, 1855: 702.

鉴别特征:雄性前翅长 22~27mm,雌性前翅长 25~31mm。白色。雄性触角为锯齿形,黑色。下唇须红色,顶端褐色;头、颈、颈片边缘及肩角条带红色;翅基片通常具黑点;腹部背面除基部及臀簇外橙黄色,腹面白色,背面具黑色横带,侧面具黑色纵带,亚侧面有 1 列黑点。前翅前缘具红带,中室上角通常具黑点。后翅横脉纹通常新月形;亚端点0~4 个。

采集记录:1♂,留坝,1998. Ⅶ. 21。

分布:陕西(留坝)、辽宁、河北、山西、山东、河南、江苏、安徽、浙江、湖北、江西、湖南、福建、台湾、广东、海南、广西、四川、云南、西藏;朝鲜,日本,越南,缅甸,印度,尼泊尔,斯里兰卡,印度尼西亚。

寄主:玉米、大豆、谷子、棉花、芝麻、高粱、绿豆、向日葵、紫穗槐等 109 种植物,分别隶属 26 科,包括 26 种农作物、16 种树木、67 种杂草。

29. 灰灯蛾属 *Creatonotos* Hübner, 1819

Creatonotos Hübner, 1819: 170. **Type species**: *Phalaena interrupta* Linnaeus, 1767.

Amphissa Walker, 1855: 684 (nec Adams *et* Adams, 1853). **Type species**: *Amphissa vacillans* Walker, 1855.

Phissama Moore, 1860, *in* Horsfield & Moore: 362. **Type species**: *Amphissa vacillans* Walker, 1855. (new name for *Amphissa* Walker, 1855).

属征:喙退化。下唇须平伸不过额,头部、胸部被光滑的鳞片。后足胫节无中距。雄性外生殖器的背兜细长;钩形突长而细,几乎直,被许多短毛,顶端微尖,向腹面弯曲;基腹弧很窄;抱器瓣简单且长,被许多短毛,其内壁骨化一致是本属的主要特征。

分布:东洋界,非洲界,大洋州界。中国已记录 2 种,秦岭地区记录 1 种。

(75)八点灰灯蛾 *Creatonotos transiens*(**Walker, 1855**)(图版 32:29,30)

Spilosoma transiens Walker, 1855: 675.

Creatonotos transiens: Hampson, 1901: 334.

鉴别特征:前翅长 17~26mm。头部、胸部白色,稍染褐色;触角黑色,足具黑带。

前翅底色白,除前缘区外脉间染褐色,中室上、下角的内、外部各有 1 列黑点(共 4 个)。后翅白色或暗褐色,有时具有亚端点 1 ~4 个。雌性前、后翅色淡。腹部背面橙色,腹面及雌性臀簇白色,背面、侧面及亚侧面各有 1 列黑点。

采集记录:1♂,旬阳,1981. Ⅸ. 22。

分布:陕西(宁陕)、山西、山东、河南、甘肃、江苏、安徽、浙江、湖北、江西、湖南、福建、台湾、广东、海南、广西、四川、贵州、云南、西藏;越南,缅甸,印度,菲律宾,印度尼西亚。

寄主:桑,茶,稻,柑橘,柏,法国梧桐等。

30. 望灯蛾属 *Lemyra* Walker, 1856

Lemyra Walker, 1856: 1690. **Type species**: *Lemyra extensa* Walker, 1856.
Thyrgorina Walker, 1865: 317. **Type species**: *Thyrgorina spilosomata* Walker, 1865.
Icambosida Walker, 1865: 400. **Type species**: *Icambosida nigrifrons* Walker, 1865.
Thanatarctia Butler, 1877a: 395. **Type species**: *Thanatarctia infernalis* Butler, 1877.
Carbisa Moore, 1879a, *in* Hewitson & Moore: 41. **Type species**: *Carbisa venosa* Moore, 1879.
Challa Moore, 1879c: 398. **Type species**: *Challa discalis* Moore, 1879.
Xanthomaenas Roepke, 1940: 25. **Type species**: *Xanthomaenas singularis* Roepke, 1940.
Allochrista Roepke, 1946: 85. **Type species**: *Allochrista toxopei* Roepke, 1946.

属征:体色大多为白或黄色,少数为红、褐或黑色,许多种类雌雄异型,色泽不同。喙退化,下唇须短,向上伸达头顶前,其下方被长毛。触角较 *Spilosoma* 属短,雄性为双栉齿形;中足胫节有 1 对距,后足胫节具中距及端距。前、后翅脉与 *Spilarctia* 属相似。雄性外生殖器背面观长而窄,三角形;背兜通常窄长,其前、后部彼此联合,前端稍向背面隆起;钩形突很发达,长鸟喙状,其后半部稍向腹面弯曲(*C. melanosoma* 例外),被有稀疏的短毛;基腹弧窄而短,为环深的 3/4 ~2/3;囊形突通常长而大,基长为环高的 1/3 ~2/5,抱器瓣通常简单,端部形状有差异,大多侧面有齿,有的前端平而无指状突;阳茎较直,阳茎端膜简单,向顶端或背面外翻,具角状器及 1 ~2 群棘刺;阳茎端基环基半部圆,前端中央稍内凹。

分布:东洋界,澳洲界。中国已记录 39 种,秦岭地区记录 7 种。

(76)梅尔望灯蛾 *Lemyra melli*(Daniel, 1943)(图版 32:31,32)

Spilarctia melli Daniel, 1943: 712.
Lemyra melli: Thomas, 1990: 15.

鉴别特征:前翅长 13 ~20mm。前翅白色,稍带乳黄色;横脉纹上有 1 个黑点,从后缘至翅顶有 1 列黑点。后翅乳白色,横脉纹有 1 个黑点,翅顶下方及臀角上方各有

1个黑点;有些个体前、后翅均无黑点。腹部背面鲜红色,基部及末端有白毛,腹面白色,背面与侧面各有1列黑点。雄性外生殖器的抱器瓣无指状突。

采集记录:1♂,宁陕火地塘,1580m,1998. Ⅶ.26。

分布:陕西(宁陕)、黑龙江、吉林、辽宁、河北、山西、河南、甘肃、浙江、湖北、江西、湖南、广西、四川、云南、西藏;俄罗斯,缅甸。

寄主:核桃、泡桐、白蜡、桑、楸、山杏、榆、臭椿、月季、杨、刺槐、葡萄等12科14种。

(77)伪姬白望灯蛾 *Lemyra anormala* (**Daniel, 1943**)(图版32:33,34)

Spilarctia rhodophila anormala Daniel, 1943: 710.

Lemyra anormala: Thomas, 1990: 16.

鉴别特征:雄性前翅长14~20mm,雌性前翅长19~24mm。前翅白色,前缘常具赭色边;中室上角有1个黑点;内线暗褐色点在中室有时存在;外线为1个斜列暗褐色点,从M_3脉至后缘,有时与翅顶的点线相连;亚缘线暗褐色,从M_2脉至Cu_1脉有时存在。后翅中室端点暗褐色,亚缘线暗褐色点位于M_2脉上方及臀角上方。腹部背面除基部及末端红色外,背面、侧面及亚侧面各有1列黑点。雄性外生殖器的抱器瓣有指状突。

采集记录:1♂,宁陕,1979. Ⅶ.04。

分布:陕西(宁陕)、河南、浙江、湖北、江西、湖南、福建、四川、贵州、云南、西藏;缅甸。

(78)茸望灯蛾 *Lemyra pilosa* (**Rothschild, 1910**)(图版32:35)

Diacrisia pilosa Rothschild, 1910: 132.

Lemyra pilosa: Thomas, 1990: 29.

鉴别特征:雄性前翅长17mm。头部、胸部淡黄色;额上部及颈片微黄褐色,额侧缘黑色。下唇须上方黑色。触角干黄白色,分支黑色。前足腿节及胫节内侧黑色,中足腿节端部黑色。腹部橙黄色,腹面淡黄色,侧面除基部外有1列黑点。前翅全部黄色,后翅白色染黄色。

采集记录:3♂1♀,佛坪,890m,1999. Ⅵ.26。

分布:陕西(佛坪)、河南、云南;印度。

(79)漆黑望灯蛾 *Lemyra infernalis* (**Butler, 1877**)(图版33:1,2)

Thanatarctia infernalis Butler, 1877a: 395.

Lemyra infernalis: Thomas, 1990: 39.

鉴别特征:雄性前翅长 16 ~ 17mm,雌性前翅长 20 ~ 22mm。雌性异型。雄性黑色,头顶、肩角红色或橙红色,额、触角及下唇须上方黑色。胸部腹面、下唇须下方及足基节红色。腹部红色,背面、侧面及亚侧面各有 1 列黑点。前、后翅黑色。雌性赭白色至黄色,下唇须第 3 节及触角黑色;颈片侧缘有红毛;足染褐色;腹部背面除基节与端节外红色,背面、侧面及亚侧面各具 1 列黑点,腹部末端黄色,较膨大。翅黄白色至黄色,前翅无斑点。后翅后缘基区常染红色,有时横脉纹具褐色点;亚端点褐色,或有或无。

采集记录:1♂,留坝庙台子,1470m,1999. Ⅶ. 01;1♂1♀,佛坪,900m,1999. Ⅵ. 27。

分布:陕西(留坝、佛坪)、辽宁、北京、河南、甘肃、浙江、湖北、湖南;日本。

寄主:桑,梨,樱桃,苹果,柳。

(80)点线望灯蛾 *Lemyra punctilinea* (Moore, 1879)(图版 33:3)

Icambosida rubitincta ab. *punctilinea* Moore, 1879a, *in* Hewitson & Moore: 40.

Diacrisia unilinea Rothschild, 1910: 133.

Lemyra punctilinea: Thomas, 1990: 46.

鉴别特征:前翅长 16 ~ 20mm。触角黑色。胸部腹面红色。腹部背面红色,基部与端部白色,背面、侧面及亚侧面各具 1 列黑点。前翅白色至乳白色,后缘中部至 M_2 脉上方有 1 列黑色点带。后翅白色,横脉纹具 1 个黑点。

采集记录:1♂2♀,宁陕火地塘,1580m,1998. Ⅶ. 27。

分布:陕西(宁陕)、甘肃、四川、云南、西藏;印度,尼泊尔,巴基斯坦。

(81)点望灯蛾 *Lemyra stigmata* (Moore, 1865)(图版 33:4,5)

Spilosoma stigmata Moore, 1865: 809.

Lemyra stigmata: Thomas, 1990: 47.

鉴别特征:雄性前翅长 18 ~ 24mm,雌性前翅长 25 ~ 30mm。触角黑色,触角干上有一些白色鳞片。颈片有一些红毛。胸部背面纵带黑色,但经常被长毛覆盖。腹部背面红色,被白色长毛;腹面白色;背面、侧面及亚侧面各具 1 列黑点。前翅中室有黑色短亚基带,前缘和中室下方有黑色亚基点,常常退化;中线为 1 列黑点,有 1 条黑色短带位于后缘上方;翅顶到 M_2 脉有 1 个斜列的黑色短带,位于翅脉两侧。后翅白色,M_2 上方有 1 个黑色亚端点;臀角上方有 3 ~ 4 个黑色亚端点。个体大小、花纹多寡因个体变异较大。

采集记录:1♂,宁陕,1979. Ⅶ. 25。

分布:陕西(宁陕)、湖北、台湾、四川、云南、西藏;缅甸,印度,尼泊尔,巴基斯坦。

(82)淡黄望灯蛾 *Lemyra jankowskii* (**Oberthür, 1880**)(图版 33:6)

Spilosoma jankowskii Oberthür, 1880: 31.

Diacrisia valis Oberthür, 1911b: 337, pl. 83: 787.

Lemyra jankowskii: Thomas, 1990: 44.

鉴别特征:雄性前翅长 16 ~ 20mm,雌性前翅长 21 ~ 25mm;下唇须上方、额侧缘及触角黑色,触角干有一些白色鳞片,尖端较明显。足白色,有黑色条带;前足基节和腿节上方红色。腹部背面除基部及端部外红色,腹面白色,背面及侧面各有 1 列黑点。前翅淡橙黄色,中室上角有 1 个灰褐色点;从 M_2 脉至 A 脉有 1 斜列灰褐色点带。后翅白色,稍染黄色,横脉纹具 1 个灰褐色斑点;有时臀角上方有 1 个灰褐色亚端点。

采集记录:1♂,留坝县城,1020m,1998. Ⅶ. 08;1♀,佛坪,950m,1998. Ⅶ. 24;2♂ 1♀,宁陕火地塘,1580m,1998. Ⅶ. 26-27。

分布:陕西(留坝、佛坪、宁陕)、黑龙江、吉林、辽宁、北京、河北、山西、河南、甘肃、青海、江苏、浙江、湖北、广西、四川、云南、西藏;朝鲜。

寄主:榛,珍珠梅。

31. 东灯蛾属 *Eospilarctia* Koda, 1988

Eospilarctia Koda, 1988: 39. **Type species**: *Seiarctia lewisii* Butler, 1885.

属征:额中部宽度为头宽的 1/3,被长粗鳞片;下唇须平伸达头腹缘;雄性触角双栉齿形。雄性第 8 腹节无特殊的香鳞群或在其第 8 腹板上缺乏 1 对分开的板,这是易于与 *Spilarctia* 属区别的特征。

分布:中国西南地区。中国已记录 7 种,秦岭地区记录 2 种。

(83)褐带东灯蛾 *Eospilarctia lewisii* (**Butler, 1885**)(图版 33:7,8)

Seiarctia lewisii Butler, 1885: 115.

Eospilarctia lewisii: Koda, 1988: 45.

鉴别特征:前翅长 19 ~ 24mm。前翅白色,翅脉黄色或白色;前缘具黑色边;中室除上角外黑色,上有两个黑点,上角上方至翅顶前有 1 条黑带;中室外黑带在 M_2 脉中部分叉,直达外缘;Cu_2 脉中部上、下方有黑褐色带至外缘;A 脉上、下方自亚基点至臀角有黑褐色带。后翅白色;横脉纹内、外方有黑褐色斑点;亚端点黑褐色,或有或无。雄性外生殖器的抱器瓣细长,近端部有 1 个突起,钩形突短宽。

采集记录:1♀,周至厚畛子,1350m,1999. Ⅵ.24;1♂,留坝庙台子,1470m,1999. Ⅶ.01;1♂1♀,佛坪,1750m,1999. Ⅵ.28。

分布:陕西(周至、留坝、佛坪)、河南、甘肃、浙江、湖北、湖南、广西、四川、云南;日本。

(84)赭带东灯蛾 *Eospilarctia nehallenia*(**Oberthür, 1911**)(图版33:9)

Diacrisia nehallenia Oberthür, 1911b: 337.

Eospilarctia nehallenia: Koda, 1988: 45.

鉴别特征:前翅长21~24mm。前翅赭色,中脉上方有1条浅褐色带;后缘近基部至臀角有1条浅褐色带;翅顶至M_3脉起点有1列浅褐色斜带分布在翅脉间;M_3与Cu_1脉间有1条浅褐色带达外缘;横脉上有两条浅褐色纹;后缘带端部上方斜置3条暗褐色短带。后翅赭色;横脉纹为2个浅褐色点;亚端点位于翅顶下方、M_2脉、Cu_2脉及A脉上。

采集记录:1♀,宁陕火地塘,1380~1650m,1999. Ⅵ.26。

分布:陕西(宁陕)、河南、甘肃、台湾、四川、云南。

32. 白雪灯蛾属 *Chionarctia* Koda, 1988

Chionarctia Koda, 1988: 54. **Type species**: *Dionychopus niveus* Ménétriès, 1859.

属征:下唇须微向上伸。雄性外生殖器的抱器瓣很长是本属的主要特征;背兜正常大,其前、后部分完全连接,前部背面向上翻;钩形突相当大,渐向腹面尖削;抱器背窄而短,瓣端部延伸为1个长突起;阳茎端基环近梯形;阳茎正常大,较直。

分布:古北界,东洋界。中国已记录2种,秦岭地区记录1种。

(85)白雪灯蛾 *Chionarctia nivea*(**Ménétriès, 1859**)(图版33:10,11)

Dionychopus niveus Ménétriès, 1859: 218.

Chionarctia nivea: Koda, 1988: 54.

鉴别特征:雄性前翅长26~34mm,雌性前翅长34~39mm。腹部白色,侧面除基节及端节外有红斑,背面与侧面各有1列小黑点。翅白色,翅脉色稍深;后翅横脉纹褐色。

采集记录:2♂,留坝庙台子,1350m,1998. Ⅶ.21;1♂1♀,佛坪,950m,1998. Ⅶ.23~24;2♀,宁陕火地塘,1580m,1998. Ⅶ.26-29。

分布:陕西(留坝、佛坪、宁陕)、黑龙江、吉林、辽宁、内蒙古古、河北、山东、河南、甘肃、浙江、湖北、江西、湖南、福建、广西、四川、贵州、云南;朝鲜,日本。

寄主:高粱,大豆,小麦,黍,车前,蒲公英。

33. 雪灯蛾属 *Spilosoma* Curtis, 1825

Spilosoma Curtis, 1825: pl. 92. **Type species**: *Bombyx menthastri* Denis *et* Schiffermüller, 1775.

属征:喙退化,微小;下唇须平伸不过额;头、胸具粗毛;复眼大而光滑;后足胫节有中距。本属与污灯蛾属 *Spilarctia* 相近,但均为白色,身体较粗钝,前翅宽,外缘较直;后翅宽,翅面鳞片较厚;腹部短,很少达后翅臀角。最主要的特征是雄性外生殖器的抱器瓣和抱器内突向后延长。

分布:古北界,东洋界。中国已记录8种,秦岭地区记录2种。

(86)黄星雪灯蛾 *Spilosoma lubricipedum* (Linnaeus, 1758)(图版33:12,13)

Phalaena lubricipeda Linnaeus, 1758: 505.

Bombyx menthastri Denis *et* Shiffermüller, 1775: 54.

Spilosoma lubricipedum: Koda, 1988: 49.

鉴别特征:前翅长15~22mm。前翅白色。腹部背面除基节和端节外均为黄色,背面、侧面和亚侧面各具1列黑点。前翅黑点或多或少,黑点数目个体变异极大,每个标本不尽相同;前缘下方具有基点及亚基点;内线点和中线点在中脉处折角;中室上角有1个黑点,其上方1个黑点位于前缘处;外线点在中室外向外弯;从翅顶至 M_2 脉有1列斜点;短的亚端点自 Cu_1 至 M_2 脉;M_2 脉上方和 Cu_2 脉下方有时有端点。后翅通常有横脉纹黑点,有时具亚端点。

采集记录:2♂1♀,周至厚畛子,1350m,1999.Ⅵ.24;1♂,留坝庙台子,1350m,1998.Ⅶ.23。

分布:陕西(周至、留坝)、黑龙江、吉林、河北、山西、河南、甘肃、江苏、湖北、湖南、广西、四川、贵州、云南;朝鲜,日本,欧洲。

寄主:甜菜,桑,薄荷,蒲公英,蓼。

(87)红星雪灯蛾 *Spilosoma punctarium* (Stoll, 1782)(图版33:14)

Bombyx punctaria Stoll, 1782, *in* Cramer: 233.

Spilosoma punctarium: Koda, 1988: 54.

鉴别特征:前翅长 14 ~21mm。腹部背面除基节和端节外红色。本种与黄星雪灯蛾相似,但所有黄色被红色代替。

采集记录:1♀,周至厚畛子,3120m,1999. Ⅵ. 21;1♂1♀,佛坪,950m,1998. Ⅶ. 23;1♂,宁陕火地塘,1580m,1998. Ⅶ. 27。

分布:陕西(周至、佛坪、宁陕)、黑龙江、吉林、辽宁、北京、河南、甘肃、江苏、安徽、浙江、湖北、江西、湖南、台湾、四川、贵州、云南;俄罗斯,日本。

34. 斯灯蛾属 *Streltzovia* Dubatolov *et* Wu, 2008

Streltzovia Dubatolov *et* Wu, 2008: 368. **Type species**: *Spilosoma streltzovi* Dubatolov, 1996.

属征:本属与雪灯蛾属 *Spilosoma* Curtis 非常相似,但本属头部有浓密的长毛,腹部侧面没有斑点,雄性外生殖器的抱器瓣内侧有瘤突;而后者头部覆盖紧伏的鳞片,腹部侧面有斑点,雄性外生殖器的抱器瓣内侧无瘤突。

分布:中国;俄罗斯。本属包括 1 种 3 亚种,秦岭地区记录 1 亚种。

(88)斯灯蛾绵山亚种 *Streltzovia caeria mienshanica* (Daniel, 1943)(图版 33:15)

Spilosoma mienshanica Daniel, 1943: 732.
Streltzovia caeria mienshanica: Dubatolov & Wu, 2008: 369.

别名:绵山雪灯蛾。

鉴别特征:雄性前翅长 19 ~21mm,雌性前翅长 23 ~24mm。本亚种前翅的黑色斑多少有些退化,没有连续的外带。腹部红色,稀有个别黄色的变异体。

采集记录:1♂1♀,秦岭,1700m,1935. Ⅵ. 21,1936. Ⅴ. 16。

分布:陕西(秦岭)、黑龙江、辽宁、内蒙古、北京、河北、山西;俄罗斯。

35. 污灯蛾属 *Spilarctia* Butler, 1875

Spilarctia Butler, 1875c: 39. **Type species**: *Phalaena lutea* Hüfnagel, 1766.

属征:喙退化;下唇须平伸;头部、胸部被粗毛;后足胫节有中距;雄性腹部较细长,雌性较钝,长度通常超过后翅臀角;雄性触角多为双栉齿形,少数为锯齿形;前翅前缘通常向翅顶弯曲,外缘凸;后翅椭圆;前翅 Cu_1 脉从近中室下角伸出,M_2 脉从中室下角上方伸出,M_1 从中室上角伸出,R_{3-5} 共柄;后翅 Cu_1 从中室下角伸出,M_2 从中室上角或下角上方伸出,M_1、Rs 脉从中室上角伸出或共短柄。雄蛾第 8 腹节的背兜端片发达,向侧面大幅扩展,抱器瓣端部有突起;第 8 腹节侧膜区有 1 对瓣状次生骨片。

分布:世界广布,但以东洋界为主。中国已记录 30 种,秦岭地区记录 9 种。

(89)人纹污灯蛾 *Spilarctia subcarnea*(**Walker, 1855**)(图版33:16,17)

Spilosoma subcarnea Walker, 1855: 675.
Spilarctia subcarnea: Daniel, 1943: 694.

别名:红腹白灯蛾、人字纹灯蛾。

鉴别特征:雄性前翅长19~22mm,雌性前翅长20~25mm。雄性触角呈锯齿形。前翅黄白色染肉色,通常在A脉上方具有1个黑色内线点;中室上角通常有1个黑点;从Cu_1脉到后缘有1斜列黑色外线点,有时减少至1个黑点,位于A脉上方;翅顶有时存在3个黑点。后翅红色,缘毛白色,或后翅白色,后缘区染红色或无红色。雌性翅黄白色,无红色,前翅有时有黑点;后翅有时有黑色亚端点。有的雌雄两性前后翅全为乳黄色,无任何斑点,尤以雌性为多。雄性外生殖器的抱器瓣狭长,端部细而弯曲成钩状,阳茎端基环的顶端分叉很深。

采集记录:1♂,留坝县城,1020m,1998. Ⅶ. 28。

分布:陕西(留坝)、黑龙江、吉林、辽宁、内蒙古、河北、山西、山东、河南、甘肃、江苏、安徽、浙江、湖北、江西、湖南、福建、台湾、广东、广西、四川、贵州、云南;朝鲜,日本,菲律宾。

寄主:桑,木槿,十字花科蔬菜,豆类和绿肥等。

(90)金缘污灯蛾 *Spilarctia aurocostata*(**Oberthür, 1911**)(图版33:18,19)

Diacrisia aurocostata Oberthür, 1911b: 337.
Spilarctia aurocostata: *Seitz*, 1912: 446.

鉴别特征:前翅长19~21mm。前翅白色,前缘带金黄;中室内及中室下方有黑影,中室上角有时有黑点。前翅反面在黄带下方、中室内、中室下方、A脉中部及中室外的M_2脉处有黑色纵条斑。后翅白色,横脉纹具1个黑点;亚端点或多或少。

采集记录:1♂,宁陕,1979. Ⅵ. 30。

分布:陕西(宁陕)、四川、云南。

(91)净污灯蛾 *Spilarctia alba*(**Bremer *et* Grey, 1853**)(图版33:20,21)

Chelonia alba Bremer *et* Grey, 1853a: 15.
Spilarctia alba: Daniel, 1943: 700.

别名:净雪灯蛾。

鉴别特征:雄性前翅长23~25mm,雌性前翅长30~37mm。前翅白色,基部具黑点，前缘基部有黑边；中室下角外方有 1 个黑点；M_2 脉上方有 1 条黑色短纹，有时 A 脉上方有中线点。后翅横脉纹有 1 个黑点，有时 M_2 脉上方及臀角上方具黑色亚端点。雄性外生殖器的抱器瓣宽而长，端部 1/3 处突起，瓣端部斜尖。

采集记录：1♂1♀，周至厚畛子，1350m，1999. Ⅵ. 24；1♂，留坝庙台子，1470m，1999. Ⅶ. 07；1♀，佛坪，950m，1998. Ⅶ. 25；1♂，宁陕火地塘，1580m，1998. Ⅶ. 27。

分布：陕西（周至、留坝、佛坪、宁陕）、吉林、河北、山西、河南、甘肃、浙江、湖北、江西、湖南、福建、广西、四川、贵州、云南；朝鲜。

（92）黑带污灯蛾 *Spilarctia quercii* (**Oberthür, 1910**)（图版 33：22，23）

Estigmene quercii Oberthür, 1910b: 33.
Spilarctia quercii: Daniel, 1943: 705.

鉴别特征：雄性前翅长 24 ~ 26mm，雌性前翅长 26 ~ 32mm。前翅赭色；中室基部有 1 个黑点；前缘基部至中部前方具黑带，黑带端部下方有时有 1 个黑斑，位于中室中部；中室上角有 1 个黑点，黑点上方在前缘处有时有 1 个黑点；后缘近基部至臀角处有 1 个黑带，其基部上方有 1 个黑点，从翅顶至黑带端部上方有 1 斜列黑点。后翅色较浅，横脉纹黑色。

采集记录：1♂，宁陕火地塘，1580m，1999. Ⅶ. 02。

分布：陕西（宁陕）、山西、河南、甘肃、青海、湖北、湖南、四川、云南。

（93）连星污灯蛾 *Spilarctia seriatopunctata* (**Motschulsky, 1861**)（图版 34：1）

Spilosoma seriatopunctata Motschulsky, 1861: 31.
Spilarctia seriatopunctata: Swinhoe, 1892: 183.

鉴别特征：前翅长 20 ~ 26mm。前翅浅黄色，脉间染褐色，前缘基部 1 条黑带向内线点扩展；中室上角有 1 个黑点；翅顶至后缘中部外有 1 列黑点或 1 条短纹，位于各翅脉的两侧，其中间的黑点常缺，后缘上方的黑点则常较大；黑色亚端点有时缺，臀角上方的亚端点通常存在。后翅后缘区常染红色，横脉纹具 1 个黑点。

采集记录：1♂，宁陕火地塘，1979. Ⅵ. 30。

分布：陕西（宁陕）、黑龙江、吉林、江西、福建、四川；朝鲜，日本。

寄主：苹果，桑树。

（94）强污灯蛾 *Spilarctia robusta* (**Leech, 1899**)（图版 34：2，3）

Spilosoma robusta Leech, 1899: 149.
Spilarctia robusta: Seitz, 1910, *in* Seitz(a): 86.

鉴别特征:雄性前翅长 25 ~ 31mm,雌性前翅长 30 ~ 36mm。前翅乳白色。下唇须基部上方红色,下方有白毛,端部黑色。触角黑色,肩角和翅基片具有黑点。腹部红色,背面、侧面和亚侧面各具 1 列黑点。前翅中室上角有 1 个黑点;A 脉上、下方各具 1 个黑色中线点,M_1 脉处有时有黑点。后翅横脉纹有 1 个黑点,黑色的亚端点或多或少。

采集记录:2♂1♀,周至厚畛子,1350m,1999. Ⅵ. 24。

分布:陕西(周至)、北京、山东、河南、甘肃、江苏、浙江、湖北、江西、湖南、福建、四川、云南。

(95)黑须污灯蛾 *Spilarctia casigneta* (**Kollar, 1844**)(图版 34:4,5)

Euprepia casigneta Kollar, 1844, *in* Hugel: 466.

Spilarctia casigneta: Seitz, 1910, *in* Seitz(a): 85.

鉴别特征:雄性前翅长 17 ~ 26mm,雌性前翅长 21 ~ 30mm。淡黄色稍带褐色。下唇须黑色是本种的一个主要识别特征。下唇须、触角及额的下方黑色。胸部腹面前方黑色,有时胸背有黑带。腹部背面除基部及端部外红色,背面 1 列黑点不明显,侧面及亚侧面各有 1 列黑点。前翅内线黑点有时位于 A 脉上方;翅顶下方至后缘或多或少有 1 列黑点;中室下角有时有黑点。后翅色稍淡,后缘区常染红色,横脉纹黑色,臀角上方常具黑点。本种个体变异较大。

采集记录:1♂,留坝县城,1020m,1998. Ⅶ. 18;1♂,宁陕火地塘,1580m,1999. Ⅶ. 07;1♀,佛坪,950m,1998. Ⅶ. 24。

分布:陕西(宁陕、留坝、佛坪)、河南、甘肃、浙江、湖北、湖南、福建、广西、四川、云南、西藏;印度,克什米尔地区。

(96)尘污灯蛾 *Spilarctia obliqua* (**Walker, 1855**)(图版 34:6,7)

Spilosoma obliqua Walker, 1855: 679.

Spilarctia oblique: Butler, 1875c: 41.

别名:尘白灯蛾、人纹灯蛾、莱菔灯蛾。

鉴别特征:雄性前翅长 19 ~ 28mm,雌性前翅长 24 ~ 32mm。触角黑色,下唇须上方黑色,下方端部黑色、基部红色。胸部背面有时有 1 条黑带。腹部背面除基部及端部外红色,背面、侧面及亚侧面各有 1 列黑点。前翅常有 1 个黑色内线点位于 A 脉上方;中室上角有 1 个黑点;外线黑点通常从 M_3 脉至 A 脉;翅顶至 M_1、R_5 脉间有黑点;亚端点位于 M_2 到 Cu_1 脉处。后翅色稍淡,横脉纹为 1 列黑点;亚端点通常存在。前翅反面外线斑带常向前缘脉弯曲,翅基部常染红色。雄性外生殖器的抱器瓣侧面观端部较平,侧面突起较钝。

采集记录:1♂,太白山,1700~3000m,1935. Ⅴ.26。

分布:陕西(太白山)、河南、江苏、浙江、江西、福建、台湾、广东、广西、四川、云南、西藏;朝鲜,日本,缅甸,印度,尼泊尔,不丹,巴基斯坦。

寄主:萝卜,桑,棉,花生,芝麻,柳等。

(97) 污灯蛾 *Spilarctia lutea* (Hüfnagel, 1766) (图版 34:8,9)

Phalaena lutea Hüfnagel, 1766: 412.

Spilarctia lutea: Butler, 1875c: 39.

鉴别特征:前翅长 14~19mm。雄性黄白色至黄色。腹部背面除基部和端部外橘黄色,腹面浅黄色,背面、侧面及亚侧面各有 1 列黑点。前翅内线黑点位于前缘上,A 脉上方通常有 1 个黑点;中室上角有 1 个黑点,其上方有 1 个黑点或短纹位于前缘脉上。后翅色稍淡,横脉纹具黑点。雌性为黄白色。

采集记录:2♂,太白山,1700~3000m,1936. Ⅶ.07-10。

分布:陕西(太白山)、黑龙江、吉林、辽宁、河北、内蒙古、新疆;俄罗斯,朝鲜,日本。

36. 超灯蛾属 *Preparctia* Hampson, 1901

Preparctia Hampson, 1901: 219. **Type species**: *Chelonia mirifica* Oberthür, 1892.

属征:喙发达,下唇须平伸,约伸至头长。头小,复眼大。雌性触角锯齿形,雄性触角栉齿状。雌性腹部后端呈棒状。色彩美丽,胸部宽,身体强壮。

分布:古北界,东洋界。中国已知 2 种,秦岭地区记录 1 种。

(98) 波超灯蛾 *Preparctia buddenbrocki* Kotsch, 1929 (图版 34:10)

Preparctia buddenbrocki Kotsch, 1929: 206.

鉴别特征:前翅长 27~29mm。腹部背面黄色,有 1 列黑点,腹部末端有黄毛簇。前翅褐色,中脉为黄白色带;前缘 1 条黄白色带从内线外斜向中脉,从中脉中央 1 条黄白色带内斜至后缘内线处,从此线到基部有 1 条黄纹相连接;前缘中央有 1 条黄白色纹连接中脉黄带;外线黄白色带从前缘斜向中脉外方再向内折至后缘;亚端黄线与臀角的黄带相交。后翅橙黄色;中带黑色;横脉纹黑褐色,新月形;黑褐色的亚端带断裂成 3 块。

采集记录:2♂,太白山,1935. Ⅵ. 29。

分布:陕西(太白山)、甘肃。

Ⅱ. 丽灯蛾族 Callimorphini Handlirsch, 1925

鉴别特征:喙发达,下唇须平伸或向上举。除蝶灯蛾属外,绝大多数为较大至大型蛾,触角多为线形,具纤毛;胸与前翅多具墨绿色金属光泽,前翅有黄色或白色斑块,形如虎斑;后翅红色、紫红色、黄色、白色或黑色。蝶灯蛾属的雌雄性触角均为双栉齿形,雄蛾栉齿长,雌蛾较短;身体中等大,色彩较单一,多为白底具黑纹或黑底具白纹,形如粉蝶。

分布:东洋界,澳洲界,非洲界,少数分布于古北界。中国已记录 8 属,秦岭地区记录 2 属 3 种。

37. 丽灯蛾属 *Callimorpha* Latreille, 1809

Callimorpha Latreille, 1809: 220. **Type species**: *Phalaena dominula* Linnaeus, 1758.

Panaxia Tams, 1939a: 73. **Type species**: *Phalaena dominula* Linnaeus, 1758.

Eucallimorpha Dubatolov, 1990: 99-100. **Type species**: *Callimorpha principalis fedtschenkoi* Grum-Grshimaïlo, 1902.

属征:雄性触角线形,具微纤毛,下唇须长而平伸,后足胫节有两对距,前翅窄长。

分布:东洋界。中国已记录 6 种,秦岭地区记录 2 种。

(99) 黑白丽灯蛾 *Callimorpha nigralba* Fang, 2000(图版 34:11)

Callimorpha nigralba Fang, 2000: 460.

鉴别特征:前翅长 30 ~ 34mm。前翅黑色有白色斑,易与本属其他种区别。

采集记录:1♂,太白黄柏塬,1980. Ⅶ. 09,韩寅恒采。

分布:陕西(太白)、西藏。

(100) 首丽灯蛾 *Callimorpha principalis* (Kollar, 1844)(图版 34:12)

Euprepia principalis Kollar, 1844, *in* Hugel: 465.

Callimorpha principalis: Hampson, 1894: 35.

鉴别特征:前翅长 29 ~ 46mm。腹部背面红色,腹面橙黄色,背面有黑斑点,有些黑斑点成短带或整个连成一片,腹面有黑斑,侧面黑点有时相连。前翅墨绿色有闪光;斑纹黄色,前缘脉下方有 4 个黄斑,分别位于亚基线、内线、中线及外线处;翅基部有黄点;中室内有两块乳白色斑;A 脉上方从基部到端部有 5 个黄斑,基部的 1 个为 1 条短带;从前缘外线斑至 Cu_2 脉端部上方有 1 列长短不一的黄白色斑;M_1 脉中部至前缘有 3 个淡黄色的小斑;R_5 脉至 M_3 脉间近外缘有 3 个小黄点。后翅黄色或橙色,色斑变化较大,翅脉黑色;横脉纹黑色;亚缘线为黑斑带。

采集记录:1♂1♀,留坝庙台子,1350m,1998. Ⅶ. 19-21。

分布:陕西(留坝)、黑龙江、河南、甘肃、浙江、湖北、江西、湖南、福建、四川、云南、西藏;缅甸,印度,尼泊尔,克什米尔地区。

38. 新丽灯蛾属 *Chelonia* Oberthür, 1883

Chelonia Oberthür, 1883: 43. **Type species**: *Chelonia bieti* Oberthür, 1883.
Callarctia Leech, 1899: 168(nec Packard, 1864). **Type species**: *Chelonia bieti* Oberthür, 1883.
Euleechia Dyar, 1900: 347. **Type species**: *Chelonia bieti* Oberthür, 1883.
Neochelonia Draeseke, 1926: 47. **Type species**: *Chelonia bieti* Oberthür, 1883.

属征:喙发达;下唇须长而平伸;后足胫节有两对距;前翅中室很短,无径副室。

分布:中国。目前已知 3 种,秦岭地区记录 1 种。

讨论:方承莱(2000)使用 *Euleechia* 作为本属有效名,其来源为 BMNH 中卡片的错误记载(The index card gives *Chelonia* Oberthür, 1883: 43 as a junior synonym of NEOCHELONIA Draeseke, 1926: 47, a junior objective synonym of EULEECHIA Dyar, 1900: 347. The index gives the Type species of all three genus-group names as *bieti* Oberthür. All three are therefore objective synonyms.)。实际上,模式种相同的还有 *Callarctia*,它同时还是一个次同名,如同 Watson, Fletcher & Nye(1980)记述:*Euleechia* 是 *Callarctia* Leech, 1899 的客观替代名,并非 *Chelonia* Oberthür, 1883 的替代名。因此本属的有效名应为最早的可用名,即 *Chelonia* Oberthür, 1883,在此给予修订(薛大勇注)。

(101)新丽灯蛾 *Chelonia bieti* Oberthür, 1883(图版 34:13,14)

Chelonia bieti Oberthür, 1883: 43
Callarctia bieti: Leech, 1899: 168.
Euleechia bieti: Dyar, 1900: 237.
Neochelonia bieti: Draeseke, 1926: 47.

鉴别特征:雄性前翅长 29mm,雌性前翅长 25 ~ 31mm。身体大小及斑纹变异较大,被分成了 4 个亚种。雄性头部和触角黑色;下唇须黄色,黑毛;颈片黑色,有红边,胸部腹面红色;腹部背面黑色,腹面橙黄色,黑带,亚侧面具黑点,腹末端具红色毛簇。前翅黑色,翅脉墨绿色带闪光;前缘下方内半有金黄色纵带,纵带端部下方有1条金黄色斜带达 Cu_2 脉端部或这两条黄色带相接;亚缘区翅顶下方有1条金黄圆点或倒钩形点。后翅金黄色,横脉纹为1个黑点;亚中褶处有1条黑色条纹;端线为黑色宽带,其内边呈不规则齿状。雌性后翅黑褐色,前缘区有黄边;翅顶有黄色不规则亚端带在 R_3 脉向内放射,在 M_3 脉下方至A脉变为黄色端带。有的标本则由黄色代替红色,前翅斑带白色。

采集记录:1♂,周至厚畛子,1350m,1999.Ⅵ.24。

分布:陕西(周至)、山西、河南、甘肃、浙江、湖北、四川、云南。

Ⅲ. 鹿蛾族 Syntomini Herrich-Schäffer, 1846

鉴别特征:后翅 M_1 消失或与 Sc + Rs 合并,仅有1条臀脉,M_2 消失,前肘脉的1个分支也可能消失。

分布:古北界,东洋界,澳洲界。秦岭地区分布3属5种。

39. 新鹿蛾属 *Caeneressa* Obraztsov, 1957

Caeneressa Obraztsov, 1957: 392. **Type species**: *Syntomis diaphana* Kollar, 1844.

属征:后翅有3条分离的翅脉。前翅在 Cu_2 后的区域内通常只有1条透明带或浅色斑。雄性外生殖器的抱器瓣通常阔而长,简单而无突起;抱器背基部经常合并成1块小的三角形或倒"V"形骨片(阳茎端基环);抱器瓣中部通常有很轻微的收缩;阳茎端膜内通常整体散布刻点或有刻点密集区。雌性外生殖器的交配孔通常伸入第7腹板的后缘;交配囊中部有1枚长的囊片,侧面有较强的刻点区。

分布:秦岭地区分布1种。

(102)霍氏新鹿蛾 *Caeneressa hoenei* Obraztsov, 1957(图版34:15)

Caeneressa hoenei Obraztsov, 1957: 411, pl. 1, figs. 9, 10.

鉴别特征:雄性触角双栉形,雌性触角锯齿形。腹部黑色,第1背板侧面有黄斑,在之后的6个体节上有黄色带。翅斑中翅脉黑色,且边缘狭窄。

采集记录:3♂1♀,太白山,1700m,1936.Ⅶ.07-10(ZFMK)。

分布:陕西(太白山)。

40. 鹿蛾属 *Amata* Fabricius, 1807

Amata Fabricius, 1807: 289. **Type species**: *Zygaena passalis* Fabricius, 1781.
Syntomis Ochsenheimer, 1808: 103. **Type species**: *Sphinx phegea* Linnaeus, 1758.
Coenochromia Hübner, 1819: 121. **Type species**: *Zygaena passalis* Fabricius, 1781.
Hydrusa Walker, 1854: 255. **Type species**: *Euchromia bicolor* Walker, 1854.
Asinusca Wallengren, 1862: 197. **Type species**: *Asinusca atricornis* Wallengren, 1863.
Buthysia Wallengren, 1863: 139. **Type species**: *Buthysia sangaris* Wallengren, 1863.

属征:该属中,古北界的种类由 Obraztsov(1966)修订,用生殖器特征做了准确的区分,它们在翅征和腹部环带上均显示了很大的变异。雌雄两性中生殖器均不对称。雄性背兜有明显的侧叶,抱器瓣强健、弯曲,抱器基部突起不对称,阳茎端膜有剑状排列的阳茎针。雌性生殖器不对称,交配孔位于第 7 和第 8 背板之间。

分布:古北界,东洋界。秦岭地区分布 3 种。

(103) 牧鹿蛾 *Amata pascus* (**Leech, 1889**)(图版 34:16)

Syntomis pascus Leech, 1889b: 124.
Amata pascus: Obraztsov, 1966: 116.

鉴别特征:前翅长 19~25mm。黑褐色。中、后胸具黄斑。雌性腹部黄带有 6 节,雄性有 7 节,腹部末端完全黑褐色。雄性外生殖器的背兜侧突窄而短,边缘光滑。

采集记录:1♂,留坝庙台子,1350m,1998. Ⅶ. 19。

分布:陕西(留坝)、河南、甘肃、江苏、浙江、湖北、江西、福建、广西、四川、西藏。

寄主:青松。

(104) 蜀鹿蛾 *Amata davidi* (**Poujade, 1885**)(图版 34:17)

Syntomis davidi Poujade, 1885: 136.
Zygaena davidi: Kirby, 1892: 96.
Amata davidi: Obraztsov, 1966: 151.

鉴别特征:前翅长 15~18mm。腹部黑色,有 6 条黄带。翅黑色,翅斑透明。后翅前缘基部及后缘具黄边,透明斑很大,翅缘黑边很窄。

采集记录:1♂,留坝庙台子,1470m,1998. Ⅶ. 19。

分布:陕西(留坝)、甘肃、湖北、湖南、四川。

(105)蕾鹿蛾 ***Amata germana*(Felder, 1862)**(图版 34:18)

Syntomis germana Felder, 1862: 37.

Syntomis mandarinia Butler, 1876c: 349.

Amata germana: Obraztsov, 1966: 103.

鉴别特征:前翅长 11 ~ 19mm。黑褐色,腹部各节具黄色或橙黄色带。翅由暗褐色到几乎黑色,前翅基部通常具黄色鳞片。

采集记录:1♂,周至厚畛子,1350m,1999. Ⅵ. 24;3♂1♀,留坝庙台子,1350m,1998. Ⅶ. 19。

分布:陕西(周至、留坝)、河南、云南,华东、华南;日本,印度尼西亚。

寄主:茶,桑,蓖麻,橘子,黑荆等。

41. 春鹿蛾属 *Eressa* Walker, 1854

Eressa Walker, 1854: 149. **Type species**: *Glaucopis confinis* Walker, 1854.

Trianeura Butler, 1876c: 353, pl. 28, fig. 3. **Type species**: *Glaucopis subaurata* Walker, 1854.

属征:大部分是小型昆虫,头部非常大,喙管通常很发达,下唇须短小,前伸,中足和后足胫节有小刺。脉序和翅斑类似于新鹿蛾属 *Caeneressa*。后翅相对鹿蛾属 *Amata* 较圆、阔一些。雄性外生殖器背兜强健且内部有突起。钩形突宽阔而呈三角状,在基部和旁侧有微小的裂叶。抱器瓣短而圆,阳茎端基才呈倒"V"形,位于抱器腹基部;阳茎细长,均匀弯曲状,阳茎端膜无刻饰。

分布:主要分布在东洋界、澳洲界。世界已知 40 多个种,中国已记录 5 种,秦岭地区记录 1 种。

(106)多点春鹿蛾 ***Eressa multigutta*(Walker, 1854)**(图版 34:19)

Syntomis multigutta Walker, 1854: 134.

Syntomis blanchardi Poujade, 1885: 136.

Eressa multigutta: Zerny, 1912, *in* Wagner: 33.

鉴别特征:前翅长 11 ~ 15mm。腹部红色,背面具蓝黑色短带。前翅黄色透明,翅脉及翅缘为黑色。后翅黄色透明,翅脉黑色,横脉纹为黑点。

采集记录:1♂1♀,佛坪上沙窝,1215m,2007. Ⅴ. 29。

分布:陕西(佛坪)、甘肃、新疆、湖北、湖南、四川、贵州、云南、西藏;缅甸,印度,尼泊尔。

十三、毒蛾科 Lymantriidae

鉴别特征：头部较小，半球形，角质化强；无单眼；复眼发达，呈圆形、椭圆形或上方稍尖的卵圆形；眼面裸露或被细毛。额唇基缝较显著；大多数毒蛾触角为长双栉齿形，雌蛾为短双栉齿形，栉齿上有许多感觉器。口器退化，上颚和下颚叶退化或消失，下颚须位于下颚叶背侧，仅有1节，上唇位于下颚叶背面，其两侧的突起为唇基侧片，下唇位于下颚叶基部后方，已退化成薄膜状；下唇须短，分3节，第2节长，第3节短小或退化，下唇须向上翻、向前平伸或下垂。翅两对，通常发达，有些种类雌性翅短缩或已十分退化。前翅亚前缘脉（Sc）1支；径脉（R）5支（R_1、R_2、R_3、R_4、R_5），形成径副室或不形成径副室；中脉（M）3支，第1中脉（M_1）基部与第5径脉（R_5）基部接近，第2中脉（M_2）和第3中脉（M_3）基部与肘脉（Cu）基部接近；肘脉（Cu）2支（Cul、Cu_2）；臀脉（A）1支（2A）。后翅亚前缘脉与第1径脉（$Sc+R_1$）合并成1支，其基部与径脉基部并接或接近形成闭锁的基室或半闭锁的基室；径脉（Rs）1支；中脉（M）3支，第1中脉基部与径脉基部并接或接近，第2中脉位于中室横脉后半段，第3中脉基部与肘脉基部并接或接近；肘脉（Cu）2支；臀脉2支（2A、3A）。前翅斑纹可分为亚基线、亚基线、内线、中线、外线、亚缘线、缘线和横脉纹，后翅斑纹有外线、亚缘线、缘线和横脉纹。有些种类的雌性翅脉退化；大多数种类翅面被细毛和鳞片，鳞片形状变化很大。少数种类翅只被细毛。腹部由10节组成，第1节腹板退化，大多数种类第10节退化或消失，有些种类第9节也退化或与第10节合并；雌性背板和腹板骨质化很弱，侧片呈薄膜状；生殖腺发达的种类腹部通常十分膨大。

分类：中国已记载约37属343种，陕西秦岭地区发现14属49种。

（一）古毒蛾亚科 Orgyinae

鉴别特征：本亚科成虫前翅有径副室，幼虫腹节背面通常有横向毛刷。

分类：中国已记录20属，陕西秦岭地区记录8属21种。

1. 丽毒蛾属 *Calliteara* Butler, 1881

Calliteara Butler, 1881a: 12. **Type species**: *Dasychira argentata* Butler, 1881.

属征：下唇须向前平伸，第2节被长毛，第3节小；足被长毛，后足胫节有两对距，爪简单。前翅径副室大，Sc脉沿翅前缘伸出，R_1脉起于中室前缘端半部，R_2脉从径副室前缘伸出，R_3脉和R_4脉共柄，在近翅顶角处分开，R_5脉从径副室顶端分出或与R_{3+4}脉起于同一点，或有一小段共柄，M_1脉从中室上角顶端分出，M_2脉从中室横脉下段分出，接近M_3脉，M_3脉从中室下角顶端分出，Cu_1脉从中室后缘近M_3脉伸出，Cu_2

脉从中室后缘端半部伸出,2A 脉沿翅后缘伸出。后翅基室大,$Sc + R_1$ 脉在基部与中室前缘靠近,Rs 脉与 M_1 脉共柄,或同起于中室上角顶端,M_2 脉和 M_3 脉接近,起于中室下角,Cu_1 脉起于中室后缘近 M_3 脉伸出,Cu_2 脉起于中室后缘端半部,2A 脉、3A 脉游离,沿翅后缘伸出。雄性外生殖器第 8 腹节背板加宽,形成上钩形突;第 9 腹节背板形成不发达或不完整的钩形突;囊形突不发达;抱器瓣腹缘通常有齿突或突起。

生物学:本属幼虫主要取食桦木科、壳斗科、蔷薇科、茶科、芸香科、桑科、槭科、杜鹃科、石楠科、杨柳科、松科、柏科、豆科、禾本科等多种植物。

分布:古北界,东洋界,澳洲界和非洲界。中国已记载 28 种,秦岭地区记录 7 种。

(1)晰结丽毒蛾 *Calliteara oxygnatha* (Collenette, 1936)(图版 35:1,2)

Dasychira oxygnatha Collenette, 1936: 90.

Calliteara oxygnatha: Holloway, 1982, *in* Barlow: 224.

鉴别特征:雄性前翅长 22 ~ 28mm,雌性前翅长 28 ~ 31mm。前翅白色,雀斑状稀布暗褐色鳞片;亚基线暗褐色,不规则形,在中室呈肘状外弯;在亚基线与内线之间的前缘中央有 1 个十分清晰的暗褐色扣结状斑,其斑的后缘一般可达中室后缘;内线暗褐色,从前缘至后缘呈直角形,锯齿形;中室末端横脉纹较窄,有暗褐色边;外线暗褐色,锯齿形;亚缘线暗褐色,与外缘平行,锯齿形。后翅白色,在中室下面涂暗褐色;横脉纹为 1 块暗褐色斑;亚缘线暗褐色,呈较宽的带形,达臀角;缘线暗褐色,为 1 条完整的宽带。本种与双结丽毒蛾 *C. cinctata* (Moore)相似,但后者前翅外带不呈锯齿形,亚缘线与外缘距离大,雄性外生殖器外形不同,抱器瓣的腹侧突较短,顶端圆钝,并且基部较宽。

采集记录:1♂,周至沙梁子,961m,2007. Ⅵ. 24,史宏亮采;3♀,周至钓鱼台,1480m,2008. Ⅵ. 29,崔俊芝等采。

分布:陕西(周至、太白)、河南、四川、云南。

(2)结丽毒蛾 *Calliteara lunulata* (Butler, 1877)(图版 35:3,4)

Dasychira lunulata Butler, 1877a: 403.

Calliteara lunulata: Inoue, 1982, *in* Inoue, *et al.*: 629.

别名:赤眉毒蛾。

鉴别特征:雄性前翅长 21 ~ 27mm,雌性前翅长 31 ~ 39mm。前翅银白色,布黑色和黑褐色鳞片;内线在翅前缘为 1 个黑色环扣状黑斑;中线仅在翅前缘见 1 个小黑点;横脉纹新月形,由竖起的银白色鳞片组成;外线黑色,波浪形,其前端外缘有 1 条黑色弯线;亚缘线不清晰;缘线由 1 列黑色间断的线组成。后翅褐灰色带棕色,基部和前缘稍黄色,横脉纹和外缘黑褐色。

采集记录:1♂,佛坪,900m,1999. Ⅵ. 27,朱朝东采。

分布:陕西(佛坪)、黑龙江、吉林、辽宁、河北、河南、浙江、湖北、湖南、福建、广东;俄罗斯,朝鲜,日本。

寄主:栎,栗。

(3)福丽毒蛾 *Calliteara phloeobares* (Collenette, 1938)(图版35:5,6)

Dasychira phloeobares Collenette, 1938: 217.

Calliteara phloeobares: Zhao, 2003: 58.

鉴别特征:前翅长20~23mm。前翅斑纹与连丽毒蛾 *C. conjuncta*(Wileman)相似,但外线形状完全不同。本种外线从前缘2/3起至Cu_2脉几乎为直,并与翅外缘平行,然后向外倾斜,终止在翅后缘3/4处。

采集记录:1♂, S. Shensi, Taipai Shan im Tsinling, 3000m, 1936. Ⅵ. 25, coll. Höne(ZFMK)。

分布:陕西(长安、太白、镇巴)、山东、江苏、福建、四川。

(4)火丽毒蛾 *Calliteara complicata* (Walker, 1865)(图版35:7,8)

Dasychira complicata Walker, 1865: 365.

Trisula pustulifera Walker, 1865: 476.

Calliteara complicate: Kirby, 1892: 470.

鉴别特征:雄性前翅长23~29mm,雌性前翅长29~32mm。前翅内区黑褐色;亚基线黑褐色,锯齿形,线两侧黄白色;内线为黑褐色双线,两线前缘内侧各有1个黄白色斑;中区黄褐色,横脉纹与前缘间黑褐色;横脉纹黑褐色,中央色稍浅,内下方有1个黄白色斑;外线黑褐色,锯齿形,从前缘到1A脉处呈弓形弯曲,前缘两侧各有1个黄白色斑;亚缘线黄白色,锯齿形;缘线为1列间断的黑褐色细线。后翅橙黄色,横脉纹黑褐色,外线为1条间断的黑褐色带。

采集记录:1♀,周至钓鱼台,1480m,2008. Ⅵ. 29,李文柱采;1♂,佛坪县城,900m,2008. Ⅶ. 06,白明采。

分布:陕西(周至、佛坪)、河南、广西、四川、云南、西藏;印度。

(5)松丽毒蛾 *Calliteara axutha* (Collenette, 1934)(图版35:9)

Dasychira axutha Collenette, 1934: 117.

Calliteara axutha: Holloway, 1982, *in* Barlow: 222.

别名:马尾松毒蛾、松毒蛾、松茸毒蛾。

鉴别特征:雄性前翅长 18~19mm,雌性前翅长 24~28mm。前翅暗白灰色带暗棕色;横线黑褐色,亚基线锯齿形折曲;内线双道,微波浪形;横脉纹新月形,边黑褐色,外线微波状;亚缘线褐色,波浪形,内侧呈晕影;缘线为锯齿形。后翅暗灰褐色,基半部色浅,横脉纹和外线黑褐色。雌性比雄性色浅,斑纹不显著。

采集记录:1♂,周至钓鱼台,1480m,2008. Ⅵ. 29,李文柱采;1♂,周至厚畛子,1276m,2008. Ⅵ. 30,崔俊芝采。

分布:陕西(周至、太白)、河南、浙江、湖北、江西、湖南、福建、广东、广西。

寄主:马尾松,油松。

(6)连丽毒蛾 *Calliteara conjuncta* (Wileman, 1911)(图版 35:10)

Dasychira conjuncta Wileman, 1911a: 270.

Calliteara conjuncta: Inoue, 1982: 629.

鉴别特征:雄性前翅长 17~20mm,雌性前翅长 20~24mm。前翅灰白色布黑色与棕色鳞片,中区前半部灰白色;亚基线、内线和外线为黑褐色双道,中室后有 1 条黑色线连接内、外两线;亚缘线灰色,波浪线;缘线黑色。后翅灰褐色;横脉纹和外线褐色,不太明显。

采集记录:1♂,周至沙梁子,961m,2007. Ⅴ. 24,史宏亮采;1♂,佛坪龙草坪,1200m,2008. Ⅶ. 03,白明采;1♂,柞水营盘镇老林村,1050m,2007. Ⅵ. 02,崔俊芝采。

分布:陕西(周至、佛坪、柞水)、黑龙江、吉林、辽宁、内蒙古、北京、河北、山东、河南、安徽、湖北、江西、湖南、福建、四川、云南;俄罗斯,朝鲜,日本。

寄主:栎,杨,锻,重阳木,刺槐,枫香,相思,木荷,马尾松等。

(7)瑞丽毒蛾 *Calliteara strigata* (Moore, 1879)(图版 35:11,12)

Dasychira strigata Moore, 1879a, *in* Hewitson & Moore: 58.

Dasychira niveosparsa Butler, 1879: 59, pl. 91, fig. 7.

Calliteara strigata: Holloway, 1982, *in* Barlow: 224.

鉴别特征:雄性前翅长 26~31mm,雌性前翅长 35~39mm。前翅棕铁灰色,亚基线角状曲;内线和外线为褐色双线,锯齿形;在中室末端有 1 条围黑褐色边的肾形纹。后翅褐色,后缘橙黄色;中室末端有 1 个浅黑色斑点;外带和缘线灰褐色。

采集记录:1♀,周至厚畛子,1300m,2008. Ⅵ. 29,杨干燕采;1♂,宁陕火地塘,1500~2000m,2008. Ⅶ. 08,白明采。

分布:陕西(周至、太白、宁陕)、湖北、湖南、福建、广西、云南、西藏;印度。

2. 茸毒蛾属 *Dasychira* Hübner, 1809

Dasychira Hübner, 1809: 178. **Type species**: *Dasychira tephra* Hübner, 1809.

属征:下唇须向前平伸,第2节被长毛,第3节小。足被长毛,后足胫节距两对,爪简单。后胸背面通常有竖立的毛丛。前翅径副室大。雄性外生殖器的钩形突基部宽,向背面隆起,通常有颚形突,抱器瓣长大于宽。

分布:东洋界,非洲界和全北界。中国已知18种,秦岭地区记录2种。

(8)白纹茸毒蛾 *Dasychira flavimacula* Moore, 1865(图版35:13)

Dasychira flavimacula Moore, 1865: 804.

鉴别特征:前翅长14~24mm。前翅黑棕色,基部有浅黑色和红棕色斑,臀角有1条白色斜纹,翅面上有3条黑色横线。后翅浅灰褐色。

采集记录:1♂,周至楼观台,680m,2008.Ⅵ.23,白明采;2♂,宁陕火地塘,1556m,2008.Ⅶ.08,刘万岗采。

分布:陕西(周至、太白、宁陕)、四川、云南、西藏;印度。

(9)环茸毒蛾 *Dasychira dudgeoni* Swinhoe, 1907(图版35:14)

Dasychira dudgeoni Swinhoe, 1907: 203.

鉴别特征:雄性前翅长17~18mm,雌性前翅长20mm。前翅深褐色至黑褐色,基部带灰红色;近基部有两个相似的红褐色环状斑;外线浅黑褐色,为1列连续的新月斑;中室末端有1条浅黑褐色横脉纹;翅外缘有两列浅色斑。后翅深灰褐色。

采集记录:1♂,佛坪,876m,2007.Ⅶ.16,杨玉霞采;1♂,佛坪长角坝,1200m,2008.Ⅶ.05,白明采。

分布:陕西(太白、佛坪)、江苏、浙江、湖北、湖南、福建、台湾、广东、海南、广西、云南;印度,印度尼西亚。

寄主:木荷,油茶,玉米。

3. 棕毒蛾属 *Ilema* Moore, 1860

Ilema Moore, 1860, *in* Horsfield & Moore: 341. **Type species**: *Melia costalis* Walker, 1855.

Melia Walker, 1855: 808(nec Bosc, 1813). **Type species**: *Melia costalis* Walker, 1855.

属征:下唇须向前平伸,较长,第 2 节被长毛,第 3 节小;足被长毛,后足胫节有两对距,爪简单。前翅径副室大,Sc 脉沿翅前缘伸出,R_1 脉起于中室前缘端半部,R_2 脉从径副室前缘伸出,R_3 脉和 R_4 脉共柄,M_1 脉从中室上角顶端分出,M_2 脉从中室横脉下段分出,M_3 脉从中室下角顶端分出,Cu_1 脉从中室后缘近 M_3 脉伸出,Cu_2 脉从中室后缘端半部伸出。后翅基室大,$Sc+R_1$ 脉在基部与中室前缘靠近,Cu_1 脉起于中室后缘近 M_3 脉伸出,Cu_2 脉起于中室后缘端半部。雄性外生殖器背兜较宽;钩形突片状或细长形;抱器瓣宽阔,抱器瓣背缘有齿状突起,腹缘内侧有骨质化突起,顶端内侧有骨质化纵片;囊形突不发达;阳茎细长,弯曲,呈针状。

生物学:本属幼虫主要危害梧桐科、马钱科、野牡丹科、樟科等多种植物。

分布:东洋界,非洲界。中国已记录 24 种,秦岭地区记录 2 种。

(10)霉棕毒蛾 *Ilema catocaloides*(**Leech, 1899**)(图版 35:15)

Mardata catocaloides Leech, 1899: 126.

Dasychira catocaloides: Strand, 1910, *in* Seitz(a): 116.

Ilema catocaloides: Zhao, 2003: 123.

鉴别特征:雄性前翅长 18mm,雌性前翅长 22mm。触角干黄褐色,栉齿褐色;下唇须暗褐色,端部和内面黄褐色。前翅内半部暗褐色,外半部黑褐色;内区、内线和外线带黄绿色;亚基线和内线黑色;中点肾形,具黑褐色边;外线黑褐色,锯齿形;亚缘线和缘线由黑褐色点组成;缘毛暗褐色,有黄绿色点。后翅黄褐色,有暗褐色纵带;前缘和外缘为黑色宽带;中点和亚缘线黑褐色;缘毛黄褐色,有黑褐色点。

采集记录:1♂,宁陕火地塘,1538m,2012. Ⅶ. 11-15,姜楠采。

分布:陕西(宁陕)、湖北、湖南、四川、云南。

(11)柔棕毒蛾 *Ilema feminula*(**Hampson, 1891**)(图版 35:16)

Mardara feminula Hampson, 1891: 58.

Ilema feminula: Schintlmeister, 1994: 118.

鉴别特征:雄性前翅长 16 ~ 18mm,雌性前翅长 19 ~ 22mm。前翅深褐色至黑褐色,具明显的黄褐色横线和暗色斑点;内线和外线呈波浪线,从前缘达后缘;中室末端有褐色斑点;亚缘线褐色,不规则形。后翅灰褐色。雌性斑纹带为紫灰色。

采集记录:1♂,佛坪龙草坪,1256m,2008. Ⅶ. 03,李文柱采;1♂,宁陕火地塘,1580 ~ 1650m,1999. Ⅵ. 26,袁德成采。

分布:陕西(佛坪、宁陕)、江苏、浙江、湖北、江西、湖南、福建、四川、云南;印度。

(12)暗棕毒蛾 *Ilema tenebrosa*(Walker, 1865)(图版 35:17)

Dasychira tenebrosa Walker, 1865: 361.

Ilema tenebrosa: Kishida, 1996: 212.

鉴别特征:雄性前翅长 19~20mm。前翅暗褐色至红褐色,横线黑褐色具紫灰色边,基线、亚基线、内线和外线波浪线;横脉纹细;外线后端外侧有 1 个黑褐色斑,亚缘线和缘线为 1 列黑褐色角形斑。后翅浅褐色。

分布:陕西(太白山)、浙江、福建、台湾、云南、西藏;印度。

4. 台毒蛾属 *Teia* Walker, 1855

Teia Walker, 1855: 803. **Type species**: *Teia anartoides* Walker, 1855.

属征:雄性触角双栉形;下唇须短小,向前平伸,被浓毛,第 2 节长,第 3 节小,微向下;复眼小,长圆形;足胫节被长毛;前翅有径副室,较小,呈菱形,前翅 Sc 脉沿翅前缘伸出,R_1 脉起于中室前缘,近中室上角,R_2 脉起于径副室前缘,近径副室顶端,R_3 脉和 R_4 脉共柄,R_3 脉和 R_4 脉近翅顶分开,R_5 脉从径副室后缘分出,M_1 脉起于中室上角顶端,M_2 脉起于中室顶端横脉下段,M_3 脉起于中室下角顶端,Cu_1 脉起于中室后缘,接近 M_3 脉,Cu_2 脉起于中室后缘端半部,2A 脉发达。后翅 $Sc+R_1$ 脉在基部与中室前缘靠近,形成基室,Rs 脉和 M_1 脉共柄,起于中室上角,M_2 脉起于中室下角上方,M_3 脉起于中室下角顶端,Cu_1 脉起于中室后缘,靠近 M_3 脉,Cu_1 脉比 M_2 脉更接近 M_3 脉,Cu_2 脉从中室后缘近 1/2 处伸出。本属雌雄异形显著,一些种类雌性无翅。雄性外生殖器钩形突复杂,呈盔帽状、扳手状(侧面观),强烈弯曲,其背中央有时有沟或脊,末端通常分裂成两个小齿;颚形突发达,从中央纵分成两叶,钩形突和颚形突相对,外观呈花冠形;抱器瓣简单,完整,无明显的抱器侧突;阳茎较长且直。

分布:古北界,东洋界,非洲界。中国已记录 9 种,秦岭地区记录 4 种。

(13)平纹台毒蛾 *Teia parallela*(Gaede, 1932)(图版 35:18)

Orgyia parallela Gaede, 1932, *in* Seitz(b): 98.

Teia parallela: Chao, 1994: 94.

别名:平纹古毒蛾。

鉴别特征:雄性前翅长 10~15mm。雄性体与后翅呈黑褐色;前翅和后翅缘毛呈红褐色,前翅有两条黑色平行线,内道在中室处弯曲,然后向内直斜;前翅前缘中央灰白色;近臀角有 1 个白色斑。雌性体呈长椭圆形,被黄白色绒毛,具胸足,翅退化。

采集记录:2♂,周至厚畛子,1276m,2008. Ⅵ. 30-Ⅶ. 01,白明等采;2♂,太白黄柏塬,1980. Ⅶ. 14,韩寅恒采。

分布:陕西(周至、太白)、北京、河北、河南、甘肃、湖北、湖南、四川。

寄主:法国梧桐,重阳木,辽东栎。

(14)角斑台毒蛾 *Teia gonostigma*(**Linnaeus, 1767**)(图版 35:19)

Phalaena(*Bombyx*)*gonostigma* Linnaeus, 1767: 826.

Teia gonostigma: Riotte, 1979: 304.

别名:杨白纹毒蛾、囊尾毒蛾、角斑古毒蛾。

鉴别特征:雄性前翅长 11 ~ 17mm。雄性前翅暗黑红褐色;基部有 1 个具有白色边的褐色斑;内线和外线为黑褐色;横脉纹有白色边;外线前缘外侧有 1 个橙黄色斑;亚缘线白色,不完整,在前缘和臀角处各形成 1 个白斑。后翅黑褐色。雌性体被灰白色或淡黄色绒毛,翅退化,仅留翅痕迹。

采集记录:1♂,太白黄柏塬,1980. Ⅶ. 16,韩寅恒采。

分布:陕西(太白)、黑龙江、吉林、辽宁、内蒙古、北京、河北、山西、山东、河南、宁夏、甘肃、江苏、浙江、湖北、湖南、贵州;朝鲜,日本,欧洲。

寄主:苹果,梨,桃,杏,山楂,花揪,悬铃木,柳,榆,杨,榉,鹅耳枥,桤木,山毛榉,栎,蔷薇,悬钩子,榛,泡桐,樱桃,花椒,落叶松等。

(15)灰斑台毒蛾 *Teia ericae*(**Germar, 1818**)(图版 35:20,21)

Teia ericae Germar, 1818: 17.

Teia ericae: Riotte, 1979: 304.

鉴别特征:雄性前翅长 9 ~ 14mm。雄性前翅赭褐色,有两条明显的褐色线;横脉纹为新月形,围紫灰色边;在中部前缘有 1 个近三角形的紫灰色斑;近臀角处有 1 个灰白色斑。本种雄性体色变化很大。雌性无翅。

分布:陕西(太白)、黑龙江、辽宁、河北、宁夏、甘肃、青海;欧洲。

寄主:柳,杨,杨梅,山毛榉,栎,鼠李,蔷薇,杜鹃,柽柳,沙枣,花棒,沙冬青和豆类等。

5. 肾毒蛾属 *Cifuna* Walker, 1855

Cifuna Walker, 1855: 1172. **Type species**: *Cifuna locuples* Walker, 1855.

Artaxa Bremer, 1861: 479. **Type species**: *Artaxa guttata* Walker, 1855.

Baryaza Moore, 1879a, *in* Hewitson & Moore: 45. **Type species**: *Baryaza cervina* Moore, 1879.

Orgyia Oberthür, 1884b: 13. **Type species**: *Phalaena antiqua* Linnaeus, 1758.

Porthetria Butler, 1885: 118. **Type species**: *Phalaena dispar* Linnaeus, 1758.

属征:下唇须向前伸,较长,第2节被长毛,第3节小;足被长毛,后足胫节有两对距,爪腹面有齿;头部和胸部被长毛;前翅短宽,外缘较平直,径副室大,近菱形,R_1脉起于中室前缘端部的1/4,R_2脉起于径副室前缘,R_3脉和R_4脉共柄长,两脉在近翅顶分开,R_3脉、R_4脉和R_5脉共同起于径副室顶端,M_1脉起于中室上角(位于径副室后缘中央);后翅基室较大,Rs脉和M_1脉起于中室上角,M_2脉同起于中室下角或共柄,Cu_2脉起于中室后缘。雄性外生殖器钩形突结构复杂,背面有钩纹;抱器瓣基部具硬化的叶片,其上有刺和复杂的突起,瓣背缘有突起。

分布:亚洲(东南部),非洲。中国已记录4种,秦岭地区记录1种。

(16)肾毒蛾 *Cifuna locuples* Walker, 1855(图版35:22)

Cifuna locuples Walker, 1855: 113.

别名:豆毒蛾。

鉴别特征:雄性前翅长14~19mm,雌性前翅长20~24mm。前翅内区前半部褐色,散布白色鳞片,后半部黄褐色;内线为1条褐色宽带,带内侧衬白色细线;横脉纹肾形,黄褐色,围深褐色边;外线深褐色,微向外弯曲;中区前半段黄褐色,后半段褐色布白鳞;亚缘线深褐色,在R_5脉与Cu_1脉处外凸;外线与亚缘线间黄褐色,前端色浅;缘线深褐色衬白色,在臀角处内凹。后翅淡黄色带褐色,横脉纹、缘线色较暗。雌性比雄性色暗。

采集记录:1♂,周至老县城,1670~1780m,2008.Ⅵ.30,白明采。

分布:陕西(周至)、黑龙江、吉林、辽宁、内蒙古、河北、山西、山东、河南、宁夏、甘肃、青海、江苏、安徽、浙江、湖北、江西、湖南、福建、广东、广西、四川、贵州、云南、西藏;俄罗斯,朝鲜,日本,越南,印度。

寄主:大豆,小豆,绿豆,芦苇,苜蓿,棉花,紫藤,樱桃,海棠,柿,柳,榉,榆,茶等。

6. 素毒蛾属 *Laelia* Stephens, 1827

Laelia Stephens, 1827: 52. **Type species**: *Bombyx coenosa* Hübner, 1808.

Anthora Walker, 1855: 801. **Type species**: *Anthora subrosea* Walker, 1855.

Repena Walker, 1855: 799. **Type species**: *Repena cervina* Walker, 1855.

Harapa Moore, 1879a, *in* Hewitson & Moore: 47. **Type species**: *Harapa testacea* Moore, 1879.

Hondella Moore, 1883: 144. **Type species**: *Ptilomacra juvenis* Walker, 1855.

属征:下唇须细长,向前伸或微向下垂,第2节被浓毛,第3节较长。前翅比色毒蛾属窄长,径副室不大,R_1 脉起于中室前缘,R_2 脉起于径副室前缘,R_3 脉和 R_4 脉共柄,R_5 脉游离,R_3 脉、R_4 脉与 R_5 脉同起于径副室顶端,M_1 脉起于中室上角,M_2脉起于中室下角上方,M_3 脉起于中室下角,Cu_1 脉起于中室下角下方,Cu_2 脉起于中室后缘;后翅基室窄长,Rs 脉和 M_1 脉共柄,起于中室上角,M_2 脉起于中室下角上方,M_3 脉起于中室下角,Cu_1 脉起于中室下角稍下方,Cu_2 脉起于中室后缘。雄性外生殖器的钩形突粗钩形,囊形突不发达,抱器瓣简单,阳茎端具齿或刺。

分布:古北界,东洋界和非洲界。中国已记录 8 种,秦岭地区记录 2 种。

(17)素毒蛾 *Laelia coenosa* (Hübner, 1804)(图版 35:23)

Bombyx coenosa Hübner, 1804: 120.
Laelia brevicornis Walker, 1858: 1729.
Laelia sangaica Moore, 1877a: 92.
Laelia formosana Matsumura, 1931: 710.
Laelia coenosia Matsumura, 1933a: 132.
Laelia coenosa: Kirby, 1892: 459.

鉴别特征:雄性前翅长 12 ~ 17mm,雌性前翅长 16 ~ 22mm。前翅黄白色,脉间布烟黄色鳞;在亚缘区脉间(从 R_5 脉至 A 脉间)有 1 列黑色点,前 5 个点与翅外缘近平行,后两个点与翅后缘近平行。后翅黄白色。雌性色淡,前翅脉间黑色点不显著或消失。

分布:陕西(太白)、黑龙江、吉林、辽宁、内蒙古、河北、山西、山东、河南、江苏、安徽、浙江、湖北、江西、湖南、福建、台湾、广东、广西、云南;俄罗斯,朝鲜,日本,越南,欧洲。

寄主:水稻,芦苇,荻,牧草,杨,榆,桂,葵。

(18)竹素毒蛾 *Laelia pantana* Collenette, 1938(图版 35:24)

Laelia pantana Collenette, 1938: 216.

鉴别特征:前翅长 17 ~ 20mm。雄性前翅赭色,在中室区及其以下的后缘区混有白粉黄色,翅外缘亚缘区脉间有 6 ~ 7 个暗褐色点,排成 1 行,前 4 个横向排,后两个纵向排。后翅白色。雌性前翅和后翅白色,翅脉上鳞片稀薄。

采集记录:1♂(Paratype), S. Shensi, Taipai Shan im Tsinling, 1936. Ⅶ. 24, coll. Höne(ZFMK)。

分布:陕西(太白)、甘肃、四川。

7. 斜带毒蛾属 *Numenes* Walker, 1855

Numenes Walker, 1855: 662. **Type species**: *Numenes siletti* Walker, 1855.

Aroa Walker, 1855: 780(key), 791. **Type species**: *Aroa discalis* Walker, 1855.

Pseudomesa Walker, 1855: 923. **Type species**: *Pseudomesa quadriplagiata* Walker, 1855.

Heteronygmia Holland, 1893: 416. **Type species**: *Heteronygmia rhodapicata* Holland, 1893.

Dasycampa Janse, 1915: 25(nec Guenée, 1837). **Type species**: *Dasycampa ianthina* Janse, 1915.

Hemerophanes Collenette, 1953: 571. **Type species**: *Dasycampa ianthina* Janse, 1915.

属征:下唇须斜向上达头顶,第1、2节被浓毛;后足胫节具两对距。前翅顶角尖,具径副室,R_1 脉从中室前缘伸出,R_2 脉从径副室前缘端部伸出,R_3 与 R_4 脉共柄,R_3、R_4 脉和 R_5 脉同起于径副室顶端,M_1 脉从中室上角伸出,M_2 脉从中室下角上方分出,M_3 脉起于中室下角,Cu_1 脉、Cu_2 脉从中室下角下方伸出。后翅 Rs 脉和 M_1 脉从中室上角伸出,M_2 脉从中室下角上方伸出,M_3 脉和 Cu_1 脉从中室下角伸出,Cu_2 脉从中室后缘伸出。本属蛾类是毒蛾科具有观赏价值的一个类群。它不仅具有鲜艳的色彩和醒目的斑纹,而且大多数种类雌雄异形明显。区别于毒蛾科其他属种的雌雄异形,本属雌性色彩较雄性更为丰富,斑纹更为清晰。

分布:亚洲,非洲。全世界已知有15种,我国分布有8种,秦岭地区记录2种。

(19)叉斜带毒蛾 *Numenes separata* Leech, 1890(图版35:25,26)

Numenes disparilis var. *separata* Leech, 1890: 112.

Numenes separate: Swinhoe, 1923: 82.

鉴别特征:雄性前翅长24~28mm,雌性前翅长27~29mm。雄性与白斜带毒蛾 *N. albofascia*(Leech)相似,但本种前翅具黄白色"Y"形带,通向翅顶的带较纤细,从前缘到臀角的带较宽,两带在 M_2 脉与 M_3 脉间汇合;雌性与白斜带毒蛾的雌性相似,但前翅亚端带明显向内弯成拱形。本种前翅和后翅均较白斜带毒蛾、黄斜带毒蛾、台湾斜带毒蛾的前翅和后翅圆钝。

采集记录:1♂,周至楼观台,680m,2008.Ⅵ.24,白明采;1♀,周至厚畛子,1300m,2007.Ⅷ.10,杨干燕采;1♂,留坝庙台子,1470m,1993.Ⅶ。

分布:陕西(周至、留坝)、河南、甘肃、湖北、广西、四川。

(20)白斜带毒蛾 *Numenes albofascia*(Leech, 1888)(图版35:27,28)

Lymantria albofascia Leech, 1888: 629.

Numenes albofascia: Inoue, 1975: 377.

鉴别特征:雄性前翅长 22 ~ 26mm,雌性前翅长 31 ~ 35mm。前翅有如天鹅绒样黑色,从前缘近基部 2/3 处起通向臀角有 1 条黄白色或白色斜宽带。后翅黑色。雌性腹部橙黄色。亚基线为黄白色带,其带前半部较宽,后半部较窄,内带、外带分别在 M_2-Cu_2 脉与亚端带汇合成 1 条带后,斜至臀角,外观呈三叉形黄白色带,内带和外带较直,亚端带从顶角至臀角弯成弓形。后翅橙黄色,亚缘区有两个天鹅绒样黑斑,1 个斑较小,在 Rs 脉和 M_2 脉间呈肾形;另一个斑较大,在 Cu_1 脉与 A 脉间近多边形。

采集记录:1♂,周至厚畛子,1300m,2007. Ⅷ. 11,李文柱采。

分布:陕西(周至)、河南、甘肃、浙江、湖北、湖南、福建、云南;朝鲜,日本。

8. 点足毒蛾属 *Redoa* Walker, 1855

Redoa Walker, 1855: 826. **Type species**: *Redoa submarginata* Walker, 1855.

Cypra Saalmüller, 1878: 92(nec Boisduval, 1832). **Type species**: *Cypra marginepunctata* Saalmüller, 1878.

Scaphocera Saalmüller, 1884: 181. **Type species**: *Cypra marginepunctata* Saalmüller, 1878.

属征:下唇须向上;后足胫节有两对距,爪弯曲,腹面有齿。前翅有径副室,窄长,R_1 脉与 R_2 脉分别起于中室前缘,R_3 脉、R_4 脉和 R_5 脉共柄,R_3 脉比 R_5 脉远离中室,R_2 脉在 R_5 脉前方与 R_3 脉、R_4 脉并接一段距离后分开,M_1 脉起于中室上角,M_2 脉从中室下角上方分出,M_3 脉从中室下角顶端分出,Cu_1 脉从中室下角下方分出,比 M_2 脉接近 M_3 脉,Cu_2 脉从中室后缘分出。后翅中室长约为翅长 1/2,Rs 与 M_1 脉同起于中室上角,M_2 脉起于中室下角上方,M_3 脉起于中室下角顶端,Cu_1 脉接近中室下角分出,Cu_2 脉从中室后缘分出。

分布:古北界,东洋界,非洲界。中国记录 11 种,秦岭地区记录 1 种。

(21) 鹅点足毒蛾 *Redoa anser* Collenette, 1938(图版 36:1)

Redoa anser Collenette, 1938: 212.

鉴别特征:雄性前翅长 21 ~ 24mm。前翅白色,基部和前缘略带黄褐色;横脉纹中央有 1 个圆形的黑褐色斑。后翅白色。

采集记录:1♂1♀,太白山,1700m,1993. Ⅵ. 27(未找到标本);1♂, S. Shensi, Taipai Shan im Tsinling, 1700m, 1936. Ⅷ. 13, coll. Höne(ZFMK)。

分布:陕西(太白山)、浙江、湖北、江西、湖南、福建、四川。

(二)毒蛾亚科 Lymantriinae

鉴别特征:本亚科成虫前翅无径副室,幼虫腹部前几节通常无横向背毛刷。

分类:陕西秦岭地区分布6属28种。

9. 毒蛾属 *Lymantria* Hübner, 1819

Lymantria Hübner, 1819: 160. **Type species**: *Phalaena monacha* Linnaeus, 1758.

Enome Walker, 1855: 883. **Type species**: *Enome ampla* Walker, 1855.

Palasea Wallengren, 1865: 35. **Type species**: *Palasea albimacula* Wallengren, 1863.

Barhona Moore, 1879a, *in* Hewitson & Moore: 55. **Type species**: *Barhona carneola* Moore, 1879.

属征:触角双栉形,雄性栉齿比雌性长;下唇须向前平伸,第2节长,第3节短小;后足胫节有两对距,爪简单。前翅无径副室,Sc脉沿翅前缘伸出,R_1 脉起于径副室前缘,R_2 脉、R_3 脉、R_4 脉和 R_5 脉共柄,R_2 脉比 R_5 脉近中室分出,M_1 脉起于中室上角,M_2 脉起于中室横脉下段,接近 M_3 脉,M_3 脉起于中室下角,Cu_1 脉起于中室后缘,接近 M_3 脉,Cu_2 脉起于中室后缘端半部;2A脉沿翅后缘伸出。后翅 $Sc+R_1$ 脉在基部与中室前缘接触,形成基室,Rs和 M_1 脉起于中室上角,M_2 脉起于中室下角上方,M_3 脉起于中室下角,Cu_1 脉起于中室后缘,近 M_3 脉,Cu_2 脉起于中室后缘,2A脉和3A脉发达。雄性外生殖器背兜较宽,钩形突简单,呈钩状;抱器瓣复杂,通常具抱器背侧突;囊形突发达,呈三角状。

分布:古北界,东洋界,非洲界,澳洲界,新北界。中国已记录31种,秦岭地区记录有9种。

(22)络毒蛾 *Lymantria concolor* Walker, 1855(图版36:2)

Lymantria concolor Walker, 1855: 876.

鉴别特征:雄性前翅长20~27mm,雌性前翅长29~34mm。前翅黄白色,基部有7个黑色斑,横线和斑纹黑色。后翅黄白色,翅后缘黑褐色。雌性后翅 Cu_2 脉端部后方有1条褐色条纹。

采集记录:1♂1♀,周至厚畛子,1300m,2007.Ⅷ.10,李文柱采;1♂,宁陕火地塘,1998.Ⅷ.21。

分布:陕西(周至、宁陕)、浙江、湖南、四川、云南、西藏;越南,印度。

(23)模毒蛾 *Lymantria monacha* (Linnaeus, 1758)(图版36:3)

Phalaena (*Bombyx*) *monacha* Linnaeus, 1758: 501.

Noctua heteroclita Müller, 1764: 47.

Lymantria monacha: Krulikovsky, 1908: 218.

别名:松针毒蛾、僧尼毒蛾、油杉毒蛾。

鉴别特征:雄性前翅长19~22mm,雌性前翅长24~31mm。前翅白色;基部有7个黑褐色斑;横线黑褐色:内线波浪形;中室中央有1个黑褐色圆点;横脉纹黑褐色,新月形;外线为双线,锯齿形内斜;亚缘线锯齿形;缘线为1列黑褐色点;缘毛灰白色,上有1列黑褐色斑。后翅灰色,横线不清晰。雌性与雄性相似,但雌性后翅亚缘线较清晰。

采集记录:1♀,周至钓鱼台,1480m,2008.Ⅵ.29,李文柱采;1♂1♀,宁陕旬阳坝,1980.Ⅶ.27;1♀,宁陕火地塘,1550m,2008.Ⅶ.09,刘万岗采。

分布:陕西(周至、宁陕)、黑龙江、吉林、辽宁、河北、山西、山东、河南、甘肃、浙江;日本,欧洲。

寄主:油杉,黄杉,云杉,冷杉,铁杉,赤松,华山松,云南松,落叶松,麻栎,千金榆,水青冈,椴,槭,桦木,柳,山杨,山榆,花楸,苹果,杏,榛等。

(24)栎毒蛾 *Lymantria mathura* Moore, 1865(图版36:4)

Lymantria mathura Moore, 1865: 85.

Lymantria aurora Swinhoe, 1903: 488.

别名:苹叶波纹毒蛾、栎舞毒蛾。

鉴别特征:雄性前翅长24mm,雌性前翅长39mm。雄性前翅灰白色,密布暗色鳞片;斑纹黑褐色,翅脉白色;亚基线黑褐色,内线在中部外弓;中室中央有1个圆斑;横脉纹黑褐色;中线为锯齿形宽带;外线由1列新月形斑组成,从前缘微外斜至Cu_2脉后,内弯抵后缘;亚缘线由1列新月形斑组成,止于2A脉;缘线由1列嵌在脉间的小点组成;缘毛灰白色,脉间褐色。后翅暗橙黄色,横脉纹褐色;亚缘线为1条褐色斑状带。雌性灰白色;前翅亚基线黑色,前方后缘有粉红色和黑色斑;内线深褐色,锯齿形,后缘微外斜;中线深褐色,波浪形,在前缘形成1个深褐色半圆形环,在2A脉后内弯,与内线接近;横脉纹深褐色;外线深褐色,锯齿形,在前缘和后缘清晰;亚缘线由1列新月形斑组成,止于2A脉;缘线由1列嵌在脉间的小点组成;缘毛粉红色,脉间深褐色;翅前缘和后缘的边缘粉红色。后翅浅粉红色;横脉纹灰褐色;亚缘线由1列灰褐色斑组成;缘线由1列灰褐色点组成。

采集记录:1♂,佛坪龙草坪,1256m,2008.Ⅶ.03,刘万岗采;2♂,宁陕火地塘,1998.Ⅷ.21;1♂,宁陕火地塘,1550m,2008.Ⅶ.08,刘万岗采。

分布:陕西(佛坪、宁陕)、黑龙江、吉林、辽宁、河北、山西、山东、河南、甘肃、江苏、浙江、湖南、湖北、广东、四川、云南;朝鲜,日本,印度。

寄主:栎,苹果,梨,栗,野漆,榉,青冈等。

(25)杧果毒蛾 *Lymantria marginata* Walker, 1855(图版36:5,6)

Lymantria marginata Walker, 1855: 877.

Lymantria pusilla C. Felder & R. Felder, 1868: 4.

别名:黑边花毒蛾。

鉴别特征:雄性前翅长 20mm,雌性前翅长 25mm。前翅黑褐色,斑纹黄白色,从前缘到中室有 1 块黄白色斑,其上有 1 个黑点。后翅黑褐色,翅外缘有 1 列白色斑点。雌性前翅黄白色,亚基线为 1 块黄褐色大斑;后翅白色;横脉纹黑褐色;沿翅外缘有 1 条黑褐色宽带,带内在脉间嵌有 1 列白点。

采集记录:1♀,镇安,1981. Ⅶ. 1。

分布:陕西(太白、镇安)、河南、浙江、福建、广东、广西、四川、云南;印度。

寄主:杧果。

(26)舞毒蛾 *Lymantria dispar* (Linnaeus, 1758)(图版 36:7,8)

Phalaena(*Bombyx*)*dispar* Linnaeus, 1758: 501.

Lymantria disparoides Mabille, 1876: 521.

Lymantria fumida Butler, 1877a: 402(♂).

Lymantria fasciata Rebel, 1910: 118.

Lymantria semi-pbscira Strand, 1911, *in* Seitz(a): 127.

Lymantria dispar: Spuler, 1908: 131.

别名:松针黄毒蛾、秋千毛虫、杨树毛虫、柿毛虫。

鉴别特征:雄性前翅长 19~26mm,雌性前翅长 21~36mm。雌雄异形。雄性前翅浅黄色,布褐色鳞片;斑纹黑褐色;亚基线为两个点斑;亚基线和内线波浪形;中室中央有 1 个黑点;横脉纹黑褐色;中线为晕带;外线锯齿形折曲;亚缘线与外线平行;亚缘线以外底色较浅;缘线为 1 条黑褐色细线。后翅黄褐色,横脉纹和外缘色暗。雌性黄白色微带褐色,具黑褐色斑纹,斑纹走向同雄性。后翅白色;横脉纹褐色,亚缘线为 1 条褐色带。

采集记录:1♂,宁陕火地塘,1998. Ⅷ. 21;宁陕火地塘,1550m,1♂1♀,2008. Ⅶ. 08,刘万岗采。

分布:陕西(宁陕)、黑龙江、吉林、辽宁、内蒙古、河北、山西、山东、河南、宁夏、甘肃、青海、新疆、湖北、湖南;朝鲜,日本,欧洲。

寄主:栎,柞,槭,椴,鹅耳枥,黄檀,山毛榉,核桃,山杨,柳,桦木,榆,鼠李,苹果,樱桃,山楂,柿,桑,红松,樟子松,云杉,水稻和麦类等 500 余种。

(27)扇纹毒蛾 *Lymantria minomonis* Matsumura, 1933(图版 36:9)

Lymantria minomonis Matsumura, 1933a: 137.

鉴别特征:雄性前翅长 15~18mm。前翅灰白色,具暗褐色斑纹;亚缘线十分显著。

后翅白色,亚缘线较宽。

采集记录:1♂,眉县,1500m,1980. Ⅷ. 15;1♂,宁陕火地塘,1998. Ⅷ. 21。

分布:陕西(眉县、宁陕)、江苏、浙江、湖北、江西、湖南、福建、台湾、广西;日本。

(28)灰毒蛾秦岭亚种 *Lymantria grisescens goergeneri* Schintlmeister, 2004(图版36:10)

Lymantria grisescens goergeneri Schintlmeister, 2004: 167, pl. 185.

鉴别特征:前翅底色灰褐色,混有黑色鳞片,基部常布满淡黑色。雄性外生殖器的抱器瓣背臂比其他亚种长。

采集记录:1♂,留坝庙台子,1998. Ⅶ. 21。

分布:陕西(留坝)、北京。

(29)虹毒蛾 *Lymantria serva* (Fabricius, 1793)(图版36:11)

Bombyx serva Fabricius, 1793: 474.
Lymantria serva: Swinhoe, 1923: 427.

鉴别特征:雄性前翅长15~18mm,雌性前翅长26~32mm。前翅暗褐色,有灰白色斑纹,其上散布褐色鳞片,各横线不清晰,呈斑点状;中室末端具3个黑点。后翅浅灰褐色,翅外缘区浅黑色。

采集记录:1♂,太白山,1980. Ⅶ. 16,韩寅恒采。

分布:陕西(太白山)、湖北、江西、湖南、福建、台湾、广东、广西、四川、云南;印度,菲律宾,马来西亚。

寄主:榕树。

(30)纭毒蛾秦岭亚种 *Lymantria similis monachoides* Schintlmeister, 2004(图版36:12)

Lymantria similis monachoides Schintlmeister, 2004: 84, pl. 96.

鉴别特征:前翅长比指名亚种短1.00~1.50mm。触角黑褐色。前翅白色,浅黑色的斑纹较指名亚种明显。指名亚种触角淡褐色,前翅乳白色。

采集记录:1♀,佛坪,800~900m,2007. Ⅷ. 15,李文柱采;1♀,2008. Ⅶ. 06,白明采。

分布:陕西(太白、佛坪,大巴山)、四川。

10. 白毒蛾属 *Arctornis* Germar, 1810

Arctornis Germar, 1810: 18. **Type species**: *Bombyx v-nigrum* Fabricius, 1775.

属征:下唇须前伸,较短,第 3 节极小;额光滑;第 1 跗节与其余 4 节之和几乎等长,后足胫节有两对距,爪弯曲,腹面有宽齿。前翅 Sc 脉沿翅前缘伸出,R_1 脉与 R_2 脉分别从中室前缘分出,R_3 脉、R_4 脉与 R_5 脉共柄,从中室上角顶端分出,M_1 脉起于中室横脉上端,M_2 脉从中室下角上方分出,M_3 脉从中室下角端顶分出,Cu_1 脉接近 M_3 脉,从中室后缘分出,Cu_2 脉从中室后缘中央分出,2A 脉发达。后翅 Sc + R_1 脉在翅基部与中室前缘接近,形成大的基室,但不闭锁,Rs 脉与 M_1 脉从中室上角同一点分出或有 1 个极短的共柄,M_2 脉从中室下角上方分出,M_3 脉从中室下角顶端分出,Cu_1 脉从中室后缘分出,M_2 脉与 M_3 脉的距离略等于 M_3 脉与 Cu_1 脉分出的距离,Cu_2 脉从中室后缘近中央分出,2A 脉、3A 脉存在。

生物学:本属幼虫主要危害壳斗科、蔷薇科、桦木科、榆科、杨柳科、豆科。

分布:古北界,东洋界。中国已知有 11 种,秦岭地区记录 2 种。

(31)茶白毒蛾 *Arctornis alba* (Bremer, 1861)(图版 36:13)

Aroa alba Bremer, 1861: 478.

Redoa sinensis Moore, 1877a: 92.

Arctornis alba: Strand, 1910, *in* Seitz(a): 123.

别名:茶叶白毒蛾、白毒蛾。

鉴别特征:雄性前翅长 15 ~ 17mm,雌性前翅长 19 ~ 21mm。前翅白色,有光泽;横脉纹为赭黑色圆点。后翅白色。前、后翅反面白色,翅基部和前缘微带黄色。

采集记录:2♂,柞水县营盘镇老林村,1050m,2007. Ⅵ. 02-03,崔俊芝等采。

分布:陕西(宁陕、柞水)、黑龙江、吉林、辽宁、河北、山东、河南、江苏、安徽、浙江、湖北、江西、湖南、福建、台湾、广东、广西、四川、贵州、云南;俄罗斯,朝鲜,日本。

寄主:茶,油茶,柞,蒙古栎,榛。

(32)雪白毒蛾 *Arctornis nivea* Chao, 1987(图版 36:14)

Arctornis nivea Chao, 1987: 149.

鉴别特征:雄性前翅长 16 ~ 19mm,雌性前翅长 21 ~ 24mm。头部、胸部和腹部白色。前翅和后翅白色,无斑纹;雄性外生殖器钩形突顶端膨大,中央纵向凹陷,其上散布小刺。

采集记录:2♂2♀,柞水县营盘镇老林村,1050m,2007. Ⅵ. 02-03,李文柱等采。

分布:陕西(柞水)、北京、河南。

11. 雪毒蛾属 *Leucoma* Hübner, 1822

Leucoma Hübner, 1822: 14-16, 18, 19. **Type species**: *Phalaena salicis* Linnaeus, 1758.

Laria Schrank, 1802: 150(nec Scopoli, 1763). **Type species**: *Phalaena salicis* Linnaeus, 1758.

Stilpnotia Westwood, 1843, *in* Humphreys & Westwood: 90. **Type species**: *Phalaena salicis* Linnaeus, 1758.

Leucosia Rambur, 1866: 266. **Type species**: *Phalaena salicis* Linnaeus, 1758.

Nymphyxis Grote, 1895d: 4. **Type species**: *Phalaena salicis* Linnaeus, 1758.

属征:下唇须细长,弯曲,向前伸;后足胫节有1对距,爪简单。前翅无径副室,Sc脉沿翅前缘伸出,R_1 脉和 R_2 脉分别起于中室前缘,R_2 脉接近中室上角分出,R_3 脉、R_4 脉和 R_5 脉共柄,起于中室上角,R_5 脉比 R_3 脉接近中室分出,M_1 脉起于中室上角,M_2 脉和 M_3 脉接近,从中室下角分出,Cu_1 脉和 Cu_2 脉分别起于中室后缘,Cu_1 脉比 M_2 脉远离 M_3 脉,2A脉发达。后翅 $Su+R_1$ 脉在翅基部向中室前缘靠近,形成基室,基室不闭锁,Rs脉与 M_1 脉共柄长,Mz脉和屿脉基部靠近,Cu_1 脉和 Cu_2 脉起于中室后缘,2A脉比3A脉短;中室末端横脉呈直角形。雄性外生殖器钩形突发达,基部两侧凸出,抱器瓣弯曲,结构通常复杂。

分布:古北界,东洋界,新北界。中国已记录11种,秦岭地区记录1种。

(33)杨雪毒蛾 *Leucoma candida*(**Staudinger, 1892**)(图版36:15)

Stilpnotia candida Staudinger, 1892a: 308.

Liparis salicis Bremer, 1864: 41.

Leucoma candida: Kozhanchikov, 1950: 345.

别名:柳毒蛾。

鉴别特征:雄性前翅长15~18mm,雌性前翅长21~29mm。下唇须黑色;体白色;前、后翅白色,有光泽,鳞片宽且排列紧密,不透明。雄性外生殖器的抱器瓣边缘有许多齿状突起。

采集记录:1♂,太白山,1980. Ⅶ. 18。

分布:陕西(太白山)、黑龙江、吉林、辽宁、河北、山西、山东、河南、甘肃、青海、江苏、安徽、浙江、湖北、江西、湖南、福建、四川、云南;俄罗斯,朝鲜,日本。

寄主:杨,柳。

12. 黄足毒蛾属 *Ivela* Swinhoe, 1903

Ivela Swinhoe, 1903: 388. **Type species**: *Leucoma auripes* Butler, 1877.

属征:下唇须细弱向前,第 3 节微小;后足胫节有 1 对距,前足跗节第 1 节短于胫节,爪腹面有齿。翅面宽,被鳞片,翅基部有少量毛;前翅无径副室,Sc 脉沿翅前缘伸出,R_1 脉、R_2 脉起于中室前缘,R_3 脉、R_4 脉和 R_5 脉共柄,共柄长,起于中室上角,R_5 脉比 R_3 脉接近中室,M_1 脉起于中室下角,Cu_1 脉和 Cu_2 脉同起于中室后缘,2A 脉发达;后翅 $Sc+R_1$ 脉沿翅前缘伸出,基室窄长,Rs 脉与 M_1 脉起于中室上角,M_2 脉接近中室横脉下端分出,M_3 脉起于中室下角,Cu_1 脉和 Cu_2 脉起于中室后缘,2A 脉和 3A 脉发达。雄性外生殖器钩形突基部宽,末端细;瓣圆形或长圆形,内面有复杂突起,上有刚毛和刺。

分布:本属为亚洲地区特有,分布范围较窄,除中国外,只限于日本、朝鲜、菲律宾及俄罗斯的远东地区。全世界已记载 4 种,中国有 3 种,秦岭地区记录 2 种。

(34)黄足毒蛾 *Ivela auripes* (**Butler, 1877**)(图版 36:16)

Leucoma auripes Butler, 1877a: 402.
Sitivia denulata Swinhoe, 1892: 202.
Ivela auripes: Strand, 1910, *in* Seitz(a): 124.

鉴别特征:雄性前翅长 21~24mm,雌性前翅长 24~30mm。下唇须白色,有黑点;前翅灰白色,半透明,有闪光鳞片;后翅灰白色。

分布:陕西(太白山)、浙江、湖北、江西、湖南、福建、四川;朝鲜,日本。

(35)榆黄足毒蛾 *Ivela ochropoda* (**Eversmann, 1847**)(图版 36:17)

Stilpnotia ochropoda Eversmann, 1847: 76.
Ivela ochropoda: Kozhanchikov, 1950: 338.

别名:榆毒蛾。

鉴别特征:雄性前翅长 11~14mm,雌性前翅长 15~19mm。触角干白色,栉齿黑色;下唇须鲜黄色;体白色;足白色,前足腿节端半部、胫节和跗节鲜黄色,中足和后足胫节端半部和跗节鲜黄色;前、后翅白色。

采集记录:1♂,太白山,1980. Ⅶ. 18。

分布:陕西(太白山)、黑龙江、吉林、辽宁、内蒙古、河北、山西、山东、河南;俄罗斯,朝鲜,日本。

寄主:榆。

13. 柏毒蛾属 *Parocneria* Dyar, 1897

Parocneria Dyar, 1897: 13. **Type species**: *Bombyx detrita* Esper, 1785.

属征:雄性触角长双栉形,雌性短栉齿状,栉齿上被细毛;下唇须细长,向前平伸,第3节是第2节长度的1/3;足被少量长毛,前足前胫突与胫节近等长,后足胫节有1对距。前翅无径副室,Sc脉沿翅前缘伸出,R_1 脉起于中室前缘端半部,R_2 脉、R_3 脉、R_4 脉和 R_5 脉共柄,R_2 脉在距中室顶端径干1/7处分出,R_5 脉距中室顶端径干近1/2处分出,R_3 脉和 R_4 脉在亚顶区分开,M_1 脉起于中室横脉上端,接近径脉时分出,M_2 脉起于中室横脉下端,接近 M_3 脉分出,M_3 脉起于中室下角顶端,Cu_1 脉起于中室后缘,接近 M_3 脉,Cu_2 脉起于中室后缘,2A脉发达,沿翅后缘伸出。后翅 $Sc+R_1$ 脉沿翅前缘伸出,与中室前缘基部靠近,形成开放基室,基室披针形,Rs脉起于中室上角顶端,M_1 脉起于中室横脉上端,接近Rs脉,M_2 脉起于中室横脉下端,M_3 脉起于中室下角,Cu_1 脉起于中室下角稍后,M_2 脉与 M_3 脉比 M_3 脉与 Cu_1 脉在中室横脉上的间距长,Cu_2 脉起于中室后缘,2A脉和3A脉游离,发达。雄性外生殖器的钩形突尖锐,瓣结构复杂。

分布:古北界。中国已记录2种,秦岭地区记录1种。

(36)侧柏毒蛾 *Parocneria furva*(**Leech, 1888**)(图版36:18)

Ocneria furva Leech, 1888: 631.

Parocneria furva: Inoue, 1982, *in* Inoue, *et al.*: 635.

别名:柏毛虫。

鉴别特征:雄性前翅长8~12mm,雌性前翅长9~16mm。雄性触角栉齿灰黑色;体和翅呈灰褐色;前翅斑纹黑色;后翅色稍浅,缘毛灰色。雌性色较浅,微透明,斑纹较雄性清晰。

采集记录:1♂,周至沙梁子,961m,2007. Ⅴ. 24,史宏亮采;1♀,宁陕火地塘,1500~2000m,2008. Ⅶ. 08,白明采。

分布:陕西(周至、宁陕)、黑龙江、吉林、辽宁、内蒙古、河北、山西、山东、河南、江苏、安徽、浙江、湖北、湖南;日本。

寄主:侧柏,黄桧,桧柏。

14. 黄毒蛾属 *Euproctis* Hübner, 1819

Euproctis Hübner, 1819: 159. **Type species**: *Phalaena chrysorrhoea* Linnaeus, 1758.

Porthesia Stephens, 1828: 65. **Type species**: *Phalaena chrysorrhoea* Linnaeus, 1758.

Artaxa Walker, 1855: 780(key), 794. **Type species**: *Artaxa guttata* Walker, 1855.

Dulichia Walker, 1855: 779(key), 809. **Type species**: *Dulichia fasciata* Walker, 1855.

Antipha Walker, 1855: 806. **Type species**: *Antipha costalis* Walker, 1855.

Urocoma Herrich-Schäffer, 1858: 82. **Type species**: *Porthesia limbalis* Herrich-Schäffer, 1855.

Bembina Walker, 1865: 505. **Type species**: *Bembina apicalis* Walker, 1865.

Cozola Walker, 1865: 390. **Type species**: *Cozola leucospila* Walker, 1865.

Themaca Walker, 1865: 394. **Type species**: *Themaca comparata* Walker, 1865.

Orvasca Walker, 1865: 502. **Type species**: *Orvasca subnotata* Walker, 1865.

Gogana Walker, 1866: 1920. **Type species**: *Gogana atrosquama* Walker, 1866.

Choerotricha Felder, 1874, *in* Felder & Rogenhofer: pl. 98, figs. 12-17. **Type species**: *Choerotricha glandulosa* Felder, 1874.

Tearosoma Felder, 1874, *in* Felder & Rogenhofer: pl. 100, fig. 6. **Type species**: *Tearosoma aspersum* Felder, 1874.

Chionophasma Butler, 1886b: 384. **Type species**: *Chionophasma paradoxa* Butler, 1886.

属征:下唇须细长,向前伸或微下垂,第 2 节短,第 3 节长;后足胫节有两对距,爪腹面有大齿;头部、胸部和腹部被毛,雌性腹部具臀簇。前翅无径副室,Sc 脉沿翅前缘伸出,R_1 脉从中室前缘分出,接近中室上角,R_2 脉、R_3 脉、R_4 脉和 R_5 脉共柄,共柄起于中室上角,R_2 脉从共柄 1/2 处分出,R_5 脉接近中室,从共柄 1/4 处分出,R_3 脉接近翅顶,从共柄 1/4 处分出,M_1 脉起于中室上角或上角稍后,M_2 脉起于中室横脉下端,近 M_3 脉,M_3 脉从中室下角顶端分出,Cu_1 脉从中室后缘分出,Cu_2 脉从中室后缘近端半分出,2A 脉发达。后翅 $Sc+R_1$ 脉在基部向中室前缘接近,形成开放的基室,Rs 脉与 M_1 脉共柄,M_2 脉从中室横脉下段分出,接近 M_3 脉,M_3 脉与 Cu_1 脉共柄,共柄起于中室下角顶端,Cu_2 脉从中室后缘端半部分出,2A 脉、3A 脉发达。雄性外生殖器钩形突细长,背面有些种类纵向裂开,或有纵沟,基部宽,有侧突;抱器瓣较长而且宽,有的种类有突起;囊形突发达。

分布:世界广布。中国已记录 110 余种,秦岭地区记录 13 种。

讨论:盗毒蛾属 *Porthesia* Stephens, 1828 为本属的客观次异名,原盗毒蛾属中的种类均应移入本属(薛大勇注)。

(37)豆盗毒蛾 *Euproctis piperita* (Oberthür, 1880)(图版 36:19,20)

Leucoma piperita Oberthür, 1880: 35.

Euproctis piperita: Inoue, 1982, *in* Inoue, *et al.*: 636.

别名:并点黄毒蛾。

鉴别特征:雄性前翅长 11 ~ 14mm,雌性前翅长 14 ~ 16mm。前翅和缘毛柠檬黄色,从基部到亚外缘有 1 个不规则形的褐色大斑,其上散布有黑褐色鳞,在翅顶有两个褐色小斑,后缘中央有黑色长毛。后翅浅黄色。

采集记录:1♂1♀, S. Shensi, Taipai Shan im Tsinling, 1935. Ⅵ. 21, coll. Höne(ZFMK)。

分布:陕西(太白)、黑龙江、吉林、辽宁、内蒙古、河北、山西、山东、河南、江苏、安徽、浙江、湖北、江西、湖南、福建、广东、四川;俄罗斯,朝鲜,日本。

寄主:茶,楸和豆类。

(38)双线盗毒蛾 *Euproctis scintillans* (Walker, 1856)(图版 36:21)

Somena scintillans Walker, 1856: 1734.

Euproctis moorei Snellen, 1879: 106.

Euproctis scintillans: Kishida, 1992, *in* Heppner & Inoue: 166.

别名:棕衣黄毒蛾。

鉴别特征:雄性前翅长 9~12mm,雌性前翅长 12~18mm。前翅赤褐色微带浅紫色闪光;内线和外线黄色,有的个体不清晰;外缘和缘毛黄色,部分被赤褐色部分分隔成 3 段。后翅黄色。

采集记录:1♂,宁陕火地塘,1550m,2008.Ⅶ.08,李文柱采。

分布:陕西(太白)、河南、浙江、湖南、福建、台湾、广东、广西、四川、云南;印度,缅甸,巴基斯坦,斯里兰卡,马来西亚,新加坡,印度尼西亚。

寄主:荔枝,刺槐,枫,茶,柑橘,梨,龙眼,黄檀,泡桐,枫香,栎,乌桕,蓖麻,玉米,棉花和十字花科植物。

(39)戟盗毒蛾 *Euproctis kurosawai* (Inoue, 1956)(图版 36:22)

Porthesia kurosawai Inoue, 1956c: 141-142

Euproctis kurosawai: Inoue, 1982, *in* Inoue, *et al.*: 333.

别名:黑衣黄毒蛾。

鉴别特征:雄性前翅长 9~10mm,雌性前翅长 14~15mm。前翅赤褐色布黑色鳞,外缘有两个黄色斑。后翅基部 2/3 褐色,端部黄色。

采集记录:1♀,佛坪龙草坪,1200m,2008.Ⅶ.03,白明采。

分布:陕西(佛坪)、辽宁、河北、河南、江苏、安徽、浙江、湖北、湖南、福建、台湾、广西、四川;朝鲜,日本。

寄主:刺槐,茶树,油茶树,苹果树,柑橘树。

(40)漫星黄毒蛾 *Euproctis plana* Walker, 1865(图版 36:23)

Euproctis plana Walker, 1865: 1731.

Euproctis atomaria Walker, 1855: 837.

Euproctis discinota Moore, 1877b: 601.

Nygmia muelleri Kirby, 1892: 448.

Euproctis catala Swinhoe, 1903: 416.

鉴别特征:雄性前翅长 18 ~ 23mm,雌性前翅长 26 ~ 28mm。前翅呈鲜艳的橙黄色,在中室下方和翅外缘散布深褐色鳞片;横脉纹为黑色长圆形斑。

采集记录:1♀,太白黄柏塬,1350m,1980. Ⅶ. 11,韩寅恒采(未找到标本)。

分布:陕西(太白)、湖北、江西、湖南、福建、广东、香港、澳门、海南、广西、四川、云南;印度,菲律宾,印度尼西亚。

(41)云星黄毒蛾 *Euproctis niphonis* (**Butler, 1881**)(图版 36:24,25)

Chearotricha niphonis Butler, 1881a: 9(♂).

Chearotricha squamosa Butler, 1881a: 9(♀).

Porthesia raddei Staudinger, 1892a: 207.

Euproctis niphonis: Leech, 1899: 133.

别名:黑纹毒蛾。

鉴别特征:雄性前翅长 15 ~ 17mm,雌性前翅长 17 ~ 22mm。前翅底色黄色,前缘基部黑褐色,中室后方和外方密布黑褐色鳞,形成 1 个近三角形大斑;横脉纹为黑褐色圆斑。雌性腹部金黄色,雌性前翅三角形黑褐色斑较雄性小。

采集记录:1♀,太白山,1981. Ⅷ. 19。

分布:陕西(太白山)、黑龙江、吉林、辽宁、内蒙古、河北、山西、山东、河南、浙江、湖北、江西、湖南、四川;俄罗斯,朝鲜,日本。

寄主:榛,醋栗,赤杨,白桦,蔷薇,锥栗,刺槐。

(42)叉带黄毒蛾 *Euproctis angulata* **Matsumura, 1927**(图版 36:26)

Euproctis angulata Matsumura, 1927: 40.

Euproctis sakaguchii Matsumura, 1927: 40.

鉴别特征:雄性前翅长 12 ~ 15mm,雌性前翅长 18 ~ 20mm。前翅黄色;内、外线黄白色,两线间布深褐色鳞,形成叉形带,带两侧各有 1 条深褐色带,前端不明显。

采集记录:1♂,宁陕,1620m,1979. Ⅷ. 02,韩寅恒采。

分布:陕西(宁陕)、河南、浙江、湖北、江西、湖南、福建、台湾、广东、广西、西藏。

寄主:刺槐。

(43)折带黄毒蛾 *Euproctis flava* (**Bremer, 1861**)(图版 37:1)

Aroa flava Bremer, 1861: 479.

Aroa subflava Bremer, 1864: 41, pl. 3, fig. 19.

Euproctis flava: Strand, 1910, *in* Seitz(a): 135.

别名：柿叶毒蛾、杉皮毒蛾、黄毒蛾。

鉴别特征：雄性前翅长11～15mm，雌性前翅长16～20mm。前翅黄色；内线和外线浅黄色，从前缘外斜至中室后缘，折角后内斜，两线间布深褐色鳞，形成折带；翅顶区有两个深褐色圆点。

采集记录：1♀，宁陕，2007. Ⅶ. 05。

分布：陕西（宁陕）、黑龙江、吉林、辽宁、内蒙古古、河北、山西、山东、河南、甘肃、江苏、安徽、浙江、湖北、江西、湖南、福建、广东、广西、四川、贵州、云南；俄罗斯，朝鲜，日本。

寄主：樱桃，梨，苹果，桃，梅，李，海棠，柿，蔷薇，栎，山毛榉，枇杷，石榴，茶，槭，刺槐，赤杨，紫藤，赤麻，山漆，杉，柏，松等。

（44）梯带黄毒蛾 *Euproctis montis* (Leech, 1890)（图版37：2）

Artaxa montis Leech, 1890: 111.

Euproctis montis: Strand, 1910, *in* Seitz(a): 137.

鉴别特征：雄性前翅长14～16mm，雌性前翅长19～21mm。前翅黄色，中带黑褐色，从 M_2 脉内斜到翅后缘，在脉间中断。后翅黄白色，后缘色浓。

采集记录：1♀，周至厚畛子，1276m，2008. Ⅵ. 30，崔俊芝采；1♂，太白黄柏塬，1350m，1983. Ⅷ. 03；1♂1♀，留坝，1750m，1999. Ⅶ. 01；1♀，佛坪，1750m，1999. Ⅵ. 28。

分布：陕西（周至、太白、留坝、佛坪）、甘肃、江苏、浙江、湖北、江西、湖南、福建、广东、广西、四川、云南、西藏。

（45）积带黄毒蛾 *Euproctis leucozona* Collenette, 1938（图版37：3）

Euproctis leucozona Collenette, 1938a: 214.

Euproctis leucozona Collenette, 1938b: 372.

鉴别特征：雄性前翅长14～17mm，雌性前翅长19～26mm。前翅鲜黄色，内线和外线黄白色，两线间向后渐布黄褐橄榄色鳞片，形成前宽后窄的中断。

分布：陕西（太白山）、四川、云南、西藏。

（46）云黄毒蛾 *Euproctis xuthonepha* Collenette, 1938（图版37：4）

Euproctis xuthonepha Collenette, 1938a: 214.

鉴别特征：雄性前翅长16～17mm。前翅浅橙黄色；内线呈宽带状，黄褐色或橙黄色,从亚前缘达翅后缘;外线呈宽带状,黄褐色或橙黄色,从前缘达翅后缘,两带与翅外缘近平行。

采集记录:2♂,周至厚畛子,1700m,2007. Ⅷ. 10,李文柱采。

分布:陕西(周至、太白)、北京、河北、河南、四川。

(47)幻带黄毒蛾 *Euproctis varians* (Walker, 1855)(图版 37:5)

Artaxa varians Walker, 1855: 769.
Euproctis pygmaea Moore, 1879a, *in* Hewitson & Moore: 48.
Euproctis pusilla Moore, 1883: 86.
Euproctis varians: Hampson, 1892: 475.

鉴别特征:雄性前翅长 8mm,雌性前翅长 14mm。前翅黄色,内线和外线黄白色,接近平行。后翅浅黄色。本种与 *E. flavinata*(Walker)相似,但本种个体较小,在内、外线间的区域未布暗色鳞片;在中室顶端无橙黄色点。

采集记录:1♂,太白山,3000m,1980. Ⅵ. 16。

分布:陕西(太白山)、河北、山西、山东、河南、上海、江苏、安徽、浙江、湖北、江西、湖南、福建、台湾、广东、广西、四川、云南;印度,马来西亚。

寄主:柑橘,茶,油茶。

(48)乌桕黄毒蛾 *Euproctis bipunctapex* (Hampson, 1891)(图版 37:6)

Somena bipunctapex Hampson, 1891: 57.
Euproctis bipunctapex: Hampson, 1892: 484.

别名:枇杷毒蛾、乌桕毒蛾、乌桕毒毛虫、油桐叶毒蛾。

鉴别特征:雄性前翅长 10 ~ 18mm,雌性前翅长 15 ~ 20mm。前翅底色黄色,除顶角、臀角外密布红褐色鳞和黑褐色鳞,形成 1 个红褐色区域;红褐色区域的外缘中部外凸,形成 1 个尖角;顶角黄色区域内有两个黑褐色圆斑。后翅黄色,基半部红褐色。

采集记录:1♂,太白黄柏塬,1350m,1983. Ⅷ. 03;1♀,宁陕火地塘,1500 ~ 2000m,2008. Ⅶ. 08,葛斯琴采。

分布:陕西(太白、宁陕)、河南、上海、江苏、浙江、湖北、江西、湖南、福建、台湾、广东、广西、四川、云南、西藏;印度,新加坡。

寄主:乌桕,油桐,杨,桑,女贞,茶,栎,樟,苹果,桃,柿,重阳木,柑橘,大豆,甘薯,南瓜等植物。

(49)岩黄毒蛾 *Euproctis flavotriangulata* Gaede, 1932(图版 37:7,8)

Euproctis flavotriangulata Gaede, 1932, *in* Seitz(b): 104.

鉴别特征:雄性前翅长 11~13mm,雌性前翅长 13~15mm。前翅底色黄色;有 1 个褐色不规则形大斑;在翅前缘有 1 个大的三角形黄色斑;在翅后缘中央有 1 个黄色斑;沿翅外缘有 1 个黄色缘区;褐色大斑的外缘在 M_1 脉处向外凸出,并在其外缘形成 1 个褐色斑点,在翅顶角有 1 个褐色小斑点;缘毛黄色。后翅黑褐色可抵至中部或外缘区,翅边缘和缘毛黄色。

采集记录:1♀,佛坪龙草坪,1256m,2008.Ⅶ.03,崔俊芝采;1♂1♀,宁陕,1980.Ⅵ.21;1♂,宁陕火地塘,1550m,2008.Ⅷ.18,杨玉霞采。

分布:陕西(佛坪、宁陕)、北京、河南、浙江、湖南、福建、四川、云南。

寄主:核桃。

十四、夜蛾科 Noctuidae

鉴别特征:中等至大型蛾类,部分类群小型。成虫喙比较发达,静止时卷缩;少数喙短小。下唇须通常发达,向前或向上伸,少数种类向上弯至后胸。极少数种类有下颚须。多数有单眼。复眼大,半球形;少数种类复眼呈椭圆形。额圆,有时有不同形状的突起。触角呈线形、锯齿形或栉齿形。后足胫节具两对距,有时有刺。前翅通常有径副室;M_2 脉基部接近 M_3,或与 M_3 同出自中室下角。后翅 M_2 脉出自中室下角(四岔型)或中室端脉中部(三岔型);$Sc+R_1$ 与 Rs 有部分合并,但不超过中室前缘中部;翅缰发达。颜色灰暗或艳丽,翅面斑纹丰富。

分类:夜蛾科是鳞翅目中最大的科,全世界已知的超过 3 万种。其分类系统近年来有许多变化。本文依据 Poole(1989)的系统记述,陕西秦岭地区夜蛾科有 18 亚科 145 属 277 种。

(一)毛夜蛾亚科 Pantheinae

鉴别特征:喙发达或短缩;下唇须短;额光滑无突起;复眼大,圆形,表面有细纤毛;触角有栉形、线形或扁片形。胸部被毛或鳞片,背面一般不具毛簇;足多有长毛,胫节无刺。腹部常有毛簇。前翅近三角形,R_3 和 R_4 脉共柄,有 1 个径副室,M_1 脉自中室上角发出,M_2、M_3 和 Cu_1 脉自中室下角发出,3A 脉细弱,与 2A 脉分离。后翅 $Sc+R_1$ 脉在基部与中室有 1 处接触,Rs 和 M_1 脉自中室上角发出,M_2 脉发达,自中室下角之前发出,M_3 和 Cu_1 脉自中室下角发出,3A 脉、2A 脉可见,中室长约为后翅的 1/2。幼虫各腹足均发达,体有蓬松的毛簇,有些属背部有毛束。

分类:陕西秦岭地区发现 3 属 8 种。

1. 后夜蛾属 *Trisuloides* Butler, 1881

Trisuloides Butler, 1881c: 36. **Type species**: *Trisuloides sericea* Butler, 1881.

Tambana Moore, 1882, *in* Hewitson & Moore: 155. **Type species**: *Tambana variegata* Moore, 1882.

Xanthomantis Warren, 1909, *in* Seitz(c): 18. **Type species**: *Acronycta cornelia* Staudinger, 1888.

Disepholcia Prout, A. E. 1924, *in* Prout & Talbot: 404. **Type species**: *Trisuloides caerulea* Butler, 1889.

属征:喙发达。下唇须斜向上伸,第2节约达额中部,饰鳞较宽,第3节短小;额光滑,无突起;复眼大,圆形;雄蛾触角以双栉形为主。胸部被粗毛和毛状鳞,后胸有毛簇;后足胫节饰有长毛;腹部背面有1个列毛簇。前翅外缘平稳弧曲;有1个径副室。后翅中室长约是翅长的1/2,M_2 脉发达,自中室下角前发出。

分布:古北界,东洋界,巴布亚新几内亚。秦岭地区发现5种。

(1)洁后夜蛾 *Trisuloides bella* Mell, 1935(图版37:9)

Trisuloides bella Mell, 1935: 38.

Trisuloides chekiana Draudt, 1937: 400, pl. 4. fig. 2g.

鉴别特征:前翅长25mm。头部、胸部黄白色杂黑色。前翅浅褐色,各横线黑色;亚基线和内线衬白色,外线外侧衬白色;环纹、肾纹白色黑边,肾纹外有白斑。后翅黄色,有黑褐色端带。腹部浅黄褐色杂黑色。

采集记录:1♂,佛坪龙草坪,1200m,2008. Ⅶ. 03,白明采;1♂,宁陕火地塘,1500~2000m,2008. Ⅶ. 08,白明采。

分布:陕西(留坝、佛坪、宁陕)、甘肃、浙江、湖南。

(2)白斑后夜蛾 *Trisuloides c-album*(Leech, 1900)(图版37:10)

Tambana c-album Leech, 1900: 525.

Trisuloides c-album: Hampson, 1913: 356, pl. 233, fig. 14.

鉴别特征:前翅长22mm。全体褐色。前翅带灰紫色,各横线黑色;内、外线均为波浪形双线;环纹黑边;肾纹有白环,外侧有浅黄色纵纹。后翅黄色,基部暗褐色,呈扇面形;端带黑褐色,前宽后窄,外侧有黄线。

采集记录:1♂,太白,1350m,1980. Ⅶ. 16;1♂,宁陕火地塘,1500~2000m,2008. Ⅶ. 08,白明采。

分布:陕西(周至、太白、留坝、宁陕)、甘肃、湖北、湖南。

(3) 黄后夜蛾 *Trisuloides subflava* Wileman, 1911 (图版 37:11)

Trisuloides subflava Wileman, 1911: 31.

鉴别特征:前翅长 20~21mm。触角为线形,雄性有短纤毛。前后翅外缘微曲。前翅褐色,亚基线黑色,锯齿形,两侧有白纹;内线黑色,微曲内斜,在前缘脉处有 1 个深黑色点状斑;环纹黑色边,椭圆;外线为黑色双线,线间白色,波浪状,仅前半段清楚,其内侧 R 脉间有 1 个白斑;亚缘线黑色,锯齿形内斜,其前半部外侧白色;缘线白色,波浪状,其外侧有 1 列褐色圆点。后翅橙黄色,缘线黑褐色,缘毛为白色与褐色相间。翅反面浅黄色,端区略带褐色,无斑纹。

采集记录:1♂,宁陕火地塘,1538m,2012. Ⅶ. 11-15,姜楠采。

分布:陕西(宁陕)、福建、台湾、四川、云南。

(4) 污后夜蛾 *Trisuloides contaminate* Draudt, 1937 (图版 37:12)

Trisuloides contaminate Draudt, 1937: 399, pl. 4, fig. 2f.

鉴别特征:前翅长 21mm。头部、胸部及前翅呈黑褐色;各横线为黑色;内、外线均双线;环纹大,黑边;肾纹有黄白环,外侧一片灰白区,似肾形。后翅杏黄色,外缘黑褐色。腹部黑褐色。

采集记录:1♂,佛坪龙草坪,1200m,2008. Ⅶ. 03,白明采。

分布:陕西(太白)、山东、浙江、湖南、云南。

(5) 后夜蛾 *Trisuloides sericea* Butler, 1881 (图版 37:13)

Trisuloides sericea Butler, 1881c: 36.

鉴别特征:前翅长 30mm。头部、胸部为黄褐色。前翅褐色;内线微黑,内侧衬白;外线为暗褐色双线;亚缘线黑色。后翅有杏黄色中带及黑褐色端带;臀角有 1 条黄白纹。

采集记录:1♀,周至钓鱼台,1480m,2008. Ⅵ. 29,崔俊芝采;1♀,宁陕火地塘,1500~2000m,2008. Ⅶ. 08,刘万岗采;1♂,宁陕广货街保护站,1189m,2014. Ⅶ. 26-28,刘淑仙采;1♀,旬阳金鑫源山庄,386m,2014. Ⅷ. 01-03,班晓双采。

分布:陕西(周至、太白、宁陕、旬阳)、湖北、福建、广西、云南;印度。

2. 缤夜蛾属 *Moma* Hübner, 1820

Moma Hübner, 1820: 203. **Type species**: *Noctua aprilina* Linnaeus, sensu Hübner, 1803.

Diphteramoma Berio, 1961: 114. **Type species**: *Noctua orion* Esper, 1787.

属征:喙发达;下唇须向上伸,第 2 节达头顶,前缘饰毛;额光滑,无突起;复眼大;雄性触角呈线形。胸部被粗毛和毛状鳞,前胸、后胸有散开的毛簇,翅基片端部有毛簇,后足胫节饰毛,腹部背面有 1 列毛簇。前翅有 1 个径副室。后翅 M_2 脉微弱,自中室端脉近中部发出。

分布:古北界,东洋界(北部)。秦岭地区发现 2 种。

(6)缤夜蛾 *Moma alpium*(Osbeek, 1778)(图版 37:14)

Phalaena(*Noctua*)*alpium* Osbeck, 1778: 52, pl. 1, fig. 2.

Diphthera alpium: Warren, 1909, *in* Seitz(c): 11, pl. 2c.

Daseochaeta alpium: Hampson, 1909: 30.

Moma alpium: Sugi, 1982, *in* Inoue, *et al.*: 673/345, pl. 165: 5, 6; pl. 358: 11.

鉴别特征:前翅长 14 ~ 17mm。头部、胸部及前翅为浅绿色,颈片为黑色。前翅中褶与臀褶为白色,亚基线为黑带;内、外线为黑色,外线为双线;环纹具黑边,肾纹内缘为黑条。后翅为褐色,外线后半段白色,臀角有 1 条白纹。

采集记录:2♂,周至楼观台,680m,2008. Ⅵ. 23,刘万岗、葛斯琴采;2♂2♀,柞水营盘镇,953 ~ 995m,2014. Ⅶ. 29-31,刘淑仙、班晓双采。

分布:陕西(周至、太白、留坝、佛坪、宁陕、柞水)、黑龙江、甘肃、湖北、江西、福建、四川、云南;朝鲜,日本,欧洲。

(7)广缤夜蛾 *Moma tsushimana* Sugi, 1982(图版 37:15)

Moma tsushimana Sugi, 1982, *in* Inoue, *et al.*: 673/345, pl. 165: 8, 9; pl. 358: 10.

鉴别特征:前翅长 16 ~ 19mm。头和腹部灰褐色;胸部绿色、白色和黑色掺杂。前翅浅绿色;亚基线仅见 1 个黑斑;内线呈黑色带状;环纹、肾纹只见不完整黑边;前缘中段有 3 个黑纹;环纹下方有黑色曲线;外线黑色,其外侧在前缘至 M_2 和臀角处各有 1 个黑斑。后翅为灰褐色,Cu_2 下方缘线内侧有 1 段白线,臀角内上方有 1 条白纹。

采集记录:2♂,旬阳金鑫源山庄,386m,2014. Ⅷ. 01-03,班晓双采。

分布:陕西(旬阳)、湖北、江西;日本。

3. 毛夜蛾属 *Panthea* Hübner, 1920

Panthea Hübner, 1920: 203. **Type species**: *Bombyx coenobita* Esper, 1785.

Elatina Duponchel, 1845: 98. **Type species**: *Bombyx coenobita* Esper, 1785.
Audela Walker, 1861, *in* Urban: 37. **Type species**: *Audela acronystoides* Walker, 1861.
Platycerura Packard, 1864: 375. **Type species**: *Platycerura furcilla* Packard, 1864.

属征:喙退化,短小;下唇须向前平伸,饰较长毛;额光滑,无突起;雄性触角双栉形,栉齿中长。胸部被毛和毛状鳞,无毛簇;后足胫节饰毛;腹部背面有 1 列毛簇;腹侧亦有毛簇。前翅外缘平稳弧曲;有 1 个狭长的径副室。后翅中室长约为翅长的 1/2,M_2 脉发达,自中室下角稍前发出。

分布:古北界,东洋界,新北界。秦岭地区发现 1 种。

(8)毛夜蛾 *Panthea coenobita*(Esper, 1785)(图版 37:16)

Bombyx coenobita Esper, 1785: 196, pl. 37, fig. 7.
Panthea coenobita: Hübner, 1920: 203.

鉴别特征:前翅长 24 ~ 26mm。头部、胸部及前翅黄白色。前翅内、外线及亚缘线均为黑色,肾纹中央密布黑点。后翅白色带褐色,外线黑色带状。腹部黑色。

采集记录:1♀,留坝庙台子,1350m,1998. Ⅶ. 21,姚建采。

分布:陕西(留坝、宁陕)、黑龙江、甘肃。

(二)剑纹夜蛾亚科 Acronictinae

鉴别特征:喙多发达;下唇须较短;额光滑或有突起,或下方有角质片,常有毛簇;腹部背面带有毛簇;足胫节无刺。前翅近三角形,一般较狭长,前翅外缘曲度平稳;R_3 和 R_4 脉常有 1 个短共柄,有 1 个径副室,M_1 脉自中室上角发出,M_2、M_3 和 Cu_1 脉自中室下角发出,3A 细弱,与 2A 分离。后翅近三角形,SC + R_1 近基部与中室接触,Rs 和 M_1 脉自中室上角发出,M_2 脉细弱,自中室端脉的中部发出,M_3 和 Cu_1 脉自中室下角发出,有 2A 和 3A。幼虫有次生刚毛,不少种类有绒毛状的毛刺或毛簇,或毛端部呈匙形;腹足 4 对俱全,趾钩单序。

分类:陕西秦岭地区发现 7 属 19 种。

4. 冷靛夜蛾属 *Belciades* Kozhantschikov, 1950

Belciades Kozhantschikov, 1950: 443. **Type species**: *Habrostola niveola* Motschulsky, 1866.

属征:喙发达;下唇须向上伸,第 2 节粗,第 3 节细;触角呈线形。胸部被粗鳞,腹部背面有毛簇。

分布:中国;俄罗斯,日本。秦岭地区发现 1 种。

(9)冷靛夜蛾 *Belciades niveola*(Motschulsky, 1866)(图版 37:17)

Htabrostola niveola Motschulsky, 1866: 195.
Belciana niveola: Warren, 1913, *in* Seitz(c): 368.
Belciades niveola: Kozhantschikov, 1950: 443.

鉴别特征:前翅长 16 ~ 17mm。头、颈片为白色杂褐色及黑色,额有黑条,胸部海蓝色,腹部灰褐色。前翅蓝绿色,基部及端区带褐色,中区带白色,各横线黑色;内线内侧有暗带;外线近中部有 1 条黑纹外伸,亚缘线为蓝绿色衬黑色,其内侧有 1 条褐色带;环纹、肾纹白色,后者有蓝绿色曲纹。后翅暗褐色,外线可见。

采集记录:1♂,佛坪龙草坪,1200m,2008. Ⅶ. 03,白明采;1♂1♀,宁陕广货街保护站,1189m,2014. Ⅶ. 26-28,刘淑仙、班晓双采;1♂,柞水营盘镇,953 ~ 995m,2014. Ⅶ. 29-31,刘淑仙采。

分布:陕西(留坝、佛坪、宁陕、柞水)、黑龙江、吉林、河北、甘肃、西藏;日本。

5. 孔雀夜蛾属 *Nacna* Fletcher, 1961

Nacna Fletcher, 1961: 198. **Type species**: *Canna pulchripicta* Walker, 1865(replacement name for *Canna* Walker, 1865).
Canna Walker, 1865: 790(nec Gray, 1821). **Type species**: *Canna pulchripicta* Walker, 1865.
Belciades Kozhantschikov, 1950: 443. **Type species**: *Habrostola niveola* Motschulsky, 1866.

属征:喙发达;下唇须向上伸,第 2 节达额中部,有毛,第 3 节短小;额平滑,复眼大,圆形;触角微呈齿形。胸部有长形鳞片;前胸无毛簇;中胸有成对的鳞片簇;后胸有散开的毛簇;翅基片端部有向上伸的鳞片簇;胫节有长毛;腹部背面有 1 列毛簇,第 4 腹节上的较大。前翅短宽,顶角钝,外缘略向外曲。

分布:中国;俄罗斯,日本,印度,印度尼西亚。秦岭地区发现 1 种。

(10)绿孔雀夜蛾 *Nacna malachites*(Oberthür, 1880)(图版 37:18)

Telesilla malachites Oberthür, 1880: 1, 3, fig. 9.
Canna malachitis: Hampson, 1909: 20.
Nacna malachtis: Chen, 1982a: 239, pl. 76, fig. 1740.

鉴别特征:前翅长 15mm。头部、胸部及前翅为粉绿色,翅基片及后胸呈褐色。前翅基半部有 1 个褐色曲带围成的椭圆形大斑;外区有 1 条褐色斜带;顶角有 1 个黄白

色斑达 M_1 脉,后端有暗影。后翅为白色。腹部为黄白色。

分布:陕西(宁陕)、甘肃、黑龙江、辽宁、山西、河南、福建、四川、云南、西藏;俄罗斯,日本,印度。

6. 剑纹夜蛾属 *Acronicta* Ochsenheimer, 1816

Acronicta Ochsenheimer, 1816: 62. **Type species**: *Phalaena leporina* Linnaeus, 1758.

Triaena Hübner, 1818: 21. **Type species**: *Phalaena psi* Linnaeus, 1758.

Hyboma Hübner, 1820: 200. **Type species**: *Noctua strigosa* Denis *et* Schiffermüller, 1775.

Apatele Hübner, 1822: 21, 28. **Type species**: *Phalaena leporina* Linnaeus, 1758.

Chamaepora Warren, 1909, *in* Seitz(c): 16. **Type species**: *Phalaena rumicis* Linnaeus, 1758.

属征:喙发达;下唇须斜向上伸,第 2 节约达额中部,第 3 节短小;额光滑无突起;复眼大,圆形;触角稍扁。胸部被毛或杂线状鳞,或只被鳞片,无毛簇;前翅有 1 个径副室。后翅 M_2 脉微弱。

分布:古北界,东洋界,新北界,澳洲界,非洲界。秦岭地区发现 9 种。

(11)桃剑纹夜蛾 *Acronicta intermedia* Warren, 1909(图版 37:19)

Acronicta intermedia Warren, 1909, *in* Seitz(c): 14, pl. 2k.

鉴别特征:前翅长 16 ~ 17mm。头顶灰褐色;胸部灰色,颈片、翅基片有黑纹。前翅灰色,基剑纹黑色,枝形;内、外线均为双线;环纹、肾纹灰色,两纹间有 1 条黑线;外线在 M_2 脉及臀褶有黑纹穿过;亚缘线白色。后翅白色。腹部褐色。

采集记录:1♀,周至厚畛子,1300m,2007. Ⅷ. 10,李文柱采;1♂,佛坪龙草坪,1256m,2008. Ⅶ. 03,崔俊芝采;1♀,宁陕火地塘,1538m,2012. Ⅶ. 11-15,杨秀帅采。

分布:陕西(周至、凤县、留坝、佛坪、宁陕)、内蒙古、河北、福建、四川;朝鲜,日本。

(12)晃剑纹夜蛾 *Acronicta leucocuspis*(Butler, 1878)(图版 37:20)

Acronycta leucocuspis Butler, 1878a: 78.

Acronicta cuspis leucocuspis: Warren, 1909, *in* Seitz(c): 14.

Acronicta leucocuspis: Draudt, 1950: 10.

Triaena leucocuspis: Sugi, 1982, *in* Inoue, *et al.*: 678/346, pl. 166: 17-22; pl. 359: 9-11.

鉴别特征:前翅长 20mm。头部、胸部灰褐色,颈片、翅基片有黑纹。前翅浅灰褐色,基剑纹黑色;亚基线、内线、外线均为双线;环纹白色,具黑边,肾纹褐色,有白环,两纹间有 1 条黑线,肾纹前另有 1 个黑条;端剑纹黑色。后翅浅褐色,可见外线。

采集记录:1♂1♀,旬阳金鑫源山庄,386m,2014. Ⅷ. 01-03,刘淑仙、班晓双采。

分布:陕西(佛坪、旬阳)、甘肃、河北、山东、云南;朝鲜,日本。

(13)梨剑纹夜蛾 *Acronicta rumicis* (Linnaeus, 1758)(图版 37:21)

Phalaena (*Noctua*) *rumicis* Linnaeus, 1758: 516.

Acronicta rumicis: Leech, 1889b: 129.

鉴别特征:雄性前翅长 16 ~ 17mm,雌性前翅长 18mm。头部、胸部灰褐色杂黑白色。前翅深褐色间白色,内、外线均为黑色双线,肾纹前有 1 个黑条伸至前缘脉,外线中段有 1 条新月形白纹,亚缘线白色。后翅黄褐色。腹部灰褐色。

采集记录:1♀,周至楼观台,680m,2008. Ⅵ. 24,白明采;1♂,佛坪上沙窝,900 ~ 1200m,2008. Ⅶ. 07,白明采。

分布:陕西(周至、太白、留坝)、甘肃、新疆、江苏、浙江、湖北、湖南、福建、四川、贵州、云南;欧洲。

(14)黄剑纹夜蛾 *Acronicta lutea* (Bremer *et* Grey, 1853)(图版 37:22)

Aeronycta [sic!] *lutea* Bremer *et* Grey, 1853b: 65.

Pharetra leucoptera Butler, 1881a: 595.

Acronycta lutea: Hampson, 1909: 95.

Acronycta suigensis Matsumura, 1926: 4.

Viminia lutea: Sugi, 1982, *in* Inoue, *et al.*: 679/347, pl. 167: 3, 4.

Acronicta lutea: Poole, 1989: 26.

鉴别特征:前翅长 17mm。头部、胸部灰白色杂黑褐色。前翅黄白色,大部分带黑褐色;亚基线、内线、外线均为黑色双线;环纹、肾纹带黑边;亚缘线黄白色。后翅黄色,端带宽,黑褐色。腹部灰色带褐色,基部黄色。

分布:陕西(佛坪)、甘肃、黑龙江、河北、湖北;朝鲜,日本。

(15)小剑纹夜蛾 *Acronicta omorii* Matsumura, 1926(图版 37:23)

Acronycta omorii Matsumura, 1926: 3, pl. 1, fig. 2.

Molybdonycta omorii: Sugi, 1982, *in* Inoue, *et al.*: 675.

Acronicta omorii: Chen, 1982a: 245.

鉴别特征:前翅长 16 ~ 17mm。触角为线形。前后翅外缘微曲,前翅狭长,顶角圆,后缘基部稍外凸。前翅暗褐色,基部有 1 条黑色横纹;内线为黑色双线,波浪状外斜;环纹褐色,圆形;肾纹褐色,有黑色边,椭圆形,其下方有1条黑色横纹;中线黑色,弯曲内斜;外线黑色,锯齿形,在Cu脉间内斜;缘线灰白色。后翅浅灰褐色,外线微带褐色。翅反面灰白色,斑纹不明显。

采集记录:1♂,佛坪龙草坪,1200m,2008. Ⅶ. 03,白明采;1♂,宁陕火地塘,1550m,2007. Ⅷ. 18,李文柱采。

分布:陕西(佛坪、宁陕)、河北;日本。

(16)戟剑纹夜蛾 *Acronicta euphorbiae* (**Denis *et* Schiffermüller, 1775**)(图版37:24)

Noctua euphorbiae Denis *et* Schiffermüller, 1775: 67.

Acronycta euphorbiae: Hampson, 1909: 158.

Chamaepora euphorbiae: Warren, 1909, *in* Seitz(c): 17, pl. 3:g.

Acronicta euphorbiae: Chen, 1982a: 244, pl. 77, fig. 1769.

鉴别特征:前翅长16mm。触角为线形。前翅狭长,前后翅外缘平滑,前翅外缘近垂直,后缘基部微凸出。前翅灰色,密布褐色小细点;亚基线、内线为黑色双线,波浪状外斜;肾纹和环纹灰褐色,椭圆形,两侧有黑边,两纹之间有褐色宽纵纹延伸至前缘脉;中线黑色,在M脉间稍外凸;外线为锯齿形黑色双线,在Cu_1脉开始内凹;亚缘线白色;缘线由黑色细点组成;缘毛白色。后翅灰白色,端半部微带褐色。翅反面灰白色,斑纹不明显。

采集记录:1♂,佛坪,900m,2008. Ⅶ. 06,李文柱采;1♀,佛坪上沙窝,900~1200m,2008. Ⅶ. 07,白明采。

分布:陕西(佛坪)、黑龙江、新疆、河北、山西、西藏;土耳其,欧洲。

(17)桑剑纹夜蛾 *Acronicta major* (**Bremer, 1861**)(图版37:25)

Acronycta major Bremer, 1861: 484.

Triaena anaedina Butler, 1881a: 19.

Triaena maxima Moore, 1881: 333.

Acronicta major: Warren, 1909, *in* Seitz(c): 15, pl. 3: b.

鉴别特征:前翅长30~33mm。头部、胸部及前翅呈灰白色带褐色。前翅基剑纹与端剑纹为黑色,前者端部分支;内线与外线均为黑色双线;环纹、肾纹灰色带黑边,后者前方有斜黑纹。后翅浅褐色,外线可见。

采集记录:1♂,周至楼观台,680m,2008. Ⅵ. 24,白明采;1♂,佛坪龙草坪,1256m,2008. Ⅶ. 03,李文柱采;1♂,宁陕广货街保护站,1189m,2014. Ⅶ. 26-28,班晓双采;3♂,柞水营盘镇,953~995m,2014. Ⅶ. 29-31,刘淑仙采;3♂,旬阳金鑫源山庄,386m,2014. Ⅷ. 01-03,刘淑仙、班晓双采。

分布:陕西(周至、太白、佛坪、宁陕、柞水、旬阳)、黑龙江、河南、湖北、湖南、四川、云南;俄罗斯,日本。

(18)紫剑纹夜蛾 *Acronicta subpurpurea*(Matsumura, 1926)(图版37:26)

Acronycta subpurpurea Matsumura, 1926: 1, pl. 1: 3.

Acronicta subpurpurea: Poole, 1989: 29.

鉴别特征:前翅长19mm。头部、胸部呈灰白色杂紫褐色。前翅紫灰褐色,剑纹明显;亚基线、内线仅上端可见;环纹不显;肾纹不清晰,上端有1条黑褐色纹,下端有1条内行黑线;外线黑褐色,有1条黑线穿过。后翅浅褐色。

采集记录:1♂,柞水营盘镇,953~995m,2014. Ⅶ. 29-31,班晓双采。

分布:陕西(柞水)、浙江、湖南;日本。

(19)白斑剑纹夜蛾 *Acronicta catocaloida*(Graeser, 1889)(图版37:27)

Acronycta catocaloida Graeser, 1889: 313.

Acronicta catocaloida: Warren, 1909, *in* Seitz(c): 13, pl. 2: h.

Hylonycta catocaloida: Sugi, 1982, *in* Inoue, *et al.*: 679/346, pl. 166: 29.

鉴别特征:前翅长19mm。头部、胸部为灰白色杂黑色。前翅黑灰色;亚基线、内线、外线均为黑色双线;亚缘线白色;环纹、肾纹白色,中央黑色。后翅杏黄色。腹部灰色杂黑色。

采集记录:1♂,太白黄柏塬,1350m,1980. Ⅶ. 13,张宝林采。

分布:陕西(留坝、太白)、黑龙江、山西、浙江;俄罗斯,日本。

7. 首夜蛾属 *Craniophora* Snellen, 1867

Craniophora Snellen, 1867: 262. **Type species**: *Nootua ligustri* Denis *et* Schiffermüler, 1775.

Bisulcia Chapman, 1890: 28. **Type species**: *Noctua ligustri* Denis *et* Schiffermüler, 1775.

Cranionycta Lattin, 1949: 108. **Type species**: *Cranionycta oda* Lattin, 1949.

Hampsonia Kozhantschikov, 1950: 535 (nec Swinhoe, 1894). **Type species**: *Apatela jankowskii* Oberthür, 1880.

Miracopa Draudt, 1950: 119. **Type species**: *Miracopa prodigiosa* Draudt, 1950.

Hampsonidia Inoue, 1958, *in* Inoue & Sugi: 436 (new name for *Hampsonia* Kozhanchikov, 1950). **Type species**: *Apatela jankowskii* Oberthür, 1880.

属征:喙发达;下唇须向上伸,第2节约达额中部,第3节短小;额光滑无突起;复眼大,圆形;触角线形略扁。胸部被鳞片,杂有少许毛,后胸有分裂的毛簇;腹部背面有1列毛簇,基节有粗毛。前翅有1个径副室。后翅 M_2 脉微弱。雄性抱器瓣简单,多无抱钩等突起物。

分布:古北界,东洋界,非洲界。秦岭地区发现4种。

(20)太白山首夜蛾 *Craniophora taipaischana* Draudt, 1950(图版37:28)

Craniophora taipaischana Draudt, 1950: 6, pl. 1: 17, 18.

鉴别特征:前翅长14mm。头部白色带褐色;胸部褐色杂少许灰褐色,翅基片外缘有较多黑鳞。前翅褐色;亚基线、内线及外线均黑色双线,后者双线间微白;臀褶基部有1条黑弧纹,其前方有1个扁形黄白色斑;环纹黄白色,黑边,中央有1个黑点;肾纹大,褐色黑边;中线粗,黑色;亚缘线黄白色,M_1 脉间断为点列;翅外缘有1列围以白弧纹的黑点。雄性后翅红褐色,雌性暗褐色。腹部褐色。

分布:陕西(太白)。

(21)浊首夜蛾 *Craniophora osbcura* Leech, 1900(图版38:1)

Craniophora osbcura Leech, 1900: 55, pl. 124, fig. 5.

鉴别特征:前翅长19mm。头部、胸部黑色杂白色;额有白色横纹;颈片基部以白色为主,翅基片中部有白斑。前翅底色为灰白色,带有暗褐色并密布细黑点;基线、内线、中线、外线均为黑色双线,亚缘线不明显,各双线线间均为白色;剑纹不清晰,白色;环纹圆,白色黑边;肾纹黑褐色黑边,内缘有1条白纹,外缘有两个白点;缘线由衬白的三角形黑点组成。后翅白色杂褐色。腹部灰白色杂褐色,有黑点。

采集记录:1♀,凤县,1979.Ⅷ.24。

分布:陕西(凤县、太白)、山东、贵州、云南。

(22)白黑首夜蛾 *Craniophora albonigra*(Herz, 1904)(图版38:2)

Acronicta albonigra Herz, 1904: 269, pl. 1, fig, 3.

Craniophora albonigra: Hampson, 1909: 52, pl. 124, fig. 3.

Hampsonia albonigra: Kozhantschikov, 1950: 536, fig. 278.

鉴别特征:前翅长15mm。头部、胸部灰白杂暗褐色;额部有黑色横条;颈片有黑线,端部以黑色为主,翅基片外缘黑色。前翅紫灰色杂暗褐色,布有细黑点,基部黑点致密;亚基线、内线、外线均为双线;臀褶基部有1条黑色纵纹;环纹白色,带黑边;中线暗褐色,内侧衬白色较宽;内线外侧暗褐色扩展至肾纹;肾纹近矩形,黄褐色;亚缘线微白,外侧有齿形黑纹,在臀褶处有黑色纵纹。雄性后翅白色,端区带褐色;雌性后翅褐色。腹部灰褐色。

分布:陕西(太白)、黑龙江、甘肃、河北、山西、湖北、四川;朝鲜。

(23) 亮首夜蛾 *Craniophora praeclara* (Graeser, 1890) (图版 38:3)

Acronycta praeclara Graeser, 1890: 74.

Craniophora praeclara: Hampson, 1909: 54, pl. 124, fig. 4.

鉴别特征:前翅长 22mm。头部、胸部灰色,额有黑色横纹,颈片有黑线。前翅紫灰色,翅基部前半部黑色并沿臀褶扩展至内线,亚基线、内线及外线均为黑色双线;中线黑色,中、外线间成 1 个黑褐色宽带,亚缘线灰白色,端区有 4 条黑色齿纹。后翅白色杂褐色。腹部颜色似后翅。

分布:陕西(太白)、黑龙江;俄罗斯,日本。

8. 青夜蛾属 *Diphtherocome* Warren, 1907

Diphtherocome Warren, 1907, *in* Seitz(c): 11. **Type species**: *Diphthera pallida* Moore, 1867.

属征:喙发达;下唇须向上伸;复眼大,圆形,无毛;雄性触角双栉形。胸部被毛,后胸有毛簇。后翅 M_2 脉直,自中室端脉中部稍后发出。

分布:中国;印度,印度尼西亚,南非。秦岭地区发现 2 种。

(24) 饰青夜蛾 *Diphtherocome pallida* (Moore, 1867) (图版 38:4)

Diphtera pallida Moore, 1867: 46, pl. 6, fig. 6.

Daseochaeta pallida: Hampson, 1909: 24.

Diphtherocome pallida: Warren, 1913, *in* Seitz(h): 33, pl. 5: b.

鉴别特征:前翅长 15 ~ 17mm。头、颈片、翅基片及前翅为翠绿色,胸、背为浅绿色。前翅前缘白色;内线黑色;环纹、肾纹界限不清,两纹间有 1 条黑斑,前方有 1 条黑纹;剑纹只见 1 个黑点,外侧 1 条斜黑纹;外线黑色,内侧衬白色;亚缘线为不明显的绿色带。后翅白色。

采集记录:2♀,周至厚畛子,1300 ~ 1700m,2007. Ⅷ. 10-12,杨干燕采;1♂1♀,宝鸡天台山嘉陵江源头,1620m,2014. Ⅷ. 08-09,薛大勇采;2♂,宁陕火地塘,1538m,2012. Ⅶ. 11-15,姜楠等采。

分布:陕西(周至、宝鸡、太白、宁陕)、甘肃、四川、云南、西藏;印度。

(25)黑条青夜蛾 *Diphtherocome marmorea*(Leech, 1900)(图版38:5)

Diphthera marmorea Leech, 1900: 136.

Daseochaeta marmorea: Hampson, 1909: 33, pl. 123: 23.

Diphtherocome marmorea: Poole, 1989: 322.

鉴别特征:前翅长14~17mm。头部为浅土黄色或浅绿色。前翅为浅绿色或黄绿色;亚基线为黑色曲条;内线黑色,在2A脉后有1个黑环;剑纹为黑色曲点;环纹、肾纹有不完全的黑边,两纹间有黑色方斑;外线为黑色双线,锯齿形,在前缘脉上为粗点状;亚缘线黑色,与外线间成1条黑色宽带,前端有两个白点。后翅浅黄色,外线、亚缘线及端区微黑。腹部浅褐色。

采集记录:4♂,宁陕火地塘,1538m,2012. Ⅶ. 11-15,姜楠等采;1♂,宁陕广货街保护站,1189m,2014. Ⅶ. 26-28,班晓双采。

分布:陕西(太白、宁陕)、云南、四川。

9. 绝夜蛾属 *Thalatha* Walker, 1862

Thalatha Walker, 1862a: 187. **Type species**: *Orthosia sinens* Walker, 1857.

属征:喙发达;下唇须向上伸,第2节约达额中部,前缘饰毛;额中部有角质圆突,其边缘隆起;复眼大,圆形;触角扁或为锯齿形。胸部主要被鳞片,无毛簇;腹部仅基节背面有毛簇。前翅有1个径副室。后翅M_2脉微弱。

分布:东洋界,澳洲界,非洲(北部)。秦岭地区发现1种。

(26)绝夜蛾 *Thalatha sinens*(Walker, 1857)(图版38:6)

Orthosia sinens Walker, 1857: 746.

Thalatha sinens: Hampson, 1910: 48, text fig. 13.

鉴别特征:前翅长13mm。头部、胸部及前翅白色微带褐色;颈片端部褐色;前翅中室基部后方有1条黑纵纹,基部为断续黑斑;内线、外线均为浅褐色双线;亚缘线白色;环纹、肾纹白色,两纹间有灰褐斑并伸至前缘脉;中线灰褐色;外线内方在臀褶处有黑褐色条,外方在前缘脉后有1个黑褐色斑,其后有1个黑点。后翅白色,Cu_2脉端有1个黑点。

采集记录:1♂,佛坪,876m,2007. Ⅷ. 15,李文柱采;1♂,佛坪龙草坪,1256m,2008. Ⅶ. 03,崔俊芝采;1♀,旬阳金鑫源山庄,386m,2014. Ⅷ. 01-03,刘淑仙采。

分布:陕西(佛坪、宁陕、旬阳)、甘肃、福建、四川、云南;缅甸,印度。

10. 斋夜蛾属 *Gerbathodes* Warren, 1911

Gerbathodes Warren, 1911, *in* Seitz(c): 175. **Type species**: *Gerbatha angusta* Butler, 1879.
Acronictoides Kozhantschikov, 1950: 10. **Type species**: *Graphiphora lichenodes* Graeser, 1892.

属征:喙发达;下唇须向上伸,第3节短;额光滑,上半部稍隆起;雄性触角为线形。胸部与腹部无毛簇。前翅狭长,外缘斜。

分布:中国;俄罗斯,日本。秦岭地区发现1种。

(27)斋夜蛾 *Gerbathodes angusta*(Butler, 1879)(图版38:7)

Gerbatha angusta Butler, 1879: 24, pl. 42, fig. 2.
Oligia angusta: Hampson, 1908: 369.
Gerbathodes angusta: Warren, 1911, *in* Seitz(c): 175, pl. 41: b.

鉴别特征:前翅长14mm。头部、胸部与前翅为黑褐色杂灰色;翅基片近端部有黑色弧纹。前翅亚基线、内线及中线黑色;剑纹只见1个白点;环纹斜圆形,肾纹窄,两纹均黑色,后者边缘微白,较模糊;外线黑色;亚缘线黄白色。后翅红褐色,缘毛浅黄色。腹部红褐色。

分布:陕西(留坝、宁陕)、甘肃、江西;日本。

(三)虎蛾亚科 Agaristinae

鉴别特征:喙发达;下唇须向上或向前伸;额多有突起;雄性触角多为线形,触角干近端部膨大,各节常有鬃毛;多有单眼;复眼大,少数表面有纤毛;胫节多无刺,少数具刺或前足胫节有爪;雄性腹部第2节两侧或有毛刷。前翅多有1个径副室,3A与2A分离。后翅 M_2 脉发达或细弱。前翅常有银蓝色斑纹。成虫多白天活动。幼虫腹足4对俱全。

分类:陕西秦岭地区发现3属6种。

11. 彩虎蛾属 *Episteme* Hübner, 1820

Episteme Hübner, 1820: 180. **Type species**: *Phalaena lectrix* Linnaeus, 1764.
Eusemia Dalman, 1825: 26. **Type species**: *Phalaenae lectrix* Linnaeus, 1764.

属征:喙发达;下唇须向上伸,第2节前缘饰长毛,第3节长;额有平截的椎形突起,边缘隆脊形;雄性触角多为线形,近端部膨大。前翅 R_2 至 R_5 脉共柄,无径副室。后翅 Rs 和 M_1 脉共 1 个短柄或分离。雄性腹部第 4 节两侧有毛簇。

分布:中国;印度,印度尼西亚。秦岭地区发现 1 种。

(28)选彩虎蛾 *Episteme lectrix* (Linnaeus, 1764)(图版 38:8)

Phalaena (*Noctua*) *lectrix* Linnaeus, 1764: 389.

Eusemia lectrix: Leech, 1899: 201.

Episteme lectrix: Jordan, 1909, *in* Seitz, (c): 5, pl. 1: a.

鉴别特征:前翅长 38mm。头、胸及前翅黑色,翅基片有黄斑。前翅基部有两列粉蓝色斑;中室基部有 1 个浅黄色三角形斑,中部有 1 个同色方形斑,其后有 1 个同色斜方斑;外区前半部有两组长方形黄斑;亚缘区有 1 列小白斑。后翅黄色,基部黑色;中室端有 1 个黑斑;1 条黑带自中室下角至翅后缘;端带黑色,前部有 1 个蓝白色圆斑,中段有 1 个蓝白色点。腹部黄色,各节有黑条。

分布:陕西(宁陕)、湖北、浙江、江西、台湾、四川、贵州、云南。

12. 迷虎蛾属 *Maikona* Matsumura, 1928

Maikona Matsumura, 1928: 126. **Type species**: *Maikona jezoensisv* Matsumura, 1928.

属征:喙发达;下唇须斜伸,第 3 节短;雄性触角为线形。后胸背面有毛簇;腹部基节背面有大毛簇。前翅外缘斜曲。后翅 M_2 脉细弱。

分布:中国;日本。秦岭地区发现 1 种。

(29)迷虎蛾 *Maikona jezoensis* Matsumura, 1928(图版 38:9)

Maikona jezoensis Matsumura, 1928: 126.

鉴别特征:前翅长 20mm。头部与胸部黑色杂少许灰毛,胸部腹面黄褐色。前翅黑色、枣红色及黄褐色相杂,基部后半部较黄;环纹与肾纹均具黑色边,后者外方有 1 个足形白斑,亦围黑边;外线黑色,绕白斑弯曲向后;后缘区中部有 1 个黑色心形斑;亚缘线白色,微波浪形,在臀褶成 1 个内突齿,外侧有 1 列黑纹;缘线由 1 列枣红色长点组成;缘毛浅黄色,中有 1 条黑线。后翅暗黄色,中室有 1 个黑点,端半部黑褐色。腹部背面黑色,腹面黄褐色。

采集记录:1♂,陕西(时间、地点不详)。

分布:陕西(太白);日本。

13. 修虎蛾属 *Sarbanissa* Walker, 1865

Sarbanissa Walker, 1865: 746. **Type species**: *Sarbanissa insocia* Walker, 1865.

Seudyra Stretch, 1875: 19. **Type species**: *Eusemia transiens* Walker, 1856.

属征:喙发达;下唇须向上伸,第2节约达额中部,前面有毛;额突截锥形,有隆起的边;复眼圆而大;雄性触角有纤毛。胸部有毛及毛状鳞,无毛簇;前足胫节有长毛,中足及后足也有少量毛;腹部背面有1列毛簇。前翅顶角钝,外缘不呈锯齿形。

分布:中国;俄罗斯,日本,印度,印度尼西亚。秦岭地区发现4种。

(30)艳修虎蛾 *Sarbanissa venusta*(**Leech, 1888**)(图版38:10)

Seudyra venusta Leech, 1888: 614, pl. 31: 2.

Sarbanissa venusta: Inoue, 1982, *in* Inoue, *et al.*: 935/409, pl. 163: 17.

鉴别特征:前翅长20mm。头部、胸部黑色杂白色。前翅为白色,密布黑褐色细点,后半部大多紫灰色,顶角区蓝紫色;内、外线均为灰白色双线;环纹、肾纹具黑褐色白边;外线前后端外侧各有1个枣红色斑;亚缘区有粉蓝色纹;端部灰白色,外侧有1列黑长点。后翅杏黄色,中室端有1个小黑斑,臀角有1个黑斑,端带黑色波曲。腹部杏黄色,有1列黑色毛簇。

采集记录:2♂,宁陕火地塘,1538m,2012. Ⅶ. 11-15,杨秀帅采;1♂,商南金丝峡,777m,2013. Ⅶ. 23-25,崔乐采。

分布:陕西(留坝、佛坪、宁陕、商南)、甘肃、江苏、浙江、湖北、四川;朝鲜,日本。

(31)黄修虎蛾 *Sarbanissa flavida*(**Leech, 1890**)(图版38:11)

Seudyra flauida Leech, 1890: 110.

Zalissa flavida: Leech, 1899: 212.

Sarbanissa flavida: Poole, 1989: 888.

鉴别特征:前翅长29mm。头部与胸部为黑褐色;颈片基半部红褐色;胸部腹面与足为杏黄色;腹部杏黄色,背面有1列黑斑。前翅灰色,密布褐色细点;中脉、Cu_2 脉后大部分暗紫色;内线与外线均为黑色双线,后者波曲外弯;环纹与肾纹紫色,有灰白色边;外线前后端外侧各有1个枣红色斑,顶角有1个枣红色斑;翅外缘有1列暗褐色纹。后翅杏黄色。

采集记录:1♀,宝鸡天台山嘉陵江源头,1620m,2014. Ⅷ. 08-09,薛大勇采;7♂,宁陕火地塘,1538m,2012. Ⅶ. 11-15,姜楠等采;1♂,宁陕广货街保护站,1189m,2014. Ⅶ. 26-28,班晓双采;1♂,旬阳金鑫源山庄,386m,2014. Ⅷ. 01-03,刘淑仙采。

分布:陕西(宝鸡、太白、留坝、佛坪、宁陕、旬阳)、甘肃、湖北、湖南、四川、云南、西藏。

(32)白云修虎蛾 *Sarbanissa transiens* (Walker, 1856)(图版 38:12)

Eusemia transiens Walker, 1856: 1588.

Agarista aegoceroides Felder, 1874, *in* Felder & Rogenhofer: pl. 107, fig. 10.

Seudyra dissimilis Swinhoe, 1890: 174.

Seudyra subalba Leech, 1890: 110.

Seudyra transiens: Hampson, 1910: 437.

Seudyra transiens subalba: Mell, 1936: 180, figs. 12-13.

Sarbanissa transiens: Poole, 1989: 888.

鉴别特征:前翅长 22mm。头、胸及前翅为褐色。前翅内线后半段内侧带枣红色;近臀角处有 1 个枣红色斑;环纹与肾纹黑褐色,肾纹外有 1 个白斑;亚缘线灰色。后翅杏黄色,端带黑褐色。腹部杏黄色,背面有 1 列黑毛簇。

采集记录:1♂,宁陕广货街保护站,1189m,2014. Ⅶ. 26-28,班晓双采;1♂,柞水营盘镇,953~995m,2014. Ⅶ. 29-31,班晓双采。

分布:陕西(佛坪、宁陕、柞水、镇安)、甘肃、湖南、云南;缅甸,印度,马来西亚,印度尼西亚。

(33)小修虎蛾 *Sarbanissa mandarina* (Leech, 1890)(图版 38:13)

Seudyra mandarina Leech, 1890: 110.

Zalissa mandarina: Leech, 1899: 213.

Seudyra mandarina: Hampson, 1910: 434, pl. 146, fig. 10.

Sarbanissa mandarina: Poole, 1989: 888.

鉴别特征:前翅长 19mm。头部与胸部为暗褐色杂灰黄色。前翅暗褐色杂灰色,后缘区及顶角带枣红色及蓝紫色,翅脉灰色;内线在中室后明显;环纹与肾纹大,蓝紫色,灰边;外线为灰色双线,中部外凸;亚缘线灰色,锯齿形;缘线灰色。后翅杏黄色,横脉纹黑色,椭圆形;顶角有 1 个黑斑,其内缘曲折;臀角有 1 个黑色椭圆形大斑;臀褶基部有 1 个黑色纵纹。腹部杏黄色,各节背面中央有黑斑。

采集记录:2♂,宁陕火地塘,1538m,2012. Ⅶ. 11-15,姜楠采。

分布:陕西(太白、留坝、宁陕)、甘肃、湖北、四川、云南。

（四）苔藓夜蛾亚科 Bryophilinae

鉴别特征：喙发达或短缩，也有完全退化；额光滑或呈球面形，或稍突起；胸部通常被鳞片。腹部背面多有毛簇。前翅近三角形；R_3 和 R_4 脉常共有短柄，有 1 个径副室，M_1 脉自中室上角发出，M_2、M_3 和 Cu_1 脉自中室下角发出，3A 与 2A 分离。后翅 M_2 脉微弱，自中室端脉中部发出，M_3 和 Cu_1 脉自中室下角发出，3A 和 2A 基部相接。幼虫有稀疏的短毛，生活习性与其他亚科不同，主要取食于地衣、苔藓类植物，白天隐藏于洞穴裂缝中，天黑后活动。

分类：陕西秦岭地区发现 1 属 1 种。

14. 苔藓夜蛾属 *Cryphia* Hübner, 1818

Cryphia Hübner, 1818: 13. **Type species**: *Noctua receptricula* Hübner, 1803.

Poecilia Schrank, 1802: 157(nec Schneider, 1801). **Type species**: *Noctua perla* Denis *et* Schiffermüller, 1775.

Bryophila Treitschke, 1825, *in* Ochsenheimer: 57. **Type species**: *Noctua perla* Denis *et* Schiffermüller, 1775.

Euthales Hübner, 1820: 205. **Type species**: *Noctua algae* Fabricius, 1775.

Jaspidia Hübner, 1822: 23, 36. **Type species**: *Noctua spoliatricula* Denis *et* Schiffermüller, 1775.

属征：同亚科特征。

分布：古北界，东洋界，新北界，澳洲界，洲界。秦岭地区发现 1 种。

(34) 斑藓夜蛾 *Cryphia granitalis* (Butler, 1881) (图版 38:14)

Gerbatha granitalis Butler, 1881a: 194.

Bryophila glaucula Staudinger, 1892a: 394.

Metachrostis Leprosa Warren, 1909, *in* Seitz(c): 19, pl. 4c.

Bryophila granitalis: Hampson, 1908: 647, pl. 122, fig. 32.

Cryphia granitalis: Poole, 1989: 286.

鉴别特征：前翅长 11 ~ 14mm。头部、胸部为黑色。前翅灰黑色，中室外半部及端区带褐色；亚基线、内线与外线黑色，内线内侧有 1 条细黑线；环纹黄褐色，斜圆形；肾纹黄褐色；外线折角于臀褶，此处有 1 条黑线与内线相连，其后方较黑；亚缘线暗褐色，内侧有灰白纹；臀褶处有 1 条黑纵纹穿过。后翅褐色，有光泽。腹部灰褐色，毛簇黑色。

采集记录：1♀，太白黄柏塬，1350m，1980. Ⅶ. 12，张宝林采。

分布：陕西（太白）、甘肃、黑龙江、河北、山东、江苏、浙江、湖南、江西、福建；俄罗斯,日本。

(五)实夜蛾亚科 Heliothinae

鉴别特征:喙多数发达;下唇须较短;额光滑或有突起,额下部或有角质片;复眼大,球面形或肾形,表面光滑或有细毛;触角线形或锯齿形;胸部被毛和鳞片;足胫节具刺,前足胫节常有发达的爪或爪状刺。前翅近三角形,翅外缘曲度平稳,少数种类的雄性前翅有隆起的前缘和半透明的膜质斑;R_3 和 R_4 脉常共 1 个短柄,有 1 个径副室,M_1 脉自中室上角发出,M_2、M_3 和 Cu_1 脉自中室下角发出,3A 弱,与 2A 分离。后翅 M_2 脉细弱,自中室端脉中部发出,M_3 和 Cu_1 脉自中室下角发出,可见 3A 和 2A。幼虫体表常有突起,有钻蛀习性,常以花和果实为食;腹足 4 对俱全,趾钩多双序中带。

分类:陕西秦岭地区发现 1 属 2 种。

15. 铃夜蛾属 *Helicoverpa* Hardwick, 1965

Helicoverpa Hardwick, 1965: 9. **Type species**: *Noctua armigera* Hübner, 1808.

属征:喙发达;下唇须斜向上伸;雄性触角呈线形;复眼大;头、胸被鳞和毛;前足胫节有刺和爪,雄性前足腿节下缘饰较长毛状鳞;腹背无毛簇。前翅有 1 个径副室。后翅 M_2 脉弱。雄性抱器瓣简单,无抱钩,阳茎内有成列角状器。

分布:全世界。秦岭地区发现 2 种。

(35)棉铃虫 *Helicoverpa armigera* (**Hübner, 1809**)(图版 38:15)

Noctua armigera Hübner, 1809: pl. 79, fig. 370.

Heliothis armigera: Hampson, 1894: 174.

Helicoverpa armigera: Hardwick, 1965: 91, figs. 112-117, 138-139, 140.

鉴别特征:前翅长 14 ~ 18mm。头部、胸部灰褐色或青灰色。前翅青灰色或红褐色,亚基线、内线、外线均为褐色双线,环纹、肾纹具褐边,中线、亚缘线褐色,外线与亚缘线间常带暗褐色或霉绿色。后翅白色,端带黑褐色。腹部浅灰褐色或浅青色。

采集记录:5♂,周至楼观台,680m,2008. Ⅵ. 23-24,李文柱等采;1♂,柞水营盘镇,953 ~ 995m,2014. Ⅶ. 29-31,刘淑仙采;1♀,旬阳金鑫源山庄,386m,2014. Ⅷ. 01-03,刘淑仙采。

分布:陕西(周至、佛坪、柞水、旬阳)。全国广布,世界性分布。

(36)烟青虫 ***Helicoverpa assulta*(Guenée, 1852)**(图版38:16)

Heliothis assulta Guenée, 1852, *in* Boisduval & Guenée: 1.
Chloridea assulta: Hampson, 1903: 47, pl. 55, fig. 22.
Heliothis assulta: Commom, 1953: 323, figs.
Helicoverpa assulta: Hardwick, 1965: 120, figs. 29-31, 63, 67-68.

鉴别特征:前翅长12~16mm。头部、胸部及前翅为黄褐色。前翅亚基线、内线及外线均为黑褐色双线;环纹、肾纹具褐色边;亚缘线褐色;外线和亚缘线间色暗。后翅浅黄褐色,端带黑色,内侧有1条黑细线。腹部呈浅黄褐色。

采集记录:1♀,山阳土桥村凤凰山庄,722m,2014.Ⅷ.06,班晓双采。

分布:陕西(佛坪、山阳),全国广布;朝鲜,日本,缅甸,印度,斯里兰卡,印度尼西亚。

(六)夜蛾亚科 Noctuinae

鉴别特征:喙发达;下唇须较短,一般饰鳞片,少数具刺;额光滑或有突起,突起的形状不一;复眼多为圆形,光滑或表面有细纤毛,少数种类复眼后缘有睫毛;触角多样,有线形、锯齿形、栉形;胸部被鳞片和毛;中、后足胫节具刺,前足胫节也常有刺或爪;腹部较平滑,背面或有毛簇。前翅多呈扁三角形,有些种类翅很窄,翅外缘一般曲度平稳;有1个径副室,M_1 脉自中室上角发出,M_2、M_3 和 Cu_1 脉自中室下角发出,3A弱,与2A分离。后翅Rs与 M_1 脉自中室上角发出,或共柄,M_2 脉细弱,自中室端脉中部发出,M_3 与 Cu_1 脉自中室下角发出,可见2A和3A。幼虫体表光滑,体型中等,腹足4对俱全,趾钩单序中带。

分类:陕西秦岭地区发现12属29种。

16. 切夜蛾属 *Euxoa* Hübner, 1821

Euxoa Hübner, 1821: 209. **Type species**: *Noctua decora* Denis *et* Schiffermüller, 1775.
Mimetes Hübner, 1821: 210(nec Eschscholtz, 1818). **Type species**: *Noctua nebulosa* Hübner, 1808.

属征:喙发达,下唇须斜向上伸,额光滑或有突起,雄性触角线形、锯齿形或双栉形。各足胫节均具刺;前足胫节较宽,短于跗基节,两侧有粗刺。雄性外生殖器的抱器瓣狭长,有冠刺,抱器腹延伸成1个长棘。

分布:古北界,东洋界,新北界,澳洲界,非洲界。秦岭地区发现3种。

(37)寒切夜蛾 *Euxoa sibirica*(Boisduval, 1837)(图版38:17)

Agrotis sibirica Boisduval, 1837: pl. 8c, fig. 6.
Euxoa sibirica: Corti, 1932, *in* Seitz(c): 38, fig. 5b.

鉴别特征:前翅长20mm。雄性触角为线形。前翅窄而长,前后缘近平行,外缘平滑;后翅近三角形,外缘微曲。前翅深褐色,前缘脉处黑色;亚基线、内线和外线均为黑色双线,呈波状;环纹近方形,周围为褐黄色边,内部有浅褐色方形斑;肾纹呈"8"字形,有褐黄色边,内部有浅褐色圆形斑;外线锯齿形,微曲;亚缘线黄褐色,微曲内斜,其内侧翅脉间有长短不一的黑色横纹;缘线黑色。后翅暗褐色,微透明。翅反面褐色,隐约可见正面斑纹。

采集记录:1♀,宁陕火地塘,1550m,2007. Ⅶ. 09,李文柱采;1♂,洋县华阳镇,1100m,2012. Ⅵ. 25-27,李静采。

分布:陕西(宁陕、洋县)、黑龙江、西藏;朝鲜,日本。

(38)岛切夜蛾 *Euxoa islandica*(Staudinger, 1857)(图版38:18)

Agrotis islandica Staudinger, 1857: 232.
Euxoa islandica: Hampson, 1903: 299, pl. 66, fig. 15.

鉴别特征:前翅长20mm。前翅顶角圆,外缘平滑近垂直,后缘基部微凸出,后翅外缘微曲。前翅暗褐色;亚基线为黑色双线,外侧2A脉和Cu_1脉间有1个方形黑斑;内线为黑色双线,锯齿形稍外斜;环纹呈"V"形,与内线之间形成近三角形黑斑;肾纹灰色椭圆形,与环纹之间形成1个黑色方形斑;外线双线,浅褐色,波浪状,在M_1脉后稍内弯;亚缘线浅褐色,微波浪形,其内侧亚前缘脉处有1个黑色斑。后翅黄褐色,端部灰褐色。翅反面灰褐色,斑纹不明显。

采集记录:1♂,周至厚畛子,1276m,2008. Ⅶ. 01,白明采;1♀,宁陕火地塘,1538m,2012. Ⅶ. 11-15,杨秀帅采。

分布:陕西(周至、宁陕)、黑龙江、青海;蒙古,欧洲。

(39)利切夜蛾 *Euxoa aquilina*(Denis *et* Schffermüller, 1775)(图版38:19)

Noctua aquilina Denis *et* Schiffermüller, 1775: 80.
Agrotis squalida Eversmann, 1856: 181.
Euxoa aquiline: Corti, 1931, *in* Seitz(c): 26.

鉴别特征:前翅长18mm。前翅褐色,亚前缘脉前方颜色稍浅,基部有1条黑色横纹向外延伸;亚基线黑色,仅前半部清楚;内线黑色,微曲,后方稍内斜;环纹灰色,圆形，两侧有黑色边；肾纹灰色具黑色边，外侧中部凹陷，呈月牙形；外线灰色，两侧略带褐色，在2A脉处内弯；亚缘线褐色，微曲内斜，外侧散布黑色细点。后翅基半部黄褐色，端半部灰褐色。翅反面灰褐色，斑纹不明显。

采集记录：1♂，周至厚畛子，1300m，2007. Ⅷ. 10，李文柱采。

分布：陕西（周至）、四川、西藏；亚洲（西部），欧洲。

17. 地夜蛾属 *Agrotis* Ochsenheimer, 1816

Agrotis Ochsenheimer, 1816: 66. **Type species**: *Noctua segetum* Denis *et* Schiffermüller, 1775.

Exagrotis Beck, 1996: 91. **Type species**: *Noctua segetum* Denis *et* Schiffermüller, 1775.

属征：喙发达，下唇须斜向上伸，额光滑或有突起，雄性触角有线形、锯齿形或双栉形。各足胫节均具刺，前足胫节短于跗基节。前翅有1个径副室。后翅 M_2 脉细弱。雄性抱器瓣较狭长，有冠刺。

分布：全世界。秦岭地区发现2种。

(40) 小地老虎 *Agrotis ipsilon* (Hüfnagel, 1766)（图版38：20）

Phalaena ipsilon Hüfnagel, 1766: 416.

Noctua suffusa Denis *et* Schiffermüller, 1775: 80.

Agrotis ypsilon: Hampson, 1903: 368.

Agrotis ipsilon: Sugi, 1982, *in* Inoue, *et al.*: 689/350, pl. 169: 1, 2.

鉴别特征：前翅长24mm。头部、胸部及翅呈褐色或黑灰色。前翅前缘区色较黑，翅脉纹黑色；亚基线、内线、中线及外线均为黑色双线；亚缘线为灰白色，呈锯齿形，内侧 M_1 至 M_3 脉间有两条楔形黑纹，外侧有两个黑点；环纹、肾纹暗灰色，后者外方有1条楔形黑纹。后翅白色半透明。腹部灰褐色。雄性抱器瓣端部肥大，阳茎无角状器。

采集记录：1♂，周至楼观台，680m，2008. Ⅵ. 23-24，李文柱采。

分布：陕西（周至、佛坪）。全国广布，世界性分布。

(41) 黄地老虎 *Agrotis segetum* (Denis *et* Schiffermüller, 1775)（图版38：21）

Noctua segetum Denis *et* Schiffermüller, 1775: 81.

Agrotis segetum: Corti, 1932, *in* Seitz(d): 43.

鉴别特征：前翅长18mm。雌性和雄性触角均为双栉形，至端部渐细，呈线形。前翅窄长，顶角圆，前后翅外缘微曲。前翅浅褐色，亚基线和内线为黑色，仅端半部可见；环纹、肾纹椭圆，具黑色边，环纹左后方有1条黑色横纹，肾纹外端稍尖；中线黑色，微曲外斜;外线黑色,波浪形;亚缘线为黑色双线,呈波浪形,线间灰褐色,外侧黑褐色;缘线灰白色。后翅白色,半透明。翅脉纹浅褐色。翅反面为灰白色,斑纹不明显。

采集记录:1♂,宁陕火地塘,1538m,2007. Ⅵ. 01,史宏亮采;1♂,宁陕火地塘,2008. Ⅶ. 08,白明采。

分布:中国广布;朝鲜,日本,印度,欧洲,非洲等。

18. 狼夜蛾属 *Ochropleura* Hübner, 1821

Ochropleura Hübner, 1821: 223. **Type species**: *Phalaena plecta* Linnaeus, 1761.

属征:喙发达;下唇须向前或斜向上伸;额光滑或中部有突起;雄性触角为线形、锯齿形或双栉形。各足胫节均具刺,前足胫节稍长于跗基节。雄性外生殖器的抱器窄,有冠刺,但不很发达,或有无冠刺的种类;抱钩较小,微弯。

分布:古北界,东洋界,非洲界。秦岭地区发现 3 种。

(42)基角狼夜蛾 *Ochropleura triangularis* Moore, 1867(图版 38:22)

Ochropleura triangularis Moore, 1867: 55.

鉴别特征:前翅长 17~22mm。头部、胸部为紫褐色。前翅紫黑色,前缘区大部及中室前缘黄白色;臀褶基部有 1 个黑色三角形斑;环纹为"V"形,黄白色;肾纹内缘有 1 条黄白色线,两纹间黑色;内线与外线黑色,锯齿形;亚缘线黄褐色,锯齿形,内侧有 1 列齿形黑点。后翅暗褐色。

采集记录:3♂1♀,周至钓鱼台,1480m,2008. Ⅵ. 29,白明采;1♀,宁陕火地塘,1550m,2007. Ⅵ. 01,李文柱采;1♂,宁陕火地塘,1538m,2012. Ⅶ. 11-15,程瑞采;1♂,洋县华阳镇,1100m,2012. Ⅵ. 25-27,李静采。

分布:陕西(周至、太白、佛坪、宁陕、洋县)、甘肃、四川、云南、西藏;印度和克什米尔地区。

(43)焰色狼夜蛾 *Ochropleura flammatra* (Denis *et* Schiffermüller, 1775)(图版 38:23)

Noctua flammatra Denis *et* Schiffermüller, 1775: 80.

Ochropleura flammatra: Forster & Wohlfahrt, 1971: 21.

鉴别特征:前翅长 25mm。前翅黑褐色,前缘脉处灰黄色。亚基线为黑色弯曲双线;内线为双线,黑色,波状外斜,在 1A 脉处稍外突;环纹灰色,圆形,上端开放,内侧有1条近三角形黑斑,其下方有1条黑色斜纹;肾纹灰色,边缘黑色,椭圆状,外侧中部凹陷,环肾纹之间有1个方形黑斑;外线黑色双线,波浪状,在M脉和Cu脉间内弯;亚缘为黑色双线,波状,内侧前缘脉处有1块黑色齿状斑,线间灰黄色;缘线黑色,波曲。后翅暗褐色,端半部深褐色;缘线黄白色,微曲。翅反面灰褐色,斑纹不明显。

采集记录:1♂1♀,周至厚畛子,1300m,2007. Ⅷ. 10,李文柱采。

分布:陕西(周至)、新疆、西藏;印度,亚洲(西部),欧洲。

(44)翠色狼夜蛾 *Ochropleura praecox* (**Linnaeus, 1758**)(图版38:24)

Phalaena(*Noctua*)*praecox* Linnaeus, 1758: 517.

Ochropleura praecox: Zolotarenko, 1970: 300, fig. 103.

鉴别特征:前翅长20mm。头部、胸部褐色杂白色,颈片有3条白线。前翅灰绿色,有白色及褐色点,前缘区微黑;亚基线与内线黑褐色,内线双线间白色;剑纹梭形;环纹、肾纹大,后者前后部各有1个齿形暗点;中线与外线粗,外线中段外侧带绿白色;亚缘线白色,内侧有1条红褐色带。后翅褐色。腹部黄褐色。

分布:陕西(凤县)、黑龙江、辽宁、河北,蒙古,日本;欧洲。

19. 狭翅夜蛾属 *Hermonassa* Walker, 1865

Hermonassa Walker, 1865: 631. **Type species**: *Hermonassa consignata* Walker, 1865.

属征:喙发达,雄性触角为线形。各足胫节均具刺。前翅狭窄,环纹与肾纹多明显暗色。雄性外生殖器的钩形突较粗,指状或抹刀状;抱器瓣较长,某些种有抱器腹突或抱器腹端突;阳茎内常有1个发达的角状器。

分布:中国;俄罗斯,日本,印度,尼泊尔,不丹。秦岭地区发现4种。

(45)狭翅夜蛾 *Hermonassa consignata* **Walker, 1865**(图版38:25)

Hermonassa consignata Walker, 1865: 632.

鉴别特征:前翅长15mm。头部黄褐色,胸腹部褐色。前翅灰黄褐色带紫色,前缘区带赤褐色;亚基线、内线和外线均为黑色双线,线间色浅;剑纹内尖外钝,黑色,具黄白边;环纹、肾纹黑色,环纹内端尖;中线黑色,模糊;亚缘线灰色,锯齿形,内侧黑色。后翅白色,边缘灰褐色。

采集记录:2♀,宁陕火地塘,1538m,2012. Ⅶ. 11-15,姜楠等采。

分布:陕西(宁陕)、青海、西藏;印度。

(46)茶色狭翅夜蛾 *Hermonassa cecilia* Butler, 1878(图版 38:26)

Hermonassa cecilia Butler, 1878a: 164.

鉴别特征:前翅长 17mm。头部、胸部、腹部及前翅为暗褐色。前翅亚前缘脉外半黄褐色;亚基线灰色;内线及外线均为黑色双线,外线呈锯齿形;剑纹暗褐色;环纹、肾纹黑色,具橙黄色边;中线黑色;亚缘线黄褐色,锯齿形,前端内侧有 1 条黑纹,其后有 1 列浅黑色点。后翅暗褐色。

采集记录:1♀,周至钓鱼台,1480m,2007. Ⅵ. 29,白明采;1♂,宁陕火地塘,1500 ~ 2000m,2008. Ⅶ. 08,葛斯琴采。

分布:陕西(周至、凤县、宁陕)、四川、西藏;日本。

(47)淡狭翅夜蛾 *Hermonassa pallidula*(Leech, 1900)(图版 38:27)

Graphiphora pallidula Leech, 1900: 39.

Hermonassa pallidula: Hampson, 1903: 362, pl. 68, fig. 24.

鉴别特征:前翅长 15 ~ 17mm。触角为线形。前翅狭长,前后缘近乎平行,后缘基部稍外凸;后翅外缘微曲。前翅淡灰色,亚基线为褐色双线,波浪状;内线褐色,细弱,中部模糊不可见;环纹黑色,扁圆形;肾纹黑色,椭圆形,其外侧中部凹陷;中线褐色,在 M 脉间外弯;外线褐色,微曲,仅后半部可见双线;亚缘线黄褐色,微波浪状,在 Cu_2 脉处稍内弯,其前端有 1 个方形黑斑;缘线褐色。后翅黄白色。翅反面黄白色,仅前翅褐色亚缘线可见。

采集记录:1♂,周至厚畛子,1300m,2007. Ⅷ. 10,李文柱采;1♀,宁陕火地塘,1550m,2007. Ⅷ. 19,李文柱采。

分布:陕西(周至、宁陕)、青海、四川、云南、西藏。

(48)黄绿狭翅夜蛾 *Hermonassa xanthochlora* Boursin, 1967(图版 38:28)

Hermonassa xanthochlora Boursin, 1967: 29, pl. 1, figs. 12-13, pl. 6, fig. 10.

鉴别特征:前翅长 16mm。头部、胸部为黄褐色。前翅黄绿色,密布黑褐色细点,各横线前段均为粗黑点;亚基线、内线及外线均为黑色双线;剑纹、环纹及肾纹黑色,带黄绿色边;亚缘线黄绿色,两侧衬黑褐色,约呈锯齿形。后翅浅褐色。腹部浅褐色。

采集记录:2♂1♀,宁陕火地塘,1538m,2012. Ⅶ. 11-15,姜楠等采。

分布:陕西(周至、宁陕)、甘肃、云南、西藏。

20. 模夜蛾属 *Noctua* Linnaeus, 1758

Noctua Linnaeus, 1758: 508. **Type species**: *Phalaena promuba* Linnaeus, 1758.
Triphaena Ochsenheimer, 1816: 69. **Type species**: *Phalaena pronuba* Linnaeus, 1758.
Euschesis Hübner, 1821: 221. **Type species**: *Noctua janthina* Denis *et* Schiffermüller, 1775.
Lampra Hübner, 1821: 221. **Type species**: *Phalaena fimbriata* Schreber, 1759.

属征:喙发达,下唇须平伸或斜向上伸,雄性触角多为线形,额光滑无突起。前足胫节长于跗基节,具刺或无刺;中、后足胫节具刺;腹部背面较平。雄性外生殖器的抱器瓣宽,向端部渐窄;抱钩发达,短粗或长指形,或有抱器背突和抱器内突。

分布:全世界。秦岭地区发现1种。

(49)波模夜蛾 *Noctua undosa*(**Leech, 1889**)(图版38:29)

Agrotis undosa Leech, 1889c: 501, pl. 50, fig. 3.
Noctua undosa: Sugi, 1982, *in* Inoue, *et al.*: 691/351, pl. 169: 26.

鉴别特征:前翅长18mm。头部黑褐色,胸部灰褐色杂黑色。前翅灰褐色,中区前半部带黑色,内线与亚缘线间有多条波浪形线;亚基线、内线黑色;剑纹只见1条黑线;环纹大;肾纹黑灰色;亚缘线前端内侧有1条砧形黑纹。后翅黄褐色。腹部褐色。

分布:陕西(周至、留坝)、甘肃、吉林;日本。

21. 扇夜蛾属 *Sineugraphe* Boursin, 1954

Sineugraphe Boursin, 1954: 266. **Type species**: *Eugraphe disgnosta* Boursin, 1948.

属征:喙发达;下唇须向上伸,第3节越过头顶,有扩展的鳞片丛;雄性触角为线形;额光滑。前足胫节内侧有1根刺;中、后足胫节具刺。前翅有1个径副室。雄性外生殖器的钩形突细长;抱器瓣发达,背、腹缘近平行,瓣端钝圆,无冠刺;抱钩发达,常伸近瓣端,无抱器腹突;阳茎较细,多有1个发达的角状器,端部常有几个丁质脊。

分布:中国;俄罗斯,朝鲜,日本。秦岭地区发现3种。

(50)后扇夜蛾 *Sineugraphe stolidoprocta* **Boursin, 1954**(图版39:1)

Sineugraphe stolidoprocta Boursin, 1954: 269, pl. 5, figs. 17, 18, pl. 13, fig. 86.

鉴别特征:前翅长20mm。头部、胸部及前翅为红褐色。前翅亚基线和内线深褐色;外线黑褐色双线,呈锯齿形;亚缘线为黄白色,呈波浪形,与外线间形成1条暗褐色带;环纹、肾纹大,红褐色,具黄白色边。后翅灰褐色。腹部褐色。

采集记录:1♂,宁陕火地塘,1550m,2008. Ⅶ. 09,崔俊芝采;2♂3♀,宁陕火地塘,1538m,2012. Ⅶ. 11-15,姜楠等采。

分布:陕西(太白、留坝、宁陕)、甘肃、浙江。

(51)扇夜蛾 *Sineugraphe disgnosta* (**Boursin, 1948**)(图版39:2)

Eugraphe disgnosta Boursin, 1948: 109, pl. 2, fig. 2; pl. 6, figs. 15-16.

Sineugraphe disgnosta: Boursin, 1954: 266.

鉴别特征:前翅长19mm。头部红褐色,胸部与前翅黄褐色或深褐色。前翅密布细黑点;内线黑色,呈波浪形;环纹、肾纹大,暗褐色,具黄白色边,后者中有浅黄色纹;外线为黑褐色双线,外线与亚缘线间形成褐色宽带。后翅与腹部为灰褐色,后翅色浅。

采集记录:1♀,太白黄柏塬,1350m,1980. Ⅶ. 14,张宝林采。

分布:陕西(太白)、黑龙江、河南;日本。

(52)紫棕扇夜蛾 *Sineugrapha exusta* (**Butler, 1878**)(图版39:3)

Graphiphora exusta Butler, 1878a: 164.

Sineugraphe exusta: Boursin, 1954: 267, pl. 5, fig. 3, 4, 7.

鉴别特征:前翅长20mm。头部浅灰褐色,胸部紫褐色。前翅灰褐色带紫色;亚基线、内线为黑色,内线为双线;中线模糊;外线为暗褐色双线;亚缘线为浅褐色,与外线间色暗;剑纹仅为1个黑点;环纹、肾纹灰褐色,两纹间为1个方形斑。后翅污褐色。腹部灰褐色。

采集记录:1♂,周至厚畛子,1300m,2007. Ⅷ. 10,李文柱采;1♀,太白黄柏塬,1350m,1980. Ⅶ. 14,张宝林采;1♀,佛坪龙草坪,1200m,2008. Ⅶ. 03,白明采;1♂,宁陕火地塘,1538m,2012. Ⅶ. 11-15,姜楠采。

分布:陕西(周至、凤县、太白、佛坪、宁陕)、黑龙江、甘肃、湖北、贵州;俄罗斯,日本。

22. 歹夜蛾属 *Diarsia* Hübner, 1821

Diarsia Hübner, 1821: 222. **Type species**: *Noctua dahlia* Hübner, 1813.

Oxira Walker, 1865: 656. **Type species**: *Oxira ochracea* Walker, 1865.

属征:喙发达;下唇须第 2 节端部前缘饰毛,似三角形,第 3 节超过头顶;额光滑;雄性触角多线形。各足胫节均具刺,前足胫节不短于跗基节。雄性外生殖器的抱器瓣端有发达的冠刺,常有肛刺,多有 1 个抱器内突。

分布:古北界,东洋界,新北界,澳洲界。秦岭地区发现 4 种。

(53)秦歹夜蛾 *Diarsia axiologai* Boursin, 1954(图版 39:4)

Diarsia axiologai Boursin, 1954: 245, pl. 4, fig. 1; pl. 9, fig. 29.

鉴别特征:前翅长 19mm。头部、胸部与前翅褐色。前翅外线外部色暗;亚基线与内线均为黑褐色双线,后者微波浪形外弯;剑纹仅见 1 个黑点;环纹不明显,具黑褐色边;肾纹中有暗褐色纹;中线模糊,暗褐色;外线为暗褐色双线,外侧的线弱,线间色浅,微波浪形外弯;亚缘线灰白色;缘线黑色。后翅浅褐色。腹部灰褐色。

分布:陕西(太白)。

(54)污歹夜蛾 *Diarsia coenostola* Boursin, 1954(图版 39:5)

Diarsia coenostola Boursin, 1954: 240, pl. 3, figs. 22-23; pl. 9, fig. 25.

鉴别特征:前翅长 16mm。头部与胸部乳黄色,下唇须外侧暗褐色。前翅浅黄色;亚基线与内线均为褐色双线,后者波浪形;剑纹仅见 1 个黑点;环纹圆形,有不完整的褐边,中央有 1 个褐色点;肾纹有褐边,较模糊;中线粗,自前缘脉外斜至肾纹后端折角内斜;外线为褐色双线,外弯,在 M_3 以下内弯,线外部色较褐;亚缘线在褐色区中现浅黄色,中段稍外弯。后翅浅褐色。腹部灰黄色。

分布:陕西(太白)、山西。

(55)艺歹夜蛾 *Diarsia hypographa* Boursin, 1954(图版 39:6)

Diarsia hypographa Boursin, 1954: 228, pl. 2, fig. 10; pl. 7, fig. 6.

鉴别特征:前翅长 15mm。头部与胸部红褐色。前翅黄褐色;亚基线与内线均为黑色双线,后者细波浪形外斜;剑纹只见 1 个黑点;中线粗而模糊;环纹不明显,圆形;肾纹较大;外线黑褐色双线,细锯齿形外弯,在 M_2 脉以下较直内斜,在亚缘区淡黄褐色,中段稍外弯,外线外部微红褐色。后翅灰褐色。腹部浅褐色。

分布:陕西(太白山)、云南。

(56)棕色歹夜蛾东方亚种 *Diarsia brunnea urupina*(Bryk, 1942)(图版 39:7,8)

Rhyacia ocollina urupina Bryk, 1942: 37.

Diarsia brunnea urupina: Boursin, 1954: 246.

鉴别特征:前翅长 19mm。头部、胸部为淡黄褐色。前翅紫灰色带褐色;亚基线与内线均为黑色双线;剑纹仅端部有 1 个黑点;环纹斜圆形,灰色;肾纹灰黄色,两纹间及环纹内缘黑色;中线模糊;外线锯齿形外弯;亚缘线不清晰。后翅黄白色带褐色,端区色暗。腹部灰褐色。

分布:陕西(太白)、黑龙江、山西、四川;俄罗斯。

23. 鲁夜蛾属 *Xestia* Hübner, 1818

Xestia Hübner, 1818: 16. **Type species**: *Noctua ochreago* Hübner, 1809.

Amathes Hübner, 1821: 222. **Type species**: *Noctua baja* Denis & Schiffermüller, 1775.

Pachnobia Guenée, 1852, *in* Boisduval & Guenée: 341. **Type species**: *Pachnobia carnea* Thunberg, sensu Guenée, 1852.

Hiptelia Guenée, 1852, *in* Boisduval & Guenée: 399. **Type species**: *Noctua ochreago* Hübner, 1809.

Anomogyna Staudinger, 1871, *in* Staudinger & Wocke: 110. **Type species**: *Hadena laetabilis* Zetterstedt, 1839.

属征:喙发达;下唇须处上斜伸或向前伸,前缘饰毛;额光滑,无突起;雄性触角呈线形、锯齿形或双栉形。各足胫节具刺或仅中、后足胫节具刺。雄性抱器瓣背、腹缘近平行,多具有抱器腹端突。

分布:古北界,东洋界,新北界,非洲界。秦岭地区发现 5 种。

(57)八字地老虎 *Xestia c-nigrum*(Linnaeus, 1758)(图版 39:9)

Phalaena(*Noctua*)*c-nigrum* Linnaeus, 1758: 516.

Agrotis degenerata Staudinger, 1889: 26.

Agrotis c-nigrum: Hampson, 1903: 389.

Xestia c-nigrum: Sugi, 1982, *in* Inoue, *et al.*: 698/352, pl. 172: 7.

鉴别特征:前翅长 13 ~ 17mm。头部、胸部褐色。前翅灰褐色带紫色,前缘区中段浅褐色;亚基线、内线及外线均为黑色双线;环纹呈宽"V"形;肾纹正常;亚缘线浅黄色,内侧微黑,前端有两个黑齿形斜条。后翅黄白色微带褐色。腹部褐色杂紫色。

采集记录:1♀,周至钓鱼台,1480m,2008. Ⅵ. 29,白明采;1♀,佛坪,900m,2008. Ⅶ. 05,崔俊芝采;1♂,宁陕火地塘,1538m,2007. Ⅵ. 01,李文柱采;1♂1♀,宁陕火地

塘,1538m,2012. Ⅶ. 11-15,姜楠采。

分布:中国广布;朝鲜,日本,印度,欧洲,美洲。

(58)褐纹鲁夜蛾 *Xestia fuscostigma*(**Bremer, 1861**)(图版 39:10)

Noctua fuscostigma Bremer, 1861: 487.

Amathes fuscostigma: Boursin, 1963: 37.

Xestia fuscostigma: Sugi, 1982, *in* Inoue, *et al.*: 699/353, pl. 172: 11.

鉴别特征:前翅长 16mm。头部、胸部及前翅为紫褐色。前翅翅脉纹微黑;亚基线、内线及外线均为黑褐色双线;中线仅前端见 1 条黑褐色纹;亚缘线浅褐色,内侧前缘脉上有两条黑齿纹,中段有几个黑褐色点;环纹、肾纹为紫灰褐色;中室大部黑褐色,并向后扩展。后翅及腹部浅黄褐色,前者端区色暗。

采集记录:1♂,周至厚畛子,1300m,2007. Ⅷ. 10,杨干燕采。

分布:陕西(太白)、黑龙江、河南、湖南;俄罗斯,日本。

(59)效鹰鲁夜蛾 *Xestia pseudaccipiter*(**Boursin, 1948**)(图版 39:11)

Amathes pseudaccipiter Boursin, 1948: 120, pl. 3, figs. 3, 4; pl. 13, fig. 58g.

Xestia pseudaccipiter: Poole, 1989: 1001.

鉴别特征:前翅长 18mm。头部、胸部及前翅褐色。前翅杂有绿色;亚基线、内线及外线均为黑色双线;亚基线、内线呈波浪形;外线呈锯齿形;剑纹近椭圆形;环纹、肾纹红褐色;内线外方的中室黑色;中线粗;亚缘线浅褐色,波浪形,内侧有尖齿形黑纹。后翅浅黄色,端区黑褐色。腹部灰褐色。

分布:陕西(太白)、山西、四川、云南、西藏。

(60)兀鲁夜蛾东方亚种 *Xestia ditrapezium orientalis*(**Boursin, 1963**)(图版 39:12)

Amathes ditrapezium orientalis Boursin, 1963: 33.

Xestia ditrapezium orientalis: Sugi, 1982, *in* Inoue, *et al.*: 698/353.

鉴别特征:前翅长 19mm。头部、胸部及前翅浅紫褐色。前翅基部与端部微带黑色;亚基线、内线及外线均为黑色双线;剑纹不明显;环纹、肾纹浅黄褐色,前者斜窄;亚缘线浅褐色,波浪形。后翅淡黄褐色。腹部褐色。

分布:陕西(佛坪、太白)、黑龙江、吉林、内蒙古、新疆、河北、四川;日本。

(61)大三角鲁夜蛾 *Xestia kollari*(**Lederer, 1853**)(图版39:13)

Graphiphora kollari Lederer, 1853c: 366.

Agrotis collari Hampson, 1903: 399.

Amathes kollari: Boursin, 1964: pl. 7, fig. 24.

Xestia kollari: Sugi, 1982, *in* Inoue, *et al.*: 699/353, pl. 172: 8.

鉴别特征:前翅长22~25mm。头部灰色带褐色;胸部红褐色杂灰色;前翅紫灰色,除前缘区、亚缘区外均带褐色;翅脉黑褐色,但中脉主干较白;亚基线、内线及外线均为黑色双线;剑纹短;环纹白色;肾纹红褐色,后半部黑灰色;中室大部分黑色;中线模糊;亚缘线不明显;后翅污褐色;腹部灰褐色。

采集记录:1♂,宁陕火地塘,1550m,2007. Ⅷ. 18,杨玉霞采。

分布:陕西(凤县)、黑龙江、内蒙古、新疆、河北、湖南、江西、云南;俄罗斯,日本。

24. 组夜蛾属 *Anaplectoides* McDunnough, 1929

Anaplectoides McDunnough, 1929: 65. **Type species**: *Eurois pressus* Grote, 1874.

属征:喙发达,下唇须向上伸,额光滑,雄性触角呈线形。各足胫节均具刺,前足胫节长于跗基节。前翅较宽。雄性外生殖器的抱器瓣宽,端部钝或宽,抱钩较近抱器腹,阳茎短。

分布:古北界,东洋界,新北界。秦岭地区发现1种。

(62)黄绿组夜蛾 *Anaplectoides virens*(**Butler, 1878**)(图版39:14)

Eurois virens Butler, 1878a: 194.

Anaplectoides virens: Boursin, 1955: 237, pl. 18, figs. 2, 3.

鉴别特征:前翅长30mm。头部、胸部黄绿色。前翅黑灰色带黄绿色;亚基线、内线及外线均为黑色双线,后者锯齿形;剑纹大,大部为黑色;环纹斜;肾纹中部红褐色;中线黑色,锯齿形;亚缘线黄绿色,内侧有1列黑齿纹。后翅暗灰褐色。腹部黑灰色。

采集记录:1♀,周至厚畛子,1300m,2007. Ⅷ. 10,李文柱采;1♂,宝鸡天台山嘉陵江源头,1620m,2014. Ⅷ. 08-09,薛大勇采;1♂,宁陕火地塘,1550m,2008. Ⅶ. 08,白明采;2♂3♀,宁陕火地塘,1538m,2012. Ⅶ. 11-15,姜楠等采;1♂,柞水营盘镇,953~995m,2014. Ⅶ. 29-31,班晓双采。

分布:陕西(周至、宝鸡、留坝、宁陕、柞水)、黑龙江、甘肃、湖北、云南;朝鲜,日本,印度。

25. 络夜蛾属 *Neurois* Hampson, 1903

Neurois Hampson, 1903: 610. **Type species**: *Diphtera nigroviridis* Walker, 1865.

属征:喙发达;下唇须向上伸,前缘饰毛;额斜圆,端部粗糙,微突;雄性触角呈线形。前足胫节无刺,中、后足胫节具刺,前足胫节长于跗基节;后胸有背毛簇。前翅有1个径副室。雄性外生殖器的抱器瓣宽而长,有冠刺,抱器腹延长。

分布:中国;印度。秦岭地区发现1种。

(63)络夜蛾 *Neurois nigroviridis* (**Walker, 1865**)(图版39:15)

Diphtera nigroviridis Walker, 1865: 615.

Neurois atrovirens: Hampson, 1903: 611.

鉴别特征:前翅长14mm。头部、胸部为白色杂黑褐色。前翅白色,密布褐绿色细点,端区红褐色;亚基线、内线、中线及外线均为黑色,除中线外均衬以白色;环纹、肾纹白色,具黑边,中有铜绿色纹;亚缘线内侧有黑齿纹。后翅及腹部黑褐色。

分布:陕西(留坝)、四川、西藏;印度。

26. 图夜蛾属 *Eugraphe* Hübner, 1821

Eugraphe Hübner, 1821: 224. **Type species**: *Noctua sigma* Denis *et* Schiffermüller, 1775.

Coenophila Stephens, 1850: 74. **Type species**: *Graphiphora subrosea* Stephens, 1829.

Ammogrotis Staudinger, 1895b: 358. **Type species**: *Ammogrotis suavis* Staudinger, 1895.

Hypernaenia Hampson, 1894: 194. **Type species**: *Ochropleura denticulata* Warren, 1888.

属征:喙发达;下唇须向前或斜向上伸;额光滑,稍拱;雄性触角有线形、锯齿形或双栉形。各足胫节均具刺。雄性外生殖器的钩形突较粗,指形或舌形,抱器瓣发达,无冠刺,瓣端不规则二叉形或尖缩,或有发达的抱器腹端突,使瓣端似呈三齿形,抱钩发达,抱器腹突小或无;阳茎发达,常有发达的角状器,端部多有具齿的几丁质脊。

分布:古北界,东洋界(北部)。秦岭地区发现1种。

(64)烙图夜蛾 *Eugraphe sigma* (**Denis *et* Schiffermüller, 1775**)(图版39:16)

Noctua sigma Denis *et* Schiffermüller, 1775: 78.

Agrotis sigma: Hampson, 1903: 407.

Eugraphe sigma: Boursin, 1954: 265, pl. 5, fig. 2.

鉴别特征:前翅长19mm。头部红褐色;胸部浅灰褐色;前翅红褐色带黑灰色,前缘区及中室前半部带浅赭红色;亚基线、内线及外线均为黑色双线;内、外线锯齿形;中线黑褐色,亚缘线不显,内侧有1列黑齿纹;剑纹黑;环纹、肾纹浅黄褐色。后翅褐色。腹部黑褐色。

采集记录:1♂,太白黄柏塬,1350m,1980. Ⅶ. 13,张宝林采。

分布:陕西(周至、太白、留坝、佛坪)、黑龙江、吉林、甘肃、新疆;日本,欧洲。

27. 疆夜蛾属 *Peridroma* Hübner, 1821

Peridroma Hübner, 1821: 227. **Type species**: *Noctua saucia* Hübner, 1808 .

属征:喙发达;下唇须斜向上伸,第2节饰毛较宽;额部光滑;雄性触角线形,具纤毛簇。各足胫节均具刺,前足胫节与跗基节等长。雄性外生殖器的抱器瓣较宽,有冠刺,抱钩较细,有1个抱器内突,抱器腹突短宽而钝,钩形突基半部宽,有短鬃。

分布:全世界。秦岭地区发现1种。

(65)疆夜蛾 *Peridroma saucia* (Hübner, 1808)(图版39:17)

Noctua saucia Hübner, 1808: pl. 81, fig. 378.

Noctua margaritosa Haworth, 1809: 218.

Peridroma saucia: Hübner, 1821: 227.

Peridroma saucia: Chen, 1982a: 289, pl. 87, fig. 2063.

鉴别特征:前翅长23mm。头部暗褐色;胸部红褐色;前翅灰褐色且微黑,中室及前缘区赭红色,密布细黑点;各横线前端为黑点;亚基线、内线黑色双线;剑纹、环纹及肾纹具黑边;外线黑色,锯齿形;亚缘线不清晰,内侧有暗点。后翅白色,半透明,翅脉与端区黑褐色。腹部灰褐色。

采集记录:1♂,周至楼观台,680m,2008. Ⅵ. 23-24,白明采;1♀,柞水营盘镇老林村,1050m,2007. Ⅵ. 03,史宏亮采。

分布:陕西(周至、太白、留坝、佛坪、柞水)、甘肃、宁夏、四川、云南、西藏;亚洲(西部),欧洲,非洲。

(七)盗夜蛾亚科 Hadeninae

鉴别特征:喙发达,少数退化短缩;下唇须短;额球面形,其下常有角质片,有些种类额有角质突起;复眼表面有细纤毛,少数种类复眼后缘还有长睫毛;触角有线形、锯齿形、双栉形;胸部被毛和鳞片,胸部背面或有毛簇;足胫节无刺;腹部背面多有毛簇。前翅约呈三角形,外缘曲度平稳,少数外缘中部外凸;M_1 脉自中室上角发出,M_2、M_3 和 Cu_1 脉自中室下角发出,3A 与 2A 分离。后翅 Rs 和 M_1 脉自中室上角发出,M_2 脉极细弱,自中室端脉中部发出,M_3 和 Cu_1 脉自中室下角发出,可见 2A 和 3A。幼虫体表光滑,头部有不规则网纹,吐丝器细长或长方形,前足胫节内侧有 1 个极小的泡突,腹足 4 对俱全,趾钩单序中带。

分类:陕西秦岭地区发现 11 属 21 种。

28. 灰夜蛾属 *Polia* Ochsenheimer, 1816

Polia Ochsenheimer, 1816: 73. **Type species**: *Phalaena nebulosa* Hüfnagel, 1766.

Chera Hübner, 1821: 211. **Type species**: *Polia serratilinea* Ochsenheimer, 1816.

Polia Boisduval, 1828: 73(nec Ochsenheimer, 1816). **Type species**: *Phalaena nebulosa* Hüfnagel, 1766.

Aplecta Guenée, 1838: 217. **Type species**: *Phalaena nebulosa* Hüfnagel, 1766.

属征:喙发达;下唇须斜向上伸,第 2 节前缘饰长毛,第 3 节短;额光滑,无突起;复眼大;头部与胸部主要被鳞片,前胸、后胸有毛簇,胸部腹面有长毛。腹部背面有 1 列毛簇。前翅有 1 个径副室。后翅 M_2 脉弱,自中室端脉中部发出。雄性外生殖器的抱器瓣端与瓣体界线分明,成一冠。

分布:古北界,东洋界,新北界。秦岭地区发现 4 种。

(66) 灰夜蛾 *Polia nebulosa* (Hüfnagel, 1766)(图版 39:18)

Phalaena nebulosa Hüfnagel, 1766: 418.

Polia nebulosa: Hampson, 1905: 114.

鉴别特征:前翅长 17mm。触角为线形。前翅狭长,外缘平滑,近垂直,后缘基部稍外凸;后翅外缘微曲。前翅褐色,密布黑色细点,亚基线黑色双线,波浪状;内线黑色,波浪状外斜,仅后半部可见双线,其外侧 Cu_2 脉处有 1 个黑色圆形斑;环纹浅褐色,圆形,内外侧黑色边;肾纹浅褐色,椭圆形外斜,内部有黑色斑;中线为黑色双线,波曲外斜,仅前半部可见;外线为黑色双线,波浪状内斜,在 M_1 脉处稍外凸;亚缘线黄白色,微波浪状;缘线由近三角形黑色斑组成。后翅黄白色,外线微曲,褐色。前后翅反面灰白色,中线褐色。

采集记录:2♀,宁陕火地塘,1550m,2007.Ⅷ.18,李文柱采。

分布:陕西(宁陕)、黑龙江、甘肃、新疆、青海、山西;蒙古,朝鲜,日本,欧洲。

(67)冥灰夜蛾 *Polia mortua* (**Staudinger, 1888**)(图版 39:19)

Mamestra mortua Staudinger, 1888: 249.
Mamestra nigerrima Warren, 1888: 302.
Hadena kala Swinhoe, 1900a: 17.
Polia mortua: Hampson, 1905: 104.

鉴别特征:前翅长 20mm。头部、胸部及前翅黑褐色。前翅微带紫色,散布有细黑点;亚基线、内线及外线均为黑色双线;亚基线和内线呈波浪形,外线呈锯齿形;剑纹、环纹、肾纹均色暗,肾纹侧后端有两个白点,前端有 1 个白点;亚缘线灰白色,内侧有 1 列黑点。后翅黄白色,端区带褐色;腹部褐色。

分布:陕西(周至)、黑龙江、内蒙古、甘肃、四川、贵州、云南、西藏;俄罗斯,印度。

(68)逆灰夜蛾 *Polia abnormis* **Draudt, 1950**(图版 39:20)

Polia abnormis Draudt, 1950: 33, pl. 2, fig. 4.

鉴别特征:前翅长 19mm。头部、胸部灰褐色杂白色。前翅红褐色,中区带黑褐色;亚基线黑色,外侧衬白色,呈波浪形;臀褶基部有 1 条黑色纵纹;内线、外线均为黑色双线,前者呈波浪形,后者呈锯齿形;剑纹小;环纹斜圆;肾纹中长,外半部色浅;中线、亚缘线黑色;外区 M_1 至 M_3 脉间有两条黑纵线伸达外缘。后翅灰褐色,腹部浅灰褐色。

采集记录:1♀,太白黄柏塬,1350m,1980. Ⅶ. 16,张宝林采。

分布:陕西(太白)、山西。

(69)鹏灰夜蛾 *Polia goliath* (**Oberthür, 1880**)(图版 39:21)

Dichonia goliath Oberthür, 1880: 68, pl. 6, fig. 7.
Polia goliath: Hampson, 1905: 116.

鉴别特征:前翅长 24 ~ 25mm。头部、胸部为白色。前翅黄白色,散布有细黑点;亚基线、内线及外线为黑色双线;亚基线和内线波浪形,外线为锯齿形;剑纹黑色,其前缘、后缘白色;环纹、肾纹大;中线黑色,后半段锯齿形;亚缘线为白色,锯齿形,内侧有 1 列黑齿纹。后翅污白色,翅脉纹及外线黑色,端带宽,黑色。腹部白色,节间有灰条。

分布:陕西(宁陕)、黑龙江、山西、河南、甘肃、湖北、四川;俄罗斯,朝鲜,日本。

29. 乌夜蛾属 *Melanchra* Hübner, 1820

Melanchra Hübner, 1820: 207. **Type species**: *Phalaena persicariae* Linnaeus, 1761.

Ceramica Guenée, 1852, *in* Boisduval & Guenée: 343. **Type species**: *Ceramica exusta* Guenée, 1852.

属征:喙发达;下唇须斜向上伸,第 2 节前缘有长毛,第 3 节短;触角为线形;额平滑;复眼大,圆形。头部和胸部主要被鳞片,前胸及后胸上有毛簇;胫节有长毛;腹部背面有 1 列毛簇。

分布:古北界,新北界。秦岭地区发现 1 种。

(70)乌夜蛾 *Melanchra persicariae*(**Linnaeus, 1761**)(图版 39:22)

Phalaena(*Noctua*)*persicariae* Linnaeus, 1761: 319.

Melanchra persicariae: Hübner, 1820: 207.

Polia persicariae: Hampson, 1905: 105.

鉴别特征:前翅长 21 ~ 24mm。头部、胸部为黑色。前翅黑色杂褐色;亚基线、内线均为黑色双线,为波浪形;环纹黑边;肾纹明显白色,中央有 1 条褐色曲纹;中线黑色;外线为黑色双线,呈锯齿形;亚缘线灰白色,内侧有 1 列黑色锯齿形纹;缘线为 1 列黑点。后翅白色,翅脉及端区黑褐色;亚缘线淡黄色,仅后半段明显。腹部褐色。

采集记录:3♂2♀,宁陕火地塘,1538m,2012. Ⅶ. 11-15,姜楠等采。

分布:陕西(周至、太白、留坝、宁陕)、黑龙江、甘肃、内蒙古、河北、山西、山东、河南、四川、云南;日本,欧洲。

30. 盗夜蛾属 *Hadena* Schrank, 1802

Hadena Schrank, 1802: 158. **Type species**: *Noctua capsincola* Denis *et* Schiffermüller, 1775.

Dianthoecia Boisduval, 1834: 246. **Type species**: *Noctua capsincola* Denis *et* Schiffermüller, 1775.

属征:喙发达;下唇须斜向上伸,第 2 节前缘有毛,第 3 节短;额平滑;复眼大,圆形;雄性触角为线形,有纤毛。胸部毛与鳞片混生,前胸一般有分裂的毛簇,胸部腹面有长毛;胫节有长毛;腹部第 1 节背面有毛簇,基部有绒毛,两侧有毛。前翅稍窄,顶角尖形,外缘斜曲;有径副室。雄性抱器瓣缘近端部常明显凹陷,瓣端缘多为钝圆形。

分布:古北界,新北界,非洲(北部)。秦岭地区发现 1 种。

(71)梳跗盗夜蛾 *Hadena aberrans*(**Eversmann, 1856**)(图版 39:23)

Dianthoecia aberrans Eversmann, 1856: 104.

Dianthoecia admiranda Oberthür, 1880: 77.

Epia claripennis Butler, 1886a: 134.

Epia aberrans: Hampson, 1905: 229.

Anepia aberrans: Chen, 1982a: 302.

Hadena aberrans: Sugi, 1982, *in* Inoue, *et al.*: 707/356, pl. 174: 7, 8.

鉴别特征:前翅长 14mm。头部褐色,颈片及胸背白色微带褐色。前翅乳白色,内线内侧及外线外侧带有褐色;亚基线黑色只达臀褶;内线为黑色双线,呈波浪形;剑纹黑边;环纹斜圆形,白色黑边,中央大部分褐色,后端开放;肾纹白色,中有黑曲纹,具黑边,内缘黑色较向内扩展,后端外侧有 1 个黑斑达外线;外线为黑色双线,呈锯齿形;亚缘线白色,微波浪形,内侧 M_2 与 Cu_1 脉间有两个齿形黑点。后翅与腹部浅褐色。

分布:陕西(太白)、黑龙江、山东;日本。

31. 秘夜蛾属 *Mythimna* Ochsenheimer, 1816

Mythimna Ochsenheimer, 1816: 78. **Type species**: *Phalaena turca* Linnaeus, 1761.

Philostola Billberg, 1820: 87. **Type species**: *Phalaena turca* Linnaeus, 1761.

Hyperiodes Warren, 1910, *in* Seitz(c): 94. **Type species**: *Phalaena turca* Linnaeus, 1761.

属征:喙发达;下唇须第 2 节斜向上伸,前方饰毛,第 3 节中等或稍长,外伸;额平滑;复眼大,圆形。胸部毛、鳞混杂,无明显毛簇;腹部无毛簇。前翅稍宽,外缘较直,顶角较圆。

分布:古北界。秦岭地区发现 2 种。

(72)曲线秘夜蛾 *Mythimna divergens* Butler, 1878(图版 39:24)

Mythimna divergens Butler, 1878a: 79.

鉴别特征:前翅长 24~27mm。头部深红褐色;胸部黄褐色;前翅黄褐色,有霉绿色调并散布有细黑点;前缘脉红褐色;亚基线、内线、外线均为黑色;无环纹;肾纹细窄,黄白色,后端内突并有 1 个黑点;肾纹外部有暗褐色云。后翅桃红色杂暗褐色。前、后翅反面紫红色。腹部褐色。

采集记录:1♀,周至老县城,1670m,2008. Ⅵ. 30,白明采;1♀,太白黄柏塬,1350m,1980. Ⅶ. 14,韩寅恒采;2♂1♀,柞水营盘镇,953~995m,2014. Ⅶ. 29-31,刘淑仙、班晓双采。

分布:陕西(周至、太白、柞水)、黑龙江;日本。

(73)秘夜蛾 *Mythimna turca*(Linnaeus, 1761)(图版 39:25)

Phalaena(*Noctua*)*turca* Linnaeus, 1761: 322.

Mythimna turca: Ochsenheimer, 1816: 78.
Philostola turca: Billberg, 1820: 87.
Hyperiodes turca: Warren, 1910, *in* Seitz(c): 94.

鉴别特征:前翅长 19 ~ 20mm。头部红褐色;胸部红褐色杂浅紫色;前翅红褐色,密布暗褐色细纹;内、外线黑色,波曲;剑纹、环纹不显;肾纹为斜窄黑条,后端有 1 个白点。后翅红褐色,端区带灰黑色。腹部黄褐色。

采集记录:1♂,周至老县城,1760m,2008. Ⅵ. 17, 李文柱采;1♀,周至厚畛子,1300m,2007. Ⅷ. 10,李文柱采。

分布:陕西(周至、太白、佛坪)、黑龙江、甘肃、湖北、江西、四川;日本,欧洲。

32. 粘夜蛾属 *Leucania* Ochsenheimer, 1816

Leucania Ochsenheimer, 1816: 81. **Type species**: *Phalaena comma* Linnaeus, 1761.
Donachlora Sodoffsky, 1837: 87. **Type species**: *Phalaena comma* Linnaeus, 1761.

属征:喙发达;下唇须斜向上伸,第 2 节边缘有毛,第 3 节短,向前伸;额平滑;复眼大,圆形;雄性触角具有纤毛。头胸两部分被毛,间有鳞片,胸部有或无毛簇;各胫节边缘有毛。腹基部有粗毛,有或无毛簇。

分布:全世界。秦岭地区发现 4 种。

(74) 仿劳粘夜蛾 *Leucania insecuta* Walker, 1865(图版 39:26)

Leucania insecuta Walker, 1865: 625.

鉴别特征:前翅长 17mm。头部、胸部浅黄褐色。前翅淡黄褐色,翅脉衬紫褐色,各脉间另有紫褐色纵纹;内线为 1 列黑点;剑纹为 1 个黑点,中室下角有 1 个白点;外线为双列黑点;顶角有 1 条斜纹,其后色较暗。后翅浅黄色,翅脉、端区及后缘褐色。腹部褐色。

采集记录:1♂,周至厚畛子,1300m,2007. Ⅷ. 10,李文柱采;1♀,佛坪,876m,2007. Ⅷ. 15,李文柱采。

分布:陕西(周至、太白、佛坪)、河北、江苏、福建、云南;日本。

(75) 双贯粘夜蛾 *Leucania binigrata* (Warren, 1912)(图版 39:27)

Hyphilare binigrata Warren, 1912: 12.
Leucania binigrata: Poole, 1989: 577.

鉴别特征:前翅长 16mm。前翅黄褐色,密布黑色细点;环纹、肾纹为黄色椭圆形,周围有黑色细点,肾纹下方有 1 个黑点,并有 1 条白色曲折条带;外线双线,为黑色细点组成;亚缘线褐色,内斜,在 R 脉和 M_1 脉间内凹,该部分外侧深褐色;缘线为 1 列黑点。后翅灰白色,端半部褐色,缘毛白色。翅反面灰白色,略带有银色光泽,隐约可见正面斑纹。

采集记录:1♂,宁陕火地塘,1550m,2007. Ⅵ. 01,李文柱采。

分布:陕西(宁陕)、云南;印度。

(76)白点粘夜蛾 *Leucania loreyi* (Duponchel, 1827)(图版 39:28)

Noctua loreyi Duponchel, 1827: 81, pl. 105, fig. 7.

Leucania loreyi: Leech, 1900: 126.

鉴别特征:前翅长 18mm。雄性触角线形。颈片有两条黑色横纹。前翅窄而长,前后缘近平行,顶角圆;前后翅外缘微曲。前翅灰黄色,端半部密布褐色纵纹,翅中部自基部有 1 条黑色纵纹向外延伸;中室下角有 1 个白点;外线为 1 列黑点,内斜;顶角处有 1 条褐色纹内斜至外线。后翅白色,微透明。翅反面灰白色,斑纹不明显。

采集记录:1♀,柞水营盘镇老林村,1050m,2007. Ⅵ. 02,林美英采。

分布:陕西(柞水)和华中、华东、华南;日本,缅甸,印度,菲律宾,印度尼西亚,大洋洲,欧洲。

(77)重粘夜蛾 *Leucania duplicate* Bulter, 1889(图版 39:29)

Leucania duplicate Bulter, 1889: 8.

Cirphis duplicata: Hanpson, 1905, *in* Seitz(h): 91.

鉴别特征:前翅长 11 ~ 15mm。头和胸部黄白色至黄褐色;颈片有 3 条褐色横线;腹部褐色。前翅淡赭色,中室暗黄色,2A 两侧各有 1 条褐色纵纹,后缘中部附近另 1 条褐色斜纹;翅脉微白,两侧衬暗褐色;外线仅见一些黑点;顶角有 1 条内斜淡纹,其外侧色暗,并在各脉间有 1 条暗褐色纹。后翅浅褐至褐色。

采集记录:2♂,佛坪龙草坪,1200m,2008. Ⅶ. 03,白明、刘万岗采;1♂4♀,宁陕火地塘,1538m,2012. Ⅶ. 11-15,姜楠等采。

分布:陕西(佛坪、宁陕)、西藏;印度。

33. 研夜蛾属 *Aletia* Hübner, 1821

Aletia Hübner, 1821: 239. **Type species**: *Noctua vitellina* Hübner, 1808.

Heliophila Hübner, 1822: 20, 32(nec Klug, 1807). **Type species**: *Phalaena pallens* Linnaeus, 1758.

Leucania Boisduval, 1828: 82(nec Ochsenheimer, 1816). **Type species**: *Phalaena pallens* Linnaeus, 1758.

属征:喙发达;下唇须短,斜向上伸,第 3 节小;额光滑,无突起;复眼大,圆形。胸部被毛和鳞片,前胸背面有毛簇。前翅有 1 个径副室;翅反面或有银鳞。雄性外生殖器抱器瓣的冠极发达,与抱器瓣体有明显分界,抱器瓣腹缘中部膨大,冠上布满刺。

分布:古北界,东洋界,新北界,澳洲界,非洲界。秦岭地区发现 2 种。

(78)崎研夜蛾 *Aletia salebrosa* (Butler, 1878)(图版 40:1)

Leucania salebrosa Butler, 1878a: 80.

Aletia salebrosa: Sugi, 1982, *in* Inoue, *et al.*: 717/358, pl. 177: 11, 12; pl. 361: 11.

鉴别特征:前翅长 18mm。头、胸和腹部为赭黄杂褐色。前翅赭黄色,中室及其外下方带红褐色,翅脉衬以红褐色,中区外下方的各脉间有红褐色纵纹,后缘区内半有 1 条黑褐色纵纹;中室下角具 1 个黑点,中脉端有 1 条白纹;内线黑褐色;外线为 1 列黑点;顶角有 1 条暗褐色斜纹。后翅赭黄色杂黑褐色。

采集记录:1♀,宁陕火地塘,1550m,2007. Ⅴ. 31,李文柱采。

分布:陕西(宁陕)、浙江、湖北、江西、福建、四川;朝鲜,日本。

(79)辐研夜蛾 *Aletia radiate* (Bremer, 1861)(图版 40:2)

Leucania radiate Bremer, 1861: 484.

Aletia radiate: Sugi, 1982, *in* Inoue, *et al.*: 717/358, pl. 177: 10.

鉴别特征:前翅长 15mm。头、胸、腹部和前翅为浅赭黄色。前翅翅脉白色衬以暗褐色,各脉间另有暗褐色纵纹;亚基线仅上端见 1 个黑点;内线仅有几个黑点;中室下角有 1 个暗褐色点;外线为 1 列黑点;顶角有 1 条黄白色斜纹,外侧有暗褐色阴影。后翅黄白色,后缘区暗褐色,中室端至外缘带暗褐色。

采集记录:1♂,宁陕火地塘,1550m,2007. Ⅵ. 01,李文柱采。

分布:陕西(宁陕)、黑龙江、湖南;俄罗斯,朝鲜,日本。

34. 拟粘夜蛾属 *Pseudaletia* Franclemont, 1951

Pseudaletia Franclemont, 1951: 64. **Type species**: *Noctua unipuncta* Haworth, 1809.

属征:喙发达;下唇须斜向上伸,第 2 节边缘有毛,第 3 节短,向前伸;额平滑;复眼圆而大;雄性触角具纤毛。头部、胸部被毛,间有鳞片,胸部有或无毛簇;各胫节边缘微有毛。腹基部有粗毛,有或无毛簇。

分布:古北界,东洋界,澳洲界,新热带界。秦岭地区发现 1 种。

(80)粘虫 *Pseudaletia separata* (Walker, 1865)(图版 40:3)

Leucania separata Walker, 1865: 626.

Pseudaletia separata: Calora, 1966: 701.

鉴别特征:前翅长 17 ~ 19mm。头部、胸部灰褐色。前翅灰黄褐色、黄色或橙色;内线只见几个黑点;环纹、肾纹为黄褐色,肾纹后端有 1 个白点,其两侧各有 1 个黑点;外线为 1 列黑点;亚缘线自顶角内斜至 M_2 脉;翅外缘有 1 列黑点。后翅暗褐色。腹部暗褐色。

采集记录:1♀,宁陕广货街保护站,1189m,2014. Ⅶ. 26-28,刘淑仙采;2♀,柞水营盘镇老林村,1050m,2007. Ⅵ. 02,林美英等采;1♀,山阳土桥村凤凰山庄,722m,2014. Ⅷ. 06,班晓双采。

分布:陕西(佛坪、宁陕、柞水、山阳),全国(新疆未见)广布;古北界(东部),印度尼西亚,澳大利亚,东南亚。

35. 胖夜蛾属 *Orthogonia* C. Felder & R. Felder, 1862

Orthogonia C. Felder & R. Felder, 1862: 38. **Type species**: *Orthogonia sera* C. Felder & R. Felder, 1862.

属征:喙发达;下唇须向上伸,第 2 节约达头顶,前方有毛,第 3 节较长,前端有毛;额平滑,有毛簇;复眼大,圆形;雄性触角有微小纤毛。胸部主要是鳞片,翅基片向背面伸展成脊状,前胸有 1 丛三角形毛簇及 1 双脊形毛簇,胫节微有毛。腹部基部几节背面有小毛簇,两侧有毛。前翅前缘基部拱形,外缘锯齿形,缘毛也呈锯齿形。

分布:中国;日本。秦岭地区发现 3 种。

(81)胖夜蛾 *Orthogonia sera* C. Felder & R. Felder, 1862(图版 40:4)

Orthogonia sera C. Felder & R. Felder, 1862: 38.

Orthogonica sera: Hampson, 1908: 47.

鉴别特征:前翅长 27 ~ 33mm。头部、胸部、腹部及前翅深褐色。前翅亚基线由 3 个黑斑组成,其余各横线黑色;剑纹只见 1 个黑点;亚缘线在 M_1 至 M_3 脉间有 1 条黑纹,内侧有两个黑点;内线、外线间为黑褐色区。后翅褐色。

采集记录:2♀,旬阳金鑫源山庄,386m,2014. Ⅷ. 01- 03,班晓双采。

分布:陕西(太白、旬阳)、浙江、江西、四川、云南;日本。

(82)太白胖夜蛾 *Orthogonia tapaishana*(**Draudt, 1939**)(图版 40:5)

Orthogonica tapaishana Draudt, 1939: 14, 6, pl. 1, fig. 2: pl. 2, fig. 7.

Orthogonia tapaishana: Poole, 1989: 740.

鉴别特征:前翅长 26~27mm。头部、胸部黑褐色。前翅灰褐色杂红褐色,中段杂黑褐色,中脉及外线外部的翅脉灰色;内线内部及外线与亚缘线间均有波曲的黑色细纹;亚缘线灰黄色,其余各横线黑色;内线、外线均双线;内线后端内侧有 1 块黑斑;外线波浪形;剑纹大;环纹前端两个灰黄点;肾纹长。后翅黑褐色。腹部暗灰褐色。

采集记录:2♂,宁陕火地塘,1538m,2012. Ⅶ. 11-15,姜楠等采。

分布:陕西(佛坪、宁陕)、甘肃。

(83)白斑胖夜蛾 *Orthogonia canimacula* **Warren, 1911**(图版 40:6)

Orthogonia canimacula Warren, 1911, *in* Seitz(c): 161, pl. 39: a.

Orthogonica canimacula: Draudt, 1939: 148.

鉴别特征:前翅长 29mm。头部黄褐色,胸部黑褐色。前翅黑褐色;亚基线、内线均为黑色双线;剑纹为 1 个黑点;环纹、肾纹灰褐色;中室后缘外半部白色;外线外侧有 1 列黑点及暗褐色纹,亚缘线外部另有 1 条黑线;外线与亚缘线间浅灰褐色,亚缘区 M_3 和 Cu_1 脉处有暗灰色肾形大斑,近顶角有三角形黑斑。后翅及腹部黑褐色。

分布:陕西(宁陕)、浙江、四川。

36. 翅夜蛾属 *Dypterygia* Stephens, 1829

Dypterygia Stephens, 1829: 167. **Type species**: *Phalaena pinastri* Linnaeus, 1758.

属征:喙发达;下唇须向上伸,第 2 节不达到头顶;额平滑;复眼大,圆形;雄性触角有纤毛;头部和胸部主要是鳞片;胸部有双脊形毛簇;胫节有毛。腹部背面有 1 列毛簇,第 2 腹节上的较大。前翅短宽,顶角圆,外缘锯齿形,在臀角处内削。

分布:古北界,东洋界,新北界,澳洲界,新热带界。秦岭地区发现 1 种。

(84)暗翅夜蛾 *Dypterygia caliginosa*(**Walker, 1858**)(图版 40:7)

Hadena caliginosa Walker, 1858: 1729.

Dypterygia caliginosa: Hampson, 1908: 67.

鉴别特征:前翅长16～21mm。头、胸、腹部及前翅为黑褐色。前翅外线外方前半部及M_3脉下方为浅褐色;后缘区有1条浅褐纵纹;亚基线、内线及外线黑色,内线呈波浪形,外线呈锯齿形;内线内方的2A脉上下各有1条黑纹;剑纹、环纹及肾纹大,黑褐色;亚缘线灰白色,锯齿形。后翅深褐色。

采集记录:1♂,太白黄柏塬,1350m,1980. Ⅶ. 16,张宝林采。

分布:陕西(太白)、河北、浙江、湖北、湖南、福建、海南、贵州、云南;日本。

37. 纬夜蛾属 *Atrachea* Warren, 1911

Atrachea Warren, 1911, *in* Seitz(c): 175. **Type species**: *Spaelotis nitens* Butler, 1878.

属征:喙发达;下唇须向上伸,第2节约达额中部,较宽,饰粗毛,第3节短;额平滑,无突起;复眼大;头顶有鳞脊;雄性触角呈微锯齿形,有纤毛丛;胸部被粗毛,无毛簇,腹面与足腿节有绒毛;腹部背面有1列毛簇。前翅宽,外缘波曲;有1个径副室。后翅M_2脉弱,自中室中下部发出。

分布:中国;俄罗斯,日本。秦岭地区发现1种。

(85)纬夜蛾 *Atrachea nitens*(**Butler, 1878**)(图版40:8)

Spaelotis nitens Butler, 1878a: 164.

Trachea nitens: Hampson, 1908: 161.

Atrachea nitens: Warren, 1911, *in* Seitz(c): 175.

鉴别特征:前翅长19mm。头部、胸部及前翅灰黄色至灰褐色,掺杂黑褐色;腹部深灰褐色。前翅微带绿色;亚基线、内线和外线均为黑色双线,外线呈锯齿形;剑纹小,环纹和肾纹为霉绿色;中线为黑色,锯齿形。亚缘线为灰白色,锯齿形,内侧衬黑色。后翅深灰褐色至黑褐色,近臀角处有浅黄色纹。

采集记录:1♂,周至老县城,1760m,2008. Ⅵ. 27,李文柱采。

分布:陕西(周至)、浙江、湖南;日本。

38. 陌夜蛾属 *Trachea* Ochsenheimer, 1816

Trachea Ochsenheimer, 1816: 75. **Type species**: *Phalaena atriplicis* Linnaeus, 1758.

Achatis Billberg, 1820: 87. **Type species**: *Phalaena atriplicis* Linnaeus, 1758.

属征:喙发达;额平滑;下唇须向上伸,第2节达额中部,第3节短而钝;复眼大,无毛;头部与胸部主要被鳞片,前后胸有分裂形毛簇;足胫节饰长毛。腹部背面有1列毛簇。前翅近三角形,外缘微锯齿形,有1个径副室。

分布:全世界。秦岭地区发现1种。

(86)黑环陌夜蛾 *Trachea melanospila* Kollar, 1844(图版40:9)

Trachea melanospila Kollar, 1844, *in* Kollar *et* Redtenbacher: 480.

鉴别特征:前翅长24mm。头部、胸部黑灰色,腹部与前翅黑褐色。前翅带苔绿色;亚基线、内线及外线均为黑色双线,外线呈锯齿形;环纹及肾纹黑褐色;亚缘线苔绿色,两侧有黑斑。后翅白色,端半部褐色;外线暗褐色;亚缘线后半微白,臀角有1条白色曲纹。

采集记录:2♀,佛坪,876m,2007.Ⅷ.16,杨玉霞采。

分布:陕西(留坝、佛坪)、黑龙江、甘肃、湖北、海南、四川、云南;印度。

(八)冬夜蛾亚科 Cuculliinae

鉴别特征:喙发达,少数种类喙退化;下唇须短,有些种类第3节较长,端部膨大,少数呈尖喙状;额光滑或有突起,其下有角质片;复眼后缘有长睫毛;触角有线形、锯齿形和栉形;头、胸被毛和鳞片,胸部常有毛簇;颈片常向上缩成脊状,或弯向胸背;足胫节无刺,前足胫节有端爪;腹部背面常有毛簇。前翅一般较宽,但某些种类前翅相当狭长,前翅翅脉属四叉型。后翅Rs和M_1脉自中室上角发出,或共柄,M_2脉弱,自中室端脉中部发出,M_3和Cu_1脉自中室下角发出,可见2A和3A。成虫多在秋季或早春出现。幼虫体表光滑,体色一般较鲜明,腹足4对俱全。

分类:陕西秦岭地区发现7属10种。

39. 冬夜蛾属 *Cucullia* Schrank, 1802

Cucullia Schrank, 1802: 157. **Type species**: *Phalaena umbratica* Linnaeus, 1758.

Callaenia Hübner, 1821: 246. **Type species**: *Phalaena umbratica* Linnaeus, 1758.

Tribunophora Hübner, 1822: 20, 37. **Type species**: *Phalaena umbratica* Linnaeus, 1758.

属征:喙发达;下唇须短,斜伸,两侧有毛;额有小圆突起;复眼大;触角一般为线形;头部及胸部具毛和毛状鳞;颈片向后形成1个背兜;后胸有1对毛簇;胫节外侧有长毛。腹部基部几节有毛簇。前翅长而窄,顶角较尖,外缘斜,有径副室。

分布:古北界,东洋界,新北界,非洲界,新热带界。秦岭地区发现4种。

(87)贯冬夜蛾 *Cucullia perforate* Bremer, 1861(图版 40:10)

Cucullia perforate Bremer, 1861: 490.

鉴别特征:前翅长 17~18mm。触角为线形。腹板第 1 节上有毛刷状结构。前翅长而窄,顶角尖,外缘圆弧内斜。前翅灰色,自 M_2 脉基部有 1 条黑色横纹;亚基线黑色,仅前端可见;内线黑色,粗壮,仅前半段可见;环纹褐色,椭圆形,围以白色环;肾纹前半段褐色,后半段白色,长条状;中线黑色,波浪形,内侧灰白色;外线黑色双线,波浪状,线间白色;亚缘线白色,在 M 脉间外凸,外侧在 Cu_2 脉处有 1 条黑色横纹;缘线黑色,间断。后翅基半部灰白色,端半部深灰褐色,斑纹不明显。前后翅反面浅灰色,斑纹不明显。

采集记录:1♂1♀,佛坪,876m,2007. Ⅷ. 16,李文柱、杨玉霞采。

分布:陕西(佛坪)、黑龙江、河北、山东、福建;俄罗斯,朝鲜,日本。

(88)黑纹冬夜蛾 *Cucullia asteris* (Denis *et* Schiffermüller, 1775)(图版 40:11)

Noctua asteris Denis *et* Schiffermüller, 1775: 312.

Cucullia asteris: Hampson, 1906: 65.

鉴别特征:前翅长 17mm。雄性触角呈线形。前翅长而窄,前后缘近乎平行,顶角尖,外缘圆弧内斜;后翅外缘弧形,顶角处稍外凸。前翅暗褐色,自 M_2 基部有 1 条黑色横纹;亚基线黑色,仅在前缘脉处见 1 个黑色细点;内线黑色,粗壮,仅前半段可见;环纹褐色,椭圆形,边缘灰白色;肾纹褐色,椭圆形,中部凹陷,边缘白色;中线黑色,前半段粗壮,后半段渐细;外线黑色,微波浪形,仅后段可见双线,线间灰白色,其外侧 M_1 脉和 Cu_2 脉处各有 1 条黑色横纹;亚缘线不清晰;缘线黑色,间断。后翅基半部浅灰褐色,端半部深灰褐色,斑纹不明显。前后翅反面灰褐色,斑纹不明显。

采集记录:1♂,周至厚畛子,1300m,2007. Ⅷ. 10,李文柱采。

分布:陕西(周至)、黑龙江、新疆、河北、四川;蒙古,日本,欧洲。

(89)碧眼冬夜蛾 *Cucullia argentea* (Hüfnagel, 1766)(图版 40:12)

Phalaena argentea Hüfnagel, 1766: 286.

Argyrogalea argentea: Hampson, 1906: 81.

Cucullia argentea: Warren, 1910, *in* Seitz(c): 102.

鉴别特征:前翅长 17mm。雄性触角呈线形。前翅长而窄,前后缘近乎平行,顶角尖,外缘圆弧内斜;后翅外缘弧形,顶角处稍外凸。前翅暗灰色;亚基线黑色,仅在前缘脉处可见 1 条黑色短斜纹；内线为黑色，锯齿形，前半段粗壮，后半段渐细，在 Cu 脉和 2A 脉之间形成两个尖齿状突起；环纹、肾纹灰色，边缘褐色，椭圆形；中线和外线均为黑色，仅前半段可见，二者之间在 Cu 脉间有 1 条黑色粗壮横纹；缘线褐色，间断。后翅灰白色，外缘略带褐色，斑纹不明显。前后翅反面灰白色，斑纹不明显。

采集记录：1♂，周至厚畛子，1700m，2007. Ⅷ. 12，杨千燕采。

分布：陕西（周至）、黑龙江、内蒙古、新疆、河北、西藏；日本，欧洲。

（90）白纹冬夜蛾 *Cucullia mandschuriae* Oberthür, 1884（图版 40：13）

Cucullia mandschuriae Oberthür, 1884b: 23, pl. 3, fig. 4.

鉴别特征：前翅长 18mm。头部、胸部及前翅灰色杂紫色。前翅臀褶基部有 1 条黑色纵纹，中室外半部褐色；环纹、肾纹后端有 1 条扁三角形折纹连接；中室下角外有 1 条黑褐色线；亚缘线白色，前段内侧有 1 个黑褐色斑，中段外侧有 1 条黑色纵纹，Cu_2 脉后有 1 条黑色纹；端区白色。后翅黄白色杂褐色。腹部灰色杂黄色及暗褐色。

采集记录：1♂，凤县张尧，1980. Ⅷ. 04；1♀，柞水营盘镇，953～995m，2014. Ⅶ. 29-31，刘淑仙采。

分布：陕西（凤县、太白、柞水）、黑龙江、湖南；俄罗斯，日本。

40. 爪冬夜蛾属 *Oncocnemis* Lederer, 1853

Oncocnemis Lederer, 1853c: 368. **Type species**: *Amphipyra confusa* Freyer, 1840.

Phornacisa Walker, 1862c: 311. **Type species**: *Phornacisa piffardi* Walker, 1862.

Copihadena Morrison, 1875a: 91. **Type species**: *Homohadena atricollaris* Harvey, 1875.

Metahadena Morrison, 1875b: 431. **Type species**: *Metahadena atrifasciata* Morrison, 1876.

属征：喙发达；下唇须斜向上伸，第 2 节前缘有长毛，第 3 节向前伸；额光滑；复眼大，圆形；雄性触角线形。胸部被鳞片，前后胸有毛簇；前足胫节短，内缘端部有弯爪，外缘或有 1 只细爪；腹部无毛簇。前翅狭长，有径副室。

分布：古北界，新北界。秦岭地区发现 1 种。

（91）野爪冬夜蛾 *Oncocnemis campicola* Lederer, 1853（图版 40：14）

Oncocnemis campicola Lederer, 1853c: 369.

鉴别特征：前翅长 17～18mm，触角为线形。前翅狭长，后缘基部稍外凸，外缘微波浪状；后翅外缘弧形。前翅深褐色，亚基线为褐色双线，波浪形，外侧浅褐色；内线黑色,弧形,内侧有1条褐色条带;环纹浅褐色,边缘黑色,圆形;肾纹大,浅褐色,两侧边缘黑色,椭圆形;外线为黑色双线,线间浅褐色,波浪形,在Cu脉间稍内陷;亚缘线灰白色,波浪形内斜;缘线黑色,微波浪形。后翅基半部灰褐色,端半部深褐色,斑纹不明显。前后翅反面灰白色,斑纹不明显。

采集记录:1♂,周至厚畛子,1300m,2007. Ⅷ. 10,李文柱采。

分布:陕西(周至)、黑龙江、内蒙古、河北、山东、甘肃、新疆;蒙古,俄罗斯。

41. 巨冬夜蛾属 *Meganephria* Hübner, 1820

Meganephria Hübner, 1820: 206. **Type species**: *Phalaena bimaculosa* Linnaeus, 1767.

Belosticta Butler, 1879: 357. **Type species**: *Belosticta extensa* Butler, 1879.

属征:喙发达;下唇须斜向上伸;额光滑,无突起;复眼大,圆形,有纤毛;雄性触角为双栉形或线形。胸部被鳞片,头顶、前后胸和腹侧有毛簇。前翅宽,外缘波曲。

分布:古北界。秦岭地区发现1种。

(92)摊巨冬夜蛾 *Meganephria tancrei*(Graeser, 1889)(图版40:15)

Miselia tancrei Graeser, 1889: 329.

Meganephria tancrei: Hampson, 1906: 305.

鉴别特征:前翅长25mm。头部、胸部为褐色杂灰白色。前翅灰褐色,翅脉中段带赭色;亚基线、内线均为黑色双线,波浪形,内线间为灰白色,在臀褶有1条黑色纹内伸;剑纹、环纹大;肾纹巨大,前端外凸;中线黑色,模糊;外线黑色,前段、后段双线;亚缘线为白色,锯齿形,内侧有1列黑齿纹;翅脉黑色,端区 M_3 与 Cu_1 脉间有1条黑色纵纹,臀褶有1条黑线穿过外线及亚缘线。后翅污褐色,外线黑褐色,在翅脉上有白点。腹部浅褐色。

分布:陕西(太白)、黑龙江;俄罗斯。

42. 毛眼夜蛾属 *Blepharita* Hampson, 1907

Blepharita Hampson, 1907: 251. **Type species**: *Hadena amica* Treitschke 1825, *in* Ochsenheimer.

Mniotype Franclemont, 1941: 201. **Type species**: *Hadena ducta* Grote, 1878.

Blepharamia Berio, 1981: 16,19. **Type species**: *Phalaena adusta* Esper, 1790.

属征:喙发达;下唇须向上伸,第2节饰毛,第3节较短;额平滑,无突起;复眼大,圆形;头部和胸部几乎全被鳞片,前后胸有散开的毛簇;足胫节饰长毛。腹部背面有1

列毛簇,侧面亦饰毛。前翅短而宽,外缘细波曲形,有1个径副室。

分布:古北界,东洋界,新北界,非洲(北部)。秦岭地区发现1种。

(93)长线毛眼夜蛾 *Blepharita longilinea*(**Draudt, 1950**)(图版40:16)

Parastichtis longilinea Draudt, 1950: 87, pl. 6, fig. 10.

Blepharita longilinea: Poole, 1989: 167.

鉴别特征:前翅长25mm。头部与胸部浅灰褐色,颈片中部有1条黑色横线。前翅浅灰褐色,臀褶有1条黑色纵纹,自基部伸达外线;内线黑色,内侧衬浅灰色,微曲外斜;环纹大,斜椭圆形,具黑边,前端开放;肾纹大,有不完整的黑边,中有1条黑色曲纹;外线黑色,外侧衬浅灰色,自前缘脉微曲外斜至 M_2 脉折角内斜;M_2 与 M_3 脉间有1条黑色纵纹,自肾纹伸达亚缘线;亚缘线隐约可见,浅灰色。后翅浅灰色,基部灰白色,横脉纹黑色。腹部浅灰褐色。

采集记录:1♂1♀,周至厚畛子,1300m,2007. Ⅷ. 10,李文柱采。

分布:陕西(周至、太白)、山西。

43. 展冬夜蛾属 *Polymixis* Hübner, 1820

Polymixis Hübner, 1820: 205. **Type species**: *Phalaena polymita* Linnaeus, 1761.

Crypsedra Warren, 1910, *in* Seitz(c): 133. **Type species**: *Miselia gemmea* Treitschke, 1825.

Propolymixis Berio, 1981: 15, 18. **Type species**: *Noctua argillaceago* Hübner, 1822.

Simplitype Berio, 1981: 16, 19. **Type species**: *Polia dubia* Duponchel, 1838.

属征:喙发达;下唇须短,斜向上伸,第2节被毛;额圆,光滑;复眼大,圆形。胸部被鳞片、毛或毛状鳞,前胸与后胸有散开的毛簇,胸部腹面有长毛。腹部基部几节背面有毛簇。前翅外缘波浪形,有径副室。

分布:古北界,非洲(北部)。秦岭地区发现1种。

(94)太白展冬夜蛾 *Polymixis shensiana*(**Draudt, 1950**)(图版40:17)

Antitype shensiana Draudt, 1950: 71, pl. 5, fig. 6.

Polymixis shensiana: Poole, 1989: 827.

鉴别特征:前翅长21~24mm。头部与胸部灰色,杂少许灰白色;足胫节及距有白斑;跗节黑褐色,各节间有白斑。前翅灰色;亚基线黑色,外侧衬白色,微波曲,自前缘脉至臀褶;内线黑色,内侧衬白色,深波浪形,稍外斜;剑纹不明显,灰色,具黑边,近圆形;环纹大,近方形,灰色,具黑边;中线模糊,黑色,前段粗,外斜至中室下角折向内斜,并呈波浪形;肾纹大,白色,有不完整的黑边,内部1/3带灰色,前后端稍凹;外线黑色,锯齿形,齿尖在翅脉上成黑纹及白点,外侧微衬白色;外区前缘脉有1列白点;亚缘线白色,锯齿形,有间断,内侧衬黑灰色;翅外缘有1列新月形黑纹;缘毛灰色,各翅脉间的缘毛有1条狭窄白色纹。后翅暗灰色杂黑色。腹部暗灰褐色。

采集记录:1♂,太白山蒿坪寺,1982. Ⅶ. 22,任贵堂采。

分布:陕西(太白山)、甘肃。

44. 峦冬夜蛾属 *Conistra* Hübner, 1821

Conistra Hübner, 1821: 229. **Type species**: *Noctua veronicae* Hübner, 1813.

属征:喙发达;下唇须向前伸,下缘饰毛;额平滑,无突起,有毛簇;复眼大,圆形;雄性触角线形;头部与胸部被毛;颈片微向上呈脊状;前胸有脊形毛簇;胸部腹面有长毛,腹部背面较平,无毛簇。前翅有径副室。

分布:古北界,非洲(北部)。秦岭地区发现1种。

(95)褐峦冬夜蛾 *Conistra castaneofasciata* Motschulsky, 1861(图版40:18)

Oporina castaneofasciata Motschulsky, 1861: 34.

Dasycampa fornox Butler, 1878: 168.

Conistra castaneofasciata punctillum Draudt, 1950: 81, pl. 5, fig. 23.

Conistra castaneofasciata: Chen, 1985: 114.

鉴别特征:前翅长18mm。头部、胸部红褐色。前翅浅橘红色;2A脉基部前有1个黑点;亚基线、内线及外线均为黑色双线,亚基线、内线波浪形;环纹圆形;肾纹呈"8"形;中线粗,黑色;亚缘线为锯齿形,内侧有1列黑点,外侧有1列模糊黑点。后翅黑褐色,前缘、后缘区色较浅。腹部红褐色杂黑色。

分布:陕西(太白)、黑龙江、云南;俄罗斯,韩国,日本。

45. 美冬夜蛾属 *Xanthia* Ochsenheimer, 1816

Xanthia Ochsenheimer, 1816: 82. **Type species**: *Noctua flavago* Fabricius, 1787.

Citria Hübner, 1821: 234. **Type species**: *Noctua flavago* Fabricius, 1787.

Cirrhia Hübner, 1820: 234. **Type species**: *Phalaena fulvago* Clerck, sensu Linnaeus, 1761.

属征:喙发达;下唇须斜向上伸,第2节前方饰长毛;额平滑;复眼大,圆形;头部、胸部仅被毛,前胸有毛簇。腹基部有若干毛,两侧饰毛,无毛簇。前翅顶角外伸,弧形,外缘中部弯曲,然后斜行。

分布:古北界,东洋界,非洲(北部)。秦岭地区发现1种。

(96)**柳美冬夜蛾 *Xanthia fulvago*(Clerck, 1759)**(图版40:19)

Phalaena fulvago Clerck, 1759: pl. 6, fig. 15.

Cirrhia fulvago: Hübner, 1820: 234.

Cosmia fulvago: Hampson, 1906: 502.

鉴别特征:前翅长17mm。头、胸、腹部及前翅浅黄色,后胸赤褐色。前翅亚基线、内线、外线均为褐色双线,波浪形;环纹及肾纹浅黄色,具褐边,肾纹后半部有黑褐色环;中线模糊,暗褐色;亚缘线暗褐色,间断为点列。后翅黄白色。

分布:陕西(太白)、黑龙江、山西、新疆;日本,欧洲。

(九)杂夜蛾亚科 Amphipyrinae

鉴别特征:喙发达,少数种类喙退化或短缩;下唇须一般较短;额光滑,无突起,少数有突起或下部有角质片;复眼无毛,仅少数有睫毛;触角多为线形,少数锯齿形或栉形,触角干还有很多变化,如扭曲、膨大等;头部和胸部被鳞片和毛,前胸与后胸常有毛簇;足胫节多无刺,少数前足胫节端部有爪。前翅近三角形,外缘曲度多平稳,少数中部外凸或臀角处凹陷,少数种类后缘或臀角处有鳞齿;多有1个径副室,M_2、M_3和Cu_1脉自中室下角发出,3A和2A分离。后翅M_2脉弱,自中室端脉中部发出,M_3和Cu_1脉自中下角发出,2A和3A可见。幼虫体表光滑,腹足4对俱全,但少数种类前两对腹足较小,趾钩多为单序中带,少数为双序。

分类:陕西秦岭地区发现26属40种。

46. 杂夜蛾属 *Amphipyra* Ochsenheimer, 1816

Amphipyra Ochsenheimer, 1816: 70. **Type species**: *Phalaena tragopoginis* Clerk, 1759.

Scotophila Hübner, 1821: 209. **Type species**: *Phalaena tragopoginis* Clerk, 1759.

Pyrophila Stephens, 1829: 164. **Type species**: *Phalaena tragopoginis* Clerk, 1759.

Neocomia Rougemont, 1902: 372. **Type species**: *Amphipyra satinea* Rougemont, 1902.

属征:喙发达;下唇须向上伸,第2节达头顶,鳞片平滑;复眼圆大;触角呈丝状。胸部无毛簇,被毛及毛状鳞;胫节有毛。腹部背面扁平,无毛簇,基部有粗毛,两侧有毛。前翅顶角较钝,外缘曲度平稳,微呈锯齿形。雄性抱器瓣简单,多无抱钩或其他突起。

分布:古北界,东洋界。秦岭地区发现4种。

(97)蔷薇杂夜蛾 *Amphipyra perflua* (**Fabricius, 1787**)(图版40:20)

Noctua perflua Fabricius, 1787: 179.

Amphipyra perflua: Hampson, 1908: 34.

鉴别特征:前翅长23mm。头部、胸部及前翅黑褐色。前翅外区浅褐色,端区色浅,内区有黄褐色点;各横线浅褐色;内线波浪形,外线、亚缘线锯齿形;环纹扁而斜;无肾纹;翅脉纹暗褐色。后翅褐色。腹部灰褐色。

采集记录:1♂,宁陕火地塘,1538m,2012. Ⅶ. 11-15,姜楠采。

分布:陕西(留坝、宁陕)、黑龙江、河南、甘肃、新疆、江苏、湖北、贵州、云南;朝鲜,日本,印度,欧洲。

(98)大红裙杂夜蛾 *Amphipyra monolitha* **Guenée, 1852**(图版40:21)

Amphipyra monolitha Guenée, 1852, *in* Boisduval & Guenée: 414.

鉴别特征:前翅长27~30mm。头部、胸部黑褐色杂褐色。前翅紫褐色;亚基线为黑色双线,呈波浪形;内线、外线均为黑色双线,锯齿形,外线锯齿尖有白点;中线模糊,暗褐色;中室有1条暗褐色纹;环纹为赭白环;肾纹不显;亚缘线为1列黄白色点,内侧有1列黑色齿纹,外侧有1列暗褐色纹。后翅红褐色。腹部紫褐色。

采集记录:2♀,宁陕广货街保护站,1189m,2014. Ⅶ. 26-28,刘淑仙采;1♂3♀,柞水营盘镇,953~995m,2014. Ⅶ. 29-31,刘淑仙采。

分布:陕西(留坝、佛坪、宁陕、柞水)、黑龙江、辽宁、河北、河南、甘肃、湖北、江西、福建、广东、四川、云南;日本,印度,欧洲。

(99)暗杂夜蛾 *Amphipyra erebina* **Butler, 1878**(图版40:22)

Amphipyra erebina Butler, 1878a: 287.

鉴别特征:前翅长19~25mm。头部、胸部及翅褐色。前翅色稍浅,中区外半带有黑褐色,端区布有灰白色细点;亚基线、内线均为黑褐色双线,波浪形;中线模糊,黑褐色;外线黑褐色,外侧衬黄褐色,波浪形;亚缘线微白,内侧衬暗褐色,前段稍扩展;环纹小,有白环;肾纹不显。后翅褐色。腹部暗灰褐色。

采集记录:1♂,周至厚畛子,1300m,2007. Ⅷ. 10,李文柱采;1♂,商南金丝峡,777m,2013. Ⅶ. 23-25,姜楠采。

分布：陕西(周至、留坝、商南)、黑龙江、甘肃、湖北、云南；朝鲜，日本。

(100)桦杂夜蛾 *Amphipyra schrenkii* Ménétriès, 1859(图版40:23)

Amphipyra schrenkii Ménétriès, 1859: 219.

鉴别特征：前翅长25~33mm。头部、胸部灰褐色。前翅黑褐色；亚基线、内线、中线及外线为黑色，内线呈波浪形，外线呈锯齿形；环纹为1个白点；肾纹小，内缘有1条白纹；外线外侧衬灰白色；亚缘线不明显，微白，前端外侧有1个大白斑，其中杂有褐点。后翅灰褐色至暗褐色。腹部暗灰色。

采集记录：1♀，宁陕火地塘，1538m，2012. Ⅶ. 11-15，程瑞采；1♂，宁陕广货街保护站，1189m，2014. Ⅶ. 26-28，刘淑仙采。

分布：陕西(太白、宁陕)、黑龙江、河南、湖北；朝鲜，日本。

47. 锦夜蛾属 *Euplexia* Stephens, 1829

Euplexia Stephens, 1829: 41. **Type species**: *Phalaena lucipara* Linnaeus, 1761.
Berrhaea Walker, 1858: 1721. **Type species**: *Berrhaea aurigera* Walker, 1858.
Karana Moore, 1882, *in* Hewitson & Moore: 106. **Type species**: *Karana decorata* Moore, 1882.
Epa Bethune-Baker, 1906: 192. **Type species**: *Epa pratti* Bethune-Baker, 1906.
Yula Bethune-Baker, 1906: 193. **Type species**: *Yula novaeguineae* Bethune-Baker, 1906.

属征：喙发达；下唇须向上伸，第2节约达额中部，第3节短；额平滑；复眼大，圆形；雄性触角有纤毛；头部及胸部主要是鳞片，头顶有鳞脊；前胸、后胸有散开的毛簇。腹部有1列毛簇。前翅顶角略呈长方形，外缘微波浪状。

分布：古北界，东洋界，新北界，澳洲界，非洲界。秦岭地区发现2种。

(101)文锦夜蛾 *Euplexia literata*(Moore, 1882)(图版40:24)

Dianthecia [sic!] *literata* Moore, 1882: 124.
Trachea literata: Hampson, 1908: 145.
Euplexia literata: Sugi, 1982, *in* Inoue, *et al.*: 759, 368, pl. 187: 1.

鉴别特征：前翅长19mm。头部、胸部及前翅黄绿色杂褐色。前翅亚基线、内线及外线均为黑色双线，亚基线、内线间带黑色；剑纹微黑；环纹及肾纹黄褐色，肾纹后有1条黄绿色齿形纹；中室大部分黑色；亚缘线黄色二曲，外侧在中褶与臀褶处各有1条黑色纹。后翅黄白或浅褐色，端区色较暗。腹部灰黄色杂暗褐色。

采集记录：1♂1♀，宁陕火地塘，1550m，2007. Ⅷ. 18-19，杨玉霞、李文柱采。

分布:陕西(宁陕)、甘肃、江苏、浙江、湖北、湖南、江西、海南、云南;日本,印度。

(102)白斑锦夜蛾 *Euplexia albovittata* Moore, 1867(图版40:25)

Euplexia albovittata Moore, 1867: 57, pl. 6, fig. 16.

鉴别特征:前翅长20mm。头部、胸部黑色。前翅白色,基部黑色;中室有1个白点,中区有1条黑带,在臀褶处向两侧凸出;环纹灰色,两侧各有1条黑斑;肾纹白色,前端超出中室,外侧有1条黑灰色纹;外线前半可见双黑线;亚缘线在 Cu_1 和 Cu_2 脉内突;端区黑色,M_3 与 Cu_2 脉间有两条白纹。后翅白色,向外渐带褐色。腹部灰黑色。

采集记录:1♂,宁陕火地塘,1538m,2012. Ⅶ. 11-15,姜楠采。

分布:陕西(太白、佛坪、宁陕)、浙江、湖南、福建、海南、四川、云南;印度。

48. 驳夜蛾属 *Karana* Moore, 1882

Karana Moore, 1882: 106. **Type species**: *Karana decorata* Moore, 1882.

Yula Bethune-Baker, 1906: 193. **Type species**: *Yula novaeguineae* Bethune-Baker, 1906.

属征:喙发达;下唇须向上伸,第2节约达额中部,第3节短;额平滑,无凸起;复眼大,圆形;触角为线形;头顶有鳞脊。前胸、后胸有散开的毛簇;腹部背面有1列毛簇,第3腹节毛簇较大,端部几节腹侧面也有毛簇。前翅外缘微波曲,有径副室。后翅 M_2 微弱。

分布:东洋界,澳洲界。秦岭地区发现1种。

(103)白纹驳夜蛾 *Karana germmifera* Walker, 1858(图版40:26)

Plusia gemmifera Walker, 1858: 934.

Euplexia gemmifera: Hampson, 1908: 229.

Karana gemmifera: Boursin, 1970: 64.

鉴别特征:前翅长15~18mm。头部灰白色,胸部黑褐色杂少许白色。前翅紫褐色,散布有金绿色细点;亚基线、内线均为白色,内线呈带状,在A脉前伸出1条白色条纹;剑纹、环纹及肾纹皆为白色,肾纹似"8"字形,前端有1条白纹;中线、外线均为黑色,外线锯齿形,前端两侧银灰色和白色,外侧有1列白色齿纹;亚缘线为1列白色点,内侧有1列黑色齿纹。后翅白色。腹部黑褐色杂灰色。

采集记录:1♂1♀,宁陕火地塘,1550m,2007. Ⅷ. 18、2008. Ⅶ. 09,李文柱采;1♂,宁陕火地塘,1538m,2012. Ⅶ. 11-15,姜楠采;1♂,宁陕广货街保护站,1189m,2014. Ⅶ. 26-28,刘淑仙采。

分布:陕西(佛坪、宁陕)、甘肃、浙江、福建、四川、云南;印度。

49. 秀夜蛾属 *Apamea* Ochsenheimer, 1816

Apamea Ochsenheimer, 1816: 75. **Type species**: *Noctua basilinea* Denis *et* Schiffermüller, 1775.
Abromias Billberg, 1820: 88. **Type species**: *Phalaena polyodon* Clerck, sensu Linnaeus, 1761.
Septis Hübner, 1821: 243. **Type species**: *Noctua lithoxylaea* Denis *et* Schiffermüller, 1775.
Xylophasia Stephens, 1829: 174. **Type species**: *Phalaena polyodon* Clerck, sensu Linnaeus, 1761.
Eleemosia Prout, L. B., 1901: 183. **Type species**: *Noctua abjecta* Hübner, 1813.
Protagrotis Hampson, 1903: 655. **Type species**: *Agrotis viralis* Grote, 1881.
Agroperina Hampson, 1908: 398. **Type species**: *Phalaena lateritia* Hüfnagel, 1766.
Trichoplexia Hampson, 1908: 484. **Type species**: *Hadena exornata* Schler, 1860.
Heteromma Warren, 1911, *in* Seitz(c): 180. **Type species**: *Hadena alpigena* Boisduval, 1837.
Heterommiola Strand, 1912: 16. **Type species**: *Hadena alpigena* Boisduval, 1837.

属征:喙发达;下唇须向上伸,第2节约达额中部,其前缘有毛,第3节短钝;额平滑;复眼大,圆形;雄性触角有纤毛;头部及胸部被毛和毛状鳞;颈片微成脊状;前胸、后胸有散开的毛簇;足胫节饰毛,毛中等长。腹部基部几节有毛簇,两侧有毛。前翅三角形,翅尖略呈长方形,外缘曲度平稳,有径副室。

分布:古北界,东洋界,新北界,非洲(北部)。秦岭地区发现3种。

(104)污秀夜蛾 *Apamea anceps* (Denis *et* Schiffermüller, 1775)(图版40:27)

Noctua anceps Denis *et* Schiffermüller, 1775: 81.
Apamea anceps: Forster & Wohlfahrt, 1971: 130.

鉴别特征:前翅长18~21mm。头部、胸部灰色杂黑褐色。前翅褐色杂黑褐色;亚基线、内线均为黑色双线,内线呈波浪形,双线间均白色;剑纹短;环纹斜椭圆形;肾纹后端内突;中线、外线为黑褐色,外线锯齿形;亚缘线浅黄褐色,呈波浪形,内侧在中褶与臀褶处有黑褐色斑。后翅黄白色杂褐色。腹部褐色杂灰色。

采集记录:1♀,陕西,时间地点不详。

分布:陕西(太白)、黑龙江;朝鲜,日本,亚洲(西部),欧洲。

(105)迴秀夜蛾 *Apamea remissa* (Hübner, 1809)(图版41:1)

Noctua remissa Hübner, 1809: pl. 90, flg. 27.
Noctua obscura Haworth, 1809: 189.
Apamea remissa: Sugi, 1982, *in* Inoue, *et al.*: 739/364, pl. 182: 10-12; pl. 363: 7.

鉴别特征:前翅长 17mm。头部、胸部灰色杂褐色。前翅褐色杂黑灰色,内区、外区灰白色杂褐色,端区黑褐色;亚基线、内线及外线均为黑色双线,亚基线、内线呈波浪形,外线呈锯齿形;剑纹暗褐色;环纹、肾纹为黄白色;亚缘线为黄白色,锯齿形;外线外方的翅脉黑色。后翅浅褐色,外线微黄。腹部褐色。

采集记录:1♂,太白黄柏塬,1350m,1980. Ⅶ. 19,张宝林采。

分布:陕西(太白)、黑龙江、甘肃、新疆;中亚,欧洲。

(106) 亚秀夜蛾 *Apamea askoldis* Oberthür, 1880(图版 41:2)

Apamea askoldis Oberthür, 1880: 72, pl. 3, fig. 13.

Trachea askoldis: Draudt, 1934, *in* Seitz, (d): 169.

Leucapamea askoldis: Sugi, 1982, *in* Inoue, *et al.*: 742/364, pl. 182: 31; pl. 365: 17.

鉴别特征:前翅长 21mm。头部红褐色,胸部白色。前翅大部分白色,前缘、中室及端区暗灰褐色;亚基线、内线均为黑色双线,呈波浪形;剑纹大;环纹浅褐色;肾纹外半部白色,内半部黑色;中线褐色;外线双线为黑褐色,锯齿形;亚缘线白色,内侧有 1 条较粗的褐色线,中褶、臀褶各有 1 个暗褐色斑,线外侧色暗。后翅浅褐色,可见外线。腹部褐色。

采集记录:1♂,宝鸡天台山嘉陵江源头,1620m,2014. Ⅷ. 08-09,薛大勇采。

分布:陕西(周至、太白、宝鸡)、黑龙江、甘肃、新疆、湖北、福建、四川;日本,印度,俄罗斯。

50. 星夜蛾属 *Perigea* Guenée, 1852

Perigea Guenée, 1852, *in* Boisduval & Guenée: 225. **Type species**: *Perigea xanthioides* Guenée, 1852.

属征:喙发达;下唇须斜向上伸,第 2 节前缘饰毛;复眼大;额光滑,无突起;雄性触角呈线形。胸部被平滑鳞片。前翅外缘平稳外弯,有 1 个径副室。后翅 M_2 脉微弱。

分布:古北界,东洋界,新北界,澳洲界,新热带界。秦岭地区发现 1 种。

(107) 围星夜蛾 *Perigea cyclicoides* Draudt, 1950(图版 41:3)

Perigea cyclicoides Draudt, 1950: 94, pl. 6, fig. 16.

鉴别特征:前翅长 10mm。头部暗褐色杂灰白色,胸部黑褐色杂红褐及灰白色。前翅铜褐色杂白色;亚基线在中室前与臀褶处现白色;内线白色外弯,在中室间断;环纹为1个白色圆圈;肾纹由白色点纹组成,内缘为1条白色曲纹,中央另有1条白色曲纹;外线白色间断为点,中段外弯不明显,锯齿形,内侧衬黑褐色;亚缘线白色,不规则波浪形,稍间断,前端明显;外线与亚缘线间的前缘脉上有3个白点;翅脉色暗;缘毛黑褐色杂灰色,端部杂红褐色,基部有1列白点,位于各翅脉端。后翅灰褐色,端区带黑色,缘毛暗褐色,基部有1条黄褐色线。腹部灰色。

分布:陕西(太白山)、河北、江苏、浙江、湖南、福建。

51. 普夜蛾属 *Prospalta* Walker, 1857

Prospalta Walker, 1857: 114. **Type species**: *Prospalta leucospila* Walker, 1858.

属征:喙发达;下唇须向上伸,第2节约达头顶;额光滑,无突起;复眼大;雄性触角线形。胸部主要被鳞片,前胸、后胸有毛簇。腹基节背面有毛簇。前翅外缘曲度平稳,有1个径副室。后翅 M_2 脉细弱。

分布:东洋界,澳洲界,非洲(北部)。秦岭地区发现1种。

(108)聚星普夜蛾 *Prospalta siderea* Leech, 1900(图版41:4)

Prospalta siderea Leech, 1900: 121.

Perigea siderea: Hampson, 1908: 313.

鉴别特征:前翅长13~16mm。触角为线形。前后翅外缘平滑。前翅深褐色,亚基线由两个白点组成;内线为白色,呈波浪状,仅前半部清楚,其与亚基线之间在中室后方有1条白色"8"形斑纹;环纹中央为1个斜长白点,内侧有两个白点,外侧有3个白点,肾纹内部有1条弯曲白条,内侧有3个白点,外侧有4个白点,后端有1个白点;中线白色,仅前端可见1条曲纹;外线和亚缘线都由1列白点组成;缘线由间断暗褐色线和其内侧白色小细点组成。后翅褐色,中室处有1个黑褐色点状斑。翅反面灰褐色,后翅隐约可见正面斑纹。

采集记录:1♂1♀,周至厚畛子,1300m,2007. Ⅷ. 10,李文柱采。

分布:陕西(周至)、浙江、湖南、四川。

52. 点夜蛾属 *Condica* Walker, 1856

Condica Walker, 1856: 240. **Type species**: *Condica palpalis* Walker, 1856.

Gaphara Walker, 1862b: 96. **Type species**: *Gaphara sobria* Walker, 1862.

Platysenta Grote, 1874c: 28. **Type species**: *Platysenta atriciliata* Grote, 1874.

Myrtale Druce, 1891: 443. **Type species**: *Myrtale imitata* Druce, 1891.

Bicondica Druce, 1891: 91. **Type species**: *Perigea selenosa* Guenée, 1852.

Monocondica Berio, 1982: 91. **Type species**: *Magusa saalmuelleri* Berio, 1966.

属征:喙发达;下唇须向上伸,第2节约达头顶;额光滑无突起;雄性触角为线形。胸部主要被鳞片,前胸、后胸有小毛簇。前翅顶角稍尖,外缘斜曲,有1个径副室。后翅 M_2 脉弱,自中室端脉中部发出。腹部仅基节背面有1簇毛簇,雄性腹侧有毛簇。雄性抱器瓣多狭长而弧曲,端缘钝圆。

分布:全世界。秦岭地区发现1种。

(109)楚点夜蛾 *Condica dolorosa* Walker, 1865(图版41:5)

Mamestra dolorosa Walker, 1865: 667.

Perigea dolorosa: Hampson, 1908: 324.

Condica dalarosa: Holloway, 1989: 179.

鉴别特征:前翅长13~19mm。头部、胸部黑褐色杂黄褐色。前翅铜褐色杂灰色;亚基线红褐色;内线为黑色,呈波浪形,前后端内侧有赭色纹;环纹小;肾纹中央为白色曲纹,围以褐白色点;外线为黑色,呈锯齿形,齿尖为黑白点;亚缘线由1列黄褐色点组成,内侧有黑色齿纹。后翅白色杂褐色。腹部黄褐色。

分布:陕西(周至)、湖南、福建、广东、海南、云南;印度,斯里兰卡,菲律宾,斐济。

53. 禾夜蛾属 *Oligia* Hübner, 1821

Oligia Hübner, 1821: 213. **Type species**: *Phalaena strigilis* Linnaeus, 1758.

Miana Stephens, 1829: 41. **Type species**: *Phalaena strigilis* Linnaeus, 1758.

Procus Agassiz, 1847: 57. **Type species**: *Noctua latruncula* Denis *et* Schiffermüller, 1775.

属征:喙发达;下唇须向上伸,第2节约达额中部,前缘饰毛,第3节短钝,光滑;额平滑;复眼大,圆形;雄性触角有纤毛;头部及胸部主要是鳞片,前胸、后胸有散开的毛簇;胫节有毛。腹部基部几节上有毛簇。前翅前后缘中部微外突,顶角圆钝,外缘微曲;后翅外缘浅波状。雄性钩形突宽,铲形,抱器瓣腹缘近端部凹,有1个强突,冠发达,臀角尖。

分布:全世界。秦岭地区发现1种。

(110)竹笋禾夜蛾 *Oligia vulgaris*(**Bulter, 1886**)(图版41:6)

Polydesma vulgaris Butler, 1886a: 135.

Oligia vulgaris: Hampson, 1908: 372.

Bambusiphila vulgaris: Sugi, 1982, *in* Inoue, *et al.*: 746.

鉴别特征:前翅长 18mm。前翅浅褐色,基线褐色,微曲,其前半部两侧褐色,后半部两侧密布灰黑色细点;内线为褐色双线,波浪状外斜;环纹黄白色,圆形,下端开口;肾纹黄白色,椭圆形,外缘白色,其前方于前缘脉处有两个黑色斑点;中线褐色,粗,波浪状稍内斜,在最下端与外线相连;外线黑褐色,锯齿形内斜,齿尖有黑点,其与肾纹之间形成 1 个深褐色倒三角形斑;亚缘线灰白色,在 R_1 脉和 M_2 脉处内凹,在 M_2 脉与翅外缘之间有 1 个褐色三角形斑,其后微波浪状内斜;缘线为 1 列黑点组成。后翅基半部浅灰褐色,端半部深灰褐色。翅反面灰褐色,斑纹不明显。

采集记录:1♂,佛坪,900m,2008. Ⅶ.06,李文柱采。

分布:陕西(佛坪)、江苏、湖北、湖南、福建、江西、云南;日本。

54. 东夜蛾属 *Euromoia* Staudinger, 1892

Euromoia Staudinger, 1892a: 632. **Type species**: *Euromoia mixta* Staudinger, 1892.

属征:喙发达;下唇须向上伸,第 2 节约达额中部;额光滑,无突起;复眼大,圆形;雄性触角线形稍扁。胸部主要被鳞片,前胸、后胸有不发达的散开的毛簇。腹部仅基节背面有毛簇。前翅外缘曲度平稳,有 1 个径副室。后翅 M_2 脉微弱,自中室端脉中部发出。

分布:中国;俄罗斯,朝鲜。秦岭地区发现 1 种。

(111)后黄东夜蛾 *Euromoia subpulchra*(**Alphéraky, 1879**)(图版 41:7)

Hadena subpulchra Alphéraky, 1897a: 173, pl. 12, fig. 11.

Polyphaenis subpulchra: Hampson, 1908: 674.

Triphaenopsis subpulchra: Warren, 1911, *in* Seitz(c): 199.

Euromoia subpulchra: Sugi, 1982, *in* Inoue, *et al.*: 672/345, pl. 165: 4.

鉴别特征:前翅长 22mm。头部、胸部为黑褐色。前翅黑褐色杂灰白色,翅内半及肾纹至外线间白色比较明显;亚基线、内线均为黑色双线,双线间均白色;环纹不显;肾纹大,白色,中凹,内侧有 1 个方形黑斑,前方另有 1 个黑斑;外线黑色,锯齿形,外侧衬白色;亚缘线白色间断,为锯齿形,内侧有 1 列黑纹。后翅杏黄色,中室在 2A 脉处带黑褐色,端区有 1 个条黑色宽带。腹部黑灰色,节间灰色。

采集记录:1♂1♀,佛坪龙草坪,1200m,2008. Ⅶ.03,崔俊芝采;2♂,宁陕广货街保护站,1189m,2014. Ⅶ.26-28,刘淑仙采。

分布:陕西(太白、佛坪、宁陕)、湖北、福建;朝鲜,日本。

55. 袭夜蛾属 *Sidemia* Staudinger, 1892

Sidemia Staudinger, 1892a: 459. **Type species**: *Sidemia snelleni* Staudinger, 1892.

属征:喙发达;下唇须向上伸,第 2 节达到额中部,前方有毛;额平滑;复眼大,圆形;头部和胸部被毛和毛状鳞;前胸及后胸有散开的毛簇;胫节微有毛。腹部只基节有毛簇。前翅顶角钝,外缘弧曲,呈波浪形。

分布:古北界,非洲界。秦岭地区发现 1 种。

(112)袭夜蛾 *Sidemia bremeri*(Erschov, 1870)(图版 41:8)

Agrotis bremeri Erschov, 1870: 152.

Noctua speciosa Bremer, 1861: 486.

Sidemia bremeri: Hampson, 1908: 442.

Sidemia speciosa: Warren, 1911, *in* Seitz(c): 178.

鉴别特征:前翅长 21mm。头部、胸部及前翅呈浅灰褐色。前翅部分带黑色;亚基线、内线均为黑色双线,双线间均白色;环纹及肾纹白色;剑纹黑色;外线为黑色双线,内侧的线呈锯齿形,双线间白色;亚缘线白色,中段锯齿形并在内侧现三角形黑斑。后翅浅灰褐色,端区及外线褐色。腹部灰褐色。

采集记录:1♀,佛坪,876m,2007. Ⅷ. 16,杨干燕采。

分布:陕西(佛坪,太白山)、黑龙江;俄罗斯,日本。

56. 衫夜蛾属 *Phlogophora* Treitschke, 1825

Phlogophora Treitschke, 1825, *in* Ochsenheimer: 369. **Type species**: *Phalaena meticulosa* Linnaeus, 1758.

Solenoptera Duponchel, 1845: 134. **Type species**: *Phalaena meticulosa* Linnaeus, 1758.

Brotolomia Lederer, 1857: 115. **Type species**: *Phalaena meticulosa* Linnaeus, 1758.

Habryntis Lederer, 1857: 114. **Type species**: *Phalaena scita* Hübner, 1790.

Racoptera Scott, 1858: 5962. **Type species**: *Phalaena meticulosa* Linnaeus, 1758.

Chutapha Moore, 1882, *in* Hewitson & Moore: 131. **Type species**: *Chutapha costalis* Moore, 1882.

Mesolomia Smith, 1893: 171. **Type species**: *Phlogophora iris* Guenée, 1852.

属征:喙发达;下唇须斜向上伸,第 2 节约达额中部,前缘较宽,饰毛,第 3 节短;额平滑,有大毛簇;复眼大,圆形;雄性触角有纤毛丛。胸部仅有毛,颈片成背脊状,前胸有三角形毛簇,后胸有散开的成对毛簇。腹部基部有粗毛,基部几节背面有毛簇,侧面有毛。前翅顶角斜截形,外缘及缘毛一般为锯齿形,外缘在 M_3 脉后斜,有径副室。

分布:古北界,东洋界,新北界。秦岭地区发现 1 种。

(113)福衫夜蛾 *Phlogophora beatrix* Butler, 1878(图版 41:9)

Phlogophora beatrix Butler, 1878a: 193.

Chutapha beatrix: Hampson, 1908: 497.

鉴别特征:前翅长 22~25mm。头部红褐色,胸部黄褐色带杂褐色。前翅红褐色,外区带灰白色;内线、外线均为暗褐色双线,内线较直,外斜,后半内方有近三角形褐斑;环纹、肾纹后端相连,两纹间暗褐色;内线、外线间区域的后半部有约呈"V"形暗褐纹;亚缘线为黄白色,呈锯齿形,两侧暗褐色;翅外缘有 1 列黑褐色纹。后翅黄褐色,可见暗褐色外线与亚缘线,翅脉浅褐色。腹部红褐色。

采集记录:1♀,宁陕火地塘,1538m,2012.Ⅶ.11-15,程瑞采。

分布:陕西(宁陕、留坝)、湖南、西藏;日本。

57. 散纹夜蛾属 *Callopistria* Hübner, 1821

Callopistria Hübner, 1821: 216. **Type species**: *Phalaena juventina* Stoll, 1782.

Eriopus Treitschke, 1825, *in* Ochsenheimer: 365. **Type species**: *Phalaena juventina* Stoll, 1782.

Miropalpa Berio, 1955: 123. **Type species**: *Callopistria pauliani* Berio, 1955.

属征:喙发达;下唇须向上伸,第 2 节达头顶,有长毛,第 3 节长,向前伸;额无突起;雄性触角干多变化。胸部毛鳞混生,前胸、后胸有毛簇;中胸有 1 对毛簇;胫节有长毛。腹部 1~3 节有毛簇。前翅外缘曲折,臀角处有鳞齿。雄性抱器瓣简单,少有突起物,基部多较宽,向端部渐窄。

分布:全世界。秦岭地区发现 4 种。

(114)散纹夜蛾 *Callopistria juventina*(Stoll, 1782)(图版 41:10)

Phalaena(*Noctua*)*juventina* Stoll, 1782, *in* Cramer: 245, pl. 300.

Noctua purpureofasciata Piller, 1783: 70.

Callopistria juventina: Hübner, 1821: 216.

Eriopus juventina: Treitschke, 1825, *in* Ochsenheimer: 365.

鉴别特征:前翅长 15~16mm。头部褐色杂黄褐色,胸部黄褐色杂黑褐色;前翅紫褐色,基部微黑;亚基线白色,只达中室;内线为黑色双线,线间白色,弧形外弯;环纹黑色,白边,极窄而外斜;肾纹白色,中央有黑色窄圈;外线双线,黑色,线间紫色,后半内侧为较宽的黄褐色，外侧紫色且成带状；亚缘线仅前半为3条白色内斜纹及1条白色外斜纹；缘线白色，外侧有1条黑线及1条褐色粗线；缘毛黑色。后翅淡黄褐色，端区污褐色。

采集记录：1♂，佛坪，900m，2008. Ⅶ. 05，刘万岗采；1♂，佛坪长角坝，1200m，2008. Ⅶ. 05，白明采；1♂，柞水营盘镇，953～995m，2014. Ⅶ. 29-31，刘淑仙采。

分布：陕西（留坝、佛坪、柞水）、甘肃、黑龙江、河南、江苏、浙江、湖北、湖南、江西、福建、广西、海南、四川；日本，印度，欧洲，美洲。

（115）红晕散纹夜蛾 *Callopistria replete* Walker，1858（图版41：11）

Callopistria replete Walker, 1858: 865.

鉴别特征：前翅长15～17mm。触角呈线形。前翅近三角形，顶角圆，外缘折曲，在 R_2 脉和 M_2 脉处向外凸出，后翅外缘波浪状。前翅灰褐色，基线双线，褐色，微曲；内线为黄白色窄条带，内部有1条褐色条纹，后半部微凸出；环纹黑色，具黄边，椭圆形，肾纹黄白色，长条状，内部有两条斜黑纹，环肾纹与前缘脉之间形成1个黑色倒三角形斑；外线为褐色双线，内侧黄白色，平直，在后端稍内斜，外线外侧有1条锯齿形黑线，在R脉间内凹，内凹处内侧黑色，其后黄褐色；亚缘线黄白色，在 R_2 脉和 M_2 处稍凸出，呈尖齿状；缘线黄白色；后翅灰褐色。翅反面灰褐色，后翅中线微曲，其余斑纹不明显。

采集记录：1♂，周至厚畛子，1300m，2007. Ⅷ. 10，李文柱采；1♂，宁陕火地塘，1550m，2007. Ⅷ. 19，李文柱采；4♂，宁陕火地塘，1538m，2012. Ⅶ. 11-15，姜楠等采。

分布：陕西（周至、宁陕）、黑龙江、山西、河南、浙江、湖北、湖南、福建、广西、海南、四川、云南；朝鲜，日本，印度。

（116）弧角散纹夜蛾 *Callopistria duplicans* Walker，1858（图版41：12）

Callopistria duplicans Walker, 1858: 866.

鉴别特征：前翅长11～14mm。头部、胸部为褐色杂黑色，头顶及颈片大部分黑色，中部各有1条白色横线；雄性触角基部1/5处弯曲成弧状，无鳞齿；中足、后足胫节及第1跗节有长毛。前翅深褐色，翅脉淡黄色；亚基线白色，两侧黑色；内线为白色双线，线间黑色；环纹黑色，具白边，窄斜；肾纹白色，中央有1列黑色曲条及1列褐色曲纹；外线黑色双线，线间白色，外侧红褐色；亚缘线黄白色，锯齿形，在 M_3 脉处齿尖达缘线；缘线白色。后翅灰褐色，微有黄光。腹部暗褐色。

采集记录：1♂，商南金丝峡，777m，2013. Ⅶ. 23-25，崔乐采。

分布：陕西（佛坪、宁陕）、甘肃、山东、江苏、浙江、江西、福建、台湾、海南、四川；朝鲜,日本,缅甸,印度。

(117)白线散纹夜蛾 *Callopistria albolineola* (Graeser, 1889)(图版41:13)

Eriopus albolineola Graeser, 1889: 337.

Callopistria albolineola: Sugi, 1982, *in* Inoue, *et al.*: 786/375, pl. 192: 29, 30.

鉴别特征:前翅长11mm。头部、胸部为黑色,杂黄褐色。前翅黄褐色,密布细黑点;亚基线为白色;内线黑色,两侧衬白色;环纹后端尖,黑色;肾纹黑色,具白边,中央有黄灰色纹,后端外侧有1个白点;外线白色,两侧衬黑色;亚缘线白色,在R_3至M_1脉间有两条内斜纹,M_2脉至M_3脉间有1条外斜纹;亚缘区各翅脉间有黑斑;缘线白色,外侧衬黑色,稍间断;缘毛黑色,基部浅黄色,端部黑与淡黄相间。后翅黑铜褐色。腹部暗灰色。

分布:陕西(留坝)、甘肃、黑龙江、河北;日本,西伯利亚。

58. 希夜蛾属 *Eucarta* Lederer, 1857

Eucarta Lederer, 1857: 168. **Type species**: *Noctua amethystina* Hübner, 1803.

Placodes Boisduval, 1840: 129. **Type species**: *Noctua amethystina* Hübner, 1803.

属征:喙发达;下唇须向上伸,第2节约达头顶,前缘有毛;额平滑;复眼大,圆形;雄性触角有纤毛。胸部主要是鳞片,前胸、后胸有散开的毛簇,在第3节上最多。前翅顶角圆形,外缘曲度平稳,有径副室。

分布:古北界,东洋界。秦岭地区发现1种。

(118)麟角希夜蛾 *Eucarta virgo* (Treitschke, 1835)(图版41:14)

Abrostola virgo Treitschke, 1835: 130.

Eucarta virgo: Frivaldszky, 1869: 160, pl. 7: 5.

Goonallica virgo: Chen, 1982a, 3: 268.

鉴别特征:前翅长12mm。头部、胸部黄褐色。前翅紫灰褐色;内线白色外斜,后端与外线相遇于后缘,内侧衬褐色;环纹白色,斜圆形,前方有1条白纹;肾纹白色,外半部稍带浅红色;中室除环纹、肾纹外黑褐色;外线白色,两侧衬黑褐色,曲度与翅外缘相似;外线与肾纹间有1条模糊黑褐色线;亚缘线白色,端区深褐色。后翅灰白色,腹部浅褐色。

分布:陕西(佛坪)、黑龙江、内蒙古、湖北;朝鲜,日本,欧洲。

59. 遗夜蛾属 *Fagitana* Walker, 1865

Fagitana Walker, 1865: 645. **Type species**: *Fagitana lucidata* Walker, 1865.

Pseudolimacodes Grote, 1874b: 212. **Type species**: *Pseudolimacodes niveicostatus* Grote, 1874.

属征:喙发达;下唇须向上伸,第2节达头顶,第3节较长;额光滑,无突起;复眼大,圆形;雄性触角为锯齿形。胸部被毛和毛状鳞,无毛簇。腹部基部几节背面有毛簇。前翅有1个径副室。后翅 M_2 脉微弱,自中室端脉中下部发出。

分布:古北界,东洋界,新北界。秦岭地区发现1种。

(119)宏遗夜蛾 *Fagitana gigantea* Draudt, 1950(图版41:15)

Fagitana gigantea Draudt, 1950: 109, pl. 7, fig. 26.

鉴别特征:前翅长23mm。头部、胸部及前翅为黄褐色杂黑色。前翅除A脉、径脉主干及亚前缘脉外,各翅脉均为黄褐色,前缘脉并带红色;亚基线黄褐色,只达2A脉;内线黄褐色,直线外斜;剑纹小,外侧明显有1个黑点;环纹大,黄边;肾纹大,黄边,中央有黄圈,后端开放;外线黄色,外弯,后半直,内斜;亚缘线黄色间断为曲纹,内侧各有黑点;缘毛深褐色,端部红褐色,后缘毛黄褐色。后翅淡灰褐色,腹部灰色杂红褐色。

分布:陕西(太白)、黑龙江、浙江、云南;日本。

60. 条夜蛾属 *Virgo* Staudinger, 1892

Virgo Staudinger, 1892a: 467. **Type species**: *Nonagria amoena* Staudinger, 1888.

属征:喙不发达;下唇须斜向上伸,第2节有粗毛,第3节尖;雄性触角为锯齿形,各节有短纤毛及长而弯曲的鬃毛。胸部被粗毛,前胸有毛簇。前翅有1个径副室。后翅 M_2 脉微弱,自中室端脉中部稍后发出。腹部基节背面有毛簇。

分布:中国;俄罗斯,朝鲜,日本。秦岭地区发现1种。

(120)条夜蛾 *Virgo datanidia*(Butler, 1885)(图版41:16)

Nephelodes datanidia Butler, 1885: 132.

Fagitana datanidia: Hampson, 1908: 593.

Virgo datanidia: Warren, 1911, *in* Seitz(c): 197.

鉴别特征:前翅长23mm。头、胸、腹部及前翅为黄褐色杂黑色。前翅翅脉多为黄色,前缘脉带红色;亚基线和内线为黄褐色;剑纹小,外侧有1个黑点;环纹大,黄边;肾纹中有黄色环,外围亦黄色;外线黄色,后半部较直,内斜;亚缘线为1列黄色曲纹,内侧各有黑点。后翅浅灰褐色。

分布:陕西(太白)、黑龙江、浙江、湖南;俄罗斯,日本。

61. 裙剑夜蛾属 *Polyphaenis* Boisduval, 1840

Polyphaenis Boisduval, 1840: 128. **Type species**: *Phalaena sericata* Esper, 1787.

属征:喙发达;下唇须向上伸,第2节达额中部,前方略有毛;额平滑;复眼大,圆形;雄性触角为双栉形,短枝,前端呈锯齿形。胸部几乎全为鳞片,前胸有散开的毛簇,后胸有分裂的毛簇。腹部背面有1列毛簇。前翅顶角钝,外缘线曲度平稳,呈锯齿形。

分布:古北界。秦岭地区发现1种。

(121)霉裙剑夜蛾 *Polyphaenis oberthuri* Staudinger, 1892(图版41:17)

Polyphaenis oberthuri Staudinger, 1892a: 545.

Olivenebula oberthuri: Sugi, 1982, *in* Inoue, *et al.*: 756/368, pl. 186: 20.

鉴别特征:前翅长18mm。头部、胸部及前翅为霉绿色杂黑色。前翅亚基线、内线及外线均为黑色双线,亚基线、内线为波浪形,外线为锯齿形;中线、亚缘线为黑色,亚缘线后半部为波浪形;剑纹细长;环纹及肾纹褐色,带黑边;缘线为1列黑长点。后翅杏黄色,基部黑褐色,后缘有黑褐色窄条,端区有1条黑褐色宽带。腹部黑褐色,节间黄色。

采集记录:1♀,周至厚畛子,1300m,2007.Ⅷ.10,李文柱采;1♂,宁陕火地塘,1550m,2007.Ⅷ.18,李文柱采。

分布:陕西(周至、宁陕)、黑龙江、新疆、河南、湖北、福建、四川、云南;俄罗斯,朝鲜。

62. 句夜蛾属 *Goenycta* Hampson, 1909

Goenycta Hampson, 1909: 49. **Type species**: *Erastria niveiguttata* Hampson, 1902.

属征:喙发达;下唇须向上伸,第2节达额中部,第3节短;额有圆突,下有角质片;复眼大。胸部被毛。腹部背面有1列毛簇,第3、4、5节最大。前翅稍窄,有1个径副室。后翅 M_2 脉细弱。

分布:中国;印度。秦岭地区发现1种。

(122)句夜蛾 *Goenycta niveiguttata*(**Hampson, 1902**)(图版41:18)

Erastria niveiguttata Hampson, 1902: 205.

Goenycta niveiguttata nigroverticalis Chen, 1982b: 434. **Syn. nov.**

鉴别特征:前翅长18mm。头部、胸部为白色,头顶有1个黑圆斑;颈片与翅基片大部黑色,前胸、中胸有黑斑。前翅黑色,基部有1条白纹,内区和外区前缘、后缘各有1个白斑,其中有黑点,前缘两白斑之间有1个白点,亚缘区前缘有两个白点;亚缘线只在前缘脉出现1个大白点,其后有细白点;缘线由不规则的三角形白点组成,R_5 与 M_1 脉间及臀角的点较大,M_3 与 Cu_2 脉间的白点有细白线相连;缘毛黑色,各翅脉外的缘毛白色。后翅白色微带褐色,端区较暗;后翅反面白色,横脉纹黑色明显,顶角有1个黑斑。

采集记录:1♀,太白黄柏塬,1350m,1980. Ⅶ. 10,张宝林采。

分布:陕西(太白)、湖南、福建;印度。

63. 炫夜蛾属 *Actinotia* Hübner, 1821

Actinotia Hübner, 1821: 244. **Type species**: *Phalaena perspicillaris* Linnaeus, 1761.

属征:喙发达;下唇须向上伸,第2节前缘饰毛,第3节平滑;额光滑;复眼大,圆形;雄性触角线状。前胸、后胸有散开的毛簇;前足胫节无刺,中、后足胫节具刺。腹基部几节背面有毛簇。前翅较短宽。雄性外生殖器的抱器瓣发达,有发达的冠刺。

分布:古北界,东洋界。秦岭地区发现1种。

(123)间纹炫夜蛾 *Actinotia intermediata*(**Bremer, 1861**)(图版41:19)

Cloantha intermediata Bremer, 1861: 489.

Delta intermedia: Hampson, 1909: 192.

Lepidodelta intermedia: Chen, 1982a: 246.

Actinotia intermediata: Sugi, 1982, *in* Inoue, *et al.*: 760/368, pl. 187: 8.

鉴别特征:前翅长16mm。头部、胸部及前翅灰白色杂浅褐色。前翅翅脉黑色;前缘、后缘中室前半部带紫褐色,肾纹后方及 M_2 脉至 Cu_2 各脉基部紫褐色;剑纹细长;环纹长扁;肾纹大;2A脉后有1条褐色线,肾纹有1个尖白齿,1条黑纹自顶角延至肾纹;臀角前有1条黑纹。后翅浅灰褐色,端区黑褐色。腹部灰褐色。

分布:陕西(太白)、黑龙江、湖北、湖南、浙江、福建、海南、四川、云南;朝鲜,日本,印度,斯里兰卡。

64. 灰翅夜蛾属 *Spodoptera* Guenée, 1852

Spodoptera Guenée, 1852, *in* Boisduval & Guenée: 153. **Type species**: *Hadena mauritia* Boisduval, 1833.

Laphygma Guenée, 1852, *in* Boisduval & Guenée: 156. **Type species**: *Noctua exigua* Hübner, 1808.

Prodenia Guenée, 1852, *in* Boisduval & Guenée: 159. **Type species**: *Hadena retina* Freyer, 1845.

Calogramma Guenée, 1852, *in* Boisduval & Guenée: 165. **Type species**: *Polia picta* Guérin-Méneville, 1838.

Rusidrina Staudinger, 1892a: 491. **Type species**: *Rusidrina rasdolnia* Staudinger, 1892.

属征:喙发达;下唇须向上伸,第 2 节约达额中部,第 3 节短;额平滑;复眼大,圆形;雄性触角有纤毛。胸部几乎全为平滑鳞片,前胸无毛簇,后胸有分裂的毛簇;胫节略有毛。腹部基部几节有毛簇。前翅狭长,顶角钝,外缘曲度平稳,呈波浪形。

分布:全世界。秦岭地区发现 1 种。

(124) 斜纹灰翅夜蛾 *Spodoptera litura* (Fabricius, 1775)(图版 41:20)

Noctua litura Fabricius, 1775: 601.

Prodenia litura: Hampson, 1909: 245.

Spodoptera litura Barlow, 1982: 86.

鉴别特征:前翅长 15~16mm。头、胸、腹部及前翅褐色。前翅外区翅脉大部为浅黄褐色,各横线为黄褐色;环纹狭长,斜向肾纹;肾纹外缘中凹,前端齿形;亚缘线内侧有 1 列黑色齿纹;1 列灰白纹自前缘经环纹、肾纹间达 Cu_1 和 Cu_2 脉基部;雄性外线与亚缘线间带紫灰色。

分布:陕西(宁陕)、甘肃、山东、江苏、浙江、湖南、福建、广东、海南、贵州、云南;亚洲的热带、亚热带地区,非洲。

65. 委夜蛾属 *Athetis* Hübner, 1821

Athetis Hübner, 1821: 209. **Type species**: *Noctua dasychira* Hübner, 1809.

Proxenus Herrich-Schäffer, 1850: 190, 240. **Type species**: *Caradrina hospes* Freyer, 1831.

Elydna Walker, 1858: 1712. **Type species**: *Elydna transversa* Walker, 1858.

Dadica Moore, 1881: 349. **Type species**: *Dadica lineosa* Moore, 1881.

Radinogoes Butler, 1886b: 393. **Type species**: *Radinogoes tenuis* Butler, 1886.

Strepselydna Warren, 1911, *in* Seitz(c): 229. **Type species**: *Elydna truncipennis* Hampson, 1910.

Hydrillula Tams, 1938: 123. **Type species**: *Noctua pallustris* Hübner, 1808.
Tectorea Berio, 1955: 118. **Type species**: *Caradrina nitens* Saalmüller, 1891.

属征:喙发达;下唇须向上伸,第2节达头顶,第3节短;额平滑;复眼大,圆形;雄性触角为线形或锯齿形,少数呈双栉形。胸部被毛或毛状鳞。腹部背面无毛簇。前翅稍窄,有径副室。

分布:全世界。秦岭地区记录2种。

(125)白斑委夜蛾 *Athetis albisignata* (Oberthür, 1879)(图版41:21)

Caradrina albisignata Oberthür, 1879: 14.
Elydna albisignata: Hampson, 1910: 172.
Athetis albisignata: Poole, 1989: 131.

鉴别特征:前翅长12~17mm。头部、胸部、腹部及前翅灰褐色。前翅端区色暗,各横线均为黑色;亚基线波浪形;中线模糊;外线外方各翅脉均有1条黑色纹;环纹不显;肾纹微黑,其中有1个白点;亚缘线模糊;翅外缘有1列白点。后翅灰白色,缘毛白色。

分布:陕西(太白)、黑龙江;俄罗斯,朝鲜,日本。

(126)线委夜蛾 *Athetis lineosa* (Moore, 1881)(图版41:22)

Dadica lineosa Moore, 1881: 349.
Elydna lineosa: Chen, 1982a: 273.
Athetis lineosa: Sugi, 1982, *in* Inoue, *et al.*: 768/370, pl. 188: 48.

鉴别特征:前翅长12~19mm。头部灰褐色,胸部褐色。前翅浅褐色,翅脉有暗褐色纹,各横线均为黑色;环纹为1个黑点;肾纹为1个白点,前方有1个白点;中线粗而模糊;亚缘线不清晰。后翅灰褐色,缘毛黄白色;雄性后翅反面的前缘区有后向的鳞片丛,亚前缘脉上的鳞片列成脊状。腹部灰褐色。

分布:陕西(周至、佛坪、宁陕)、甘肃、河北、河南、浙江、湖北、湖南、福建、海南、广西、四川、云南;日本,印度。

66. 奂夜蛾属 *Amphipoea* Billberg, 1820

Amphipoea Billberg, 1820: 87. **Type species**: *Phalaena nictitans* Linnaeus, 1767.

属征:喙发达;下唇须向上伸,第2节达额中部,第3节短;额平滑;复眼大,圆形;雄性触角线形。胸部被毛和毛状鳞,前胸、后胸有散开的毛簇。腹部基部几节背面有毛簇。前翅有径副室。

分布:古北界,东洋界(北部),新北界,非洲(北部)。秦岭地区发现1种。

(127)**北奂夜蛾 *Amphipoea ussuriensis* (Petersen, 1914)**(图版41:23)

Hydroecia ussuriensis Petersen, 1914: 14, pl. 1, fig. 7.

Amphipoea ussuriensis: Sugi, 1982, *in* Inoue, *et al.*: 748/366, pl. 184: 18, 19; pl. 365: 7, 15.

鉴别特征:前翅长17mm。头部、胸部、腹部及前翅黄褐色。前翅微带红色,外半部带暗褐色;亚基线、内线均为暗褐色双线,内线为波浪形;外线为暗褐色双线,锯齿形;中线、亚缘线为褐色,中线后半部不显;翅脉黑褐色;后翅黄褐色。

分布:陕西(留坝)、黑龙江、辽宁、甘肃;日本。

67. 构夜蛾属 *Gortyna* Ochsenheimer, 1816

Gortyna Ochsenheimer, 1816: 82. **Type species**: *Noctua flavago* Denis *et* Schiffermüller, 1775.

Ochria Hübner, 1821: 233. **Type species**: *Noctua flavago* Denis *et* Schiffermüller, 1775.

Xanthoecia Hampson, 1908: 9. **Type species**: *Noctua flavago* Denis *et* Schiffermüller, 1775.

属征:喙发达;下唇须向上伸,第2节约达额中部,前缘有长毛,第3节短;额平滑;复眼大,圆形;雄性触角呈微锯齿形。胸部具毛与毛状鳞;翅基片微伸展成背脊状;前胸具三角形尖毛簇,后胸具散开的毛簇;胫节具少量毛。腹基部有粗毛,第1腹节背面有毛簇,侧面有缘毛。前翅顶角微尖,外缘曲度平稳,略呈锯齿形。

分布:古北界,东洋界,非洲(北部)。秦岭地区发现1种。

(128)**基点构夜蛾 *Gortyna basalipunctata* Graeser, 1889**(图版41:24)

Gortyna basalipunctata Graeser, 1889: 341.

鉴别特征:前翅长19~23mm。头部黑色,胸部黑褐色。前翅黄色,有赤褐色细点;亚基线赤褐色,只达2A脉,2A脉基部有1个白斑;内线赤褐色杂黑色,内侧在中室处有1个灰黑色斑,在2A脉后有1条黑灰色条伸达后缘基部;剑纹可见赤褐色边缘;环纹黄色,中央赤褐色,具黑边;肾纹黄色,中央有赤褐色窄圈,将肾纹后端分割成两个点,略白;中线赤褐色,前、后端明显;外线为黑色双线,内侧线明显,前端为1个黄斑;亚缘线为褐色双线,与外线间为黑灰色宽带。后翅污褐色,腹部灰褐色。

分布:陕西(太白山)、黑龙江、四川;俄罗斯,日本,印度。

68. 邪夜蛾属 *Argyrospila* Herrich-Schäffer, 1851

Argyrospila Herrich-Schäffer, 1851: 374. **Type species**: *Leucania maculata* Eversmann, 1842.

属征:喙发达;下唇须向上伸,第 2 节约达额中部,第 3 节短;额光滑,无突起;复眼大;雄性触角线形。胸部被毛和毛状鳞,前胸有散开的毛簇。前翅顶角稍尖,有 1 个径副室。后翅 Rs 和 M_1 脉共柄,M_2 脉弱。

分布:古北界,东洋界,非洲(北部)。秦岭地区发现 1 种。

(129)黑脉邪夜蛾 *Argyrospila formosa* Graeser, 1889(图版 41:25)

Argyrospila formosa Graeser, 1889: 345.

Oria extraordinaria Draudt, 1950: 128, pl. 8, fig. 16; pl. 17, fig. 31.

鉴别特征:前翅长 14 ~ 19mm。头部、胸部及前翅为红褐色,颈片基部黑白相杂,翅基片中部有 1 条黑色纵纹。前翅翅脉大部分带黑色,中室微黑;环纹梭形,肾纹前端向前外伸近达外区,在中室上角成钩状,两纹均白色,具黑边,肾纹后外方有 1 个椭圆白斑;臀褶为 1 条黑褐色纵线,Cu_2 脉后有 1 条粗黑线,2A 脉前有 1 条黑色纵条,其基部向后扩展;中室外方有放射形白纹;顶角有 1 条内斜红褐色纹;翅外缘有 1 列黑点。后翅黑褐色,前缘大部分浅黄色;腹部黑灰褐色。

分布:陕西(太白山)、黑龙江、云南、西藏;俄罗斯。

69. 白夜蛾属 *Chasminodes* Hampson, 1908

Chasminodes Hampson, 1908: 4. **Type species**: *Acontia albonitens* Bremer, 1861.

属征:喙发达;下唇须向上伸,第 2 节伸达头顶,被鳞,平滑,第 3 节较长;额平滑;复眼大,圆形;雄性触角线形。胸部被鳞并混有毛,无毛簇;足胫节被毛中长。腹部背面有 1 列毛簇。前翅顶角方形,外缘曲度平稳,不呈波状。雄性抱器瓣窄,多有 1 个短抱钩。

分布:中国;俄罗斯,朝鲜,日本。秦岭地区发现 3 种。

(130)白夜蛾 *Chasminodes albonitens* (Bremer, 1861)(图版 41:26)

Acontia albonitens Bremer, 1861: 490.

Chasminodes albonitens: Hampson, 1910: 351.

鉴别特征:前翅长14mm。全体白色。前足胫节基部有1个黑点。前翅中室端部有几个小黑点,翅外缘有1列小黑点。

采集记录:1♂,周至厚畛子,1300m,2007. Ⅷ. 10,李文柱采。

分布:陕西(周至,太白山)、黑龙江、河北、山西、江苏、浙江、湖南;朝鲜,日本。

(131)雪白夜蛾 *Chasminodes niveus* Yang, 1964(图版41:27)

Chasminodes niveus Yang, 1964: 456, fig. 2, 3.

鉴别特征:雄性前翅长28~30mm,雌性前翅长30~31mm。触角为线形。前翅长,顶角圆钝,外缘平直;后翅外缘微曲。前翅雪白色,翅脉纹浅黄色;后翅雪白色,无斑纹。翅反面雪白色,无斑纹。

采集记录:1♂1♀,周至老县城,1300m,2007. Ⅷ. 10,李文柱采;1♀,宁陕火地塘,1538m,2012. Ⅶ. 11-15,杨秀帅采;1♀,柞水营盘镇,953~995m,2014. Ⅶ. 29-31,刘淑仙采。

分布:陕西(周至、宁陕、柞水)、四川。

(132)黑痣白夜蛾 *Chasminodes nigrostigma* Yang, 1964(图版41:28)

Chasminodes nigrostigma Yang, 1964: 457, figs. 3, 6.

鉴别特征:雄性前翅长29~33mm,雌性前翅长31~33mm。触角为线形。前翅长,顶角圆钝,外缘微曲;后翅外缘微曲。前翅白色,翅脉纹浅黄色,其上散布有浅黑色细点,中室下角有1个黑点;后翅白色,无斑纹。翅反面白色,翅脉浅黄色,其上散布有浅黑色细点。

采集记录:1♂,周至厚畛子,1300m,2007. Ⅷ. 10,李文柱采;1♀,宁陕火地塘,1550m,2007. Ⅷ. 19,李文柱采。

分布:陕西(周至、宁陕)、四川。

70. 明夜蛾属 *Sphragifera* Staudinger, 1892

Sphragifera Staudinger, 1892a, *in* Romanoff: 554. **Type species**: *Anthoecia sigillata* Ménétriès, 1859.

属征:喙发达;下唇须向上伸,第2节达头顶,第3节短;额平滑;复眼大,圆形;雄性触角大部分呈丝状。胸部几乎全为鳞片,无毛簇;胫节略有毛。腹部只基节上有毛簇。前翅顶角钝,外缘曲度平稳,不呈锯齿形。

分布:中国;俄罗斯,朝鲜,日本,印度,缅甸。秦岭地区发现3种。

(133)丹日明夜蛾 *Sphragifera sigillata* (Ménétriès, 1859)(图版41:29)

Anthoecia sigillata Ménétriès, 1859: 219.

Chasmina sigillata: Hampson, 1910: 356.

Sphragifera sigillata: Staudinger, 1892a: 554.

鉴别特征:前翅长17~19mm。头部、胸部及前翅白色,额部黑褐色;翅基片基部有1个暗褐斑。前翅亚基线仅在中室出现1个黑点;内线为褐色,呈波浪形;肾纹为新月形;外线为褐色,仅在肾纹前后可见;亚缘区有1个深褐色大斑,似桃形;亚缘线为褐色双线,呈波浪形;缘线为黑褐色,呈锯齿形。后翅为赭白色,端区色暗。腹部灰黄色,基部稍白。

采集记录:1♀,宁陕火地塘,1538m,2012. Ⅶ. 11-15,姜楠采;1♀,柞水营盘镇,953~995m,2014. Ⅶ. 29-31,刘淑仙采。

分布:陕西(太白、宁陕、柞水)、黑龙江、辽宁、河南、浙江、福建、四川、云南;朝鲜,日本。

(134)日月明夜蛾 *Sphragifera biplagiata* (Walker, 1865)(图版41:30)

Acontia biplagiata Walker, 1865: 781.

Acontia biplaga Walker, 1858: 795.

Sphragifera biplagiata: Poole, 1989: 920.

鉴别特征:前翅长14~16mm。头部、胸部及前翅为白色,额部有1条黑色横纹。前翅后半及端区带土灰色;前缘脉基部为1个褐色点,中部为1个赤褐色斜斑,其后端达中室下角,近顶角有1个赤褐色曲斑;亚缘线白色;肾纹黑褐色,具白边,似“8”形,外侧有1个黑褐色斑;翅外缘有1列黑点。后翅黄白色,外半带褐色。腹部浅褐色,基部微白。

采集记录:1♂,佛坪,876m,2007. Ⅷ. 16,杨玉霞采;1♀,宁陕广货街保护站,1189m,2014. Ⅶ. 26-28,刘淑仙采;1♂2♀,柞水营盘镇,953~995m,2014. Ⅶ. 29-31,刘淑仙、班晓双采;4♂2♀,旬阳金鑫源山庄,386m,2014. Ⅷ. 01-03,刘淑仙、班晓双采;1♀,山阳土桥村凤凰山庄,722m,2014. Ⅷ. 06,班晓双采;1♀,商南金丝峡,777m,2013. Ⅶ. 23-25,崔乐采。

分布:陕西(留坝、佛坪、宁陕、柞水、旬阳、山阳、商南)、甘肃、河北、河南、湖北、湖南、江苏、浙江、福建、贵州;朝鲜,日本。

(135)小斑明夜蛾 *Sphragifera mioplaga* Chen, 1986(图版 41:31)

Sphragifera mioplaga Chen, 1986: 211. fig. 2.

鉴别特征:前翅长 19mm。头部与胸部为白色,下唇须上缘黑褐色;胸部腹面与足为淡褐色,腿节与胫节为黑褐色。前翅白色,除端区外均带淡褐色,有 1 条黄褐色条自前缘脉中部伸达肾纹内侧;肾纹微黑,具白边;肾纹外方及后方色较暗,隐约可见锯齿形外线,在 M_3 至 2A 各脉上为黑点;近顶角处有 1 个黄褐色斑,其内缘半圆形,外缘成 1 个尖突,后半带有黑色;亚缘线由不规则形黑纹组成,自顶角至 Cu_1 脉,在 M_1 脉处很宽;缘线仅在 M_2 脉前可见黑色。后翅浅黄色,亚缘区隐约可见雾状黑色纹。腹部浅黄褐色。

采集记录:2♂,宁陕火地塘,1538m,2012. Ⅶ. 11-15,姜楠采;1♀,宁陕广货街保护站,1189m,2014. Ⅶ. 26-28,班晓双采。

分布:陕西(太白、留坝、宁陕)、湖北。

71. 井夜蛾属 *Dysmilichia* Speiser, 1902

Dysmilichia Speiser, 1902: 140. **Type species**: *Perigea gemella* Leech, 1889.

Phalacra Staudinger,1892a: 568(nec Walker, 1866). **Type species**: *Perigea gemella* Leech, 1889.

属征:喙发达;下唇须斜伸,短,前缘饰毛;额凸起,呈平截锥形,有凸起边缘,其下并有 1 块角质片;复眼大,圆形;雄性触角一般有纤毛;体较细长,胸部主要是鳞片,无毛簇;腹部无毛簇。前翅短宽,顶角圆形,外缘曲度平稳,不呈锯齿形;有径副室。

分布:古北界,东洋界。秦岭地区发现 1 种。

(136)井夜蛾 *Dysmilichia gemella*(Leech, 1889)(图版 41:32)

Perigea gemella Leech, 1889c: 492, pl. 53, fig. 12.

Phalacra gemella: Staudinger, 1892a: 568.

Dysmilichia gemella: Speiser, 1902: 140.

鉴别特征:前翅长 12 ~ 16mm。前翅褐色,基线由 3 个黄白色小细点组成;内线为 1 个黄白圆斑,稍外斜排列;环纹为 1 个黄白圆斑,具黑色边,肾纹由 2 个黄白色圆斑纵向排列组成,似"8"形,其内部有 1 条褐色曲纹;外线由 2 列排列紧密的黄白斑组成,在 M_2 脉和 M_3 脉之间中断,位于内侧的 1 列黄白斑大,R 脉和 M_1 脉间的黄白斑近方形并彼此间相连接,位于外侧的 1 列黄白斑小,多呈月牙形;外线外侧亚前缘脉处还有两个近椭圆形白斑;亚缘线前端为几个白斑,后端为白色曲纹。后翅黄褐色。翅反面暗褐色,斑纹不明显。

采集记录:1♀,周至老县城,1760m,2008. Ⅵ.27,李文柱采。

分布:陕西(周至)、黑龙江、河北、浙江、福建;朝鲜,日本。

(十)丽夜蛾亚科 Chloephorinae

鉴别特征:喙多发达;下唇须一般较长,第3节有时很长,且端部膨大,多数成尖齿形向下伸;额光滑,少数有尖突;复眼大,无纤毛或睫毛;触角多为线形,少数较扁或为栉形。胸部主要被毛,少有毛簇;足胫节无刺亦无爪,有些种类后足胫节极短,距亦不发达。腹部背面多有毛簇。前翅近三角形,较宽,外缘直或弧形,中部或外凸,少数种类臀角内削或后缘有鳞齿;R_2 至 R_5 脉相变化很多,有 R_4 和 R_5 脉共柄或 R_2 至 R_4 脉共柄,或 R_2 至 R_5 脉共柄,有或无径副室,M_2、M_3 和 Cu_1 脉自中室下角发出,3A 与 2A 脉分离。后翅外缘曲度平稳,少数中部外凸或臀角下内削;M_2 脉发达,自中室下角或下角略上方发出,M_3 和 Cu_1 脉自中室下角发出,2A 和 3A 脉可见。雄性翅缰钩多呈棒状,少数只现毛簇于中脉后方。幼虫体小型或中型,腹足4对俱全或前两对退化,仅留几个趾钩,趾钩单序中带。

分类:陕西秦岭地区发现8属8种。

72. 豹夜蛾属 *Sinna* Walker, 1865

Sinna Walker, 1865: 641. **Type species**: *Sinna calospila* Walker, 1865.

Teinopyga Felder, 1874, *in* Felder & Rogenhofer: pl. 106. **Type species**: *Teinopyga reticularis* Felder, 1874.

属征:喙发达;下唇须向上伸,第2节达额中部,前面略有毛,第3节长;额平滑;雄性触角有纤毛。胸部毛鳞混生,胫节鳞片平滑。腹部较细长,无毛簇。前翅顶角圆,外缘曲度平稳,不呈锯齿形;前翅 R_2 至 R_4 脉共柄,有径副室。后翅 $Sc+R_1$ 脉仅在基部与径脉接触,M_1 和 M_2 脉在中室上角,M_3 脉在中室下角。

分布:古北界,东洋界。秦岭地区发现1种。

(137)胡桃豹夜蛾 *Sinna extrema* (**Walker, 1854**)(图版41:33)

Deiopeia extrema Walker, 1854: 573.

Sinna fentoni Butler, 1881a: 8.

Sinna extrema: Hampson, 1912: 468.

鉴别特征:前翅长17~18mm。头部、胸部白色,颈片、翅基片及前胸、后胸均有黄斑。前翅橘黄色，外线内部有许多大小不一的白斑，形状亦各异；外线为1条曲折白带；顶角有1个白色大斑，约呈三角形，其边缘有4个小黑斑；翅外缘后半部有3个黑点。后翅白色带浅褐色。腹部黄白色。

采集记录：1♀，佛坪，876m，2007.Ⅷ.16，杨玉霞采；1♀，佛坪龙草坪，1256m，2008.Ⅶ.03，崔俊芝采；1♀，柞水营盘镇，953～995m，2014.Ⅶ.29-31，班晓双采；1♂，商南金丝峡，777m，2013.Ⅶ.23-25，姜楠采。

分布：陕西（佛坪、柞水、商南，太白山）、黑龙江、河南、江苏、浙江、湖北、湖南、江西、福建、海南、四川；日本。

73. 砌石夜蛾属 *Gabala* Walker, 1866

Gabala Walker, 1866: 1220. **Type species**: *Gabala polyspialis* Walker, 1866.

属征：喙不发达，很小；下唇须斜向上伸，第2节远超过头顶，前端上方有1撮毛，第3节很长，前端有毛簇；额平滑，上部有鳞脊；复眼大，圆形；雄性触角丝状。胸部几乎全被鳞片，后胸有竖起毛簇；胫节鳞片光滑。腹部仅基部两节有毛簇；雄性腹部侧面有由大鳞组成的扇形构造遮住气门。前翅前缘很拱曲，顶角微凸出，外缘曲度平稳，不呈锯齿形。

分布：古北界（东南部），东洋界，澳洲界。秦岭地区发现1种。

（138）银斑砌石夜蛾 *Gabala argentata* Butler, 1878（图版41：34）

Gabala argentata Butler, 1878: 56, pl. 39, fig. 3.

鉴别特征：前翅长12～14mm。头部、胸部及前翅为赤褐色，头顶有1个银色斑，周围血红色；颈片、翅基片及前后胸均有砌石状带赤褐色边的白纹；胸部腹面与足白色。前翅基部有许多银白色斑，均围以赤褐色，大小不一；外线隐约可见赤褐色双线，波浪形，M_3脉后内弯，中段在各翅脉间有黑点；顶角有几个围以赤褐色的银白色斑；亚缘线银白色，波浪形，仅中段可见，衬以赤褐色；缘线黑褐色；缘毛赤褐色，臀角外浅褐色。后翅白色杂淡褐色，翅外缘前半部带赤褐色。腹部背面白色杂褐色，毛簇赤褐色。

分布：陕西（佛坪）、浙江、湖北、江西、湖南、广东、海南、西藏；朝鲜，日本，缅甸，印度。

74. 钻夜蛾属 *Earias* Hübner, 1825

Earias Hübner, 1825: 395. **Type species**: *Phalaena clorana* Linnaeus, 1761.

Aphusia Walker, 1858: 766. **Type species**: *Aphusia speiplena* Walker, 1858.

属征:喙发达;下唇须向上伸,第2节约达头顶,第3节短,斜伸;额平滑,上方有毛簇;复眼大,圆形;雄性触角的纤毛极细小。胸部鳞片与毛混生,无毛簇;胫节具鳞片。腹部基部两节上有毛簇。前翅顶角微凸出;外缘斜曲,不呈锯齿形。雄性的翅缰钩由1簇毛组成。

分布:古北界,东洋界,澳洲界,非洲界。秦岭地区发现1种。

(139)**鼎点钻夜蛾 *Earias cupreoviridis*(Walker, 1862)**(图版41:35)

Xanthoptera? cupreoviridis Walker, 1862b: 92.

Earias cupreoviridis: Hampson, 1912: 505.

鉴别特征:前翅长8~10mm。头部白色微带绿色,额两侧褐色,触角有白环;胸背黄绿色,翅基片及前胸前沿黄色。前翅黄绿色,前缘区内半部带红色,中室色较黄,有2个明显的褐色点,中室前有1个淡褐色点,端区有1条褐色带,其内缘三曲,带中有橘红色点;缘毛红褐色。后翅白色,顶角微带褐色。腹部灰白色杂绿褐色。

分布:陕西(佛坪、宁陕)、甘肃、浙江、湖北、湖南、四川、云南、西藏;朝鲜,日本,印度,斯里兰卡,非洲。

75. 粉翠夜蛾属 *Hylophilodes* Hampson, 1912

Hylophilodes Hampson, 1912: 510. **Type species**: *Halias orientalis* Hampson, 1894.

属征:喙发达;下唇须向上伸,第2节达头顶,第3节长;额平滑。胸部仅有毛,无毛簇;胫节有毛。腹部基部两节微有毛簇;雄性在腹基节两侧有扁形鳞。前翅顶角较尖,外缘较直,不呈锯齿形,R_2与R_3脉共柄。

分布:中国;日本,印度,缅甸,印度尼西亚,巴布亚新几内亚。秦岭地区发现1种。

(140)**粉翠夜蛾 *Hylophilodes orientalis*(Hampson, 1894)**(图版41:36)

Halias orientalis Hampson, 1894: 132, fig. 87.

Hylophilodes parallela Warren, 1916: 222.

Hylophilodes orientalis: Hampson, 1912: 510.

鉴别特征:前翅长16mm。头部及胸部绿色,颈片基部及后胸带白色,下唇须、额及触角褐色;胸部腹面与足为白色。前翅呈绿色,前缘黄褐色;内线呈黄色,内侧衬绿色,外侧衬白色,较直,内斜;中室端部有1条绿色窄纹;外线黄色,内侧衬白色,外侧衬绿色,直线内斜;亚缘线为绿色,大锯齿形,缘毛红褐色。后翅白色,除前缘外均带绿色,后缘区黄色。雌性前翅缘毛黄色,后翅白色,腹部背面黄绿色。

分布:陕西(宁陕)、浙江、福建、四川;印度。

76. 饰夜蛾属 *Pseudoips* Hübner, 1822

Pseudoips Hübner, 1822: 59. 63. **Type species**: *Pseudoips prasinana* Linnaeus, sensu Hübner, 1822.

Hylophila Hübner, 1825: 396. **Type species**: *Hylophila prasinana* Linnaeus, sensu Hübner, 1825.

Chloephora Stephens, 1827, *in* Anonymous: 242. **Type species**: *Chloephora prasinaria* Fabricius, sensu Stephens, 1827.

Halias Treitschke, 1829, *in* Ochsenheimer: 227. **Type species**: *Halias prasinana* Linnaeus, sensu Treitschke, 1829.

Chloephila Constantini, 1920: 4. **Type species**: *Hylophila fiorii* Constantini, 1911.

属征:喙发达;下唇须斜向上伸,第2节约达头顶,前缘饰毛,第3节长;额光滑,无突起;复眼大,圆形;胸部被毛,无毛簇。腹部背面无毛簇。前翅顶角稍尖,外缘内斜,较直。后翅 M_2 脉发达,自中室下角稍上方伸出,M_3 和 Cu_1 脉或共1个短柄。

分布:古北界,东洋界。秦岭地区发现1种。

(141)矫饰夜蛾 *Pseudoips amarilla*(**Draudt, 1950**)(图版41:37)

Hylophila amarilla Draudt, 1950: 147, pl. 9, fig. 8.

Bena amarilla: Chen, 1982a: 322.

Pseudoips amarilla: Poole, 1989: 849.

鉴别特征:前翅长19mm。头部、胸部褐绿色。前翅为褐绿色,前缘脉微白;亚基线不显;内线为暗褐色,外侧衬白色,自前缘脉直线内斜至翅后缘;外线为暗褐色,内侧衬白色,较粗,自前缘脉1/3近直线内斜至翅后缘近中部;亚缘线暗褐色,内侧衬白色,近直线内斜,与外线平行;缘毛褐色。后翅白色,后半部带有黄色。腹部灰白色,基节背面带有黄绿色。

采集记录:2♀,宁陕火地塘,1538m,2012.Ⅶ.11-15,姜楠采。

分布:陕西(宁陕)、四川、云南。

77. 碧夜蛾属 *Bena* Billberg, 1820

Bena Billberg, 1820: 90. **Type species**: *Phalaena prasinana* Linnaeus, 1758.

Hylophilina Warren, 1913, *in* Seitz(c): 297. **Type species**: *Phalaena bicolorana* Fuessli, 1775.

属征:喙发达;下唇须向上伸,第 2 节达头顶,较细,前缘有稀疏长毛,第 3 节长;额平滑;复眼大,圆形;雄性触角线形。胸部仅有毛,无毛簇。腹部无毛簇。前翅顶角较尖锐,外缘斜曲,不呈锯齿形;R_2 至 R_4 脉共柄,无径副室;雄性翅缰钩为 1 撮毛,位于中脉后。后翅 M_3 和 Cu_1 脉共柄。

分布:古北界,非洲(北部)。秦岭地区发现 1 种。

(142)**碧夜蛾 *Bena prasinana* (Linnaeus, 1761)** (图版 42:1)

Phalaena Tortrix prasinana Linnaeus, 1761: 342.
Phalaena bicolorana Fuessli, 1775: 41.
Hylophila prasinana: Hampson, 1912: 513.
Hylophila bicolorana: Hampson, 1912: 511.
Pseudoips bicolorana: Forster & Wohlfahrt, 1971: 263.
Bena prasinana: Nye, 1975: 78, fig. 2.

鉴别特征:前翅长 17 ~ 18mm。头部、胸部及前翅为黄绿色,额下部、颈片基部为白色。前翅仅中部有两条平行白色斜线。后翅白色。腹部白色,有稀疏的黄色细毛。

采集记录:1♂,周至厚畛子,1276m,2008. Ⅵ. 30,李文柱采;1♂,佛坪,876m,2007. Ⅷ. 16,杨玉霞采;2♀,柞水营盘镇,953 ~ 995m,2014. Ⅶ. 29-31,刘淑仙采;1♀,旬阳金鑫源山庄,386m,2014. Ⅷ. 01-03,班晓双采;1♀,山阳土桥村凤凰山庄,722m,2014. Ⅷ. 06,班晓双采。

分布:陕西(周至、佛坪、宁陕、柞水、旬阳、山阳)、内蒙古、甘肃;欧洲。

78. 红衣夜蛾属 *Clethrophora* Hampson, 1894

Clethrophora Hampson, 1894: 416. **Type species**: *Gonitis distincta* Leech, 1889.

属征:喙发达;下唇须向上伸,第 2 节达头顶,第 3 节斜而长;额平滑,上有尖毛簇;复眼大,圆形;雄性触角有细纤毛。胸部只有毛,无毛簇。腹部基节有毛簇。前翅顶角较尖,外缘在顶角后内削,中部外凸,M_3 脉后内斜;R_2 至 R_5 脉共柄,无径副室。后翅 M_3 和 Cu_1 脉共 1 个短柄。

分布:中国;日本,印度,印度尼西亚。秦岭地区发现 1 种。

(143)**红衣夜蛾 *Clethrophora distincta* (Leech, 1889)** (图版 42:2)

Gonitis distincta Leech, 1889c: 506, pl. 51, fig. 7.
Gonitis virida Heylaerts, 1890: 30.
Clethrophora distincta: Hampson, 1912: 535.

鉴别特征：前翅长 20mm。头部及胸部为深绿色，触角为红褐色，下唇须、足及胸部腹面为红褐色杂灰色。前翅深绿色；中室端部有 1 个黑点；外线淡绿色，自前缘近顶角处直线内斜至后缘；亚缘线隐约可见，中部稍外弯；缘毛褐色。后翅红褐色，缘毛灰褐色。

采集记录：1♂，佛坪，876m，2007. Ⅷ. 15，李文柱采。

分布：陕西（佛坪、宁陕）、湖北、湖南、浙江、福建、云南、西藏；日本，印度。

79. 俊夜蛾属 *Westermannia* Hübner, 1821

Westermannia Hübner, 1821: 250. **Type species**: *Westermannia superba* Hübner, 1823.

Plusiodes Guenée, 1852, *in* Boisduval & Guenée: 385. **Type species**: *Westermannia superba* Hübner, 1823.

Miaromima Meyrick, 1889: 471. **Type species**: *Miaromima dinotis* Meyrick, 1889.

属征：喙发达；下唇须向上伸，第 2 节约达头顶，第 3 节稍长；额平滑；复眼大，圆形；雄性触角有纤毛。胸部毛鳞混生，前后胸有散开的小毛簇；胫节有少量毛。腹部基部几节有毛簇。前翅顶角较钝，外缘曲度平稳，不呈锯齿形，后缘中部以内稍圆凸，有径副室。

分布：东洋界，澳洲界，非洲界。秦岭地区发现 1 种。

（144）佳俊夜蛾 *Westermannia nobilis* Draudt, 1950（图版 42：3）

Westermannia nobilis Draudt, 1950: 150, pl. 9, fig. 11.

鉴别特征：前翅长 14mm。头部白色，触角褐色，基部白色，下唇须第 2 节白色，背缘带褐色；胸部土黄色，颈片杏黄色；足褐色，有白毛。前翅深褐色，前缘及中部银白色，翅基部及后缘基部有 1 个黄褐色三角区；内线与中线均为白色细线，勾画出翅中央的两个前后毗连的褐色斑；肾纹褐色，白边；外线白色，细，中部外凸成角；臀角处有 1 个褐色大斑点，顶角处有几个带白边的褐点，隐约组成亚缘线的前段；缘毛褐色。后翅淡黄褐色，缘毛灰白色。腹部黄褐色。

采集记录：1♂，旬阳金鑫源山庄，386m，2014. Ⅷ. 01-03，刘淑仙采。

分布：陕西（留坝、旬阳）、河南、浙江。

（十一）绮夜蛾亚科 Acontiinae

鉴别特征：喙发达或退化；下唇须多向上伸；额光滑，其下部常有角质片，少数种类额有突起；复眼无毛，亦无睫毛，多呈圆形；触角多为线形，少数为锯齿形或栉形。胸部主要被鳞片，背面多无毛簇；足胫节无刺，少数前足胫节有端爪。前翅外缘曲度平稳，少数种类臀角处内削或外缘成齿突；R_2 至 R_5 脉的脉相有许多变化，M_2、M_3 和 Cu_1 脉自中室下角发出，3A 与 2A 脉分离。后翅 M_2 脉发达，自中室端脉的下部发出，少数种类 M_2 脉不发达。幼虫体表光滑，第 1 对腹足或第 1、2 对腹足不发达。本亚科有些种类后翅虽属三叉型翅脉，但幼虫前两对腹足不发达，与三叉型翅脉各亚科的习性明显不同。

分类：陕西秦岭地区发现 4 属 6 种。

80. 猎夜蛾属 *Eublemma* Hübner, 1821

Eublemma Hübner, 1821: 256. **Type species**: *Noctua amoena* Hübner, 1803.
Porphyrinia Hübner, 1821: 256. **Type species**: *Noctua purpurina* Denis *et* Schiffermüller, 1775.
Microphisa Boisduval, 1840: 170. **Type species**: *Noctua jucunda* Hübner, 1813.
Polyorycta Warren, 1911, *in* Seitz(c): 260. **Type species**: *Phalaena dimidialis* Fabricius, 1794.
Gyophora Warren, 1913, *in* Seitz(h): 217. **Type species**: *Thalpochares quadrilineata* Moore, 1881.
Eumicremma Berio, 1954b: 133. **Type species**: *Micra minima* Guenée, 1852.

属征：喙发达；下唇须斜向上伸，第 2 节约达额中部或头顶；额光滑；复眼大，圆形；雄性触角有纤毛。胸部几乎全被鳞片，无毛簇；胫节边缘有毛。腹部无毛簇。前翅顶角钝圆，外缘不呈锯齿形；翅缰钩微成棍状。后翅中室约为翅长的 1/3 ~ 1/2。雄性抱器瓣稍窄，中段较粗，除抱钩外多无其他突起物。幼虫大多是介壳虫的天敌，腹足有 2 对。

分布：古北界，东洋界，新北界，澳洲界，非洲界。秦岭地区发现 2 种。

(145) 灰猎夜蛾 *Eublemma arcuinna* (Hübner, 1790)（图版 42:4）

Phalaena (*Noctua*) *arcuinna* Hübner, 1790: 93.
Eublemma arcuinna: Hampson, 1910: 114.

鉴别特征：前翅长 12 ~ 16mm。头部、胸部为浅灰褐色。前翅为灰褐色；内线、外线为黑色呈波浪形，内线前端黑点状，外线外侧衬灰白色；中线黑褐色，外侧衬白色，内侧为模糊黑色；亚缘线微白，内侧衬黑色，与外线间有 1 条黑色波浪形线，不清晰；缘线为 1 列黑色长点。后翅黑褐色；中线模糊，黑色；外线仅前半部可见；亚缘线白色，模糊；缘线黑色，内侧 M_3 与 Cu_1 脉间有 1 个黑褐色斑。腹部浅灰褐色。

分布：陕西（太白）、黑龙江、内蒙古、新疆、河北、山东；朝鲜，亚洲（西部），欧洲。

(146) 桃红猎夜蛾 *Eublemma amasina* (Eversmann, 1842)（图版 42:5）

Anthophila amasina Eversmann, 1842: 555.

Anthophila paradisea Butler, 1878a: 199.

Porphyrinia amasina: Warren, 1912, *in* Seitz(c): 265, pl. 51: f.

Eublemma amasina: Hampson, 1910: 150.

鉴别特征:前翅长 7～11mm。头部淡黄色,下唇须外侧桃红色;胸部淡黄色,中足胫节桃红色。前翅淡黄褐色,中线至亚缘线之间大部分带桃红色,前缘区近基部桃红色;中线白色,内侧衬淡褐色,不明显,在中褶与臀褶处均外凸;外线不明显,暗褐色,自前缘脉外弯至 M_3 脉后内斜,前段外方有 1 个淡黄色斑;亚缘线白色,稍有间断,前段有几个小黑点,在 R_5 脉处外凸,中段外弯;缘毛桃红色。后翅褐色,缘毛黄色,端部桃红色。腹部淡黄褐色。

分布:陕西(太白山)、黑龙江、河北、江苏、湖北;朝鲜,日本,欧洲。

81. 兰纹夜蛾属 *Stenoloba* Staudinger, 1892

Stenoloba Staudinger, 1892a: 381. **Type species**: *Dichagyris jankowskii* Oberthür, 1884.

Neothripa Hampson, 1894: 382. **Type species**: *Neothripa punctistigma* Hampson, 1894.

属征:喙发达;下唇须斜向上伸,第 2 节约达头顶;额有尖锥形突起;复眼大,圆形;雄性触角有纤毛。胸部全被鳞片,前胸有斜立的长扁毛簇,后胸有散开的毛簇;前足胫节有长毛,中后足胫节毛中长。腹部有毛簇。前翅狭长,前后缘接近平行,顶角较钝,外缘曲度平稳,不是锯齿形,有径副室。后翅 M_2 脉发达,从中室端脉下方伸出。

分布:中国;俄罗斯,日本,印度及东南亚地区。秦岭地区发现 2 种。

(147) 海兰纹夜蛾 *Stenoloba marina* Draudt, 1950(图版 42:6)

Stenoloba marina Draudt, 1950: 131, pl. 8, fig. 18.

鉴别特征:前翅长 12mm。头部淡灰绿色,触角基部黑色,下唇须外侧黑色;胸部背面淡灰绿色,颈片基部与中部各有 1 条黑色纹,翅基片中部与端部各有黑纹;后胸杂有黑色。前翅霉灰色,基部黑色;亚基线黑色,自前缘脉至后缘,其前段二叉,后端内侧有 1 条黑色纵纹;内线为黑色双线,波浪形,外斜,亚基线与内线之间布有黑色细点;环纹只见 1 个黑点;肾纹黑色;中线黑色,波曲外斜;Cu_2 脉基部后方有 1 个赤褐色点;外线为黑色双线,自前缘脉外斜至 M_1 脉折向内斜;亚缘线灰白色,内侧衬黑色,大波浪形;缘线由 1 列黑点组成;亚缘线至翅外缘密布黑色细点。后翅褐色,缘毛白色。腹部浅灰褐色。

分布:陕西(宁陕、佛坪)、甘肃、浙江、湖南、广东、广西。

(148)兰纹夜蛾 *Stenoloba jankowskii*(Oberthür, 1884)(图版 42:7)

Dichagyris jankowskii Oberthür, 1884b: 28, pl. 3, fig. 5.

Edema nivilinea Leech, 1888: 638.

Stenoloba jankowskii: Staudinger, 1892a: 381.

鉴别特征:前翅长 14 ~ 16mm。头部、胸部为黑褐色杂白色。前翅黑褐色,中室前方带霉绿色,1 条白色纹沿中室后缘外伸并折向顶角,中室下角外有 1 个小黑斑;外线、亚缘线白色,外线外侧翅脉白色;近顶角处有 1 个黑点,近外缘处有 1 条白线。后翅暗褐色,腹部黑褐色。

采集记录:1♀,周至厚畛子,1300m,2007. Ⅷ. 10,李文柱采;1♂,佛坪,876m,2007. Ⅷ. 15,李文柱采;1♂,宁陕广货街保护站,1189m,2014. Ⅶ. 26-28,刘淑仙采;3♂3♀,柞水营盘镇,953 ~ 995m,2014. Ⅶ. 29-31,刘淑仙、班晓双采。

分布:陕西(周至、佛坪、留坝、宁陕、柞水)、黑龙江、浙江、甘肃、云南;俄罗斯,日本。

82. 瑙夜蛾属 *Maliattha* Walker, 1863

Maliattha Walker, 1863: 86. **Type species**: *Maliattha separata* Walker, 1863.

Hyelopsis Hampson, 1894: 304. **Type species**: *Acontia vialis* Moore, 1882.

属征:喙发达;下唇须向上伸,第 2 节达头顶,前缘被鳞;额平滑;复眼大,圆形;雄性触角有纤毛。胸部主要是鳞片,前胸无毛簇;胫节有少量毛;腹部基部几节上有毛簇,第 3 节和第 4 节上的毛簇较大。前翅顶角稍钝,外缘斜。

分布:古北界,东洋界,新北界,澳洲界,非洲界。秦岭地区发现 1 种。

(149)丽瑙夜蛾 *Maliattha bella*(Staudinger, 1888)(图版 42:8)

Thalpochares bella Staudinger, 1888: 264.

Lithacodia bella: Draudt, 1950: 134.

Maliattha bella: Warren, 1912, *in* Seitz(c): 276, pl. 51m.

鉴别特征:前翅长 8mm。头部白色杂褐色,触角暗褐色,下唇须外侧黑褐色;胸部背面白色杂红褐色;前足胫节黑褐色,有白色斑纹。前翅前缘 2/3 处至后缘 1/3 处有 1 条内斜线,线内部为白色,前缘区带黑褐色,线外部为黑褐色杂紫灰色,端区红褐色;亚基线仅在前缘脉上见 1 个黑点;内线细弱,在前缘脉上呈 1 个黑点,其后灰白色达中室后缘,中室后不明显;环纹只见 1 个黑点;肾纹只见 1 个黑点,位于中室下角;外线为双线黑色,线间白色,在前缘区不见黑线,自前缘脉后外弯至 M_3 脉后内弯,在中褶处内凸,Cu_1 脉后锯齿形;亚缘线微白,内侧衬黑色,不规则锯齿形;翅外缘有 1 列黑点;顶角后、中段及臀角各有 1 条白色斑纹;缘毛紫灰色杂黑褐色。后翅赭白色杂褐色;缘线褐色;缘毛赭白色,其中有 1 条褐色线。

采集记录:1♂,宁陕火地塘,1538m,2012. Ⅶ. 11-15,姜楠采。

分布:陕西(太白、宁陕)、甘肃、湖南;俄罗斯。

83. 螟蛉夜蛾属 *Naranga* Moore, 1881

Naranga Moore, 1881: 359. **Type species**: *Xanthodes diffusa* Walker, 1865.

属征:喙退化,很小;下唇须向上伸,第 2 节约达额中部,第 3 节中等长度;额平滑;复眼大,圆形;雄性触角中部扁片形。胸部几乎全为鳞片,无毛簇;胫节上鳞片平滑,距长。腹部无毛簇。前翅后缘比较长,外缘与前缘接近垂直。

分布:中国;朝鲜,日本,印度,缅甸,印度尼西亚。秦岭地区发现 1 种。

(150)稻螟蛉夜蛾 *Naranga aenescens* Moore, 1881(图版 42:9)

Naranga aenescens Moore, 1881: 359.

Noctua brunnea Hampson, 1910: 632.

鉴别特征:前翅长 7 ~ 8mm。头部与胸部黄褐色。雄性前翅金黄色,前缘区基部红褐色,后缘区基部微带血红色;1 条红褐色内斜条自前缘脉近中部至翅后缘内中部,其外缘在中褶与臀褶处稍外凸;另 1 条红褐色较窄条自顶角内斜,其内缘在中褶及臀褶处稍内凸,在臀褶之后稍外斜。后翅暗褐色,缘毛黄色。腹部黄褐色。雌性前翅淡黄褐色,红褐色内斜条不伸达翅前缘,中室端部及外方有 1 条浅红色纹。后翅黄色,除外缘区外微带褐色。

分布:陕西(太白山)、河北、江苏、湖南、江西、福建、台湾、广西、云南;朝鲜,日本,缅甸,印度尼西亚。

(十二)尾夜蛾亚科 Euteliinae

鉴别特征:喙发达;少数种类喙退化;下唇须向上伸,第 2 节一般较长;额光滑,上方常有毛簇;复眼大,无毛;雄性触角基半部多为栉形,某些种类为线形。胸部被毛和鳞片,颈片端部成脊形或兜形;足胫节无刺。腹部两侧常有毛簇,臀毛簇多发达。前翅近三角形,少数极狭长;多有 1 个径副室,M_2、M_3 和 Cu_1 脉自中室下角发出。后翅 M_3 和 Cu_1 脉自中室下角发出,M_2 脉发达,在接近中室下角处发出。雌蛾翅缰单根。成虫休止时腹部举起。幼虫体表光滑,吐丝器细长,端部宽;刚毛不着生于毛突上;胸足跗节内侧刚毛膨大;腹足4对俱全,趾钩单序中带。

分类:陕西秦岭地区发现2属4种。

84. 尾夜蛾属 *Eutelia* Hübner, 1823

Eutelia Hübner, 1823: 259. **Type species**: *Noctua adulatrix* Hübner, 1813.

Eurhipia Boisduval, 1828: 73. **Type species**: *Noctua adulatrix* Hübner, 1813.

Phlegetonia Guenée, 1852, *in* Boisduval & Guenée: 301. **Type species**: *Phlegetonia catephioides* Guenée, 1852.

Ripogenus Grote, 1865: 325. **Type species**: *Ripogenus pulcherrimus* Grote, 1865.

Zobia Saalmüller, 1891: 384. **Type species**: *Ingura snelleni* Saalmüller, 1881.

Alotsa Swinhoe, 1900a: 87. **Type species**: *Eutelia discitriga* Walker, 1865.

Silacida Swinhoe, 1900a: 86. **Type species**: *Eutelia inextricata* Moore, 1882.

Noctasota Clench, 1954: 297. **Type species**: *Noctasota curiosa* Clench, 1954.

属征:喙很小;下唇须向上伸,第2节约达额中部,第3节长;额平滑,上方有毛簇;雄性触角下半部较宽扁,双栉形,基部有1撮大鳞簇。后胸有成对毛簇。前翅顶角较钝,外缘为锯齿形,臀角处内削。雄性抱器瓣背侧无长突。

分布:全世界。秦岭地区分布2种。

(151)钩尾夜蛾 *Eutelia hamulatrix* Draudt, 1950(图版42:10)

Eutelia hamulatrix Draudt, 1950: 140, pl. 8, fig. 31.

鉴别特征:前翅长14~15mm。头部及胸部黑色杂灰白色,前胸背面褐色。前翅灰白色,密布黑色细点;亚基线黑色,外弯至中室;内线为黑色双线,微外弯;环纹白色,具黑边;肾纹白色,具黑边,中有褐纹;外线为黑色双线,在M_1脉成外凸齿,在M_3和Cu_1脉稍外凸,后半部外侧白色及褐色;亚缘线白色双线,内侧的线呈大波浪形外斜至Cu_1脉端部,内侧M_2与Cu_1脉间为1个新月形黑斑,外侧的线呈微波浪形外斜至M_3脉端部,内侧M_1脉处有1个黑斑;缘线为1列新月形黑点,均围以白色。后翅淡褐色,向端区渐暗;外线、亚缘线微白,仅后部可见。腹部褐色。

分布:陕西(太白山)、河南、安徽、浙江、四川。

(152)漆尾夜蛾 *Eutelia geyeri*(Felder *et* Rogenhofer, 1874)(图版42:11)

Eurhipia geyeri Felder *et* Rogenhofer, 1874: pl. 110, fig. 23.

Eutelia inextricata Moore, 1882: 147.

Eutelia geyeri: Warren, 1913, *in* Seitz(c): 287, pl. 53: a.

鉴别特征:前翅长16mm。头部、胸部褐色杂灰色,1条白色线横越翅基片及胸背。前翅褐色杂枯黄色;亚基线、内线均为白色双线;肾纹为白色,前半部有1个褐色斑;外线为黑色双线,前半波曲,后半波浪形内斜,内侧的线后端有1个黑斑,内侧中褶处有双黑纹,M_3 脉至后缘有1条红褐色带;亚缘线白色,中段间断并衬黑色;缘线为1列衬白的黑点,M_3 和 Cu_1 脉端的黑点合成1条斜斑纹。后翅白色杂微褐色,外线褐色,亚缘区有1条暗褐色宽带,缘线双线暗褐色。腹部暗褐色。

采集记录:1♀,宁陕火地塘,1538m,2012. Ⅶ. 11-15,程瑞采;1♂,旬阳金鑫源山庄,386m,2014. Ⅷ. 01-03,班晓双采。

分布:陕西(周至、留坝、佛坪、宁陕、旬阳)、甘肃、江苏、浙江、湖南、江西、福建、四川、云南、西藏;日本,印度。

85. 殿尾夜蛾属 *Anuga* Guenée, 1852

Anuga Guenée, 1852. *in* Boisduval & Guenée: 307. **Type species**: *Anuga constricta* Guenée, 1852.

Caecila Walker, 1858: 1824. **Type species**: *Caecila complexa* Walker, 1858.

Piada Walker, 1858: 1746. **Type species**: *Piada multiplicans* Walker, 1858.

Phumana Walker, 1863: 164. **Type species**: *Phumana canescens* Walker, 1863.

Spersara Walker, 1863: 174. **Type species**: *Spersara glaucopoides* Walker, 1863.

Mimanuga Warren, 1913, *in* Seitz(c): 288. **Type species**: *Piada japonica* Leech, 1889.

属征:喙发达;下唇须向上伸,第2节饰鳞,较宽,第3节短;额无突起,有鳞脊;雄性触角一般较前翅长,有栉齿。胸部无毛簇。腹部背面无毛簇,臀毛簇长。前翅狭长。后翅 M_2 脉自中室下角微向前方伸出。

分布:中国;日本,印度,印度尼西亚。秦岭地区分布2种。

(153) 折纹殿尾夜蛾 *Anuga multiplicans* (Walker, 1858) (图版42:12)

Piada multiplicans Walker, 1858: 1747.

Anuga multiplicans: Hampson, 1912: 106.

鉴别特征:前翅长19mm。头、胸、腹部及前翅均为暗褐色杂灰色。前翅后半部颜色接近纯褐色;亚基线、内线均为黑色双线,内线呈波浪形;环纹呈1个黑点;肾纹为褐色,带黑边;中线为黑色;外线为黑色,呈锯齿形,齿端有黑白点;有1条黑色波浪形线自顶角内斜至后缘;亚缘线为灰色,呈锯齿形,内侧有1列黑点。后翅暗褐色,基部灰色;外线、亚缘线黑色,仅后半段明显。

采集记录:1♂1♀,宁陕广货街保护站,1189m,2014. Ⅶ. 26-28,刘淑仙、班晓双采;

2♂1♀,商南金丝峡,777m,2013. Ⅶ. 23-25,姜楠、崔乐采;2♂1♀,旬阳金鑫源山庄,386m,2014. Ⅷ. 01-03,刘淑仙、班晓双采。

分布:陕西(留坝、宁陕、商南、旬阳)、甘肃、浙江、湖南、福建、广东、海南、四川、贵州、云南;印度,斯里兰卡,马来西亚,新加坡。

(154)月殿尾夜蛾 *Anuga lunnulata* Moore, 1867(图版 42:13)

Anuga lunnulata Moore, 1867: 62.

鉴别特征:前翅长 17mm。头部及胸部为淡黄褐色,下唇须基节为黑色,雄性触角基半部有长而下垂的栉齿,基节有 1 簇鳞片。前翅黄白色杂褐色,后缘区及端区后半部暗褐色;亚基线为黑色双线,达中室;内线为黑色锯齿形双线;环纹、肾纹为黄白色,带黑边,肾纹中有褐色纹;中线黑褐色,只后半段可见;外线为黑褐色锯齿形双线;亚缘线为黄白色,两侧褐色,中段不明显;缘线为 1 列黑点;缘毛赭色,顶角处缘毛黄白色。后翅基部白色,其余为污褐色;外线黑色,外区较宽,带有黑褐色,臀角区褐色,有 1 条黄白色纹及 1 个赭色点。腹部灰褐色。

采集记录:1♀,宁陕火地塘,1538m,2012. Ⅶ. 11-15,姜楠采。

分布:陕西(宁陕)、河南、甘肃、浙江、湖南、福建、四川、西藏;印度,孟加拉国。

(十三)皮夜蛾亚科 Sarrothripinae

鉴别特征:喙多发达;下唇须长,少数种类第 3 节端部膨大;额部光滑;复眼大,无毛,亦无睫毛;触角一般为线形,稍扁,少数为栉形。头部、胸部主要被毛,胸背少有毛簇,少数后胸有大毛胸;足胫节无刺或爪,前足胫节常饰长毛。腹部背面多有毛簇。前翅前缘基部稍拱曲;有 1 个径副室,一般很狭长,少数很小或缺,如 M_2、M_3 和 Cu_1 脉自中室下角发出,M_3 和 Cu_1 脉偶有共柄。后翅 M_2 脉发达,自中室下角或下角稍前发出。雄性翅缰钩呈棒状;中室甚至翅上的横线常有竖鳞丛。幼虫有稀疏的毛,头顶有几排尖锐的突起,体表刚毛极长,有的为短羽形,着生于稍隆起的毛突上;吐丝器细长;胸足跗节内侧刚毛膨大;腹足 4 对俱全,趾钩单序。

分类:陕西秦岭地区发现 3 属 4 种。

86. 皮夜蛾属 *Nycteola* Hübner, 1822

Nycteola Hübner, 1822: 60, 66. **Type species**: *Tortrix undulana* Hübner, 1799.

Sarrothripus Curtis, 1824: 29. **Type species**: *Tortrix degenerana* Hübner, 1799.

Axia Hübner, 1825: 39(nec Hübner, 1821). **Type species**: *Phalaena revayana* Scopoli, 1772.

Subrita Walker, 1866: 1743. **Type species**: *Subrita bilineatella* Walker, 1866.

Icasma Turner, 1902: 90. **Type species**: *Icasma minutum* Turner, 1902.

Dufayella Capuse, 1972: 89. **Type species**: *Sarrothripus asiatica* Krulikowsky, 1904.

属征:喙发达;下唇须第2节斜向前伸,第3节前伸,微向下弯,饰长毛;额光滑,无突起;复眼大,圆形;触角基节之间有毛脊,雄性触角线形。后胸有散开的毛簇,前足胫节两侧饰长毛。腹基部背面有毛簇。前翅狭长,有径副室。后翅 M_3 和 Cu_1 脉共柄很长,M_2 脉自中室下角伸出。

分布:古北界,东洋界,新北界,澳洲界,非洲界。秦岭地区分布1种。

(155)皮夜蛾 *Nycteola revayana* (Scopoli, 1772)(图版42:14)

Phalaena revayana Scopoli, 1772: 116.

Axia revayana: Hübner, 1825: 39.

Sarrothripus revayana: Hampson, 1912: 256.

Nycteola revayana: Forster & Wohlfahrt, 1971: 258.

鉴别特征:前翅长11mm。头部黑灰色,下唇须基部后缘白色;胸部为黑灰色至灰褐色。前翅灰褐色;亚基线为黑色双线;肾纹小,红褐色;外线为黑色双线,波浪形;亚缘线灰色,内侧衬黑色,细波浪形;缘线由黑色长点组成。后翅浅灰褐色,腹部浅褐色。

分布:陕西(太白山)、黑龙江、新疆、江苏、西藏;日本,印度,亚洲(西部),欧洲,非洲,美洲。

87. 洼皮夜蛾属 *Nolathripa* Inoue, 1970

Nolathripa Inoue, 1970: 38. **Type species**: *Nola lactaria* Graeser, 1892.

属征:喙发达;下唇须向上伸,第2节达头顶,第3节稍长;额平滑,有毛簇;复眼大,圆形,有长睫毛;雄性触角线形,有纤毛。胸部有毛和毛状鳞,翅基片有鳞片,端部膨大;后胸有散形大毛簇;前足胫节外侧饰毛较宽。腹部基部几节有毛簇,第1、3节上的毛簇较大。前翅顶角圆形,外缘曲度平稳,不呈锯齿形,臀角有鳞齿和径副室。后翅中室约为翅长的1/2。

分布:中国;俄罗斯,日本。秦岭地区分布1种。

(156)洼皮夜蛾 *Nolathripa lactaria* (Graeser, 1892)(图版42:15)

Nola lactaria Graeser, 1892: 211.

Dialithoptera stellata Wileman, 1911: 193.

Lamprothripa lactaria: Hampson, 1912: 288.

Nolathripa lactaria: Inoue, 1970: 38.

鉴别特征:前翅长 9 ~ 14mm。头部、胸部为白色;前翅内半部白色,外半部暗褐色;中室基部有 1 簇白色竖鳞,端部有 1 条黑纹达前缘脉;外线黑色,有银色鳞簇;亚缘线浅褐色,波浪形,内侧衬黑色;缘线黑色。后翅白色,端区浅褐色。腹部浅褐色杂白色,基节白色。

采集记录:1♀,宝鸡天台山嘉陵江源头,1620m,2014. Ⅷ. 08-09,薛大勇采;1♂,佛坪县城,900m,2008. Ⅶ. 05,崔俊芝采;1♂,宁陕火地塘,1538m,2012. Ⅶ. 11-15,杨秀帅采;5♀,柞水营盘镇,953 ~ 995m,2014. Ⅶ. 29-31,刘淑仙、班晓双采。

分布:陕西(宝鸡、太白、佛坪、宁陕、柞水)、黑龙江、河北、湖南、江西、海南、四川;俄罗斯。

88. 癣皮夜蛾属 *Blenina* Walker, 1858

Blenina Walker, 1858: 1178, 1214. **Type species**: *Blenina accipiens* Walker, 1858.

Eliocroea Walker, 1865: 935. **Type species**: *Eliocroea chrysochlora* Walker, 1865.

Amrella Moore, 1882, *in* Hewitson & Moore: 158. **Type species**: *Amtella angulipennis* Moore, 1882.

属征:喙发达;下唇须向上伸,第 2 节达头顶,鳞片细长,第 3 节中长,有些端部比较宽;额平滑,上方有毛,呈脊状;雄性触角有纤毛。胸部几乎全为鳞片,前胸无毛簇,后胸有扁形毛簇;胫节有毛。腹部基部两节有毛簇。前翅顶角稍钝,外缘曲度平稳,微呈锯齿形;前翅 R_1 脉自中室伸出,径副室狭长,M_1 脉从中室上角伸出,M_3 和 Cu_1 脉从中室下角伸出。后翅 M_2 脉自中室下角前方伸出。

分布:东洋界,澳洲界,非洲界。秦岭地区分布 2 种。

(157)柿癣皮夜蛾 *Blenina senex*(Butler, 1878)(图版 42:16)

Dandaca senex Butler, 1878a: 82.

Blenina senex: Hampson, 1912: 407.

鉴别特征:前翅长 17mm。头部、胸部和前翅灰绿色杂白色,腹部灰褐色。前翅亚基线、内线和外线为黑色,内线呈波状,外线下半段呈锯齿形;中室有黑色竖鳞组成的两列黑点;前缘有 1 列黑点;亚缘线白色,波状,内侧衬黑色,并在臀褶处形成 1 个内凹的尖齿;缘线褐色。后翅褐色,端部黑褐色;中线暗褐色。

采集记录:1♂,旬阳金鑫源山庄,386m,2014. Ⅷ. 01-03,班晓双采。

分布:陕西(旬阳)、江苏、浙江、湖南、江西、福建、海南、广西、四川、云南;日本。

(158)枫杨癣皮夜蛾 *Blenina quinaria* Moore, 1882(图版 42:17)

Blenina quinaria Moore, 1882: 158, pl. 5, fig. 5.

鉴别特征:前翅长 16~21mm。头部、胸部为白色杂墨绿色,额有黑斑。前翅白色杂褐色,散布有暗绿色细点,外区有黄褐色细点,后缘区中段乳黄色,各横线黑色;内、外线不明显,外线前半段锯齿形;亚缘线波浪形;肾纹黑色,前方有 1 条黑色斜纹;翅外缘有 1 列黑点。后翅黄褐色,端区黑褐色,有 1 条褐色中带。腹部灰褐色。

分布:陕西(太白山)、安徽、浙江、湖南、江西、海南、四川、云南、西藏;印度。

(十四)裳夜蛾亚科 Catocalinae

鉴别特征:喙发达;极少数退化;下唇须多向上伸;额光滑无凸起,上方常有毛簇,少数种类额有横脊,其下有角质片;复眼大,无毛,少数复眼窄小;雄性触角有线形、锯齿形、栉形,或稍扁,少数种类触角于基部或中部较粗。胸部被毛和鳞片;中足胫节有刺,后足胫节亦常有刺,各足胫节常饰长毛,有些雄性有很发达的毛簇。前翅近三角形,少数较狭长;M_2、M_3 和 Cu_1 脉自中室下角发出,3A 和 2A 分离。后翅 $SC+R_1$ 脉基部与中室有 1 处接触,少数种类的接触点近中室中部,Rs 和 M_1 脉自中室上角发出,中室约为翅长的 1/2,或仅为翅长的 1/3 甚至 1/5,M_2 脉发达,自中室下角或下角稍前发出,可见 2A 和 3A。幼虫第 1、2 腹节常弯曲成尺蠖形,第 8 腹节较隆起。头部额高于冠缝,吐丝器一般为扁形,上颚具臼突。胸足胫节内缘有泡突,跗节内缘刚毛多膨大。腹足数目不等,或 4 对俱全,或第 1、2 对较小,腹足端部较膨大,外缘有 1 个宽裂口,趾钩单序。

分类:陕西秦岭地区发现 12 属 34 种。

89. 刺裳夜蛾属 *Mormonia* Hübner, 1823

Mormonia Hübner, 1823: 276. **Type species**: *Phalaena epione* Drury, 1773.

属征:喙发达;下唇须向上伸,第 2 节约达额中部;额平滑,上方有毛簇;复眼大,圆形;雄性触角有纤毛。胸部毛鳞混生,前后胸具分开的毛簇,中胸具成对的小毛簇;胫节上有少量毛,前足胫节无刺,中后足胫节具刺,尤其后足胫节上的刺不限于两距之间,雄性中足胫节宽,有 1 个褶,内生长毛。腹基部几节背面具毛簇。前翅三角形,顶角较圆,外缘曲度平稳,呈齿形。后翅中室长度约为翅长的 1/3。

分布:古北界,新北界。秦岭地区发现 2 种。

(159)栎刺裳夜蛾 *Mormonia dula*(**Bremer, 1861**)(图版42:18)

Catocala dula Bremer, 1861: 493.

Mormonia dula: Hampson, 1913: 47.

鉴别特征:前翅长29mm。头部、胸部褐色杂白色或黑色。前翅褐色,散布有白色细点,各横线为黑色;内线为波浪形双线,前半段外部有1条白色斜纹;肾纹白色,有较粗的黑环,后方有1个白斑,带黑边,呈斜椭圆形;外线为锯齿形双线,中部成大的外凸齿,前段内侧带白色,后半段与内线间带白色;亚缘线为锯齿形双线,线间微白;缘线为1列衬黄色的黑点。后翅红色,中部有1条黑色双曲带,端区有1条黑色宽带,其内缘双曲;缘毛黑白相间。腹部灰褐色。

采集记录:1♂4♀,宁陕火地塘,1538m,2012.Ⅶ.11-15,程瑞等采;2♀,柞水营盘镇,953~995m,2014.Ⅶ.29-31,刘淑仙采;2♀,旬阳金鑫源山庄,386m,2014.Ⅷ.01-03,班晓双采。

分布:陕西(周至、佛坪、宁陕、柞水、旬阳)、甘肃、黑龙江、内蒙古、河南;俄罗斯,日本。

(160)晦刺裳夜蛾 *Mormonia abamita*(**Bremer *et* Grey, 1853**)(图版42:19)

Catocala abamita Bremer *et* Grey, 1853a: 19.

Mormonia abamita: Hampson, 1913: 52.

鉴别特征:前翅长31~39mm。头部、胸部为灰褐色,腹部为暗黄褐色。前翅深灰褐色,散布有黑色细点;前缘基部至Cu_2脉基部有1列黑色斜条;内线为黑褐色,呈波状,在斜条下外斜;肾纹有黑边,中央另有1个黑环;中线仅前半段可见黑色,外斜至肾纹;外线黑色,呈锯齿形,在M_2脉上下呈锐齿,在臀褶处有1条黑纹向内伸达内线;亚缘线灰白色,在M_1脉处有1条黑纹伸至顶角;缘线为1列黑点。后翅黄色,中带及端带黑色弯曲,后者下端断为水滴状。

采集记录:1♂,佛坪长角坝,1200m,2008.Ⅶ.05,白明采。

分布:陕西(佛坪)、河北、山东、江苏、江西、福建。

90. 裳夜蛾属 *Catocala* Schrank, 1802

Catocala Schrank, 1802: 158. **Type species**: *Phalaena nupta* Linnaeus, 1767.

Ephesia Hübner, 1818: 11. **Type species**: *Phalaena paranympha* Linnaeus, 1767.

属征:喙发达;下唇须向上伸,第2节达额中部;额平滑,有毛簇;复眼大,圆形。胸部毛簇混生，前胸和后胸具散开的毛簇，中胸有成对的小毛簇；胫节有少量毛，前足胫节无刺，中、后足胫节有刺，但后足胫节上的刺仅在两对距之间；雄性中足胫节扩大，有1撮长毛簇着生于褶沟中。腹部几个基节有脊状毛簇或小毛簇。前翅三角形，顶角较钝，外缘曲度平稳，锯齿形。后翅中室长度约为翅长的1/3。

分布：古北界，东洋界，新北界，非洲（北部）。秦岭地区发现16种。

（161）椴裳夜蛾 *Catocala lara* Bremer, 1861（图版42：20）

Catocala lara Bremer, 1861: 493.

鉴别特征：前翅长40～42mm。头部和胸部为灰色杂黑褐色。前翅灰褐色；亚基线、内线及外线黑色，前者只达中室，内线前半段外侧有1个白色斜斑；肾纹黑褐色，带灰白色边；外线黑色，在 M_1 与 M_3 脉间为外凸齿，内侧 R_4 与 M_3 脉间有1个白色大斑；亚缘线为白色，呈锯齿形；缘线由黑白相衬的点组成。后翅黑褐色；外线为黄白色宽带；顶角黄白色，缘毛黑白相间。腹部灰褐色。

采集记录：1♀，周至厚畛子，1300m，2007. Ⅷ. 10，杨干燕采；1♂，佛坪，876m，2007. Ⅷ. 15，李文柱采。

分布：陕西（周至、佛坪、宁陕）、黑龙江、辽宁、河北；朝鲜，日本。

（162）白肾裳夜蛾 *Catocala agitatrix* Graeser, 1889（图版42：21）

Catocala agitatrix Graeser, 1889: 372.

Catocala mabella Holland, 1889: 75.

鉴别特征：前翅长25～27mm。头部与胸部为灰褐色，额有黑斑，颈片灰黄色。前翅褐色杂青灰色；亚基线黑色达臀褶；内线为黑色，波浪形外斜；中线褐色，较模糊；肾纹白色，中间有暗环，后方有1个带黑边的灰褐色斑，并以1条线与外线相连；外线为黑色，呈锯齿形；亚缘线为灰白色，呈锯齿形，两侧暗褐色；缘线为1列衬白的黑点。后翅黄色，中带黑色，向翅基部折曲，翅后缘有黑色纵纹，端带黑色，后方有1个黑色圆斑。腹部黄褐色，基部稍灰。

采集记录：1♂，宁陕火地塘，1538m，2007. Ⅵ. 01，李文柱采。

分布：陕西（太白、宁陕）、黑龙江、河南；俄罗斯，日本。

（163）奥裳夜蛾 *Catocala obscena* Alphéraky, 1895（图版42：22）

Catocala obscena Alphéraky, 1895: 196.

鉴别特征:前翅长38mm。雌性触角为线形,基节灰白色。前后翅外缘波浪形。前翅灰白色,密布黑色细点;亚基线黑色,细弱,仅前半部可见;内线黑色,波浪形,外斜,前缘端粗壮,后缘渐细;环纹不明显;肾纹灰色,轮廓略有黑色,不完整,前方有1条黑色斜纹,后方有1个灰色圆形斑;外线黑色,自前缘脉微锯齿形外斜至M_1脉后内折,在2A处内斜,外线外侧自前缘脉至M_1脉有1条黑色斜纹;亚缘线不明显;缘线黑色,波浪形。后翅黄色,外线黑色,在Cu脉间外斜,M脉间明显外凸,内部黄褐色,端部黑色,其内缘在M脉间内折,臀角有1个扁圆形黑斑;顶角黄色;缘毛在M脉间黑色,其余黄白色。

采集记录:1♀,周至厚畛子,1300m,2007. Ⅷ. 10,杨干燕采。

分布:陕西(周至)、云南、四川;朝鲜。

(164)茂裳夜蛾 *Catocala doerriesi* Staudinger, 1888(图版42:23)

Catocala doerriesi Staudinger, 1888: 271.

鉴别特征:前翅长29mm。头部与胸部为黑褐色杂灰白色。前翅灰褐色杂灰色;臀褶基部有1条黑色纹;亚基线、内线及外线为黑色,内线为波浪形双线;肾纹灰褐色,中有黑色环,后方有1个灰白色斑;外线后半段锯齿形,在臀褶处内伸成黑色纵条,线内侧有1列白纹;亚缘线为白色,呈锯齿形;缘线为1列黑点。后翅黄色,中带与端带黑褐色,臀褶有1条黑色纵条伸达中带。腹部黄褐色。

采集记录:1♀,宁陕广货街保护站,1189m,2014. Ⅶ. 26-28,刘淑仙采。

分布:陕西(宁陕)、黑龙江、河南、湖北;俄罗斯。

(165)鹿裳夜蛾 *Catocala praxeneta* Alphéraky, 1895(图版42:24)

Catocala praxeneta Alphéraky, 1895: 197.

鉴别特征:雄性前翅长18~20mm。雄性触角为线形。前后翅外缘呈微波浪形,顶角圆钝。前翅灰褐色,密布黑色细点;亚基线、内线黑色,内线微波浪形,外斜;环纹不明显;肾纹黑褐色,带圆形边,肾纹后方有1个灰黄色圆形斑,具黑边;外线为黑色,呈锯齿形,在M脉之间外凸形成两个尖齿状条纹,在Cu脉间内凹,微锯齿形排列;亚缘线灰褐色,微波浪形;缘线由1列小黑点组成。后翅黄色;外线黑色,弯曲,在后方稍外凸,内部有1条黑色纵纹从翅基部一直延伸到外线;翅端部黑色,顶角处黑色条带粗壮,后方渐细。翅反面灰黄色;前翅外线和端部黑色;后翅与正面斑纹相似。

采集记录:1♂,宁陕火地塘,1550m,2007. Ⅷ. 18,杨玉霞采。

分布:陕西(宁陕)、黑龙江;蒙古。

(166)鸥裳夜蛾 *Catocala patala* **Felder *et* Rogenhofer, 1874**(图版 42:25)

Catocala patala Felder *et* Rogenhofer, 1874: pl. 112, fig. 23.
Catocala volcanica Butler, 1877b: 244.

鉴别特征:前翅长 33 ~ 35mm。触角为线形。前后翅外缘波浪形,顶角圆钝。前翅灰褐色,密布黑色小细点;亚基线黑色,仅前半部清楚,其后方有 1 条深黑色横纹;内线为深黑色,大波浪形,略有外斜;环纹不明显;肾纹灰褐色,带黑边,月牙形,肾纹后方有 1 个灰白色斑,具褐色边,圆形或椭圆形;外线为黑色,锯齿形,在 M 脉之间凸出成两个尖齿状条纹,在 Cu 脉间内凹,大波浪形排列,在 2A 脉处内折,外线内折的部分为深黑色,粗壮,外线两侧为灰白色;亚缘线为灰白色,波浪状,两侧褐色;缘线由 1 列黑点组成。后翅黄色,外线为黑色且弯曲,内部自翅基部有 1 条黑色纵条延伸至外线;翅端部为黑色,其内缘在 Cu_2 脉处内凹至外线,其下黑色条带窄缩,在臀角处再次扩展至接近外线;顶角处有 1 个椭圆形黄斑,缘毛黄色,在翅脉端黑色。前翅反面灰白色,基部浅褐色,外线和端部浅褐色;后翅反面黄白色,外线和端部浅褐色,顶角灰白色。

采集记录:2♂,佛坪龙草坪,1200m,2008. Ⅶ. 03,白明采。

分布:陕西(佛坪)、黑龙江、宁夏、浙江、江西、福建;日本,印度。

(167)珠光裳夜蛾 *Catocala invasa* **Leech, 1900**(图版 42:26)

Catocala invasa Leech, 1900: 531.
Ephesia invasa: Hampson, 1913: 201, pl. 202, fig. 1.

鉴别特征:前翅长 29mm。头部与胸部为灰色杂黑色,额两侧各有 1 条黑色条纹,下唇须第 2 节端半部及第 3 节灰黑色;颈片中部有黑色横纹,前胸有褐色条纹;胸部腹面与足灰白色,胫节与跗节有黑色条纹。前翅灰色;亚基线细,为黑色,在前缘区折角,后端达臀褶;内线黑色,微波曲,外斜,2A 脉后外凸,线内侧带黑褐色,向内渐浅,线外侧在臀褶之前有 1 条灰白色斜带;环纹不显;肾纹有不完整的黑边,中央有 1 条黑色纹,肾纹外侧有 1 个模糊黑斑,其外侧有几个尖齿状纹;外线黑色,自 R_4 脉开始严重外斜,在 M_1 脉后折角,以深锯齿形内斜,在 Cu_1 脉后回弯至肾纹后再返回,后端近达臀角,外线前段外侧有 1 条黑褐色曲纹;亚缘线不明显;有 1 条黑色条纹自顶角后内斜至外线;R_4、R_5 和 M_1 脉端部带黑色;缘线黑色,为波浪形。后翅黄色;臀褶有 1 条模糊的黑色纵条,中区有 1 条黑色曲带,在 M_3 脉及臀褶处外凸;端区有 1 条黑色带在臀褶处中断,其后为 1 个水滴形黑斑,使中段外缘呈波浪形。腹部灰褐色。

分布:陕西(太白山)、江苏、湖北、四川。

(168)奇光裳夜蛾 *Catocala mirifica* **Butler, 1877**(图版 42:27)

Catocala mirifica Butler, 1877b: 243.

Ephesia mirifica: Hampson, 1913: 176.

鉴别特征:前翅长25mm。头部与胸部为灰色杂黑褐色。前翅灰白色杂褐色,密布黑褐色细点,前缘中部至顶角有1个大的黑褐色斑;亚基线黑色,达臀褶;内线为黑色,波浪形,内侧衬白色;外线为黑色,锯齿形,外侧衬白色;亚缘线为白色,波浪形,内侧微黑;缘线为1列黑点。后翅黄色,中带黑色外弯,曲度大,后端与臀褶的黑色条纹相合;端带黑色,在 Cu_2 脉处间断。腹部黄褐色。

分布:陕西(留坝、佛坪)、甘肃、浙江;日本。

(169)兴光裳夜蛾 *Catocala eminens* Staudinger, 1892(图版43:1)

Catocala eminens Staudinger, 1892a: 12, fig. 5.
Ephesia eminens: Hampson, 1913: 176.

鉴别特征:前翅长31mm。头部及胸部为黑褐色杂少许灰白色,头顶有黑色横纹;跗节有灰白色斑。前翅暗褐色部分杂灰白色及黑色;亚基线为黑色双线,外斜至2A脉,线间灰白色;内线为黑色双线,深波浪形,外斜,在中脉与2A脉上成内突尖齿,线间灰白色;外区有1个近三角形黑色大斑,其内缘自前缘脉中部微曲,外斜至 M_3 脉中部,并衬以灰白色,其外缘与外线相遇;外线灰白色,前半段锯齿形,至 Cu_1 脉后稍间断,并内伸至 Cu_1 脉回旋外伸,在 Cu_2 脉近端部成1个齿,在2A脉成1个内突小齿,在 Cu_1 脉后有1条黑色窄纹;亚缘线灰白色,外斜至 M_1 脉折向内斜,其外侧各翅脉间有1条黑色齿形纹;缘线为1列黑点;缘毛黑褐色,基部黄褐色。后翅杏黄色,中带与端带黑色,前者在臀褶折角内伸至翅基部。腹部黄褐色。

采集记录:1♂,佛坪,876m,2007.Ⅷ.16,杨玉霞采。

分布:陕西(留坝、佛坪)、黑龙江、甘肃、浙江、湖南。

(170)鸽光裳夜蛾 *Catocala columbina* Leech, 1900(图版43:2)

Catocala columbina Leech, 1900: 535.
Ephesia columbina: Hampson, 1913: 199.

鉴别特征:前翅长23mm。头与颈片黑褐色杂少许灰色,胸背暗灰色微带褐色。前翅铅灰色微带浅褐色;亚基线与外线黑色;内线灰色,呈波浪形,外侧有1条粗的黑色条纹;肾纹黑色,后方为1个灰斑;中线黑褐色,带状;肾纹外侧有几个黑色齿纹;外线锯齿形;亚缘线灰色,内侧黑褐色,外侧有两个黑褐色阴影。后翅黄色,中带与端带黑色,臀褶有黑褐色纹。腹部暗黄褐色。

采集记录:1♂,周至楼观台,680m,2008.Ⅵ.23-24,刘万岗采;1♀,佛坪龙草坪,1256m,2008.Ⅶ.03,刘万岗采;1♀,柞水营盘镇,953~995m,2014.Ⅶ.29-31,刘淑仙

采;3♂1♀,旬阳金鑫源山庄,386m,2014. Ⅷ. 01-03,刘淑仙、班晓双采。

分布:陕西(周至、留坝、佛坪、宁陕、柞水、旬阳)、河南、甘肃、浙江、湖北、四川。

(171)白光裳夜蛾 *Catocala nivea* Butler, 1877(图版43:3)

Catocala nivea Butler, 1877b: 241.

Ephesia nivea: Hampson, 1913: 150.

鉴别特征:前翅长43mm。触角为线形。头部白色。前后翅外缘呈锯齿形,顶角圆弧状。前翅灰褐色,密布黑褐色细点;亚基线黑色,前端略有外折;内线褐色,波曲状,前后端明显,前缘区内侧微白;环纹不明显;肾纹白色,带黑边,椭圆形,内部分布有黑色细点;外线黑色,自 M_1 脉处向外凸出为锯齿形,之后在M脉间内凹,锯齿形排列,其连接1条深黑色横纹至前翅外缘,在 Cu_2 脉处外折,连接另1条黑色细纹至前翅外缘,外线前缘区和后缘区明显,外侧呈灰白色;内线、肾纹和外线的灰白色部分杂不均匀的灰绿色;亚缘线褐色,微波浪形,两侧灰褐色;缘线由1列白色细点组成。后翅白色,中央有黑色波曲状斑纹;亚缘带黑色,前缘端粗壮,后端渐细,端部有少许黑色波浪形条纹。

采集记录:1♂,周至厚畛子,1300m,2007. Ⅷ. 10,李文柱采。

分布:陕西(周至)、浙江、湖南、四川;日本,缅甸,印度,斯里兰卡,印度尼西亚。

(172)布光裳夜蛾 *Catocala butleri* Leech, 1900(图版43:4)

Catocala butleri Leech, 1900: 534.

Ephesia butleri: Hampson, 1913: 175.

鉴别特征:前翅长36mm。头部、胸部为黑褐色杂灰色,额有白纹;颈片端部白色;翅基片有黑纹。前翅灰色,有黑色细点,内线内部较黑,中区带有青色,端区带有褐色;亚基线、内线及外线黑色,臀褶基部有1条黑色纵纹,亚基线、内线为波浪形;肾纹外缘为锯齿形,前方有1个黑斑,后方有1个灰白色斑;外线为锯齿形,前端外侧有1个白斑;亚缘线灰白色,锯齿形,两侧黑色;缘线为1列黑白相间的点。后翅金黄色,中带与端带黑色,前者中段膨大,后端在臀褶处与后缘区大黑斑相合。腹部黑褐色。

采集记录:1♂,周至楼观台,680m,2008. Ⅵ. 24,李文柱采。

分布:陕西(留坝、佛坪、宁陕)、甘肃、福建、四川、贵州、云南、西藏。

(173)栎光裳夜蛾 *Catocala dissimilis* Bremer, 1861(图版43:5)

Catocala dissimilis Bremer, 1861: 494.

Ephesia dissimilis: Hampson, 1913: 148.

鉴别特征:前翅长 24mm。头部与胸部为黑褐色。前翅灰黑色,内线以内颜色较深;亚基线黑色;内线粗,黑色,内侧衬灰色,外侧有 1 个灰白色斜斑;肾纹不清晰;外线为黑色,锯齿形,自 M_1 脉后内斜,但在 Cu_2 脉处内伸至肾纹后端再返回,凹入处白色明显,外线外侧衬白色;亚缘线为白色,锯齿形,两侧衬黑色;缘线由黑白并列的点组成。后翅黑褐色,顶角白色。腹部暗褐色。

采集记录:8♂1♀,宝鸡天台山嘉陵江源头,1620m,2014. Ⅷ. 08-09,薛大勇、班晓双采;3♂1♀,宁陕火地塘,1538m,2012. Ⅶ. 11-15,姜楠等采;8♂3♀,宁陕广货街保护站,1189m,2014. Ⅶ. 26-28,刘淑仙、班晓双采;10♂9♀,柞水营盘镇,953 ~ 995m,2014. Ⅶ. 29-31,刘淑仙、班晓双采;2♀,旬阳金鑫源山庄,386m,2014. Ⅷ. 01- 03,班晓双采。

分布:陕西(宝鸡、宁陕、柞水、旬阳)、黑龙江、河北、湖北、云南;俄罗斯,日本。

(174)白缘光裳夜蛾 *Catocala actaea* Felder *et* Rpgenhofer, 1874(图版 43:6)

Catocala actaea Felder *et* Rpgenhofer, 1874: pl. 112, fig. 22.

鉴别特征:前翅长 20mm。头部与胸腹部黑色杂少许灰白色;胸腹部腹面浅灰色;足外侧黑色,散布有白色细点,跗节各节间有白斑。前翅黑褐色,密布白色细点;亚基线黑色,自前缘波曲外斜至臀褶;内线为黑色双线,波状外斜;环纹为 1 条模糊的白色纹;肾纹灰色,带黑边,中有黑色椭圆形纹;中线黑色,自前缘外弯至中室下角,Cu_2 基部有 1 个模糊的白斑;外线黑色,在前缘区为近斜方形斑,自 R_5 以下锯齿形外斜,在 M_2 前后成尖齿,其下内斜;亚缘线较粗,为黑色钝锯齿形,微外弯;外线与亚缘线之间有 1 条灰白色不清晰波状线;缘线黑色,细波状,在各翅脉端有 1 个白点;缘毛黑褐色。后翅黑色,中部有 1 块白色大斑,自前缘外斜至 Cu_2 脉中部,其内缘较直,外缘浅弧形;大斑下有 1 个小白斑;缘毛黑色,端部白色,顶角及臀褶处缘毛纯白,在 M_1 至 Cu_2 脉间的缘毛杂有白点。

采集记录:1♂,柞水营盘镇,953 ~995m,2014. Ⅶ. 29-31,班晓双采。

分布:陕西(柞水)、湖北;日本。

(175)圣光裳夜蛾 *Catocala nagioides*(**Wileman, 1924**)(图版 43:7)

Ephesia nagioides Wileman, 1924: 287.

Catocala sancta Butler, 1885: 134.

Ephesia sancta: Hampson, 1913: 148.

Catocala nagioides: Sugi, 1982, *in* Inoue, *et al.*: 842/389, pl. 202: 15.

鉴别特征:前翅长 24mm。头部及胸部为黑褐色,杂少许白色,下唇须基部及第 2

节端部为白色;额下部白色,两侧有黑色杂纹。前翅黑褐色;亚基线黑色达中室;内线黑色,微波浪形外斜,前段粗而模糊,内线与肾纹间有 1 个白斑,其后 1 个带黑边的白斑;肾纹黑边,中央有黑圈;外线为黑色,锯齿形,在 M_1 脉处极外凸,在 M_2 脉后外侧有 1 块白色斑,在 2A 脉处内侧有 1 条黑色纵纹;亚缘线白色,两侧衬黑褐色,锯齿形;缘线为 1 列黑点。后翅黑褐色,前缘中部至 M_2 脉有 1 个白色斜斑;臀褶近端部有 1 个小白斑;顶角白色,缘毛白色,中段有 1 列黑点。

分布:陕西(佛坪、宁陕)、黑龙江、台湾、云南;日本。

(176)光裳夜蛾东方亚种 *Catocala fulminea chekiangensis*(**Mell, 1933**)(图版 43:8)

Ephesia fulminea chekiangensis Mell, 1933: 64.

Catocala fulminea chekiangensis: Poole, 1989: 215.

鉴别特征:前翅长 24～26mm。头部与胸部为紫灰色,头顶与颈片大部分为黑褐色;腹部灰褐色。前翅紫灰色杂褐色,内线内部色暗;亚基线、内线及外线为黑色,内线前半外侧有 1 条外斜灰色带;肾纹灰色,外侧有几个黑色齿纹,前方有 1 条黑褐色斜条;外线在 Cu_2 脉处内凹至肾纹后,回旋成勺形,外侧有 1 条褐色线;亚缘线灰色,后半锯齿形;近顶角有 1 条黑褐色纹,其中的翅脉黑色。后翅黄色,中带与端带黑色,端带后部窄缩。

采集记录:1♂1♀,佛坪龙草坪,1260m,2008. Ⅶ. 03,李文柱、崔俊芝采;1♂,宁陕火地塘,1538m,2012. Ⅶ. 11-15,姜楠采;1♂,宁陕广货街保护站,1189m,2014. Ⅶ. 26-28,刘淑仙采;1♀,柞水营盘镇,953～995m,2014. Ⅶ. 29-31,刘淑仙采;2♂1♀,旬阳金鑫源山庄,386m,2014. Ⅷ. 01-03,刘淑仙、班晓双采。

分布:陕西(太白、佛坪、宁陕、柞水、旬阳)、黑龙江、浙江。

91. 封夜蛾属 *Arcte* Kollar, 1844

Arcte Kollar, 1844, *in* Hügel: 477. **Type species**: *Arcte polygrapha* Kollar, 1844.

Cocytodes Guenée, 1852, *in* Boisduval & Guenée: 41. **Type species**: *Cocytodes coerula* Guenée, 1852.

属征:喙发达;下唇须向上伸,第 2 节达额中部,第 3 节短;额平滑;复眼大,圆形。胸部仅被毛,无毛簇;胫节饰长毛,均具刺。腹背扁平,有细长毛。前翅狭长,有径副室,顶角较钝,外缘曲度平稳,呈锯齿形。后翅中室约为翅长的 1/3。

分布:东洋界,澳洲界。秦岭地区发现 1 种。

(177)苎麻夜蛾 *Arcte coerula*(**Guenée, 1852**)(图版 43:9)

Cocytodes coerula Guenée, 1852, *in* Boisduval & Guenée: 41.

Cocytodes caerulea: Hampson, 1913: 259.

Arcte coerulea: Sugi, 1982, *in* Inoue, *et al.*: 852/392, pl. 209: 5.

Arcte coerula: Poole, 1989: 118.

鉴别特征:前翅长35~48mm。头部与胸部为黄褐色。前翅赤褐色,散布蓝白色细点,后半部带黑褐色;亚基线、内线、中线及外线黑色,亚基线外侧有宽黑条;环纹为1个黑点;肾纹带黑边;外线后半段呈锯齿形;亚缘线为浅红褐色;顶角有似三角形红褐区;外缘有1列黑点。后翅黑褐色,有紫色闪光,中部有1个粉蓝色圆斑,外区有1条粉蓝色曲带,近臀角有1条粉蓝色窄纹。腹部蓝褐色。

分布:陕西(宁陕)、河北、山东、浙江、湖北、江西、湖南、福建、广东、海南、四川、云南;日本,印度,斯里兰卡,南太平洋若干岛屿。

92. 肖毛翅夜蛾属 *Thyas* Hübner, 1824

Thyas Hübner, 1824: pl. 203. **Type species**: *Thyas honesta* Hübner, 1824.

Lagoptera Guenée, 1852, *in* Boisduval & Guenée: 223. **Type species**: *Ophideres elegans* Hoeven, 1840.

Dermaleipa Saalmüller, 1891: 460. **Type species**: *Ophiodes parallelipipeda* Guenée, 1852.

属征:喙发达;下唇须向上伸,第2节约达头顶,第3节短或中等长短;额平滑;复眼大,圆形。胸部几乎全被毛,无毛簇。雄性前后足胫节饰长毛,前足胫节无刺,中足胫节具刺,后足胫节在中距与端距之间有刺。腹部基部几节有毛簇。前翅前缘在尖端拱起,顶角稍外伸而尖锐,外缘曲度平稳,略呈锯齿形。后翅中室约为翅长的1/3;雄性的后翅反面有丝状香鳞。

分布:古北界,东洋界,澳洲界,非洲界。秦岭地区发现1种。

(178)庸肖毛翅夜蛾 *Thyas juno* (Dalman, 1823)(图版43:10)

Noctua juno Dalman, 1823: 52.

Ophideres elegana Hoeven, 1840: 280.

Lagoptera multicolor Guenée, 1852, *in* Boisduval & Guenée: 226.

Thyas bella Bremer *et* Grey, 1853b: 66.

Dermaleipa juno: Hampson, 1913: 406.

Lagoptera juno: Chen, 1982a: 353.

Thyas juno: Poole, 1989: 960.

鉴别特征:前翅长41mm。头部、胸部及前翅为黄褐色或灰褐色。前翅散布有黑色细点,后缘红褐色;亚基线、内线及外线为红褐色,内线后半段及外线直向内斜;环纹为1个黑点;肾纹灰褐色,中有黑点;有1条黑色或黄褐色曲线自顶角延至臀角,亚缘区有1块隐约的暗褐色纹;翅外缘有1列黑点。后翅黑色,端区红色,中部有粉蓝色钩形纹,外缘中段有密集黑点。腹部红色,背面大部分为暗灰褐色。

分布:陕西(佛坪)、黑龙江、辽宁、河北、山东、河南、甘肃、安徽、浙江、湖北、江西、湖南、福建、海南、四川、贵州、云南;日本,印度。

93. 关夜蛾属 *Artena* Walker, 1858

Artena Walker, 1858: 1388. **Type species**: *Artena submira* Walker, 1858.

属征:喙发达;下唇须向上伸,第2节达额中部,第3节短;额平滑;复眼大,圆形。胸部仅被毛而无毛簇;胫节饰长毛,均具刺。腹背扁平,有细长毛。前翅狭长,有径副室,顶角较圆,外缘曲度平稳,呈锯齿形。后翅中室约为翅长的1/3。

分布:东洋界,澳洲界。秦岭地区发现1种。

(179)斜线关夜蛾 *Artena dotata* (Fabricius, 1794)(图版43:11)

Noctua dotata Fabricius, 1794: 55.

Lagoptera dotata: Hampson, 1913: 418.

Artena dotata: Barlow, 1982: 101.

鉴别特征:前翅长27~29mm。头、胸及前翅褐色。前翅散布有黑褐色细点,外区色浓,端区灰白色;内线外斜至后缘中部;环纹为1个黑褐色点;肾纹为两个黑色圆斑;外线呈微波浪形,后端达臀角,内线、外线均衬灰色;亚缘线直,黑褐色;缘线为波浪形双线。后翅黑褐色,中部有1条蓝白色弯带,外缘有蓝白色;缘毛黄白色,中段有褐色。腹部灰褐色。

分布:陕西(太白山)、河南、江苏、浙江、湖北、江西、湖南、福建、台湾、广东、四川、贵州、云南;缅甸,印度,新加坡。

94. 安钮夜蛾属 *Ophiusa* Ochsenheimer, 1816

Ophiusa Ochsenheimer, 1816: 93. **Type species**: *Phalaena tirhaca* Cramer, 1777: 116, pl. 172, fig. E.

Ophiogenes Reichenbach, 1817: 288. **Type species**: *Phalaena tirhaca* Cramer, 1777.

Anua Walker, 1858: 1788. **Type species**: *Anua amplior* Walker, 1858.

Stenopis Mabille, 1880: 107. **Type species**: *Stenopis reducta* Mabille, 1880.

Subanua Berio, 1960: 316. **Type species**: *Anua flavociliata* Aurivillius, 1925.

Peranua Berio, 1960: 316. **Type species**: *Achaea conspicienda* Walker, 1858.
Perophiusa Berio, 1960: 316. **Type species**: *Anua pseudotirhaca* Berio, 1956.

属征:喙发达;下唇须向上伸,第2节到达头顶,第3节相当长;额平滑,上方有椎形毛簇;雄性触角具纤毛。胸部仅具毛,无毛簇;前足基节、腿节、胫节都具长毛,中足及后足的胫节微具缘毛,前足胫节无刺,中足及后足胫节有刺。腹部仅基部几节有毛簇。前翅很狭长,翅端圆形,外缘弯曲。后翅中室约为翅长的1/3。

分布:古北界,东洋界,澳洲界,非洲界。秦岭地区发现1种。

(180)安钮夜蛾 *Ophiusa tirhaca*(**Cramer, 1777**)(图版43:12)

Phalaena(*Noctua*)*tirhaca* Cramer, 1777: 116, pl. 172, fig. E.
Ophiusa tirhaca: Ochsenheimer, 1816: 93.
Ophiogenes tirhaca: Reichenbach, 1817: 288.
Ophiusa separans Walker, 1858: 1357.
Anua tirhaca: Hampson, 1913: 431.

鉴别特征:前翅长32~34mm。头部、胸部及前翅为黄绿色。前翅有褐色碎纹,端区褐色;内线外斜至后缘中部,后端与外线相遇;环纹为黑色点;肾纹褐色,外区前缘有1个半圆形的黑褐色斑;亚缘线为暗褐色,锯齿形,前段外侧有黑色齿纹。后翅黄色,亚端带黑色。腹部黄色。

分布:陕西(太白山)、山东、江苏、浙江、湖北、江西、福建、广东、海南、广西、四川、贵州、云南;印度,斯里兰卡,菲律宾,亚洲(西部),欧洲,非洲。

95. 目夜蛾属 *Erebus* Latrielle, 1810

Erebus Latrielle, 1810: 365. **Type species**: *Phalaena crepuscularis* Linnaeus, 1758.
Byas Billberg, 1820: 85. **Type species**: *Phalaena crepuscularis* Linnaeus, 1758.
Nyctipao Hübner, 1823: 272. **Type species**: *Phalaena crepuscularis* Linnaeus, 1758.

属征:喙发达;下唇须向上伸,第2节达头顶,第3节长;额平滑;复眼大,圆形。胸部仅有毛,无毛簇;胸部腹面有长毛;各足胫节具刺并饰毛。腹部基节背面有毛,呈脊状,但无毛簇。前翅顶角稍尖,外缘曲度平稳,呈锯齿形,中室约为翅长的1/3。后翅中室约为翅长的1/5。

分布:东洋界,新北界,澳洲界,非洲界。秦岭地区发现1种。

(181)毛目夜蛾 *Erebus pilosa*(**Leech, 1900**)(图版43:13)

Nyctipao pilosa Leech, 1900: 548.

Erebus pilosa: Hampson, 1913: 289.

鉴别特征:前翅长 44mm。头部与胸部深褐色;雄性前翅黑褐色,带有青紫色光泽,内半部在中室后被有香鳞,呈褐色;内线黑色,微波曲,自前缘脉至中室后缘;肾纹红褐色,后端外凸,呈两齿形,杂有少许银蓝色,黑边;中线黑色,自前缘区后半段圆形外弯,绕过肾纹外侧至其后端,其后不显,线内侧衬褐色,中线与肾纹之间为黑色大斑,中线外方有 1 条暗褐色外弯粗线;外线白色,自前缘区后外斜,在 M_1 与 M_2 脉间及 M_3 与 Cu_1 脉间明显外凸,其后波浪形稍内斜,并渐细弱。后翅黑褐色,有 1 条狭窄蓝紫色端带,缘毛褐色。雌性前翅内线完整,后端达翅后缘;中线在肾纹后波浪形,达后缘。后翅可见中线及白色波浪形外线。腹部深褐色。

采集记录:1♂,宁陕火地塘,1538m,2012. Ⅶ. 11-15,杨秀帅采。

分布:陕西(太白、留坝、佛坪)、甘肃、浙江、湖北、福建、江西、四川。

96. 变色夜蛾属 *Hypopyra* Guenée, 1852

Hypopyra Guenée, 1852, *in* Biosduval & Guenée: 198. **Type species**: *Noctua vespertilio* Fabricius, 1787.

属征:喙发达;下唇须向上伸,第 2 节达头顶,第 3 节长;额平滑,具毛簇;复眼大,圆形;触角为线形。胸部仅被毛,无毛簇;各足胫节具刺,外侧饰长毛,雄性后足胫节及跗节毛很长;腹基部有粗毛,但无毛簇。前翅前缘端部略拱,外缘曲度平稳,不呈锯齿形。后翅中室约为翅长的 1/3。

分布:东洋界。秦岭地区发现 1 种。

(182) 朴变色夜蛾 *Hypopyra feniseca* Guenée, 1852(图版 43:14)

Hypopyra feniseca Guenée, 1852, *in* Biosduval & Guenée: 200.

鉴别特征:前翅长 43mm。头与颈片为黑褐色。胸部与翅为浅灰红褐色,翅外缘附近暗褐色;腹部灰褐色;胸腹部腹面和翅反面橘红色。前翅顶角尖锐外凸;内线纤细,黑褐色,波状,在翅脉上为黑点;肾纹模糊,后外侧有两个黑点;中线双线,暗褐色,波状,下半段直,内斜;外线黑褐色,波状,在翅脉上为黑点;亚缘线为灰白色,锯齿形;顶角隐见 1 条内斜淡纹;缘线为黑色双线。后翅中线为黑褐色双线,外线为暗灰色波状,亚缘线为灰白色,锯齿形。

采集记录:1♂1♀,宁陕火地塘,1538m,2012. Ⅶ. 11-15,姜楠等采。

分布:陕西(宁陕)、湖北、福建、广东、四川;印度,印度尼西亚。

97. 环夜蛾属 *Spirama* Guenée, 1852

Spirama Guenée, 1852, *in* Biosduval & Guenée: 194. **Type species**: *Phalaena retorta* Clerk, 1764.

属征:喙发达;下唇须向上伸,第2节约达头顶,第3节长;额平滑,具毛簇,复眼大,圆形。胸部仅被毛而无毛簇;胫节均具刺。腹部平滑,无毛簇。前翅前缘在顶角处很拱,顶角钝圆,外缘曲度平稳,微呈锯齿形。后翅中室约为翅长的1/3。

分布:古北界,东洋界,澳洲界,非洲界。秦岭地区发现2种。

(183)绕环夜蛾 *Spirama helicina* (Hübner, 1831)(图版44:1,2)

Speiredonia helicina Hübner, 1831: 14, pl. 76, figs. 437.
Spirama japonica Guenée, 1852, *in* Biosduval & Guenée: 195.
Spirama aegrota Butler, 1881a: 197.
Spirama helicina: Sugi, 1967: figs 5-10; fig. 12.

鉴别特征:前翅长26~30mm。头部与胸部为深褐色。前翅黑褐色,外线外部带黄色;内线、亚缘线及缘线为黑褐色,后半段内侧衬黄褐色;肾纹为蝌蚪形大斑,后缘线较粗而黑,后端远超出中室;外线为黑色双线,且严重外弯,外侧的线为锯齿形;亚缘线呈微波浪形,后半段双线。后翅内半部暗褐色,外半部黄褐色;中线、亚缘线为黑褐色,亚缘线为双线;外缘有两条黑褐色波浪形线。腹部红色,各节有黑色条纹,基节背面黑褐色。雌性色浅,胸部及前后翅灰白色,后翅中区杂暗褐色;中线内侧衬白色,外侧为白色窄带;亚缘线双线间为白色。

采集记录:1♂,宁陕火地塘,1500~2000m,2008. Ⅶ. 08,葛斯琴采;5♂,柞水营盘镇,953~995m,2014. Ⅶ. 29-31,刘淑仙、班晓双采;1♂1♀,旬阳金鑫源山庄,386m,2014. Ⅷ. 01-03,刘淑仙、班晓双采。

分布:陕西(留坝、佛坪、宁陕、柞水、旬阳)、甘肃、江西;日本。

(184)环夜蛾 *Spirama retorta* (Clerck, 1764)(图版44:3,4)

Phalaena retorta Clerck, 1764: pl. 54, fig. 2.
Speiredonia retorta: Guenée, 1852, *in* Biosduval & Guenée: 194.
Hypopyra martha Butler, 1878a: 292.
Spirama simplicior Butler, 1881a: 198.

鉴别特征:前翅长31~36mm。头部、胸部及前后翅为黑褐色。雄性前翅及各横线为黑色;外线、亚缘线均为双线;肾纹后部膨大旋曲,边缘有黑、白两色,凹曲处至顶角有隐约白纹;外线前后段双线较宽。后翅横线黑色,较直,内斜,微波浪形。雌性褐色,前翅浅黄褐色杂褐色;内线内侧有两条黑褐色斜纹,外侧有1条黑褐色斜条。后翅色同前翅。

采集记录:2♀,周至厚畛子,1300m,2007. Ⅷ. 10,李文柱、杨玉霞采;1♀,柞水营盘镇,1050m,2007. Ⅵ. 03,张丽杰采;2♀,柞水营盘镇,953~995m,2014. Ⅶ. 29-31,班晓双采;1♀,旬阳金鑫源山庄,386m,2014. Ⅷ. 01-03,班晓双采;1♀,商南金丝峡,777m,2013. Ⅶ. 23-25,姜楠采。

分布:陕西(周至、略阳、佛坪、宁陕、柞水、旬阳、商南)、辽宁、山东、河南、甘肃、江苏、浙江、湖北、福建、江西、广东、海南、广西、四川、云南;朝鲜,日本,缅甸,印度,斯里兰卡,马来西亚。

98. 耳夜蛾属 *Ercheia* Walker, 1858

Ercheia Walker, 1858: 1107. **Type species**: *Ercheia diversipennis* Walker, 1858.

属征:喙发达;下唇须向上伸,第2节达头顶,第3节长,端部稍膨大;额平滑,上缘有毛簇;复眼大,圆形;雄性触角有纤毛。胸部毛鳞混生,无毛簇;前足胫无刺,后足胫节具刺。腹部基节有散开的大毛簇,第2、3节有粗毛。前翅顶角圆钝,外缘一般曲度平稳,为强锯齿形,后缘中部以内稍拱起,有径副室。后翅中室约为翅长的1/2。

分布:东洋界,澳洲界,非洲界。秦岭地区发现1种。

(185) 雪耳夜蛾 *Ercheia niveostrigata* Warren, 1913(图版44:5)

Ercheia niveostrigata Warren, 1913, *in* Seitz(c): 335, pl. 61: h.

鉴别特征:前翅长20mm。头部与胸部为褐色杂灰色;颈片外半黑褐色,中央有1条黑色条纹。前翅灰褐色,臀褶有1条黑色纵纹,中有白色纵条,近翅后缘有1条黑色纵纹;翅脉为黑色,均衬以褐色,翅外半部的翅脉间多有长短不一的黑色纵纹;内线黑色,后半段不显;环纹为黑点;中线仅前端可见褐色;肾纹窄而小;外线黑色,后半段波浪形并间断,前后段外侧衬黄色;近翅外缘处有1列黑点。后翅褐白色;外线暗褐色;端区为1条黑褐色宽带,其后半段中央有1条褐白色曲线。腹部灰褐色。

采集记录:1♂,柞水营盘镇,953~995m,2014. Ⅶ. 29-31,刘淑仙采;1♀,旬阳金鑫源山庄,386m,2014. Ⅷ. 01-03,班晓双采。

分布:陕西(留坝、柞水、旬阳)、甘肃、江苏、浙江、湖南、福建、四川;日本。

99. 巾夜蛾属 *Dysgonia* Hübner, 1823

Dysgonia Hübner, 1823: 269. **Type species**: *Phalaena algria* Linnaeus, 1767.

Naxia Guenée, 1852, *in* Boisduval & Guenée: 254. **Type species**: *Naxia absentimacula* Guenée, 1852.

Pasipeda Moore, 1882, *in* Hewitson & Moore: 171. **Type species**: *Hulodes palumba* Guenée, 1852.

Macaldenia Moore, 1885: 162. **Type species**: *Hulodes palumba* Guenée, 1852.

Pindara Moore, 1885: 169. **Type species**: *Noctua illibata* Fabricius, 1775.

Caranilla Moore, 1885: 169. **Type species**: *Naxia onelia* Guenée, 1852.

Bastilla Swinhoe, 1918: 78. **Type species**: *Ophiusa redunca* Swinhoe, 1900.

Xiana Nye, 1975: 505. **Type species**: *Naxia absentimacula* Guenée, 1852.

属征:喙发达;下唇须向上伸,第2节约达头顶;额平滑,其上有毛簇。前足、后足胫节无刺,中足胫节具刺。前翅有径副室,翅外缘曲度平稳,微锯齿形。后翅中室约为翅长的1/3。

分布:全世界。秦岭地区发现5种。

(186)玫瑰巾夜蛾 *Dysgonia arctotaenia* (Guenée, 1852)(图版44:6)

Ophiusa arctotaenia Guenée, 1852, *in* Boisduval & Guenée: 272.

Parallelia arctotaenia: Hampson, 1913: 594.

Dysgonia arctotaenia: Poole, 1989: 337.

鉴别特征:前翅长20~22mm。全体暗灰褐色。前翅中带窄,白色,散布褐色细点;外线前半段白色外斜,后半段黑褐色内斜,后端与中带相遇;顶角有1个黑色双齿斑。后翅中带白色且呈椎形,外缘后半部白色。

采集记录:1♀,佛坪,876m,2007. Ⅷ. 16,杨玉霞采;1♂,佛坪龙草坪,1200m,2008. Ⅶ. 03,白明采;1♀,宁陕火地塘,1538m,2012. Ⅶ. 11-15,程瑞采;1♀,宁陕广货街保护站,1189m,2014. Ⅶ. 26-28,刘淑仙采;1♂1♀,旬阳金鑫源山庄,386m,2014. Ⅷ. 01-03,刘淑仙、班晓双;采1♂,商南金丝峡,777m,2013. Ⅶ. 23-25,姜楠采。

分布:陕西(留坝、佛坪、宁陕、旬阳、商南)、河北、甘肃、江苏、浙江、湖北、江西、福建、台湾、广东、广西、四川、贵州、云南;朝鲜,日本,印度,缅甸,斯里兰卡,孟加拉国,斐济。

(187)弓巾夜蛾 *Dysgonia arcuata* Moore, 1877(图版44:7)

Dysgonia arcuata Moore, 1877: 609.

Parallelia arcuate: Gaede, 1938, *in* Seitz(h): 486.

鉴别特征:前翅长 18mm。头部、胸部及腹部为深灰褐色。前翅基部黑褐色;内线中部外凸,其与中线之间的浅色中带灰褐色,中线中部略内凹;中线与外线之间为黑褐色;外线在 M_1 处凸出 1 个尖齿,其下弧形,在臀褶处略外凸;顶角有 1 条双齿形黑色纹伸达近外线折角处;亚缘线不明显,暗褐色,锯齿形。后翅深灰褐色,中部有 1 条灰色条纹,近臀角有 1 条灰色条纹。

采集记录:1♂,周至楼观台,680m,2008. Ⅵ. 24,李文柱采。

分布:陕西(周至)、浙江、福建、台湾、海南;朝鲜,日本,印度,斯里兰卡,印度尼西亚等。

(188)霉巾夜蛾 *Dysgonia maturata* (**Walker, 1858**)(图版 44:8)

Ophisma maturata Walker, 1858: 1382.
Ophiama falcate Moore, 1882: 171.
Parallelia maturata: Hampson, 1913: 576.
Dysgonia maturata: Poole, 1989: 339.

鉴别特征:前翅长 25 ~ 28mm。头部及颈片为紫褐色。前翅紫灰色,内线内方带暗褐色;内线为直线,外斜;中线直;外线黑褐色,在 M_1 脉成外凸齿,其后内斜;亚缘线灰白色,锯齿形,在翅脉上为白点;顶角有 1 条黑褐色斜纹。后翅暗褐色,端区带紫灰色。腹部暗灰褐色。

分布:陕西(周至)、山东、河南、甘肃、江苏、浙江、江西、福建、台湾、海南、四川、贵州、云南;朝鲜,日本,印度,马来西亚。

(189)肾巾夜蛾 *Dysgonia praetermissa* (**Warren, 1913**)(图版 44:9)

Ophiusa praetermissa Warren, 1913, *in* Seitz(c): 329, *pl*.61: c, 63: c.
Dysgonia praetermissa: Poole, 1989: 340.

鉴别特征:前翅长 24mm。头部和胸部为深褐色至黑褐色,头顶两侧有白点。前翅黑褐色,中部有 1 条白色外斜宽带;中点黑色,清晰;外线上端白色,纤细,外斜至 M_1 下方内折,其下无白色,但其外侧翅面色浅,外线下端呈弧形并接近中带;外线折角处向上延伸至顶角;缘毛灰褐色。后翅黑褐色,白色中带上宽下窄,在臀褶附近逐渐消失;臀角处有 1 个鲜明的黑斑。

采集记录:1♂,旬阳金鑫源山庄,386m,2014. Ⅷ. 01-03,班晓双采。

分布:陕西(旬阳)、浙江、湖南、江西、福建、台湾、云南;印度。

(190)石榴巾夜蛾 *Dysgonia stuposa*(**Fabricius, 1794**)(图版 44:10)

Noctua stuposa Fabricius, 1794: 42.

Ophiusa stuposa: Gaede, 1938, *in* Seitz, (h): 487.

Parallelia stuposa: Hampson, 1913: 588.

Dysgonia stuposa: Poole, 1989: 341.

鉴别特征:前翅长 20~22mm。头部与胸部为褐色。前翅内线内弯,内部黑褐色;中线直,与内线间为灰白色,散布褐色细点;肾纹为褐色长点;外线在 M_1 脉折角,与中线间黑褐色,外线外侧衬白色;亚缘线不明显,与外线间为褐色,与缘线间为灰褐色,其间翅脉灰白色;顶角有两个齿形黑褐色斑。后翅暗褐色,端区灰褐色,有 1 条白色中带。腹部灰褐色。

采集记录:1♂,商南金丝峡,777m,2013. Ⅶ. 23-25,姜楠采。

分布:陕西(留坝、商南)、河北、山东、甘肃、江苏、浙江、湖北、江西、福建、台湾、广东、海南、四川、云南;朝鲜,日本,印度,斯里兰卡,菲律宾,印度尼西亚。

100. 毛胫夜蛾属 *Mocis* Hübner, 1823

Mocis Hübner, 1823: 267. **Type species**: *Phalaena virbia* Cramer, 1780.

Remigia Guenée, 1852, *in* Boisduval & Guenée: 312. , **Type species**: *Remigia latipes* Guenée, 1852.

Pelamia Guenée, 1852, *in* Boisduval & Guenée: 312. **Type species**: *Pelamia phasianoides* Guenée, 1852.

Baratha Walker, 1685: 1021. **Type species**: *Baratha acuta* Walker, 1865: 1022.

Cauninda Moore, 1885: 190. **Type species**: *Phalaena archesia* Cramer, 1780.

属征:喙发达;下唇须向上伸,第 2 节几乎达头顶,第 3 节斜;额平滑;复眼大,圆形。胸部几乎全被鳞片,无毛簇;雄性胫节饰长毛;前足胫节无刺,后足胫节具刺;腹部较细长,平滑,无毛簇;前翅顶角伸长,外缘曲度平稳,微呈锯齿形,有径副室。后翅中室为翅长的 1/2。

分布:全世界。秦岭地区发现 2 种。

(191)毛胫夜蛾 *Mocis undata*(**Fabricius, 1775**)(图版 44:11)

Noctua undata Fabricius, 1775: 600.

Cauninda undata: Warren, 1913, *in* Seitz(c): 333.

Mocis virbia Draudt, 1950: 153.

Mocis undata: Holloway, 1976: 31.

鉴别特征:前翅长 24mm。头部、胸部、腹部及前翅为灰褐色。前翅带紫色;亚基线灰黑色;内线为褐色窄带,后端内部有 1 个黑色斑;环纹为黑点;中线为褐色,波浪形,后半段间断成小斑;肾纹大,中有曲纹;外线黑褐色,在臀褶处向中室下角弯曲;亚缘线波浪形,内侧有 1 列黑点,与外线间为暗灰色。后翅暗黄褐色;外线、亚缘线为黑褐色,亚缘线带状,后半段分裂为二,并呈波浪形。

分布:陕西(佛坪)、甘肃、河北、山东、河南、江苏、浙江、湖南、台湾、福建、江西、广东、贵州、云南;朝鲜,日本,缅甸,印度,斯里兰卡,新加坡,菲律宾,印度尼西亚,非洲。

(192)奚毛胫夜蛾 *Mocis ancilla* (**Warren, 1913**)(图版 44:12)

Cauninda ancilla Warren, 1913, *in* Seitz(c): 334, *pl.* 61g.

Mocis ancilla: Draudt, 1950: 153.

鉴别特征:前翅长 17mm。头部与胸部为深褐色。前翅褐色;亚基线为暗褐色双线,自前缘脉延至 2A 脉;内线深褐色,为 1 条窄带,在前缘区稍外凸,其后直线外斜,线内侧色较浅;中线波曲;肾纹窄曲,褐色边;外线暗褐色,微外弯,在 Cu_2 脉后微外凸;亚缘线为暗褐色双线,呈锯齿形,外侧处有 1 列黑点。后翅黄褐色,外线与亚缘线暗褐色。

采集记录:2♂,周至楼观台,680m,2008. Ⅵ. 23。

分布:陕西(周至、佛坪)、黑龙江、河北、山东、河南、甘肃、江苏、浙江、湖南、福建;朝鲜,日本。

(十五)强喙夜蛾亚科 Ophiderinae

鉴别特征:喙发达;下唇须多向上伸,有些种类向前伸并有浓密的鳞毛;额光滑;复眼大,无毛亦无睫毛;触角线形或稍扁,少数栉形。足胫节无刺。前翅近三角形,外缘曲度平稳或顶角尖而外凸,或外缘中部外凸成角、成齿,少数种类后缘中部凹陷;M_2、M_3 和 Cu_1 脉自中室下角发出。后翅 M_2 脉发达,自中室下角或下角稍前发出,少数种类 M_3 和 Cu_1 脉基部分离或中部弯曲。幼虫第 1、2 腹节常弯曲成桥形,第 8 腹节或隆起。额高短于冠缝。胸足胫节内侧或有泡突,跗节内缘刚毛或膨大。腹足数目不一,趾钩单序。

分类:陕西秦岭地区发现 27 属 53 种。

101. 桥夜蛾属 *Anomis* Hübner, 1821

Anomis Hübner, 1821: 249. **Type species**: *Anomis erosa* Hübner, 1822.

Cosmophila Boisduval, 1833: 94. **Type species**: *Cosmophila xanthindyma* Boisduval, 1833.

Gonitis Guenée, 1852, *in* Boisduval & Guenée: 403. **Type species**: *Gonitis editrix* Guenée, 1852.

Rusicada Walker, 1858: 984. **Type species**: *Rusicada nigritarsis* Walker, 1858.

Molopa Swinhoe, 1902a: 420. **Type species**: *Molopa planalis* Swinhoe, 1902.

Gonopteronia Bethune-Baker, 1906: 239. **Type species**: *Gonopteronia albopunctata* Bethune-Baker, 1906.

属征:喙发达;下唇须向上伸,第2节达头顶,第3节细长;额有1撮钝角毛簇;雄性触角具微细纤毛或栉形。胸部和腹部鳞片平滑,胫节无刺,腹部只基节上有1撮毛簇。前翅顶角略外凸,外缘中部成1个角形凸出。后翅 M_2 脉从中室端脉中部略后方伸出。

分布:全世界。秦岭地区发现3种。

(193)巨桥夜蛾 *Anomis maxima* Berio, 1956(图版44:13)

Anomis(*Rusicada*)*maxima* Berio, 1956a: 30.

鉴别特征:前翅长24mm。头部与胸部为深红褐色杂有少许黄色,触角基节后缘黄白色;前足胫节外侧有1个大白斑,第1跗节外侧有1条白色纵条,中足与后足胫节外侧有白点,胫距基部与端部各有1个白点,各足跗节各节间有小白点。前翅为深红褐色杂有黄色,各翅脉黑褐色,臀褶基部与中部各有1个模糊黄斑;内线隐约可见红褐色,不规则波浪形外斜;环纹只见1个白点,边缘黑褐色;肾纹内缘直,外缘中凹,红褐色,前后部带暗褐色;外线不明显,红褐色,呈不规则波浪形,在中褶处内凹,Cu_1 脉后内伸达肾纹后端折向后行;亚缘线极模糊,暗褐色,呈不规则锯齿形,在中褶与臀褶处内弯;翅外缘中部外凸成1个齿,其前方的翅外缘微凹,后方的翅外缘斜削,微锯齿形;缘毛红褐色,端部白色。后翅暗褐色,缘毛杂有灰白色。腹部暗灰褐色杂红褐色。

采集记录:1♀,周至厚畛子,1276m,2008. Ⅵ. 30,李文柱采;2♂,宁陕火地塘,1538m,2012. Ⅶ. 11-15,姜楠等采。

分布:陕西(周至、太白、宁陕)、甘肃、江苏、浙江、广东。

(194)连桥夜蛾 *Anomis combinans*(Walker, 1858)(图版44:14)

Gonitis combinans Walker, 1858: 1001.

Gonitis revocans Walker, 1858: 1794.

Anomis combinans: Barlow, 1982: 239.

鉴别特征:头部与胸部为红褐色杂黄色,胸部腹面黄褐色,腹部灰褐色。前翅底色为橙黄色,密布赭红色细点;亚基线赭红色,自前缘外弯达中室;内线赭红色,波曲外斜,至臀褶处内折;环纹小,为浅黄色点状,外围赭红色;肾纹不明显,仅横脉上有1条赭红色纹;外线赭红色,为不规则锯齿形,自前缘外弯至 Cu_1 脉伸至中室下角后波曲至后缘;亚缘线隐约可见,为不规则锯齿形,内侧暗褐色;翅外缘中部凸出成 1 个钝角,其下呈直线内斜。后翅为灰褐色至深灰褐色。

采集记录:1♀,宁陕火地塘,1538m,2012. Ⅶ. 11-15,程瑞采。

分布:陕西(宁陕)、湖北、广东;斯里兰卡,印度尼西亚,澳大利亚。

(195)小桥夜蛾 *Anomis flava* (Fabricius, 1775)(图版 44:15)

Noctua flava Fabricius, 1775: 601.

Cosmophila xanthyindyma Boisduval, 1833: 94.

Anomis flava: Sugi, 1982, *in* Inoue, *et al.*: 857/393, pl. 211: 1, 2.

鉴别特征:前翅长 11mm。头部、胸部及前翅为黄色。前翅外半部黄褐色;亚基线和内线红褐色,内线较直且外斜,线内部密布红褐色细点;环纹白色,边线褐色;中线红褐色,二曲形;肾纹深褐色,中有两个黑点;外线深褐色,锯齿形,自前缘脉后外弯,在中褶处凹,M_3 脉后稍内斜,中线与外线之间色暗;亚缘线暗褐色,不规则锯齿形,在 R_5 脉处外凸,M_2 与 Cu_2 脉间外弯;缘线暗褐色,翅外缘中部微外凸。后翅淡褐色,端区色较暗。腹部灰黄色。

分布:陕西(留坝)、内蒙古、山东、河南、甘肃、福建,除西北若干省区外,其他地区广泛分布;欧洲,亚洲,非洲。

102. 棘翅夜蛾属 *Scoliopteryx* Germar, 1810

Scoliopteryx Germar, 1810: 14. **Type species**: *Phalaena libatrix* Linnaeus, 1758.

Pterodonta Reichenbach, 1817: 286. **Type species**: *Phalaena libatrix* Linnaeus, 1758.

Calyptra Latrielle, 1818: 27(No Types pecies is given).

Ephemias Hübner, 1821: 248. **Type species**: *Phalaena libatrix* Linnaeus, 1758.

Euphais Hübner, 1822: 21, 29. **Type species**: *Phalaena libatrix* Linnaeus, 1758.

Gonoptera Berthold, 1827, *in* Latrielle: 483. **Type species**: *Phalaena libatrix* Linnaeus, 1758.

属征:喙发达;头部毛粗,额上方有 1 撮尖毛簇;下唇须向上伸,第 2、3 节均长,但第 3 节较尖细;雄性触角双栉形直到端部,雌性触角锯齿形;颈片成兜状,中央脊形;胫节鳞片浓厚,雄性后足最末的两个跗节为鳞片所掩盖。腹部宽而扁,末端截成方形。翅较宽,前翅外缘中部凸出成一角,顶角很尖,顶角与中部凸角之间内凹。

分布:古北界。秦岭地区发现 1 种。

(196)棘翅夜蛾 *Scoliopteryx libatrix* (Linnaeus, 1758)(图版 44:16)

Phalaena(*Bombyx*)*libatrix* Linnaeus, 1758: 507.

Bombyx libatricus Haworth, 1803: 98.

Scoliopteryx libatrix: Germar, 1810: 14.

Pterodonta libatrix: Reichenbach, 1817: 286.

Ephemias libatrix: Hübner, 1821: 248.

Gonoptera libatrix: Berthold, 1827, *in* Latrielle: 483.

鉴别特征:前翅长16mm。头部褐色,雄性触角为双栉形,下唇须第3节细长;胸部背面褐色。前翅灰褐色,散布有黑褐色细点,翅基部、中室端部及中室后为橘黄色,密布血红色细点;内线白色,自前缘脉外斜至中室前缘折向后,至中室后缘折角近端呈直线外斜;环纹只见1个白点;肾纹窄,灰色,不清晰,前后部各有1个黑点;外线白色双线,线间暗褐色,在前缘脉上为1个模糊白色粗点,其后沿 R_3 脉强外伸折成1个锐齿内斜,至中褶后稍内弯,Cu_1 脉后较直,后行;亚缘线白色,不规则波曲,在 M_3 与 Cu_1 脉间明显外凸,在前缘区白色明显;中室后缘及端区各翅脉白色;顶角外凸成齿,其后的翅外缘凹,外缘中部外凸成齿,其后的翅外缘锯齿形。后翅暗褐色,隐约可见黑褐色外线,自前缘后较直,内斜;亚缘线微弱。腹部灰褐色。

采集记录:1♀,陕西,时间地点不详。

分布:陕西(太白山)、黑龙江、辽宁、河南、云南;朝鲜,日本,欧洲。

103. 艳叶夜蛾属 *Eudocima* Billberg, 1820

Eudocima Billberg, 1820: 85. **Type species**: *Phalaena salaminia* Cramer, 1777.

属征:喙发达;下唇须向上伸,第2节达头顶,第3节细长,端部钝;雄性触角为线形,有纤毛;复眼大,圆形;额光滑,无突起;后胸有毛簇;腹部背面被粗毛。前翅前缘稍拱曲,后缘中部凹。

分布:东洋界,澳洲界,非洲界。秦岭地区发现1种。

(197)枯艳叶夜蛾 *Eudocima tyrannus* (Guenée, 1852)(图版44:17)

Ophideres tyrannus Guenée, 1852, *in* Boisduval & Guenée: 110.

Adris tyrannus: Warren, 1913, *in* Seitz(c): 362.

Eudocima tyrannus: Poole, 1989: 401.

鉴别特征:前翅长46mm。头和胸部为暗红褐色,前足腿节上中部前侧有1个银斑,腹部橙黄色。前翅褐色,形似枯叶,翅脉上有成列黑点;内线褐色内斜至2A脉,其内侧在中室下方有1个绿斑;1条黑褐色线自顶角内斜至后缘近中部;环纹仅见1个黑点;肾纹黄绿色;翅中部至端部隐见黑褐色曲纹。后翅橘黄色,端半部有两条相对弯曲的黑带。

采集记录:1♂,周至厚畛子,1276m,2008. Ⅵ. 30,刘万岗采。

分布:陕西(周至)、辽宁、河北、山东、江苏、浙江、湖北、福建、台湾、海南、广西、四川、云南;日本,印度。

104. 南夜蛾属 *Ericeia* Walker, 1858

Ericeia Walker, 1858: 1089. **Type species**: *Ericeia sobria* Walker, 1858.

Girpa Walker, 1858: 1849. **Type species**: *Girpa aliena* Walker, 1858.

Villosa Koch, 1865: 108. **Type species**: *Villosa leichardtii* Koch, 1865.

属征:喙发达;下唇须向上伸,第 2 节近达头顶,第 3 节中长,较细;雄性触角有纤毛。胸部毛与鳞片混生;雄性中足胫节有 1 条褶沟,后足有长毛簇伸至跗节端部。前翅宽,顶角稍尖,外缘微波浪形。

分布:东洋界,澳洲界,非洲界。秦岭地区发现 2 种。

(198) 断线南夜蛾 *Ericeia pertendens* (Walker, 1858) (图版 44:18)

Remigia pertendens Walker, 1858: 1512.

Ericeia inangulata pertendens: Warren, 1913, *in* Seitz(c): 363.

Ericeia pertendens: Holloway, 1976: 33.

鉴别特征:前翅长 21mm。头部、胸部、腹部及前翅为浅灰褐色。前翅亚基线和内线黑色,内线后半段呈细波浪形,有间断;环纹不显;肾纹小,褐色,不清晰;中线粗而模糊,褐色;外线极弱,由褐色点组成;亚缘线粗,暗褐色,在 Cu_1 脉处形成 1 个明显的外凸齿,M_2 脉前有 1 列黑褐色斑位于内侧,2A 脉前有 1 个大的黑褐色圆斑,2A 脉后有黑点,均位于内侧;顶角有 1 条暗褐色纹内斜至亚缘线;近翅外缘有 1 列黑点。后翅灰褐色,1 条黑褐色线自中室下角达翅后缘;外线仅中褶后明显,由 1 列黑褐色点组成;亚缘线为暗褐色双线,波浪形,不清晰,内侧的线波曲,线间色暗,似带状。

采集记录:1♂1♀,柞水营盘镇,953 ~ 995m,2014. Ⅶ. 29-31,刘淑仙、班晓双采;3♂3♀,旬阳金鑫源山庄,386m,2014. Ⅷ. 01-03,刘淑仙、班晓双采。

分布:陕西(留坝、柞水、旬阳)、甘肃、海南、云南;斯里兰卡,印度尼西亚。

(199) 伯南夜蛾 *Ericeia fraterna* (Moore, 1887) (图版 44:19)

Girpa fraterna Moore, 1887: 94, pl. 156, fig. 5.

Ericeia fraterna: Warren, 1913, *in* Seitz(c): 363, pl. 66: e.

鉴别特征:前翅长 23mm。头部、胸部、腹部及前翅灰褐色。前翅亚基线与内线黑褐色,后者波浪形微内斜,间断为粗点列;环纹小,黑褐色;肾纹褐色,轮廓不甚清晰;外线黑褐色,间断为点列,自前缘脉后外弯,在中褶处内凹,在 M_3 脉处内伸近中室下角,其后波曲内斜;亚缘线黑褐色,在 R_5 脉与 M_3 脉处各为 1 个外凸钝齿,中褶与臀褶处为内凸齿,线内侧各翅脉间有黑褐色斑,合成 1 条不清晰的宽带;近翅外缘有 1 列小黑点,顶角有 1 条黑褐色斜纹。后翅灰褐色;中线暗褐色,在中室折角;外线为黑褐色双线;亚缘线暗褐色双线;近外缘有 1 列黑点。腹部灰褐色。

采集记录:1♂,宁陕广货街保护站,1189m,2014. Ⅶ. 26-28,刘淑仙采;1♀,柞水营盘镇,953 ~995m,2014. Ⅶ. 29-31,刘淑仙采;2♂2♀,旬阳金鑫源山庄,386m,2014. Ⅷ. 01-03,刘淑仙采。

分布:陕西(宁陕、柞水、旬阳)、广东、云南;缅甸,印度,斯里兰卡,印度尼西亚。

105. 析夜蛾属 *Sypnoides* Hampson, 1913

Sypnoides Hampson, 1913: 5. **Type species**: *Sypna mandarina* Leech, 1900.

Supersypnoides Berio, 1958, *in* Berio & Fletcher: 344. **Type species**: *Sypna erebina* Hampson, 1926.

Equatosypna Berio, 1960: 304. **Type species**: *Sypna equatorialis* Holland, 1894.

Pysnoides Berio, 1960: 304. **Type species**: *Sypna mandarina* Leech, 1900.

属征:喙发达;下唇须向上伸;额有毛簇;雄蛾触角多为线形,有纤毛丛;后足胫节具刺。前翅有径副室。雄蛾钩形突基部两侧各有 1 个支突。

分布:古北界,东洋界,非洲界。秦岭地区发现 5 种。

(200)层析夜蛾 *Sypnoides missionaria* Berio *et* Fletcher, 1958(图版 45:1)

Sypnoides missionaria Berio *et* Fletcher, 1958: 354, figs. 27, 79.

鉴别特征:前翅长 26mm。头部与胸部为褐色杂黑褐色及褐灰色,下唇须外侧黑褐色杂少许褐灰色;胸部腹面浅褐色。前翅暗褐色,散布有黑色细点,亚基线细,白色,自前缘脉至 2A 脉,稍外弯;内线为白色双线,自前缘脉外弯,在中室前缘及臀褶处折角,外侧 1 条线细;环纹仅见 1 个白点;肾纹大,窄长,内外缘中凹,后内端沿中脉稍内突,白边,中有 1 条浅黄色纹;外线为白色双线,内侧 1 条细,在中室下缘和臀褶内凹;外线外方前缘脉有 1 列白点;亚缘线黑色,自前缘脉微曲内弯,在 M_3 处外凸,其下锯齿形内斜,上半段外部色浅;近翅外缘有 1 列白点,内侧均衬黑色;内线、外线间的各翅脉色浅;缘毛锯齿形,基半部黑褐色,齿尖杂淡褐色。后翅褐色杂黑褐色;外线微黑,外弯;亚缘线粗,黑褐色;近翅外缘有 1 列黑色细纹,外侧微白;M_3 脉之上的缘毛黄褐色,其余黑褐色。腹部背面黑褐色,各节间有细黄褐色横线。

采集记录:1♀,宁陕火地塘,1538m,2012. Ⅶ. 11-15,程瑞采。

分布:陕西(宁陕)、湖北、四川。

(201)单析夜蛾 *Sypnoides simplex*(**Leech, 1900**)(图版 45:2)

Sypna simplex Leech, 1900: 539.

Sypnoides simplex: Berio & Fletcher, 1958: 358, figs. 20, 90.

鉴别特征:前翅长 21mm。头部与胸部深褐色;前足胫节外侧黑褐色,跗节各节间有白斑,中足与后足胫节与跗节灰褐色,有黑褐色纹。前翅深褐色;亚基线白色,微外弯,自前缘脉延至 2A 脉;内线为白色双线,自前缘脉直线后行至 2A 脉折向内斜;环纹只见 1 个白点;肾纹狭长,褐色白边,中央有 1 条横斑纹;外线为白色双线,内侧的线弱,在前缘区稍内斜,其后外弯并呈黑色,波浪形,极清晰,在肾纹后为白色,内斜,内侧的线微波曲,外侧的线直;亚缘线黑色,在 R_5 脉处外凸,M_3 脉处为 1 个大的外凸齿,后半段内弯;翅外缘有 1 列黑点,均衬以白色。后翅深褐色;外线黑色,自前缘后外弯,Cu_1 脉后稍内弯;亚缘线为黑色双线,粗而模糊,似成带状,在臀褶处稍内弯;翅外缘有 1 列黑点。腹部深褐色。

分布:陕西(太白山)、浙江、湖南、福建、广西、四川。

(202)细线析夜蛾 *Sypnoides erebina*(**Hampson, 1926**)(图版 45:3)

Sypna erebina Hampson, 1926: 5.

Sypnoides erebina: Berio & Fletcher, 1958: 347, figs. 22, 59.

鉴别特征:前翅长 27mm。头部与胸部褐色杂暗褐色及灰色。前翅褐色,散布有黑褐色细点;亚基线为灰白色双线,二曲形,自前缘脉延至 2A 脉;内线为灰白色双线,外弯,在前缘区为细波浪形,在中室前缘及臀褶折角;环纹仅见 1 个白点;肾纹狭长,白边,中部白色;外线为白色双线,波浪形,R_3 至 Cu_1 脉间黑褐色,不清晰,外弯;亚缘线黑色,前半段微波浪形,内弯,在 M_3 脉处外凸呈锯齿形,Cu_1 脉后波浪形,线内侧有 1 条黑褐色宽带;近翅外缘有 1 列黑点,其外侧衬白色;缘毛深波浪形。后翅褐色,隐约可见暗褐色宽带;近翅外缘有 1 列黑色,自前渐融合并逐渐微弱,M_1 脉前不显;翅外缘有 1 列黑点,外侧均衬白色;缘毛深波浪形,中有 1 条浅褐色线。腹部褐色,背面杂有黑褐色。

分布:陕西(周至、留坝、宁陕)、黑龙江、甘肃、四川;朝鲜,日本。

(203)赫析夜蛾 *Sypnoides hercules*(**Butler, 1881**)(图版 45:4)

Gisira hercules Butler, 1881a: 579.

Sypna rectifasciata Graeser, 1889: 370.

Sypna hercules: Leech, 1900: 539.

Sypnoides hercules: Berio & Fletcher, 1958: 346, figs. 57-58.

鉴别特征:前翅长19mm。头部灰褐色杂白色,下唇须土黄色杂少许黑色,第3节端部灰白色;胸部背面深黄色,后胸灰褐色杂白色;前足胫节与跗节外侧黑色,跗节各节间有褐白色斑,中足与后足胫节外侧灰白色杂黑色,有黑纹。前翅黄褐色;亚基线浅灰白色,波浪形,自前缘脉到2A脉;内线为白色双线,较直,后垂,或在臀褶处稍外凸,在中室前缘及中室后缘略后成细锯齿,外侧的线弱,在锯齿处及近翅后缘双线间有黑点;中线为白色双线;肾纹狭长,中央有1条白色曲纹;外线黄褐色,在M_3脉成外凸齿;亚缘线褐色,后半段锯齿形,内弯;缘线为1列褐点。后翅灰黄色;外线、亚缘线黑褐色,后者双线;翅外缘有1列黑褐色点。腹部灰褐色杂黄色。

采集记录:1♂1♀,宁陕火地塘,1538m,2012. Ⅶ. 11-15,姜楠等采;2♂1♀,宁陕广货街保护站,1189m,2014. Ⅶ. 26-28,刘淑仙、班晓双采;5♂2♀,柞水营盘镇,953~995m,2014. Ⅶ. 29-31,刘淑仙、班晓双采;2♂,旬阳金鑫源山庄,386m,2014. Ⅷ. 01-03,刘淑仙、班晓双采。

分布:陕西(留坝、宁陕、柞水、旬阳)、甘肃、浙江、西藏;日本。

(204)肘析夜蛾 *Sypnoides olena*(**Swinhoe, 1893**)(图版45:5)

Sypna olena Swinhoe, 1893c: 261.

Sypnoides olena: Berio & Fletcher, 1958: 349, fig. 67.

鉴别特征:前翅长20mm。头部与胸部为褐色;足胫节与跗节外侧黑褐色,跗节各节间有褐白色斑。前翅深褐色;亚基线黑色,自前缘脉至臀褶;内线粗,黑色,模糊,较直且内斜,中室前稍折曲;环纹只见1个白点;中线粗,黑色模糊,自前缘脉外斜至中室下角,折角微曲,内斜;肾纹浅黄褐色,不明显;外线前半段黑色,自前缘脉波浪形外弯,在中褶处内凹,Cu_1脉后不明显,外侧带有黄褐色;亚缘线黑色,粗而浓,自前缘脉内斜至M_2脉折向外斜,在M_3脉成1个大的外凸齿,内斜至臀褶折向后;近翅外缘有1列黄白色点,均衬黑色。后翅褐色;外线黑色,仅在中褶后明显,在臀褶处稍内弯;亚缘线为黑色双线,较粗,仅在M_1脉后明显,内侧的线稍向内扩展;翅外缘有1列白点。腹部黄褐色,背面褐色。

采集记录:1♂,宁陕火地塘,1538m,2012. Ⅶ. 11-15,程瑞采。

分布:陕西(周至)、甘肃、浙江、福建、云南及西南地区。

106. 朋闪夜蛾属 *Hypersypnoides* Berio, 1954

Hypersypnoides Berio, 1954a: 341. **Type species**: *Hypersypnoides congoensis* Berio, 1954.

Hyposypnoides Berio, 1954a: 343. **Type species**: *Hypersypnoides flandriana* Berio, 1954.

Othresypna Berio, 1958, *in* Berio & Fletcher: 362. **Type species**: *Cerbia subolivacea* Walker, 1863.

属征:喙发达;下唇须斜向上伸,第2节达额中部,第3节向前伸;触角为线形。胸部被鳞片,后胸有小毛簇。腹部基部几节背面有毛簇。前翅外缘弧曲,微锯齿形。

分布:东洋界,非洲界。秦岭地区发现2种。

(205)白点朋闪夜蛾 *Hypersypnoides astrigera*(**Butler, 1885**)(图版45:6)

Sypna astrigera Butler, 1885: 135.

Hypersypnoides astrigera: Berio & Fletcher, 1958: 366, figs. 117-119.

鉴别特征:前翅长22mm。头部、胸部为暗褐色。前翅褐色;亚基线、内线、外线及亚缘线黑色,亚基线、内线呈波浪形;环纹不显或见1个白点;肾纹中央有1个白色圆斑;中线黑褐色,波浪形,仅后半段明显;外线在Cu_1脉后内凹至肾纹后折角后垂,后段外侧有1条黑褐色线;亚缘线为锯齿形;翅外缘有1列衬白色的黑点。后翅灰褐色;外线与亚缘线黑色,亚缘线为波浪形双线;翅外缘有1列衬白色的黑点。腹部黑褐色。

分布:陕西(宁陕)、甘肃、浙江、江西、福建、海南、四川、云南;日本。

(206)巨肾朋闪夜蛾 *Hypersypnoides pretiosissima*(**Draudt, 1950**)(图版45:7)

Sypna pretiosissima Draudt, 1950: 160.

Hypersypnoides pretiosissima: Berio & Fletcher, 1958: 372.

鉴别特征:前翅长23mm。头部、胸部为黄褐色。前翅褐色;亚基线仅前端、臀褶及翅后缘各见1条白纹;内线为1列白点,前端双白点;环纹为1列白点;肾纹大,白色,前、后端外凸,后半部暗褐色;中线黑褐色,波浪形,后半段内斜;外线为1列小白斑,前端双白斑间为黑色,各斑均有黑边;亚缘线黑褐色,在M_3脉处外凸近达翅外缘,其后波浪形内弯;近翅外缘处有1列白点。后翅黄色,基部有褐色绒毛;中线黑色;外线粗,黑色,后半段锯齿形;端区有1个前宽后窄的黑带,后半部分为两支。腹部灰褐色,节间微黄。

分布:陕西(留坝)、浙江。

107. 斑蕊夜蛾属 *Cymatophoropsis* Hampson, 1894

Cymatophoropsis Hampson, 1894: 397. **Type species**: *Gluphisia sinuata* Moore, 1879.

Trispila Houlbert, 1921, *in* Oberthür: 235. **Type species**: *Thyatira trimaculata* Bremer, 1861.
Thyatirides Kozhantschikov, 1950: 451. **Type species**: *Thyatira trimaculata* Bremer, 1861.

属征:喙发达;下唇须斜向上伸,不达头顶;雄性触角线形。后胸有小毛簇。腹部基部两节有毛簇。前翅顶角圆形,在翅基部有一小撮竖鳞簇。

分布:中国;俄罗斯,日本,印度,孟加拉国。秦岭地区发现 2 种。

(207)三斑蕊夜蛾 *Cymatophoropsis trimaculata* (Bremer, 1861)(图版 45:8)

Thyatira trimaculata Bremer, 1861: 483.
Cymatophoropsis trimaculata: Mell, 1943: text fig. 10.
Thyatirides trimaculata: Kozhantschikov, 1950: 452.

鉴别特征:前翅长 16mm。头部黑褐色;胸部白色,颈片基部黑褐色,翅基片端半部及后胸褐色;足黑褐色,跗节各节间灰白色。前翅黑褐色,密布黑褐色波曲细纹;翅基部有 1 个大白斑,斑内大部分带褐色并散布有黑色波曲细纹,斑的外缘呈微波浪形,自前缘脉外斜弯,臀褶后内斜;顶角有 1 个近圆形白斑,大部分带褐色;臀角有 1 个近扁圆形白斑,大部分带褐色并散布有黑褐色细纹;翅外缘在 Cu_1 脉后有 1 个白点;缘毛黑褐色杂灰褐色,中有 1 条黑线,顶角处缘毛端部白色。后翅褐色,端区色暗;隐约可见暗褐色横脉纹及外线。腹部灰褐色,基部背面及腹端均带有白色。

采集记录:1♂,宁陕火地塘,1538m,2012. Ⅶ. 11-15,杨秀帅采;1♂,宁陕广货街保护站,1189m,2014. Ⅶ. 26-28,刘淑仙采;1♂,旬阳金鑫源山庄,386m,2014. Ⅷ. 01-03,刘淑仙采。

分布:陕西(太白、佛坪、宁陕、旬阳)、黑龙江、河北、山东、甘肃、湖南、福建、广西、云南;朝鲜,日本。

(208)大斑蕊夜蛾 *Cymatophoropsis unca* (Houlbert, 1921)(图版 45:9)

Trispila unca Houlbert, 1921, *in* Oberthür: 237.
Cymatophoropsis unca: Mell, 1943: 211.

鉴别特征:前翅长 15 ~ 16mm。近似三斑蕊夜蛾,但前翅基部大斑较长,端部凸伸;顶角斑较小;臀斑大,在翅外缘伸达 M_3 脉;3 个斑内部的褐色较明显。

采集记录:3♂,商南金丝峡,777m,2013. Ⅶ. 23-25,姜楠、崔乐采。

分布:陕西(商南)、浙江、湖北、江西、四川、云南、西藏;朝鲜,日本。

108. 印夜蛾属 *Bamra* Moore, 1882

Bamra Moore, 1882, *in* Hewitson & Moore: 159. **Type species**: *Agriops discalis* Moore, 1867.

Ostacronycta Bethune-Baker, 1911: 535. **Type species**: *Ostacronycta glaucopasta* Bethune-Baker, 1911.

属征:喙发达;下唇须向上伸,第 2 节达头顶,第 3 节短;胸部被平滑鳞片,腹部背面有毛簇;前翅顶角钝圆。后翅 M_2 脉发达,自中室下角略前发出;雄性后翅反面的基部有平滑鳞片。

分布:东洋界,非洲界。秦岭地区发现 2 种。

(209)洁印夜蛾 *Bamra mundata*(Walker, 1858)(图版 45:10)

Agrotis? mundata Walker, 1858: 1701.

Bamra acronyctoides Moore, 1882: 160.

Bamra mundata: Hampson, 1893: 24.

Polydesma mundata: Hampson, 1894: 465.

鉴别特征:前翅长 20mm。头部与胸部为灰色;下唇须第 1 节及第 2 节基部外侧有黑斑,颈片端半部黑褐色;足跗节各节间有浅灰色斑。前翅灰色,微带褐色;亚基线双线黑色,外侧的线色浅而模糊,自前缘脉外斜至中室前缘折角内斜,内侧的线为锯齿形,后端均达 2A 脉;内线为黑色双线,内侧的线模糊,自前缘脉外斜至中室前缘,折角微波浪形内斜至翅缘,外侧的线曲度相同,但后端只达 2A 脉;环纹近圆形,灰白色,具黑褐色边,中央有 1 个黑点;肾纹灰白色,具暗褐色边,极不清晰,中央有 1 条黑纹;中线隐约可见,褐色,微波浪形;环纹后方有 1 条模糊褐色纹;肾纹前方有 1 条黑色外斜线,自前缘脉至 M_3 脉接近中部,其外侧另有 1 条暗褐色线;外线双线,内侧的线为黑色,外侧的线为黑褐色,自前缘脉微波浪形外斜至 M_1 脉,折向内斜,并呈锯齿形,M_3 脉后两线相距较宽,内侧的线为强锯齿形,内凹于 Cu_1 脉及臀褶,外侧的线模糊;亚缘线模糊为褐色,在 R_5 脉处外凸,中段外弯,线内侧衬白色;外线与亚缘线之间有 1 条明显的黑色曲线,自前缘微波浪形内弯,至 M_1 脉后渐斜向外伸,端部达翅外缘;臀褶端半部有 1 条黑纵线;近翅外缘有 1 列模糊黑点;缘毛灰色杂暗褐色。后翅白色,端区有 1 条暗褐色带;缘线黑褐色,波浪形;缘毛白色间黑褐色。腹部浅灰色微带褐色。

分布:陕西(宁陕)、广东、云南;印度,斯里兰卡,东南亚。

(210)印夜蛾 *Bamra albicola*(Walker, 1858)(图版 45:11)

Felinia albicola Walker, 1858: 1515.

Agriopis discalis Moore, 1867: 57, pl. 7, fig. 2.

Bamra diplostigma Hampson, 1893: 109, pl. 163, fig. 7.

Polydesma albicola: Hampson, 1894: 466.

Polydesma discalis melli Draudt, 1950: 162.

Bamra albicola: Barlow, 1982: 110, pl. 37, fig. 18.

鉴别特征:前翅长21mm。头部与胸部为灰色微带褐色;下唇须第1节及第2节基部外侧黑色;足跗节外侧黑色,各节间有灰白色斑。前翅浅灰色微带褐色;亚基线黑色,不明显,自前缘脉外弯至2A脉;内线黑色,微波曲外斜,在臀褶处折角内斜,线内部带黑褐色;中线为黑色双线,极模糊,在中室前不显;外线为黑色双线,两线相距较远,内侧的线自前缘脉微波曲外斜,M_2 脉后折向内达中室端脉后端折角后行,外侧的线在前缘脉后强外凸,M_1 脉后内斜,M_2 脉后强外斜,在 M_3 和 Cu_1 脉间形成1个强外凸齿,其后与内侧的线曲度相似;亚缘线黄白色,细锯齿形,在 M_3 和 Cu_1 脉间形成1个强外凸齿,线内侧黑褐色;外线与亚缘线间在 M_1 脉前带呈较浓的黑褐色,似1个斗形大暗斑;缘线黑色,波浪形。后翅白色,端区黑褐色,呈带状,隐约可见黑褐色亚缘线;臀角有1条黄白色纹。腹部灰色微带褐色。

分布:陕西(宁陕)、江苏、浙江、湖南、台湾、广东;印度,马来西亚,印度尼西亚。

109. 双衲夜蛾属 *Dinumma* Walker, 1858

Dinumma Walker, 1858: 1805. **Type species**: *Dinumma placens* Walker, 1818.

Ortheaga Walker, 1865: 927. **Type species**: *Ortheaga combusta* Walker, 1865.

属征:喙发达;额扁平;下唇须向上伸,第2节达头顶,第3节直立;触角有纤毛;胸部鳞片平滑,胸部腹面及腿节有长毛,胫节无刺,有少量毛;腹部背面有1列毛簇。前翅狭长,顶角及外缘较圆。后翅 M_2 脉接近 M_3 脉,从中室下角伸出。

分布:亚洲(东部)。秦岭地区发现1种。

(211) 曲带双衲夜蛾 *Dinumma deponens* Walker, 1858(图版45:12)

Dinumma deponens Walker, 1858: 1806.

鉴别特征:前翅长17mm。头部黑褐色,触角基节外侧白色,额下部灰色,下唇须灰色,第1、第2节外侧杂有黑褐色;胸部与腹部黑褐色,足外侧灰褐色,前足胫节与跗节黑灰色,跗节各节间有灰色斑。前翅深褐色,密布暗褐色细点;亚基线为1条黑褐色短条,自前缘脉至臀褶,在中室处稍间断;内线深波浪形外斜,内侧衬白色;外线大波曲,自前缘脉微外斜,至 M_1 外凸,M_2 脉下内斜,Cu_2 脉下强内弯;内线与外线之间黑色,形成1条宽带;外线外侧衬白色,外方有1条模糊的黑褐色线,曲度与外线相似,外侧衬淡褐色;亚缘线灰白色,呈锯齿形,在 R_5 脉处外凸,中段外弯;翅端部暗红褐色,R_5 与 M_1 脉间、M_2 与 M_3 脉间和臀褶处各有1个黑点,近翅外缘有1列白点。后翅灰褐色。

采集记录:1♀,商南金丝峡,777m,2013.Ⅶ.23-25,姜楠采。

分布:陕西(商南)、山东、河南、江苏、浙江、湖南、福建、江西、广东、广西、云南;朝鲜,日本,印度。

110. 影夜蛾属 *Lygephila* Billberg, 1820

Lygephila Billberg, 1820: 85. **Type species**: *Phalaena lusoria* Linnaeus, 1758.
Asticta Hübner, 1823: 266. **Type species**: *Noctua procax* Hübner, 1813.
Toxocampa Guenée, 1841a: 75. **Type species**: *Ophiusa limosa* Treitschke, 1826.
Eccrita Lederer, 1857: 45, 207. **Type species**: *Phalaena ludicra* Hübner, 1790.

属征:喙发达;下唇面斜向上伸,第2节达头顶,被密鳞,第3节短;复眼大,圆形;额有1撮短毛簇;雄性触角线形。胸部有微弱毛簇,后胸及腹部无毛簇。前翅外缘平缓拱曲。

分布:古北界,东洋界,新北界,非洲界。秦岭地区发现3种。

(212) 焚影夜蛾 *Lygephila vulcanea* (Butler, 1881) (图版45:13)

Toxocamps vulcanea Butler, 1881a: 192.
Ophiusa vulcanea: Warren, 1913, *in* Seitz(c): 374.
Toxocampa vulcanea: Chen, 1982a: 367.
Lygephila vulcanea: Sugi, 1982, *in* Inoue, *et al.*: 856/393, pl. 210: 6, 7.

鉴别特征:前翅长21mm。头部黑褐色,额与下唇须灰色杂褐色;颈片黑褐色;胸部背面灰色,有少许黑点。前翅灰褐色,散布黑色细点,大部分带有紫色调;亚基线仅在前缘脉上见1个黑点;内线仅在前缘脉上见1个小黑斑;环纹只见1个白点;肾纹褐色,似足形,外侧前端有1个黑点,后端有两个黑点,内侧有1条黑色条纹;中线与外线不明显;亚缘线隐约可见,在 R_5 脉处外凸,中段外弯,臀褶处内弯,前段有1条黑色斜纹,其后淡褐色;翅外缘有1列较粗的黑点。后翅紫灰褐色,缘毛微黄。腹部灰褐色,背面带有少许黑色。

采集记录:1♂,宁陕火地塘,1500~2000m,2008. Ⅶ. 08,白明采。

分布:陕西(宁陕)、黑龙江、山西、甘肃;日本。

(213) 巨影夜蛾 *Lygephila maxima* (Bremer, 1861) (图版45:14)

Toxocampa maxima Bremer, 1861: 491.
Toxocampa enormis Butler, 1878a: 290.
Eccrita maxima: Warren, 1913, *in* Seitz(c): 320.
Lygephila maxima: Sugi, 1982, *in* Inoue, *et al.*: 855/393, pl. 210: 5.

鉴别特征：前翅长26mm。头部黑色，额褐色，两触角间有1条黄白色横纹；下唇须灰褐色，第3节黑灰色；胸部背面淡灰褐色；颈片黑色并散布有暗褐色细纹；足跗节外侧为黑色，各节间有浅黄褐色斑。前翅淡灰褐色，有紫色调并散布有暗褐色细横纹；亚基线黑褐色，内侧衬灰色，自前缘脉至臀褶，在前缘脉后稍外凸，内线黑褐色，自前缘脉外斜至中室前缘，折角较直后行，中线黑褐色，模糊，在前缘区有1个似斗形黑褐色大斑，在中室不显，其后自肾纹后端强内弯，2A脉后外斜，环纹只见1个黑点，肾纹由黑色小斑围绕，中央灰褐色，外线黑褐色，内侧灰色，不明显，自前缘脉外弯至中褶处稍内凹，复强烈外弯至臀褶后左斜，亚缘线灰色，自前缘脉内斜，R_5脉后稍外弯，在臀褶内凹成齿折向外斜，线外侧色暗，翅外缘有1列黑点，缘毛暗褐色，基部有1条灰色线。后翅淡灰褐色，亚缘区带有暗褐色，翅外缘有1列黑点，缘线黑色，波浪形；腹部褐色。

采集记录：1♀，宁陕火地塘，1538m，2012. Ⅶ. 11-15，姜楠采。

分布：陕西（宁陕）、黑龙江、山东、福建；朝鲜，日本。

（214）黑缘影夜蛾 *Lygephila nigricostata* (Graeser, 1890)（图版45：15）

Toxocampa limosa var. *nigricostata* Graeser, 1890: 80.

Toxocampa nigricostata: Warren, 1913, *in* Seitz(c): 374.

Lygephila nigricostata: Sugi, 1982, *in* Inoue, *et al.*: 856/393, pl. 210: 14.

鉴别特征：前翅长15mm。头部黑色；触角基节白色；下唇须内侧杂有灰色；胸部背面暗灰色；颈片黑色杂有少许灰白色，翅基片灰黑色；前足胫节外侧灰白色，中足与后足胫节外侧黑褐色，胫距有白斑，跗节黑色。前翅暗灰色，散布有黑色细纹，前缘区及端区带有黑褐色；亚基线与内线不显；肾纹呈新月形，黑边；外线隐约可见黑色，自前缘脉外弯，在中褶处微内凹，在臀褶处内凹，其后外弯；缘线由1列新月形黑点组成。后翅灰白色，端区暗灰色。腹部灰色，端半部带有褐色。

分布：陕西（太白山）、黑龙江、内蒙古、河北、新疆、四川、云南、西藏；日本。

111. 客来夜蛾属 *Chrysorithrum* Butler, 1878

Chrysorithrum Butler, 1878a: 292. **Type species**: *Catocala amata* Bremer *et* Grey, 1853.

属征：喙发达；下唇须短粗，向上伸，两侧扁平，第2节鳞片很厚，第3节光滑，向前伸，约为第2节长度的1/2；额微圆，平滑，上方有1撮短而厚的毛簇；雄性触角为叶片形，有微细绒毛。后胸有1对短毛簇；胸部腹面及腿节有细长毛。腹部平滑。前翅顶角微凸，外缘较垂直，呈微波浪形。后翅M_2脉较接近M_3脉。

分布：中国；俄罗斯，朝鲜，日本。秦岭地区发现2种。

(215)客来夜蛾 *Chrysorithrum amata*(**Bremer *et* Grey, 1853**)(图版 45:16)

Catocala amata Bremer *et* Grey, 1853b: 66.

Chrysorithrum amata: Warren, 1913, *in* Seitz(c): 375, pl. 69: a.

鉴别特征:前翅长 31～32mm。头部、胸部为深褐色,颈片端部灰黄色。前翅灰褐色,密布褐色细点;亚基线白色,自前缘脉外斜至中室折角内斜至 2A 脉;内线白色,自前缘脉微曲外斜至中室后折角内斜,亚基线与内线之间深褐色,成 1 条宽带,但不达翅后缘;环纹只见 1 个黑色圆点;肾纹不显;中线细,外弯,前端外侧暗褐色;外线黄色,在 Cu_1 脉处回升至中室上角再后行;亚缘线灰白色,M_3 脉后明显内弯,与外线之间为暗褐色,在 M_1 脉前呈 1 条斗状斑。后翅暗褐色,中部有 1 条橙黄色曲带,顶角有 1 条黄纹。腹部灰褐色。

采集记录:1♂,周至楼观台,680m,2008. Ⅵ. 23-24,刘万岗采。

分布:陕西(周至、太白)、黑龙江、辽宁、内蒙古、河北、山东、河南、浙江、福建、云南;朝鲜,日本。

(216)筱客来夜蛾 *Chrysorithrum flavomaculata*(**Bremer, 1861**)(图版 45:17)

Bolina flavomaculata Bremer, 1861: 492.

Chrysorithrum flavomaculata: Warren, 1913, *in* Seitz(c): 375, pl. 69: a.

鉴别特征:前翅长 24～25mm。头部、胸部及前翅为暗褐色。前翅基部、中区及端区带有灰色;亚基线灰色,外弯,自前缘脉延至中室后缘,翅后缘区近基部有 1 个黑斑;内线灰色,自前缘脉后微波曲外斜,至中室后外凸,2A 脉处内凹,后端折向内前方近达 2A 脉再内斜;亚基线与内线之间为深褐色;环纹小,近圆形,黑色灰边;中线黑色,微曲外斜;外线灰色,在 Cu_1 脉处回升至中室上角再后行;亚缘线灰色衬黑褐色,与外线之间黑褐色,前段似头形;翅外缘有 1 列黑点。后翅暗褐色,中部有 1 个橙黄色大斑。腹部暗褐色杂灰色。

分布:陕西(太白)、黑龙江、内蒙古、河北、浙江、云南;日本。

112. 畸夜蛾属 *Bocula* Guenée, 1852

Bocula Guenée, 1852, *in* Boisduval & Guenée: 295. **Type species**: *Bocula caradrinoides* Guenée, 1852.

属征:喙发达;下唇须细,向上伸,约达头顶,第 3 节短小;雄性触角为线形,或有纤毛丛。胸部被平滑鳞片,足胫节饰毛。雄性前翅反面或有鳞丛。后翅反面或有大鳞丛。腹部较长,常有长毛簇。

分布:东洋界,澳洲界,非洲界。秦岭地区发现1种。

(217)**齿斑畸夜蛾 *Bocula quadrilineata*(Walker, 1858)**(图版45:18)

Borsippa quadrilineata Walker, 1858: 1756.

Bocula quadrilineata: Holloway, 1976: 35.

鉴别特征:前翅长14mm。头部灰褐色,触角基节灰黄色;胸部背面灰褐色;前足胫节及跗节外侧黑褐色。前翅灰褐色;亚基线黑褐色,微外斜,自前缘脉至中褶;内线黑褐色,在前缘脉后微外凸,其后较直向后,2A脉后微外斜;中线为黑褐色双线,微内弯;外线黑褐色,微内弯;端区有1个大的黑斑,内缘在顶角处窄缩成1个短钩形,在R_5脉后强内伸,近达外线,成1个钝圆角折向,外斜达臀角。后翅灰褐色。腹部灰褐色。

采集记录:1♀,佛坪,876m,2007.Ⅷ.16,杨玉霞采。

分布:陕西(佛坪、宁陕)、甘肃、浙江、福建、广西、四川;印度,南太平洋岛屿。

113. 窗夜蛾属 *Thyrostipa* Hampson, 1926

Thyrostipa Hampson, 1926: 574. **Type species**: *Thyridospila sphaeriophora* Moore, 1867.

属征:喙发达;下唇须向上伸,第2节超过头顶,第3节长;额光滑无突起,上部有毛簇;复眼大,圆形;雄性触角线形,有纤毛丛。胸部无毛簇;中足胫节膨大,有1个褶,内含长毛簇。前翅顶角尖,外缘在M_3脉处外凸成角;有1个径副室。后翅外缘在M_3脉后尖凸,中室长约为翅长的1/3;M_2脉发达,自中室下角前发出。腹部无毛簇。

分布:中国;印度,孟加拉国,印度尼西亚。秦岭地区发现1种。

(218)**窗夜蛾 *Thyrostipa sphaeriophora*(Moore, 1867)**(图版45:19)

Thyridospila sphaeriophora Moore, 1867: 79.

Zethes sphaeriophora: Hampson, 1895: 9.

Thyrostipa sphaeriophora: Holloway, 1976: 40, fig. 257.

鉴别特征:前翅长19mm。头部灰褐色,额杂有白色,触角基节前缘有1个白斑,触角干基部1/3的内缘间为白色;胸部灰褐色;胸部腹面与足灰白色,前足胫节外侧暗褐色,中足胫节的近端部有黑褐色斑,后足腿节外侧有1条黑褐色曲纹,胫节近基部有1个黑褐色斑。前翅灰褐色;亚基线黑褐色,波曲内斜,自前缘脉至2A脉;内线黑褐色,微波曲外弯,前端内侧衬淡黄色;环纹呈足形,半透明;肾纹窄曲,半透明;中线粗,黑褐色,模糊,自前缘脉外斜,在中褶处呈细波浪形外弯于中室外,M_3 脉后大波曲内斜;外线黑褐色,在 R_3 脉前细锯齿形外斜,其后深锯齿形外弯,M_1 脉后内斜,前段外侧有 1 个微白斑,外方的前缘脉上有 1 列白点;亚缘线为黑褐色双线,波浪形,前段内侧有 1 个近三角形黑褐色斑。后翅灰褐色,中线黑褐色,外线黑褐色,波浪形,亚缘线不明显。腹部灰褐色。

分布:陕西(佛坪)、江苏、湖北、湖南、福建、广西;印度,孟加拉国,印度尼西亚(加里曼丹)。

114. 卷裙夜蛾属 *Plecoptera* Guenée, 1852

Plecoptera Guenée, 1852, *in* Boisduval & Guenée: 429. **Type species**: *Plecoptera reflexa* Guenée, 1852.

Carteia Walker, 1863: 82. **Type species**: *Carteia nebulilinea* Walker, 1863: 83.

Biregula Saalmüller, 1891: 491. **Type species**: *Biregula recens* Saalmüller, 1891.

Plecopteroides Strand, 1918: 110. **Type species**: *Plecoptera chalciope* Strand, 1918.

属征:喙发达;下唇须短,向上伸达头顶,第 3 节小;雄性触角线形,有长纤毛和鬃。胸部被鳞片,无毛簇。前翅顶角稍尖凸。雄性后翅或反卷成 1 个皱褶;中室短,不及后翅的 1/2。

分布:东洋界,澳洲界,非洲界。秦岭地区发现 1 种。

(219) 双线卷裙夜蛾 *Plecoptera bilinealis* (Leech, 1889)(图版 45:20)

Calobochyla bilinealis Leech, 1889a: 64, pl. 2. fig. 14.

Plecoptera bilinealis: Poole, 1989: 809.

鉴别特征:前翅长 15mm。头部与颈片为黄褐色;雄性触角有毛鬃;下唇须第 3 节短小;颈片端部带褐色;胸部背面浅灰褐色,前胸毛簇褐色;胸部腹面浅灰黄色;足胫节外侧黄褐色。前翅浅灰褐色,全翅布有黑褐色细点,中室基部有 1 个深褐色点;内线褐色,近呈直线,在前缘区微弯;肾纹仅在中室端脉两端各有 1 个褐色点,后 1 个点稍弯曲;外线褐色,呈直线,线外方的前缘脉上有 1 个近三角形黑褐色斑,其后有 1 列黑褐色点,均衬黄褐色;翅外缘有 1 列模糊黑灰色点。后翅浅黄褐色,除前缘区外,大部分带有褐色,端区色暗。腹部灰褐色,腹面黄褐色。

分布:陕西(留坝、佛坪、宁陕)、河南、甘肃、江苏、浙江。

115. 烦夜蛾属 *Aedia* Hübner, 1823

Aedia Hübner, 1823: 260. **Type species**: *Noctua leucomelas* Linnaeus, sensu Hübner, 1786.

Anophia Guenée, 1841b: 248. **Type species**: *Phalaena leucomelas* Linnaeus, 1758.

属征:喙发达;下唇须向上伸,微超过头顶,第3节向前平伸;触角呈线形,雄性触角或有鬃毛。胸部被毛和鳞片,后胸有毛簇。前翅臀角平滑或有鳞翅。后翅 M_2 脉发达,自中室下角发出。

分布:古北界,东洋界,澳洲界,非洲(北部)。秦岭地区发现1种。

(220)白斑烦夜蛾 *Aedia leucomelas* (Linnaeus, 1758)(图版45:21)

Phalaena (*Noctua*) *leucomelas* Linnaeus, 1758: 518.

Aedia leucomelas: Hübner, 1823: 260.

Anophia leucomelas: Guenée, 1841b: 248.

Anophia acronyctoides Guenée, 1852, *in* Boisduval & Guenée: 47.

Anophia olivascena Guenée, 1852, *in* Boisduval & Guenée: 48.

鉴别特征:前翅长15mm。头部、胸部、腹部及前翅为黑褐色。前翅带褐色;亚基线、内线及外线黑色,内线波浪形双线;环纹、肾纹白色,肾纹外侧分割为小白斑,后方有1个斜白斑,外方灰白色扩展至外线;外线为黑色,锯齿形;亚缘线为白色,锯齿形,内侧有1列黑色齿纹。后翅内部白色,外半部及后缘黑色。

采集记录:1♂,柞水营盘镇,953~995m,2014. Ⅶ. 29-31,刘淑仙采;1♂,旬阳金鑫源山庄,386m,2014. Ⅷ. 01-03,刘淑仙采。

分布:陕西(佛坪、柞水、旬阳)、甘肃、台湾、福建、广东、海南、广西、四川、贵州、云南;日本,亚洲(西部),欧洲,非洲(北部)。

116. 蓝条夜蛾属 *Ischyja* Hübner, 1823

Ischyja Hübner, 1823: 265. **Type species**: *Phalaena manlia* Cramer, 1776.

Potamophora Guenée, 1852, *in* Boisduval & Guenée.: 122. **Type species**: *Phalaena manlia* Cramer, 1776.

属征:喙发达;下唇须第2节宽,下缘饰鳞,第3节长,斜伸;触角为线形,雄性触角有纤毛簇。前足胫节有毛簇,后足胫节有长毛。前翅前缘近端部弧形拱曲,顶角较尖,外缘斜曲;后翅中室很短,雄性 M_3、Cu_1 和 Cu_2 基部接近。

分布:东洋界。秦岭地区发现1种。

(221)蓝条夜蛾 *Ischyja manlia* (Cramer, 1766)(图版46:1)

Phalaena (*Noctua*) *manlia* Cramer, 1766: 144, pl. 92, fig. A.

Ischyja manlia: Hübner, 1823: 265.

鉴别特征:前翅长 48 ~ 50mm。前翅前缘端部外凸,顶角尖,外缘内斜微曲,后缘微曲;后翅外缘微曲。前翅外线以内暗红褐色,外线以外深褐色;环纹黄褐色,圆形;肾纹黄褐色,椭圆形;外线黑色,平直内斜;亚缘线黑褐色,自顶角向内倾斜,在 M 脉间向外弯折成三角形,其内侧黄褐色。后翅褐色,外线为 1 条粉蓝色微曲条带,其外侧深褐色,带有黑褐色横纹。翅反面灰褐色,前翅外线灰白色,微波浪状,稍外斜;后翅外线灰白色,波浪状。

采集记录:1♀,宁陕火地塘,1538m,2012. Ⅶ. 11-15,杨秀帅采。

分布:陕西(宁陕)、山东、浙江、湖南、福建、广东、海南、广西、云南;缅甸,印度,斯里兰卡,菲律宾,印度尼西亚等。

117. 篦夜蛾属 *Episparis* Walker, 1857

Episparis Walker, 1857: 475. **Type species**: *Episparis penetrata* Walker, 1857.

Neviasca Walker, 1859: 7. **Type species**: *Neviasca variabilis* Walker, 1859.

Pradiota Walker, 1866: 1572. **Type species**: *Pradiota sejunctata* Walker, 1866.

Episparina Berio, 1964: 2. **Type species**: *Episparis hieroglyphica* Holland, 1894.

Episparonia Berio, 1964: 2. **Type species**: *Episparis angulatiline*a Bethune-Baker, 1906.

属征:喙发达;下唇须向上伸,第 3 节小;额有毛簇;雄性触角 2/3 呈双栉形。胸部及腹部具粗毛,胫节有毛。前翅前缘直,外缘自顶角至 M_3 脉内削。后翅外缘在 M_3 脉外凸,然后内削。

分布:东洋界,澳洲界,非洲界。秦岭地区发现 1 种。

(222) 白线篦夜蛾 *Episparis liturata* (Fabricius, 1787) (图版 46:2)

Phalaena liturata Fabricius, 1787: 197.

Episparis liturata: Warren, 1913, *in* Seitz(c): 380.

鉴别特征:前翅长 18 ~ 20mm。头部、胸部、腹部及前翅为黄褐色。前翅中线褐色,其余各横线为白色;环纹为 1 个黑点;肾纹白色近三角形;中线后半段呈波浪形,前端外侧有 1 条白纹;亚缘线波浪形;外线前段与顶角间浅黄色并有褐色细点。后翅褐色,前缘区白色;外线暗褐色,外弯;亚缘线白色,在中褶折角;缘线为白色,波浪形。

采集记录:1♂1♀,佛坪龙草坪,1200m,2008. Ⅶ. 03,刘万岗、崔俊芝采;2♂,宁陕火地塘,1538m,2012. Ⅶ. 11-15,姜楠等采; 3♂,宁陕广货街保护站,1189m,2014. Ⅶ. 26-28,刘淑仙采;3♂,旬阳金鑫源山庄,386m,2014. Ⅷ. 01-03,刘淑仙采;1♂,商南金丝峡,777m,2013. Ⅶ. 23-25,崔乐采。

分布:陕西(留坝、佛坪、宁陕、旬阳、商南)、甘肃、浙江、云南;缅甸,印度,斯里兰卡,印度尼西亚。

118. 哈夜蛾属 *Hamodes* Guenée, 1852

Hamodes Guenée, 1852, *in* Boisduval & Guenée: 202. **Type species**: *Ophiusa propitia* Boisduval, 1832.
Kalmina Swinhoe, 1891: 480. **Type species**: *Kalmina ochracea* Swinhoe, 1891.

属征:喙发达;下唇须向前伸,第2节小;雄性触角有短纤毛丛。胸部具鳞片,胫节无刺。前翅前缘在顶角处常很拱曲,顶角尖锐而成钩状。后翅臀角平截。

分布:东洋界,非洲界。秦岭地区发现13种。

(223)斜线哈夜蛾 *Hamodes butleri*(Leech, 1900)(图版46:3)

Thermesia ? *butleri* Leech, 1900: 570.
Hamodes butleri: Warren, 1913, *in* Seitz(c): 380.

鉴别特征:前翅长21~26mm。头部灰褐色,额黑色;下唇须第1节及第2节基部外侧白色,后者约呈三角形,其余黑色,第2节背、腹端饰毛;胸部灰褐色。前翅黄褐色,基部色较暗;内线黑色,不清晰,自前缘脉外斜至中室折向内斜;环纹只见1个黑点;肾纹大,灰色黑边,前方有1条暗褐色纹至前缘脉;外线不明显,仅在前缘脉处见1条黑色纹;亚缘线黑褐色,自顶角直线内斜至翅后缘,线内侧衬红褐色。后翅黄褐色,前缘区淡黄色,有1条褐色线自前缘区后内斜至翅后缘,线内侧衬红褐色。腹部黄褐色,有黑点。

分布:陕西(留坝、佛坪)、甘肃、湖南、福建、海南、四川、云南、贵州。

119. 直带夜蛾属 *Orthozona* Hampson, 1895

Orthozona Hampson, 1895: 94. **Type species**: *Madopa quadrilineata* Moore, 1882.

属征:喙发达;下唇须第2节斜向前伸,上缘饰毛,第3节向上伸;额有尖毛簇;雄性触角为线形。胸部与腹部被鳞片。前翅顶角约呈钝角形,Cu_1脉自中室下角之前伸出。

分布:中国;日本,印度。秦岭地区发现1种。

(224)直带夜蛾 *Orthozona quadrilineata*(Moore, 1882)(图版46:4)

Madopa quadrilineata Moore, 1882: 193.

Orthozona quadrilineata: Hampson, 1895: 94.

鉴别特征:前翅长17mm。头部黄褐色,触角基节有1个白斑;下唇须第2节上缘饰毛,第3节短,端部尖而白;胸部背面黄褐色;足外侧黑褐色,跗节有灰白色斑位于各节间。前翅淡黄褐色或灰色杂红褐色,前缘区内半部色较暗;内线细弱,褐色,自前缘脉微外斜至中室后内弯,2A脉后外凸;环纹只见1个褐色点;中线明显,较粗,褐色,直线内斜;肾纹隐约可见褐色边缘,细窄,外侧中凹;外线褐色,极细弱,呈不规则波浪形内斜,在中褶与臀褶处稍内凹;亚缘线粗,褐色,自顶角较直内斜,外侧另有1条褐色波浪形细线;端区色较暗。后翅淡黄褐色;内线较粗,褐色,自中室后缘内斜至2A脉;亚缘线粗,褐色,自前缘后外斜,至R_5脉折向内斜,在臀褶后稍外斜;缘线由1列黑点组成。腹部暗褐色。

分布:陕西(宁陕)、甘肃、湖南、云南;印度。

120. 锉夜蛾属 *Blasticorhinus* Butler, 1893

Blasticorhinus Butler, 1893: 46. **Type species**: *Thermesia rivulosa* Walker, 1865.

属征:喙发达;下唇须斜向上伸,第2节达头顶;复眼大,圆形。胸部及腹部具鳞片;胫节无刺。前翅前缘拱曲。雄性后翅后缘基部有1个大的泡形褶,其上有长毛。

分布:古北界,东洋界,澳洲界,非洲界。秦岭地区发现1种。

(225)寒锉夜蛾 *Blasticorhinus ussuriensis*(Bremer, 1861)(图版46:5)

Remigia ussuriensis Bremer, 1861: 495.

Azazia unduligera Butler, 1878a: 293.

Blasticorhinus ussuriensis: Warren, 1913, *in* Seitz(c): 381, pl. 69: c.

鉴别特征:前翅长17~20mm。头部浅褐色,头顶及下唇须褐色,触角背缘有1列黑点;胸部背面淡褐色,有小褐点;颈片褐色。前翅灰褐色,密布褐色细点;内线为褐色双线,波浪形,在中室前稍外凸,其后微内斜;环纹只见1个黑褐色点;肾纹只见两个白点,均围以黑边;中线模糊,暗褐色,微波浪形,在中室后色较浓;外线为褐色双线,波浪形,自前缘脉后外弯,在Rs和M_1脉处外凸,M_2与Cu_2脉间外弯,其后内弯;亚缘线为黑褐色双线,线间黄色,在R_5脉处外凸,M_2与Cu_2脉间外弯,其后不清晰,在臀褶处稍内凹,有1条暗褐色内斜纹自顶角穿过亚缘线;端区M_2与Cu_2脉间有1条黑褐色纹;翅外缘有1列黑点。后翅灰褐色;内线、中线及外线均与前翅颜色相似,但不清晰;翅外缘有1列黑点。腹部黄褐色。

分布:陕西(留坝)、黑龙江、甘肃、江苏、浙江、湖南、福建;朝鲜,日本。

121. 鹰夜蛾属 *Hypocala* Guenée, 1852

Hypocala Guenée, 1852, *in* Boisduval & Guenée: 73. **Type species**: *Hyblaea deflorata* Fabricius, 1794.

属征:喙发达;下唇须向前伸,第 3 节又斜向下伸,鳞片很密,使整个下唇须为三角形;额平滑,上方有毛簇;雄性触角有短纤毛。胸部鳞片平滑;胫节无刺,有少量毛。前翅比较狭,顶角略圆,外缘与前缘较垂直,曲度平稳,色泽变化很多。后翅黑褐色,有橙黄色纹。

分布:古北界,东洋界,澳洲界,非洲界。秦岭地区发现 1 种。

(226)苹梢鹰夜蛾 *Hypocala subsatura* Guenée, 1852(图版 46:6)

Hypocala subsatura Guenée, 1852, *in* Boisduval & Guenée: 75.

Hypocala aspersa Butler, 1883b: 164.

Hypocala subsatura var. *limbata* Butler, 1889: 76.

鉴别特征:雄性前翅长 35 ~ 37mm。雄性触角为线形。前翅狭长,顶角钝圆,前后翅外缘微曲。前翅灰褐色,密布灰色细点;内线黑褐色,波浪状外弯;肾纹椭圆,带黑色边;中线褐色,波浪状,仅后半部可见;外线黑褐色,前半部平直外斜,后半部微曲内斜;亚缘线黑褐色,波浪状,自前缘脉处外斜至 M_1 脉后内折;缘线黑褐色,微波浪状。后翅褐色,在中室端部和外缘中部有 1 个杏黄色圆形斑;后缘有 1 条黄色条带,其内部有 1 条黑色纵纹。翅反面浅灰褐色,隐约可见正面斑纹。

采集记录:1♂1♀,周至楼观台,680m,2008. Ⅵ. 23,白明采;1♂,佛坪龙草坪,1200m,2008. Ⅶ. 03,白明采。

分布:陕西(周至、太白、佛坪)、黑龙江、辽宁、河北、山东、河南、甘肃、江苏、浙江、福建、台湾、广东、海南、云南、西藏;日本,印度,孟加拉国。

122. 壶夜蛾属 *Calyptra* Ochsenheimer, 1816

Calyptra Ochsenheimer, 1816: 78. **Type species**: *Phalaena thalictri* Borkhausen, 1790.

Culasta Moore, 1881: 376. **Type species**: *Culasta indecisa* Moore, 1881.

Hypocalpe Butler, 1883b: 157. **Type species**: *Calpe fasciata* Moore, 1882.

Percalpe Berio, 1956b: 110. **Type species**: *Calpe canadensis* Bethune, 1865.

属征:喙发达;额有大钝角形毛簇;下唇须向前伸,第 3 节隐藏在鳞片中;触角形式不一,雄性触角双栉形或三角形纤毛撮、毛撮形纤毛丛。后胸有微小毛簇;胸部腹面有长毛；雄性的足毛很厚，胫节无刺。腹部背面有粗毛。前翅顶角尖，外缘在 Cu_1 脉微凸出，后缘中部有1个弧形内削。后翅 M_2 脉紧接 M_3 脉。

分布：古北界，东洋界，新北界。秦岭地区发现3种。

(227)壶夜蛾 *Calyptra thalictri* Borkhausen, 1790(图版46:7)

Phalaena(*Bombyx*)*thalictri* Borkhausen, 1790: 425.

Calpe capucina: Warren, 1913, *in* Seitz(c): 382.

Calyptra capucina: Chen, 1982a: 371.

Calyptra thalictri: Sugi, 1982, *in* Inoue, *et al.*: 861.

鉴别特征：雄性前翅长39~40mm，雌性前翅长39~43mm。雄性触角为双栉形，内外侧栉齿长度相仿；雌性触角线形。颈片有黑色横纹。前翅顶角尖，在M脉微凸出，后缘中部内凹；后翅外缘微曲。前翅灰褐色，基线、内线褐色且平直内斜，二者近平行；中线褐色微曲；有1条黑褐色线自顶角内斜至后缘中部，其外侧微红褐色；亚缘线褐色，微曲，仅前半部可见；后翅灰褐色，斑纹不明显。

采集记录：1♀，宁陕火地塘，1550m，2007.Ⅷ.19，李文柱采；1♂1♀，宁陕火地塘，1538m，2012.Ⅶ.11-15，姜楠采；1♀，宁陕广货街保护站，1189m，2014.Ⅶ.26-28，班晓双采；1♂1♀，柞水营盘镇，953~995m，2014.Ⅶ.29-31，刘淑仙采。

分布：陕西(宁陕、柞水)、黑龙江、辽宁、新疆、山东、河南、浙江、福建、四川、云南；朝鲜，日本，欧洲。

(228)翎壶夜蛾 *Calyptra gruesa*(Draudt, 1950)(图版46:8)

Calpe gruesa Draudt, 1950: 168.

Calyptra gruesa: Sugi, 1982, *in* Inoue, *et al.*: 861/394, pl. 212: 7, 8.

鉴别特征：前翅长31mm。头部与胸部为褐色杂紫灰色；雄性触角为双栉形，外侧栉齿长，内侧栉齿短；下唇须带有褐色，第2节端部饰浓密毛，将第3节遮蔽。前翅褐色杂紫灰色；亚基线暗褐色，在中室前缘折角，其后直线内斜；内线暗褐色，直线内斜；中线不清晰，暗褐色，自前缘脉微外斜至肾纹后折角内斜；肾纹暗褐至黑褐色，前后半各有1个暗点，外缘中凹；外线红褐色衬暗褐色，自顶角直线内斜至翅后缘中部；有1条暗褐色曲纹自外区前缘脉伸至外线 M_1 脉处，亚缘线暗褐色，不清晰，在 Cu_1 脉处或有1个黄褐色斑；翅后缘内半部有1个大的后突齿，其外方的翅后缘内凹，顶角尖而外凸，外缘中部拱出。后翅褐色，端区色暗；隐约可见暗褐色外线与大波曲的亚缘线。腹部褐色。

采集记录：1♀，佛坪龙草坪，1200m，2008.Ⅶ.03，李文柱采；1♂，宁陕火地塘，1550m，2007.Ⅶ.08，崔俊芝采；1♂1♀，宁陕火地塘，1538m，2012.Ⅶ.11-15，姜楠采；

1♂,柞水营盘镇,953～995m,2014. Ⅶ. 29-31,刘淑仙采。

分布:陕西(太白、佛坪、宁陕、柞水)、浙江、湖北、湖南;日本。

(229)疖角壶夜蛾 *Calyptra minuticornis* (Guenée, 1852)(图版 46:9)

Calpe minuticornis Guenée, 1852, *in* Boisduval & Guenée: 374.

Calpe novaepommeraniae Strand, 1919: 140.

Calyptra minuticornis: Sugi, 1982, *in* Inoue, *et al.*: 861/394, pl. 212: 3, 4.

鉴别特征:前翅长 18～20mm。雄性触角为锯齿形。头部、胸部为褐色杂有灰白色。前翅淡灰褐色,密布灰白色细纹;亚基线褐色,自前缘脉内斜至中室后缘;内线褐色,较直且内斜,模糊;顶角至后缘近中部有 1 条深褐色线,在臀褶处微内弯,线内侧暗褐色;翅外缘拱曲,后缘外半凹,臀角后凸出 1 个齿。后翅浅褐色,外半部色暗。腹部浅褐色。

采集记录:1♂,周至楼观台,680m,2008. Ⅵ. 23,白明采;1♀,柞水营盘镇,953～995m,2014. Ⅶ. 29-31,班晓双采。

分布:陕西(周至、留坝、宁陕、柞水)、甘肃、浙江、福建、广东;印度,斯里兰卡,印度尼西亚。

123. 短栉夜蛾属 *Brevipecten* Hampson, 1894

Brevipecten Hampson, 1894: 361. **Type species**: *Euclidia captata* Butler, 1889.

属征:喙发达;下唇须细小,斜向前伸,第 2 节微小;额平滑;雄性触角双栉形部分达整个触角长度的3/4。胸部和腹部被鳞片,平滑;胫节外侧有微小毛簇。前翅顶角较钝,外缘曲度平稳,后缘除基部微膨大外,其余较直;有径副室。后翅 M_2 脉自中室下角的前方伸出。

分布:东洋界,澳洲界,非洲界。秦岭地区发现 1 种。

(230)胞短栉夜蛾 *Brevipecten consanguis* Leech, 1900(图版 46:10)

Brevipecten consanguis Leech, 1900: 513.

鉴别特征:前翅长 13mm。头部灰褐色,下唇须外侧深褐色;胸部背面灰褐色;前、中足胫节及跗节外侧黑褐色。前翅为褐色杂有灰白色;亚基线黑色,自前缘脉至中室后缘;内线黑色,直线外斜;中线黑色,仅中室后可见较直外斜;肾纹灰褐色,具黑褐色边,内侧有 1 个砧形黑褐色斑,前方黑褐色达前缘脉;外线黑色,自前缘脉后外斜,在

M_1 脉处折成 1 个圆钝外凸角,其后较直,内斜,后端与中线相遇于翅后缘;外线前端外方有 1 个黑褐色近三角形斑,后缘钝;缘线黑褐色,端区色暗,翅脉黑褐色。后翅灰褐色。腹部背面灰褐色,腹面灰黄色。

采集记录:1♀,商南金丝峡,777m,2013. Ⅶ. 23-25,崔乐采。

分布:陕西(周至、留坝、佛坪、商南)、山东、甘肃、江苏、湖北、湖南、福建、海南、广西、四川、云南。

124. 勒夜蛾属 *Laspeyria* Germar, 1810

Laspeyria Germar, 1810: 13. **Type species**: *Bombyx flexula* Denis *et* Schiffermüller, 1775.

Colposia Hübner, 1823: 287. **Type species**: *Bombyx flexula* Denis *et* Schiffermüller, 1775.

Aventia Duponchel, 1829, *in* Godart & Duponchel: 190. **Type species**: *Bombyx flexula* Denis *et* Schiffermüller, 1775.

属征:喙发达;下唇须向上伸,第 2 节饰密毛,第 3 节小;雄性触角为线形,有纤毛丛。胸部背面无毛簇。前翅顶角尖,外缘前半部内凹较深,中部外凸成角。后翅宽,外缘弧曲。幼虫第 1、第 2 对腹足较小。

分布:古北界,东洋界(北部)。秦岭地区发现 1 种。

(231)勒夜蛾 *Laspeyria flexula* (Denis *et* Schiffermüller, 1775)(图版 46:11)

Bombyx flexula Denis *et* Schiffermüller, 1775: 64.

Phalaena sinulata Fabricius, 1777: 287.

Geometra flexularia Hübner, 1799: pl. 4, fig. 19.

Laspeyria flexula: Germar, 1810: 13.

Colposia flexula: Hübner, 1823: 287.

Aventia flexula: Duponchel, 1829, *in* Godart & Duponchel: 190.

鉴别特征:前翅长 13mm。头部与颈片为褐色,胸部背面为紫灰褐色。前翅灰色,密布黑褐色细点,前缘脉赭色;内线淡黄色,两侧衬褐色,自前缘脉外斜至中室前缘,折角内斜,近呈直线;肾纹只见 2 个黑点,边缘白色,合成"8"形;外线淡黄色,两侧衬褐色,自前缘脉外斜至 R_3 脉,折角直线内斜;亚缘线黄白色,不明显,线外部色较暗,近外缘前半部带金褐色并有几个黑点;顶角尖锐外凸,翅外缘中部外凸成 1 个钝齿。后翅淡黄色,后半部密布褐色细点,隐约可见暗褐色横脉纹;外线淡黄色,两侧衬褐色,在中室前不明显;亚缘线不清晰。腹部背面灰色带有黑色。

采集记录:1♂,周至厚畛子,1300m,2007. Ⅷ. 10,李文柱采;1♂,宝鸡天台山嘉陵江源头,1620m,2014. Ⅷ. 08-09,薛大勇采;3♂1♀,宁陕火地塘,1538m,2012. Ⅶ. 11-15,姜楠等采;1♀,宁陕广货街保护站,1189m,2014. Ⅶ. 26-28,刘淑仙采。

分布:陕西(周至、宝鸡、宁陕)、黑龙江、甘肃、云南;欧洲。

125. 薄夜蛾属 *Mecodina* Guenée, 1852

Mecodina Guenée, 1852, *in* Boisduval & Guenée: 372. **Type species**: *Mecodina lanceola* Guenée, 1852.

Boethantha Walker, 1865: 982. **Type species**: *Boethantha bisignata* Walker, 1865.

Seneratia Moore, 1885: 220. **Type species**: *Thermesia praecipua* Walker, 1865.

Araeognatha Hampson, 1893: 31, 129. **Type species**: *Araeognatha umbrosa* Hampson, 1893.

属征:喙发达;下唇须向上伸,镰刀状,但不弯向后,第 2 节达头顶,第 3 节长。胸部被平滑鳞片,无毛簇;中、后足胫节外缘饰毛。前翅稍窄,有 1 个狭窄径副室。后翅 M_2 脉发达,自中室下角发出。

分布:古北界,东洋界,澳洲界,非洲界。秦岭地区发现 1 种。

(232) 灰薄夜蛾 *Mecodina cineracea* (Butler, 1879) (图版 46:12)

Psimada cineracea Butler, 1879: 27, pl. 47, fig. 4.

Egnasia costipannosa Moore, 1882: 184.

Argeognatha cineracea: Warren, 1913, *in* Seitz(c): 403.

Mecodina cineracea: Sugi, 1982, *in* Inoue, *et al.*: 873/397, pl. 217: 21, 22.

鉴别特征:前翅长 18mm。头部为紫灰褐色,下唇须第 3 节基部与端部灰色;胸部背面紫灰褐色;足跗节各节间有灰斑。前翅紫灰褐色;亚基线为黑褐色双线,自前缘脉外弯至臀褶;内线为黑褐色双线,呈波浪形外斜;环纹只见 1 个黑点;中线粗而模糊,黑褐色,自前缘脉外斜至中室下角折向后行;肾纹灰白色,新月形,内侧衬黑色;外线为黑褐色双线,锯齿形,自前缘脉外斜至 M_2 脉折角内斜,线外侧衬灰色;亚缘线灰白色,内侧为 1 列尖齿形黑点,在 R_5 脉处稍外凸,在 M_2 脉处强外凸成齿形,其后内斜,线内侧在前缘脉与 M_1 脉之间有 1 个近斗形的黑褐色大斑,其内缘外斜,外缘有两个齿形;缘线黑褐色,波浪形。后翅灰褐色杂紫色;中线为黑褐色双线,微波曲;外线灰色,内侧较大片黑褐色,似 1 条窄带,自前缘外弯,在 R_5 脉处外凸成齿形,M_2 与 Cu_1 脉间强外弯,其后内弯,后端斜至臀角,线外侧衬灰色;亚缘线灰色,波浪形,内侧色暗,中段外凸至翅外缘;缘线黑褐色,波浪形。腹部紫灰褐色。

分布:陕西(留坝)、江西、海南、贵州及西南地区;日本。

126. 眉夜蛾属 *Pangrapta* Hübner, 1818

Pangrapta Hübner, 1818: 18. **Type species**: *Pangrapta decoralis* Hübner, 1818.

Marmorinia Guenée, 1852, *in* Boisduval & Guenée: 370. **Type species**: *Marmorinia epionoides* Guenée, 1852.

Saraca Walker, 1866: 1190. **Type species**: *Saraca disruptalis* Walker, 1866.

Stenozethes Hampson, 1926: 556. **Type species**: *Marmorinia obscurata* Butler, 1879.

属征:喙发达;额上有毛簇;下唇须斜向上伸,微曲成镰刀形,第 2 节长过头顶,弯曲,鳞片甚厚,第 3 节直立细长;雄性触角有纤毛。胸腹部鳞片平滑。前翅外缘中部凸成 1 个尖角或圆角,或曲度平稳而外缘仅呈锯齿形,外线从前缘起即向外倾曲,其前方大都有 1 个较淡的三角形色斑。

分布:全世界。秦岭地区发现 12 种。

(233)齿线眉夜蛾 *Pangrapta dentilineata*(Leech, 1900)(图版 46:13)

Zethes dentilineata Leech, 1900: 599.

Pangrapta dentilineata: Warren, 1913, *in* Seitz(c): 407, pl. 74: d.

鉴别特征:前翅长 18mm。头部与胸部淡灰色杂暗褐色;胸部腹面淡灰黄色;足跗节外侧深褐色,各节端部有黄白色斑。前翅淡灰黄色,布有黑褐色细点;内线暗褐色,外弯;肾纹窄,淡黄色,黑褐色边;中线黑褐色,自前缘脉外斜至肾纹,其后较直,内斜,线外方带有黄褐色;外线黑褐色,自前缘脉外斜,在 R_5 脉至 M_3 脉间外弯较强,其后内斜,前端外方有 1 个黄白色三角形区;亚缘线较细,为黑色,呈锯齿形;缘线黑色。后翅淡灰黄色,散布有黑色细点;内线黑色,自中室内斜至后缘;横脉纹细曲,黑色;外线黑色,大波曲外弯;亚缘线似前翅;缘线黑色。腹部浅灰黄色,散布有黑褐色细点。

采集记录:1♀,太白黄柏塬,1350m,1980. Ⅶ. 13,张宝林采;1♀,佛坪龙草坪,1250m,2008. Ⅶ. 03,刘万岗采;2♂1♀,柞水营盘镇,953~995m,2014. Ⅶ. 29-31,刘淑仙采。

分布:陕西(太白、佛坪、柞水)、四川。

(234)纱眉夜蛾 *Pangrapta textilis*(Leech, 1889)(图版 46:14)

Saraca textilis Leech, 1889c: 567.

Zethes textilis: Leech, 1900: 603.

Pangrapta textilis: Warren, 1913, *in* Seitz(c): 409, pl. 71: g.

鉴别特征:前翅长 13mm。头部与胸部为浅褐色,密布深褐色点;足跗节外侧黑褐色,各节间有白斑;腹部浅黄色,部分有黑褐色横条。前翅黄白色,散布有黑褐色细点,中脉及外线外方的各翅脉上的黑褐色点较密;亚基线为黑褐色,仅前缘区可见;内线暗褐色,波曲外弯;环纹小,近圆形,有模糊黑褐色边;肾纹窄曲,内缘黑褐色,中央有 1 条黑色曲纹;外线为黑褐色双线,自前缘脉外斜至 M_2 脉折角内斜,在臀褶处稍外弯;外线外方的前缘脉为暗褐色,有 1 列黄白色点;亚缘线黄白色,内侧衬褐色,外侧黑褐色,在 R_5 脉处外凸,中段外弯,其后微波浪形,下端达臀角;M_2 至 M_3 脉间有 1 条黑褐色纵纹穿越外线及亚缘线达翅外缘;缘线黑色,微波浪形;缘毛浅黄褐色杂赭色,中有 1 条波浪形黑线。后翅黄白色,有黑褐色细点;中线与外线黑褐色;亚缘线两侧黑褐色,锯齿形。

采集记录:2♂1♀,周至楼观台,680m,2008.Ⅵ.23,白明等采。

分布:陕西(周至)、河北、山东、浙江、福建;朝鲜。

(235)白痣眉夜蛾 *Pangrapta albistigma* (Hampson, 1898)(图版 46:15)

Zethes albistigma Hampson, 1898: 457.

Pangrapta albistigma: Warren, 1913, *in* Seitz(c): 409.

鉴别特征:前翅长 10mm。头部白色杂黑色;下唇须外侧灰色杂黑灰色,第 3 节端部灰白色;胸部背面灰色杂褐色;足外侧黑灰色,跗节各节间有灰白色斑。前翅白色杂褐色,密布暗褐色细点;亚基线黑色,自前缘脉至中室;内线黑色,自前缘脉外斜,在中室处内凹,中室后内斜;环纹只见 1 个黑色粗点;肾纹白色,边缘暗褐色,中央有 1 条暗褐色曲纹;中线黑色,自前缘脉外斜至中室前缘,在中室间断,自中室后缘波曲内斜;外线黑色,自前缘脉外斜至 M_1 脉折角,波曲内斜;亚缘线在 M_2 脉前至前缘脉间为 1 列白色斜点,均围以暗褐边,内侧色暗,M_2 脉暗褐色。后翅白色,有暗褐色细点,横脉处有 1 个白斑,由细黑线分割为几个小斑;内线、外线黑色,后者外方另有 1 条黑线;亚缘区及端区由 1 条黑线分割成双列白斑。腹部灰褐色。

分布:陕西(太白山)、河北、浙江、湖北、四川;朝鲜,日本,印度。

(236)淡眉夜蛾 *Pangrapta umbrosa* (Leech, 1900)(图版 46:16)

Zethes umbrosa Leech, 1900: 601.

Pangrapta umbrosa: Warren, 1913, *in* Seitz(c): 407, pl. 71: g.

Diapolia umbrosa: Draudt, 1950: 171.

鉴别特征:前翅长 15mm。头部灰褐色;雄性触角有细纤毛丛;下唇须长,向上弯曲,超过头顶,头顶布有黑点,下唇须第 3 基节部与端部灰白色;胸部背面灰褐色,散布黑色细点;足跗节外侧黑色,各节间有灰白色斑。前翅淡褐色,带有紫灰色;亚基线褐色,自前缘脉外弯至臀褶;内线褐色,波浪形外弯,在中室处明显内凹;环纹小,黄褐色黑边;肾纹窄小,橙黄色,边缘黑褐色,中央有 1 条黑色曲纹;中线黑褐色,自前缘脉外斜至中室下角,折角波曲内斜;外线黑色,自前缘直线外斜至 M_1 脉,折角波曲内斜,前半段外部有 1 个灰白色三角形大斑,其前缘有黑色纵条;亚缘线为黑褐色,呈锯齿形,前端外侧有1条白色斜纹,内侧有1条黄白色曲纹及1片黄褐色区域。后翅浅褐色杂紫灰色,各横线黑褐色;外线为双线,后半段锯齿形;亚缘线仅后段可见波浪形。腹部灰褐色。

分布:陕西(太白山)、浙江、湖北、江西、海南、云南;日本。

(237)遮眉夜蛾 *Pangrapta similistigma* Warren, 1913(图版46:17)

Pangrapta similistigma Warren, 1913, *in* Seitz(c): 409, pl. 71 h.

Diapolia similistigma: Draudt, 1950: 171.

鉴别特征:前翅长14mm。头部暗灰褐色;下唇须灰白色,散布有黑色细点;胸部暗灰褐色;足外侧灰色,散布有黑色细点,跗节外侧黑色,各节间有灰白色斑。前翅褐色;内线黑色,自前缘脉外斜至中室折角内斜;环纹褐色,中央微白;肾纹白色,半圆形,内侧有两个白点,外侧前后方各有1个白点;中线黑色外弯;外线外侧灰白色,中段内侧黑色,自前缘脉外斜至 M_1 脉后内斜;亚缘线灰白色,前半段锯齿形;缘线黑色。后翅褐色,横脉纹白色,其中有黑色曲纹,后方有两个白点;外线黑色衬白色,外弯;亚缘线灰白色,内侧黑色,在中褶处有1个齿形黑褐色斑;缘线黑色。腹部灰黑色。

采集记录:2♀,宁陕火地塘,1538m,2012. Ⅶ. 11-15,姜楠采。

分布:陕西(周至、宁陕)、甘肃、浙江、四川。

(238)苹眉夜蛾 *Pangrapta obscurata*(Butler, 1879)(图版46:18)

Marmorinia obscurata Butler, 1879: 68, pl. 57, fig. 11.

Zethes obscurata: Leech, 1900: 604.

Stenozethes obscurata: Hampson, 1926: 556.

Diapolia obscurata: Draudt, 1950: 171.

Pangrapta obscurata: Warren, 1913, *in* Seitz(c): 408, pl. 71:g.

鉴别特征:前翅长11mm。头部、胸部为褐色;足跗节外侧黑褐色,各节间有白斑。前翅灰褐色微带紫色;亚基线黑色,自前缘脉至中室;内线粗,褐色,稍外弯,外侧微衬灰色;环纹与肾纹不显;外线褐色,自前缘脉外斜至 M_1 脉折角内斜,外侧衬灰白色,内侧黑褐色,模糊,似成1条宽带,外线外方有1个灰色三角形大斑,自前缘脉至 M_1 脉,其中杂有褐色;亚缘线不明显,隐约呈现灰白色,波浪形;翅顶角外凸成1个锐齿,外缘中部外凸成1个钝齿,两齿间的翅外缘微凹,翅外缘后半部凹。后翅灰褐色,前缘区色浅;外线仅在中室后明显,暗褐色,外侧衬灰白色;亚缘线暗褐色,锯齿形,两侧衬白色,内部带有较宽的暗褐色;翅外缘中部外凸成1个齿。腹部褐色。

采集记录:1♂,柞水营盘镇,953~995m,2014. Ⅶ. 29-31,班晓双采。

分布:陕西(太白、留坝、宁陕、柞水)、黑龙江、河北、山东、甘肃、湖南;朝鲜,日本。

(239)浓眉夜蛾 ***Pangrapta trimantesalis*** **(Walker, 1859)**(图版 46:19)

Egnasia trimantesalis Walker, 1859: 220.

Saraca trimantesalis: Leech, 1889c: 567.

Zethes trimantesalis: Leech, 1900: 596.

Pangrapta trimantesalis: Warren, 1913, *in* Seitz(c): 406.

鉴别特征:前翅长 14mm。头部暗红褐色,下唇须灰褐色,胸部暗红褐色,足跗节外侧有灰白色斑,腹部深褐色。前翅深褐色带有灰色,密布黑褐色细点,基部为暗褐色;亚基线黑色,波浪形,自前缘脉至臀褶,外侧衬灰色;内线黑色,波浪形外弯,在中室处明显内凹;环纹灰褐色,边缘黑褐色,小而圆;肾纹色似环纹,小而模糊;中线黑褐色,自前缘脉外斜至肾纹前端,自肾纹后端内斜并呈微波浪形;外线黑褐色,自前缘脉外斜至 M_1 脉,折角波曲内斜,前段外方有 1 个近半圆形的灰色大斑,后端有 1 条黑褐色波浪形线;亚缘线黑褐色,间断;顶角为 1 条灰白色斜纹。后翅灰褐色,各横线黑褐色;外线为波浪形双线;亚缘线间断;缘线为 1 条细的褐色线。

采集记录:2♂3♀,旬阳金鑫源山庄,386m,2014. Ⅷ. 01-03,刘淑仙、班晓双采。

分布:陕西(佛坪、宁陕、旬阳)、甘肃、江苏、浙江、福建、云南;朝鲜,日本,印度,孟加拉国。

(240)饰眉夜蛾 ***Pangrapta ornata*** **(Leech, 1900)**(图版 46:20)

Zethes ornata Leech, 1900: 605.

Pangrapta ornata: Warren, 1913, *in* Seitz(c): 408.

Diapolia ornata: Draudt, 1950: 171.

鉴别特征:前翅长 10mm。头部紫褐色,下唇须外侧暗灰色,胸部紫褐色。前翅紫红色,外半部带有金褐色,前缘黑色,外半部有几个白点;亚基线黑色杂白色,自前缘脉外弯至 2A 脉;内线黑色杂白色,前后端内侧衬白色,中段间断;环纹只见 1 个模糊的黑点;肾纹金褐色,内侧黑色;中线黑色,模糊,自前缘脉至中室外不清晰外斜,在 M_1 脉后内斜;外线为白色双线,线间黑色,M_1 脉前微曲外斜,在 M_1 脉折角微曲内斜;亚缘线黑色,微锯齿形,自顶角内弯,在 M_3 脉成 1 个折角内斜,在臀褶成 1 个内突角;外线与亚缘线间在 M_1 脉前有 1 个近三角形大白斑,微带褐色,其前缘有 1 列黑色纵纹;亚缘线前端内侧有 1 个白斑;近翅外缘有 1 条黑线。后翅紫红色;中线黑色;外线为白色双线,前半段不显,内方的前缘区浅黄色;亚缘线黑色,呈锯齿形;近翅外缘有 1 条黑线。腹部红褐色。

采集记录:2♂1♀,宝鸡天台山嘉陵江源头,1620m,2014. Ⅷ. 08-09,薛大勇采。

分布:陕西(宝鸡、佛坪、宁陕)、甘肃、江苏、浙江、湖北、湖南。

(241)缘斑眉夜蛾 *Pangrapta costinotata*(**Butler, 1881**)(图版46:21)

Saraca costinotata Butler, 1881a: 581.
Zethes costinotata: Leech, 1900: 606.
Pangrapta costinotata: Warren, 1913, *in* Seitz(c): 408.

鉴别特征:前翅长12mm左右。头部、胸部和前后翅为紫灰至深褐色,杂少许黑褐色,带不均匀锈红色;下唇须外侧大部分黑褐色;足灰褐色;腹部灰褐色。前翅亚基线白色,自前缘脉至中室;内线白色,在中室前为1条斜纹,在中室处内斜,其后波浪形,间断;环纹为1个黑点;外线为1列白点,在M_3以下内斜至臀褶,折向外弯,上端有1个三角形白斑,其前缘外半部有1个黑点;亚缘线黑褐色,不清晰,呈整齐的锯齿形;外线与亚缘线间的锈红色明显;亚缘线上端内侧有1个白点,近外缘有1列黑点;缘线黑褐色,间断。后翅端半部的锈红色较明显;近外缘有1列黑点;缘线黑褐色,间断。

采集记录:1♀,旬阳金鑫源山庄,386m,2014.Ⅷ.01-03,班晓双采。

分布:陕西(旬阳)、福建、广西;日本。

(242)中影眉夜蛾 *Pangrapta curtalis*(**Walker, 1866**)(图版46:22)

Egnasia curtalis Walker, 1866: 1177.
Pangrapta curtalis: Warren, 1913, *in* Seitz(c): 408, pl. 74: e.

鉴别特征:前翅长14mm。头部与胸部为浅褐色,翅基片及后胸杂有暗褐色;足跗节外侧褐色,各节间有白斑。前翅浅褐色,布有暗褐色细点;亚基线黑褐色,仅在前缘区见双斜纹;内线为褐色双线,波浪形,外弯,内侧的线弱;环纹斜圆形,褐边;中线褐色,自前缘脉外斜至中室下角折向内斜并呈波浪形;外线为褐色双线,自前缘脉直线外斜至M_1脉折角,微波浪形内斜,折角前两线粗,折角后外侧的线模糊;亚缘线黑褐色,间断为锯齿形点列,自顶角微曲内斜;外线外方有1个近半圆形大灰斑,其后端达M_1脉,其外缘有几个黑褐色纹,其前缘有1列白点。后翅浅褐色;中线黑褐色,模糊;外线双线黑褐色,仅M_1脉后明显,在中褶至Cu_2脉间外弯,两线之间带有黑褐色;亚缘线隐约可见,黑褐色,锯齿形,在Cu_1脉处齿尖近达翅外缘;中线至亚缘线间布有黑褐色细点;缘线由1列新月形黑纹组成;缘毛褐色。腹部浅灰褐色,背面色暗并散布有黑褐色细点。

采集记录:1♂,旬阳金鑫源山庄,386m,2014.Ⅷ.01-03,刘淑仙采。

分布:陕西(佛坪、旬阳)、江苏、湖北;朝鲜,日本。

(243)褐翅眉夜蛾 *Pangrapta adusta*(**Leech, 1900**)(图版46:23)

Zethes adusta Leech, 1900: 604.

Pangrapta adusta: Warren, 1913, *in* Seitz(c): 408, pl. 74: b.

鉴别特征:前翅长 11mm。头部与胸部为灰色杂暗褐色。前翅为褐色杂有灰色及黑褐色;内线黑色,外弯;环纹与肾纹轮廓不清,褐色,边缘黑色;中线黑褐色,不清晰,外斜至中室,在肾纹后较直内斜;外线黑褐色,自前缘脉外斜至中褶,折角内斜,中线与外线间黑褐色,形成 1 条宽曲带;外线前段外方有 1 个三角形大灰色斑,其外方有赤褐色斜纹,外线外衬灰白色;亚缘线隐约可见波浪形;缘毛赤褐色,端部间白色。后翅色似前翅,但外线以内带黑色,横脉纹黑色,带白边;中线为白色,呈波浪形;外线粗,黑色,外斜至中褶,折角微内弯,后端近达臀角,外线外侧有赤褐色窄带;缘线细,黑色;缘毛似前翅。腹部深灰褐色。

采集记录:1♀,周至厚畛子,1276m,2008. Ⅵ. 30,崔俊芝采;1♀,佛坪龙草坪,1256m,2008. Ⅶ. 03,崔俊芝采。

分布:陕西(周至、留坝、佛坪)、甘肃、湖北、湖南、四川;日本。

(244)波眉夜蛾 *Pangrapta prophyrea*(Butler, 1879)(图版 46:24)

Egnasia prophyrea Butler, 1879: 68, pl. 77: 6.
Pangrapta prophyrea: Warren, 1913, *in* Seitz(c): 409, pl. 71: h.

鉴别特征:前翅长 15mm。头部、胸部和腹部暗褐色带有紫灰色,足跗节外侧各节间有白斑。前翅为暗褐色带有紫灰色,中褶与臀褶内半部散布有黑褐色细点;亚基线灰白色,自前缘脉外弯至臀褶,中室后不明显;内线灰白色,自前缘脉外斜至中室;肾纹只见 1 个模糊的黑褐色斑;外线白色,内侧衬暗红褐色带,自前缘脉微曲外斜至 M_1 脉折向下,在 M_3 脉下内斜,至臀褶折角外弯;亚缘线为灰白色,呈锯齿形;外线与亚缘线之间在 M_1 脉之上有 1 个近三角形灰褐色大斑,其内半布有白点及黑褐色点,其前缘黑色,有 1 列灰白色点;亚缘线外方布有灰白色细点,线前半段外部有 1 列黑褐色纵纹;缘线黑褐色,微波浪形;翅外缘中部外突成钝角,缘毛金褐色,顶角及中部黑褐色。后翅色似前翅,但较暗,散布有灰白色细点;中室端部有两条白纹,有时被黑线隔断成 4 个白点;中线为黑色,呈波浪形,仅在中室后可见;外线白色,细波浪形外弯,后段稍外斜,线内侧有 1 条黑褐色窄带,外线内部的前缘区灰色;亚缘线黑色,似 1 条窄带,自 M_1 脉至臀角,其内侧衬暗红褐色,外侧为不规则锯齿形,在中褶处强烈外突;缘线黑色,波浪形;缘毛基半部金褐色,端部黑褐色。

采集记录:2♀,宁陕火地塘,1538m,2012. Ⅶ. 11-15,姜楠等采;1♀,宁陕广货街保护站,1189m,2014. Ⅶ. 26-28,班晓双采。

分布:陕西(宁陕)、福建;日本。

127. 尺夜蛾属 *Dierna* Walker, 1859

Dierna Walker, 1859: 204. **Type species**: *Dierna acanthusalis* Walker, 1859.

Nahara Walker, 1865: 1004. **Type species**: *Nahara clavifera* Walker, 1865.

Naganoella Sugi, 1982, *in* Inoue, *et al.*: 885. **Type species**: *Dierna timandra* Alphéraky, 1897.

属征:喙发达;下唇须向上弯,第 2 节长而宽,伸达头顶,第 3 节细尖;雄性触角有纤毛。胸部和腹部被鳞平滑。前翅三角形,顶角尖,外缘斜弯,臀角圆弯。

分布:中国;朝鲜,日本,印度。秦岭地区发现 1 种。

(245) 红尺夜蛾 *Dierna timandra* Alphéraky, 1897(图版 46:25)

Dierna timandra Alphéraky, 1897a: 179, pl. 11, fig. 7.

Perynea pvilcherina [sic!] Nagano, 1918: 449.

Dierna timandra: Draudt, 1934, *in* Seitz, (d): 234.

Naganoella timandra: Sugi, 1982, *in* Inoue, *et al.*: 885/400, pl. 219: 5, 6.

鉴别特征:前翅长 13 ~ 14mm。头部白色带有桃红色,触角暗褐色,下唇须灰黄色杂黑褐色,胸部桃红色,胸部腹面与足外侧黑灰色。前翅桃红色,散布有黑色细点;内线灰黄色,中有微白线,较直,微内斜;肾纹窄曲,灰黄色;前缘区外半部灰黄色,有白点,有 1 条灰黄色斜带自顶角直线内斜至翅后缘近中部,其中有 1 条白色线;亚缘线白色,微曲内斜;缘线灰白色。后翅桃红色,散布有黑色细点,前缘区灰黄色,内窄外宽,不达顶角;内线灰黄色,中有 1 条白色线;外线为灰黄色宽带,中有 1 条白色线;亚缘线白色,自前缘区灰黄斑后外斜,M_3 脉后内斜。腹部黑灰色,基节背面中央桃红色。

采集记录:1♀,宁陕广货街保护站,1189m,2014. Ⅶ. 26-28,刘淑仙采;1♂2♀,柞水营盘镇,953 ~ 995m,2014. Ⅶ. 29-31,刘淑仙、班晓双采;1♂,商南金丝峡,777m,2013. Ⅶ. 23-25,姜楠采。

分布:陕西(留坝、佛坪、宁陕、柞水、商南)、黑龙江、吉林、河北、河南、浙江、湖北、湖南;朝鲜,日本。

(十六) 髯须夜蛾亚科 Hypeninae

鉴别特征:喙发达;下唇须长,第 2 节上缘常饰有致密的粗毛;额光滑;复眼大,无毛亦无睫毛。足胫节无刺。前翅多有 1 个径副室,M_3 和 Cu_1 脉自中室下角发出。后翅 M_2 脉发达,自中室端脉下 1/4 处发出。幼虫第 1 对腹足多退化。

分类:陕西秦岭地区发现 2 属 5 种。

128. 髯须夜蛾属 *Hypena* Schrank, 1802

Hypena Schrank, 1802: 163. **Type species**: *Phalaena proboscidalisv* Linnaeus, 1758.

属征:喙发达;下唇须很长,饰长毛,第3节尖;额有尖毛簇;胸部被平滑鳞片;腹部第1、2节背面有毛簇。前翅顶角尖,外缘弧曲,前半部微凹。

分布:古北界,东洋界。秦岭地区分布1种。

(246)两色髯须夜蛾 *Hypena trigonalis*(Guenée, 1854)(图版46:26)

Dichromia trigonalis Guenée, 1854, *in* Boisduval & Guenée: 19.

Hypena trigonalis: Hampson, 1895: 73.

鉴别特征:前翅长17mm。头部、胸部为黑褐色;腹部黄色。前翅黑褐色,散布有灰色细点,翅基部和亚缘线两侧灰点致密;内线黑色,自前缘脉外斜至2A,此处内侧略带红褐色;外线灰白色,微呈波状,内外线之间形成1片黑褐色楔形区域;亚缘线灰白色,不规则波曲;缘线为1列半月形灰白色点。后翅黄色,端部有1条黑色带,上宽下窄,下端止于 Cu_2 脉;缘毛与其内侧翅面颜色相同。

采集记录:2♂,佛坪龙草坪,1200m,2008. Ⅶ. 03,白明、崔俊芝采;1♀,宁陕广货街保护站,1189m,2014. Ⅶ. 26-28,刘淑仙采。

分布:陕西(佛坪、宁陕)、山东、河南、浙江、江西、福建、四川、贵州、云南、西藏;朝鲜,日本,印度。

129. 卜夜蛾属 *Bomolocha* Hübner, 1825

Bomolocha Hübner, 1825: 343. **Type species**: *Phalaena crassalis* Fabricius, 1787.

属征:雄性触角有细微的纤毛,额上方有1个尖形毛簇。胸部被平滑鳞片。腹部背面有许多毛簇。中后足胫节微有毛。前翅顶角较尖而下垂。

分布:古北界,东洋界。秦岭地区分布4种。

(247)阴卜夜蛾 *Bomolocha stygiana*(Butler, 1878)(图版47:1)

Hypena stygiana Butler, 1878: 55.

Bomolocha stygiana: Warren, 1913, *in* Seitz(c): 432.

鉴别特征:前翅长 16mm。前翅外线内部为 1 个黑褐色带有紫色的大斑;内线浅褐色,自前缘脉外斜至中室前缘折角内斜,至臀褶再折角外斜;外线白色,自前缘脉外曲外斜至 M_2 脉折角内斜;环纹隐约可见;亚缘线灰白色,波状,极不明显,内侧有几个模糊黑斑,顶角有 1 条斜黑纹,缘线黑色。后翅灰褐色,中点小,暗褐色。

采集记录:1♂,宝鸡天台山嘉陵江源头,1620m,2014. Ⅷ. 08-09,薛大勇采。

分布:陕西(宝鸡)、浙江、江西、西藏;朝鲜,日本。

(248)缩卜夜蛾 *Bomolocha obductalis* (**Walker, 1859**)(图版 47:2)

Hypena obductalis Walker, 1859: 56.

Hypena flexuosa Moore, 1882: 190.

Bomolocha obsuctalis: Warren, 1913, *in* Seitz(c): 433, pl. 73: d.

鉴别特征:前翅长 16mm。头部灰褐色,有少数鳞片端部灰白色;下唇须斜向上伸,第 2 节黑色杂灰色,端部白色,上缘饰长鳞,第 3 节细,黑褐色,端部灰白色;胸部灰褐色;足外侧暗褐色,跗节黑褐色,各节间有白斑。前翅外线内部黑褐色,其余灰褐色;内线白色,波浪形,不明显;环纹只见 1 个黑点;肾纹细窄,黑色;外线黑色,外侧衬白色,自前缘脉微曲外斜,在 M_2 脉外凸,其后内弯;亚缘线由 1 列小黑斑组成,均衬以白色;顶角有 1 条黑色内斜的二齿形纹;翅外缘有 1 列黑点。后翅灰褐色。腹部灰褐色。

采集记录:2♂1♀,宝鸡天台山嘉陵江源头,1620m,2014. Ⅷ. 08-09,薛大勇、班晓双采。

分布:陕西(周至、宝鸡、宁陕)、甘肃、新疆、河南、福建、四川、西藏;印度。

(249)张卜夜蛾 *Bomolocha rhombalis* (**Guenée, 1854**)(图版 47:3)

Hypena rhombalis Guenée, 1854, *in* Boisduval & Guenée: 33.

Hypena telamonalis Walker, 1859: 231.

Hypena basistrigalis Moore, 1867: 84.

Hypena veronica Butler, 1889: 85.

Bomolocha rhombalis: Warren, 1913, *in* Seitz(c): 433, pl. 73d.

鉴别特征:前翅长 13mm。头部、胸部深褐色,胸部腹面浅褐色。前翅暗褐色,散布有少许蓝白色细点,外线外方及后缘区内半部灰白色带杂褐色;外线内部为 1 个近菱形大斑,其后缘起自中室后缘基部,外斜至 2A 脉中部;外线白色,自前缘脉微曲外斜,至 M_3 与 Cu_1 脉处折角内斜,近 2A 脉处呈弧形内伸,在 2A 脉与大斑后的白色相合,线外侧另有 1 条暗褐色线与之平行,其前段外部有 1 个近半圆形暗褐色斑;亚缘线白色,不规则锯齿形,在各翅脉处间断,线内侧有 1 列暗褐色齿形纹,在 2A 脉后的纹较粗长;有 1 条深褐色纹自顶角后内斜至外线折角处;缘线由 1 列新月形黑点组成;缘毛基部黄褐色,其余灰褐色。后翅褐色;缘线由 1 列长弧形褐点组成;缘毛浅褐色,基部淡黄色。腹部褐色,背毛簇黑褐色。

采集记录:1♂,宁陕火地塘,1538m,2012. Ⅶ. 11-15,姜楠采。

分布:陕西(宁陕)、河南、甘肃、江苏、浙江、湖南、福建、广西、四川、西藏;缅甸,印度。

(250)满卜夜蛾 *Bomolocha mandarina* (Leech, 1900)(图版 47:4)

Hypena mandarina Leech, 1900: 658.
Bomolocha mandarina: Warren, 1913, *in* Seitz(c): 433, pl. 73: d.

鉴别特征:前翅长 15mm。头部黑褐色,头顶有黑褐色杂灰白色的毛簇;下唇须向前平伸,第 2 节浅褐色杂黑色,上缘饰长密鳞,第 3 节黑褐色,端部尖,下缘饰密鳞;胸部黑褐色;足浅褐色,但前足胫节外侧黑褐色。前翅内半部几乎全由 1 个大褐色斑所占,其后缘自前缘脉基部后方外斜至翅后缘近中部略前,其外缘与外线平行,自前缘脉外斜至 M_2 脉折角内斜,斑的后方有 1 条楔形黑纵纹,斑的外侧为细弱黑褐色外线,外线外部灰褐色;亚缘线由 1 列模糊黑点组成,亚缘区前部有 1 个暗褐色斑;顶角有 1 条内斜黑色纹;缘线褐色。后翅烟褐色,横脉纹暗褐色。腹部黑褐色。

采集记录:1♂,宁陕火地塘,1538m,2012. Ⅶ. 11-15,程瑞采。

分布:陕西(周至、留坝、佛坪、宁陕)、甘肃、浙江、湖北、湖南、福建、四川、云南、西藏;日本。

(十七)长须夜蛾亚科 Herminiiae

鉴别特征:喙发达;下唇须向前或向上伸,很长,一般为头长的两倍,有的种类弯成镰刀形,上伸过头顶甚至达胸部背面,或折曲成肘形;复眼大,无毛亦无睫毛;雄性触角多为线形,也有栉形的种类,每节常有 1 对鬃毛,某些种类触角干有变化,如增厚、膨大等;额多光滑,无突起。胸部被毛和鳞片;足胫节无刺,前足胫节有前胫突,中足胫节有 1 对距,后足胫节 2 对距,某些种类雄性前足胫节有长毛簇,或有 1 个鞘,遮盖第 1 跗节,有些种类跗节只有 3 节,甚至只余 1 节。翅一般较薄。前翅外缘多为平缓的弧形,M_2、M_3 和 Cu_1 脉自中室下角发出。后翅 Rs 和 M_1 脉自中室上角发出,或共 1 个短柄,M_2 脉发达,自中室下角稍前发出;中室长约为翅长的 1/2,也有仅为翅长的 1/3 甚至 1/5。幼虫 4 对腹足俱全,多数取食植物的枯叶。

分类:陕西秦岭地区发现 6 属 9 种。

130. 白肾夜蛾属 *Edessena* Walker, 1859

Edessena Walker, 1859: 162. **Type species**: *Edessena gentiusalis* Walker, 1859.

属征：喙发达；额平滑，微圆；下唇须扁平，向上曲伸，成镰刀形，第2节宽，鳞片紧密，第3节尖，仅为第2节长度的1/2左右；雄性触角亚锯齿形，每齿有1对弯曲的鬃毛。胸、腹鳞片平滑；腿节与胫节有许多毛簇，跗节基部有小毛簇。前翅雌性较雄性宽，顶角略伸，外缘微曲。后翅很大，Rs 和 M_1 脉共柄，M_2 脉从中室下角附近伸出。前翅与后翅中室外侧均有1条半透明的白色条纹。

分布：中国；日本。秦岭地区分布1种。

(251)钩白肾夜蛾 *Edessena hamada* (Felder *et* Rogenhofer, 1874)(图版47:5)

Renodes ? *hamada* Felder *et* Rogenhofer, 1874: 119, fig. 23.

Edessena hamada: Leech, 1889c: 564.

鉴别特征：前翅长20~23mm。头部灰褐色；雄性触角为线形，有较长鬃；胸部灰褐色；前足与后足腿节及胫节有长毛簇，跗节浅黄褐色。前翅灰褐色；内线暗褐色，自前缘脉至中室前缘，折角强外斜并呈极细的锯齿形，至臀褶处折角波浪形内斜；环纹只见1个白点；肾纹白色，后半部向外折而凸出；外线暗褐色，呈不规则锯齿形；亚缘线暗褐色，呈锯齿形，不明显。后翅灰褐色，横脉纹暗褐色，后半为1个白点；外线暗褐色，在中褶后内弯；亚缘线暗褐色，曲度似外线。腹部暗灰褐色。

采集记录：1♂，宁陕广货街保护站，1189m，2014. Ⅶ. 26-28，刘淑仙采；1♀，柞水营盘镇，953~995m，2014. Ⅶ. 29-31，刘淑仙采；1♂1♀，旬阳金鑫源山庄，386m，2014. Ⅷ. 01-03，刘淑仙、班晓双采；1♂，商南金丝峡，777m，2013. Ⅶ. 23-25，崔乐采。

分布：陕西(太白、佛坪、宁陕、柞水、旬阳、商南)、河北、甘肃、湖南、江西、福建、四川、云南；日本。

131. 胸须夜蛾属 *Cidariplura* Butler, 1879

Cidariplura Butler, 1879: 449. **Type species**: *Cidariplura gladiata* Butler, 1879.

属征：喙发达；下唇须向上伸；雄性下唇须极长，远超过头顶，达胸中部，第3节前缘有毛簇；复眼大，圆形，额平滑；雄性触角有纤毛丛和较长鬃毛；胸部毛鳞混生。前翅有副室。

分布：亚洲(东部)。秦岭地区分布1种。

(252)双带胸须夜蛾 *Cidariplura brevivittalis* (Moore, 1867)(图版47:6)

Bertula brevivittalis Moore, 1867: 87.

Mastigophora brevivittalis: Hampson, 1895: 49.

Cidariplura brevivittalis: Warren, 1913, *in* Seitz(c): 415.

鉴别特征:前翅长16mm。头部黑色;下唇须向上伸,远超过头顶,第2节外侧黑褐色,第3节浅黄色杂少许黑褐色,前缘饰长毛;胸部烟黑色,背面杂有少许赭黄色;前足胫节外侧黑色,跗节浅赭黄色;腹部黑褐色。前翅黑褐色,基部有模糊黑斑;内线粗,淡黄色,较直,外斜;环纹大,黑色,较模糊,外围淡黄色;肾纹短宽,近圆形,淡黄边;外线粗,淡黄色,近呈直线内斜,内侧有1列不整齐的黑点;亚缘线淡黄色,后半内侧有1列小黑斑;肾纹外有1条浅黄色条纹伸至翅外缘;缘线为1列黑点。后翅烟褐色杂黑褐色;外线、亚缘线浅黄色,较细弱,亚缘线后半为锯齿形。

采集记录:1♂,宁陕火地塘,1538m,2012. Ⅶ. 11-15,姜楠采。

分布:陕西(宁陕)、广西、西藏;日本,印度,孟加拉国。

132. 奴夜蛾属 *Paracolax* Hübner, 1825

Paracolax Hübner, 1825: 344. **Type species**: *Pyralis derivalis* Hübner, 1796.
Capnistis Warren, 1913, *in* Seitz(c): 426. **Type species**: *Amblygoes albinotata* Butler, 1879.
Paraherminia Richards, 1932: 188. **Type species**: *Pyralis derivalis* Hübner, 1796.
Crinisinus Bryk, 1948: 135. **Type species**: *Crinisinus turbo* Bryk, 1948.

属征:喙发达;下唇须斜向上伸,镰刀形或弯片形;雄性触角为线形或双栉形。前翅宽,外缘弧曲或稍外凸于中部,雄性或有前缘褶。后翅宽,M_2脉发达,自中室下角前方发出。

分布:古北界,东洋界,澳洲界。秦岭地区分布1种。

(253)三线奴夜蛾 *Paracolax trilinealis*(Bremer, 1864)(图版47:7)

Herminea [sic!] *trilinealis* Bremer, 1864: 64, pl. 5, fig. 23.
Crinisinus trubo Bryk, 1948: 136.
Aethia trilinealis: Warren, 1913, *in* Seitz(c): 397, pl. 71: b.
Paracolax trilinealis: Remm & Martin, 1979: 135.

鉴别特征:前翅长11~14mm。头部褐色;雄性触角为线形,有鬃毛;胸部灰褐色。前翅灰褐色,密布暗褐色细点;内线暗褐色,微外弯;环纹只见1个暗褐色点;中线暗褐色,不清晰,微波浪形,较直后行;肾纹窄,淡黄边,前后各有1个暗褐色点;外线暗褐色,自前缘脉外弯至Cu_1脉折向内弯,在中褶处稍内凹;亚缘线黄白色,内侧衬暗褐色,近呈直线,自前缘脉内斜至翅后缘;缘线黑褐色;缘毛浅灰褐色,基部有1条黄白色线。后翅灰褐色,密布暗褐色细点;中线暗褐色,自中室前缘至翅后缘,较直;外线暗褐色,中段外弯;亚缘线黄白色,内侧衬暗褐色,近呈直线,内斜;缘线黑褐色;缘毛浅灰褐色,基部有 1 条黄白色线。腹部灰褐色。

采集记录:1♀,宁陕广货街保护站,1189m,2014. Ⅶ. 26-28,班晓双采。

分布:陕西(周至、太白、宁陕)、黑龙江、甘肃;俄罗斯,朝鲜,日本。

133. 亥夜蛾属 *Hydrillodes* Guenée, 1854

Hydrillodes Guenée, 1854, *in* Boisduval & Guenée: 65. **Type species**: *Hydrillodes lentalis* Guenée, 1854.

Olybama Walker, 1859: 211. **Type species**: *Olybama thelephusalis* Walker, 1859.

Echana Walker, 1859: 211. **Type species**: *Echana abavalis* Walker, 1859.

Bibacta Moore, 1882, *in* Hewitson & Moore: 197. **Type species**: *Bibacta truncata* Moore, 1882.

Ragana Swinhoe, 1900a: 204. **Type species**: *Bocana gravatalis* Walker, 1859.

Cellacrinata Bethune-Baker, 1908: 217. **Type species**: *Cellacrinata grisea* Bethune-Baker, 1908.

属征:喙发达;下唇须长,呈镰刀状,第 2 节向上弯过头顶,第 3 节长;雄性触角有密毛。胸部与腹部被平滑鳞片,无毛簇。前翅顶角钝,外缘曲度平稳;雌性前翅长;中室短,横脉弱;R_2 至 R_5 脉共柄,M_2 和 M_3 脉共同出自中室下角。后翅中室短,Rs 和 M_1 脉共柄,M_3 和 Cu_1 脉亦共柄。

分布:古北界,东洋界,澳洲界,非洲界。秦岭地区分布 1 种。

(254)阴亥夜蛾 *Hydrillodes funeralis* Warren, 1913(图版 47:8)

Hydrillodes funeralis Warren, 1913, *in* Seitz(c): 426, pl. 72: h.

鉴别特征:前翅长 14mm。头部与胸部为褐色杂灰色;雄性触角为线形,有鬃毛;下唇须向上弯,似镰刀状,远超过头顶。雄性前翅暗褐色;肾纹黑褐色,细窄;外线赭白色,呈不规则波浪形外弯,在中褶处内凹,在 Cu_1 脉后强内弯;亚缘线赭白色,为不规则细锯齿形,自前缘脉后外斜至 R_5 脉,折向后;缘线黑褐色。雌性前翅内线黑褐色,波浪形,其内部亦黑褐色;外线为黑褐色双线,线外部亦黑褐色;亚缘线赭白色,为不规则锯齿形;内线与外线之间深褐色。后翅灰褐色,隐约可见黑褐色横脉纹;缘线黑褐色。腹部灰褐色。

分布:陕西(佛坪)、黑龙江、甘肃、浙江、西藏;俄罗斯,日本。

134. 贫夜蛾属 *Simplicia* Guenée, 1854

Simplicia Guenée, 1854, *in* Boisduval & Guenée: 15. **Type species**: *Herminia rectalis* Eversmann, 1842.

Libisosa Walker, 1859: 187. **Type species**: *Libisosa butesalis* Walker, 1859.

Culicula Walker, 1863: 178. **Type species**: *Culicula bimarginata* Walker, 1863.

Aginna Walker, 1865: 1022. **Type species**: *Aginna circumscripta* Walker, 865.

属征:喙发达;下唇须上弯,镰刀形,第 2 节越过头顶,第 3 节长;雄性触角为线形,有鬃毛。胸部与腹部被鳞片;雄性前足胫节有鞘,内生丛鳞。前翅无径副室,R_2 至 R_4 脉共柄。

分布:古北界,东洋界,澳洲界,非洲界,新热带界。秦岭地区分布 2 种。

(255)曲线贫夜蛾 *Simplicia niphona* (Butler, 1878)(图版 47:9)

Bocana niphona Butler, 1878: 56, pl. 38, fig. 8.

Simplicia niphona: Hampson, 1895: 36.

Nodaria niphona: Warren, 1913, *in* Seitz(c): 416.

鉴别特征:前翅长 14mm。头部、胸部及前翅黄褐色。前翅内线为褐色,波浪形;肾纹褐色,呈点状;外线为褐色,细锯齿形;亚缘线白色,近乎呈直线。后翅灰黄色;亚缘线白色,不明显;缘线褐色。腹部灰黄色。

采集记录:1♂2♀,宁陕火地塘,1538m,2012. Ⅶ. 11-15,姜楠采。

分布:陕西(佛坪、宁陕)、内蒙古、河北、甘肃、浙江、湖南、福建、台湾、海南、广西、云南、西藏;日本。

(256)斜线贫夜蛾 *Simplicia schaldusalis* (Walker, 1859)(图版 47:10)

Bocana schaldusalis Walker, 1859: 180. 16: 180.

Simplicia schaldusalis: Hampson, 1895: 35.

鉴别特征:前翅长 18mm。头部与胸部为褐色。前翅褐色;内线黑褐色,波浪形外弯;肾纹小,黑褐色,似 1 个长点;外线黑褐色,细锯形外弯;亚缘线黑褐色,自前缘近顶角处直线内斜至翅后缘,其内侧色暗。后翅褐色;亚缘线黑褐色,较直,在臀褶后不显,线内侧黑褐色较扩展,前窄后宽,似呈三角形。腹部褐色。

采集记录:1♂1♀,宝鸡天台山嘉陵江源头,1620m,2014. Ⅷ. 08-09,薛大勇采。

分布:陕西(宝鸡、佛坪、宁陕)、甘肃、广西、云南、西藏;斯里兰卡,马来西亚,新加坡,印度尼西亚。

135. 镰须夜蛾属 *Polypogon* Schrank, 1802

Polypogon Schrank, 1802: 161. **Type species**: *Phalaena tentacularia* Linnaeus, 1758.

Zanclognatha Lederer, 1857: 45, 211. **Type species**: *Pyralis tarsiplumalis* Hübner, 1796.

Mesoplectra Butler, 1879: 65. **Type species**: *Mesoplectra lilacina* Butler, 1879.
Adrapsoides Matsumura, 1925a: 153. **Type species**: *Adrapsa reticulatis* Leech, 1900.

属征:喙发达;额平滑,上方有向前伸的短尖毛簇;下唇须镰刀形,远超过头顶,第3节尖;雄性触角有鬃毛,往往在中部有1个疖形构造。前足有1撮可以伸张的长毛。幼虫在冬季仍能在干枯叶子上取食,在地面做1个白色丝茧化蛹。

分布:古北界,东洋界,新北界,澳洲界,非洲(北部)。秦岭地区分布3种。

(257)角镰须夜蛾 *Polypogon angulina* (Leech, 1900)(图版47:11)

Nodaria angulina Leech, 1900: 633.
Zanclognatha angulina: Warren, 1913, *in* Seitz(c): 419.
Polypogon angulina: Poole, 1989: 828.

鉴别特征:前翅长18mm。头部灰褐色;下唇须向上弯,超过头顶,第3节端部尖,黄褐色;胸部背面灰褐色。前翅灰褐色;内线粗,褐色,自前缘脉直线内斜,或在中室处稍曲;肾纹褐色,极细窄而弯曲;外线褐色,自前缘脉外斜至 M_1 脉折角直线内斜;亚缘线粗,深褐色,自顶角微曲内斜至臀角;缘线褐色。后翅色较浅;外线褐色,不清晰,自前缘后直线外斜至臀褶折向内;亚缘线粗,褐色,自 M_1 脉至臀褶,折角向内;缘线褐色。腹部灰褐色。

分布:陕西(宁陕)、甘肃、湖北、湖南、福建、海南、四川、云南。

(258)窄肾镰须夜蛾 *Polypogon fumosa* (Butler, 1879)(图版47:12)

Herminia fumosa Butler, 1879: 62, pl. 56, fig. 8.
Zanclognatha assimilis Staudinger, 1888: 275.
Nodaria fumosa: Leech, 1900: 635.
Zanclognatha fumosa: Herz, 1904: 323.
Polypogon fumosa: Poole, 1989: 829.

鉴别特征:前翅长15mm。头部与胸部为暗褐色微杂灰色,前足毛束为紫灰色。前翅暗褐色带灰色;内线黑褐色,外弯;肾线为1条黑色曲纹,极窄;外线黑褐色,微锯齿形,外弯,在 Cu_1 脉后内弯,在2A脉处稍外凸;亚缘线黑褐色,较直,内斜,外侧衬灰白色;端区色深,缘线黑色,细;缘毛灰褐色,基部有1条黄白色线,端部近黑色。后翅色似前翅,基部色浅;外线黑褐色,在中室后明显,较直外斜,在臀褶处折角,再向内折;缘线黑色;缘毛基部有1条黄白色线。腹部暗褐色。

采集记录:1♂,太白黄柏塬,1350m,1980.Ⅶ.13,张宝林采。

分布:陕西(太白)、黑龙江;俄罗斯,朝鲜,日本。

(259)**扁镰须夜蛾 *Polypogon tarsipennalis*(Treitschke, 1835)**(图版 47:13)

Herminia tarsipennalis Treitschke, 1835: 5.
Zanclognatha tarsipennalis: Graeser, 1889: 379.
Polypogon tarsipennalis: Poole, 1989: 831.

鉴别特征:前翅长 13mm。头部与胸部为灰褐色,雄性触角线形。前翅灰褐色;内线黑褐色,外弯,在中室前缘及臀褶处稍外凸;肾纹窄小,黑褐色;中线不显;外线黑褐色,外弯,臀褶后较直后行;亚缘线黑褐色,近呈直线,自近顶角处的前缘脉内斜;翅外缘有 1 列黑点。后翅浅褐色;外线暗褐色;亚缘线灰白色,前段不明显;缘线黑褐色。腹部灰褐色。

分布:陕西(太白)、湖北;日本,欧洲。

(十八)金翅夜蛾亚科 Plusiinae

鉴别特征:喙通常发达;下唇须向上伸,偶有向前伸,有时在第 2 节及第 3 节上有毛簇,第 3 节特别长;额平滑,具大毛簇;复眼大,圆形,具睫毛;雄性触角线形,具细纤毛,少数双栉形或锯齿形。胸部被毛及毛状鳞,中后胸具毛簇;胫节外缘具长毛,少数属各胫节上有刺或只在后足胫节上具刺。腹部基部几节有毛簇。前翅大多有金色、银色或红铜色斑纹;臀角有鳞齿;一般有径副室,R_3 和 R_4 共柄。后翅 M_2 发达,弯曲,基部接近 M_3。幼虫无第 1 对及第 2 对腹足,仅个别属 4 对腹足俱全;趾钩多为双序。以幼虫或蛹越冬。

分类:陕西秦岭地区发现 10 属 18 种。

136. 银纹夜蛾属 *Agrapha* Hübner, 1821

Agrapha Hübner, 1821: 250. **Type species**: *Agrapha ahenea* Hübner, 1821.
Acanthoplusia Dufay, 1970a: 104. **Type species**: *Phytometra tarassota* Hampson, 1913.
Ctenoplusia Dufay, 1970b: 91. **Type species**: *Plusia limbirena* Guenée, 1852.

属征:下唇须短;额平滑,无突起;雄性触角线形。各足胫节无刺。腹部第 1、3 节背面和腹侧有鳞簇。前翅较短宽;楔形纹除白条夜蛾外多为 1 个"U"形银斑和 1 个圆形或椭圆形斑纹。雄性外生殖器抱器瓣狭长,腹缘具多支梳状刺。

分布:全世界。秦岭地区分布 2 种。

(260)**银纹夜蛾 *Agrapha agnata*(Staudinger, 1892)**(图版 47:14)

Plusia agnata Staudinger, 1892a: 547.

Acanthoplusia agnate: Sugi, 1982, *in* Inoue, *et al.*: 836/388, pl. 200: 25, 26.

Agrapha agnata: Poole, 1989: 38.

鉴别特征:前翅长 15 ~ 17mm。头部、胸部及腹部为灰褐色。前翅深褐色,外线以内的臀褶后方及外区带金色;亚基线、内线为银色;Cu_2 脉基部有 1 个褐色心形银斑,其外后方有 1 个银色斑;肾纹褐色;外线为褐色双线,波浪形;亚缘线黑褐色,锯齿形;缘毛中部有 1 个黑斑。后翅暗褐色。

采集记录:1♂,柞水营盘镇,953 ~ 995m,2014. Ⅶ. 29-31,刘淑仙采。

分布:陕西(留坝、佛坪、柞水),全国分布;俄罗斯,朝鲜,日本,缅甸,印度,菲律宾,印度尼西亚,澳大利亚,西亚,欧洲,非洲,夏威夷。

(261)白条夜蛾 *Agrapha albostriata* (**Bremer *et* Grey, 1853**)(图版 47:15)

Plusia albostriata Bremer *et* Grey, 1853b, *in* Motschulsky: 65.

Ctenoplusia albostriata: Sugi, 1982, *in* Inoue, *et al.*: 836/388, pl. 200: 23, 24.

Agrapha albostriata: Poole, 1989: 38.

鉴别特征:前翅长 15mm。头部及胸部为褐色,颈片有黑线,腹部暗褐色。前翅亚基线、内线及外线为黑褐色;内、外线间色较深,有 1 个褐白色斜条自中室沿 Cu_2 脉伸至外线;肾纹黑边;亚缘线为黑褐色,锯齿形。后翅淡褐色,外半部色较深。

采集记录:1♀,周至厚畛子,1300m,2007. Ⅷ. 10,李文柱采;1♀,佛坪,900m,2008. Ⅶ. 05,崔俊芝采;1♂2♀,宁陕火地塘,1538m,2012. Ⅶ. 11-15,姜楠采。

分布:陕西(周至、佛坪、宁陕)、河北、甘肃、湖北、广东;朝鲜,日本,非洲。

137. 银辉夜蛾属 *Chrysodeixis* Hübner, 1821

Chrysodeixis Hübner, 1821: 252. **Type species**: *Phalaena chalcites* Esper, 1789.

Neoplusia Okano, 1963: 91. **Type species**: *Neoplusia furihatai* Okano, 1963.

Shensiplusia Chou *et* Lu, 1974: 67. **Type species**: *Shensiplusia nigribursa* Chou *et* Lu, 1974.

属征:头部、胸部、腹部特征近似银纹夜蛾属。雄性腹部两侧毛簇十分发达。前翅楔形纹为"U"形银纹,其后有 1 个较大的圆形或椭圆形银斑。

分布:古北界,东洋界,澳洲界,非洲界。秦岭地区分布 1 种。

(262)毛银辉夜蛾 *Chrysodeixis eriosoma* (**Doubleday, 1843**)(图版 47:16)

Plusia eriosoma Doubleday, 1843, *in* Dieffenbach: 285.

Chrysodeixis eriosoma: Dufay, 1965: 196.

别名:南方银纹夜蛾。

鉴别特征:前翅长15mm。头部与胸部深黄褐色,足褐色。前翅红褐色带金色光泽;亚基线银色,止于臀褶;内线为银色双线,波浪形,在中室以后内斜;环纹为褐色,斜圆形,不显著;中室后缘有1个"U"形银斑,中央红褐色,其外后方连1个银点;肾纹暗红褐色微带金色,不明显;外线为红褐色双线,线间金色,在臀褶处弯曲;内外线间色较深;亚缘线为暗褐色双线,波浪形,不清晰;端区色较灰,缘线为灰褐色,波浪形;缘毛灰褐色,在M_3处有1个黑点。后翅暗褐色带金色光泽。腹部背面灰褐色,前端有1个大毛簇,色较深。

分布:陕西(留坝、佛坪)、甘肃、广东;日本,印度,马来西亚,澳大利亚,新西兰,非洲。

138. 粉纹夜蛾属 *Trichoplusia* McDunnough, 1944

Trichoplusia McDunnough, 1944: 204. **Type species**: *Plusia brassicae* Riley, 1870.

Thysanoplusia Ichinosé, 1973: 137. **Type species**: *Phytometra intermixta* Warren, 1913.

属征:下唇须中长,额平滑,无突起;触角线形。足胫节无刺。腹部背面有毛簇。前翅具大片金斑或楔形纹(1条或长或短的斜纹)。雄性外生殖器抱器瓣狭长,端部膨大,抱器腹边缘无刺。

分布:古北界,东洋界,新北界,非洲界。秦岭地区分布3种。

(263) 拟中金翅夜蛾 *Trichoplusia orichalcea* (Fabricius, 1775)(图版47:17)

Noctua orichalcea Fabricius, 1775: 607.

Noctua aurifera Hübner, 1813: pl. 98: 463.

Trichoplusia orichalcea: Ichinosé, 1973: 137.

别名:金弧夜蛾。

鉴别特征:前翅长16~17mm。头部、胸部为黄褐色杂暗褐色,触角灰白色,有褐色环纹;翅基片近基部有1条褐色线;足褐色。前翅暗褐色,端半部大片金色,自前缘脉后至臀褶,其后部向内行至中室后缘环纹之后,向内凸出1个尖齿;环纹暗褐色,细银边,圆形;肾纹暗褐色,微有细银边,外侧内凹;外线为褐色双线,前部内斜,后部外斜,中段没入金斑;亚缘线褐色内斜,锯齿形;缘线褐色,其内侧有1条锯齿形褐色线;亚基线、内线和外线均有金色光泽。后翅内半部为灰白色至淡褐色,端半部深褐色。腹部浅灰褐色。

分布:陕西(周至、西乡)、甘肃、江苏、广东、广西、四川、贵州、云南;日本,印度,斯里兰卡,阿富汗,印度尼西亚,欧洲,非洲。

(264)中金翅夜蛾 *Trichoplusia intermixta*(Warren, 1913)(图版47:18)

Phytometra intermixta Warren, 1913, *in* Seitz(c): 357, pl. 64: g.

Phytometra brachychalcea Hampson, 1913: 481, pl. 237: 18.

Diachrysia intermixta: Kostrowicki, 1961: 395.

Thysanoplusia intermixta: Ichinosé, 1973: 137.

Trichoplusia intermixta: Dufay, 1973: 394.

鉴别特征:前翅长18mm。头部与胸部为红褐色,触角背面有白褐相间的鳞片;翅基片及胸部后部褐色;足褐色;腹部黄白色,基节毛簇褐色,腹部侧面及末端带红褐色。前翅深褐色;亚基线和内线灰色,细;环纹和肾纹为灰色细纹,均不明显;翅端半部由前缘外1/4处起至M_1后向内伸,最后沿Cu_2扩展至中室后缘的部分为大片金黄色;外线前半段褐色,明显,后半段不清晰;亚缘线、缘线和缘毛褐色。后翅黄白色,端半部浅褐色;中室端有褐色纹;缘毛黄褐色。前翅反面黄褐色,前缘部分带红褐色,R脉后和亚缘线内侧暗褐色。

采集记录:1♂,宁陕火地塘,1538m,2012.Ⅶ.11-15,姜楠采。

分布:陕西(周至、太白、武功、宁陕、商洛)、甘肃、湖北、四川、贵州;朝鲜,日本,印度,印度尼西亚。

(265)粉纹夜蛾 *Trichoplusia ni*(Hübner, 1803)(图版47:19)

Noctua ni Hübner, 1803: pl. 58, fig. 284.

Plusia humilis Walker, 1858: 915.

Plusia extrahens Walker, 1858: 929.

Plusia significans Walker, 1858: 930.

Plusia innata Herrich-Schäffer, 1868: 184.

Plusia brassicae Riley, 1870: 32.

Plusia echinocystidis Strecker, 1874: 94.

Trichoplusia ni: McDunnough, 1944: 204.

别名:粉斑夜蛾。

鉴别特征:前翅长13~15mm。头部与胸部为深灰褐色,足褐色。前翅深灰褐色至深褐色,略有金色光泽;亚基线灰白色,其外侧在中室后有黑斑;内线为淡褐色双线,呈波浪形,在中室以后内斜;环纹灰色,带黑边,内有1个褐色圈;中室后方有1个“U”形银斑,与1个银白色点相连;外线为淡褐色双线,波浪形,线间白色;内、外线间色较深;亚缘线黑褐色,锯齿形,其外侧灰褐色;缘毛深褐色与淡褐色相间。后翅基半部色浅,端半部黑褐色且带金色光泽。腹部背面深灰褐色,毛簇深褐色。

分布:陕西(武功、商南、商洛、紫阳)、山西、河南、甘肃、广西;日本,印度,中亚,欧洲,非洲。

139. 隐纹夜蛾属 *Zonoplusia* Chou *et* Lu, 1979

Zonoplusia Chou *et* Lu, 1979: 15. **Type species**: *Plusia ochreata* Walker, 1865.

属征:下唇须短,末节端部圆;额平滑,无突起;触角为线形。足胫节无刺,后足第1跗节有栉状刺列。腹部背面有毛簇。前翅短宽,顶角钝,臀角鳞齿发达;楔形纹为1条或长或短的条纹,白色或灰白色,不呈银色的"Y"形纹或中断成两个银斑。抱器瓣狭长,抱器腹边缘无刺。

分布:东洋界,澳洲界。秦岭地区分布1种。

(266) 隐纹夜蛾 *Zonoplusia ochreata* (Walker, 1865) (图版47:20)

Plusia ochreata Walker, 1865: 839.

Zonoplusia ochreata: Chou & Lu, 1979:15.

鉴别特征:前翅长9~10mm。头部与胸部为红褐色,胸部背面杂灰色和褐色,翅基片有1条黑纹;腹部淡黄色杂褐色,毛簇端部深褐色。前翅淡紫色微饰红褐色,亚缘线外方区域除臀角外均带金色;亚基线暗红褐色,外侧有1条银色细线止于中室前缘;内线银白色,两侧暗红褐色,自前缘脉外斜,内弯于中室,再内斜;环纹红褐色且带银边,斜条形,其后有1个斜条形银斑,端部尖,伸近外线;肾纹暗褐色,微现细白环;外线褐色,外侧白色,自前缘脉外斜至 M_2,折向内斜,在臀褶处再折向外斜;前缘脉上有白点;亚缘线褐色,在 R_5 及 Cu_1 前各有1个外凸,在2A处微外凸。后翅淡紫色杂淡褐色,基部淡黄色。

分布:陕西(安康)、四川、云南;朝鲜,日本,印度,斯里兰卡,越南,菲律宾,新加坡,印度尼西亚,澳大利亚。

140. 金弧夜蛾属 *Diachrysia* Hübner, 1821

Diachrysia Hübner, 1821:252. **Type species**: *Diachrysia orichalcea* Fabricius, sensu Hübner, 1821 [*Diachrysia orichalcea* Fabricius, sensu Hübner, 1821 is a misidentification of *Phalaena chryson* Esper, 1789].

属征:前翅有或无金属色斑纹,顶角较尖锐。雄性外生殖器抱器瓣较狭长,有1个刺状或指状抱器内突;囊形突多为“U”形,凸出部分非常短小或无;阳茎端膜常有1个短小角状器。

分布:古北界,东洋界(北部),新北界。秦岭地区分布3种。

(267)八纹夜蛾 *Diachrysia leonina* (Oberthür, 1884)(图版47:21)

Plusia leonina Oberthür, 1884b: 26, pl. 3: 11.

Diachrysia leonina: Sugi, 1982, *in* Inoue, *et al.*: 833/387, pl. 200: 3.

鉴别特征:前翅长23~24mm。头部黄褐色,下唇须发达,外侧黄褐色;胸部褐色,背毛簇末端灰黑色;腹部淡黄褐色,第1节和第3节背毛簇深灰褐色。前翅顶角尖锐,外缘中部外凸;翅面灰褐色;亚基线黑褐色,两侧银灰色,其外侧前缘有1个黑斑;内线黑褐色,前1/3细弱,在R脉处凸出1个齿后向内折,斜行至后缘并逐渐增粗,微呈弧形;环纹不明显;肾纹黑褐色;无银斑;中线黑褐色,微波状;外线黑褐色,波浪形,在R_5与M_1间外凸;亚缘线灰褐色,微波状;缘线黄白色,内侧黑褐色;缘毛灰褐色。后翅褐色,外线弧形,其外侧色渐深;缘线褐色;缘毛灰褐色。

采集记录:2♂,周至厚畛子,1300m,2007.Ⅷ.10,李文柱采。

分布:陕西(周至、太白、宁陕)、黑龙江、吉林、河北、甘肃;日本。

(268)金翅夜蛾 *Diachrysia chrysitis* (Linnaeus, 1758)(图版47:22)

Phalaena (*Noctua*) *chrysitis* Linnaeus, 1758: 513.

Diachrysia chrysitis: Hübner, 1821: 252.

鉴别特征:前翅长17mm。头部黄褐色;下唇须较长,斜向上伸,到达或超过头顶;触角黄褐色,基节白色;胸部深褐色,后胸两侧有淡黄色长毛;足淡黄褐色。前翅基部有黄褐色长毛。腹部灰褐色,第1节背毛簇褐色。前翅深褐色,大部分被金绿色占据,具强烈的金属光泽,仅在翅基部、前缘中部和后缘中部留下3个深褐色斑,其中前缘中部的斑较大,下端到达中室下缘;亚缘线深褐色,呈波状,其外侧散布褐色;缘线和缘毛褐色。后翅深褐色,翅端部色较深;缘毛黄褐色。

分布:陕西(太白)、吉林、辽宁、河北、山西、新疆;俄罗斯,欧洲。

(269)碧金翅夜蛾 *Diachrysia nadeja* (Oberthür, 1880)(图版47:23)

Plusia nadeja Oberthür, 1880: 84.

Diachrysia nadeja: Sugi, 1982, *in* Inoue, *et al.*: 833/387, pl. 200: 5, 6.

鉴别特征:前翅长19mm。头部淡黄褐色,下唇须杂有褐色鳞;胸部黄褐色,翅基片及胸部后缘为褐色,足杂有褐色鳞;腹部淡褐色,第 1 节毛簇呈褐色。前翅大部分为金绿色,翅基部褐色;亚基线可见前缘中部有三角形褐斑向后伸至臀褶,外侧略凹;肾纹不明显;后缘中部有 1 个半圆形褐斑;亚缘线在金色区前可见;缘线细,不明显;缘毛褐色。后翅淡褐色,中部及外缘色较深,缘毛淡褐色;翅反面淡黄色,前翅 R 脉后除基部外均为灰色,外线在前半部可见。

分布:陕西(秦岭)、黑龙江、辽宁、内蒙古、山西、河南;俄罗斯,朝鲜,日本。

141. 葫芦夜蛾属 *Anadevidia* Kostrovicki, 1961

Anadevidia Kostrovicki, 1961: 384. **Type species**: *Noctua peponis* Fabricius, 1775.
Podioplusia Ichinosé, 1962: 250. **Type species**: *Noctua peponis* Fabricius, 1775.

属征:近似金弧夜蛾属 *Diachrysia*。前翅无成块的金属色斑纹,顶角较钝圆。雄性外生殖器抱器瓣狭长,无抱器内突;囊形突呈狭长的"V"形,中部具 1 对小侧突;阳茎具 1 支钩状或刺状角状器。

分布:古北界,东洋界,澳洲界。秦岭地区分布 2 种。

(270) 葫芦夜蛾 *Anadevidia peponis* (Fabricius, 1775) (图版 47:24)

Noctua peponis Fabricius, 1775: 608.
Plusia agramma Guenée, 1852, *in* Boisduval & Guenée: 327.
Plusia inchoata Walker, 1865: 841.
Plusia fumifera Graeser, 1889: 263.
Anadevidia peponis: Kostrovicki, 1961: 384.

鉴别特征:前翅长 14 ~ 15mm。头部、胸部为黑褐色,胸部腹面色较浅。前翅深褐色,带黑色条纹,外线以外除臀角外有金色光泽;亚基线不清;内线灰色,双线,波浪形;中室在内线以外灰褐色;环纹有极模糊的灰白色边,中心黑褐色;肾纹黑褐色,具灰白色边,不清晰;外线为灰褐色双线,波浪形,其内侧衬黑褐色条;亚缘线为黑褐色,呈锯齿形,不清晰;端区色深,中室后方及外线以外均满布铜色小点。后翅灰褐色,端半部黑褐色。腹部背面灰褐色。

分布:陕西(武功)、北京、甘肃、江西、广东、西藏;俄罗斯,日本,印度,斯里兰卡,印度尼西亚,澳大利亚。

(271) 瓜夜蛾 *Anadevidia hebetata* (Butler, 1889) (图版 47:25)

Plusia hebetata Butler, 1889: 71.
Anadevidia hebetata: Chou & Lu, 1974: 67.

鉴别特征:前翅长 20 ~ 21mm。头部与胸部为灰褐色,后胸毛簇色较深;足灰褐色。前翅褐色,中室后方及端部有青金色光泽;亚基线灰褐色;内线灰褐色,在中室以后内斜;环纹褐色,不明显;肾纹褐色,内部有 1 条细"Y"形纹,不明显;中线灰褐色,后半较粗;外线为黑褐色,呈锯齿形;亚缘线仅后端可见灰褐色;缘线黑褐色。后翅淡褐色,端半部色较深。腹部浅灰褐色。

分布:陕西(太白山)、广东;日本,印度。

142. 丫纹夜蛾属 *Autographa* Hübner, 1821

Autographa Hübner, 1821: 251. **Type species**: *Phalaena gamma* Linnaeus, 1758.

属征:下唇须短,第 3 节特别短,端部钝圆;额平滑,无突起;雄性触角为线形。各足胫节无刺。腹部细长,第 1 节至第 3 节背面有发达毛簇。前翅狭长,多为"Y"形银纹。

分布:古北界,东洋界,新北界,新热带界。秦岭地区分布 1 种。

(272) 黑点丫纹夜蛾 *Autographa nigrisigna* (Walker, 1858) (图版 47:26)

Plusia nigrisigna Walker, 1858: 928.
Autographa nigrisigna: Hirata, 1967: 107.

别名:黑点银纹夜蛾。

鉴别特征:前翅长 16mm。体灰褐色;触角深褐色,背面带白色;颈片后缘白色;足褐色。前翅灰褐色;亚基线、内线和外线浅色,细线,两侧色较深,亚基线后端内侧黑色;内、外线间在中室后的部分褐色,近中室处黑褐色,有 1 条银线连接外线,沿 Cu_2 向后弯曲,终止于中室,线与中室间的部分为灰褐色,在此线向后弯曲处有 1 个略呈三角形的银斑连接;环纹长形,近中室后缘处为银色弧形,其内黑褐色;肾纹为浅色或银色线,外缘内凹,线侧黑褐色;亚缘线内侧暗色,外缘有褐色细线,其内有浅色带;缘毛灰褐色。后翅淡褐色,外缘处色较淡。翅反面淡褐色,前翅银斑处色浅,后翅中部有不明显的横线。

分布:陕西(太白、武功),华北、西北、西南;俄罗斯,日本,印度,欧洲。

143. 银锭夜蛾属 *Macdunnoughia* Kostrowicki, 1961

Macdunnoughia Kostrowicki, 1961: 402. **Type species**: *Plusia confusa* Stephens, 1850.
Scleroplusia Ichinosé, 1962: 249. **Type species**: *Plusia confusa* Stephens, 1850.

Puriplusia Chou *et* Lu, 1974: 71, 77. **Type species**: *Plusia purissima* Butler, 1878.

属征:下唇须短,第3节端部钝圆;额平滑,无突起;雄性触角线形。各足胫节无刺。腹部较短,第1节至第3节背面有小鳞簇。前翅短而宽,有银纹。

分布:古北界,东洋界。秦岭地区分布3种。

(273)瘦银锭夜蛾 *Macdunnoughia confusa* (Stephens, 1850)(图版47:27)

Plusia confusa Stephens, 1850: 291.

Macdunnoughia confuse: Kostrowicki, 1961: 402.

Scleroplusia confuse: Ichinosé, 1962: 249.

鉴别特征:前翅长15mm。头部、胸部、腹部为灰色杂淡褐色,颈片、翅基片及毛簇端部灰色。前翅灰褐色,散布深褐色细点,中室后方带红褐色;亚基线灰色,微外弯,止于2A;内线自前缘脉至中室灰色,中室以后银色,内斜;中室后的"U"形银色实心斑连接另1个银斑,呈凹槽形;肾纹暗褐色,外缘中部凹;外线为褐色双线,自前缘脉外行,再折向内斜,至Cu_2后其外缘银色;亚缘线褐色,弯至M_3前,然后在M_3及Cu_1后凸出小齿,斜至臀角;缘线细,褐色,其内侧有1条窄白带,自前缘脉至Cu_2。后翅黄褐色,外缘色较暗;缘毛白色。

采集记录:1♂,周至楼观台,680m,2008.Ⅵ.23,李文柱采。

分布:陕西(周至、武功)、新疆;俄罗斯,朝鲜,日本,亚洲(西部),欧洲。

(274)银锭夜蛾 *Macdunnoughia crassisigna* (Warren, 1913)(图版47:28)

Phytometra crassisigna Warren, 1913, *in* Seitz(c): 352, pl. 65: b.

Macdunnoughia crassisigna: Kostrowicki, 1961: 404.

别名:连纹夜蛾。

鉴别特征:前翅长16mm。头部与胸部为灰褐色,后胸有大毛簇;足暗褐色。前翅亚基线褐色;内线在中室以后银白色内斜,其外缘褐色;肾纹褐色,微呈银白色边;中室后方的"U"形银色实心斑与银色点相连,成一凹槽形;中线褐色,极不清晰;外线褐色杂银色;亚缘线黑褐色,呈锯齿形;缘线褐色;端区有1条灰色细带。后翅暗褐色杂银色。腹部背面灰褐色。

分布:陕西(武功)、北京;朝鲜,日本,印度。

(275)淡银锭夜蛾 *Macdunnoughia purissima* (Butler, 1878)(图版47:29)

Plusia purissima Butler, 1878a: 202.

Puriplusia purissima: Chou & Lu, 1974: 71, 77.

Macdunnoughia purissima: Dufay, 1977: 140.

别名:淡银纹夜蛾。

鉴别特征:前翅长13~15mm。体灰色,触角褐色,后胸及第1腹节毛簇黑褐色,足淡褐色。前翅灰色;亚基线、内线在中室后的部分及外线和亚缘线均为黑褐色斜行;内、外线间在中室后暗褐色,其内在Cu_2上有两个三角形银斑,中室后外侧有1个暗褐色斑,隐见1条暗色条向内斜伸至前缘;外缘淡褐色;缘毛灰色。后翅淡褐色,端半部色较深,中部有1条深色细条。前翅反面淡褐色,亚缘线内侧色较深;后翅反面中部的暗色条较明显,端部杂有褐点,缘毛色较淡。

采集记录:2♂,佛坪龙草坪,1200m,2008.Ⅶ.03,葛斯琴采。

分布:陕西(周至、留坝、佛坪、宁陕)、甘肃,华北、华东、西南;朝鲜,日本,印度。

144. 饰银纹夜蛾属 *Antoculeora* Ichinosé, 1973

Antoculeora Ichinosé, 1973: 136. **Type species**: *Plusia ornatissima* Walker, 1858.

Cerviplusia Chou *et* Lu, 1974: 72. **Type species**: *Cerviplusia wukongensis* Chou *et* Lu, 1974.

别名:鹿铗夜蛾属。

属征:下唇须中等长,第3节短,端部尖锐。足胫节无刺。腹部第1节有毛簇。前翅有银色斑纹。雄性外生殖器抱器瓣呈鹿角状分叉,具发达抱器腹突。

分布:中国;俄罗斯,朝鲜,日本,印度。秦岭地区分布1种。

(276)饰银纹夜蛾 *Antoculeora ornatissima* (Walker, 1858)(图版47:30)

Plusia ornatissima Walker, 1858: 1786.

Plusia locuples Oberthür, 1880: 85.

Cerviplusia wukongensis Chou *et* Lu, 1974: 73.

Antoculeora ornatissima: Ichinosé, 1973: 136.

别名:鹿铗银纹夜蛾。

鉴别特征:前翅长15~18mm。头部橘红色,触角褐色,基部有白色;下唇须第1节橘红色,第2节黑褐色,末端橘红色,第3节黑褐色;胸部红褐色,颈片基部及中部有橘红色,翅基片中部带橘红色;足褐色,前足、中足胫节带橘红色;腹部褐色,毛簇上杂橘红色,腹面褐色。前翅红褐色,内、外线间翅基部前缘及外缘均黄色并具金光;中室后的银纹明显,为1对相接近的椭圆形大斑;中室内另有两个小银点靠近上面的大银斑;中室端部在M_3和Cu_1基部有1个很小的金点;缘毛褐色。后翅褐色,基部色较浅;缘毛淡褐色,具褐斑。翅反面淡褐色,外缘黄褐色;后翅基部灰褐色,外线明显;中室端有褐色纹。

采集记录:1♀,周至厚畛子,1300m,2008. Ⅷ. 10,李文柱采;1♂,佛坪龙草坪,1200m,2008. Ⅶ. 03,白明采;3♂,宁陕火地塘,1538m,2012. Ⅶ. 11-15,姜楠采。

分布:陕西(周至、武功、佛坪、宁陕)、黑龙江、湖北、西藏;俄罗斯,朝鲜,日本,印度。

145. 黑银纹夜蛾属 *Sclerogenia* Ichinosé, 1973

Sclerogenia Ichinosé, 1973: 135. **Type species**: *Plusia jessica* Butler, 1878.

Melanoplusia Chou *et* Lu, 1978: 73, 77. **Type species**: *Plusia jessica* Butler, 1878.

属征:下唇须长,第3节极短,几乎消失。前足胫节有刷状毛簇。腹部第1节背面有毛簇。前翅黑色,有银色斑。雄性外生殖器抱器瓣短而宽,抱器背增厚,延伸成1个牛角状端突,向下弯曲。

分布:中国;日本。秦岭地区分布1种。

(277) 黑银纹夜蛾 *Sclerogenia jessica* (**Butler, 1878**)(图版47:31)

Plusia jessica Butler, 1878:201.

Sclerogenia jessica: Ichinosé, 1973: 135.

Melanoplusia jessica: Chou & Lu, 1978: 73.

鉴别特征:前翅长13mm。头部灰色;胸部紫灰黑色,杂有白色;腹部灰褐色。前翅紫灰黑色,杂有黑色或黑褐色条纹和晕斑,中区下半部黑色;亚基线淡紫色,两侧黑色;内线白色,两侧黑色,内侧杂紫灰色,在前缘下向外凸出成角,中室内向内弯曲,其下波状内斜;环纹黑色,有紫色边,狭而斜;中室下"Y"形银斑明显,基部带黑色,尾部长,略扩大;肾纹紫灰色,有淡紫色边,上下部有黑纹,外侧中部内凹;外线紫灰色,内斜,波状,在臀褶处向内凹,两侧有黑褐色晕斑;翅前缘在外线附近有3个淡紫色小点;亚缘线黑褐色,内侧带黑褐色杂紫灰色,外侧紫黑灰色杂褐色,锯齿形,在 R_5 与 M_1 处向外凸出,在 M_3 下和 Cu_1 下有两个凸齿;缘线紫灰色,沿外缘有1列黑色的新月形点。后翅灰褐色,脉纹和端区深褐色。

分布:陕西(凤县、西乡)、山东、湖北、湖南;日本。

参考文献

蔡邦华，侯陶谦. 1980. 中国枯叶蛾科的新种. 昆虫分类学报，2(4)：257-266.

蔡邦华，刘友樵. 1962. 中国松毛虫属(Dendrolimus Germar：Lasiocampidae)的研究及新种记述. 昆虫学报，11(3)：237-252，图版 1-5.

蔡邦华，侯陶谦. 1976. 中国松毛虫属及其近缘属的修订(枯叶蛾科). 昆虫学报，19(4)：443-452. 图版Ⅰ-Ⅶ.

蔡荣权. 1979a. 中国经济昆虫志. 第十六卷，鳞翅目舟蛾科. 北京：科学出版社，166 页.

蔡荣权. 1979b. 中国舟蛾科的新属新种. 昆虫学报，22:462-467.

蔡荣权. 1992. 鳞翅目:刺蛾科、舟蛾科和异舟蛾科. 见:陈世骧主编，横断山昆虫Ⅱ. 916-925 页.

陈小钰. 1985. 钩蛾科二新种记述. 昆虫分类学报，7(4)：277-280.

陈一心. 1982a. 中国蛾类图鉴Ⅲ. 北京:科学出版社，pp. 237-390，pls 76-118.

陈一心. 1982b. 夜蛾科新种及新亚种记述. 昆虫学报，25(4)：434-435.

陈一心. 1985. 中国经济昆虫志. 第三十二卷，鳞翅目夜蛾科Ⅳ. 北京：科学出版社，xiv + 167 页，15 图版.

陈一心. 1986. 夜蛾科新种记述. 昆虫学报，29(2)：211-213.

陈一心. 1999. 中国动物志. 昆虫纲第十六卷，鳞翅目夜蛾科. 北京:科学出版社，1596 页，68 图版.

方承莱. 1986c. 华苔蛾属新种记述. 动物学集刊，4：180-182.

方承莱. 2000. 中国动物志. 昆虫纲第十九卷，鳞翅目灯蛾科. 北京：科学出版社. 589 页，20 图版.

方承莱. 1986a. 中国金苔蛾属新种记述. 动物学集刊，4：175-177.

方承莱. 1986b. 中国绵苔蛾属的研究及新种记述. 动物学集刊，4：178-179.

方承莱. 1990. 中国华苔蛾属的研究及新种记述. 动物学集刊，7：157-166.

方承莱. 1991a. 中国痣苔蛾属的研究. 动物学集刊，8：377-380.

方承莱. 1991b. 中国美苔蛾属的研究. 动物学集刊，8：383-397.

方承莱. 1992. 中国雪苔蛾属的研究. 动物学集刊，9：253-266.

方承莱. 1993. 中国艳苔蛾属的研究. 动物学集刊，10：355-361.

方承莱. 2000. 中国动物志. 昆虫纲第十九卷，鳞翅目灯蛾科. 北京:科学出版社，589 页，20 图版.

韩红香，薛大勇. 2011. 中国动物志. 昆虫纲第五十四卷，鳞翅目尺蛾科尺蛾亚科. 北京:科学出版社，787 页，929 图，20 图版.

侯陶谦. 1980. 中国的天幕毛虫(鳞翅目:枯叶蛾科). 昆虫学报，23(3)：308-313.

侯陶谦. 1986. 中国松毛虫属及其近缘属的新种(鳞翅目:枯叶蛾科). 昆虫分类学报，8(1-2)：75-83.

侯陶谦. 1987. 中国松毛虫. 北京：科学出版社，311 页，27 图版.

刘友樵，武春生. 2003. 中国动物志. 昆虫纲第四十七卷，鳞翅目枯叶蛾科. 北京:科学出版社，385 页，8 图版.

刘友樵, 武春生. 2006. 中国动物志. 昆虫纲第四十七卷, 鳞翅目枯叶蛾科. 北京: 科学出版社, 385 页.

孟绪武. 1989. 中国鹰天蛾属一新种. 昆虫分类学报, 11(4): 299-300.

王林瑶. 2005. 鳞翅目: 网蛾科 蚕蛾科 大蚕蛾科 蚬蛾科 锚纹蛾科 圆钩蛾科 钩蛾科 凤蛾科 蛱蛾科 天蛾科. 杨星科主编. 秦岭西段及甘南地区昆虫. 北京: 科学出版社, 517-531 页.

王效岳. 1997-1998. 台湾尺蛾科图鉴. 台北: 台湾省立博物馆, (1): 1-405 (1997); (2): 1-399 (1998).

武春生, 方承莱. 2003c. 中国动物志. 昆虫纲第三十一卷, 鳞翅目舟蛾科. 北京: 科学出版社, 952 页.

薛大勇, 韩红香. 2005. 鳞翅目: 尺蛾科. 杨星科主编, 秦岭西段及甘南地区昆虫. 北京: 科学出版社, 588-627 页.

薛大勇, 朱弘复. 1999. 中国动物志. 昆虫纲第十五卷, 鳞翅目尺蛾科花尺蛾亚科卷. 北京: 科学出版社, 1090 页, 1197 图, 25 图版.

薛大勇. 1992. 鳞翅目: 尺蛾科. 刘友樵主编, 湖南森林昆虫. 长沙: 湖南科学技术出版社, 807-904 页.

薛大勇. 1997. 鳞翅目: 尺蛾科. 杨星科主编, 长江三峡库区昆虫. 重庆: 重庆出版社, 1221-1266 页.

薛大勇主编. 2010. 动物标本采集、保藏、鉴定和信息共享指南. 北京: 中国标准出版社, 442 页.

杨集昆, 吴鸿. 1995. 舟蛾科. 见: 吴鸿主编, 华东百山祖昆虫. 北京: 中国林业出版社, 333-340 页.

杨集昆. 1964. 中国夜蛾科新种描述. 昆虫学报, 13(3): 455-460.

杨集昆. 1978. 华北灯下蛾类图志(中). 北京: 北京农业大学, 301-527 页, 图版 13-40.

杨集昆. 1995. 鳞翅目: 舟蛾科. 见: 朱延安主编, 浙江古田山昆虫和大型真菌. 杭州: 浙江科技出版社, 159-164 页.

张荣祖. 1979. 中国自然地理——动物地理. 北京: 科学出版社, viii + 121 页.

张荣祖. 1999. 中国动物地理. 北京: 科学出版社, xiv + 502 页.

张秀荣, 杨集昆. 1993. 水蜡蛾一新属一新种(鳞翅目: 水蜡蛾科). 昆虫分类学报, 15(1): 48-51.

赵清山, 邬文波, 吕国平, 陈泰峰, 林庆源. 1999. 松毛虫种间杂交及其遗传规律的研究. 林业科学, 35(4): 45-50.

赵万源, 张时敏. 黑龙江松天蛾新亚种的研究. 1992. 昆虫学报, 55(1): 95-98.

赵仲苓. 1984. 毒蛾属四新种记述(鳞翅目: 毒蛾科). 动物分类学报, 9(1): 95-99.

赵仲苓. 1987. 白毒蛾属二新种(鳞翅目: 毒蛾科). 动物学集刊, 5: 149-150.

赵仲苓. 1994. 中国经济昆虫志. 第四十二卷, 鳞翅目毒蛾科. 北京: 科学出版社, 165 页.

赵仲苓. 2003. 中国动物志. 昆虫纲第三十卷, 鳞翅目毒蛾科. 北京: 科学出版社, 484 页.

赵仲苓. 2003. 中国动物志. 昆虫纲第三十卷, 鳞翅目毒蛾科. 北京: 科学出版社, 484 页, 10 图版.

赵仲苓. 2004. 中国动物志. 昆虫纲第三十六卷, 鳞翅目波纹蛾科. 北京: 科学出版社, 291 页, 153 图, 5 图版.

周尧, 卢筝. 1974. 金翅夜蛾亚科 Plusiinae 研究. 昆虫学报, 17(1): 66-78, 4 图版.

周尧, 卢筝. 1979. 金翅夜蛾亚科二新属、四新种及一些已知种的订正. 昆虫分类学报, 1(1): 15-20.

周尧, 向和. 1982. 陕西钩蛾科的研究. 昆虫分类学报, 4(4): 259-267.

朱弘复, 王林瑶, 韩红香. 2004. 中国动物志. 昆虫纲第三十八卷, 鳞翅目蝙蝠蛾科蛱蛾科. 北京: 科学出版社, 291 页, 8 图版.

朱弘复, 王林瑶. 1977. 中国箩纹蛾科. 昆虫学报,20(1): 83-85.

朱弘复, 王林瑶. 1980. 中国天蛾科新种记述. 动物分类学报, 5(4): 418-425.

朱弘复, 王林瑶. 1987. 中国山钩蛾亚科分类及地理分布(鳞翅目:钩蛾科). 昆虫学报, 30(3): 291-306, 图版 I.

朱弘复, 王林瑶. 1991. 中国动物志. 昆虫纲第三卷, 鳞翅目圆钩蛾科钩蛾科. 北京:科学出版社, 1-269, 10 图版.

朱弘复, 王林瑶. 1993. 中国蚕蛾科研究(鳞翅目). 动物学集刊, 10: 221-248.

朱弘复, 王林瑶. 1994. 中国蛱蛾科研究(鳞翅目). 动物学集刊, 11: 87-95.

朱弘复, 王林瑶. 1996. 中国动物志. 昆虫纲第五卷, 鳞翅目蚕蛾科大蚕蛾科网蛾科. 北京:科学出版社, 302 页, 18 图版.

朱弘复, 王林瑶. 1997. 中国动物志. 昆虫纲第十一卷, 鳞翅目天蛾科. 北京:科学出版社, 410 页, 8 图版.

朱弘复, 薛大勇. 1992. 鳞翅目:尺蛾科. 见:陈世骧主编, 横断山区昆虫 II. 926-948 页.

朱弘复等. 1973. 蛾类图册. 北京:科学出版社, 158 页, 58 图版.

朱弘复主编. 1981-1983. 中国蛾类图鉴, 1-4 卷. 北京:科学出版社, 第一卷: 1-134 页, 1-22 页(索引), 图版 1-38(1981); 第二卷: 135-235 页, 1-16 页(索引), 图版 39-75(1982); 第三卷: 237-390 页, 1-24 页(索引), 图版 76-118(1982); 第四卷: 391-484 页, 图版 119-152(1983).

Agassiz L. [1847] 1846. *Nomenclatoris zooogici*, (*Index universalis*). Soloduri, 1155 pp.

Alphéraky S. 1883. Lepidopteres du district de Kouldja et des montagnes environnantes. 3me partie: Geometrae. *Horae Entomologicae Rossicae*, 17: 156-227.

Alphéraky S. 1888. Neue Lepidopteren. *Stettiner Entomologische Zeitung*, 49: 66-69.

Alphéraky S. 1892a. Lepidopteres repportes de la China et de la Mongolie par G. N. Potanine. *In* Romanoff, N. M., *Mémoires sur les Lépidoptères*, 6: 1-81.

Alphéraky S. 1892b. Lepidoptera nova a Gr. Grshimailo un Asia Centrali novissime lecta. *Horae Societatis Entomologicae Rossicae*, 26: 444-459.

Alphéraky S. 1895. Lépidoptéres nouveaux. *Deutsche Entomologische Zeitschrift Iris*, 8: 180-202.

Alphéraky S. 1897a. Lepidoptera de l'Amour et de la Coree. *In* Romanoffa N M. *Mémoires sur les Lépidoptères*, 9: 151-184, pls 10-13.

Alphéraky S. 1897b. Lépidiptéres des provinces chinoises Sé-Tchouen et Kan recueillis, en 1893, par M-r G. N. Potanine. *In* Romanoff N M (Ed.). *Mémoires sur les Lépidopteres*, 9: 83-149.

Arora G S, Chaudhury M. 1982. On the lepidopterous fauna of Arunachal Pradesh & adjoining areas of Assam in north-east India: family Arctiidae. *Zoological Survey of India Technical Monograph*, Supplement, 6 1-65.

Aurivillius C. 1882. Recensio critica Lepidopterorum Musei Ludovicae Ulricae, quae descripsit Carolus a Linne. *Svenska Akademiens Handlingar*, 19(5): 1-188.

Aurivillius C. 1894. Die palaearktischen Gattungen der Lasiocampiden, Striphnopterygiden und Megalopygiden. *Deutsche Entomologische Zeitschrift Iris*, 7: 121-192, pl. III & IV.

Aurivillius C. 1925. Lepidoptera Ⅳ. *Ergeb. sweit. Deutsch Zentral-Afrika Exped Leipzig*, 1: 1243-1359.

Austaut J L. 1912. Lepidopteres asiatiques nouveaux. [Nebst deutscher Ubers.]. *Internationale Entomologische Zeitschrift Guben*, 6: 87-89, 125-127.

Bang-Haas A. 1912. Neue oder wenig bekannte palacarktische Makrolepidopteren. vi. *Deutsche Entomologische Zeitschrift Iris*, 26: 229-230.

Bang-Haas O. 1927. Rhopalocera. *Horae Macrolepidopt Dresden*. Volume 1. Dresden-Blasewitz, ixviii + 128 pp.

Bang-Haas O. 1936. Neubeschreibungen und Berichtigungen der palaearktischen Macrolepidopterenfauna. X XI-XXV. *Entomologische Zeitschrift Frankfurt a M*, 50: 108-109, 254-256, 287-288, 345-348.

Barlow H S. 1982. *An Introduction to the Moths of South East Asia*. The Malayan Nature Society, Kuala Lumpur & E. W. Classey, Faringdon, Oxon U. K., 305 pp.

Bartel M. 1899. Eine neue Lasiocampide aus Japan. *Entomologisches Nachrichtenblatt*, 25: 353.

Bastelberger M J. 1909. Neue Geometriden aus Central-Formosa. *Entomologische Zeitschrift*, 23: 33-34 39-40 & 77.

Beck H. 1996. Systematische Liste der Noctuidae Europas. (Lepidoptera: Noctuidae). *Neue Entomologische Nachrichten*, 36: 1-122.

Berg C. 1898. Substitucion de nombres genericos. *Comunicaciones del Museo Buenos Aires*, 1: 16-19.

Berio E, Fletcher D S. 1958. Monografia dell'antico genere Sypna Guen. (Lepidoptera: Noctuidae). *Annali del Museo Civico di Storia Naturale di Genova*, 70: 14-20, 323-402.

Berio E. 1954a. Nuove Catocalinae africane al Museo del Congo beiga di Tervuren(Lep. Noctuidae). *Annali del Museo Civico di Storia Naturale di Genova*, 66: 336-343.

Berio E. 1954b. Etude de quelques Noctuidae Erastriinac de Madagascar(Lepid. Noctuidae). *Memoires de l'Institut Scientifique de Madagascar Tananarive(E)*, 5: 133-153.

Berio E. 1955. Contribution a l'etude des Noctuidae de Madagascar. *Memoires de l'Institut Scientifique de Madagascar Tananarive(E)*, 6: 109-140.

Berio E. 1956a. Diagnosi preliminari di Noctuidae apparentemente nuove. *Memorie della Societa Entomologica Italiana Genoa*, 35: 23-34.

Berio E. 1956b. Appunti su alcune specie del genere Calpe Tr. (Lep. Noctuidae). *Memorie della Societa Entomologica Italiana Genoa*, 35: 109-119.

Berio E. 1957. Ulteriori modifiche e cambiamenti nella nomenclatura dei generi di Noctuidae del globo (Lepidoptera). *Memorie della Societa Entomologica Italiana Genoa*, 36: 5-19.

Berio E. 1960. Studi sulla sistematica delle cosiddette "Catocalinae" e "Othreinae"(Lepidoptera: Noctuidae). *Annali del Museo Civico di Storia Naturale di Genova*, 71: 276-327.

Berio E. 1961. Faunula di Noctuidae della regione del Monte Penice negli Appennini Liguri. *Memorie della Societa Entomologica Italiana*, 40: 65-140.

Berio E. 1964. Appunti su alcune specie ascritte al gen. Episparis Wlk. con descrizione di nuovi taxa Africani(Lepidoptera: Noctuidae). *Doriana Genova*, 4(151): 1-5.

Berio E. 1966. Reperti di nuove Amphipyrinae dell'Africa equatoriale con note sinonimiche(Lepidoptera: Noctuidae). *Bollettino della Societa Entomologica Italiana*, 96: 31-34.

Berio E. 1981. Modificazioni al sistema delle Hadeninae e Cucullinae Italiane attualmente seguito(Lepidoptera: Noctuidae). *Annali del Museo Civico di Storia Naturale "Giacomo Doria"*, 83: 1-19.

Berio E. 1982. Considerazioni sistematiche e corologiche sul gen. *Condica* Wlk. 1856(=*Platysenta* Grote 1874),(Lep. Noctuidae)con riferimento alla nuova specie C. europaea Parenzan, prima del genere rinvenuta nell' Europa continentale. *Entomologica(Bari)*, 16: 89-95.

Bethune J S. 1865. Descriptions of three new species of Canadian nocturnal Lepidoptera. *Proceedings of the Entomological Society of Philadelphia*, 4: 213-215.

Bethune-Baker G T. 1906. New Noctuidae from British New Guinea. *Novitates Zoologicae*, 13: 191-287.

Bethune-Baker G T. 1908. New Heterocera from British New Guinea. *Novitates Zoologicae*, 15: 175-243.

Bethune-Baker G T. 1911. Descriptions of new species of Lepidoptera from tropical Africa. *Annals & Magazine of Natural History*, 8: 506-542.

Bethune-Baker G T. 1908. New Heterocera from British New Guinea. *Novitates Zoologicae*, 15: 175-243.

Billberg G J. 1820. *Enumeratio Insectorum in Museo Gust. Joh. Billberg*. Typis Gadelianis, Stockholm, 158 pp.

Blanchard E. 1840. *Histoire Naturelle des Insercts; Orthoptéres, Hyménoptéres Lepidoptéres et Diptéres*. Volume 3, In Castenau, *Histoire Naturelle des Animaux, Annelides Crustacés Arachnides, Myriapodes et Insectes*. P. Duménil, Paris, 672 pp.

Bode W. 1907. Die Schmetterlingsfauna von Hildesheim. *Mitteilungen aus dem Roemer-Museum Hildesheim*. Nr. 22: 1-65.

Boisduval J B A D de. 1828. *Europaeorum Lepidopterorum Index Methodicus*. Plassan, Paris, 103 pp.

Boisduval J B A D de. 1832. *Voyage d Découvertes de l'Astrolabe Exécuté par Ordre du Roi, Pendant les Années* 1826-1827-1829 *sous de Commandement de M. J. Dumont D'Urville, FauneEntomologique d l' Ocean Pacifique*. Premiére Partie. Lépidoptéres. J. Tastu, Paris, 267 pp.

Boisduval J B A D de. 1833. *Faune Entomologique de Madagascar, Bourbon et Maurice*. Lépidoptéres. Jules Didot LL'aine, Paris, 122 pp., 16 pls.

Boisduval J B A D de. 1834. Notice zur un nouv. genre dans le Noctuélides. *Revue Entomologique*, 2: 245-250.

Boisduval J B A D de. 1837. *Icones Historique des Lépidoptéres nouveaux ou peu connus. Collection, avec Figures coloriées, des Papillons d'Europe*. Volume 2. Encyclopédique de Roret, Paris, plates 71-84.

Boisduval J B A D de. 1840. *Genera et Index methodicus Europaeorum Lepidopterorum*. Paris, vii + 238 pp.

Boisduval J B A D de. 1868. Lépidoptéres de la Californie. *Annales de la Société Entomologique de Belgique*, 12: 5-94.

Boisduval J B A D de. 1875. *Lepidoptera Heterocera*. *in* Boisduval J B A D de, Guenée M A. *Hist. nat. Insectes(Spec. gén. Lépid. Hétérocères)*, 1: 4-568.

Boisduval J B A D. de. 1836. *Histoire naturelle des insects: Species général des Lépidoptères*. Vol. 1. Roret, Paris, 690 pp.

Borkhausen M B. 1788-1794, *Naturgeschichte der Europäischen Schmetterlinge nach systematischer Ordnung: Der Phalänen erste Horde, die Spinner*. Volumes 1-5. Varrentrapp und Wenner.

Boursin C. 1948. Neue palaeark-tische Agrotis-Arten aus dem Natur-historischen Museum in Wien nebst Synonymie-Notizen. *Zeitschrift der Wiener Entomologischen Gesellschaft*, 33: 97-136.

Boursin C. 1954. Die "Agrotis"-Arten aus Dr. h. c. H. Hone's China-Ausbeuten(Beitrag zur Fauna sinica). *Bonner Zoologische Beitraege*, 5: 213-309.

Boursin C. 1955. Die "Agrotis"-Arten aus Dr. h. c. H. Hone's China-Ausbeuten. 3, 4. *Zeitschrift der Wiener Entomologischen Gesellschaft*, 40: 216-237.

Boursin C. 1963. Die "Noctuinae"-Arten(Agrotinae vulgo sensu) aus Dr. h. c. H. Hohne's China-Ausbeuten(Beitrag zur Fauna Sinica). *Forsch. Ber. Lands Nordrhein-Westfallen Koln & Opladen*, 1170: 1-107.

Boursin C. 1964. Noctuidae Trifinae. Zweiter Beitrag zur Kenntnis der Fauna der Noctuidae von Nepal (Beitrag zur Kenntnis der "Noctuidae Trifinae" 146). Lepidoptera der Deutschen Nepal-Expedition 1955. Teil II Veroeffentlichungen der Zoologischen Staatssammlung Muenchen, 8: 3-40.

Boursin C. 1967. Die neuen Hermonassa Wlk. -Arten aus Dr. H. Hone's China Ausbeuten. (Beitrage zur Kenntnis der Noctuidae Trifinae. 157). *Zeitschrift der Wiener Entomologischen Gesellschaft*, 52(78): 24-38.

Boursin C. 1970. Description de 40 espéces nouvelles de Noctuidae Trifinae paléartiques et de deus genres nouveaux des sous-familles Noctuinae et Amphipyrinae. *Entomops*, 3(18): 45-79.

Bouvier E L. 1928. Eastern Saturniidae with descriptions of new species. *Bulletin of the Hill Museum Wormley*, 2: 122-141.

Brechlin R, Kitching I J. 2010. Eine neue Art der Gattung Salassa Moore, 1859(Lepidoptera: Saturniidae: Salassinae). *Entomo-Satsphingia*, 3(1): 9-11.

Brechlin R, Kitching I. J. 2014. Drei neue Arten der Gattung *Cypa* Walker, [1865](Lepidoptera: Sphingidae). *Entomo-Satsphingia*, 7(2): 5-14.

Brechlin R. 2000. Eine weitere neue Art der Gattung Callambulyx aus China: *Callambulyx sinjaevi*(Lepidoptera: Sphingidae). *Nachrichten des Entomologischen Vereins Apollo*, 20(3-4): 265-270.

Brechlin R. 2008. Ein neues Taxon der Gattung *Polyptychus* Hübner, 1819, ("1816") aus China(Lepidoptera: Sphingidae). *Entomo-Satsphingia*, 1(1): 38-42.

Bremer O, Grey W. 1853a. *Beiträge zur Schmetterlungs-Fauna des Nordlichen China's.* Petersburg, 23 pp., 10 pls.

Bremer O, Grey W. 1853b. Diagnoses de Lépidoptéres nouveaux trouvés par MM Tatarinoff et Gaschkewitsch aux environs de Pekin. Études *Entomologiques*, 1: 58-67.

Bremer O, Grey W. 1852. [Title unknown]. *Études d'Entomologie*, 1: 30-31.

Bremer O. 1852. Diagnose de Lepidopteres nouveaux, trouves par mm. Tatarinoff et Gaschkewitsch aux environs de Pekin. *In* Motschulsky V. *de Études Entomologigues de*, 1: 58-67.

Bremer O. 1861. Neue Lepidopteren aus Ost-Sibirien und en Amur-lande, gesammelt von Radde un Maack. *Bulletin de l'Acedémie Impériale des Sciences de St. Petersbourg*, 3: 462-496, 571.

Bremer O. 1864. Lepidopteren Ost-sibiriens, insbesondere des Amur-landes, gesammelt von den Herrn G. Radde, R. Maack und P. Wulffius. *Mémoires de l'Académie Impériale des Sciences de St. Petersbourg*, (7)8(1): 1-103, pls 1-8.

Breyer M. 1869. Assemblée mensuelle du 3 Octobre 1869. *Comptes-Rendu des Séances de la Société Entomologique de Belgique* [*Annales de la Société Entomologique de Belgique*], 12: xvi-xxi.

Bruand C T. 1845. Catalogue systématiquee et synonymique des lépidoptèrese du Départment sedu Doubs.

Mémoires de la Société d'émulation du Doubs. Outhenin-Chalandre Fils, 142 pp.

Bruand C T. 1847. Catalogue systématiquee et synonymique des Microlépidoptèrese du Départment sedu Doubs. *Extrait des Mémoirese de la Société d'emulatione du Doubs*. Outhenin-Chalandre Fils, 105 pp.

Bryk F. 1942. Zur Kenntnis der Gross-Schmetterlinge der Kurilen. *Deutsche Entomologische Zeitschrift Iris*, 56: 3-113, 2 pls.

Bryk F. 1943a. Entomological results from the Swedish expedition 1934 to Burma and British India. Lepidoptera. *Arkiv för Zoologi*, 34A(11): 1-10.

Bryk F. 1943b. Entomological results from the Swedish expedition 1934 to Burma and British India. Lepidoptera: Drepanidae. *Arkiv för Zoologi*, 34A(13): 1-30, 3 pls.

Bryk F. 1944. Eine *Thyatira* Hbn. Aus Birma(Lep. Thyatiridae). *Entomologisk Tidskrift*, 65: 224.

Bryk F. 1948. Zur Kenntnis der Gross-Schmetterlinge von Korcea. Pars 2. *Arkiv för Zoologi*, 41A(1): 1-225, 7 pls.

Bryk F. 1949. Entomological Results from the Swedish Expedition 1934 to Burma and British India. Lepidoptéra: Notodontidae Stephens, Cossidae Newman und Hepialidae Stephens. *Arkiv för zool*. 42A (19): 1-51 + pl. 1-4.

Butler A G. 1886c. On Lepidoptera collected by Major Yerbury in Western India. *Proceedings of the Zoological Society of London*, 1886: 355-395.

Butler A G. 1872. Description of a new Genus and Species of Heterocerous Lepidoptera. *Annals and Magazine of Natural History*, (4)10: 125-126.

Butler A G. 1875a. Descriptions of thirty-three new or little-known Species of Sphingidae in the Collection of the British Museum. *Proceedings of the Zoological Society of London*, 1875: 3-16.

Butler A G. 1875b. Descriptions of new Species of Sphingidae. *Proceedings of the Zoological Society of London*, 1875: 238-261.

Butler A G. 1875c. Revision of the genus *Spilosoma* and allied groups of the family Arctiidae. *Cistula Entomologica*, 2: 21-44.

Butler A G. 1876a. Descriptions of several new species of Sphingidae. *Proceedings of the Zoological Society of London*, 1875: 621-623.

Butler A G. 1876b. Revision of the heterocerous Lepidoptera of the family Sphingidae. *Transactions of the Zoological Society*, 9: 511-644. pls. xc-xciv.

Butler A G. 1876c. Notes on the Lepidoptera of the Family Zygaenidae, with descriptions of new genera and species. *Journal of the Linnean Society of London*, *Zooloogy*, 12: 342-407.

Butler A G. 1877a. Descriptions of new species of Heterocera from Japan. Part 1. Sphinges and Bombyces. *Annals and Magazine of Natural History*. (4)20: 393-404, 473-483.

Butler A G. 1877b. On new species of *Catocala* and *Sypna* from Japan. *Cistula Entomologica*, 2: 241-246.

Butler A G. 1877c. On the Lepidoptera of family Lithosiidae, in the collection of the British Museum. *Transactions of the Entomological Society of London*, 1877: 325-377.

Butler A G. 1878-1889. *Illustrations of Typical Specimens of Lepidoptera Heterocera in the Collection of the British Museum*. Part 2: i-x, 1-62, pls 21-40(1878); Part 3: i-xviii, 1-82, pls 41-60(1879); Part 5: i-xii, 1-74, pls 78-100(1881); Part 6: i-xv, 1-89, pls 101-120(1886); Part 7: i-iv, 1-124, pls 121-138(1889).

Butler A G. 1878a. Descriptions of new species of Heterocera from Japan. Part 2. *Annals and Magazine of*

Natural History,(5)1: 77-85, 161-169, 192-204, 287-295.

Butler A G. 1878b. Descriptions of new species of Heterocera from Japan. Part 3. Geometridae. *Annals and Magazine of Natural History*,(5)1: 392-407, 440-452.

Butler A G. 1879. Descriptions of new species of Lepidoptera from Japan. *Annals and Magazine of Natural History*,(5)4: 349-374, 437-457.

Butler A G. 1880. Descriptions of new species of Asiatic Lepidoptera Heterocera. *Annals and Magazine of Natural History*,(5)6: 61-69, 119-129, 214-230.

Butler A G. 1881a. Descriptions of new genera and species of Heterocerous Lepidoptera from Japan. *Transactions of the Royal Entomological Society of London*, 1881(3): 1-23, 171-200, 401-426, 579-600.

Butler A G. 1881b. On a collection of Lepidoptera from Western India, Beloochistan and Afghanistan. *Proceedings of the Zoological Society of London*, 1881: 602-624.

Butler A G. 1881c. Descriptions of new species of Lepidoptera in the collection of the British Museum. *Annals and Magazine of Natural History*,(5)7: 31-37.

Butler A G. 1881d. On a collection of nocturnal Lepidoptera from the Hawaiian Islands. *Annals and Magazine of Natural History*,(5)7: 317-333.

Butler A G. 1881e. An account of the Sphinges and Bombyces collected by Lord Walsingham in North America, during the years 1871-1872. *Annals and Magazine of Natural History*,(5)8: 306-318.

Butler A G. 1881f. On the first part of a memoir by Mons. Charles Oberthür on the Lepidoptera of the Isle Askold. *Annals and Magazine of Natural History*,(5)7: 228-237.

Butler A G. 1883a. On the Moths of the Family Urapterygidae in the Collection of the British Museum. *Zoological Journal of the Linnean Society*, 17: 195-204.

Butler A G. 1883b. On a Collection of Indian Lepidoptera received from C. Swinhoe, with numerous notes by the Collector. *Proceedings of the Zoological Society of London*, 1883: 144-175.

Butler A G. 1885. Descriptions of Moths new to Japan, collected by Messrs. Lewis and Pryer. *Cistula Entomologica*, 3: 113-136.

Butler A G. 1886a. Descriptions and remarks upon five new Noctuid Moths from Japan. *Transactions of the Entomological Society of London*, 1886: 131-136.

Butler A G. 1886b. Descriptions of 21 new genera and 103 new species of Lepidoptera-Heterocera from the Australian region. *Transactions of the Entomological Society of London*, 1886: 381-441.

Butler A G. 1887. Descriptions of New Species of Bombycid Lepidoptera from the Solomon Islands. *Annals and Magazine of Natural History*,(5)19: 214-225.

Butler A G. 1889. Synonymic notes on the Moths of the earlier genera of Noctuites. *Transactions of the Royal Entomological Society of London*, 1889: 375-387.

Butler A G. 1890. Further notes on the synonymy of the genera of Noctuites. *Transactions of the Entomological Society of London*, 1890: 653-691.

Butler A G. 1892. On a collection of Lepidoptera from Sandakan, N. E. Borneo. *Proceedings of the Zoological Society of London*, 1892: 120-133, pl. 6.

Butler A G. 1893. Notes on the genus*Entomogramma*, as represented by the Noctuid Moths of that group in the collection of the British Museum. *Annals and Magazine of Natural History*,(6)12: 43-46.

Calora F B. 1966. A revision of the species of the Leucania-complex occurring in the Philippines(Lepidoptera: Noctuidae: Hadeninae). *Philippine Agriculturist*, 50: 633-728.

Capuse I. 1972. Uber den Genitalapparat der Nycteola-Arten(Lep. Noctuidae), nebst Beschreibung einer neuen Untergattung Dufayella. *Entomologische Zeitschrift Frankfurt a M*, 82: 87-92.

Chapman T A. 1890. The genus *Acronycta* and its allies. *Entomologists Record and Journal of Variation*, 1: 1-4, 26-29, 74-84.

Cheng R, Jiang N, Yang X S, Xue D Y and Han H X. 2016. The influence of geological movements on the population differentiation of *Biston panterinaria*(Lepidoptera: Geometridae). *Journal of Biogeography*, 43: 691-702.

Chenu [No initial given]. 1857. *Encyclopédique d' Histoire Naturelle ou Traité Complet de Cette Science.* (Papillons Nocturnes). Simon Racon et Ce, Paris, 312 pp., 40 pls.

Christoph H. 1881. Neue Lepidopteren des Amurgebietes. *Bulletin de la Société Impériale des Naturalistes de Moscou*, 55(3): 33-121.

Christoph H. 1887. Lepidoptera aus dem Achal-Tekke-Gebiete. *In* Romanoff N M. *Mémoires sur les lépidoptères*, 3: 50-125.

Clark B P. 1922. Twenty-five new Sphingidae. *Proceedings of the New England Zoological Club*, 8: 1-23.

Clark B P. 1923. Thirty-three new Sphingidae. *Proceedings of the New England Zoological Club*, 8: 47-77.

Clark B P. 1933. Descriptions of three new subspecies of Sphingidae. *Proceedings of the New England Zoological Club*, 18: 101-103.

Clark B P. 1935. Descriptions of twenty new Sphingidae and notes on three others. *Proceedings of the New England Zoological Club*, 15: 19-39.

Clark B P. 1936. Descriptions of twenty-four new Sphingidae and notes concerning two others. *Proceedings of the New England Zoological Club*, 15: 71-91.

Clark B P. 1937. Twelve now Sphingidae and notes on seven others. *Proceedings of the New England Zoological Club*, 16: 27-39.

Clark B P. 1938. Eight new Sphingidae and notes on two others. *Proceedings of the New England Zoological Club*, 17: 37-44.

Clench H K. 1954. Another case of a partially replaced lost vein in a new Nyctemerid from West Africa. *Revue de Zoologie et de Botanique Africaines*, 50: 296-301.

Clerck C. 1759-1764. *Icones Insectorum Rariorum cum Nominibus eorum Trivialibus, Locisque e C. Linnae.* Holmiae. 1759: plates 1-12, Sectio Primo. 1764: plates 13-55, Sectio Secundo.

Closs A. 1917a. Neue Formen aus der Familie der Sphingidae. *Internationale Entomologische Zeitschrift Guben*, 11: 154-242.

Closs A. 1917b. Ueber einige Heteroceren. *Entomologische Mitteilungen Berlin*, 6: 129-135.

Cockerell T D A. 1920. The generic position of Sphinx separatus Neum. *Canadian Entomologist*, 52: 33.

Collenette C L. 1934. New Lymantriidae(Lep.) from Chekian and Kiangsu, eastern China. *Stylops London*, 3: 113-117.

Collenette C L. 1936. Lymantriidae from North Yunnan. *Entomologist's Monthly Magazine*, 72: 90-91.

Collenette C L. 1938a. On a collection of Lymantriidae(Heterocera) from China. *Proceedings of the Royal Entomological Society of London(B)*, 7: 211-221.

Collenette C L. 1938b. New Palae-arctic and Indo-Australian Lymantrii-dae in the British Museum collection. *Annals and Magazine of Natural History*, (11)2: 368-387.

Collenette C L. 1953. Notes on African Lymantriidae, with descriptions of some new species. *Annals and*

Magazine of Natural History, (12)6: 561-578.

Collier W A. 1936. Lasiocampidae. In E Strand. Lepidopterorum Catalogus. pars73: 1-484.

Commom I F B. 1953. The Australian species of *Heliothis*(Lepidoptera: Noctuidae) and their pest status. *Australian Journal of Entomology*, 1: 319-344.

Comstock J H. 1918. *The wings of insects*. Comstock Publishing Company, Ithaca, New York, 430 pp.

Constantini A. 1911. *Hylophila fiorii* n. sp. (Lepidoptera). *Atti Della Societa dei Naturalisti e Matematici di Modena*, (4)13: 81-84.

Constantini A. 1920. Note su Lepidotteri doll' Emilia. *Atti Della Societa dei Naturalisti e Matematici di Modena*, (5)5: 1-9.

Cosmovici L C. 1892. Contributions a l'etude de la faune entomologique Roumaine. Lepidopteres. *Le Naturaliste*, 1892: 254-256, 264, & 280.

Cotes E C, Swinhoe C. 1887-1889. *A catalogue of the moths of India*. Volumes 1-4. Calcutta: Printed by order of the Trustees of the Indian Museum.

Cramer P. 1775-1782. *Die Uitlandsche Kapellen Voorkomende in de Drie Waereld-Deelen Asia, Africa en America*. Amserdan, S. J. Baalde and Utrecht, Barthelemy Wild. Volumes 1-4.

Curtis J. 1823-1839. *British Entomology*. 16 volumes. London, 770 pls.

Dalman J W. 1816. Försök till Systematisk Uppstallning af Sveriges Fjärilar. *Kungliga Svenska Vetenskaps-Akademiens Handlingar*, 1816(2): 199-225.

Dalman J W. 1823. *Analecta Entomologica*. Holmiae. Typis Lindhianis, vii + 104 pp.

Dalman J W. 1825. *Prodromus Monographie Casniae, Generis Lepidopterorum*. Holmiae. P. A. Norstedt, 28 pp., 4 pls.

Daniel F. 1943. Beitäge zur Kenntnis der Arctiidae Ostasiens unter besonderer Berücksichtigung dor Ausbeute H. Höne's aus diesem Gebiet(Lep. Het.). 1, 2. *Teil Mitt munchn ent Ges Munich*, 33: 247-269, 671-755.

Daniel F. 1951. Beiträge zur Kenntnis der Arctiidae Ostasiens unter besonderer Berücksichtigung der Ausbeuten von Dr. h. c. H. Höne aus diesem Gebiet(Lep. Het.). *Bonner Zoologische Beiträge*, 2: 291-327, 1 pl.

Daniel F. 1952a. Beiträge zur Kenntnis der Arctiidae Ostasiens unter besondererBerücksichtigung der Ausbeuten von Dr. h. c. H. Höne aus diesem Gebiet(Lep. Het.). 3. Teil: Lithosiinae. *Bonner Zoologische Beiträge*, 3: 75-90, pl. II.

Daniel F. 1952b. Beiträge zur Kenntnis der Arctiidae Ostasiens unter beBonderer Berücksichtigung der Ausbeuten von Dr. h. c. H. Höne aus diesem Gebiet(Lep. Het.) HI. Teil: Lithosiinae(contd.). *Bonner Zoologische Beitraege*, 3: 305-324.

Daniel F. 1953. Neue Heterocera-Arteon und-Formen. Mitteilungen der Muenchener Entomologischen Gesellschaft Munich, 43: 252-261.

Daniel F. 1954. Beiträge zur Kenntnis der Arctiidae Ostasiens unter besonderer Berücksichtigung der Ausbeuten von Dr. h. c. Höne aus diesem Gebiet (Lep. Het.) 3. Teil: Lithosiinae(contd.). *Bonner Zoologische Beitraege*, 5: 89-138.

Daniel F. 1961. Lepidoptera der Deutschen Nepal-Expedition 1955. Zygaenidae-Cossidae. *Veroeffentlichungen der Zoologischen Staatssammlung Muenchen*, 6: 151-162.

Danner F, Eitschberger U and Surhoil B. 1998. Die Schwarmen der westlichen Palaearktis. Bausteine zu einer Revision. (Lepidoptera: Sphingidae). Tafelband. *Herbipoliana*, 4(2): 1-720.

Danner F, Surhoil B and Eitschberger U. 1998 Die Schwarmer der westlichen Palaearktis. Bausteine zu einer Revision. (Lepidoptera: Sphingidae). *Herbipoliana*, 4(1): 1-368.

Denis M, Schiffermüller I. 1775. *Ankündigung eines systematischen Werkes von den Schmetterlongen der Wienergegend.* Augustin Bernardi, Wien, 323 pp., 3 pls.

Derzhavets Y A. 1979. Taxonomic status of *Hyles costata* Nordman(Lepidoptera: Sphingidae). *Nasekomye Mongolii*, 6: 404-408.

Dieffenbach E. 1843. *Travels in New Zealand; with Contributions to the Geography, Geology, Botany and Natural History of that Country.* Volume 2. Hohn Murray, London, iv + 396 pp.

Djakonov A. 1927. Einige neue und wenig bekannte Arten und Gattuhgen der palaarktischen Heteroceren (Lepidoptera). *Ezhegodnik Zoolgicheskago Muzeya Imperatorskoi Academii Nauk*, 27: 219-232.

Djakonov A M. 1926. Zur Kentnis der Geometriden Fauna des Minussinsk-Bezirks (Sibirien, Ienissej Gouv.). *Jahrb Martjanov Staatsmus Minussinsk*, 4: 1-78.

Djakonov A M. 1936a. Die Geometriden des Amur-Ussuri-Gebietes, 2. Tribus Caberini, nebst Revision einiger Gattungen dieser Gruppe. *Trudy Zoologicheskogo instituta Leningrad*, 3: 475-531, 11 pls.

Djakonov A M. 1936b. Schwedisch-chinesische wissenschaftliche Expedition nach den nordwestlichen Provinzen Chinas. 57. Lepidoptera. 5. Geometridae. *Arkiv för Zoologi*, 27A(39): 1-67, 20 figs.

Draeseke J. 1926. Die Schmetterlinge der Stotznerschen Ausbeute. Phalaenae, Nachtfalter. *Deutsche Entomologische Zeitschrift Iris*, 40: 44-55, 98-108.

Draudt M. 1937. Neue Agrotiden(= Noctuiden)-Arten und Formen aus den Ausbeuten von Herrn H. Höne, Shanghai. *Entomologische Rundschau*, 54: 373-376, 381-384, 397-401, 1 pl.

Draudt M. 1939. Die Gattung Orthogonica Fldr. (Lep. Noct.) in den Höne-Ausbeuten. *Entomologische Rundschau*, 58: 145-150.

Draudt M. 1950. Beiträge zur Kenntnis der Agrotiden-Fauna Chinas. Aus den Ausbeuten Dr. H Hone's. *Mitteilungen der Muenchener Entomologischen Gesellschaft Munich*, 40: 1-174.

Druce H. 1901. Descriptions of some new species of Heterocera. *Annals and magazine of Natural History, including Zoology, Botany, and Geology*, 7: 74-79.

Druce. 1891. *Biologia Centrali-Americana Heterocera(Insecta. Lepidoptera Heterocera).* Volume 1.

Drury D. 1773. *Illustrations of Natural History Wherein are Exhibited Upwards of Two Hundred and Forty Figures of Exotic Insects, According to their Different Genera: Very Few of Which Have Hitherto Been Figured by Any Author, Being Engraved and Coloured from Nature, with the Greatest Accuracy, and Under the Author's Own Inspection on Fifty Copper-plates.* Volume 2. B. White, London, 50 pls, vii + 90 pp., plus unnumbered index.

Dubatolov V V, Wu C-S. 2008. On the systematic position of *Spilosoma caeria*(Pungeler, 1906) and *Spilosoma mienshanicum* Daniel, 1943(Lepidoptera: Arctiidae). Atalata 39(1-4): 367-374.

Dubatolov V V. 1990. New taxons of Arctiidae for the Palaearctic. Communication 2. *Novye i Maloizvestnye Vidy Fauny Sibiri*, 22: 89-101.

Dubatolov V V. 1996. A list of the Arctiinae of the territory of the former U. S. S. R. (Lepidoptera: Arctiidae). *Neue Entomologische Nachrichten*, 37: 39-87.

Dubatolov V V, Kishida Y and Wu C S. 2014. Review of East Asian *Heliosia*(Ledidoptera: Erebidae: Arctiinae: Lithosiini) species, with description of a new genus. *Zootaxa*, 3802(3): 373-380.

Dufay C. 1965. Revision des Plusiinae: descriptions de nouvelles especes asiatiques et notes synonymiques (Lep. Noctuidae) (Note preliminaire). *Bulletin Mensuel de la Société Linneenne de Lyon*, 34: 193-196.

Dufay C. 1970a. Descriptions de nouvelles especes et d'un genre de Plusiinae indo-australiens(Lep. Noctuidae)(note preliminaire). *Bulletin Mensuel de la Société Linneenne de Lyon*, 39: 101-107.

Dufay C. 1970b. Insectes lepidopteres Noctuidae Plusiinae. *Faune Madagascar*, 31: 1-198.

Dufay C. 1973. Les Plusiinae des expeditions allemandes au Nepal de 1955 a 1967(Lepidoptera: Noctuidae). *Ergebnisse Forsch Unternehmens Nepal Himalaya*, 4(3): 389-400.

Dufay C. 1977. Ergebnisse der Bhutan-Expedition 1972 des Naturhistorischen Museums in Basel. *Lepidoptera: fam. Noctuidae subfam. Plusiinae. Entomologica Basiliensia*, 2: 139-143.

Duncan J. 1836. Spotted Elephant Hawk-moth. *In* Jardine W. *The Naturalist's Library: Duncan J. the Natural History of British Moths*. Vol. 4. Edinburgh, W H Lizars, pp. 149-155.

Duponchel M P A J. 1826. *Histoire Naturelle des Lépidoptères ou Papillons de France*. Volume 6. Firmin Didot, Paris, 475 pp., pls 72-100.

Duponchel M P A J. 1827. *Histoire Naturelle des Lépidoptères ou Papillons de France*. Volume 7. Part 1. Firmin Didot, Paris, 526 pp., plates 101-132.

Duponchel M P A J. 1829. *In* Godart J B, Duponchel M P A J. *Histoire Naturelle des Lépidoptères ou Papillons de France*. Volume 7. Part 2. Crevot/Méquignon-Marvis, Paris, 507 pp., 38 pls.

Duponchel M P A J. 1831. *Histoire Naturelle des Lépidoptères ou Papillons de France*. Volume 5. Part 2. Crevot/Méquignon-Marvis, Paris, 400 pp.

Duponchel M P A J. 1834. *Histoire Naturelle des Lépidoptères ou Papillons de France*. Volume 9. Didot Freres, Paris, 627 pp.

Duponchel M P A J. 1836-1842. *Histoire Naturelle des Lépidoptères ou Papillons de France*. Volume 3 (Supplement). Firmin Didot, Paris, 648 pp., 50 pls.

Duponchel M P A J. 1845. *Catalogue méthodique des Lépidoptères d'Europe*. Méquignon-Marvis, Paris, xxx + 523 pp.

Dyar H G. 1897. A generic revision of the Ptilodontidae and Melalophidae. *Transactions of the American Entomological Society*, 24: 1-20.

Dyar H G. 1900. Change of preoccupied names. *The Canadian Entomologist*, 32: 347.

Dyar H G. 1902. A generic subdivision of the genus Plusia. *Journal of the New York Entomological Society*, 10: 79-82.

Ebert G. 1968. Afghanische Bombyces und Sphinges. 2. Notodontidae. Ergebnisse der 2. Deutschen Afghanistan-Expedition(1966)der Landessammlungen fur Naturkunde in Karlsruhe. *Reichenbachia*, 10: 199-205.

Eichler F. 1965. Callambulyx tatarinovi japonica ssp. n. aus Japan(Lepidoptera: Sphingidae). *Reichenbachia Dresden*, 5: 21-24.

Eichler F. 1971. Celerio galii tibetanica ssp. n. sowie Bemerkungen zur Art(Lepidoptera: Sphingidae). *Entomologische Arb Mus Tierk Dresden*, 38: 315-324.

Eitschberger U, Lukhtanov V. 1996. New subspecies and names of western Palaearctic Sphingidae(Lepidoptera: Sphingidae). *Atalanta(Marktleuthen)*, 27(3-4): 615-621.

Eitschberger U, Zolotuhin V. 1997. Die Gattung *Dolbina* Staudinger, 1877 mit der Beschreibung eines neuen Subgenus *Elegodolba* subgen. nov. (Lepidoptera: Sphingidae). *Atalanta (Marktleuthen)*, 28 (1-2): 135-151.

Eitschberger U. 2001. Neubeschreibungen von Arten in der Gattung *Psilogramma* Rothschild & Jordan, 1903 (Lepidoptera: Sphingidae). *Neue Entomologische Nachrichten Supplement*, 1: 3-63.

Eitschberger U. 2003. Revision und Neugliederung der Schwaermer-Gattung *Leucophlebia* Westwood, 1847 (Lepidoptera, Sphingidae). *Neue Entomologische Nachrichten*, 56: 1-400.

Eitschberger U. 2006. The genus *Amplypterus* Hübner, (1819) (Lepidoptera: Sphingidae). *Neue Entomologische Nachrichten*, 59: 1-106; 408-419.

Eitschberger U. 2012. Revision des*Marumba gaschkewitschii* (Bremer & Grey, 1852) - Artkomplexes (Lepidoptera: Sphingidae). *Neue Entomologische Nachrichten*, 68: 1-293.

Elwes H J. 1890. On some new Moths from India. *Proceedings of the Zoological Society*, 1890: 378-401.

Erschov A. 1870. Catalogue of the Lepidoptera of the Russian Empire. *Trudy Russkago Entomologischeshkago Obschestva*, 4: 139-204 [In Russian].

Esper E J Ch. 1776-1830. *Die Schmetterlinge in Abbildungen nach der Natur mit Beschreibungen.* Erlangen, 5 Bande.

Eversmann E F. 1837. Kurze Notizen uber einige Schmetterlinge Russlands. *Bull. Soc. Imp. Nat. Moscow*, 1837: 29-66.

Eversmann E F. 1847. Lepidoptera quaedam nova Rossiae et Sibiriae indigena descripsit et delineavit. *Bulletin de la Sociétè Imperiate des Naturalistes de Moscou*, 20(3): 66-83.

Eversmann E F. 1842. Quaedan Lepidopterorum. Species novae, in Rossia Orientali observatae, nunc descriptae et depictae. *Bulletin de la Sociétè Impériale des Naturalistes de Moscou*, 15(3): 543-565, 1 pl.

Eversmann E F. 1856. Les noctuelites de la Russie. *Bulletin de la Sociétè Impériale des Naturalistes de Moscou*, 29(3): 1-120.

Fabricius J C. 1775. *Systema Entomologicae, sistens Insectorum classes, ordines, genera, species, adjectis, synonymis, locis, descriptionibus, observationibus.* Flensburg, Lipsia, 832 pp.

Fabricius J C. 1777. *Genera insectorum eorumque characteres naturales secundum numerum, figuram, situm et proportionem omnium partium oris adiecta mantissa specierum nuper detectarum.* Litteris Mich. Friedr. Bartschii, Chilonii, 310 pp.

Fabricius J C. 1781. *Species insectorum exhibentes eorum differentias specificas, synonyma, auctorum, loca natalia, metamorphosin adiectis observationibus, descriptionibus.* Vol. 2. Impensis Carol. Ernest. Bohnii, Hamburgi & Kilonii, 494 pp.

Fabricius J C. 1787. *Mantissa Insectorum, sistens eorum species nuper detectas.* Vol. 2. Hafniae, 382 pp.

Fabricius J C. 1793, *Entomologiae Systematica.* Emendata et Aucta. 3(1): 1-488.

Fabricius J C. 1794. *Entomologia Systematica Emendata et Aucta.* Vol. 3(2). Hafniae, 349 pp.

Fabricius J C. 1798. *Supplementum Entomologiae systematicae.* Apud Proft et Storch, 572 pp.

Fabricius J C. 1807. Nach *Fabricii* Systema Glossatorum. *Magazin fur Insektenkunde (Illiger)*, 6: 279-289.

Felder C, Felder R. 1865-1875. *Reise derösterreichischen Fregatte Novara um die Erde in den Jahren* 1857, 1858, 1859 *unter den Beihilfen des Commodore B. von Wüllerstorf-Urbair.* Zoologischer Theil. Zweiter Band: Zweite Abtheilung, Wien, 5 Teile, 140 Taf.

Felder C. 1861. Lepidopterorum Amboinensium a Dre L. Doleschall annos 1856-1958 collectorum. 2.

Heterocera. *Sitzungsberichte der Akademie der Wissenschaften. Mathematisch-Natyrwissenschaftliche Classe. Wien.* 43(1): 26-44.

Felder R, Felder C. 1862. Observationes de Lepidopteris nonnullis Chinae centralis et Japoniae. *Wiener Entomologische Monatschrift*, 6: 33-40.

Felder R, Rogenhofer A F. 1874. Lepidoptera. Heft 4. Atlas der Heterocera, Sphingida-Noctuida. *Reise österreichischen Fregatte Novara um die Erde in den Jahren* 1857, 1859. Zoologischer Theil, 2(2. Abt). Carl Gerold's Sohn, Wien, pls 75-120, pp. 537-548.

Felder R, Rogenhofer A F. 1875. Lepidoptera. Heft 5. Atlas der Heterocera, Geometridae Pterophorida. *Reise der österreichischen Fregatte Novara um die Erde.* Zoologischer Theil, 2(2. Abt). Carl Gerold's Sohn, Wien, pls 121-140.

Fernάndez A. 1931. Un nuevo genero de la subfamilia Amphipyrinae y otras novedades lepidopterologicas ibericas. *Eos Madrid*, 7: 211-222.

Fixsen C. 1887. Lepidopter aus Korea. *In* Romanoff N M. *Mémoires sur les Lépidoptères*, 3: 233-365. 2 pls. 1 map.

Fletcher D S, Nye I W B. 1982. Bombycoidea, Mimallonoidea, Sphingoidea, Castnioidea, Cossoidea, Zygaenoidea, Sesioidea. *In* Nye I W B (Ed.). *The Generic Names of Moths of the World.* Volume 4. Trustees of the British Museum(Natural History), London, 192 pp.

Fletcher D S. 1953. A revision of the Carecomotis(Lepidoptera: Geometridae). *Annals and Magazine of Natural History*, (12)6: 100-142, 4 pls.

Fletcher D S. 1961. Noctuidae. *Ruwenzori Expedition* 1952. Volume 1, number 7. British Museum(Natural History), London, pp. 177-323.

Fletcher D S. 1966. Some changes in the nomenclature of British Lepidoptera. Part 1. *Entomologist's Gazette*, 17: 9-18.

Fletcher D S. 1967. A revision of the Ethiopian species and a check list of the world species of *Cleora* (Lepidoptera: Geometridae). *Bulletin of the British Museum (Natural History)* (Entomology), 8: 1-119.

Fletcher D S. 1979. Geometroidea. *In* Nye I W B (Ed.). *The Generic Names of Moths of the World.* Volume 3. Trustees of the British Museum(Natural History), London, 243 pp.

Forbes W T M. 1960. Lepidoptera of New York and neighboring states. Part 4. Agaristidae through Nymphalidae, including butterflies. *Cornell University Agricultural Experiment Station Memoir*, 371: 1-188.

Forster W, Wohlfahrt T A. 1971. *Die Schmetterlinge Mitteleuropas.* Eulen(Noctuidae). W. Keller and Co. Stuttgart, vii +329 pp. , 32 pls.

Fourcroy A F. 1785. *Entomologia Parisiensis; sive catalogus Insectorum quce in agro Parisiensi reperiuntur.* Volumes 1 & 2. Parisiis, vii +544 pp.

Franclemont J G. 1941. Notes on some Cuculliinae(Phalaenidae: Lepidoptera). *Entomological News*, 52: 201-205.

Franclemont J G. 1950. Notes on some genera and species of eastern moths with descriptions of new species(Lepidoptera: Phalaenidae). *Bulletin of the Brooklyn Entomological Society*, 45: 144-155.

Franclemont J G. 1951. The species of the Leucania unipuncta group, with a discussion of the generic names for the various segregates of Leucania in North America(Lepidoptera: Phalaenidae: Hadeni-

nae). *Proceedings of the Entomological Society of Washington*, 53: 57-85.

Freyer C F. 1831-1858. *Neuere Beiträge zur Schmetterlingskunde mit abbildungen nach der Natur.* Volumes 1-7. Carl Kollman, Augsburg.

Frivaldszky I. 1845. Rövid áttekintése egy természetrajzi utazásnak, az európai Töröbirodalomban, egyszersmind nehány a közben újdonnat fölfedezett állatnak leírása. [Brief overview of a natural history journey taken in the European part of the Ottoman Empire, supplemented with the description of some newly discovered animals.]. *A Királyi Magyar Természettudományi Társulat évkönyvei. Elsökötet.* Pesten, nyomatott Beimel Józsefnél, 1: 163-187, pls Ⅰ-Ⅲ.

Fuessli J C. 1775. *Verzeichniss der ihm bekannten Schweizerischen Insekten mit einer Ausgemahlten kupfertafel nebst der Unfundigung eines neue Insekten werks.* Heinrich Teiner, Zurich, xii + 62 pp. , 1 pl.

Fuessly J C. 1781. Der Flerdermausschwärmer (Sphinx vefpertilio). *Archiven der Insectengeschichte*, 1: 1-3.

Gaede M. 1914. Neue afrikanische Drepaniden aus dem Berliner Zoologischen Museum. *Internationale Entomologische Zeitschrift*, 8: 65-66.

Gaede M. 1931. Drepanidae. *In*: Strand E H (Ed.). *Lepidopterorum Catalogus*, Volume 49. Berlin, pp. 1-59.

Gehlen B. 1932. Neue Sphingiden. *Entomologische Rundschau*, 49: 62-64, 65-66, 84-85, 182-184.

Gehlen B. 1941. Neue Sphingiden. *Entomologische Zeitschrift Frankfurt a M*, 55: 178-179, 185-186.

Germar E F. 1810-1812. *Dissertatio sistens Bombycum Species. Secundum Oris Partium Diversitatem in Nova Genera Distributas. Quam Auctoritate Amplissimi Philosophorum Ordinis pro Summis in Philosophia Honoribus.* Section I & II. Schimmelpfennigiana, Halae, 51 pp.

Geyer C. 1832. *In* Hübner J. *Zuträge zur Sammlung Exotischer Schmetterlinge.* Vol. 4. Jacob Hübner, Augsburg, 48 pp.

Gistel J (R F X). 1848. *Naturgeschichte des Thierreichs für höhere Schulen.* Naturg Thierreichs, Stuttgart. i-xvi, 1-216 pp. , atlas, 32 pls.

Goeze J A E. 1781. *Entomologische Beiträge zu des Ritter Linné Zwölften Ausgabe des Natursystems.* (3)3. Leipzig, 439 pp.

Graeser L. 1888-1892. Beiträge zur Kenntniss der Lepidopteren-Fauna des Amurlandes. part 1-5. *Berliner Entomologische Zeitschrift*, 32: 33-153 (part 1, 1888); 32: 309-414 (part 2, 1889); 33: 251-268 (part 3, 1889); 35: 71-84 (part 4, 1890); 37: 209-234 (part 5, 1892).

Grote A R. 1877. Notice of Mr. Butler's Revision of the Sphingidae. *The Canadian Entomologist*, 9: 130-133.

Grote A R. 1865. Descriptions of North American Lepidoptera - no. 6. *Proceedings of the Entomological Society of Philadelphia*, 4: 315-330.

Grote A R. 1873. Contributions to a knowledge of North American moths. *Bulletin of the Buffalo Society of Natural Sciences*, 1: 73-94.

Grote A R. 1874a. List of the North American Platypterices, Attaci, Hemileucini, Ceratocampadae [sic!], Lachneides, Teredines and Hepiali, with notes. *Proceedings of the American Philosophical Society*, 14: 256-264.

Grote A R. 1874b. New species of North American Noctuidae. *Proceedings of the Academy of Natural Sciences of Philadelphia*, 1874: 197-214.

Grote A R. 1874c. On the Noctuidae of North America. *Sixth Annual Report of the Trustees of the Peabody Academy of Sciences for the year*, 1873. Salem Press, Salem, pp. 21-38.

Grote A R. 1876. On a new canadian bombycid moth. *The Canadian Entomologist*, 8: 125-126.

Grote A R. 1878. Descriptions of Noctuidae, chiefly from California. *Bulletin of the United States Geological and Geographical Survey of the Territories*,4: 169-187.

Grote A R. 1881. North American moths, with a preliminary catalogoue of the species of *Hadena* and *Polia*. *Bulletin of the United States Geological and Geographical Survey of the Territories*, 6: 257-277.

Grote A R. 1895a. List of North American Eupterotidae, Ptilodontidae, Thyatiridae, Apatelidae and Agrotidae. *Abhandlungen des Naturwissenschaftlichen Vereins zu Bremen*,14: 43-128.

Grote A R. 1895b. Generic names in the Noctuidae. *Entomologist's Record and Journal of Variation*, 6: 27-30, 57, 77-81.

Grote A R. 1895c. Schrank's genera. *Journal of the New York Entomological Society*, 3: 168-175.

Grote A R. 1895d. Systema Lepidopterorum Hildesiae juxta opera praeliminaria, quae ediderunt Bates, Scudder, Guillielmus Mueller, Comstock, Dyar, Chapman, compositum. *Mt Mus Hildesheim*, 1: 1-4.

Grote A R. 1896. Generic names in Plusia. *Entomologist's Record and Journal of Variation*, 8: 303.

Grote A R. 1902. Die Gattungsnamen der europaischen Noctuiden. *Allgemeine Zeitschrift fuer Entomologie*, 7: 395-400.

Grum-grshimailo, G. 1900. Lepidoptera nova vel parum cognita regionis palaearcticae 1. *Annuaire du Musee St Petersbourg*, 4: 455-472.

Grunberg K. 1914. Eine neue indo-australische Lasiocampiden-Gattung. *Syrastrenopsis moltrechti* nov. gen. nov. spec. *Entomologische Rundschau*, 31: 38-40.

Guenée M A. 1838. Matériaux pour servir a la classification des Noctuélides. *Annales de la Société Entomologique de France*, 7: 107-125, 201-230.

Guenée M A. 1841a. Essai sur la classification des Noctuélides (suite). *Annales de la Société Entomologique de France*, 10: 53-83.

Guenée M A. 1841b. Essai sur la classification des Noctuelides(suite et fin). *Annales de la Société Entomologique de France*, 10: 217-250.

Guenée M A. 1852-1858. *In* Boisduval J B A D, Guenée M A. *Histoire Naturelle des Insectes. Spécies Général des Lépidoptéres.* Tome 5. Noctuélites 1: i-xcvi, 1-407(1852); Tome 6. Noctuélites 2: 1-444(1852); Tome 7. Noctuélites 3: 1-442, pls 1-24(1852); Tome 8. Deltoides *et* Pyralites: 1-448, pls 1-10(1854); Tome 9. Uranides *et* Phalenites 1: 1-514, pls 1-56(1858); Tome 10. Uranides *et* Phalenites 2: 1-584, pls 1-22(1858).

Guenée M A. 1862. Lépidoptères. *In* Maillard L. *Notes sur l'île de la Réunion(Bourbon)* (Annexe G:). 16 pp.

Gumppenberg C V. 1887-1895, Systema Geometrarum zonae temperatioris septentrionalis. Erster Theil. *Nova Acta Academiae Leopoldino Carolinae Naturae Curiosorum*, 49: 229-400, pls 8-10(1887); Dritter Theil. *ibidem*, 54: 269-431 (1890); Vierter Theil, *ibidem*, 54: 433-544 (1890); Siebenter Theil, 64: 367-512(1895).

Hampson G F. 1891. *Illustrations of typical specimens of Lepidoptera Heterocera in the collection of the British Museum.* Part 8. The Lepidoptera Heterocera of the Nilgiri district. London, iv + 144 pp.

Hampson G F. 1893. *Illustrations of typical specimens of Lepidoptera Heterocera in the collection of the*

British Museum. Part 9. The Macrolepidoptera Heterocera of Ceylon. London, v + 182 pp., pls 157-176.

Hampson G F. 1893-1896. *The Fauna of British India, including Ceylon and Burma*(Moths). Taylor and Francis, London, volume 1, xxiii +527 pp., figs 1-333(1893); volume 2, xxii +609 pp. (1894); volume 3, xxviii +546 pp. (1895); volume 4, xxviii +594 pp(1896).

Hampson G F. 1895. Descriptions of new Heterocera from India. *Transactions of the Entomological Society of London*, 1895: 277-315.

Hampson G F. 1897-1899. The moths of India. Supplementary paper to the Volumes in "*The Fauna of British India*". Series 1: Parts 1-7. *Journal of the Bombay Natural History Society*, 11: 277-297, pl. A(1897), 438-462. 698-724(1898); 12: 73-98(1898), 304-314, 475-489, 697-715(1899).

Hampson G F. 1898-1913. *Catalogue of the Lepidoptera Phalaenae of the Collection of the British Museum*. Vol. 1: i-xxi, 1-559(1898); Vol. 2: i-xx, 1-589(1900); Vol. 3: I-xix, 1-690(1901); Vol.4: i-xx,1-689(1903); Vol. 5: i-xvi, 1-634(1905); Vol. 6: i-xiv, 1-532(1906); Vol. 7: i-xv, 1-709 (1908); Vol. 8: i-xiv, 1-583(1909); Vol. 9: i-xv, 1-552(1910); Vol. 10: i-xix, 1-829(1910); Vol. 11: i-xvii, 1-689(1912); Vol. 12: i-xiii, 1-858(1913); Vol. 13: i-xiv, 1-609(1913); Pls 1-239. London.

Hampson G F. 1901. New species of Syntomidae and Arctiadae. *Annals and Magazine of Natural History*, (7)8: 165-186.

Hampson G F. 1901-1903. The moths of India. Supplementary paper to the Volumes in "*The Fauna of British India*". Series 2: Parts 1-10. *Journal of the Bombay Natural History Society*, 13: 37-51, 223-235 pl. B(1901); 14: 103-117, 197-219, 494-519(1902), 639-659(1903); 15: 19-37, 206-226, pl. C(1903).

Hampson G F. 1902. The moths of South Africa (Part 2). *Annals of the South African Museum*, 2: 255-446.

Hampson G F. 1904-1908. The moths of India. Supplementary paper to the Volumes in "*The Fauna of British India*". Series 3: Parts 1-11. *Journal of the Bombay Natural History Society*, 15: 630-653 (1904); 16: 132-152, pl. D(1904), 193-216, 434-461, 700-719(1905); 17: 164-183, 447-478 (1906), 645-677(1907); 18: 27-53(1907), 257-271, 572-585, pl. E(1908).

Hampson G F. 1907. Descriptions of new genera and species of Syntomidae, Arctiadae, Agaristidae, and Noctuidae. *Annals and Magazine of Natural History*, (7)19: 221-257.

Hampson G F. 1909. On a new genus and species of Noctuidae from Britain. *Transactions of the Royal Entomological Society of London*, 1909: 461-463.

Hampson G F. 1910-1912. The moths of India. Supplementary paper to the Volumes in "*The Fauna of British India*". Series 4: Parts 1-5. *Journal of the Bombay Natural History Society*, 20: 83-125 (1910), 634-674, 1046-1083, pl. F(1911); 21: 411-446, 878-911, 1222-1272, pl. G(1912).

Hampson G F. 1926. *Descriptions of new Genera and species of Lepidoptera Phalaenae of the Subfamily Noctuinae(Noctuidae) in the British Museum(Natural History)*. London, 641 pp.

Han H X, Galsworthy A C and Xue D Y. 2005. A taxonomic revision of *Limbatochlamys* Rothschild, 1894 with comments on its tribal placement in Geometrinae(Lepidoptera: Geometridae). *Zoological Studies*, 44(2): 191-199.

Han H X, Galsworthy A C and Xue D Y. 2009. A survey of the genus *Geometra* Linnaeus(Lepidoptera:

Geometridae: Geometrinae). *Journal of Natural History*, 43(13): 885-922.

Han H X, Li H M and Xue D Y. 2006. Revision of *Chlororithra* Butler, 1889 (Lepidoptera: Geometrinae). *Zootaxa*, 1221: 29-39.

Han H X, Stüning D and Xue D Y. 2010. A taxonomic review of the genus *Pseudostegania* Butler, 1881, with description of four new species and comments on its tribal placement in the Larentiinae (Lepidoptera: Geometridae). *Entomological Science*, 13: 234-249.

Handlirsch A. 1925. Geschichte, Literatur, Technik, Paläontologie, Phylogenie, Systematik. *In* Schröder C W M. *Handbuch der Entomologie* 3. Gustav Fischer, Jena, pp. 1-1201.

Hardwick D F. 1965. The corn earworm complex. *Memoirs of the Entomological Society of Canada*, no. 40, 247 pp., 146 figs.

Harvey L F. 1874. Observations on North American Moths. *Bulletin of the Buffalo Society of Natural Sciences*, 1: 118-121.

Haworth A H. 1803 & 1809. *Lepidoptera Britannica sistens Digestionem novam Insectorum Lepidopterorum quae in Magna Britannia Reperiuntur, Larvarum pabulo, Temporeque Pascendi; Expansione Alarum; Mensibusque Volandi; Synonymis Atque Locis Observationibusque Varris.* R. Taylor, London. Part 1, pp. 1-136 (1803); Part 2, pp. 137-376 (1809).

Haworth A H. 1809. *Lepidoptera Britannica*. Volume 2. J. Murray, Londini, pp. 137-376.

Haxaire J, Melichar T. 2010. Description d'une nouvelle espece du genre Kentrochrysalis Staudinger, 1887 de Chine centrale: Kentrochrysalis heberti sp. n. (Lepidoptera, Sphingidae). *European Entomologist*, 3(2): 101-110.

Hedemann W V. 1878. Beitrag zur Lepiddopteren-Fauna des Amur-landes. *Horae Societatis Entomologicae Rossicae*, 14: 506-516.

Hedemann W V. 1881. Beitrag zur Lepidopteren-Fauna des Amur-landes (Fortsetzung). *Horae Entomologicae Rossicae*, 16: 43-57, 257-272.

Herbulot C. 1951. Diagnoses de nouveaux genres de Geometridae Larentiinae. *Revue of France Lepidoptera*, Paris, 13: 25-26.

Herbulot C. 1964. Les noms de genres de Geometridae employes par Hubner dans son Systematisch-alphabetisches Verzeichniss. *Lambillionea*, 62(19): 53-57.

Herrich-Schäffer G A W. 1843-1856. *Systematische Bearbeitung der Schmetterlinge von Europa, Zugleich als Text, Revision und Supplement zu Jacob Hübner's Sammlung europäischer Schmetterlinge*. (6 Volumes) Vierter Band. Zünsleru. Wickler. Manz, Regensburg.

Herrich-Schäffer G A W. 1850-1858. *Sammlung neuer oder wenig bekannter, aussereuropäischer Schmetterlinge*. Volume 1, series 1. G. J. Manz, Regensburg, 84 pp., 96 pls.

Herrich-Schäffer G A W. 1863. *Systematisches Verzeichniss der Europäischen Schmetterlinge*. Volume 9. Regensburg, 28 pp.

Herrich-Schäffer G A W. 1868. Die Schmetterlinge der Insel Cuba. *Correspondenz-Blatt des Zoologisch-Mineralogischen Vereines in Regensburg*, 22: 113-118, 147-156, 179-186.

Herz O. 1904. Lepidoptera von Korea. Noctuidae et Geometridae. *Annuaire du Musée Zoologique de l'Académie Inpériale des Sciences de St. Petersbourg* (*Ezheg. zool. Muz.*), 9: 263-390, 1pl.

Heylaerts F J M. 1890. Heterocera exotica nouveaus genre et espéces des Indes Orientales néerlandaises. *Comptes Rendus des Séances Société Entomologique de Belgique*, 1890: 26-30.

Heylaerts F J M. 1891. Heterocera exotica nouveaus genre et espéces des Indes Orientales néerlandaises. *Comptes Rendus des Séances Société Entomologique de Belgique*, 35: 409-417.

Hirata S. 1967. Comparative studies on the population dynamics of important Lepidopterous pests on cabbage. 7. Distribution of larvae and pupae of Pieris rapae crucivora Boisd. , Mamestra brassicae(L.) and Autographa nigrisigna Walk, on each individual plant of cabbage. *Japanese Journal of Applied Entomology and Zoology*, 11: 107-113.

Hoeven J 1840. Beschrijving eeniger nieuwe of weinig bekende uitlandsche soorten van Lepidoptera. *Tijdschrift voon Naturlijke Geschiedenis en Physiologie*, 7: 276-283, 3 pls.

Hogenes W, Treadaway C G. 1993. New hawkmoths from the Philippines (Lepidoptera: Sphingidae). *Nachrichten des Entomologischen Vereins Apollo*, 13(4): 533-552.

Holland W J. 1889. Descriptions of new species of Japanese Heterocera. *Transactions of the American Entomological Society*, 16: 71-76.

Holland W J. 1893. Descriptions of new species and genera of West African Lepidoptera. *Psyche*, 6: 411-418.

Holland W J. 1894. New and undescribed genera and species of West African Noctuidae. *Psyche*, 7: 7-10, 27-34, 36, 47-50, 67-70, 83-90, 109-128, 141-144, 5 pls.

Holloway J D. 1976. *Moths of Borneo with special reference to Mount Kinabalu*. Kuala Lumpur, Malay, Nature Society, 264 pp. , 727 figs, 31 pls.

Holloway J D. 1979. *A Survey of the Lepidoptera Biogeography, and Ecology of New Caledonia*. W. Junk B. V. Publishers, The Hague, 588 pp. , 153 text figs, 87 pls.

Holloway J D. 1982. Taxonomic appendix. *In* Barlow H S. *An Introduction to the Moths of South East Asia*. Kuala Lumpur, pp. 174-253.

Holloway J D. 1987. The moths of Borneo. Superfamily Bombycoidea: families Lasiocampidae, Eupterotidae, Bombycoidae, Brahmaeidae, Saturniidae, Sphingidae Vol. 3. *Malayan Nature Journal*, 41: 1-199.

Holloway J D. 1988. *The moths of Borneo*. Part 6. Arctiidae: Syntominae, Euchromiinae, Arctiinae, Aganainae(Noctuidae). Malayan Nature Society, Kuala Lumpur, 101 pp.

Holloway J D. 1989. The moths of Borneo: family Noctuidae, trifine subfamilies: Noctuinae, Heliothinae, Hadeninae, Acronictinae, Amphipyrinae, Agaristinae. *Malayan Nature Journal*, 42(2-3): 57-226.

Holloway J D. 1994. The Moths of Borneo: Family Geometridae, Subfamily Ennominae. *Malayan Nature Journal*, 47: 1-309.

Holloway J D. 1996. The moths of Borneo: family Geometridae, subfamilies Oenochrominae, Desmobathrinae and Geometrinae. *Malayan Nature Journal*, 49(3-4): 147-326, 427 figs, 12 pls.

Houlbert C. 1921. Revision monographique de la Famille des Cymatophoridae. *In*: Oberthür C. *Études de Lépidopterologie Comparee*, 18(2): 23-252.

Hübner J. 1786-1790. *Beiträge zur Geschichte der Schmetterlinge*. Volumes 1-2. Augsburg.

Hübner J. 1796-1838. *Sammlung Europäischer Schmetterlinge*. Augsberg.

Hübner J. 1806. *Tentamen determinationis digestionis atque denominationis singularum stirpium Lepidopterorum, peritis ad inspiciendum et dijudicandum communicatum*.

Hübner J. 1816-1825. *Verzeichniss bekannter Schmettlinge*. Augsburg: bey dem Verfasser zu Finden, (1): 1-3, 4-16(1816), (2): 17-32(1819), (3): 33-48(1819), (4): 49-64(1819), (5): 65-80

(1819),(6): 81-96(1819),(7): 97-112(1819),(8): 113-128(1819),(9): 129-144(1819),(10): 145-160(1819),(11): 161-176(1819),(12): 177-192(1820),(13): 193-208(1820),(14): 209-224(1821),(15): 225-240(1821),(16): 241-256(1821),(17): 257-272(1823),(18): 273-288(1823),(19): 289-304(1823),(20): 305-320(1825),(21): 321-336(1825),(22): 337-352(1825),(23-27): 353-431(1825).

Hübner J. 1818-1831. *Zuträge zur Sammlung exotischer Schmetterlinge*, bestehend in Bekundigung einzelner Fliegmuster neuer oder rarer nichteuropäischer Gattungen.

Hübner J. 1822. *Systematisch-alphabetisches Verzeichniss aller Bisher bey den Fürbildungen zur Samlung Europäischer Schmetterlinge angegebenen Gattungs-benennungen: mit Vormerkung auch Augsburgischer Gattungen.* Augsburg, 81 pp.

Hüfnagel J S. 1766. Fortsetzung der Tabelle von den Nachtvögeln. 4. Fotsetzung der vierten Tabelle von den Insecten, besongers von denen so genannten Nachteulen als der zwoten Klasse. Der Nachtvögel hiesiger Gegend. *Berlinisches Magazin*, 3: 279-309, 393-426.

Hüfnagel J S. 1767. Fortsetzung der Tabelle von den Nachtvögeln, welche die 3te Art derselben, nehmlich die Spannenmesser (Phalaenas Geometras Linnaei) enthält. *Berlin Magazine*, 4(5): 504-527, 599-619.

Hulst G D. 1896. Classification of Geometrina of North America. *Transactions of the American Entomological Society*, 23: 235-386.

Huwe A. 1895. Verzeichniss der von Hans Fruhstorfer wahrend seines Aufenthalts auf Java in den Jahren 1891 bis 1893 erbeuteten Sphingiden. *Berliner Entomologische Zeitschrift*, 49: 356-372.

Ichinosé T. 1962. Studies on the genus Plasia(s. I.)(Noctuidae: Plusiinae)4. On autographa group and peponis group. *Kontyû*, 30: 248-251.

Ichinosé T. 1973. A revision of some genera of the Japanese Plusonae, with descriptions of a new genus and two new subgenera(Lepidoptera: Noctuidae). *Kontyû*, 41(2): 135-140.

ICZN(the International Commission on Zoological Nomenclature). 1956. Opinion 379. *In* Hemming F (ed.). *Opinions and declarations rendered by the International Commission on Zoological Nomenclature*. Vol. 11. Part 29. Order of the International Trust for Zoological Nomenclatura, London, pp. 421-430.

ICZN(the International Commission on Zoological Nomenclature). 1957. Official List of Family-Group Names on Zoology. *Opin. Decl. int. Commn zool. Nom.*, 15: 253-254(Opinion 450).

Inoue H, Stüning D. 1995. A new species of the genus *Ourapteryx* Leach, 1814 from central China(Lepidoptera: Geometridae: Ennominae). *Transactions of the lepidopterological Society of Japan*, 46(4): 255-259.

Inoue H, Sugi S. 1958. *Checklist of the Lepidoptera of Japan.* Part 5. Rikusuisha, Tokyo, pp. 431-669.

Inoue H. 1943. New and little known Geometridae from Japan. *Transactions of the Kansai Entomological Society*, 12(2): 1-25, figs 1-8, pl. 11.

Inoue H. 1944. Notes on some Japanese Geometridae. *Transactions of the Kansai Entomological Society*, 14(1): 60-71, figs 1-10.

Inoue H. 1946. A catalogue of the Geometridae of Corea. *Bulletin of Lepidopterological Society of Japan* Kyoto, 1: 19-59.

Inoue H. 1953. Notes on some Japanese Larentiinae and Geometrinae. *Tinea*, 1(1): 1-18, 21 figs, 1 pl.

Inoue H. 1955a. Notes on the scientific names of the Japanese moths. (5). *Butterflies & Moths*. 6: 12-14.

Inoue H. 1955b. Unrecorded moths from Shikiku(1), with description of a new subspecies. *Gensei*, 4 (1/2): 1-8.

Inoue H. 1956a. Miscellaneous notes onnthe Japanese Geometridae(Ⅵ). *Tinea*, 3(1/2): 165-169, 4 figs.

Inoue H. 1956b. Unrecorded Geometridae from Kyushu and shikoku. *Trans. Shikoku ent. Soc.* 4(7): 107-118.

Inoue H. 1956c. One new species and two new subspecies of the Lymantriidae from Japan. *Tinea*, 3: 141-142.

Inoue H. 1959. *Icongraphia Insectorum Japonocorum*. Colore Naturali Edita. 1. Lepidoptera. xiv. +284pp. +index,184 pls.

Inoue H. 1960. One new species and one new subspecies of Macrauzata from Japan and China(Lepidoptera: Drepanidae). *Tinea*, 5(2): 314-316, 1 pl.

Inoue H. 1961. Lepidoptera: Geometridae. *Insecta Japonica*, Series 1, Part 4. Hokuryukan Publishing, Tokyo, pp. 1-106, pls 1-7.

Inoue H. 1962. Lepidoptera: Cyclidiidae, Drepanidae. *In* Inoue H (Ed.). *Insecta Japonica*. Vol. 2(1), Hokuryukan Publishing, Tokyo, Japan, pp. 1-54, pls. 1-3.

Inoue H. 1963. Descriptions and records of some Japanese Geometridae(Ⅲ). *Tinea*,6(1/2): 29-39, 7 figs, 1 pl.

Inoue H. 1970. Two new genera of the subfamily Nycteolinae,Noctuidae, from East Asia(Lepidoptera). *Bulletin of the Japan Entomological Academy*, 5: 37-42.

Inoue H. 1975. On the species of the genus*Numenes* from Japan and neighbouring countries(Lymantriidae). *Japan Heterocerists' Journal*, 83: 377-383.

Inoue H. 1977. Catalogue of the Geometridae of Japan(Lepidoptera). *Bulletin of Faculty of Domestic Sciences, Otsuma Woman's University*, 13: 227-346, 80 figs.

Inoue H. 1978. New and unrecorded species of the Geometridae from Taiwan with some synonymic notes (Lepidoptera). *Bulletin of Faculty of Domestic Sciences, Otsuma Woman's University*, 14: 203-254, 129 figs.

Inoue H. 1982. Geometridae of Eastern Nepal based on the collection of the Lepidopterological Research Expedition to Nepal Himalaya by the Lepidopterological Society of Japan in 1963. Part 2. *Bulletin of Faculty of Domestic Sciences, Otsuma Woman's University*, 18: 129-190, 51 figs.

Inoue H. 1985. The genus *Ourapteryx* and *Tristrophis* of Taiwan(Lepidoptera: Geometridae). *Bull. Fac. domestic Sci., Otsuma Woman's Univ.*, 21: 75-124, 116 figs.

Inoue H. 1986a. Descriptions and records of some Japanese Geometridae(6). *Tinea*, 12(7): 45-71, figs 1-27.

Inoue H. 1986b. Further new and unrecorded species of the Geometridae from Taiwan with some synonymic notes(Lepidoptera). *Bull. Fac. domest. Sci. Otsuma Wom. Univ.* 22: 211-267, 67 figs.

Inoue H. 1987. Synonymic notes on Lasiocampidae and Saturnidae from China. *Akitu*, 89: 4.

Inoue H. 1990. Supplementary notes on the Sphingidae of Taiwan, with special reference to *Marumba spectabilis*-complex. *Tinea*, 12(28): 245-258.

Inoue H. 1992a. Geometridae, Thyatiridae, Cyclidiidae, Drepanidae. *In* Heppner J B, Inoue H, *Lepidoptera of Taiwan*. Vol. 1, part 2: Checklist. Florida, pp. 111-129, 151-153.

Inoue H. 1992b. Twenty-four new species, one new subspecies and two new genera of the Geometridae (Lepidoptera) from East Asia. *Bulletin of Otsuma Women's University*, 28: 149-188.

Inoue H. 1992c. A revision of the genus *Auaxa* Walker (Lepidoptera: Geometridae: Ennominae). *Tyô to Ga*, 43(1): 65-74.

Inoue H. 1993. A new subspecies of *Ambulyx japonica* Rothschild (Lepidoptera: Sphingidae) from Korea. *Insecta Koreana*, 10: 50-52.

Inoue H. 1999. Revision of the genus *Herochroma* Swinhoe (Geometridae: Geometrinae). *Tinea*, 16(2): 76-105, figs 1-107.

Inoue H. 2003. A revision of the genus *Obeidia* Walker (Geometridae: Ennominae), with descriptions of four new genera, two new species and one new subspecies. *Tinea*, 17(3): 133-156.

Inoue H, Sugi S, Kuroko H, Moriuti S and Kawabe A (Eds). 1982. *Moths of Japan.* Kodansha, Tokyo. Volume 1: Text, 966 pp; Volume 2: Plates and Synonymic Catalogue, 552 pp, 392 pls.

Janse A J T. 1915. Contribution towards our knowledge of the South African Lymantriadae. *Annals of the Transvaal Museum*, 5: 1-67.

Janse A J T. 1917. *Check-List of the South African Lepidoptera Heterocera.* Transvaal Museum, Pretoria, xii + 219 pp.

Janse A J T. 1932. *The moths of South Africa.* Volume I. Sematuridae and Geometridae. Commercial Printing Company, Durban, x + 376 pp. + 15 pls.

Janse A J T. 1933. *The moths of South Africa.* Volume 2, part 1. Conclusion of Geometridae. Commercial Printing Company, Durban, pp. 1-96, 27 figs.

Jiang N, Xue D Y and Han H X. 2010. A review of *Jankowskia* Oberthür, C. 1884, with descriptions of four new species (Lepidoptera: Geometridae: Ennominae). *Zootaxa*, 2559: 1-16.

Jiang N, Xue D Y and Han H X. 2011. A review of *Biston* Leach, 1815 (Lepidoptera: Geometridae: Ennominae) from China, with description of one new species. *ZooKeys*, 139: 45-96.

Jiang N, Xue D Y and Han H X. 2012. A review of *Peratophyga* Warren, W. 1894 in China, with descriptions of two new species (Lepidoptera: Geometridae: Ennominae). *Zootaxa*, 3478: 403-415.

Joannis J de. 1929. Lépidoptéres Hétérocéres du Tonkin. *Annales de la Société Entomologique de France*, 98: 361-557, 3 plates.

Joannis J de. 1930. Lépidoptéres Hétérocéres du Tonkin. 3e partie. *Annales de la Société Entomologique de France*, 98: 559-834.

Joannis J de. 1929. Lepidopteres heteroceres du Tonkin (2e partie). *Annales de la Société Entomologique de France*, 98(4): 361-552.

John O. 1911. The Missing vein. A lepidopterological study. *Revue Russe d'Entomologie*, 11: 383-391.

Joicey J J, Kaye W J. 1917. Two new species and new genus of Sphingidae. *Annals and Magazine of Natural History*, (8)20: 230-231.

Jordan K. 1923. Four new Sphingidae discovered by T. R. Bell in North Kanara. *Novitates Zoologicae*, 30: 186-190.

Jordan K. 1929. On Oxyambulyx substrigilis and some allied Sphingidae. *Novitates Zoologicae*, 35: 60-62.

Jordan, K. 1931. On *Cypa decolor* and some allied species (Lepid. Sphingidae). *Novitates Zoologicae*, 36: 235-242.

Jordan K. 1931. On the Geographical variation of the pine hawkmoth, *Hyloicus pinastri. Novitates Zoologicae*, 36: 243-280.

Kardakoff, N. 1928. Zur Kenntnis der Lepidopteren des Ussuri-Gebietes. *Entomologische Mitteilungen Berlin*, 17: 261-273, 414-425.

Kaye W J. 1919. New species and genera of Nymphalidae, Syntomidae and Sphingidae in the Joicey collection. *Annals and Magazine of Natural History*, (9)4: 84-93.

Kirby W, Spence W. 1828. *An Introduction to Entomology: or elements of the natural history of Insects, &c.* (Edn 5).

Kirby W. 1837. The Insects. Vol. 4. *In* Richardson J (ed.). *Fauna Boreali-Americana or the Zoology of the Northern parts of British America.* Richard Bentley, New Burlington-street, London, 325 pp.

Kirby W F. 1883. Lepidptera. *In* Rye E C (ed.) *Zoological Records(Insecta)*, 19: 152-234.

Kirby W F. 1892. *A Synonymic Catalogue of Lepidoptera Heterocera(Moths)*. Vol. 1. Sphinges and Bombyces. R. Friedlander & Son., Berlin, vii +951 pp.

Kirby W F. 1897. *A hand-book to the order Lepidoptera.* Volume 3. Allen's Naturalist's Library.

Kiriakoff S G. 1959. Entomological results of the Swedish expedition 1934 to Burma and British India. Lepidoptera: Family Notodontidae. *Arkiv för zool. Ser.* 2 12(20): 313-333.

Kiriakoff S G. 1962a. Notes sur les Notodonfidae(Lepidoptera) Pydna Walker et genres voisins. *Bulletin et Annales de la Société R Entomologique de Belgique*, 98: 149-214, pl. 1-6.

Kiriakoff S G. 1962b. Die Notodontiden de Ausbeuten H. Höne aus Ostasien(Lep. Notodontidae). *Bonner Zoologische Beitraege*, 13: 219-236.

Kiriakoff S G. 1963. Die Notodontiden de Ausbeuten H. Höne aus Ostasien(Lep. Notodontidae). *Bonner Zoologische Beitraege*, 14: 248-293.

Kiriakoff S G. 1967. Notodontidae. *In* Wytsman P (ed.). *Genera Insectorum.* fasc. 217 B. Kraainem, 238 pp.

Kiriakoff S G. 1968. Notodontidae. *In* Wytsman P (ed.). *Genera Insectorum.* fasc. 217 C. Kraainem, 269 pp.

Kiriakoff S G. 1973. Homonymie. *Bulletin et Annales de la Société R Entomologique de Belgique*, 109 (1-3): 42.

Kiriakoff S G. 1974. Neue und wenig bekannte asiatische Notodontidae(Lepidoptera). *Veroffentlichungen Zool St Samml Munch*, 17: 371-421.

Kiriakoff S G. 1976. Neue asiatische Notodontidae(Lepidoptera) nebst Beschreibung zweier Neallotypen. *Mitteilungen der Münchner Entomologischen Gesellschaft*, 66: 29-35.

Kishida Y, Kobayashi H. 2002. Two new species of the genus Ptilophora(Lepidoptera: Notodontidae) from China. *Tinea*, 17(2): 86-91.

Kishida Y. 1992. Lymantriidae. *In* Heppner J B, Inoue H. *Lepidoptera of Taiwan.* Vol. 1, part 2: Checklist. Florida, pp. 164-166.

Kishida Y. 1993. Arctiidae: Lithosiinae. *In* Haruta T. *Moths of Nepal.* Part 2. *Tinea*, 13(Supplement 3): 36-40.

Kishida Y. 1994. Arctiidae. *In* Haruta T. *Moths of Nepal.* Part 3. *Tinea* 14(Supplement 1): 66-71.

Kishida Y. 1996. *Neocifuna* Inoue, 1982, a junior synonym of *Ilema* Moore(1860)(Lymantriidae). *Japan Heterocerists' Journal*, 188: 212-213.

Kitching I J, Cadiou M. 2000. *Hawkmoths of the world: An annotated and illustrated revisionary checklist*. The natural History Museum, London; Cornell University Press, Ithaca, 226 pp.

Kitching I J, Spitzer K. 1995. An annotated checklist of the Sphingidae of Vietnam. *Tinea*, 14(3): 171-195.

Klots A B. 1970. Lepidoptera. *In* Tuxen S L. *Taxonomist's glossary of genitalia in insects*(second edition). Munksgaard, Copenhagen, pp. 115-130.

Kobayashi H, Kishida Y Wang M. 2008. Seven new species of Notodontidae from Guangdong and Guangxi, China and some nomenclatural changes(Lepidoptera: Notodontidae). *Tinea*, 20(2): 117-132.

Kocak A O, Kemal M. 2006. Checklist of the family Notodontidae in Thailand(Lepidoptera). *Centre for Entomological Studies Miscellaneous Papers*, 104: 1-8.

Koch G. 1865. *Die Indo-Australische Lepidopteren-Fauna in ihren Zusammenhang mit der Europäischen, nebst den drei Hauptfaunen des Erde*. L. Denicke, Leipzig, xii + 119 pp., 1pl.

Koda N. 1988. A generic classification of the subfamily Arctiinae of the Palaearctic and Oriental Regions based on the male and female genitalia(Lepidotera: Arctiidae)Part 2. Tyô to Ga(Osaka), 39(1): 1-79.

Kollar V, Redtenbacher L. 1844. Aufzählung und Beschreibung der von Freiherrn Carl v. Hügel auf seiner Reise durch Kaschmir und das Himaleyagebirge gesammelten Insecten(Part 2). *In* von Hügel C. *Kaschmir und das Reich der Siek*, Stuttgart, 4(2): 393-564, 582-585.

Kostrowicki A S. 1961. Studies on the Palaearctic species of the subfamily Plusiinae(Lepidoptera: Phalaenidae). *Acta Zoologica Cracoviensia*, 6: 367-472.

Kotsch H. 1929. Neue Falter aus dem Richthofengebirge usw. *Entomologische Zeitschrift Frankfurt a M*, 43: 204-206.

Kozhanchikov I V. 1950. Lepidopterous InsectsⅫ. *Fauna of SSSR*. 393 pp.

Kozhantschikov I. 1950. *Fauna SSSR*. Nacekomie Chesuekrilie(Insecta: Lepidoptera). Volume 12. Leningrad, 581 pp.

Krulikovsky L. 1908. Neues verzeichnis der Lepidopteren des Gouvernements Kasan(ostl. Russland). *Deutsche Entomologische Zeitschrift Iris*, 21: 202-272.

Krulikowsky L. 1904. Small Lepidoptera notes. *Revue Russe d'Entomologie*, 4: 90-92.

Kusnezov N Y. 1906. A review of the family Sphingidae of the Palearctic and Chinese-Himalayan Faunas. *Horae Societatis entomologicae vossicae*, 37: 293-346.

Lajonquiere T de. 1968. Description d'un genre nouveau de Lasiocampidae(Lepidoptera). *Bulletin de la société Entomologique de France*, 73: 68-73.

Lajonquiere T de. 1972. Especes et formes asiatiques de Genre*Malacosoma* Hübner(Lep.). *Bulletin de la société Entomologique de France*, 77: 297-307.

Lajonquiere T de. 1973a. Genres *Dentrolimus* Germar, *Hoenimnema* n. gen., *Cyclophragma* Turner. *Annales de la société Entomologique de France* (*N. S.*), 9(3): 509-592.

Lajonquiere T de. 1973b. Deux especes nouvelles des genres *Syrastrena* Moore et *Somadysas* Gaede, ainsi quune sous-espece nouvelle du Genre *Takanea* Nagano. *Bulletin de la société Entomologique de France*, 78: 259-267.

Lajonquiere T de. 1974. Formes asiatiques du Genre *Cosmotriche* Hübner(= *Selenephera* Rambur = *Selenepherides* Daniel = *Wilemaniella* Matsumura). *Bulletin de la société Entomologique de France*, 79: 132-146.

Lajonquiere T de. 1976. Le Genre *Gastropacha* Ochsenheimer en Asic et le Genre *Paradoxopla* nov. gen *Annales de la société Entomologique de France* (*N. S.*), 12(1): 151-177.

Lajonquiere T de. 1978. Le Genre *Philudoria* Kirby, 1892. *Annales de la société Entomologique de France* (*N. S.*), 14(3): 381-413.

Lajonquiere T de. 1979a. Les genres asiatiques *Cosmeptera* novum et Eteinopla novum(Lep. Lasiocampidae). 26e contribution a l'etude des lasiocampides. *Bulletin de la Société Entomologique de France*, 84(1-2): 10-19.

Lajonquiere T de. 1979b. Genera *Metanastria* Hübner and *Lebeda* Walker -30th contribution to the study of Lasiocampidae(Lepidoptera). *Annales de la Société Entomologique de France*, 15(4): 681-703.

Lamarck J B P A de M de. 1815-1822. *Histoire naturelle des animaux sans vertèbres*. Paris: Verdiere, Libraire, Quai des Augustins.

Laspeyres H J. 1803. Vorschlag zu einer neuen in die Classe der Glossaten einzufürenden Gattung. *Die Gesellschaft Naturforschender Freunde zu Berlin*, *Neue Schriften*. 4: 23-58.

Laspeyres J H. 1809 *Jenaische Allgemeine Literatur-Zeitung*. Volume 4.

Laszlo Gy M, Ronkay G, Ronkay L and Witt Th. 2007. The Thyatiridae of Eurasia: including the Sundaland and New Guinea(Lepidoptera). *Esperiana*, 13: 2-683.

Latrielle P A. 1802-1805, *Histoire Naturelle*, *Génerale et Particuliére des Crustacés et des Insectes*. Ouvrage Faisant Suite aux Oeuvres de Leclere de Buffon, et Partie du cours Compet d' Histoire Naturelle Réedigé par C. S. Sonnini. 14 Volumes. Paris. F. Dufart.

Latrielle P A. 1810. *Considérations Générales sur l' Ordre Naturel des Animaux Composant les Classes des Crustacès*, *des Arachnides*, *et des Insectes*: *avec un tableau méthodique de leurs genres*, *disposés en familles*. Paris: F. Schoell. 444 pp.

Latrielle P A. 1818. *Dictionnaire d'histoire naturelle*. Vol. 23. Chez Deterville, Paris, 612 pp.

Latrielle P A. 1827. *Natürliche Familien des Thierreichs*. Aus den Französischen mit Anmerkunger und Zusätzen von Arnold Adolph Berthold. Wiemar. Gr. H. S. Landes-Industrie. 606 pp. 483.

Lattin G de. 1949. Neue Acronicten Ⅱ. *Zeitschrift der Wiener Entomologischen Gesellschaft*, 34: 105-112.

Le Peleties, A L M and Serville J G A. 1825. *Encyclopedie méthodique Histoire Natturelle*, *Entomologie*, *ou histoire naturelle des crustaces*, *des arachnids et insects*. Volume 10. 838 pp.

Leach W E. 1815. Entomology. *In* Brewster D. *The Edinburgh Encyclopaedia*, 9: 57-172.

Leach W E. 1814-1817 *In* Leach W E, Nodder R P. *The Zoological Miscellany*: *being descriptions of new*, *or interesting animals*. Volumes 1-3. London.

Lederer J. 1853a, Versuch, die europaischen Lepidopteren in moglichst naturliche Reihenfolge zu stellen. *Verhandlungen des Zoologisch-botanischen Vereins in Wien*, 2: 65-126.

Lederer J. 1853b. Versuch die europäischen Lepidopteren in möglichst natürliche Reihenfolge zu stellen, nebst Bemerkungen zu einigen Familien und Arten. *Verhandllungen der kaiserlich-kongiglichen zoologish-botanischen Gesellschaft in Wien*, 3: 165-270.

Lederer J. 1853c. Lepidopterologisches aus Sibirien. *Verhandllungen der kaiserlich-kongiglichen zoologish-botanischen Gesellschaft in Wien*, 3: 351-386.

Lederer J. 1857. *Die Noctuinen Europa's*, *mit Zuziehung einger bisher mesit dazu gezählter Arten des Asiatischen Russland's*, *Syrien's*, *und Labrador's*. Friedrich Manz, Wien, xv +251 pp., 4 pls.

Lederer J. 1871. Nachtrag zur verzeichnisse der von Herrn Jos. Haberhauer bei Astrabad in Persien gesammelten Schmetterlinge. *Horae Societatis Entomologicae Rossicae*, 8: 3-28, 1pl.

Leech J H. 1888. On the Lepidoptera of Japan and Corea. Part 2: Heterocera, Sect. 1. *Proceedings of the*

Zoological Society of London, 1888: 580-655.

Leech J H. 1889a. New Species of Deltoids and pyrales from Corea, North China, and Japan. *Entomologist*, 22: 62-71, pls 2-4.

Leech J H. 1889b. On a Colleotion of Lepidoptera from Kiukiang. *Transactions of the Royal Entomological Society of London*, 1889(1): 99-148, pls. 7-9.

Leech J H. 1889c. On the Lepidoptera of Japan and Corea. Part 3, Heterocera; Sect 2, Noctues and Deltoides. *Proceedings of the Zoological Society*, 1889: 474-571.

Leech J H. 1890. New species of Lepidoptera from China. *Entomologist*, 23: 26-50, 81-83, 109-114.

Leech J H. 1891a. New species of Lepidoptera from China. *Entomologist*, 24(Supplement): 1-5.

Leech J H. 1891b. Descriptions of new species of Geometridae from China, Japan, and Korea. *Entomologist*, 24(Supplement): 42-56.

Leech J H. 1897. On Lepidoptera Heterocera from China, Japan, and Corea. *Annals and Magazine of Natural History*,(6)19: 180-235, 297-349, 414-463, 543-573, 640-679, pls 6,7; *ibidem*,(6)20: 65-110, 228-248, pls 7,8.

Leech J H. 1898-1900. Lepidoptera Heterocera from Northern China, Japan and Corea. *Transactions of the Royal Entomological Society of London*, 1898: 261-379(Part 1); 1899: 99-219(Part 2); 1900: 9-161(Part 3); 1900: 511-663(Part 4).

Lemée C L P. 1950. The family Bombycidae. In Lechevalier (Ed.), *Contribution à l' étude des Lepidoptères du Haut-Tonkin(Nord-vietnam)et de saigon*, 1950: 37.

Lempke B J. 1970. Catalogus der Nederlandse Macrolepidoptera(Zestiende supplement). *Tijdschrift voor Entomologie*, 113: 125-252.

Linnaeus C. 1758. *Systema Naturae per Regna Tria Naturae, Secundum Classes, Ordines, Genera, Species, cum Characteribus, Differentiis, Synonymis, Locis. Tomis.* (Edn 10). Holmiae. Laurentii Salvii, 824 pp.

Linnaeus C. 1761. *Fauna Suecica Sistens Animalia Sueciae Regni: Mammalia, Aves, Amphibia, Pisces, Insecta, Vermes. Distributa per Classes, Ordines, Genera, Species, cum differentiis Specierum, Synonymis Auctorum, Nominibus Incolarum, Locis Natalium, Descriptionibus Insectorum.* Stockholmiae 2th Edition. Laurentii Salvii 578 pp.

Linnaeus C. 1764. Museum S'ae R'ae M'tis Ludovicae Ulricae Reginae Svecorum, Gothorum, Vandalorumque Mus. Lud. Ulr.: vi + 720 + [2].

Linnaeus C. 1767. *Systema Naturae. Editio Duodecima Reformata Tom.* 1. Part 2. Holmiae. Laurentii Sal Ⅶ. 533-1327.

Liu Z L, Xue D Y, Wang W K and Han H X. 2013. A review of *Psyra* Walker, 1860(Lepidoptera, Geometridae, Ennominae) from China, with description of one new species. *Zootaxa*, 3682(3): 459-474.

Longstaff G B. 1905. A new Geometer from Hong Kong. *Entomologist's Monthly Magazine*, 41: 184.

Lucas T P. 1900. New species of Queensland Lepidoptera. *Proceedings of the Royal Society of Queensland*, 15: 137-161.

Mabille M P. 1876. Séance du 12 Janvier 1876. *Bulletin de la Société Entomologique de France*, 6(5): 521.

Mabille M P. 1880. Note sur une collection de Lépidoptéres. *Comptes Rendus des Séances de la Société Entomologique de Belgique*, 23: 104-109.

Marumo N. 1916. Notes on the family Cymatophoridae from Japan, including Korea and Taiwan. *Insect World, Gifu, Japan*, 20(2): 47-50.

Marumo N. 1920. A revision of the Notodontidae of Japan, Corea and Formosa with descriptions of 5 new Genera and 5 new species. *Journal of the College of Agriculture Hokkaido Imperial University*, 6: 273-359.

Matsumura S. 1908. *The Illustrated Thousand Insects of Japan*(Supplement). Volume 1. Tokyo, 151 pp.

Matsumura S. 1909. *Thousand insects of Japan.* Supplement 1. 141 pp., 16 pls. No publisher given.

Matsumura S. 1910. *Thousand Insects of Japan* Supplement 2. Keiseisha, Tokyo, 144 pp., pls 17-29.

Matsumura S. 1919. New species of the Notodontidae from Japan. *Zoological Magazine Tokyo*, 31: 74-80.

Matsumura S. 1920. New genera and new species of the Notodontidae from Japan. *Zoological Magazine Tokyo*, 32: 139-151.

Matsumura S. 1921. *A Thousand Insects of Japan.* (Additamenta). Volume 4. Keiseisha, Tokyo, pp. 772-1012, pls. 54-71.

Matsumura S. 1922. A critical review to Marumo's paper on the Notodontidae with descriptions of new species. *Zoological Magazine Tokyo*, 34: 517-523.

Matsumura S. 1924. Some new Notodontidae from Japan, Corea and Formosa, with a list of known species. *Transactions of the Sapporo Natural History Society*, 9: 29-50.

Matsumura S. 1925a. An enumeration of the butterflies and moths from Saghalien, with descriptions of new species and subspecies. *Journal of the College of Agriculture Hokkaido Imperial University*, 15: 83-196.

Matsumura S. 1925b. The Formosian Notodontidae. *Zoological Magazine Tokyo*, 37: 391-409.

Matsumura S. 1926. New species of Noctuidae from Japan and Corea. *Insecta Matsumurana Sapporo*, 1: 1-47.

Matsumura S. 1927a. New species and subspecies of moths from the Japanese Empire. *Journal of the College of Agriculture Hokkaido Imperial University of Tokyo*, 19, 1-91, pls. 1-5.

Matsumura S. 1927b. Geometrid moths collected on Mt. Daisetsu, with descriptions of new species. *Insecta Matsumurana Sapporo*, 1: 182-187.

Matsumura S. 1928. A new Agaristid moth. *Insecta Matsumurana Sapporo*, 2: 126-127.

Matsumura S. 1929a. New moths from Kuriles. *Insecta Matsumurana Sapporo*, 3. 165-168.

Matsumura S. 1929b. New species and genera of Notodontidae. *Insecta Matsumurana Sapporo*, 4: 36-48.

Matsumura S. 1929c. Generic revision of the Palaearetic Notodontidae. *Insecta Matsumurana Sapporo*, 4: 78-93.

Matsumura S. 1931. 6000 *Illustrated Insects of Japan-Empire*, Keiseisha, Tokyo, 1497 + 191 pp., 10 pls., text-figs.

Matsumura S. 1932. Lasiocampidae-moths in the Japan-Empire. *Insecta Matsumura Sapporo*, 7: 33-54.

Matsumura S. 1933a. Lymantriidae of the Japan-Empire. *Insecta Matsumurana*, 7: 111-152, pl. 3.

Matsumura S. 1933b. New species of Cymatophoridae of Japan and Formosa. *Insecta Matsumurana*, 7: 190-201.

Matsumura S. 1934a. Two new genera, four new species and one new form of Notodontidae fromJapan and Formosa. *Insecta Matsumurana Sapporo*, 8: 152-155.

Matsumura S. 1934b. Review of the Notodontid moths in the "6000 Illustrated Insects of the Japan-Empire." *Insecta Matsumurana Sapporo*, 8: 157-181.

McDunnough J H. 1920. Studies in North American Cleorini(Geometridae). *Bulletin of the Department of Agriculture Entomology*, 18: 1-64.

McDunnough J H. 1929. A Generic Revision of North American Agrotid Moths. *Bulletin of the Canada Department of Mines*, no. 55, 78 pp., 53 text figs.

McDunnough J H. 1944. Revision of the North American genera and species of the Phalaenid subfamily Plusiinae(Lepidoptera). *Memoirs of the Southern California Academy of Sciences*, 2: 175-232, 6 pls.

Meigen J W. 1818-1830, *Systematische Beschreibung der bekannten Europäischen zweiflügeligen Insekten.* Aachen & Hamm.

Meigen J W. 1832. *Systematische Beschreibung der Europäischen Schmetterlinge*, 3r band. Heft. 2-4. 40 Aachen und Leipzig.

Mell R. 1922a. Neue sudchinesische Lepidoptera. *Deutsche Entomologische Zeitschrift Iris*, 1922: 113-129.

Mell R. 1922b. Beiträge zur Fauna Sinica. *Biologie und Systematik der sudchinesischen Sphingiden.* Volume 1 & 2. R. Friedländer & Slhn, Berlin, 177 + 331 pp.

Mell R. 1931. Undescribed Lepidoptera from ChinaIII(Notodontidae). Lingnan Science J. 9: 377-380.

Mell R. 1933. Ueber Catocalinen von Chekiang(und Deutung eines Vorkommens von 2 Farbformen einer Art im gleichen Gebiet). (Lep.) *Mitteilungen der Deutschen Entomologischen Gesellschaft*, 4: 58-64.

Mell R. 1934. Chekiang als NO-Pfeiler der Osthimalayana(auf Grund von Lepidopterenokologie und Verbreitung). *Archiv fuer Naturgeschichte Leipzig*(N. F.), 3: 491-533.

Mell R. 1935. Noch unbeschriebene chinesischo Lepidopteren. IV. *Mitteilungen der Deutschen Entomologischen Gesellschaft*, 6: 36-38.

Mell R. 1936. Beiträge zur Fauna sinica. X. Die Agaristiden Chinas(Lepidopt. Heteroc). *Stettiner Entomologische Zeitung*, 97: 1-43, 161-188.

Mell R. 1937. Beitrage zur Fauna sinica. XIV, XVII. *Deutsche Entomologische Zeitschrift Iris*, 1937: 1-19

Mell R. 1939. Beiträge zur Fauna sinica. XXIVI. Noch unbeschriebene chinesische Lepidopteren(V). *Deutsche Entomologische Zeitschrift Iris*, 52: 135-152.

Mell R. 1943. Beiträge zur Fauna sinica. XXIV. Über Phlogophorinae, Odontodinae, Sarrothripinae, "West-ermannianae" und Camptolominae (Noctuidae: Lepid.) von Kuangtung. *Zoologische Jahrbuecher Jena Systematik*, 76: 171-226.

Ménétriès J E. 1855-1863. *Enumeratio corporum animalium Musei imperialis Academiae scientiarum Petropolitanae: Classis insectorum, ordo lepidopterorum.* (Butterflies; Classification; Identification; Lepidoptera; Pictorial works). Petropoli: Typis Academiae scientiarum imperialis, 1855-1863.

Ménétriès J E. 1859. Lépidoptères de la Sibérie orientale et en particulier des rives de l'Amour. *Bulletin de la Classe Physico-Mathématique de l'Académie Impériale des Sciences de St.-Pétersbourg*, 17(12-14): 211-221.

Meyrick E. 1886. Revision of Australian Lepidoptera. 1. *Proceedings of the Linnean Society of New South Wales*, (2)1: 687-802.

Meyrick E. 1888. Descriptions of Australian Micro-lepidoptera. *Proceedings of the Linnean Society of New South Wales*, (2)2: 827-966.

Meyrick E. 1889. On some Lepidoptera from New Guinea. *Transactions of the Royal Entomological Society of London*, 1889: 455-522.

Meyrick E. 1892. On the classification of the Geometrina of the European fauna. *Transactions of the Royal Entomological Society of London*, 1892: 53-140, pl. 3.

Meyrick E. 1897. On Lepidoptera from the Malay Archipelago. *Transactions of the Royal Entomological Society of London*, 1897: 69-92.

Millière, P. 1870. *Iconographie et Description de Chenilles et Lepidopteres inedits*, 3: 488 pp, 54 pls.

Miyata T. 1970. A generic revision of the Japanese Bombycidae, with description of a new genus (Lepidoptera). *Tinea*, 8: 190-199.

Moore F. 1857-1860. *In* Horsfield T H, Moore F. *A Catalogue of the Lepidopterous Insects in the Museum of the Honourable East India Company*. London, 440 pp., 36 pl.

Moore F. 1859. Synopsis of the known Asiatic species of Silk-producing Moths, with descriptions of some New Species from India. *Proceedings of the Zoological Society of London*, 1859(27): 237-270, pl. 64-65.

Moore F. 1862. On the Asiatic Silk-producing Moths. *Transactions of the Entomological Society of London*, (3)1: 313-322.

Moore F. 1865. On the lepidopterous insects of Bengal. *Proceedings of the Zoological Society of London*, 1865: 755-822.

Moore F. 1866. On the Lepidopterous Insects of Bengal. *Proceedings of the Zoological Society of London*, 1865: 755-823, pls. 41-43.

Moore F. 1867-1868. On the Lepidopterous Insects of Bengal. *Proceedings of the Zoological Society of London*, 1867: 44-98, pl. 6-7(1867); 612-686, pl. 32-33(1868).

Moore F. 1872. Descriptions of new Lepidoptera. *Proceedings of the Zoological Society of London*, 1872: 555-582(577).

Moore F. 1874. Descriptions of New Asiatic Lepidoptera. *Proceedings of the Zoological Society*, 1874: 565-579.

Moore F. 1877a. New species of Heterocerous Lepidoptera of the Tribe Bombyces, collected by Mr. W. B. Pryer, chiefly in the district of Shanghai. *Annals and Magazine of National History*, (4)20: 83-94.

Moore F. 1877b. The lepidopterous fauna of the Andaman and Nicobar Islands. *Proceedings of the Zoological Society of London*, 1877: 580-632.

Moore F. 1878. A List of the Lepidopterous Insects collected by Mr. Ossiam Limborg in Upper Tenasserim, with Descriptions of new Species. *Proceedings of the Zoological Society*, 1878: 821-858.

Moore F. 1878. A revision of certain genera of European and Asiatic Lithosiidae, with characters of new Genera and Species. *Proceedings of the Zoological Society of London*, 1878: 3-37.

Moore F. 1879a. Heterocera. *In* Hewitson W C, Moore F. *Descriptions of new Indian Lepidopterous insects from the collection of the late Mr. W. S. Atkinson*. Part 1. London, Taylor and Francis, London, pp. 5-88, pls. 2-3.

Moore F. 1879b. A list of the lepidopterous insects collected by Ossian Limborg in Upper Tenasserim, with descriptions. *Proceedings of the Zoological Society of London*, 1878: 821-858, pls. 51-53.

Moore F. 1879c. Descriptions of new Genera and species of Asiatic Lepidoptera Heterocera. *Proceedings of the Zoological Society of London*, 1879: 387-416, pls. 32-34.

Moore F. 1880-1887. *The Lepidoptera Ceylon*. Volumes 1-3. L. Reeve & co. London, xv +578 pp., 215 pls.

Moore F. 1881. Description of new genera and species of Asiatic nocturnal Lepidoptera. *Proceedings of the Zoological Society of London*, 1881: 326-380, 2 pls.

Moore F. 1882. Heterocera. *In* Hewitson W C, Moore F. *Description of new Indian Lepidopterous Insects from the Collection of the late Mr. W. S. Atkinson.* Part 2. London, Taylor and Francis, pp. 89-198, pls 4-6.

Moore F. 1884. Descriptions of new species of Indian Lepidoptera-Heterocera. *Transactions of the Entomological Society of London*, 1884: 355-376.

Moore F. 1888a. Heterocera continued(Pyralidae: Crambidae: Geometridae: Tortricidae: Tineidae). *In* Hewitson W C, Moore F. *Descriptions of new India lepidopterous insects from the colloctions of the late Mr. W. S. Atkinson.* Part 3. Taylor and Francis, London, pp. 199-299, pls 7-8.

Moore F. 1888b. Description of new genera and speces of Heterocera Lepidoptera, collected by Riv. J. H. Hocking, chiefly in the Kangra District, N. W. Himalaya. *Proceedings of the Zoological Society of London* 1888: 390-412.

Morrison H K. 1875a. Description of a new North American species of*Manestra*, and of a genus allied to *Homohadena*. *Canadian Entomologist*, 7: 90-91.

Morrison H K. 1875b. Notes on the Noctuidae with descriptions of certain new species. No. 2. *Proceedings of the Academy of Natural Sciences of Philadelphia*, 27: 428-436.

Möschler H B. 1860. Beiträge zur Lepidopteren-Fauna von Labrador. *Wiener Entomologische Monatschrift*, 4: 329-381.

Möschler H B. 1864. Beiträge zur Schmetterlingsfauna von Labrador. *Wiener Entomologische Monatschrift*, 8: 193-200.

Motschulsky V. 1861. Insectes du Japan. *Études d'Entomologie*, 9: 4-41.

Motschulsky V. 1866. Catalogue des insects recus du Japon. *Bulletin de la Société Impériale des Naturalistes de Moscou.* 39: 163-200.

Müller O F. 1764. *Fauna Insectorum Fridrichsdalina sive Methodica Descriptio Insectorum Agri Fridrichsdalensis cum Characteribus Genericis et specificis, Nominibus Trivialibus, Locis Natalibus, Iconibus Allegatis, Novisque Pluribus Speciebus Additis.* Hafniae and Lipsiae. F. Gleditschii, xxiv + 96 pp.

Nagano K. 1916. Life history of some Japanese Lepidoptera containing new genera and species. *Bulletin of the Nawa Entomological Laboratory Gifu*, 1: 1-27.

Nagano K. 1917. Studies of the Japanese Lasiocampidae and Drepanidae. *Bulletin of the Nawa Entomological Laboratory Gifu*, 2: 1-140, pls 1-10.

Nagano K. 1918. New and unrecorded species of Heterocera from Japan. *Insect World Gifu*, 22: 411-415, 448-451.

Nakamura M. 1956. Contribution to the knowledge of some Japanese notodontid moths. Revisional notes X. *Tinea*, 3: 142-143.

Nakamura M. 1973a. Fifth note on nomenclature of some notodontid-species(Lepidoptera), with description of three new species from Formosa. *Tyô to Ga*, 24(2-3): 61-77.

Nakamura M. 1973b. Newly recorded Notodontidae from Formosa. *Entomological Review of Japan*, 25 (1-3):53-59.

Nakamura M. 1974. Notodontidae of eastern Nepal based on the collection of the Lepidopterological research expedition to Nepal Himalaya by the Lepidopterological society of Japan in 1963(Lepidoptera). *Tyô to Ga*, 25(4): 115-129.

Nakamura M. 1976. Supplementary notes on my contribution of Formosan Notodontidae(Lepidoptera). *Entomological Review of Japan*, 29: 48-50.

Nakamura M. 1978. Some new species and subspecies of Notodontiddae from Japan and adjacent regions (Lepidoptera). *Tinea*, 10: 213-224.

Nakatomi K. 1977. A new subspecies of *Dudusa sphingiformis* from Korea and Tsushima Island with description of the last instar larva(Lepidoptera: Notodontidae). *Entomological Review of Japan*, 30(1-2): 41-42.

Neumoegen B. 1885. Descriptions of New Lepidoptera. *Entomologica americana*, 1: 92-94.

Nye I W B. 1964. Application for the rejection for nomenclatorial purposes of the pamphlet by J. Hübner entitled Erste Zugange zur Sammlung exotischer Schmetterlinge printed in 1808. Z. N. (S.) 1611. *Bulletin of Zoological Nomenclature*, 21: 58-80.

Nye I W B. 1975. *The generic names of moths of the world.* Volume 1: Noctuoidea(part): Noctuidae, Agaristidae, and Nolidae. Publications British Museum(Natural History), 568 pp.

Oberthür C. 1879. *Diagnoses d'espéces nouvelles Lépidoptéres de I'ile Askold.* Oberthür and Son, 16 pp.

Oberthür C. 1880. Faune de Lépidoptères de I'île Askold. Première Partie. *Études d'Entomologie*, 5: 1-10, 1-88, 9 pls.

Oberthür C. 1881. Lépidotères de China. *Études d'Entomologie*, 6: i-x, 1-22, 3 pls.

Oberthür C. 1883. Lépidotères du Thibet. *Bulletin de la Société Entomologique de France*, (6)3: 43.

Oberthür C. 1884a. Lépidotères du Thibet, de Mantschourie, d'Asie-Mineure et d'Algerie. *Études d'Entomologie*, 9: 1-40, pls 1-2.

Oberthür C. 1884b. Lépidotères de l'Asie orientale. *Études d'Entomologie*, 10: 1-35, pls 1-3.

Oberthür C. 1884c. [Title unknown.] *Bulletin de la Société Entomologique de France*, (6)3.

Oberthür C. 1891. Nouveaux lépidoptères d'Asie. *Études d'entomologie*, 15: 7-25.

Oberthür C. 1894. Lépidoptéres de l'Asie. *Études d'Entomologie*, 18: i-viii, 1-49, pls 1-43.

Oberthür C. 1897. Descriptions d'une espèce nouvelle de *Tropaea* [Lépid. Hétéroc. Fam. Saturniidae]. *Bulletin de la Société Entomologique de France*, 1897: 129-131.

Oberthür C. 1910a. Explication des planches publiées dans la Ⅳ e livraison des Étude de Lépidoptères comparée. *Études de Lepidopterologie Comparée*, 4: 665-682.

Oberthür C. 1910b. *Études de lépidoptérologie comparée.* Fascicule IV bis. Imprimerie Oberthür, Rennes, 43 pp.

Oberthür C. 1911a. Revision iconographique des especes de Phalenites(Geometra L.) enumerees et decrites par Achille Guenée dans les Volumes ix et x de Species general des Lepidopteres Paris(1857). *Études de Lepidopterologie Comparée*, 5(1): 10-84.

Oberthür C. 1911b. Explication des publiees dans le volume V des Études de Lepidopterologie compare. *Étude de Lepidopterologie Comparée*, 5(1): ? -345.

Oberthür C. 1912. Revision des Phalenites decrites par Guenée dans le species general des Lepidopteres

(Tome ix.) famille ii. *Étude de Lepidopterologie Comparée*, 6: 223-307.

Oberthür C. 1913. Suite de la révision des Phalénites décrites par A. Guenée dans le Species général. *Étude de Lepidopterologie Comparée*, 7: 237-331.

Oberthür C. 1914. Lépidoptéres de la, region sinothibetaine. *Étude de Lepidopterologie Comparée*, 9(2): 41-60.

Oberthür C. 1916a. Révision iconographique des Espèces de Phalénites Enumaérées et décrites par Achille Guenée dans les Volumes 9 et 10 du Species général des Lépidoptères. *Étude de Lépidoptérologie Comparée*, 12: 67-176, pls. 382-401.

Oberthür C. 1916b. Faune des Lepidopteres de Barbarie (partie 2). *Étude de Lepidopterologie Comparée*, 12: 179-428.

Oberthür C. 1917. Faune des Lepidopteres de Barbarie. Partie 3. *Étude de Lépidoptérologie Comparée*, 13: 7-47.

Oberthür C. 1920. *Étude de Lépidoptèrologie Comparée.* Fasc. 17. Ronnes, xv + 583 + 59 pp.

Obraztsov, N. S. 1957. The Chinese *Caeneressa* species (Lepidoptera: Ctenuchidae). *Bulletin of the Museum of Comparative Zoology of Harvard*, 116: 389-436

Obraztsov N S. 1966. Die palaearktischen*Amata*-arten (Lepidoptera: Ctenuchidae). Veroff. Zool. Staatsamml. Munchen 10: 1-383

Ochsenheimer, F. 1807-1835. *Die Schmetterlinge von Europa.* Band 1-10. Gerhard Fleischer, Leipzig.

Oiticica J. 1946. Revisao dos nomes genericos da famlia Sphingidae (Lepidoptera). Parte 1. Subfamlia Sphinginae Butler, 1877. *Boletim do Museu Nacional Rio de Janeiro NS Zoologia*, 66: 57 pp.

Okano M. 1958. New or little known moths from Formosa (1). *Report of the Gakugei Faculty of the Iwate University*, 13(2): 51-56.

Okano M. 1959a. New or little known moths from Formosa. (2). *Annual Report of the Gagukei Faculty of the Iwate University*, 14(2): 37-42, 1 figs., 1 pl.

Okano M. 1959b. New or little known moths from Formosa (3). *Report of the Gakugei Faculty of the Iwate University*, 15(2): 35-40.

Okano M. 1960. New or little known moths from Formosa (4). *Annual Report of the Gakugei Faculty of the Iwate University*, 16(2): 9-20.

Okano M. 1963. Descriptions of a new species and a new genus of Plusiina from Japan (Lepidoptera: Noctuidae). *Insecta matsumurana*, 25: 91-95.

Oken L. 1815. *Okens Lehrbuch der Naturgeschichte* Ⅲ *Zoologie* (1). C. H. Reclam, Leipzig, 842 pp.

Orza P de l'. 1869. *Les Lépidoptères japonais à la Grande Exposition international de* 1867. *Catalogue raisonné des Espèces qui y ont figure avec Description des Espèces nouvelles.* Rennes, 49 pp.

Osbeck P. 1778. Beskrifning pa tvänne fjärilar, tagne I Hasslöf. *Göthborgska Wetenskaps och Witterhets Samhället*, 1: 51-53, 1pl.

Owada M. 1981. The subalpine noctuid fauna of Mt Fuji, Central Japan. *Memoirs of the National Science Museum* (Tokyo) 14 (Supplemens): 133-142.

Packard A S. 1864. Synopsis of the Bombycidae of the United States. *Proceedings of the Entomological Society of Philadelphia*, 3: 331-395.

Parsons M S, Scoble M J, Honey M R, Pitkin L M and Pitkin B R. 1999. The catalogue. *In*: Scoble, M.

J. *Geometrid Moths of the World: A Catalogue(Lepidoptera: Geometridae)*. Vol. 1 & 2. CSIRO Publishing, Collingwood, Australia; Stenstrup, Denmark, 1016 pp(+ 129 pp. of Index).

Paulian R, Viette P. 1955. Essai d'un catalogue biologique des Lepidopteres Heteroceres de Tananarive. *Mémoires de l'Institut Scientifique de Madagascar Tananarive*(E), 6: 141-281.

Pearsall R F. 1905. The genus *Venusia* and its included species. *Canadian Entomologist*, 37(4): 125-128.

Petersen W. 1914, Die Formen der Hydroecia nictilans Bkh-gruppe(Lepidoptera: Noctuidae). *Horae Soceitatis Entomologicae Rossicae*, 41: 1-32, 1pl.

Pierce F N. 1914. (Reprint 1967). *The Genitalia of the Group Geometridae of the British Islands*. London, xxix + 88 pp., 48 pls.

Piller M, Mitterpacker L. 1783. *Iter per Poseganam Sclavoniae Provinciam Mensibus Junio et Julio anno MDCCLXXXII*. J. M. Wengand, Budae, 147 pp., 16 pls.

Pitkin L M, Han H X and James S. 2007. Moths of the tribe Pseudoterpnini(Geometridae: Geometrinae): a review of the genera. *Zoological Journal of the Linnean Society*, 150: 343-412, figs 1-162.

Pittaway A R, Kitching I J. 2004-2014. http://tpittaway. tripod. com/china/china. htm.

Pittaway A R. 1993. *The hawkmoths of the western Palaearctic*. Harley Books, Colchester, 240 pp.

Poole R W. 1989. Lepidopterorum Catalogus(new series). Fascicle 118. Noctuidae. Part 1. Abablemma to Heraclia(part). xii + 500 pp.

Poujade G A. 1885. [Title unknown]. *Bulletin de la Société Entomologique de France*, (6)4: 136.

Poujade G A. 1886. New Lepidoptera from Thibet. *Bulletin de la Société Entomologique de France*, (6)6: 40,143.

Poujade G A. 1891. Diagnoses de Lepidopteres, Heteroceres du Laos. *Bulletin de la Société Entomologique de France*, 1891: 63-65.

Poujade G A. 1892. [Title unknown]. *Nouvelles archives du Muséum d'histoire naturelle*, (3)3(2): Unpaginated.

Poujade G A. 1895a. Nouvelles espèces de Lepidopteres Heteroceres (Phalaenidae) recueillis a Mou-Pin par M. l'Abbe A. David. *Annales de la Société Entomologique de France*, 64: 307-316. pls. Ⅵ & Ⅶ.

Poujade G A. 1895b. Nouvelles espèces de Phalaenidae recueillis ù Moupin par l'Abbé A. David. *Bulletin du Museum national d'histoire naturelle Paris*, 1(2): 55-59.

Prout A E, Talbot G. 1924. A preliminary revision of the genus Trisuloides Btlr. (Lep. Het. Noctuidae). With descriptions of new genera and new species, and notes on the genitalia. *Bulletin of the Hill Museum Witley*, 1: 400-412.

Prout L B. 1904. The generic separation of "Gnophos" obfuscata from glaucinaria. *The entomologist's record and journal of variation*, 16: 121-122.

Prout L B. 1906. The generic name *Scopula*. *Entomologist*, 39: 266-267.

Prout L B. 1908. Geomotrid notes. *Entomologist*, 41: 76-80.

Prout L B. 1912. Lepidoptera heterocera fam. Geometridae, subfam. Hemitheinae. *In* Wytsman P A G. *Genera Insectorum*, 129: 1-274, pls 1-5.

Prout L B. 1913. New South African Geometridae. *Annals of the Transvaal Museum*, 3: 194-225.

Prout L B. 1914. Sauter's Formosa-Ausbeute. Geometridae. *Entomologische Mitteilungen*, 3: 236-249.

Prout L B. 1916. New species of indo-australian Geometridae. *Novitates Zoologicae*, 23: 1-77.

Prout L B. 1917. On new and insufficiently known indo-australian Geometridae. *Novitates Zoologicae*, 24: 293-317.

Prout L B. 1922. Some new Geometridae and Dioptidae in the Joicey Collection. *Bulletin of the Hill Museum Witley*, 1(2): 252-269.

Prout L B. 1923. New Geometridae in the Tring Museum. *Novitates Zoologicae*, 30: 191-215.

Prout L B. 1925. Geometrid descriptions and notes. *Novitates Zoologicae*, 32: 31-69.

Prout L B. 1926a. New Geometridae. *Novitates Zoologicae*, 33: 1-32.

Prout L B. 1926b. New Indian Geometridae. *Memoirs of the Department of Agriculture in India*(Entomological Series), 9: 247-257.

Prout L B. 1926c-1927. On a collection of moths of the family Geometridae from Upper Burma made by Captain A. E. Swann. Parts 1-4. *Journal of the Bombay Natural History Society*, 31: 129-146, 1 pl.; 308-322, 1 pl.; 780-799; 932-950.

Prout L B. 1929. New palaearctic Geometridae. *Novitates Zoologicae*, 35: 142-149.

Prout L B. 1930. On the Japanese Geometridae of the Aigner collection. *Novitates Zoologicae*, 35: 289-377, 1 fig.

Prout L B. 1934a. Geometridae: Subfamilia Sterrhinae 1, 2. *In* Strand E. *Lepidopterorum Catalogus*, 61(1): 1-176; 63(2): 177-432.

Prout L B. 1934b. New species and subspecies of Geometridae. *Novitates Zoologicae*, 39: 99-136.

Prout L B. 1935. On the Sabulodes(Lep. Geometridae) of the monastica Dogn, group. *Novitates Zoologicae*, 39: 217-220.

Prout L B. 1958. New species of Indo-Australian Geometridae. *Bulletin of the British Museum*(*Natural History*)(Entomology), 6: 365-463, 72 figs.

Pryer W B. 1877. Descriptions of new species of Lepidoptera from North China. *Cistula Entomologica*, 2(18): 231-235, pl. 4: 1-13.

Raineri V. 1994. Some considerations on the genus *Thetidia* and description of a new genus: *Antonechloris* gen. nov. *Atalanta*(*Marktleuthen*), 25(1-2): 365-372.

Rebel H. 1910. *Fr. Berge's Schmetterlingsbuch nach dem gegenwärtigen Stande der Lepidopterologie neu bearbeitet und herausgegeben von H. Rebel.* Schweizerbart, Stuttgart, 509 pp.

Reich P. 1937. Die Arctiidae der Chinnaausbeute des Herrn Hermann Höne in Shanghai. *Deutsche Entomologische Zeitschrift Iris*, 51: 113-130.

Reichenbach [R L = Reichenbach Leipzig]. 1817. *Jenaische Allgemeine Literatur-Zeitung*, 1.

Remm H, Martin M. 1979. On the morphology and systematics of the Hypeninae(Lepidoptera: Noctuidae). *Uchenye Zapiski Tartuskogo Gosudarstvennogo Universiteta*, 12(Supplement 483): 134-163.

Retzius A J. 1783. *Caroli DeGeer Genera et Species Insectorum.* Lipsiœ, 220 pp.

Richards G. 1932. *Paraherminia*-New genus for the European "*Herminia*" *derivalis* Hbn. (Lepid. Noctuidae). *Entomological News*, 43: 188.

Riley C V. 1870. *Second annual Report on the Noxious, Beneficial, and other Insects of the State of Missouri.* Horace Wilcox, Jefferson City, 135 pp., 6 pp index.

Riotte J C E. 1979. Australian and Papuan Tussock Moths of the *Orgyia* Complex(Lepidoptera: Lymantriidae). *Pacific Insects*, 20(2-3): 293-311.

Rober J. 1925. Neue Falter. *Entomologische Rundschau*, 42: 42-43, 45-46.

Rocci U. 1923. Note di Lepidotterologia. *Memorie della Societa Entomologica Italiana Genoa*, 2: 5-12.

Roepke W. 1940. Ueber Indomalayische Nachtfalter(Lep. Heteroc.). 6. *Entomologische Zeitschrift Frankfurt a M*, 54: 25-28.

Roepke W. 1946. The Lithosiids, collected by Dr. L. J. Toxopeus in Central Celebes, with remarks on some allied species. *Tijdschrift Voor Entomologie*, 87: 77-91.

Roepke W. 1948. Lepidoptera Heterocera from the summit of Mt. Tanggamus 2100m, in Southern Sumatra. *Tijdschrift voor Entomologie*, 89: 209-232, 8 figs, pls 13-14.

Rothschild W. 1894a. Notes on Sphingidae, with description of new species. *Novitates zoologicae*, 1: 65-98.

Rothschild W. 1894b. Some new species of Lepidoptera. *Novitates Zoologicae*, 1: 535-540.

Rothschild W. 1895. On two new Moths and an aberration. *Novitates Zoologicae*, 2: 482.

Rothschild W. 1910. Catalogue of the Arctianae in the Tring museum, with notes and descriptions of new species. *Novitates Zoologicae*, 17: 1-85, 113-171.

Rothschild W. 1914. A preliminary account of the lepidopterous fauna of Guelt-es-Stel, central Algeria. *Novitates Zoologicae*, 21: 299-357.

Rothschild W. 1917. On some apparently new Notodontidae. *Novitates Zoologicae*, 24: 231-264.

Rothschild W. 1920. Preliminary descriptions of some new species and subspecies of Indo-Malayan Sphingidae. *Annals of Natural History London*, 5: 479-482.

Rothschild W, Jordan K. 1915. Thirteen new Sphingidae. *Novitates Zoologicae*, 22: 281-290.

Rothschild W, Jordan K. 1903. A revision of the Lepidoptera family Sphingidae. *Novitates zoologicae*, 9 (suppl.): cxxxv + 972 pp.

Rottemburg S A von. 1775. Anmerkungen zu den Hufnagelischen Tabellen der Schmetterlinge. *Der Naturforscher*, 7: 105-112.

Rougemont F de. 1902. Cataloque des Lépidoptéres du Jura Neuchatelois. *Bulletin de la Société Neuchâteloise des Sciences Naturelles*, 29: 252-409.

Rozhkov A S. 1972. A new species of the genus *Sphinx*(Lepidoptera: Sphingidae). *Zoologicheskii Zh.*, 51(12): 1892-1893.

Saalmüller M. 1878. Mitteilungen über Madagaskar, seine Lepidopteren-Fauna. *Bericht uber die Senckenbergischen Naturforschen Gesellschaft in Frankfurt am Main*, 1877-1878: 71-96.

Saalmüller M. 1881. Neue Lepidopteren aus Madagascar. *Entomologische Zaitung. Entomologischen vereine zu Stettin*, 42: 433-444.

Saalmüller M. 1884. *Lepidopteren von Madagascar, Erste Abtheilung: Rhopalocera, Heterocera: Sphinges et Bombyces*. Senckenberg'sche naturforschende Gesellschaft, Frankfurt am Main, 246 pp.

Saalmüller M. 1891. *Lepidopteren von Madagascar. Zweite Abtheilung: Noctuae, Geometrae Microlepidoptera*. Werner and Winter, Frankfurt am Main, pp. 249-531, pls 7-14.

Saldaitis A, Ivinskis P and Borth R. 2010. *Laothoe habeli* sp. nova(Lepidoptera: Sphingidae) from China. *Tinea*, 21(2): 53-56.

Samouelle G. 1819. *The Entomologists useful Compendium; or an Introduction to the Knowledge of British*

Insects. R. and A. Taylar, London, 496 pp.

Sato R. 1981a. Taxonomic notes on the genus *Calicha* Moore and its allied new genus from Japan and adjacent countries(Lepidoptera: Geometridae). *Tyô to Ga*, 31(3/4): 103-120, 43 figs.

Sato R. 1981b. Taxonomic study on *Serraca punctinalis*(Scopoli) and its allied species from Japan, Korea and Taiwan, with description of one new species(Lepidoptera: Geometridae). *Tinea*, 11(8): 69-85, 56 figs.

Sato R. 1986. Descriptions of a new species of Brabira from north Honshu and a new subspecies of Tyloptera bella(Butler) (Geometridae: Larentiinae) from Amami-Oshima Island, Japan. *Japan Heterocerists' Journal*, 134: 129-131, figs 1-8.

Sato R. 1991. Records of the genera *Hypomecis*, *Cleora* and *Alcis*(Geometridae: Ennominae). from Thailand, with descriptions of three new species and one new subspecies. *Tyô to Ga*, 42(4): 271-288, 30 figs.

Sato R. 1992a. The genus *Ophthalmitis*(Geometridae: Ennominae) of Taiwan, with descriptions of one new species and one new subspecies. *Japan Heterocerists' Society*, 167: 294-299, 35 figs.

Sato R. 1992b. The genus *Rikiosatoa*(Lepidoptera: Geometridae) from Thailand, with taxonomic notes on two Chinese species. *Japanese jounal of entomology*, 60(3): 559-566, 16 figs.

Sato R. 1993. Geometridae: Ennominae(part). *In* Haruta T. *Moths of Nepal*. Part 2. *Tinea*, 13(Supplement 3): 5-30, figs 114-174, pls 34-38.

Sato R. 1994. *Bizia aexaria* Walker(Geometridae: Ennominae) and its ally from Japan, Korea and China. *Tinea*, 14(1): 1-4, 9 figs.

Sato R. 1996. Records of the Boarmiini(Geometridae: Ennominae) from Thailand 3. *Transactions of the Lepidopterological Society of Japan*, 47(4): 223-236, 25 figs.

Sato R. 1999. Notes on some species of the Boarmiini(Geometridae: Ennominae) from Taiwan, with description of one new species. *Tinea*, 16(1): 29-40.

Sauber A. 1915. Mitteilungen aus dem Entomologischen Verein Hamburg-Altona. *Internationale entomologische Zeitschrift Guden*, 8(36): 203.

Say T. 1824. *American Entomology, or Descriptions of the Insects of North America*. Philadelphia Museum: Samuel Augustus Mitchell, Philadelphia, 412 pp.

Schaufuss L W. 1870. Die exotischen Lepidoptera Heterocera der fruher Kaden'schen Sammlung. *Nunquam Otiosus*, 1: 7-23.

Schaus W. 1928. New moths of the family Ceruridae(Notodontidae) in the United States National Museum. *Proceedings of the United States National Museum*, 73(art. 19):1-90.

Schintlmeister A. 1989. Zoogeographie der palearktischen Notodontidae(Lepidoptera). *Neue Entomologische Nachrichten*. 25:1-117.

Schintlmeister A. 1992. Die Zahnspinner Chinas(Lepidoptera: Notodontidae). *Nachrichten des Entomologischen Vereins Apollo*, Supplement 11: 1-343.

Schintlmeister A. 1997. Moths of Vietnam with special reference to Mt. Fan-si-pan. Family: Notodontidae. *Entomofauna* Supplement, 9: 33-248.

Schintlmeister A. 2002a. Das Genus *Paracerura* gen. n. und seine Arten in der orientalischen Region (Lepidoptera: Notodontidae). *Nachrichten des Entomologischen Vereins Apollo*, 23(3): 105-117.

Schintlmeister A. 2002b. Further new Notodontidae from mainland China. *Atalanta*, 33(1/2): 185-200.

Schintlmeister A. 2004. The Taxonomy of the genus*Lymantria* Hübner, [1819](Lepidoptera: Lymantriidae). *Quandrifina*, 7, 1-248.

Schintlmeister A. 2008, Palaearctic Macrolepidoptera 1: Notodontidae. Apollo Books, Stenstrup, Denmark. 1-482.

Schintlmeister A, Fang C L. 2001. New and lessknown Notodontidae from mainland China(Lepidoptera: Notodontidae). *Neue Entomologische Nachrichten*, 50: 1-141.

Schintlmeister A, Pinratana A. 2007. Moths of Thailand, vol. 5. Notodontidae. Brothers of Saint Gabriel in Thailand, Bangkok, Thailand. pp320.

Schrank F P. 1802. *Fauna Boica*. Spinnerförmige Schmetterlinge. Volume(2)2. Nürnberg, 412 pp.

Schreber J C D. 1759. *Novae Species Insectorum centuria*. Schmeideriana, Halae, 16 pp., 1pl.

Scoble M J. 1992. *The Lepidoptera, Form, Function and Diversity*. Oxford University Press, Oxford, xi + 404 pp.

Scopoli G A. 1763. *Entomologia Carniolica, Exhibens Insecta Carnioliœ Indigena et Distributa in Ordines, Genera, Species, Varietates. Methodo Linnœana*. Vindobonæ, Wien, xxxvi +420 pp., 43 pls.

Scopoli G A. 1772. *Annus Historico-Naturales*. Christ. Gottlob Hilscheri, Lepsiae, 128 pp.

Scopoli G A. 1777. *Introductio ad Historiam naturalem, sistens genera Lapidum, Plantarum et Animalium hactenus detecta, caracteribus essentialibus donata, in tribus divisa, subinde ad leges Naturœ*. Pragae, 506 pp.

Scott J. 1858. Proposed generic name for the *Phlogophora meticulosa* of our collections. *Zoologist*, 16: 5961-5962.

Scriba F. 1919. Einige neue Lepidopteren aus Hondo(Central-Japan). *Entomologische Rundschau*, 36: 41-42, 44-45.

Seitz A. 1907-1914c. *Die Gross-Schmetterlinge der Erde*. Abteilung 1. Die Gross-Schmetterlinge des Palaearktischen Faunengebietes. Band 3, Die Eulenartigen Nachtfalter. Alfred Kernen, Stuttgart, iv + 511 pp., 75 pls.

Seitz A. 1909-1912a. *Die Gross-Schmetterlinge der Erde*. Abteilung 1. Band 2, Die Palaearktischen Spinner & Schwärmer. Alfred Kernen, Stuttgart, vii +479 pp., 56 pls.

Seitz A. 1911-1934g. *Die Gross-Schmetterlinge der Erde*. Abteilung 2. Exotische Fauna. Band 10, Die Indo-Australischen Spinner und Schwärmer. Alfred Kernen, Stuttgart, xii +909 pp., 100 pls.

Seitz A. 1912-1920e. *Die Gross-Schmetterlinge der Erde*. Abteilung 1. Die Gross-Schmetterlinge des Palaearktischen Faunengebietes. Band 4, Spannerartige Nachtfalter. Alfred Kernen, Stuttgart, iv + 479 pp., 25 pls.

Seitz A. 1912-1938h. *Die Gross-Schmetterlinge der Erde*. Abteilung 2. Die Gross-Schmetterlinge des Indo-Australischen Faunengebietes. Band 11, Eulenartige Nachtralter. Alfred Kernen, Stuttgart, ii +496 pp., 56 pls.

Seitz A. 1920-1941i. *Die Gross-Schmetterlinge der Erde*. Abteilung 2. Die Gross-Schmetterlinge des Indoaustralischen Faunengebietes. Band 12, Die Indoaustralischen Spanner. Alfred Kernen, Stuttgart, 356 pp., pls 1-34, 36-41, 50.

Seitz A. 1927-1930j. *Die Gross-Schmetterlinge der Erde*. Abteilung 2. Exotische Fauna. Band 14, Die afrikanischen Spinner und Schwämer. Alfred Kernen, Stuttgart, vii + 599 pp. , 80 pls.

Seitz A. 1930-1934b. *Die Gross-Schmetterlinge der Erde*. Band 2(Supplement). Alfred Kernen, Stuttgart, vii + 315 pp. , 16 pls.

Seitz A. 1931-1938d. *Die Gross-Schmetterlinge der Erde*. Band 3(Supplement). Alfred Kernen, Stuttgart, i + 333 pp. , 26 pls.

Seitz A. 1934-1954f. *Die Gross-Schmetterlinge der Erde*. Band 4(Supplement). Alfred Kernen, Stuttgart, viii + 766 pp. , 53 pls.

Sepp J C. 1792. *Nederlandsche Insecten*. Vol. 2. J. C. Sepp, Amsterdam, 62 pp.

Sick H. 1941. Neue Cymatophoridae des Höne'schen Ausbeuten. *Deutsche Entomologische Zeitschrift Iris*, 1941: 1-9.

Sihvonen P. 2005. Phylogeny and classification of the Scopulini moths(Lepidoptera: Geometridae: Sterrhinae). *Zoological Journal of the Linnean Society*, 143(4): 473-530.

Smith J B. 1893. A Catalogue Bibliographical and Synonymical of the Species of Moths of the Lepidopterous Superfamily Noctuidae found in Boreal America. *Bulletin of the United States National Museum*, 44: 1-424.

Snellen P C T. 1867, *De Vlinders von Nederland. Macrolepidoptera Systematisch Beschreven*. M. Nijhoff, Gravenhage, xi + 763 pp. , 4 pls.

Snellen P C T. 1879. Lepidoptera van Celebes verzameld door Mr. M. C. Piepers, met aanteekeningen en beschrijving der nieuwe soorten. *Tijdschrift Voor Entomologie*, 22: 61-126.

Sodoffsky C H W. 1837. Etymologische Untersuchungen üeber die Gattungsnamen der Schmetterlinge. *Bulletin de la Société des naturalistes de Moscou*, 10(6): 76-99.

Sonan J. 1934. On three new species of the moths in Japan and Formosa. *Kontyu*, 8(4-6): 212-214.

Speiser, F. 1902. Lepidopterologische Notizen. *Berliner Entomologische Zeitschrift*, 47: 135-143.

Spuler A. 1908. *Die Schmetterlinge Europas*. 1. Band. Allgemeiner Teil - Spezieller Teil. E. Schweizerbartsche Verlagsbuchhandlung, Stuttgart, 385 pp.

Staudinger O, Rebel H. 1901. *Catalog der Lepidoptera des Palaearctischen Faunengebietes*. Berlin, 1 Theil: xxxii + 411 pp. ; 2 Theil: 368 pp.

Staudinger O, Wocke M. 1871. *Catalog der Lepidopteren des Europäischen Faunengebiets*, 426 pp.

Staudinger O. 1857. Reise nach Island zu entomologischen azechen unternommen. *Entomologischen Vereine zu Stettin*, 18: 209-289.

Staudinger O. 1870. Beschreibung neuer Lepidopteren des europäischen faunengebiets. *Berliner Entomologische Zaitschrift*, 14: 97-132.

Staudinger O. 1877. Neue Arten und Varietäten von Lepidopteren aus dem Amur-Gebiet. *In* Romanoff N M. *Mémoires sur les lépidoptères*, 3: 126-232, pl. vi-xii.

Staudinger O. 1880. Naturforscher-Versammlung zu Danzig, 1880. *Entomologische Nachrichten(Berlin)*, 6: 246-260.

Staudinger O. 1881. Beitrag zur Lepidopterenfauna Central-Asiens. *Stettiner Entomologische Zeitung*, 42: 393-424.

Staudinger O. 1887a. Neue Arten und Varietäten von Lepidopteren aus dem Amur-Gebiet. *In* Romanoff N M (Ed.), *Mémoires sur les Lépidopteres*, 3: 126-232, pls. 6-12, 16-17.

Staudinger O. 1887b. Centralasiatische Lepidopteren. *Stettiner Entomologische Zeitung*, 48: 49-102.

Staudinger O. 1888. Neue Noctuiden des Amurgebietes. *Stettiner Entomologische Zeitung*, 49: 245-283.

Staudinger O. 1889. Centralasiatische Lepidopteren. *Stettiner Entomologische Zeitung*, 1: 16-60.

Staudinger O. 1892a. Die Macrolepidopteren des Amurgebietes. F1. Theil. Rhopalocera, Sphinges, Bombyces, Noctuae. *In* Romanoff N M. *Mémoires sur les Lépidoptères*, 6: 83-658, pls 4-14.

Staudinger O. 1892b. Neue Arten und Varietaten von palaarktischen Geometriden. *Deutsche Entomologische Zeitschrift Iris*, 5: 141-260.

Staudinger O. 1895a. Beschreibungen neuer Lepidopteren aus Tibet. *Deutsche Entomologische Zeitschrift Lep.*, 8: 300-343.

Staudinger O. 1895b. Ueber Lepidopteren von Uliassutai. *Deutsche Entomologische Zeitschrift Lep.*, 8: 344-365.

Staudinger O. 1897. Die Geometriden des Amurgebiets. *Deutsche Entomologische Zeitschrift Iris*, 10: 1-122, pls 1-3.

Staudinger O. 1882, Beitrag zur Lepidopteren-Fauna Central-Asiena. *Stettiner Entomologische Zeitung*, 43: 35-78.

Stephens J F. 1827-1835. *Illustrations of British Entomology*. Volumes 1-4. Baldwin and Cradock, London.

Stephens J F. 1828. *In* Kirby & Spence, *An Introduction to Entomology*. Volumes 1-4. 5th Edition.

Stephens J F. 1829. *The Nomenclature of British Insects*. Baldwin and Cradock, London, 68 pp.

Stephens J F. 1850. *List of the Specimens of British Animals in the Collection of the British Museum*. Part V. -Lepidoptera. Edward Newman, London, xii + 353 pp.

Sterneck J. 1927. Die Schmetterlinge der Stotznerschen Ausbeute. Geometridae, Spanner. *Deutsche Entomologische Zeitschrift Iris*, 41: 9-32, 147-171, figs 1-14.

Sterneck J. 1928. Die Schmetterlinge der Stotznerschen Ausbeute. Geometridae, Spanner. *Deutsche Entomologische Zeitschrift Iris*, 42: 131-244.

Sterneck J. 1931. Die Schmetterlinge der Stotznerschen Ausbeute. Geometridae, Spanner. *Deutsche Entomologische Zeitschrift Iris*, 45: 78-91.

Sterneck J. 1940-1941. Versuch einer Darstellung der systematischen Bezichungen bei den palaearktischen Sterrhinae(Aciduliinae). Studien uber Acidaliinae (Sterrhinae)Ⅶ-Ⅸ. *Zeitschrift des Wiener Entomologen-Vereins Vienna*, 25: 6-17, 26-36, 66-59, 10 pls(1940); 26: 17-31, 41-65, 88-96, 105-116, 160-168, 176-183, 191-198, 211-230, 248-262, 14 pls(1941).

Stoll, C. 1775-1782. *In* Cramer P. *Uitlandsche Kapellen*. ca. 1775. Volumes 1-4.

Strand E. 1911. Neue afrikanische Arten der Bienengattungen Anthophora, Eriades, Anthidium, Coelioxys und Trigona. *Entomologische Rundschau*, 28: 119-102, 122-124.

Strand E. 1912. Der Gattungsname *Heteromma*. *Entomologische Rundschau*, 29: 16.

Strand E. 1915. H. Sauter's Formosa-Ausbeute. Limacodidae, Lasiocampidae und Psychidae (Lep.). *Supplementa Entomologica Berlin*, 4: 4-13.

Strand E. 1916a. H. Sauter's Formosa-Ausbeute: Hepialidae, Notodontidae und Drepanidae. *Archiv für Naturgeschichte Berlin*, 81A(12): 150-165.

Strand E. 1916b. Sauter's Formosa-Ausbeutc: Epiplemidae u. teilweise Noctuidae, Lymantriidae, Drepanidae. Thyrididae u. Aegeriidae. *Archiv für Naturgeschichte Berlin*, *Abt A*, 82A(1): 137-152.

Strand E. 1918. Noctuiden aus Belgisch-Kongo. *Zeitschrift des Österreichischen Entomologen-Vereines*, 3: 77-78, 88-91, 98-100, 110-111.

Strand E. 1919. H. Sauter's Formosa-ausbeute: Noctuidae I. *Archiv für Naturgeschichte*. 83A(10): 129-162.

Strand E. 1922. Arctiidae: Subfam. Lithosiinae. *In* Gaede, *Lepidopterorum Catalogus*. Volume 26. W. Junk, Berlin, pp. 501-899.

Strand E. 1934. Notodontidae. *In* Gaede, *Lepidopterorum Catalogus*. Volume 59. W. Junk, Berlin, pp. 1-351.

Strand E. 1943. Miscellanea nomenclatorica zoologica et paleontologica, 11. *Folia Zoologica et Hydrobiologica Riga*, 12(1): 94-114.

Strecker F H H. 1874. *Lepidoptera, Rhopaloceres and Heteroceres Indigenous and Exotic; with Descriptions and colored Illustrations*. No. 10. Reading, Penn. Owen's Steam Book and Job Printing Office. pp. 81-94, 1plate.

Streltzov A N, Yakovlev R V. 2007. Zaranga tukuringra, sp. n. - the new species from new genus for Russian fauna(Lepidoptera: Notodontidae). *Eversmannia*, 10: 24-26.

Stretch R H. 1875. Remarks on the synonymy of the Atlas of the Heterocera Sphingida and Noctuida, published as portion of the results of the "Frigate Novara", November 1874. *Cistula Entomologica*, 2: 11-19.

Stüning D. 1987. Die Spanner der Gattungen*Spilopera* und *Pareclipsis* in Ostasien, mit Beschreibung einer neuen Art(Lepidoptera: Geometridae: Ennominae). *Bonner Zoologische Beiträge*, 38(4): 341-359.

Stüning D. 2000. Additional notes on the Ennominae of Nepal, with descriptions of eight new species (Geometridae). *In* Haruta T. *Moths of Nepal*. Part 6. *Tinea*, 16(Supplement 1): 94-152, figs 1433-1509, pls 170-172.

Sugi S. 1967. Notes on species of *Spirama* Guenée of Japan, with remarks for the classification of the genus(Lepidopt: Noctuidae: Catocalinae). *Tyô to Ga*, 18(1-2): 4-9.

Sugi S. 1977. A new species of the genus *Hybocampa* Lederer(Lepidoptera: Notodontidae)from Tsushima Island. *Kontyu*, 45(1): 9-11.

Sugi S. 1980. New genera and new species of Notodontidae with synonymic notes(Lepidoptera). *Tyô to Ga*, 30(3-4): 179-187.

Suzuki M. 1916. On the Cymatophoridae of Japan with description of a new species. *Entomological Magazine Kyoto*, 2: 67-84.

Swinhoe C. 1890. The moths of Burma. Part 1. *Transactions of the Entomological Society of London*, 1890: 161-200, 1pl.

Swinhoe C. 1891. New species of Heterocera from the Khasia Hills. Part 1. *Transactions of the Entomological Society of London*, 1891: 473-495, pl. 19.

Swinhoe C. 1892. *Catalogue of Estern and Australian Lepidoptera Heterocera in the collection of the Oxford University Museum*. Volume 1.

Swinhoe C. 1893a. On new Geometers. *Annals and Magazine of Natural History*, (6)12: 147-157.

Swinhoe C. 1893b. New species of Oriental moths. *Annals and Magazine of Natural History*, (6)12: 210-225.

Swinhoe C. 1893c. New species of Oriental Lepidoptera. *Annals and Magazine of Natural History*, (6)12:

254-265.

Swinhoe C. 1894. A list of the Lepidoptera of the Khasia Hills. Part 2. *Transactions of the Entomological Society of London*, 1894: 145-223, 1 pl.

Swinhoe C. 1897. New eastern Lepidoptera. *Annals and Magazine of Natural History*,(6)19: 164-170.

Swinhoe C. 1900a. *Catalogue of Estern and Australian Lepidoptera Heterocera in the collection of the Oxford University Museum*. Volume 2. vi + 630pp. , 8 pls.

Swinhoe C. 1900b. New species of Eastern and Australian Moths. *Annals and Magazine of Natural History*, (7)6: 305-313.

Swinhoe C. 1902a. New species of Eastern and Australian Heterocera. *Annals of Natural History London*, (7)9: 415-424.

Swinhoe C. 1902b. New and little known species of Drepanulidae, Epiplemidae, Microniidae and Geometridae in the national collection. *Transactions of the Royal Entomological Society of London*, 1902(3): 584-677.

Swinhoe C. 1903. A revision of the Old World Lymantriidae in the National Collection. *Transactions of the Entomological Society of London*, 1903: 375-498.

Swinhoe C. 1906. Eastern and African Heterocera. *Annals and Magazine of Natural History*,(7)17: 540-556.

Swinhoe C. 1907. New species of Eastern and African Heterocera. *Annals and Magazine of National History*, 19(7): 201-208.

Swinhoe C. 1918. New species of indo-malayan Heterocera and descriptions of genitalia, with reference to the geographical distribution of species resembling each other. *Annals of Natural History London*, (9) 2: 65-95.

Swinhoe C. 1923. A revision of the genera of the family Liparidae. *Annals and Magazine of National History*, 11: 47-97.

Tams W H T. 1938. Observations on the generic nomenclature of some British Agrotidae. *Entomologist*, 71: 123.

Tams W H T. 1939a. Changes in the generic names of some British moths. *Entomologist*, 72: 66-74.

Tams W H T. 1939b. Further notes on the generic names of British moths. *Entomologist*, 72: 133-141.

Thierry-Mieg P. 1899. Descriptions de Lepidopteres nocturnes. *Annales de la Société Entomologique de Belgique*, 1899: 20, 21.

Thierry-Mieg P. 1903. Descriptions de Lepidopteres nocturnes. *Annales de la Société Entomologique de Belgique*, 47: 382-385.

Thierry-Mieg P. 1907. Descriptions de Lepidopteres nouveaux. *Naturaliste*, 29: 150-154, 174-175, 187-188, 200, 212, 224-225, 238, 247, 259-260, 271.

Thierry-Mieg P. 1915. Descriptions de Lépidoptères Nouveaux. *Miscellanea Entomologica*, 22 (10): 37-48.

Thomas W. 1990. Die Gattung *Lemyra*(Lepidoptera: Arctiidae). *Nachrichten des Entomologischen Vereins Apollo*, (Supplementum): 15-83.

Thunberg C P. 1792. *Dissertatio Entomologicae. Sistens Insecta Suecica*. Quorum Partem Quartam(Volume 4). pp. 53-62.

Treitschke F. 1825-1835. *In* Ochsenheimer F. *Die Schmetterlinge von Europa*. Band 5-10. (Fortsetzung des Ochsenheimer' schen Werkes). Gerhard Fleischer, Leipzig.

Tshistjakov Y A. 1985. Preliminary results of the study of Notodontidae from the Far East of the USSR. *In*: Ler P A, Storozhenko S Y. *Taksonomiya I ekologiya chlenistonogikh dalnegoVostoka*: 59.

Tshistjakov Y A. 1998. New data on the lappet-moths (Lepidoptera: Lasiocampidae) of the Russian Far East. *Far Eastern Entomologist*, 66: 1-8.

Turner A J. 1902. New genera and species of Lepidoptera belonging to the family Noctuidae. *Proceedings of the Linnean Society of New South Wales*, 27: 77-136.

Turner A J. 1904. New Australian Lepidoptera, with synonymic and other notes. *Transactions of the Royal Society of South Australia*, 28: 212-247.

Turner A J. 1907. Revision of Australian Lepidoptera. 3. *Proceedings of the Linnean Society of New South Wales*, 31: 678-710.

Turner A J. 1910. Revision of Australian Lepidoptera. 5. *Proceedings of the Linnean Society of New South Wales*, 35: 555-653.

Tutt J W. 1902. *A Natural History of the British Lepidoptera*. Vol. 3. xi + 558 pp.

Tutt J W. 1903a. Some genera of the Eumorphid Sphinges. *Entomologist's Record*, 15: 75-76.

Tutt J W. 1903b. Genera of the Eumorphid and Daphnid Sphinges. *Entomologist's Record*, 15: 100-101.

Tutt J W. 1904. *A Natural History of the British Lepidoptera*. Vol. 4. xvii + 535 pp.

Vilarrubia J. 1974. Revision de los 'Esfinges' de la comarca 'Plana de Vich' (parse 2). *Revista Lepidopt*, 2(5): 33-38.

Vojnits A, DeLaever E. 1973. Revision of the *Eupithecia suboxydata-subbrunneata* group (Lep.: Geometridae). *Acta Zoologica Hungarica*, 19: 427-444, 10 figs.

Wagner F. 1923. Beitrage zur Lepidopteren-Fauna der Provinz Udine (Ital. sept, or.) nebst kritisohen Bemerkungen und Beschreibung einiger neuen Formen. *Zeitschrift des österreichischen Entomologen Vereins*, 8(5/6): 14-26, 34-44, 51-54.

Walker F. 1854-1866. *List of Specimens of Lepidopterous Insects in the Collection of the British Museum*. The order of the Trustees of the British Museum. Volumes 1-35.

Walker F. 1861. In D'Urban W S M. Addenda to the Natural History of the Valley of the River Rouge. *Canadian Naturalist and Geologist*, 6: 36-42.

Walker F. 1862a. Catalogue of the Heterocerous Lepidopterous insects collected at Sarawak, in Borneo, by Mr. A. R. Wallace, with descriptions of new species. *Journal of the Proceedings of the Linnean Society (Zoology)*, 6: 82-145, 171-198.

Walker F. 1862b. Characters of undescribed Lepidoptera in the collection of W. W. Saunders, Esp. *Transactions of the Entomological Society of London*, 3: 70-128.

Walker F. 1862c. Description of a new genus and species of Noctuides. *Transactions of the Entomological Society of London*, 3: 311-312.

Walker F. 1863-1864. Catalogue of the Heterocerous Lepidopterous insects collected at Sarawak, in Borneo, by Mr. A. R. Wallace, with descriptions of new species (continued). *Journal of the Proceedings of the Linnean Society (Zoology)*, 7: 49-84 (1863); 160-198 (1864).

Wallengren H D J. 1862. De till Lepidoptera Closterocera horande familjer och slagten. *Ofversigt af K Vetenskapakademiens Forhandlingar*, 19: 177-202.

Wallengren H D J. 1858. Nya Fjäril-slägten. *Öfversigt af Kongliga Vetenskaps-Akademiens Förhandlingar*, 15: 135-142.

Wallengren H D J. 1863. Lepidopterologische Mittheilungen. 3. *Wiener Entomologische Monatschrift*, 7: 137-151.

Wallengren H D J. 1863-1885. *Skandinaviens Heterocer-fjärilar* (*Lepidoptera*: *Scandinaviœ*: *Heterocera*). Published by Lund: Ch. Bülow, 1863-1885.

Wallengren H D J. 1865. Heterocerous Lepidoptera collected in Kaffirland by J. A. Wahlberg. *Kongliga Svenska Vetensk. -Akad. Handlingar*, 5(4): 1-88.

Warren W. 1888. On Lepidoptera collected by Major Yerbury in Western India, in 1886 and 1887. *Proceedings of the Zoological Society of London*, 1888: 292-338.

Warren W. 1893. On new genera and species of moths of the family Geometridae from India, in the collection of H. J. Elwes. *Proceedings of the Zoological Society of London*, 1893: 341-434, pls. 30-32.

Warren W. 1894a. New genera and species of Geometridae. *Novitates Zoologicae*, 1: 366-466.

Warren W. 1894b. New species and genera of Indian Geometridae. *Novitates Zoologicae*, 1: 678-682.

Warren W. 1895. New species and genera of Geometridae in the Tring Museum. *Novitates Zoologicae*, 2: 82-159.

Warren W. 1896a. New Geometridae in the Tring Museum. *Novitates Zoologicae*, 3: 99-148.

Warren W. 1896b. New species of Drepanulidae, Uraniidae, Epiplemidae, and Geometridae from the Papuan region, collected by Mr. Altert S. Meek. *Novitates Zoologicae*, 3: 272-306.

Warren W. 1896c. New Indian Epiplemidae and Geometridae. *Novitates Zoologicae*, 3: 307-321.

Warren W. 1896d. New species of Drepanulidae, Thyrididae, Uraniidae, Epiplemidae, and Geometridae in the Tring Museum. *Novitates Zoologicae*, 3: 335-419.

Warren W. 1897a. New genera and species of Moths from the Old-World Regions in the Tring Museum. *Novitates Zoologicae*, 4: 12-130.

Warren W. 1897b. New genera and species of Drepanulidae, Thyrididae, Epiplemidae, Uraniidae and Geometridae in the Tring Museum. *Novitates Zoologicae*, 4: 195-262, pl. 5.

Warren W. 1897c. New genera and species of moths from the Old-World Region in the Tring Museum. *Novitates Zoologicae*, 4: 378-402.

Warren W. 1899a. New species and genera of the family Drepanulidae, Thyrididae, Uraniidae, Epiplemidae and Geometridae from the Old World regions. *Novitates Zoologicae*, 6: 1-66.

Warren W. 1899b. New Drepanulidae, Epiplemidae, Uraniidae, and Geometridae from theOriental and Palaearctic Regions. *Novitates Zoologicae*, 6: 313-359.

Warren W. 1900a. New genera and species of Drepanulidae, Thyrididae, Epiplemidae and Geometridae from the Indo-Australian and Palaearctic Regions. *Novitates Zoologicae*, 7: 98-116.

Warren W. 1900b. New genera and species of American Drepanulidae, Thyrididae, Epiplemidae and Geometridae. *Novitates Zoologicae*, 7: 117-225.

Warren W. 1901a. New Thyrididae, Epiplemidae and Geometridae from the AEthiopian region. *Novitates Zoologicae*, 8: 6-20.

Warren W. 1901b. New Uraniidae, Epiplemidae and Geometridae fron the Oriental and Palaearctic Regions. *Novitates Zoologicae*, 8: 21-37.

Warren W. 1902a. Drepanulidae, Thyrididae, Uraniidae, Epiplemidae and Geometridae from the Oriental region. *Novitates Zoologicae*, 9: 340-372.

Warren W. 1902b. New African Drepanulidae, Thyrididae, Epiplemidae, and Geometridae in the Tring Museum. *Novitates Zoologicae*, 9: 487-536.

Warren W. 1903. New Drepanulidae, Thyrididae, Uraniidae and Geometridae from Oriental region. *Novitates Zoologicae*, 10: 255-270.

Warren W. 1904. New Drepanulidae, Thyrididae, Uraniidae and Geometridae from the Aethiopian region. *Novitates Zoologicae*, 11: 461-482.

Warren W. 1905a. New species of Thyrididae, Uraniidae, and Geometridae, from the Oriental Region. *Novitates Zoologicae*, 12: 6-15.

Warren W. 1905b. New American Thyrididae, Uraniidae and Geometridae. *Novitates Zoologicae*, 12: 307-379.

Warren W. 1907. New Drepanulidae, Thyrididae Uraniidae and Geometridae from British New Guinea. *Novitates Zoologicae*, 14: 97-186.

Warren W. 1909. New species of Thyrididae, Uraniidae and Geometridae from the Oriental Region. *Novit. zool.*, 16: 123-128.

Warren W. 1912. New Noctuidae in the Tring Museum, mainly from the Indo-Australian region. *Novitates Zoologicae*, 19: 1-57.

Warren W. 1914. Descriptions of new species of Lepidoptera Heterocera in the South African Museum. *Cape Town Annals S. African Museum*, 10: 467-510.

Warren W. 1916. New oriental Noctuidae in the Tring museum. *Novitates Zoologicae*, 23: 210-227.

Watson A. 1957. A Revision of the genus *Deroca* Walker(Lepidoptera: Drepanidae). *Annals and Magazine of Natural History*. (12)10: 129-148, 1 pl., 32 figs.

Watson A. 1958. A Revision of the genus*Auzata* Walker(Lepidoptera: Drepanidae). *Bonner Zoologische Beiträge*. 9: 232-256, 1 pl., 47 figs.

Watson A. 1967. A survey of the Extra-Ethiopian Oretinae(Lepidoptera: Drepanidae). *Bulletin of the British Museum(Natural History)*(Entomology), 19(3), 150-221.

Watson A. 1968. The Taxonomy of the Drepaninae represented in China, with an account of their world Distribution(Lepidoptera: Drepanidae). *Bulletin of the British Museum(Natural History) Entomology*. Supplement 12. 1-151, 14 pls.

Watson A D, Fletcher D S and Nye I W B. 1980. Noctuoidea(part): Arctiidae, Cocytiidae, Ctenuchidae, Dilobidae, Dioptidae, Lymantriidae, Notodontidae, Strepsimanidae, Thaumetopoeidae, Thyretidae. *In* Nye I W B (Ed.). *The generic names of moths of the world*. Volume 2. Trustees of the British Museum(Natural History), London, xiv + 228 pp.

Wehrli E. 1938. Neue Untergattungen, Arten und Unterarten von ostasiatischen Geometriden(Lepid.) aus dem Sammlungen Oberthür und Dr. Höne und eine *Boarmia* der Ausbeute H, u. E. Kotzsch. *Mitteilungen der Münchner Entomologischen Gesellschaft*, 28(2): 81-89.

Wehrli E. 1922. Ueber neue schweizerische und zentralasiatische *Gnophos*-arten und mikroskopische Bearbeitung einzelner Gruppen der Gattung. *Deutsche Entomologische Zeitschrift Iris*, 36: 1-29.

Wehrli E. 1923. Neue palaearktische Geometriden-Arten und Formen aus Ostchina. (Sammlung Hone.).

Deutsche Entomologische Zeitschrift Iris, 37: 61-75, 1 pl.

Wehrli E. 1924. Neue und wenig bekannte palaarktische und Sudchinesische Geometriden-Arten und Formen. (Sammlung Hone.) ii. *Mitteilungen der Münchner Entomologischen Gesellschaft*, 14 (6-12) : 130-142, 1 fig.

Wehrli E. 1925. Neue und wenig bokannte palaarktische und sudchinesische Geometriden-Arten and Formen. 3. *Mitteilungen der Münchner Entomologischen Gesellschaft*, 15: 48-60.

Wehrli E. 1927, Geometridae. *In* Bang-Haas, *Horae Macrolepidopterologicae Regions palaearcticae*. Volume 1. Dr. O. Staudinger & A. Bang-Haas, Dresden-Blasewitz, pp. 91-98.

Wehrli E. 1931. Neue Geometriden-Arten und Rassen aus China und Tibet(Lepidoptera: Heterocera). *Neue Beitr. syst. Insectenk*, 5: 17-31.

Wehrli E. 1932. Ein neues Genus, ein neues Subgenns und 4 neue Arten von Geometriden aus meiner Sammlung. *Entomologische Rundschau*, 49: 220-222, 225-227, 5 figs.

Wehrli E. 1933. Neue Arten and Rassen der Gattung Arichanna Moore(Arichanna s. str. , Icterodes Btl. , Epicterodes sg. n. , Paricterodes Warr. und Phyllabraxas Leech)aus meiner Sammlung(Geometr. Lepid.). *Entomologische Zeitschrift Frankfurt a M*, 47: 29-31, 40-41, 47-51

Wehrli E. 1934a. Revision einiger subgenerischen Gruppen der Gattung *Abraxas*(die picaria-, die sinopicaria-, die celidota- und z. Teil auch die grossulariata-Gruppe). *Entomologische Zeitschrift Frankfurt a M*, 48: 138-140.

Wehrli E. 1934b. Ueber neue palaarktische Geometrinae und ein neues Subgenus(Lepid. Heteroc). *Internationale Entomologische Zeitschrift*, 27: 509-513, 533-536.

Wehrli E. 1934c. Eine monographische Revision der Gattung*Neolythria* Alph. *Entomologische Rundschau*, 51: 125-129, 133-137, 141-146, 3 pls.

Wehrli E. 1935a. Revision einiger subgenerischen Gruppen der Gattung*Abraxas*(die picaria-, die sinopicaria-, die celidota- und z. Teil auch die grossulariata-Gruppe). *Entomologische Zeitschrift*, 48: 148-151,154-156, 162-164.

Wehrli E. 1935b. Ueber die*Metamorpha*-Gruppe, ein neues Sub-genus der Gattung *Abraxas*, Meso-hypoleuca und ihre Arten(Geometrinae: Lep.). *Internationale Entomologische Zeitschrift*, 29: 1-3, 15-18, 25-33, 37-39, 49-51.

Wehrli E. 1935c. Zur Revision der*Abraxas sylvata* Scop. Gruppe, Sub-genus *Calospilos* Hbn. , auf Grund anatomischer Untersuchungen. Neue Untergattungen und neue Arten der Gruppe. *Entomologische Rundschau*, 52: 100-103, 115-119, 121-124.

Wehrli E. 1936a. Neue Gattungen, Subgenera, Arten und Rassen(Lep. Geom.). *Entomologische Rundschau*, 53: 513-516, 562-568.

Wehrli E. 1936b. Neue Gattungen, Subgenera, Arten und Rassen(Lep. Geom.). *Entomologische Rundschau*, 54: 1-7, 126-130, 144-146.

Wehrli E. 1937a. Einige neue Untergattungen, Arten und Unterarten. *Entomologische Zeitschrift*, 51: 117-120.

Wehrli E. 1937b. Neue Gattungen, Subgenera, Arten und Rassen(Lep. Geom.). *Entomologische Rundschau*, 54: 160-163, 260.

Wehrli E. 1937c. Uber alte und neue Genera, Subgenera, Species und Subspecies. *Entomologische Runds-*

chau, 54: 502-503, 515-518, 562-563.

Wehrli E. 1938a. Neue Untergattungen, Arten und Unterarten von ostasiatischen Geometriden(Lepid.) aus dem Sammlungen Oberthür und Dr. Höne und eine *Boarmia* der Ausbeute H, u. E. Kotzsch. *Mitteilungen der Münchner Entomologischen Gesellschaft*, 28(2): 81-89.

Wehrli E. 1938b. Neue Gattungen, Untergattungen, Arten und Rassen von Geometriden(Lep.). *Entomologische Rundschau*, 55: 354-360.

Wehrli E. 1941. Neue Arten und Rassen aus dem Iran und aus China(Lep. Geometr.). *Mitteilungen der Münchner Entomologischen Gesellschaft*, 31: 1064-1071.

Wehrli E. 1945. Neue Gattungen, Untergattungen, Arten und Rassen. *Mitteilungen der Schweizerischen Entomologischen Gesellschaft*, 19: 334-338.

Wehrli E. 1951. Une nouvelle classification du genre Gnophos Tr. *Lambillionea*, 51: 6-11, 22-30, 34-37.

Werneburg A. 1859. Einige Bemerkungen über die Spanner des Genus *Eugonia* Hb. *Entomologische Zeitun Stetting*, 20(10-12): 354-362.

Werny K. 1966. *Untersuchungen über die Systematik der Tribus Thyatirini, Macrothyatirini, Habrosynini und Tetheini(Lepidoptera: Thyatiridae)*. Universität Saabrücken, Saabrücken, 463 pp.

Werny K. 1968. Thyatiriden aus Nepal. *Ergebnisse der ForschUnternehmens Nepal Himalaya*, 3: 101-115.

Westwood J O. 1840. *An introduction to the modern Classification of Insects: founded on the natural habits and corresponding organisation of the different families*. Vol. 2. (Synopsis of the genera of British Insects). Longman, Orme, Brown, Green, and Longmans, London, xi + 587 pp., 133 figs.

Westwood J O. 1841. Description of two papilioniform moths from Assam. *Arcana entomologica; or Illustrations of new, rare and interesting Insects*, 1: 17-20, pl. 5.

Westwood J O. 1843. *In* Humphreys H N, Westwood J O. *British Moths and their transformations*. Volume 1. London.

Westwood J O. 1847-1848. *The Cabinet of Oriental Entomology; being a Selection of some of the Rarer and More Beautiful Species of Insects, Natives of India and the Adjacent Islands, the Described and Figured*. London, 88 pp., 42 pls.

Weymer G. 1906. Zwei neue Saturniden. *Deutsche Entomologische Zeitschrift Iris*, 19: 71-76.

Wileman A E, South R. 1917. New species of Heterocera from Japan and Formosa in the British museum. *Entomologist*, 50: 25-29.

Wileman A E. 1910. Some new Lepidoptera-Heterocera from Formosa. *Entomologist*, 43: 136-139, 176-179, 189-193, 200-223, 244-248, 285-291, 309-313, 344-349.

Wileman A E. 1911a. New and unrecordedspecies of Lepidoptera Heterocera from Japan. *Transactions of the Royal Entomological Society of London*, 1911: 189-407, pls 30-31.

Wileman A E. 1911b. New Lepidoptera-Heterocera from Formosa. *Entomologist*, 44: 29-32, 60-62, 109-111, 148-152, 174-176, 204-206, 271-272, 295-297.

Wileman A E. 1912. New species of Noctuidae from Formosa. *Entomologist*, 45: 130-133.

Wileman A E. 1915. New species of Heterocera from Formosa. *Entomologist*, 48: 12-19, 34-40, 58-61, 80-82.

Wileman A E. 1924. New name for *Catocala sancta* Butler from Japan. *Entomlogist*, 57: 287.

Wilkinson C. 1972. The Drepanidae of Nepal(Lepidoptera). *Khumbu Himal, Ergebnisse Forschungsunternehmens Nepal Himalaya*, 4, 157-332.

Wiltshire E P. 1967. Middle East Lepidoptera, 20. A third contribution to the fauna of Afghanistan. *Beitr naturk Forsch SudwDtl*, 26: 137-169.

Wu C G, Han H X and Xue D Y. 2008. A study on the genus *Glaucorhoe* Herbulot, with descriptions of two new species from China(Lepidoptera: Geometridae: Larentiinae). *Zootaxa*, 1858: 53-63, figs 1-29.

Wu C G, Han H X and Xue D Y. 2010. A pilot study on the molecular phylogeny of Drepanoidea(Insecta: Lepidoptera) inferred from the nuclear gene EF-1a and the mitochondrial gene COI. *Bulletin of Entomological Research*, 100: 207-216.

Wu C S, Fang C L. 2002. A Taxonomic Study of the Genus *Mimopydna* Matsumura, 1924 in China(Lepidoptera: Notodontidae). *Acta Entomologica Sinica*, 45(6): 812-814.

Wu C S, Fang C L. 2003a. A taxonomic study of the genus *Notodonta* Ochsenheimer, 1810 in China(Lepidoptera: Notodontidae). *Acta Zootaxonomia Sinica*, 28(1): 145-147.

Wu C S, Fang C L. 2003b. A taxonomic study of the genus Odontosina(Lepidoptera: Notodontidae) in China. *Entomotaxonomia*, 25(2): 131-134.

Wu C S, Fang C L. 2003c. A taxonomic study of Chinese members of the genus *Platychasma* Butler(Lepidoptera: Notodontidae). *Acta Zootaxonomica Sinica*, 28(2): 307 -309.

Wu C S, Fang C L. 2004. A review of the genus*Phalera* Hübner in China(Lepidoptera: Notodontidae). *Oriental Insects*, 38: 109-136.

Xue D Y, Scoble M J. 2002. A Review of the genera associated with the tribe Asthenini(Lepidoptera: Geometridae, Larentiinae). *Bulletin of the Nature History of London*(Entomology), 71(1): 77-133, 295 figs.

Yazaki K. 1992. Geometridae. *In* Haruta T. *Moths of Nepal*. Part 1. *Tinea*, 13(Supplement 2): 5-46, figs 1-33, pls 2-12.

Yazaki K. 1994. Geometridae. *In* Haruta T. *Moths of Nepal*. Part 3. *Tinea*, 14(Supplement 1): 5-40, figs 331-383, pls 66-72.

Yoshimoto H. 1988. Description of a new genus for *Polyploca hoenei* Sick, 1941(Lepidoptera: Thyatiridae). *Tinea*, 12(14): 119-123.

Yoshimoto H. 1993. Thyatiridae. *In* Haruta T. *Moths of Nepal*. Part 2. *Tinea*, 13(Supplement 3): 122-123, pl. 61.

Zahiri R, Kitching I J, Lafontaine J D, Mutanen M, Kaila L, Holloway J D and Wahlberg N. 2011. A new molecular phylogeny offers hope for a stable family-level classification of the Noctuoidea(Lepidoptera). *Zoologica Scripta*, 40(2): 158-173.

Zahiri R, Holloway J D, Kitching I J, Lafontaine J D, Mutanen M and Wahlberg N. 2012. Molecular phylogenetics of Erebidae(Lepidoptera: Noctuoidea). *Systematic Entomology*, 37: 102-124.

Zerny H. 1912. Syntomidae. *In* Wagner H. *Lepidopterorum Catalogus*, Volume 7. 179 pp.

Zetterstedt J W. 1839-1840. *Insecta Lapponica*. Sumtibus Leopoldi Voss, Lipsiae [Leipzig], 1139 pp.

Zolotarenko G S. 1970. *Cutworms of West Siberia*(*Lepidoptera*: *Agrotinae*). 436 pp., 24 pls.

Zolotuhin V V, Witt T J. 2000. The Lasiocampidae of Vietnam. *Entomofauna*, (supplement 11): 25-104.

Zolotuhin V V, Witt T J. 2004. New and little-known species of the Lasiocampidae(Lepidoptera) from

China. *Tinea*, 18(1): 36-42.

Zolotuhin V V, Witt T J. 2007. A revision of the genus *Pyrosis* Oberthuer, 1880(= *Bhima* Moore, 1888) (Lepidoptera: Lasiocampidae). *Nachrichten des Entomologischen Vereins Apollo*, (Supplementum 19): 1-31.

Zolotuhin V V, Wu C S. 2008. Three new species of the Lasiocampidae(Lepidoptera) from China. *Tinea*, 20(4): 264-268.

Zolotuhin V V. 1995. To a study of Asiatic Lasiocampidae(Lep.)1. The Lasiocampidae of Thailand. *Tinea* 14(3): 157-170.

Zolotuhin V V. 1996. To a study of Asiatic Lasiocampidae. 3. short taxonomic notes on*Paralebeda* Aurivillius, 1894(Lepidoptera). *Entomofauna*, 17(13): 245-256.

Zolotuhin V V. 1998. Further synonymic notes in the Lasiocampidae, with the description of a new *Euthrix*-species(Lepidoptera: Lasiocampidae). *Entomofauna*, 19(4): 53-74.

Zolotuhin V V. 1999. Bhima Moore, 1888 is a junior subjective synonym of Pyrosis Oberthur, 1880(Lepidoptera, Lasiocampidae). *Atalanta(Marktleuthen)*, 29(1-4): 283-284.

Zolotuhin V V. 2001. Contributions to the study of AsiaticLasiocampidae. 5. Descriptions of new species of *Euthrix* Meigen, 1830 and related genera, with a synonymic note. *Atalanta*, 32(3/4): 453-471.

Zolotuhin V V. 2005. Contributions to the study of AsiaticLasiocampidae 7. Descriptions of five new species from China. *Atalanta*, 36(3/4): 551-558.

Zolotuhin V V, Ryabov S A. 2012. *The hawkmoth of Vietnam*. Korporatsiya Tekhnologiy Prodvizheniya, Uljanovsk, 239 pp.

中名索引

（按首字音序排列，右边的号码为该条目在正文的页码）

A

B

D

E

F

G

J

M

Q

T

W

Z

学名索引

（按首字母顺序排列，右边的号码为该条目在正文的页码）

B

C

G

K

L

M

O

Q

R

T

图版目录

说明:1. 图版2中图片为标本原大的1/2,其余图版的图片均为原大。

2. 天蛾16种图片来源于网站 http://tpittaway. tripod. com/china/china. htm. 标记为 *;夜蛾科103种图片来源于国家科技基础条件平台动物标本资源共享平台,标记为★。

图版1

1. 野蚕蛾 *Bombyx mandarina* Moore, 1912
2. 白弧野蚕蛾 *Bombyx lemeepauli* Lemée, 1950
3. 单齿翅蚕蛾 *Oberthueria yandu Zolotuhin et* Wang, 2013
4. 一点如钩蚕蛾 *Mustilizans eitschbergeri* Zolotuhin, 2007
5. 卡天蛾中华亚种 *Sphinx caligineus sinicus*(Rothschild *et* Jordan, 1903)
6. 森尾松天蛾匀灰亚种 *Sphinx morio arestus*(Jordan, 1931)
7. 白薯天蛾 *Agrius convolvuli*(Linnaeus, 1758)
8. 大背天蛾 *Meganoton analis analis*(Felder, 1874)
9. 丁香天蛾 *Psilogramma increta*(Walker, 1865) *
10. 鬼脸天蛾 *Acherontia lachesis lachesis*(Fabricius, 1798)
11. 芝麻鬼脸天蛾 *Acherontia styx*(Westwood, 1847)

图版2

1. 绿尾大蚕蛾 *Actias selene ningpoana* Felder, 1862
2. 华尾大蚕蛾 *Actias sinensis* Walker, 1855
3. 红尾大蚕蛾 *Actias rhodopneuma* Rober, 1925
4. 曲缘尾大蚕蛾 *Actias artemis aliena*(Butler, 1879)
5. 长尾大蚕蛾 *Actias dubernardi*(Oberthür, 1897)♂
6. 长尾大蚕蛾 *Actias dubernardi*(Oberthür, 1897)♀
7. 目豹大蚕蛾 *Loepa damaritis* Jordan, 1911
8. 豹大蚕蛾 *Loepa oberthuri*(Leech, 1890)
9. 猫目大蚕蛾 *Salassa thespis*(Leech, 1890)
10. 青海合目大蚕蛾 *Caligula chinghaina* Chu *et* Wang, 1993
11. 银杏大蚕蛾 *Caligula japonica* Moore, 1862
12. 樗蚕 *Samia cynthia*(Drurvy, 1773)
13. 佛坪猫目大蚕蛾 *Salassa arianae* Brechlin *et* Kitching, 2010♂(HT, From Dr. R. Brechlin)
14. 佛坪猫目大蚕蛾 *Salassa arianae* Brechlin *et* Kitching, 2010♀(PT, From Dr. R. Brechlin)
15. 明目大蚕蛾 *Antheraea frithi javanensis* Bouvier, 1928
16. 柞蚕 *Antheraea pernyi* Guérin-Méneville, 1855

图版3

1. 黄脉天蛾华夏亚种 *Laothoe amurensis sinica*(Rothschild *et* Jordan, 1903)

2. 哈伯黄脉天蛾 *Laothoe habeli* Saldaitis, Icinskis *et* Borth, 2010(PT, From Dr. R. Brechlin)
3. 小目天蛾 *Smerinthus minor* Mell, 1937
4. 蓝目天蛾 *Smerinthus planus* Walker, 1856
5. 月天蛾 *Craspedortha porphyria*(Butler, 1876)*
6. 构月天蛾 *Parum colligata*(Walker, 1856)
7. 椴六点天蛾 *Marumba dyras dyras*(Walker, 1856)*
8. 梨六点天蛾 *Marumba gaschkewitschii complacens*(Walker, 1865)
9. 黄边六点天蛾 *Marumba maackii*(Bremer, 1861)
10. 枇杷六点天蛾 *Marumba spectabilis spectabilis*(Butler, 1875)
11. 栗六点天蛾 *Marumba sperchius*(Ménéntriès, 1857)
12. 盾天蛾 *Phyllosphingia dissimilis dissimilis*(Bremer, 1861)

图版 4

1. 枫天蛾 *Cypoides chinensis*(Rothschild *et* Jordan, 1903)
2. 陕西齿缘天蛾 *Cypa shaanxiana* Brechlin *et* Kitching, 2014*
3. 眼斑绿天蛾 *Callambulyx junonia*(Butler, 1881)
4. 榆绿天蛾 *Callambulyx tatarinovii tatarinovii*(Bremer *et* Grey, 1853)
5. 白斑绿天蛾 *Callambulyx sinjaevi* Brechlin, 2000
6. 甘蔗天蛾 *Leucophlebia lineata* Westwood, 1847*
7. 中国三线天蛾陕西亚种 *Polyptychus chinensis shaanxiensis* Brechlin, 2008
8. 南方豆天蛾 *Clanis bilineata*(Walker, 1866)
9. 灰斑豆天蛾 *Clanis undulosa undulosa* Moore, 1879
10. 赫伯绒天蛾 *Kentrochrysalis heberti* Haxaire *et* Melichar, 2010

图版 5

1. 白须天蛾 *Kentrochrysalis sieversi* Alphéraky, 1897
2. 女贞天蛾 *Kentrochrysalis streckeri*(Staudinger, 1880)
3. 大星天蛾 *Dolbina inexacta*(Walker, 1856)
4. 小星天蛾 *Dolbina exacta* Staudinger, 1892
5. 匀天蛾 *Sphingulus mus* Staudinger, 1887
6. 日本鹰翅天蛾韩国亚种 *Ambulyx japonica koreana* Inoue, 1993
7. 华南鹰翅天蛾 *Ambulyx kuangtungensis*(Mell, 1922)
8. 核桃鹰翅天蛾 *Ambulyx schauffelbergeri* Bremer *et* Grey, 1853
9. 黄山鹰翅天蛾 *Ambulyx sericeipennis* Butler, 1875
10. 锈胸黑边天蛾 *Hemaris staudingeri* Leech, 1890*
11. 三角锤天蛾 *Neogurelca himachala sangaica*(Butler, 1876)*
12. 基点赭尾天蛾 *Eurypteryx bhaga*(Moore, 1866)

图版 6

1. 卡西葡萄天蛾 *Ampelophaga khasiana* Rothschild, 1895
2. 葡萄天蛾 *Ampelophaga rubiginosa rubiginosa* Bremer *et* Grey, 1853
3. 葡萄缺角天蛾 *Acosmeryx naga naga*(Moore, 1858)

4. 斜带缺角天蛾 *Acosmeryx shervillii* Boisduval, 1875
5. 青背长喙天蛾 *Macroglossum bombylans* Boisduval, 1875 *
6. 夜长喙天蛾 *Macroglossum nycteris* Kollar, 1844
7. 小豆长喙天蛾 *Macroglossum stellatarum*(Linnaeus, 1758) *
8. 放白眉天蛾 *Hyles exilis* Derzhavets, 1979 *
9. 深色白眉天蛾 *Hyles gallii*(Rottemburg, 1775) *
10. 八字白眉天蛾 *Hyles livornica*(Esper, 1780) *
11. 霸王天蛾 *Hyles zygophylli*(Ochsenheimer, 1808) *

图版 7

1. 红天蛾 *Deilephila elpenor*(Linnaeus, 1758)
2. 雀纹天蛾 *Theretra japonica*(Boisduval, 1869)
3. 芋双线天蛾 *Theretra oldenlandiae oldenlandiae*(Fabricius, 1775) *
4. 斜纹天蛾 *Theretra clotho*(Drury, 1773)
5. 斜绿天蛾 *Pergesa acteus*(Cramer, 1779) *
6. 条背天蛾 *Cechenena lineosa*(Walker, 1856)
7. 平背天蛾 *Cechenena minor*(Butler, 1875)
8. 白肩天蛾 *Rhagastis mongoliana*(Butler, 1876)
9. 隐纹白肩天蛾 *Rhagastis velata*(Walker, 1866) *
10. 迷白肩天蛾 *Rhagastis confusa* Rothschild *et* Jordan, 1903

图版 8

1. 紫光箩纹蛾 *Brahmaea porphyria* Chu *et* Wang, 1977
2. 春线枯叶蛾 *Arguda era* Zolotuhin, 2005(HT, from Dr. V. V. Zolotuhin)
3. 斜带枯叶蛾 *Bharetta cinnamomea* Moore, 1865
4. 柳黑枯叶蛾 *Pyrosis rotundipennis*(de Joannis, 1930)♂
5. 柳黑枯叶蛾 *Pyrosis rotundipennis*(de Joannis, 1930)♀
6. 栎黑枯叶蛾 *Pyrosis eximia* Oberthür, 1880
7. 杨黑枯叶蛾 *Pyrosis idiota* Graeser, 1888
8. 申氏黑枯叶蛾 *Pyrosis schintlmeisteri* Zolotuhin *et* Witt, 2007
9. 棕斑枯叶蛾 *Cosmeptera ornata* Lajonquiere, 1979
10. 美斑枯叶蛾 *Cosmeptera pulchra* Lajonquiere, 1979(HT, from Dr. V. V. Zolotuhin)
11. 秦岭小枯叶蛾 *Cosmotriche chensiensis* Hou, 1987
12. 蓝灰小枯叶蛾 *Cosmotriche monotona monotona*(Daniel, 1953)
13. 西昌杂枯叶蛾 *Kunugia xichangensis*(Tsai *et* Liu, 1962)
14. 波纹杂枯叶蛾 *Kunugia undans undans*(Walker, 1855)
15. 直纹杂枯叶蛾 Kunugia *lineata*(Moore, 1879)
16. 太白杂枯叶蛾 *Kunugia tamsi taibaiensis*(Hou, 1986)♂
17. 太白杂枯叶蛾 *Kunugia tamsi taibaiensis*(Hou, 1986)♀
18. 沃腾杂枯叶蛾 *Kunugia wotteni* Zolotuhin, 2005(PT, from Dr. V. V. Zolotuhin)
19. 油松毛虫 *Dendrolimus tabulaeformis* Tsai *et* Liu, 1962
20. 云南松毛虫 *Dendrolimus grisea*(Moore, 1879)

图版 9

1. 秦岭松毛虫 *Dendrolimus qinlingensis* Tsai *et* Hou, 1980
2. 宁陕松毛虫 *Dendrolimus ningshanensis* Tsai *et* Hou, 1976
3. 旬阳松毛虫 *Dendrolimus xunyangensis* Tsai *et* Hou, 1980
4. 华山松毛虫 *Dendrolimus huashanensis* Hou, 1986
5. 火地松毛虫 *Dendrolimus rubripennis* Hou, 1986
6. 白斑榆枯叶蛾 *Phyllodesma neadequata* Zolotuhin *et* Witt, 2004
7. 河南榆枯叶蛾 *Phyllodesma henna* Zolotuhin *et* Wu, 2008
8. 褐榆枯叶蛾 *Phyllodesma ursulae* Zolotuhin *et* Witt, 2004
9. 紫翅枯叶蛾 *Eteinopla narcissus* Zolotuhin, 1995
10. 阿纹枯叶蛾 *Euthrix albomaculata*(Bremer, 1861)
11. 竹纹枯叶蛾 *Euthrix laeta*(Walker, 1855)
12. 杨褐枯叶蛾 *Gastropacha populifolia*(Esper, 1784)
13. 赤李褐枯叶蛾 *Gastropacha quercifolia lucens* Mell, 1939
14. 秦岭云枯叶蛾 *Pachypasoides qinlingensis*(Hou, 1986)
15. 柳杉云枯叶蛾 *Pachypasoides roesleri*(Lajonquiere, 1973)
16. 油茶大枯叶蛾 *Lebeda nobilis sinina* Lajonquiere, 1979
17. 橘黄滇枯叶蛾 *Paradoxopla mandarina* Zolotuhin *et* Witt, 2004
18. 东北栎枯叶蛾 *Paralebeda femorata femorata*(Ménétriès, 1855)
19. 黄褐幕枯叶蛾 *Malacosoma neustria testacea*(Motschulsky, 1861)
20. 留坝幕枯叶蛾 *Malacosoma liupa* Hou, 1980
21. 桦幕枯叶蛾 *Malacosoma betula* Hou, 1980
22. 苹枯叶蛾 *Odonestis pruni*(Linnaeus, 1758)

图版 10

1. 倪辛杨枯叶蛾 *Poecilocampa nilsinjaevi* Zolotuhin, 2005(PT, from Dr. V. V. Zolotuhin)
2. 黄角枯叶蛾 *Radhica flavovittata flavovittata* Moore, 1879
3. 日光枯叶蛾 *Somadasys brevivenis brevivenis*(Butler, 1885)
4. 月光枯叶蛾 *Somadasys lunata* Lajonquiere, 1973
5. 拟痕枯叶蛾 *Syrastrenopsis moltrechti* Grunberg, 1914
6. 大陆刻缘枯叶蛾 *Takanea excisa yangtsei* Lajonquiere, 1973
7. 大黄枯叶蛾 *Trabala vishnou gigantina* Yang, 1978 ♂
8. 大黄枯叶蛾 *Trabala vishnou gigantina* Yang, 1978 ♀
9. 锚纹蛾 *Pterodecta felderi*(Bremer, 1864)
10. 三点燕蛾 *Pseudomicronia archilis*(Oberthür, 1891)
11. 斜线燕蛾 *Acropteris iphiata*(Guenée, 1857)
12. 四线白蛱蛾 *Epiplema evanescens* Alphéraky, 1897
13. 后两齿蛱蛾 *Epiplema suisharyonis* Strand, 1916
14. 棕翅缺角蛱蛾 *Orudiza andulata* Chu *et* Wang, 1994
15. 洋麻圆钩蛾 *Cyclidia substigmaria*(Hübner, 1825)
16. 红波纹蛾 *Thyatira rubrescens* Werny, 1966
17. 边波纹蛾 *Horithyatira decorata decorata*(Moore, 1881)

18. 曲篝波纹蛾陕西亚种 *Gaurena sinuata fletcheri* Werny, 1966
19. 拟花篝波纹蛾 *Gaurena gemella* Leech, 1900
20. 大波纹蛾陕西亚种 *Macrothyatira flavida tapaischana*(Sick, 1941)
21. 带大波纹蛾 *Macrothyatira fasciata*(Houlbert, 1921)

图版 11

1. 太波纹蛾阿穆尔亚种 *Tethea ocularis amurensis* Warren, 1912
2. 宽太波纹蛾山西亚种 *Tethea ampliata shansiensis* Werny, 1966
3. 川太波纹蛾 *Tethea punctorenalia*(Houlbert, 1921)
4. 点太波纹蛾 *Tethea octogesima*(Butler, 1878)
5. 长片太波纹蛾 *Tethea longisigna* Laszlo, G. Ronkay, L. Ronkay *et* Witt, 2007
6. 白太波纹蛾 *Tethea albicostata*(Bremer, 1861)
7. 粉太波纹蛾 *Tethea consimilis*(Warren, 1912)
8. 点波纹蛾浙江亚种 *Horipsestis aenea minor*(Sick, 1941)
9. 新铜波纹蛾 *Isopsestis naumanni* Laszlo, G. Ronkay, L. Ronkay *et* Witt, 2007
10. 怪影波纹蛾 *Euparyphasma maxima*(Leech, 1888)
11. 影波纹蛾陕西亚种 *Euparyphasma albibasis guankaiyuni* Laszlo, G. Ronkay, Ronkay *et* Witt, 2007
12. 中华波纹蛾四川亚种 *Habrosyne intermedia conscripta* Warren, 1912
13. 印华波纹蛾 *Habrosyne indica*(Moore, 1867)
14. 银华波纹蛾 *Habrosyne violacea*(Fixsen, 1887)
15. 齿华波纹蛾 *Habrosyne dentata* Werny, 1966
16. 米波纹蛾陕西亚种 *Mimopsestis basalis sinensis* Laszlo, G. Ronkay, L. Ronkay *et* Witt, 2007
17. 叉波纹蛾 *Toelgyfaloca circumdata*(Houlbert, 1921)
18. 异波纹蛾 *Parapsestis argenteopicta*(Oberthür, 1879)
19. 新华异波纹蛾 *Parapsestis cinerea* Laszlo, G. Ronkay, L. Ronkay *et* Witt, 2007
20. 虚斑异波纹蛾 *Parapsestis pseudomaculata*(Houlbert, 1921)

图版 12

1. 大巴山异波纹蛾 *Parapsestis dabashana* Laszlo, G. Ronkay, L. Ronkay *et* Witt, 2007
2. 图异波纹蛾越南亚种 *Parapsestis tomponis almasderes* Laszlo, G. Ronkay, L. Ronkay *et* Witt, 2007
3. 华异波纹蛾秦岭亚种 *Parapsestis lichenea tsinlinga* Laszlo, G. Ronkay, L. Ronkay *et* Witt, 2007
4. 洪波纹蛾 *Nephoploca hoenei*(Sick, 1941)
5. 栎距钩蛾朝鲜亚种 *Agnidra scabiosa fixseni*(Bryk, 1948)
6. 棕褐距钩蛾 *Agnidra brunnea* Chou *et* Xiang, 1982
7. 窗距钩蛾 *Agnidra fenestra*(Leech, 1898)
8. 栎卑钩蛾 *Betalbara robusta*(Oberthür, 1916)
9. 直缘卑钩蛾 *Betalbara violacea*(Butler, 1889)
10. 齿线卑钩蛾陕西亚种 *Betalbara flavilinea shensiensis* Watson, 1968
11. 网卑钩蛾 *Betalbara acuminata*(Leech, 1890)
12. 短铃钩蛾 *Macrocilix mysticata brevinotata* Watson, 1968
13. 短线豆斑钩蛾冠毛亚种 *Auzata superba cristata* Watson, 1958
14. 中华豆斑钩蛾陕西亚种 *Auzata chinensis arcuata* Watson, 1958

15. 钳钩蛾 *Didymana bidens*(Leech, 1890)
16. 古钩蛾 *Sabra harpagula*(Esper, 1786)
17. 曲缘线钩蛾 *Nordstromia recava* Watson, 1968
18. 掌绮钩蛾 *Cilix tatsienluica* Oberthür, 1916
19. 西藏钩蛾 *Drepana rufofasciata* Hampson, 1892
20. 一点钩蛾湖北亚种 *Drepana pallida flexuosa* Watson, 1968
21. 三线钩蛾 *Pseudalbara parvula*(Leech, 1890)
22. 泰丽钩蛾 *Callidrepana palleola*(Motschulsky, 1866)
23. 斑晶钩蛾陕西亚种 *Deroca inconclusa carinata* Watson, 1957
24. 美钩蛾中国亚种 *Callicilix abraxata nguldoe*(Oberthür, 1894)
25. 中华大窗钩蛾 *Macrauzata maxima chinensis* Inoue, 1960
26. 网山钩蛾秦岭亚种 *Oreta vatama tsina* Watson, 1967

图版 13

1. 接骨木山钩蛾 *Oreta loochooana* Swinhoe, 1902
2. 三棘山钩蛾 *Oreta trispina* Watson, 1967(黄色型)
3. 三棘山钩蛾 *Oreta trispina* Watson, 1967(褐色型)
4. 宏山钩蛾 *Oreta hoenei* Watson, 1967
5. 三刺山钩蛾 *Oreta trispinuligera* Chen, 1985
6. 榆凤蛾 *Epicopeia mencia* Moore, 1874
7. 女贞尺蛾 *Naxa seriaria*(Motschulsky, 1866)
8. 中带盘雕尺蛾 *Discoglypha centrofasciaria*(Leech, 1897)
9. 小红姬尺蛾 *Idaea muricata minor*(Sterneck, 1927)
10. 忍冬尺蛾 *Scopula indicataria*(Walker, 1861)
11. 明岩尺蛾 *Scopula ferrilineata*(Moore, 1888)
12. 指眼尺蛾 *Problepsis crassinotata* Prout, L. B. , 1917
13. 佳眼尺蛾 *Problepsis eucircota* Prout, L. B. , 1913
14. 邻眼尺蛾 *Problepsis paredra* Prout, L. B. , 1917
15. 猫眼尺蛾 *Problepsis superans*(Butler, 1885)
16. 小玷尺蛾 *Naxidia glaphyra* Wehrli, 1931
17. 亚叉脉尺蛾 *Leptostegna asiatica*(Warren, 1893)
18. 洁尺蛾缅甸亚种 *Tyloptera bella diacena*(Prout, L. B. , 1926)
19. 华丽妒尺蛾台湾亚种 *Phthonoloba decussata moltrechti* Prout, L. B. , 1958
20. 双齿光尺蛾东方亚种 *Triphosa dubitata amblychiles* Prout, L. B. , 1937
21. 交汝尺蛾 *Rheumaptera alternata alternata*(Staudinger, 1895)
22. 缺距汝尺蛾 *Rheumaptera inanata*(Christoph, 1881)
23. 橘斑幅尺蛾 *Photoscotosia miniosata miniosata*(Walker, 1862)
24. 云南松洄纹尺蛾 *Chartographa fabiolaria*(Oberthür, 1884)
25. 葡萄洄纹尺蛾长阳亚种 *Chartographa ludovicaria praemutans*(Prout, L. B. , 1937)

图版 14

1. 环纹尺蛾 *Calleulype whitelyi whitelyi*(Butler, 1878)

2. 云纹尺蛾 *Eulithis pyropata*(Hübner, 1809)
3. 羌纹尺蛾 *Eulithis perspicuata*(Püngeler, 1909)
4. 细纹尺蛾 *Eulithis convergenata*(Bremer, 1864)
5. 中国枯叶尺蛾 *Gandaritis sinicaria sinicaria* Leech, 1897
6. 半黄枯叶尺蛾 *Gandaritis flavescens* Xue, 1992
7. 黄枯叶尺蛾 *Gandaritis flavomacularia* Leech, 1897
8. 网褥尺蛾峨眉亚种 *Eustroma reticulata dictyota* Prout, L. B. , 1937
9. 黑斑褥尺蛾 *Eustroma aerosa*(Butler, 1878)
10. 台褥尺蛾 *Eustroma changi* Inoue, 1986
11. 广褥尺蛾 *Eustroma promacha* Prout, L. B. , 1940
12. 狭带叉突尺蛾 *Pareustroma propriaria*(Leech, 1897)
13. 秀叉突尺蛾 *Pareustroma aconisecta* Xue, 1999
14. 光叉突尺蛾 *Pareustroma fractifasciaria*(Leech, 1897)
15. 暗色祉尺蛾 *Eucosmabraxas placida propinqua*(Butler, 1881)
16. 方折线尺蛾 *Ecliptopera benigna*(Prout, L. B. , 1914)
17. 汇纹尺蛾 *Evecliptopera decurrens decurrens*(Moore, 1888)
18. 窝尺蛾 *Atopophysa indistincta*(Butler, 1889)
19. 小灰涛尺蛾 *Glaucorhoe exilaria* Han *et* Xue, 2008
20. 疏焰尺蛾 *Electrophaes aliena*(Butler, 1880)
21. 云雾丽翅尺蛾四川亚种 *Lampropteryx argentilineata nitidaria*(Leech, 1897)
22. 暗旋尺蛾 *Colostygia pendearia*(Oberthür, 1894)
23. 淡网尺蛾四川亚种 *Laciniodes denigrata abiens* Prout, L. B. , 1938
24. 单网尺蛾 *Laciniodes unistirpis*(Butler, 1878)
25. 掩尺蛾 *Pseudostegania defectata*(Christoph, 1881)
26. 秦岭掩尺蛾 *Pseudostegania qinlingensis* Xue *et* Han, 2010
27. 束大轭尺蛾四川亚种 *Physetobasis dentifascia mandarinaria*(Leech, 1897)
28. 烟翡尺蛾 *Piercia fumataria*(Leech, 1897)
29. 白尖大历尺蛾 *Macrohastina stenozona* (Prout, 1926)
30. 睡莲白尺蛾 *Asthena nymphaeata*(Staudinger, 1897)
31. 四星白尺蛾 *Asthena anseraria*(Herrich-Schäffer, 1856)
32. 麻白尺蛾 *Asthena albosignata*(Moore, 1888)
33. 拉维尺蛾 *Venusia laria laria* Oberthür, 1894
34. 红黑维尺蛾 *Venusia nigrifurca*(Prout, 1927)
35. 赤尖水尺蛾 *Hydrelia sanguiniplaga* Swinhoe, 1902
36. 点线异序尺蛾 *Agnibesa punctilinearia*(Leech, 1897)
37. 银白异序尺蛾峨眉亚种 *Agnibesa recurvilineata meroplyta* Prout, L. B. , 1938
38. 丰异序尺蛾 *Agnibesa pleopictaria* Xue, 1999
39. 高足铅尺蛾 *Gagitodes costinotaria*(Leech, 1897)

图版 15

1. 球果小花尺蛾 *Eupithecia gigantea* Staudinger, 1897
2. 赭点峰尺蛾 *Dindica para* Swinhoe, 1891

3. 豹涡尺蛾 *Dindicodes davidaria*(Poujade, 1895)
4. 砂涡尺蛾 *Dindicodes vigil*(Prout, L. B., 1926)
5. 北京尺蛾 *Epipristis transiens*(Sterneck, 1927)
6. 夕始青尺蛾 *Herochroma sinapiaria*(Poujade, 1895)
7. 中国巨青尺蛾 *Limbatochlamys rosthorni* Rothschild, 1894
8. 异巨青尺蛾 *Limbatochlamys pararosthorni* Han *et* Xue, 2005
9. 江浙冠尺蛾 *Lophophelma iterans iterans*(Prout, L. B., 1926)
10. 粉斑异尺蛾 *Metaterpna thyatiraria*(Oberthür, 1913)
11. 染尺蛾 *Psilotagma decorata* Warren, 1894
12. 红带粉尺蛾 *Pingasa rufofasciata* Moore, 1888
13. 白脉青尺蛾四川亚种 *Geometra albovenaria latirigua*(Prout, L. B., 1932)
14. 宽线青尺蛾 *Geometra euryagyia*(Prout, L. B., 1922)
15. 细线青尺蛾 *Geometra neovalida* Han, Galsworthy *et* Xue, 2009
16. 云青尺蛾 *Geometra symaria* Oberthür, 1916
17. 乌苏里青尺蛾 *Geometra ussuriensis*(Sauber, 1915)

图版 16

1. 直脉青尺蛾 *Geometra valida* Felder *et* Rogenhofer, 1875
2. 曲白带青尺蛾 *Geometra glaucaria* Ménétriès, 1859
3. 双线新青尺蛾 *Neohipparchus vallata*(Butler, 1878)
4. 绿雕尺蛾 *Chloroglyphica glaucochrista*(Prout, L. B., 1916)
5. 小缺口青尺蛾 *Timandromorpha enervata* Inoue, 1944
6. 紫斑绿尺蛾 *Comibaena nigromacularia*(Leech, 1897)
7. 洁绿尺蛾 *Comibaena striataria*(Leech, 1897)
8. 平纹绿尺蛾 *Comibaena tenuisaria*(Graeser, 1889)
9. 云纹绿尺蛾 *Comibaena pictipennis* Butler, 1880
10. 肾纹绿尺蛾 *Comibaena procumbaria*(Pryer, 1877)
11. 亚肾纹绿尺蛾 *Comibaena subprocumbaria*(Oberthür, 1916)
12. 隐角斑绿尺蛾 *Comibaena takasago* Okano, 1960
13. 菊四目绿尺蛾 *Thetidia albocostaria*(Bremer, 1864)
14. 肖二线绿尺蛾 *Thetidia chlorophyllaria*(Hedemann, 1879)
15. 凡二线绿尺蛾 *Thetidia volgaria*(Guenée, 1858)
16. 亚四目绿尺蛾 *Comostola subtiliaria*(Bremer, 1864)
17. 灵亚四目绿尺蛾 *Comostola meritaria*(Walker, 1861)
18. 巧无缰青尺蛾 *Hemistola euethes* Prout, L. B., 1934
19. 荫无缰青尺蛾 *Hemistola inconcinnaria*(Leech, 1897)
20. 凯无缰青尺蛾 *Hemistola kezukai* Inoue, 1978
21. 点尾无缰青尺蛾 *Hemistola parallelaria*(Leech, 1897)
22. 藕色突尾尺蛾 *Jodis argutaria*(Walker, 1866)
23. 奇突尾尺蛾 *Jodis irregularis*(Warren, 1894)
24. 鞭尖尾尺蛾 *Maxates flagellaria*(Poujade, 1895)
25. 四点波翅青尺蛾 *Thalera lacerataria lacerataria* Graeser, 1889

26. 美彩青尺蛾 *Eucyclodes aphrodite*(Prout, L. B. , 1933)
27. 枯斑翠尺蛾 *Eucyclodes difficta*(Walker, 1861)
28. 萝摩艳青尺蛾 *Agathia carissima* Butler, 1878
29. 堇瓷尺蛾 *Chlororithra missioniaria* Oberthür, 1916
30. 赞青尺蛾 *Xenozancla versicolor* Warren, 1893
31. 青辐射尺蛾 *Iotaphora admirabilis*(Oberthür, 1884)
32. 褪色芦青尺蛾 *Louisproutia pallescens* Wehrli, 1932
33. 丝棉木金星尺蛾 *Abraxas suspecta* Warren, 1894

图版 17

1. 榛金星尺蛾 *Abraxas sylvata*(Scopoli, 1762)
2. 长晶尺蛾 *Peratophyga grata*(Butler, 1879)
3. 泼墨尺蛾 *Ninodes splendens*(Butler, 1878)
4. 黄云尺蛾 *Anemmetresa flavimacularia*(Leech, 1897)
5. 灰边白沙尺蛾四川亚种 *Cabera griseolimbata apotaeniata* Wehrli, 1939
6. 三点皎尺蛾 *Myrteta tripunctaria* Leech, 1897
7. 黑星皎尺蛾 *Myrteta argentaria* Leech, 1897
8. 黄带格尺蛾 *Neolythria maculosa* Wehrli, 1934
9. 织锦尺蛾 *Heterostegane cararia lungtanensis*(Wehrli, 1939)
10. 缘点尺蛾 *Lomaspilis marginata amurensis*(Heydemann, 1881)
11. 白银瞳尺蛾 *Tasta argozana* Prout, L. B. , 1926
12. 云褶尺蛾 *Lomographa eximiaria*(Oberthür, 1923)
13. 金鲨尺蛾 *Euchristophia cumulata sinobia*(Wehrli, 1939)
14. 紫云尺蛾日本亚种 *Hypephyra terrosa pryeraria*(Leech, 1891)
15. 云庶尺蛾 *Oxymacaria temeraria temeraria*(Swinhoe, 1891)
16. 常云庶尺蛾衡山亚种 *Oxymacaria normata hoengshanica*(Wehrli, 1940)
17. 白棒云庶尺蛾 *Oxymacaria truncaria*(Leech, 1897)
18. 网目奇尺蛾 *Chiasmia clathrata*(Linnaeus, 1758)
19. 槐尺蠖 *Chiasmia cinerearia cinerearia*(Bremer *et* Grey, 1853)
20. 合欢奇尺蛾 *Chiasmia defixaria*(Walker, 1861)
21. 中国威庶尺蛾 *Macaria wauaria chinensis*(Sterneck, 1928)
22. 上海庶尺蛾 *Macaria shanghaisaria* Walker, 1861
23. 辉尺蛾 *Luxiaria mitorrhaphes* Prout, L. B. , 1925
24. 云辉尺蛾 *Luxiaria amasa*(Butler, 1878)
25. 猛拟长翅尺蛾 *Epobeidia tigrata leopardaria*(Oberthür, 1881)
26. 散长翅尺蛾 *Epobeidia lucifera conspurcata*(Leech, 1897)
27. 巨狭翅尺蛾 *Parobeidia gigantearia*(Leech, 1897)
28. 银丰翅尺蛾 *Euryobeidia languidata*(Walker, 1862)

图版 18

1. 柿星尺蛾 *Parapercnia giraffata*(Guenée, 1858)
2. 拟柿星尺蛾 *Antipercnia albinigrata*(Warren, 1896)

3. 匀点尺蛾 *Antipercnia belluaria*(Guenée, 1858)
4. 中国后星尺蛾 *Metabraxas clerica inconfusa* Warren, 1894
5. 黄星尺蛾 *Arichanna melanaria fraterna*(Butler, 1878)
6. 黄缘伯尺蛾甘肃亚种 *Diaprepesilla flavomarginaria djakonovi* Bryk, 1949
7. 三角璃尺蛾 *Krananda latimarginaria* Leech, 1891
8. 洪达尺蛾 *Dalima honei* Wehrli, 1923
9. 钩翅尺蛾 *Hyposidra aquilaria*(Walker, 1863)
10. 满洲里歹尺蛾 *Deileptenia mandshuriaria*(Bremer, 1864)
11. 瑞霜尺蛾 *Cleora repulsaria*(Walker, 1860)
12. 小用克尺蛾 *Jankowskia fuscaria*(Leech, 1891)
13. 茶用克尺蛾 *Jankowskia athleta* Oberthür, 1884
14. 弯用克尺蛾 *Jankowskia curva* Jiang, Xue *et* Han, 2010
15. 黑用克尺蛾 *Jankowskia improjecta* Jiang, Xue *et* Han, 2010
16. 埃尺蛾 *Ectropis crepuscularia*(Denis *et* Schiffermüller, 1775)
17. 白鹿尺蛾 *Alcis diprosopa*(Wehrli, 1943)
18. 天鹿尺蛾 *Alcis arisema* Prout, L. B. , 1934
19. 马鹿尺蛾 *Alcis postcandida*(Wehrli, 1924)
20. 半白鹿尺蛾 *Alcis semialba*(Moore, 1888)

图版 19

1. 茶担皮鹿尺蛾 *Psilalcis diorthogonia*(Wehrli, 1925)
2. 丫佐尺蛾 *Rikiosatoa euphiles*(Prout, L. B. , 1916)
3. 尘尺蛾 *Hypomecis punctinalis*(Scopoli, 1763)
4. 假尘尺蛾 *Hypomecis pseudopunctinalis*(Wehrli, 1923)
5. 杂尘尺蛾 *Hypomecis crassestrigata*(Christoph, 1881)
6. 暮尘尺蛾 *Hypomecis roboraria*(Denis *et* Schiffermüller, 1775)
7. 齿纹尘尺蛾 *Hypomecis percnioides*(Wehrli, 1943)
8. 黎明尘尺蛾 *Hypomecis eosaria*(Walker, 1863)
9. 秦岭矶尺蛾 *Abaciscus tsinlingensis*(Wehrli, 1943)
10. 凸翅小盅尺蛾 *Microcalicha melanosticta*(Hampson, 1895)
11. 金盅尺蛾 *Calicha nooraria*(Bremer, 1864)
12. 核桃四星尺蛾 *Ophthalmitis albosignaria*(Bremer *et* Grey, 1853)
13. 四星尺蛾 *Ophthalmitis irrorataria*(Bremer *et* Grey, 1853)
14. 锯纹四星尺蛾 *Ophthalmitis herbidaria*(Guenée, 1858)
15. 中华四星尺蛾 *Ophthalmitis sinensium*(Oberthür, 1913)
16. 带四星尺蛾 *Ophthalmitis cordularia*(Swinhoe, 1893)
17. 大造桥虫 *Ascotis selenaria*(Denis *et* Schiffermüller, 1775)
18. 锯线烟尺蛾 *Phthonosema serratilinearia*(Leech, 1897)

图版 20

1. 槭烟尺蛾 *Phthonosema invenustaria*(Leech, 1891)
2. 细玉臂尺蛾川滇亚种 *Xandrames albofasciata tromodes* Wehrli, 1943

3. 黑玉臂尺蛾 *Xandrames dholaria* Moore, 1868
4. 折玉臂尺蛾 *Xandrames latiferaria*(Walker, 1860)
5. 杜尺蛾四川亚种 *Duliophyle agitata angustaria*(Leech, 1897)
6. 大杜尺蛾 *Duliophyle majuscularia*(Leech, 1897)
7. 黑杜尺蛾 *Duliophyle incongrua incongrua* Sterneck, 1928
8. 细枝树尺蛾 *Mesastrape fulguraria*(Walker, 1860)
9. 默方尺蛾 *Chorodna corticaria*(Leech, 1897)
10. 花蛮尺蛾 *Darisa differens* Warren, 1897

图版 21

1. 拉克尺蛾 *Racotis boarmiaria*(Guenée, 1858)
2. 掌尺蛾 *Amraica superans*(Butler, 1878)
3. 摩尺蛾 *Cusiala stipitaria*(Oberthür, 1880)
4. 桦尺蛾 *Biston betularia*(Linnaeus, 1758)
5. 小鹰尺蛾 *Biston thoracicaria*(Oberthür, 1884)
6. 圆突鹰尺蛾 *Biston mediolata* Jiang, Xue *et* Han, 2011
7. 白鹰尺蛾 *Biston contectaria*(Walker, 1863)
8. 油桐尺蠖 *Biston suppressaria* Guenée, 1857
9. 双云尺蛾 *Biston regalis comitata*(Warren, 1899)
10. 褐鹰尺蛾 *Biston quercii*(Oberthür, 1910)
11. 鹰翅尺蛾 *Biston falcata satura*(Wehrli, 1941)♂
12. 鹰翅尺蛾 *Biston falcata satura*(Wehrli, 1941)♀
13. 木橑尺蠖 *Biston panterinaria panterinaria*(Bremer *et* Grey, 1853)

图版 22

1. 罴尺蛾 *Anticypella diffusaria*(Leech, 1897)
2. 桑尺蠖 *Menophra atrilineata*(Butler, 1881)
3. 演焦边尺蛾 *Bizia altera*(Wehrli, 1954)
4. 雕幽尺蛾四川亚种 *Gnophos albidior superba*(Prout, L. B., 1915)
5. 虚幽尺蛾甘肃亚种 *Ctenognophos ventraria kansubia* Wehrli, 1953
6. 长虚幽尺蛾 *Ctenognophos incolraia*(Leech, 1897)
7. 粗苔尺蛾 *Hirasa austeraria*(Leech, 1897)
8. 前苔尺蛾甘肃亚种 *Hirasa provocans lihsiensis* Wehrli, 1953
9. 亚斜尺蛾 *Loxaspilates fixseni*(Alphéraky, 1892)
10. 小斑渣尺蛾 *Psyra falcipennis* Yazaki, 1994
11. 四川渣尺蛾 *Psyra szetschwana* Wehrli, 1953
12. 红双线免尺蛾 *Hyperythra obliqua*(Warren, 1894)
13. 黄缘丸尺蛾 *Plutodes costatus*(Butler, 1886)
14. 叉线青尺蛾 *Tanaoctenia dehaliaria*(Wehrli, 1936)
15. 双线边尺蛾 *Leptomiza bilinearia*(Leech, 1897)
16. 红褐边尺蛾 *Leptomiza hepaticata*(Swinhoe, 1900)
17. 黄褐边尺蛾 *Leptomiza parableta* Prout, L. B., 1926

18. 粉红边尺蛾 *Leptomiza crenularia*(Leech, 1897)
19. 紫白尖尺蛾 *Pseudomiza obliquaria*(Leech, 1897)
20. 白拟尖尺蛾 *Mimomiza cruentaria*(Moore, 1868)

图版 23

1. 云浮尺蛾西南亚种 *Synegia hadassa subomissa* Wehrli, 1939
2. 彤觅尺蛾天目山亚种 *Petelia riobearia erythroides*(Wehrli, 1936) Stat. Nov.
3. 大灰尖尺蛾 *Astygisa chlororphnodes*(Wehrli, 1936)
4. 桔黄惑尺蛾 *Epholca auratilis* Prout, L. B., 1934
5. 佳傲尺蛾 *Proteostrenia eumimeta* Wehrli, 1936
6. 玫缘俭尺蛾 *Spilopera roseimarginaria* Leech, 1897
7. 波俭尺蛾秦岭亚种 *Spilopera crenularia lepta* Wehrli, 1940
8. 朱俭尺蛾 *Spilopera chui* Stüning, 1987
9. 双波夹尺蛾 *Pareclipsis serrulata*(Wehrli, 1937)
10. 长突芽尺蛾 *Scionomia anomala*(Butler, 1881)
11. 炫尺蛾 *Neuralla albata* Djakonov, 1936
12. 黄蟠尺蛾 *Eilicrinia flava*(Moore, 1888)
13. 焦点滨尺蛾 *Exangerona prattiaria*(Leech, 1891)♂
14. 焦点滨尺蛾 *Exangerona prattiaria*(Leech, 1891)♀
15. 秋黄尺蛾天目山亚种 *Ennomos autumnaria pyrrosticta* Wehrli, 1940
16. 小秋黄尺蛾 *Ennomos infidelis*(Prout, L. B., 1929)
17. 污月尺蛾 *Selenia sordidaria* Leech, 1897
18. 四月尺蛾 *Selenia tetralunaria*(Hüfnagel, 1769)
19. 缘斑妖尺蛾 *Apeira latimarginaria*(Leech, 1897)
20. 妖尺蛾 *Apeira syringaria*(Linnaeus, 1758)
21. 红蕈尺蛾 *Ephalaenia xylina* Wehrli, 1936
22. 娴尺蛾 *Auaxa cesadaria* Walker, 1860
23. 齿缘娴尺蛾 *Auaxa lanceolata* Inoue, 1992
24. 秃贡尺蛾 *Odontopera insulata* Bastelberger, 1909
25. 叉线卑尺蛾 *Endropiodes abjecta*(Butler, 1879)
26. 绿灵尺蛾 *Aplochlora dentisignata*(Moore, 1868)
27. 紫片尺蛾 *Fascellina chromataria* Walker, 1860
28. 斧木纹尺蛾 *Plagodis dolabraria*(Linnaeus, 1767)
29. 纤木纹尺蛾 *Plagodis reticulata* Warren, 1893

图版 24

1. 粗木纹尺蛾 *Plagodis excisa* Wehrli, 1938
2. 碎木纹尺蛾 *Plagodis pulveraria*(Linnaeus, 1758)
3. 海木纹尺蛾 *Plagodis hypomelina* Wehrli, 1938
4. 拉隐尺蛾 *Heterolocha laminaria*(Herrich-Schäffer, 1852)
5. 紫玫隐尺蛾 *Heterolocha rosearia* Leech, 1897
6. 深黑隐尺蛾 *Heterolocha atrivalva* Wehrli, 1937

7. 黄玫隐尺蛾 *Heterolocha subroseata* Warren, 1894
8. 绿离隐尺蛾 *Apoheterolocha patalata*(Felder *et* Rogenhofer, 1875)
9. 同斜灰尺蛾 *Loxotephria convergens*(Warren, 1899)
10. 洞魑尺蛾 *Garaeus specularis* Moore, 1868
11. 金魑尺蛾 *Garaeus chamaeleon* Wehrli, 1936
12. 光穿孔尺蛾 *Corymica specularia nea* Wehrli, 1940
13. 满月穿孔尺蛾 *Corymica pryeri*(Butler, 1878)
14. 滇黄尺蛾 *Opisthograptis tsekuna tsekuna* Wehrli, 1940
15. 赭尾尺蛾 *Exurapteryx aristidaria*(Oberthür, 1911)
16. 黄尾尺蛾 *Sirinopteryx parallela* Wehrli, 1937
17. 黄蝶尺蛾 *Thinopteryx crocoptera*(Kollar, 1844)
18. 郁尾尺蛾 *Tristrophis veneris*(Butler, 1878)
19. 星尾尺蛾 *Ourapteryx puncticulosa* Inoue *et* Stüning, 1995
20. 二点麻尾尺蛾 *Ourapteryx adonidaria*(Oberthür, 1911)
21. 点尾尺蛾 *Ourapteryx nigrociliaris*(Leech, 1891)
22. 著蕊舟蛾 *Dudusa nobilis* Walker, 1865
23. 黑蕊舟蛾 *Dudusa sphingiformis* Moore, 1872
24. 图库窦舟蛾 *Zaranga tukuringra* Streltzov *et* Yakovlev, 2007
25. 点窦舟蛾 *Zaranga citrinaria* Gaede, 1930

图版 25

1. 钩翅舟蛾 *Gangarides dharma* Moore, 1865
2. 锯齿星舟蛾秦岭亚种 *Euhampsonia serratifera viridiflavescens* Schintlmeister, 2008
3. 黄二星舟蛾 *Euhampsonia cristata*(Butler, 1877)
4. 银二星舟蛾 *Euhampsonia splendida*(Oberthür, 1880)
5. 辛氏星舟蛾 *Euhampsonia sinjaevi* Schintlmeister, 1997
6. 肖银斑舟蛾 *Tarsolepis japonica* Wileman *et* South, 1917
7. 黄带广舟蛾 *Platychasma flavida* Wu *et* Fang, 2003(from Mr. A. Schintlmeister)
8. 竹篦舟蛾 *Besaia* (*Besaia*) *goddrica*(Schaus, 1928)♂
9. 竹篦舟蛾 *Besaia* (*Besaia*) *goddrica*(Schaus, 1928)♀
10. 多点篦舟蛾 *Besaia* (*Besaia*) *multipunctata* Schintlmeister, 2008(from Mr. A. Schintlmeister)
11. 穆篦舟蛾 *Besaia* (*Besaia*) *murzini* Schintlmeister, 2008(from Mr. A. Schintlmeister)
12. 橙篦舟蛾 *Besaia* (*Besaia*) *aurantiistriga*(Kiriakoff, 1962)(PT, from Mr. A. Schintlmeister)
13. 顶偶舟蛾 *Besaia* (*Ogulina*) *apicalis*(Kiriakoff, 1962)
14. 黑偶舟蛾秦岭亚种 *Besaia* (*Ogulina*) *melanius aethiops* Schintlmeister *et* Fang, 2001
15. 枯舟蛾 *Besaia* (*Curuzza*) *frugalis*(Leech, 1898)(from Mr. A. Schintlmeister)
16. 荣邻偶舟蛾大陆亚种 *Besaia* (*Subogulina*) *ronkayorum congrua* Schintlmeister, 2008(from Mr. A. Schintlmeister)
17. 黄拟皮舟蛾秦岭亚种 *Mimopydna sikkima stueningi*(Schintlmeister, 1989)(HT, from Mr. A. Schintlmeister)
18. 尖拟皮舟蛾 *Mimopydna cuspida* Wu *et* Fang, 2002
19. 玛拟皮舟蛾 *Mimopydna magna* Schintlmeister, 1997(from Mr. A. Schintlmeister)

20. 短纹角瓣舟蛾 *Torigea astrae* Schintlmeister *et* Fang, 2001
21. 银纹角瓣舟蛾 *Torigea argentea* Schintlmeister 1997

图版 26

1. 中国角瓣舟蛾 *Torigea sinensis*(Kiriakoff, 1962)(from Mr. A. Schintlmeister)
2. 依角茎舟蛾 *Bireta extortor* Schintlmeister, 2008♂(HT, from Mr. A. Schintlmeister)
3. 依角茎舟蛾 *Bireta extortor* Schintlmeister, 2008♀(from Mr. A. Schintlmeister)
4. 淡黄旋茎舟蛾 *Liccana substraminea*(Kiriakoff, 1962)
5. 皮纡舟蛾 *Periergos magna*(Matsumura, 1920)
6. 杨二尾舟蛾大陆亚种 *Cerura erminea menciana* Moore, 1877♂
7. 杨二尾舟蛾大陆亚种 *Cerura erminea menciana* Moore, 1877♀
8. 白邻二尾舟蛾 *Kamalia tattakana*(Matsumura, 1927)♂
9. 白邻二尾舟蛾 *Kamalia tattakana*(Matsumura, 1927)♀
10. 燕尾舟蛾间亚种 *Furcula furcula intercalaris*(Grum-Grshimailo, 1900)♂
11. 燕尾舟蛾间亚种 *Furcula furcula intercalaris*(Grum-Grshimailo, 1900)♀
12. 核桃美舟蛾 *Uropyia meticulodina*(Oberthür, 1884)
13. 司寇蚁舟蛾 *Stauropus skoui* Schintlmeister, 2008(from Mr. A. Schintlmeister)
14. 苹蚁舟蛾 *Stauropus fagi*(Linnaeus, 1758)
15. 茅莓蚁舟蛾 *Stauropus basalis* Moore, 1877
16. 花蚁舟蛾 *Stauropus picteti* Oberthür, 1911
17. 灰舟蛾 *Cnethodonta girsescens* Staudinger, 1887
18. 疹灰舟蛾秦岭亚种 *Cnethodonta pustulifer famelica* Schintlmeister, 2008
19. 显灰舟蛾 *Cnethodonta dispicio* Schintlmeister, 2008♂(from Mr. A. Schintlmeister)
20. 显灰舟蛾 *Cnethodonta dispicio* Schintlmeister, 2008♀(from Mr. A. Schintlmeister)
21. 微灰胯舟蛾 *Syntypistis subgriseoviridis*(Kiriakoff, 1963)
22. 胜胯舟蛾 *Syntypistis victor* Schintlmeister *et* Fang, 2001
23. 普胯舟蛾 *Syntypistis pryeri*(Leech, 1899)
24. 葩胯舟蛾 *Syntypistis parcevirens*(de Joannis, 1929)
25. 希胯舟蛾 *Syntypistis sinope* Schintlmeister, 2002♂(HT, from Mr. A. Schintlmeister)
26. 希胯舟蛾 *Syntypistis sinope* Schintlmeister, 2002♀(PT, from Mr. A. Schintlmeister)
27. 小斑枝舟蛾 *Harpyia tokui*(Sugi, 1977)

图版 27

1. 异瓣枝舟蛾 *Harpyia asymmetria* Schintlmeister *et* Fang, 2001
2. 艾涟舟蛾 *Shachia eingana*(Schaus, 1928)
3. 阿纺舟蛾 *Fusadonta atra* Kobayashi, Kishida *et* Wang, 2008♂(from Mr. A. Schintlmeister)
4. 阿纺舟蛾 *Fusadonta atra* Kobayashi, Kishida *et* Wang, 2008♀(from Mr. A. Schintlmeister)
5. 白缘刹舟蛾 *Parachadisra atrifusa*(Hampson, 1897)♂
6. 白缘刹舟蛾 *Parachadisra atrifusa*(Hampson, 1897)♀
7. 栎纷舟蛾 *Fentonia ocypete*(Bremer, 1861)
8. 曲纷舟蛾 *Fentonia excurvata*(Hampson, 1893)
9. 大涟纷舟蛾 *Fentonia macroparabolica* Nakamura, 1973

10. 云舟蛾 *Neopheosia fasciata*(Moore, 1888)
11. 梨威舟蛾 *Wilemanus bidentatus*(Wileman, 1911)
12. 锯纹林舟蛾中华亚种 *Drymonia dodonides sinensis* Schintlmeister, 1989
13. 灰雾舟蛾太白亚种 *Nephodonta tsushimensis taibaiana* Schintlmeister *et* Fang, 2001♂
14. 灰雾舟蛾太白亚种 *Nephodonta tsushimensis taibaiana* Schintlmeister *et* Fang, 2001♀
15. 烟灰舟蛾 *Notodonta torva*(Hübner, 1803)
16. 粗舟蛾 *Notodonta trachitso* Oberthür, 1894
17. 瑰舟蛾 *Notodonta roscida* Kiriakoff, 1963
18. 黑色舟蛾 *Notodonta musculus*(Kiriakoff, 1963)
19. 赭小内斑舟蛾 *Peridea graeseri*(Staudinger, 1892)
20. 侧带内斑舟蛾中原亚种 *Peridea lativitta interrupta* Kiriakoff, 1963♂
21. 侧带内斑舟蛾中原亚种 *Peridea lativitta interrupta* Kiriakoff, 1963♀
22. 厄内斑舟蛾 *Peridea elzet* Kiriakoff, 1963
23. 卵内斑舟蛾 *Peridea moltrechti*(Oberthür, 1911)
24. 扇内斑舟蛾 *Peridea grahami*(Schaus, 1928)
25. 分内斑舟蛾锈色亚种 *Peridea dichroma rubrica* Schintlmeister *et* Fang, 2001
26. 苔岩舟蛾陕甘亚种 *Rachiades lichenicolor murzini* Schintlmeister *et* Fang, 2001
27. 同心舟蛾 *Homocentridia concentrica*(Oberthür, 1911)
28. 榆白边舟蛾西部亚种 *Nerice davidi alea* Schintlmeister, 2008(HT, from Mr. A. Schintlmeister)
29. 大齿白边舟蛾 *Nerice upina* Alphéraky, 1892
30. 仿白边舟蛾 *Paranerice hoenei* Kiriakoff, 1963

图版 28

1. 大半齿舟蛾 *Semidonta basalis*(Moore, 1865)
2. 杨剑舟蛾 *Pheosia rimosa* Packard, 1864
3. 弯臂冠舟蛾 *Lophocosma nigrilinea*(Leech, 1899)
4. 中介冠舟蛾 *Lophocosma intermedia* Kiriakoff, 1963
5. 布朗娓舟蛾 *Ellida branickii*(Oberthür, 1880)(from Mr. A. Schintlmeister)
6. 雅娓舟蛾 *Ellida ornatrix* Schintlmeister *et* Fang, 2001
7. 连点新林舟蛾 *Neodrymonia seriatopunctata*(Matsumura, 1925)
8. 噶夙舟蛾 *Pheosiopsis gaedei* Schintlmeister, 1989
9. 喜夙舟蛾秦岭亚种 *Pheosiopsis cinerea canescens*(Kiriakoff, 1963)
10. 岐夙舟蛾 *Pheosiopsis abludo* Schintlmeister *et* Fang, 2001
11. 苍白夙舟蛾 *Pheosiopsis inconspicua*(Kiriakoff, 1963)
12. 顶夙舟蛾 *Pheosiopsis plutenkoi* Schintlmeister *et* Fang, 2001
13. 心白夙舟蛾 *Pheosiopsis alboaccentuata*(Oberthür, 1911)
14. 平夙舟蛾 *Pheosiopsis li* Schintlmeister, 1997
15. 戒心舟蛾 *Metriaeschra zhubajie* Schintlmeister *et* Fang, 2001
16. 皮霭舟蛾 *Hupodonta corticalis* Butler, 1877♂(from Mr. A. Schintlmeister)
17. 皮霭舟蛾 *Hupodonta corticalis* Butler, 1877♀(from Mr. A. Schintlmeister)
18. 木霭舟蛾 *Hupodonta lignea* Matsumura, 1919
19. 沙舟蛾 *Shaka atrovittata*(Bremer, 1861)

20. 黑围掌舟蛾 *Periphalera melanius* Schintlmeister, 1997
21. 槐羽舟蛾 *Pterostoma sinicum* Moore, 1877
22. 红羽舟蛾 *Pterostoma hoennei* Kiriakoff, 1963
23. 灰羽舟蛾西部亚种 *Pterostoma griseum occidenta* Schintlmeister, 2008♂ (from Mr. A. Schintlmeister)
24. 灰羽舟蛾西部亚种 *Pterostoma griseum occidenta* Schintlmeister, 2008♀ (from Mr. A. Schintlmeister)
25. 亮舟蛾 *Megaceramis lamprolepis* Hampson, 1893
26. 荫华舟蛾 *Spatalina umbrosa*(Leech, 1898)
27. 拟粗羽齿舟蛾 *Ptilodon pseudorobusta* Schintlmeister *et* Fang, 2001
28. 绚羽齿舟蛾 *Ptilodon saturata*(Walker, 1865)
29. 富羽齿舟蛾 *Ptilodon ladislai*(Oberthür, 1879)

图版 29

1. 优羽齿舟蛾 *Ptilodon utrius* Schintlmeister, 2008♂ (from Mr. A. Schintlmeister)
2. 优羽齿舟蛾 *Ptilodon utrius* Schintlmeister, 2008♀ (from Mr. A. Schintlmeister)
3. 灰小掌舟蛾中国亚种 *Microphalera grisea vladmurzini*(Schintlmeister, 2008)
4. 冠齿舟蛾 *Lophontosia cuculus*(Staudinger, 1887)
5. 北京冠齿舟蛾 *Lophontosia draesekei* Bang-Haas, 1927
6. 波冠齿舟蛾 *Lophontosia boenischnorum* Schintlmeister, 2008(from Mr. A. Schintlmeister)
7. 陕甘肖齿舟蛾 *Odontosina shaanganensis* Wu *et* Fang, 2003
8. 秦岭翼舟蛾 *Ptilophora ala* Schintlmeister *et* Fang, 2001
9. 岐怪舟蛾 *Hagapteryx mirabilior*(Oberthür, 1911)
10. 珍尼怪舟蛾 *Hagapteryx janae* Schintlmeister *et* Fang, 2001
11. 背黄土舟蛾 *Togepteryx dorsoflavida*(Kiriakoff, 1963)(from Mr. A. Schintlmeister)
12. 梅氏土舟蛾 *Togepteryx meyi* Schintlmeister, 2008♂ (from Mr. A. Schintlmeister)
13. 梅氏土舟蛾 *Togepteryx meyi* Schintlmeister, 2008♀ (from Mr. A. Schintlmeister)
14. 白纹扁齿舟蛾 *Hiradonta hannemanni* Schintlmeister, 1989
15. 大齿舟蛾 *Allodonta plebeja*(Oberthür, 1880)
16. 白颈异齿舟蛾 *Hexafrenum leucodera*(Staudinger, 1892)
17. 耳异齿舟蛾 *Hexafrenum otium* Schintlmeister *et* Fang, 2001(from Mr. A. Schintlmeister)
18. 红须舟蛾 *Barbarossula rufibarbis* Kiriakoff, 1963
19. 后齿舟蛾 *Epodonta lineata*(Oberthür, 1880)
20. 幽蚕舟蛾 *Phalerodonta inclusa*(Hampson, 1910)
21. 苹掌舟蛾 *Phalera flavescens*(Bremer *et* Grey, 1852)
22. 榆掌舟蛾 *Phalera takasagoensis* Matsumura, 1919
23. 栎掌舟蛾 *Phalera assimilis*(Bremer *et* Grey, 1852)
24. 宽掌舟蛾 *Phalera alpherakyi* Leech, 1898
25. 拟宽掌舟蛾 *Phalera schintlmeisteri* Wu *et* Fang, 2004
26. 迈小掌舟蛾 *Phalera minor* Nagano, 1916
27. 脂掌舟蛾 *Phalera sebrus* Schintlmeister, 1989
28. 壮掌舟蛾 *Phalera hadrian* Schintlmeister, 1989
29. 埃掌舟蛾 *Phalera elzbietae* Schintlmeister, 2008(from Mr. A. Schintlmeister)
30. 丽金舟蛾 *Spatalia dives* Oberthür, 1884

31. 富金舟蛾 *Spatalia plusiotis*(Oberthür, 1880)

图版 30

1. 艳金舟蛾 *Spatalia doerriesi* Graeser, 1888 ♂
2. 艳金舟蛾 *Spatalia doerriesi* Graeser, 1888 ♀
3. 伪奇舟蛾 *Allata laticostalis*(Hampson, 1900) ♂
4. 伪奇舟蛾 *Allata laticostalis*(Hampson, 1900) ♀
5. 光锦舟蛾秦巴亚种 *Ginshachia phoebe shanguang* Schintlmeister *et* Fang, 2001
6. 杨谷舟蛾细颚亚种 *Gluphisia crenata tristis* Gaede, 1933
7. 角翅舟蛾 *Gonoclostera timoniorum*(Bremer, 1861)
8. 暗角翅舟蛾 *Gonoclostera denticulata*(Oberthür, 1911)
9. 金纹角翅舟蛾 *Gonoclostera argentata*(Oberthür, 1914)
10. 短扇舟蛾 *Clostera albosigma curtuloides* Erschov, 1870
11. 杨扇舟蛾 *Clostera anachoreta*(Denis *et* Schiffermüller, 1775)
12. 分月扇舟蛾 *Clostera anastomosis*(Linnaeus, 1758)
13. 杨小舟蛾 *Micromelalopha sieversi*(Staudinger, 1892)
14. 赭小舟蛾 *Micromelalopha haemorrhoidalis* Kiriakoff, 1963
15. 内斑小舟蛾 *Micromelalopha dorsimacula* Kiriakoff, 1963
16. 三线雪舟蛾 *Gazalina chrysolopha*(Kollar, 1844)
17. 黄灰佳苔蛾 *Hypeugoa flavogrisea* Leech, 1899
18. 黄痣苔蛾 *Stigmatophora flava*(Bremer *et* grey, 1853)
19. 甘痣苔蛾 *Stigmatophora conjuncta* Fang, 1991
20. 红脉痣苔蛾 *Stigmatophora rubivena* Fang, 1991♂
21. 红脉痣苔蛾 *Stigmatophora rubivena* Fang, 1991♀
22. 玫痣苔蛾 *Stigmatophora rhodophila*(Walker, 1864)
23. 之美苔蛾 *Miltochrista ziczac*(Walker, 1856)
24. 秦岭美苔蛾 *Miltochrista tsinglingensis* Daniel, 1951♂
25. 秦岭美苔蛾 *Miltochrista tsinglingensis* Daniel, 1951♀
26. 曲美苔蛾 *Miltochrista flexuosa* Leech, 1899
27. 异美苔蛾 *Miltochrista aberrans* Butler, 1877
28. 玫美苔蛾 *Miltochrista rosacea*(Bremer, 1861) ♂
29. 玫美苔蛾 *Miltochrista rosacea*(Bremer, 1861) ♀
30. 全轴美苔蛾 *Miltochrista longstriga* Fang, 1991
31. 黄黑脉美苔蛾 *Miltochrista nigrovena* Fang, 2000 ♂
32. 黄黑脉美苔蛾 *Miltochrista nigrovena* Fang, 2000 ♀
33. 红黑脉美苔蛾 *Miltochrista rubrata* Reich, 1937 ♂
34. 红黑脉美苔蛾 *Miltochrista rubrata* Reich, 1937♀
35. 红边美苔蛾 *Miltochrista marginis* Fang, 1991
36. 黑缘美苔蛾 *Miltochrista delineata*(Walker, 1854)
37. 优美苔蛾 *Miltochrista striata*(Bremer *et* Grey, 1853)
38. 东方美苔蛾 *Miltochrista orientalis* Daniel, 1951
39. 硃美苔蛾 *Miltochrista pulchra* Butler, 1877

40. 黄边美苔蛾 *Miltochrista pallida*(Bremer, 1864)♂
41. 黄边美苔蛾 *Miltochrista pallida*(Bremer, 1864)♀
42. 云彩苔蛾 *Nudina artaxidia*(Butler, 1881)♂
43. 云彩苔蛾 *Nudina artaxidia*(Butler, 1881)♀
44. 褐脉艳苔蛾 *Asura esmia*(Swinhoe, 1894)♂
45. 褐脉艳苔蛾 *Asura esmia*(Swinhoe, 1894)
46. 拟暗脉艳苔蛾 *Asura mentiens* Fang, 1993
47. 条纹艳苔蛾 *Asura strigipennis*(Herrich-Schäffer, 1855)♂
48. 条纹艳苔蛾 *Asura strigipennis*(Herrich-Schäffer, 1855)♀

图版 31

1. 点艳苔蛾北米亚种 *Asura unipuncta megala* Hampson, 1900♂
2. 点艳苔蛾北米亚种 *Asura unipuncta megala* Hampson, 1900♀
3. 肉色艳苔蛾 *Asura carnea*(Poujade, 1886)♂
4. 肉色艳苔蛾 *Asura carnea*(Poujade, 1886)♀
5. 绣苔蛾 *Asuridia carnipicta*(Butler, 1877)♂
6. 绣苔蛾 *Asuridia carnipicta*(Butler, 1877)♀
7. 半黄分苔蛾 *Idopterum semilutea*(Wileman, 1911)♂
8. 半黄分苔蛾 *Idopterum semilutea*(Wileman, 1911)♀
9. 迹斑苔蛾 *Parasiccia maculata*(Poujade, 1886)♂
10. 迹斑苔蛾 *Parasiccia maculata*(Poujade, 1886)♀
11. 草雪苔蛾 *Cyana pratti*(Elwes, 1890)♂
12. 草雪苔蛾 *Cyana pratti*(Elwes, 1890)♀
13. 黄雪苔蛾 *Cyana dohertyi*(Elwes, 1890)
14. 明雪苔蛾 *Cyana phaedra*(Leech, 1889)♂
15. 明雪苔蛾 *Cyana phaedra*(Leech, 1889)♀
16. 合雪苔蛾 *Cyana connectilis* Fang, 1992♂
17. 合雪苔蛾 *Cyana connectilis* Fang, 1992♀
18. 离雪苔蛾 *Cyana abiens* Fang, 1992
19. 白颈雪苔蛾 *Cyana albicollis* Fang, 1992
20. 优雪苔蛾 *Cyana hamata*(Walker, 1854)♂
21. 优雪苔蛾 *Cyana hamata*(Walker, 1854)♀
22. 血红雪苔蛾 *Cyana sanguinea*(Bremer *et* Grey, 1853)♂
23. 血红雪苔蛾 *Cyana sanguinea*(Bremer *et* Grey, 1853)♀
24. 红阳苔蛾 *Paraheliosia rufa*(Leech, 1890)
25. 滴苔蛾 *Agrisius guttivitta* Walker, 1855
26. 乌闪网苔蛾 *Macrobrochis staudingeri*(Alphéraky, 1897)
27. 微闪网苔蛾 *Macrobrochis nigra*(Daniel, 1952)
28. 点清苔蛾 *Apistosia subnigra*(Leech, 1899)
29. 四点苔蛾 *Lithosia quadra*(Linnaeus, 1758)♂
30. 四点苔蛾 *Lithosia quadra*(Linnaeus, 1758)♀
31. 银荷苔蛾 *Ghoria albocinerea* Moore, 1878♂

32. 银荷苔蛾 *Ghoria albocinerea* Moore, 1878♀
33. 全黄荷苔蛾 *Ghoria holochrea*(Hampson, 1901)
34. 土黄荷苔蛾 *Ghoria yuennanica*(Daniel, 1952)
35. 锯角荷苔蛾 *Ghoria serrata*(Fang, 1986)
36. 头褐荷苔蛾 *Ghoria collitoides* Butler, 1885
37. 头橙荷苔蛾 *Ghoria gigantea*(Oberthür, 1879)
38. 窄条荷苔蛾 *Ghoria angustifascia*(Fang, 1986)

图版 32

1. 金苔蛾 *Chrysorabdia viridata*(Walker, 1865)
2. 均带金苔蛾 *Chrysorabdia equivitta* Fang, 1986
3. 圆斑苏苔蛾 *Thysanoptyx signata*(Walker, 1854)
4. 线斑苏苔蛾 *Thysanoptyx brevimacula*(Alphéraky, 1897)
5. 流苏苔蛾 *Thysanoptyx fimbriata*(Leech, 1890)
6. 黄颚苔蛾 *Strysopha xanthocraspis*(Hampson, 1900)
7. 银雀苔蛾 *Tarika varana*(Moore, 1866)
8. 圆朵苔蛾 *Dolgoma ovalis* Fang, 2000
9. 缘点土苔蛾 *Eilema costipuncta*(Leech, 1890)
10. 前痣土苔蛾 *Eilema stigma* Fang, 2000
11. 乌土苔蛾 *Eilema ussurica*(Daniel, 1954)
12. 灰土苔蛾 *Eilema griseola*(Hübner, 1827)
13. 亲土苔蛾 *Eilema affineola*(Bremer, 1864)
14. 筛土苔蛾 *Eilema cribrata*(Staudinger, 1887)
15. 后褐土苔蛾 *Eilema flavociliata*(Lederer, 1853)
16. 耳土苔蛾 *Eilema auriflua*(Moore, 1878)
17. 粉鳞土苔蛾 *Eilema moorei*(Leech, 1890)♂
18. 粉鳞土苔蛾 *Eilema moorei*(Leech, 1890)♀
19. 黄土苔蛾 *Eilema nigripoda*(Bremer, 1852)
20. 泥苔蛾 *Pelosia muscerda*(Hüfnagel, 1766)
21. 花布灯蛾 *Camptoloma interiorata*(Walker, 1864)
22. 石楠线灯蛾 *Spiris striata*(Linnaeus, 1758)♂
23. 石楠线灯蛾 *Spiris striata*(Linnaeus, 1758)♀
24. 肖浑黄灯蛾 *Rhyparioides amurensis*(Bremer, 1861)♂
25. 肖浑黄灯蛾 *Rhyparioides amurensis*(Bremer, 1861)♀
26. 黄臀灯蛾 *Epatolmis caesarea*(Goeze, 1781)
27. 亚麻篱灯蛾 *Phragmatobia fuliginosa*(Linnaeus, 1758)
28. 红缘灯蛾 *Aloa lactinea*(Cramer, 1777)
29. 八点灰灯蛾 *Creatonotos transiens*(Walker, 1855)♂
30. 八点灰灯蛾 *Creatonotos transiens*(Walker, 1855)♀
31. 梅尔望灯蛾 *Lemyra melli*(Daniel, 1943)♂
32. 梅尔望灯蛾 *Lemyra melli*(Daniel, 1943)♀
33. 伪姬白望灯蛾 *Lemyra anormala*(Daniel, 1943)♂

34. 伪姬白望灯蛾 *Lemyra anormala*(Daniel, 1943)♀
35. 茸望灯蛾 *Lemyra pilosa*(Rothschild, 1910)

图版 33

1. 漆黑望灯蛾 *Lemyra infernalis*(Butler, 1877)♂
2. 漆黑望灯蛾 *Lemyra infernalis*(Butler, 1877)♀
3. 点线望灯蛾 *Lemyra punctilinea*(Moore, 1879)
4. 点望灯蛾 *Lemyra stigmata*(Moore, 1865)♂
5. 点望灯蛾 *Lemyra stigmata*(Moore, 1865)♀
6. 淡黄望灯蛾 *Lemyra jankowskii*(Oberthür, 1880)
7. 褐带东灯蛾 *Eospilarctia lewisii*(Butler, 1885)♂
8. 褐带东灯蛾 *Eospilarctia lewisii*(Butler, 1885)♀
9. 赭带东灯蛾 *Eospilarctia nehallenia*(Oberthür, 1911)
10. 白雪灯蛾 *Chionarctia nivea*(Ménétriès, 1859)♂
11. 白雪灯蛾 *Chionarctia nivea*(Ménétriès, 1859)♀
12. 黄星雪灯蛾 *Spilosoma lubricipedum*(Linnaeus, 1758)♂
13. 黄星雪灯蛾 *Spilosoma lubricipedum*(Linnaeus, 1758)♀
14. 红星雪灯蛾 *Spilosoma punctarium*(Stoll, 1782)
15. 斯灯蛾绵山亚种 *Streltzovia caeria mienshanica*(Daniel, 1943)
16. 人纹污灯蛾 *Spilarctia subcarnea*(Walker, 1855)♂
17. 人纹污灯蛾 *Spilarctia subcarnea*(Walker, 1855)♀
18. 金缘污灯蛾 *Spilarctia aurocostata*(Oberthür, 1911)♂
19. 金缘污灯蛾 *Spilarctia aurocostata*(Oberthür, 1911)♀
20. 净污灯蛾 *Spilarctia alba*(Bremer *et* Grey, 1853)♂
21. 净污灯蛾 *Spilarctia alba*(Bremer *et* Grey, 1853)♀
22. 黑带污灯蛾 *Spilarctia quercii*(Oberthür, 1910)♂
23. 黑带污灯蛾 *Spilarctia quercii*(Oberthür, 1910)♀

图版 34

1. 连星污灯蛾 *Spilarctia seriatopunctata*(Motschulsky, 1861)
2. 强污灯蛾 *Spilarctia robusta*(Leech, 1899)♂
3. 强污灯蛾 *Spilarctia robusta*(Leech, 1899)♀
4. 黑须污灯蛾 *Spilarctia casigneta*(Kollar, 1844)♂
5. 黑须污灯蛾 *Spilarctia casigneta*(Kollar, 1844)♀
6. 尘污灯蛾 *Spilarctia obliqua*(Walker, 1855)♂
7. 尘污灯蛾 *Spilarctia obliqua*(Walker, 1855)♀
8. 污灯蛾 *Spilarctia lutea*(Hüfnagel, 1766)♂
9. 污灯蛾 *Spilarctia lutea*(Hüfnagel, 1766)♀
10. 波超灯蛾 *Preparctia buddenbrocki* Kotsch, 1929
11. 黑白丽灯蛾 *Callimorpha nigralba* Fang, 2000
12. 首丽灯蛾 *Callimorpha principalis*(Kollar, 1844)
13. 新丽灯蛾 *Chelonia bieti* Oberthür, 1883♂

14. 新丽灯蛾 *Chelonia bieti* Oberthür, 1883 ♀
15. 霍氏新鹿蛾 *Caeneressa hoenei* Obraztsov, 1957(HT)
16. 牧鹿蛾 *Amata pascus*(Leech, 1889)
17. 蜀鹿蛾 *Amata davidi*(Poujade, 1885)
18. 蕾鹿蛾 *Amata germana*(Felder, 1862)
19. 多点春鹿蛾 *Eressa multigutta*(Walker, 1854)

图版 35

1. 晰结丽毒蛾 *Calliteara oxygnatha*(Collenette, 1936)♂
2. 晰结丽毒蛾 *Calliteara oxygnatha*(Collenette, 1936)♀
3. 结丽毒蛾 *Calliteara lunulata*(Butler, 1877)♂
4. 结丽毒蛾 *Calliteara lunulata*(Butler, 1877)♀
5. 福丽毒蛾 *Calliteara phloeobares*(Collenette, 1938)♂
6. 福丽毒蛾 *Calliteara phloeobares*(Collenette, 1938)♀(AT)
7. 火丽毒蛾 *Calliteara complicata*(Walker, 1865)♂
8. 火丽毒蛾 *Calliteara complicata*(Walker, 1865)♀
9. 松丽毒蛾 *Calliteara axutha*(Collenette, 1934)
10. 连丽毒蛾 *Calliteara conjuncta*(Wileman, 1911)
11. 瑞丽毒蛾 *Calliteara strigata*(Moore, 1879)♂
12. 瑞丽毒蛾 *Calliteara strigata*(Moore, 1879)♀
13. 白纹茸毒蛾 *Dasychira flavimacula* Moore, 1865
14. 环茸毒蛾 *Dasychira dudgeoni* Swinhoe, 1907
15. 霉棕毒蛾 *Ilema catocaloides*(Leech, 1899)
16. 柔棕毒蛾 *Ilema feminula*(Hampson, 1891)
17. 暗棕毒蛾 *Ilema tenebrosa*(Walker, 1865)
18. 平纹台毒蛾 *Teia parallela*(Gaede, 1932)
19. 角斑台毒蛾 *Teia gonostigma*(Linnaeus, 1767)
20. 灰斑台毒蛾 *Teia ericae*(Germar, 1818)♂
21. 灰斑台毒蛾 *Teia ericae*(Germar, 1818)♀
22. 肾毒蛾 *Cifuna locuples* Walker, 1855
23. 素毒蛾 *Laelia coenosa*(Hübner, 1804)
24. 竹素毒蛾 *Laelia pantana* Collenette, 1938(PT)
25. 叉斜带毒蛾 *Numenes separata* Leech, 1890 ♂
26. 叉斜带毒蛾 *Numenes separata* Leech, 1890 ♀
27. 白斜带毒蛾 *Numenes albofascia*(Leech, 1888)♂
28. 白斜带毒蛾 *Numenes albofascia*(Leech, 1888)♀

图版 36

1. 鹅点足毒蛾 *Redoa anser* Collenette, 1938
2. 络毒蛾 *Lymantria concolor* Walker, 1855
3. 模毒蛾 *Lymantria monacha*(Linnaeus, 1758)
4. 栎毒蛾 *Lymantria mathura* Moore, 1865

5. 杧果毒蛾 *Lymantria marginata* Walker, 1855 ♂
6. 杧果毒蛾 *Lymantria marginata* Walker, 1855 ♀
7. 舞毒蛾 *Lymantria dispar*(Linnaeus, 1758)♂
8. 舞毒蛾 *Lymantria dispar*(Linnaeus, 1758)♀
9. 扇纹毒蛾 *Lymantria minomonis* Matsumura, 1933
10. 灰毒蛾秦岭亚种 *Lymantria grisescens goergeneri* Schintlmeister, 2004
11. 虹毒蛾 *Lymantria serva*(Fabricius, 1793)
12. 纭毒蛾秦岭亚种 *Lymantria similis monachoides* Schintlmeister, 2004
13. 茶白毒蛾 *Arctornis alba*(Bremer, 1861)
14. 雪白毒蛾 *Arctornis nivea* Chao, 1987
15. 杨雪毒蛾 *Leucoma candida*(Staudinger, 1892)
16. 黄足毒蛾 *Ivela auripes*(Butler, 1877)
17. 榆黄足毒蛾 *Ivela ochropoda*(Eversmann, 1847)
18. 侧柏毒蛾 *Parocneria furva*(Leech, 1888)
19. 豆盗毒蛾 *Euproctis piperita*(Oberthür, 1880)♂
20. 豆盗毒蛾 *Euproctis piperita*(Oberthür, 1880)♀
21. 双线盗毒蛾 *Euproctis scintillans*(Walker, 1856)
22. 戟盗毒蛾 *Euproctis kurosawai*(Inoue, 1956)
23. 漫星黄毒蛾 *Euproctis plana* Walker, 1865
24. 云星黄毒蛾 *Euproctis niphonis*(Butler, 1881)♂
25. 云星黄毒蛾 *Euproctis niphonis*(Butler, 1881)♀
26. 叉带黄毒蛾 *Euproctis angulata* Matsumura, 1927

图版 37

1. 折带黄毒蛾 *Euproctis flava*(Bremer, 1861)
2. 梯带黄毒蛾 *Euproctis montis*(Leech, 1890)
3. 积带黄毒蛾 *Euproctis leucozona* Collenette, 1938
4. 云黄毒蛾 *Euproctis xuthonepha* Collenette, 1938
5. 幻带黄毒蛾 *Euproctis varians*(Walker, 1855)
6. 乌桕黄毒蛾 *Euproctis bipunctapex*(Hampson, 1891)
7. 岩黄毒蛾 *Euproctis flavotriangulata* Gaede, 1932 ♂
8. 岩黄毒蛾 *Euproctis flavotriangulata* Gaede, 1932 ♀
9. 洁后夜蛾 *Trisuloides bella* Mell, 1935
10. 白斑后夜蛾 *Trisuloides c-album*(Leech, 1900)*
11. 黄后夜蛾 *Trisuloides subflava* Wileman, 1911
12. 污后夜蛾 *Trisuloides contaminate* Draudt, 1937
13. 后夜蛾 *Trisuloides sericea* Butler, 1881
14. 缤夜蛾 *Moma alpium*(Osbeek, 1778)
15. 广缤夜蛾 *Moma tsushimana* Sugi, 1982
16. 毛夜蛾 *Panthea coenobita*(Esper, 1785)*
17. 冷靛夜蛾 *Belciades niveola*(Motschulsky, 1866)
18. 绿孔雀夜蛾 *Nacna malachites*(Oberthür, 1880)*

19. 桃剑纹夜蛾 *Acronicta intermedia* Warren, 1909
20. 晃剑纹夜蛾 *Acronicta leucocuspis*(Butler, 1878)
21. 梨剑纹夜蛾 *Acronicta rumicis*(Linnaeus, 1758)
22. 黄剑纹夜蛾 *Acronicta lutea*(Bremer *et* Grey, 1853) ★
23. 小剑纹夜蛾 *Acronicta omorii* Matsumura, 1926
24. 戟剑纹夜蛾 *Acronicta euphorbiae*(Denis *et* Schiffermüller, 1775)
25. 桑剑纹夜蛾 *Acronicta major*(Bremer, 1861)
26. 紫剑纹夜蛾 *Acronicta subpurpurea*(Matsumura, 1926)
27. 白斑剑纹夜蛾 *Acronicta catocaloida*(Graeser, 1889) ★
28. 太白山首夜蛾 *Craniophora taipaischana* Draudt, 1950★

图版 38

1. 浊首夜蛾 *Craniophora osbcura* Leech, 1900★
2. 白黑首夜蛾 *Craniophora albonigra*(Herz, 1904) ★
3. 亮首夜蛾 *Craniophora praeclara*(Graeser, 1890) ★
4. 饰青夜蛾 *Diphtherocome pallida*(Moore, 1867)
5. 黑条青夜蛾 *Diphtherocome marmorea*(Leech, 1900)
6. 纶夜蛾 *Thalatha sinens*(Walker, 1857)
7. 斋夜蛾 *Gerbathodes angusta*(Butler, 1879) ★
8. 选彩虎蛾 *Episteme lectrix*(Linnaeus, 1764) ★
9. 迷虎蛾 *Maikona jezoensis* Matsumura, 1928★
10. 艳修虎蛾 *Sarbanissa venusta*(Leech, 1888)
11. 黄修虎蛾 *Sarbanissa flavida*(Leech, 1890)
12. 白云修虎蛾 *Sarbanissa transiens*(Walker, 1856)
13. 小修虎蛾 *Sarbanissa mandarina*(Leech, 1890)
14. 斑藓夜蛾 *Cryphia granitalis*(Butler, 1881) ★
15. 棉铃虫 *Helicoverpa armigera*(Hübner, 1809)
16. 烟青虫 *Helicoverpa assulta*(Guenée, 1852)
17. 寒切夜蛾 *Euxoa sibirica*(Boisduval, 1837)
18. 岛切夜蛾 *Euxoa islandica*(Staudinger, 1857)
19. 利切夜蛾 *Euxoa aquilina*(Denis *et* Schffermüller, 1775)
20. 小地老虎 *Agrotis ipsilon*(Hüfnagel, 1766)
21. 黄地老虎 *Agrotis segetum*(Denis *et* Schiffermüller, 1775)
22. 基角狼夜蛾 *Ochropleura triangularis* Moore, 1867
23. 焰色狼夜蛾 *Ochropleura flammatra*(Denis *et* Schiffermüller, 1775)
24. 翠色狼夜蛾 *Ochropleura praecox*(Linnaeus, 1758) ★
25. 狭翅夜蛾 *Hermonassa consignata* Walker, 1865
26. 茶色狭翅夜蛾 *Hermonassa cecilia* Butler, 1878
27. 淡狭翅夜蛾 *Hermonassa pallidula*(Leech, 1900)
28. 黄绿狭翅夜蛾 *Hermonassa xanthochlora* Boursin, 1967
29. 波模夜蛾 *Noctua undosa*(Leech, 1889) ★

图版 39

1. 后扇夜蛾 *Sineugraphe stolidoprocta* Boursin, 1954
2. 扇夜蛾 *Sineugraphe disgnosta*(Boursin, 1948) ⋆
3. 紫棕扇夜蛾 *Sineugrapha exusta*(Butler, 1878)
4. 秦歹夜蛾 *Diarsia axiologai* Boursin, 1954⋆
5. 污歹夜蛾 *Diarsia coenostola* Boursin, 1954⋆
6. 艺歹夜蛾 *Diarsia hypographa* Boursin, 1954⋆
7. 棕色歹夜蛾东方亚种 *Diarsia brunnea urupina*(Bryk, 1942)♂ ⋆
8. 棕色歹夜蛾东方亚种 *Diarsia brunnea urupina*(Bryk, 1942)♀ ⋆
9. 八字地老虎 *Xestia c-nigrum*(Linnaeus, 1758)
10. 褐纹鲁夜蛾 *Xestia fuscostigma*(Bremer, 1861)
11. 效鹰鲁夜蛾 *Xestia pseudaccipiter*(Boursin, 1948) ⋆
12. 兀鲁夜蛾东方亚种 *Xestia ditrapezium orientalis*(Boursin, 1963) ⋆
13. 大三角鲁夜蛾 *Xestia kollari*(Lederer, 1853)
14. 黄绿组夜蛾 *Anaplectoides virens*(Butler, 1878)
15. 络夜蛾 *Neurois nigroviridis*(Walker, 1865) ⋆
16. 烙图夜蛾 *Eugraphe sigma*(Denis *et* Schiffermüller, 1775) ⋆
17. 疆夜蛾 *Peridroma saucia*(Hübner, 1808)
18. 灰夜蛾 *Polia nebulosa*(Hüfnagel, 1766)
19. 冥灰夜蛾 *Polia mortua*(Staudinger, 1888) ⋆
20. 逆灰夜蛾 *Polia abnormis* Draudt, 1950⋆
21. 鹏灰夜蛾 *Polia goliath*(Oberthür, 1880) ⋆
22. 乌夜蛾 *Melanchra persicariae*(Linnaeus, 1761)
23. 梳跗盗夜蛾 *Hadena aberrans*(Eversmann, 1856) ⋆
24. 曲线秘夜蛾 *Mythimna divergens* Butler, 1878
25. 秘夜蛾 *Mythimna turca*(Linnaeus, 1761)
26. 仿劳粘夜蛾 *Leucania insecuta* Walker, 1865
27. 双贯粘夜蛾 *Leucania binigrata*(Warren, 1912)
28. 白点粘夜蛾 *Leucania loreyi*(Duponchel, 1827)
29. 重粘夜蛾 *Leucania duplicate* Bulter, 1889

图版 40

1. 崎研夜蛾 *Aletia salebrosa*(Butler, 1878)
2. 辐研夜蛾 *Aletia radiate*(Bremer, 1861)
3. 粘虫 *Pseudaletia separata*(Walker, 1865)
4. 胖夜蛾 *Orthogonia sera* C. Felder & R. Felder, 1862
5. 太白胖夜蛾 *Orthogonia tapaishana*(Draudt, 1939)
6. 白斑胖夜蛾 *Orthogonia canimacula* Warren, 1911⋆
7. 暗翅夜蛾 *Dypterygia caliginosa*(Walker, 1858) ⋆
8. 纬夜蛾 *Atrachea nitens*(Butler, 1878)
9. 黑环陌夜蛾 *Trachea melanospila* Kollar, 1844
10. 贯冬夜蛾 *Cucullia perforate* Bremer, 1861

11. 黑纹冬夜蛾 *Cucullia asteris*(Denis *et* Schiffermüller, 1775)
12. 碧眼冬夜蛾 *Cucullia argentea*(Hüfnagel, 1766)
13. 白纹冬夜蛾 *Cucullia mandschuriae* Oberthür, 1884
14. 野爪冬夜蛾 *Oncocnemis campicola* Lederer, 1853
15. 摊巨冬夜蛾 *Meganephria tancrei*(Graeser, 1889)*
16. 长线毛眼夜蛾 *Blepharita longilinea*(Draudt, 1950)
17. 太白展冬夜蛾 *Polymixis shensiana*(Draudt, 1950)*
18. 褐峦冬夜蛾 *Conistra castaneofasciata* Motschulsky, 1861*
19. 柳美冬夜蛾 *Xanthia fulvago*(Clerck, 1759)*
20. 蔷薇杂夜蛾 *Amphipyra perflua*(Fabricius, 1787)
21. 大红裙杂夜蛾 *Amphipyra monolitha* Guenée, 1852
22. 暗杂夜蛾 *Amphipyra erebina* Butler, 1878
23. 桦杂夜蛾 *Amphipyra schrenkii* Ménétriès, 1859
24. 文锦夜蛾 *Euplexia literata*(Moore, 1882)*
25. 白斑锦夜蛾 *Euplexia albovittata* Moore, 1867
26. 白纹驳夜蛾 *Karana germmifera* Walker, 1858
27. 污秀夜蛾 *Apamea anceps*(Denis *et* Schiffermüller, 1775)*

图版 41

1. 迴秀夜蛾 *Apamea remissa*(Hübner, 1809)*
2. 亚秀夜蛾 *Apamea askoldis* Oberthür, 1880
3. 围星夜蛾 *Perigea cyclicoides* Draudt, 1950*
4. 聚星普夜蛾 *Prospalta siderea* Leech, 1900
5. 楚点夜蛾 *Condica dolorosa* Walker, 1865*
6. 竹笋禾夜蛾 *Oligia vulgaris*(Bulter, 1886)
7. 后黄东夜蛾 *Euromoia subpulchra*(Alphéraky, 1879)
8. 袭夜蛾 *Sidemia bremeri*(Erschov, 1870)
9. 福衫夜蛾 *Phlogophora beatrix* Butler, 1878
10. 散纹夜蛾 *Callopistria juventina*(Stoll, 1782)
11. 红晕散纹夜蛾 *Callopistria replete* Walker, 1858
12. 弧角散纹夜蛾 *Callopistria duplicans* Walker, 1858
13. 白线散纹夜蛾 *Callopistria albolineola*(Graeser, 1889)*
14. 麟角希夜蛾 *Eucarta virgo*(Treitschke, 1835)*
15. 宏遗夜蛾 *Fagitana gigantea* Draudt, 1950*
16. 条夜蛾 *Virgo datanidia*(Butler, 1885)*
17. 霉裙剑夜蛾 *Polyphaenis oberthuri* Staudinger, 1892
18. 旬夜蛾 *Goenycta niveiguttata*(Hampson, 1902)*
19. 间纹炫夜蛾 *Actinotia intermediata*(Bremer, 1861)*
20. 斜纹灰翅夜蛾 *Spodoptera litura*(Fabricius, 1775)*
21. 白斑委夜蛾 *Athetis albisignata*(Oberthür, 1879)*
22. 线委夜蛾 *Athetis lineosa*(Moore, 1881)*
23. 北奂夜蛾 *Amphipoea ussuriensis*(Petersen, 1914)*

24. 基点构夜蛾 *Gortyna basalipunctata* Graeser, 1889*
25. 黑脉邪夜蛾 *Argyrospila formosa* Graeser, 1889*
26. 白夜蛾 *Chasminodes albonitens*(Bremer, 1861)
27. 雪白夜蛾 *Chasminodes niveus* Yang, 1964
28. 黑痣白夜蛾 *Chasminodes nigrostigma* Yang, 1964
29. 丹日明夜蛾 *Sphragifera sigillata*(Ménétriès, 1859)
30. 日月明夜蛾 *Sphragifera biplagiata*(Walker, 1865)
31. 小斑明夜蛾 *Sphragifera mioplaga* Chen, 1986
32. 井夜蛾 *Dysmilichia gemella*(Leech, 1889)
33. 胡桃豹夜蛾 *Sinna extrema*(Walker, 1854)
34. 银斑砌石夜蛾 *Gabala argentata* Butler, 1878
35. 鼎点钻夜蛾 *Earias cupreoviridis*(Walker, 1862)*
36. 粉翠夜蛾 *Hylophilodes orientalis*(Hampson, 1894)*
37. 矫饰夜蛾 *Pseudoips amarilla*(Draudt, 1950)

图版 42

1. 碧夜蛾 *Bena prasinana*(Linnaeus, 1761)
2. 红衣夜蛾 *Clethrophora distincta*(Leech, 1889)*
3. 佳俊夜蛾 *Westermannia nobilis* Draudt, 1950
4. 灰猎夜蛾 *Eublemma arcuinna*(Hübner, 1790)*
5. 桃红猎夜蛾 *Eublemma amasina*(Eversmann, 1842)*
6. 海兰纹夜蛾 *Stenoloba marina* Draudt, 1950*
7. 兰纹夜蛾 *Stenoloba jankowskii*(Oberthür, 1884)
8. 丽瑙夜蛾 *Maliattha bella*(Staudinger, 1888)
9. 稻螟蛉夜蛾 *Naranga aenescens* Moore, 1881*
10. 钩尾夜蛾 *Eutelia hamulatrix* Draudt, 1950*
11. 漆尾夜蛾 *Eutelia geyeri*(Felder *et* Rogenhofer, 1874)
12. 折纹殿尾夜蛾 *Anuga multiplicans*(Walker, 1858)
13. 月殿尾夜蛾 *Anuga lunnulata* Moore, 1867
14. 皮夜蛾 *Nycteola revayana*(Scopoli, 1772)*
15. 洼皮夜蛾 *Nolathripa lactaria*(Graeser, 1892)
16. 柿癣皮夜蛾 *Blenina senex*(Butler, 1878)
17. 枫杨癣皮夜蛾 *Blenina quinaria* Moore, 1882*
18. 栎刺裳夜蛾 *Mormonia dula*(Bremer, 1861)
19. 晦刺裳夜蛾 *Mormonia abamita*(Bremer *et* Grey, 1853)
20. 椴裳夜蛾 *Catocala lara* Bremer, 1861
21. 白肾裳夜蛾 *Catocala agitatrix* Graeser, 1889
22. 奥裳夜蛾 *Catocala obscena* Alphéraky, 1895
23. 茂裳夜蛾 *Catocala doerriesi* Staudinger, 1888
24. 鹿裳夜蛾 *Catocala praxeneta* Alphéraky, 1895
25. 鸱裳夜蛾 *Catocala patala* Felder *et* Rogenhofer, 1874
26. 珠光裳夜蛾 *Catocala invasa* Leech, 1900*

27. 奇光裳夜蛾 *Catocala mirifica* Butler, 1877★

图版 43

1. 兴光裳夜蛾 *Catocala eminens* Staudinger, 1892
2. 鸽光裳夜蛾 *Catocala columbina* Leech, 1900
3. 白光裳夜蛾 *Catocala nivea* Butler, 1877
4. 布光裳夜蛾 *Catocala butleri* Leech, 1900
5. 栎光裳夜蛾 *Catocala dissimilis* Bremer, 1861
6. 白缘光裳夜蛾 *Catocala actaea* Felder *et* Rpgenhofer, 1874
7. 圣光裳夜蛾 *Catocala nagioides*(Wileman, 1924)★
8. 光裳夜蛾东方亚种 *Catocala fulminea chekiangensis*(Mell, 1933)
9. 苎麻夜蛾 *Arcte coerula*(Guenée, 1852)★
10. 庸肖毛翅夜蛾 *Thyas juno*(Dalman, 1823)★
11. 斜线关夜蛾 *Artena dotata*(Fabricius, 1794)★
12. 安钮夜蛾 *Ophiusa tirhaca*(Cramer, 1777)★
13. 毛目夜蛾 *Erebus pilosa*(Leech, 1900)
14. 朴色夜蛾 *Hypopyra feniseca* Guenée, 1852

图版 44

1. 绕环夜蛾 *Spirama helicina*(Hübner, 1831)♂
2. 绕环夜蛾 *Spirama helicina*(Hübner, 1831)♂
3. 环夜蛾 *Spirama retorta*(Clerck, 1764)♂
4. 环夜蛾 *Spirama retorta*(Clerck, 1764)♂
5. 雪耳夜蛾 *Ercheia niveostrigata* Warren, 1913
6. 玫瑰巾夜蛾 *Dysgonia arctotaenia*(Guenée, 1852)
7. 弓巾夜蛾 *Dysgonia arcuata* Moore, 1877
8. 霉巾夜蛾 *Dysgonia maturata*(Walker, 1858)★
9. 肾巾夜蛾 *Dysgonia praetermissa*(Warren, 1913)
10. 石榴巾夜蛾 *Dysgonia stuposa*(Fabricius, 1794)
11. 毛胫夜蛾 *Mocis undata*(Fabricius, 1775)★
12. 奚毛胫夜蛾 *Mocis ancilla*(Warren, 1913)
13. 巨桥夜蛾 *Anomis maxima* Berio, 1956
14. 连桥夜蛾 *Anomis combinans*(Walker, 1858)
15. 小桥夜蛾 *Anomis flava*(Fabricius, 1775)★
16. 棘翅夜蛾 *Scoliopteryx libatrix*(Linnaeus, 1758)★
17. 枯艳叶夜蛾 *Eudocima tyrannus*(Guenée, 1852)
18. 断线南夜蛾 *Ericeia pertendens*(Walker, 1858)
19. 伯南夜蛾 *Ericeia fraterna*(Moore, 1887)

图版 45

1. 层析夜蛾 *Sypnoides missionaria* Berio *et* Fletcher, 1958
2. 单析夜蛾 *Sypnoides simplex*(Leech, 1900)★

3. 细线析夜蛾 *Sypnoides erebina*(Hampson, 1926)★
4. 赫析夜蛾 *Sypnoides hercules*(Butler, 1881)
5. 肘析夜蛾 *Sypnoides olena*(Swinhoe, 1893)
6. 白点朋闪夜蛾 *Hypersypnoides astrigera*(Butler, 1885)★
7. 巨肾朋闪夜蛾 *Hypersypnoides pretiosissima*(Draudt, 1950)★
8. 三斑蕊夜蛾 *Cymatophoropsis trimaculata*(Bremer, 1861)
9. 大斑蕊夜蛾 *Cymatophoropsis unca*(Houlbert, 1921)
10. 洁印夜蛾 *Bamra mundata*(Walker, 1858)★
11. 印夜蛾 *Bamra albicola*(Walker, 1858)★
12. 曲带双衲夜蛾 *Dinumma deponens* Walker, 1858
13. 焚影夜蛾 *Lygephila vulcanea*(Butler, 1881)
14. 巨影夜蛾 *Lygephila maxima*(Bremer, 1861)
15. 黑缘影夜蛾 *Lygephila nigricostata*(Graeser, 1890)★
16. 客来夜蛾 *Chrysorithrum amata*(Bremer *et* Grey, 1853)
17. 筱客来夜蛾 *Chrysorithrum flavomaculata*(Bremer, 1861)★
18. 齿斑畸夜蛾 *Bocula quadrilineata*(Walker, 1858)
19. 窗夜蛾 *Thyrostipa sphaeriophora*(Moore, 1867)★
20. 双线卷裙夜蛾 *Plecoptera bilinealis*(Leech, 1889)★
21. 白斑烦夜蛾 *Aedia leucomelas*(Linnaeus, 1758)

图版 46

1. 蓝条夜蛾 *Ischyja manlia*(Cramer, 1766)
2. 白线篦夜蛾 *Episparis liturata*(Fabricius, 1787)
3. 斜线哈夜蛾 *Hamodes butleri*(Leech, 1900)★
4. 直带夜蛾 *Orthozona quadrilineata*(Moore, 1882)★
5. 寒锉夜蛾 *Blasticorhinus ussuriensis*(Bremer, 1861)★
6. 苹梢鹰夜蛾 *Hypocala subsatura* Guenée, 1852
7. 壶夜蛾 *Calyptra thalictri* Borkhausen, 1790
8. 翎壶夜蛾 *Calyptra gruesa*(Draudt, 1950)
9. 疖角壶夜蛾 *Calyptra minuticornis*(Guenée, 1852)
10. 胞短栉夜蛾 *Brevipecten consanguis* Leech, 1900
11. 勒夜蛾 *Laspeyria flexula*(Denis *et* Schiffermüller, 1775)
12. 灰薄夜蛾 *Mecodina cineracea*(Butler, 1879)★
13. 齿线眉夜蛾 *Pangrapta dentilineata*(Leech, 1900)
14. 纱眉夜蛾 *Pangrapta textilis*(Leech, 1889)
15. 白痣眉夜蛾 *Pangrapta albistigma*(Hampson, 1898)★
16. 淡眉夜蛾 *Pangrapta umbrosa*(Leech, 1900)★
17. 遮眉夜蛾 *Pangrapta similistigma* Warren, 1913
18. 苹眉夜蛾 *Pangrapta obscurata*(Butler, 1879)
19. 浓眉夜蛾 *Pangrapta trimantesalis*(Walker, 1859)
20. 饰眉夜蛾 *Pangrapta ornata*(Leech, 1900)
21. 缘斑眉夜蛾 *Pangrapta costinotata*(Butler, 1881)

22. 中影眉夜蛾 *Pangrapta curtalis*(Walker, 1866)
23. 褐翅眉夜蛾 *Pangrapta adusta*(Leech, 1900)
24. 波眉夜蛾 *Pangrapta prophyrea*(Butler, 1879)
25. 红尺夜蛾 *Dierna timandra* Alphéraky, 1897
26. 两色髯须夜蛾 *Hypena trigonalis*(Guenée, 1854)

图版 47

1. 阴卜夜蛾 *Bomolocha stygiana*(Butler, 1878)
2. 缩卜夜蛾 *Bomolocha obductalis*(Walker, 1859)
3. 张卜夜蛾 *Bomolocha rhombalis*(Guenée, 1854)
4. 满卜夜蛾 *Bomolocha mandarina*(Leech, 1900)
5. 钩白肾夜蛾 *Edessena hamada*(Felder *et* Rogenhofer, 1874)
6. 双带胸须夜蛾 *Cidariplura brevivittalis*(Moore, 1867)
7. 三线奴夜蛾 *Paracolax trilinealis*(Bremer, 1864)
8. 阴亥夜蛾 *Hydrillodes funeralis* Warren, 1913★
9. 曲线贫夜蛾 *Simplicia niphona*(Butler, 1878)
10. 斜线贫夜蛾 *Simplicia schaldusalis*(Walker, 1859)
11. 角镰须夜蛾 *Polypogon angulina*(Leech, 1900)★
12. 窄肾镰须夜蛾 *Polypogon fumosa*(Butler, 1879)★
13. 扁镰须夜蛾 *Polypogon tarsipennalis*(Treitschke, 1835)★
14. 银纹夜蛾 *Agrapha agnata*(Staudinger, 1892)
15. 白条夜蛾 *Agrapha albostriata*(Bremer *et* Grey, 1853)
16. 毛银辉夜蛾 *Chrysodeixis eriosoma*(Doubleday, 1843)★
17. 拟中金翅夜蛾 *Trichoplusia orichalcea*(Fabricius, 1775)★
18. 中金翅夜蛾 *Trichoplusia intermixta*(Warren, 1913)
19. 粉纹夜蛾 *Trichoplusia ni*(Hübner, 1803)★
20. 隐纹夜蛾 *Zonoplusia ochreata*(Walker, 1865)★
21. 八纹夜蛾 *Diachrysia leonina*(Oberthür, 1884)
22. 金翅夜蛾 *Diachrysia chrysitis*(Linnaeus, 1758)★
23. 碧金翅夜蛾 *Diachrysia nadeja*(Oberthür, 1880)★
24. 葫芦夜蛾 *Anadevidia peponis*(Fabricius, 1775)★
25. 瓜夜蛾 *Anadevidia hebetata*(Butler, 1889)★
26. 黑点丫纹夜蛾 *Autographa nigrisigna*(Walker, 1858)★
27. 瘦银锭夜蛾 *Macdunnoughia confusa*(Stephens, 1850)
28. 银锭夜蛾 *Macdunnoughia crassisigna*(Warren, 1913)★
29. 淡银锭夜蛾 *Macdunnoughia purissima*(Butler, 1878)
30. 饰银纹夜蛾 *Antoculeora ornatissima*(Walker, 1858)
31. 黑银纹夜蛾 *Sclerogenia jessica*(Butler, 1878)★

《秦岭昆虫志· 鳞翅目　大蛾类》勘误表

页码	内文	修订为
489	(30)艳修虎蛾 *Sarbanissa venusta* (Leech, 1888)(图版 38: 10)	(30)艳修虎蛾 *Sarbanissa venusta* (Leech, 1888)(图版 38: 11)
489	(31)黄修虎蛾 *Sarbanissa flavida* (Leech, 1890)(图版 38: 11)	(31)黄修虎蛾 *Sarbanissa flavida* (Leech, 1890)(图版 38: 10)
750,图版 38	10. 艳修虎蛾 *Sarbanissa venusta* (Leech, 1888)	10. 黄修虎蛾 *Sarbanissa flavida* (Leech, 1890)
750,图版 38	11. 黄修虎蛾 *Sarbanissa flavida* (Leech, 1890)	11. 艳修虎蛾 *Sarbanissa venusta* (Leech, 1888)

图版 1

图版 2

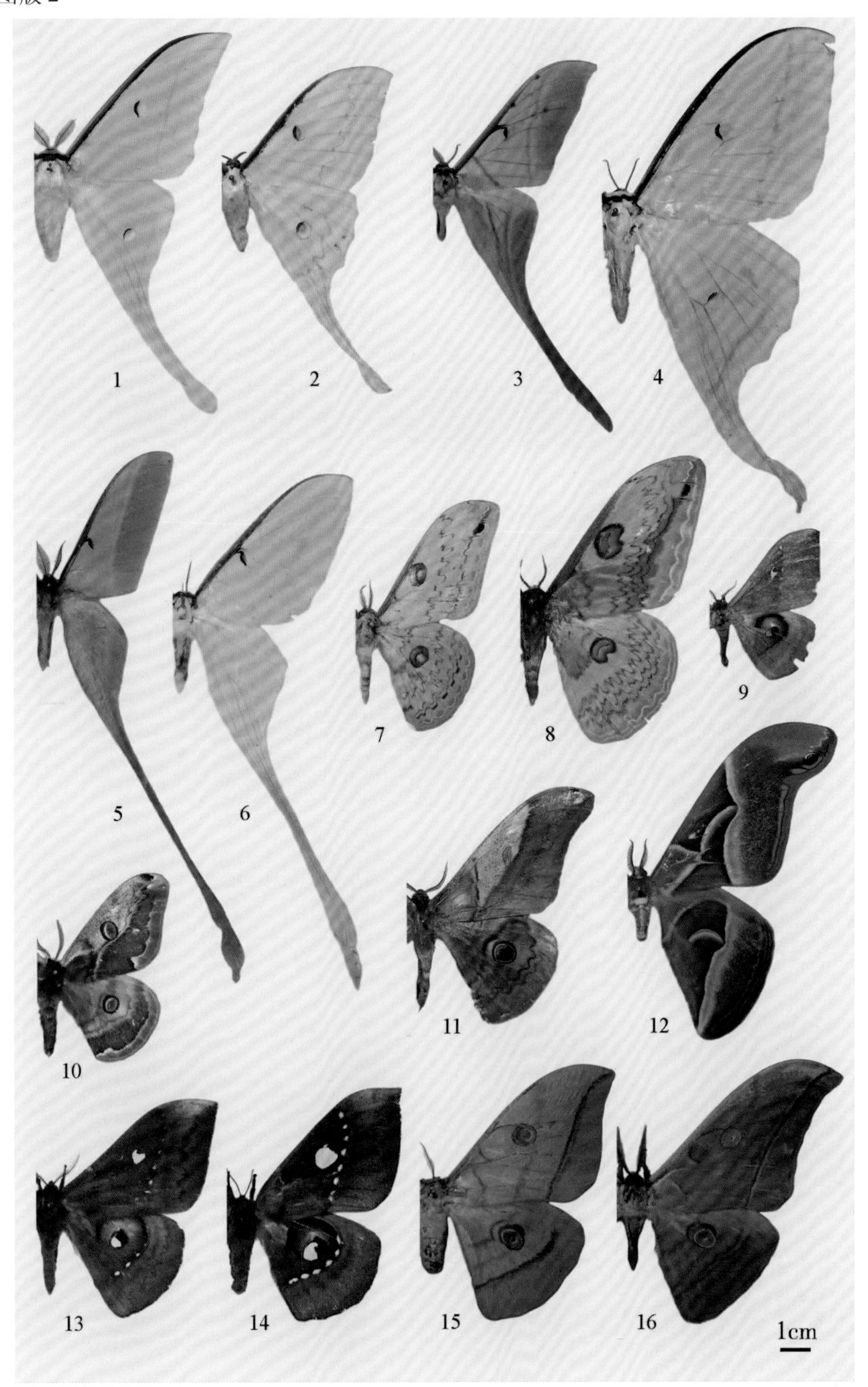

图版 3

图版 4

图版5

图版 6

图版 7

图版 8

1
2
3
4
5
6
7
8
9
10
11
12
13
14
15
16
17
18
19
20
21
22
1cm

图版 10

1
2
3
4
5
6
7
8
9
10
11
12
13
14
15
16
17
18
19
20
1cm

图版 12

1
2
3
4
5
6
7
8
9
10
11
12
13
14
16
15
17
18
19
20
21
22
23
24
25
1cm

图版 14

1
2
3
4
5
6
7
8
9
10
11
12
13
14
15
16
17
18
19
20
21
22
23
24
25
26
27
28
29
30
31
32
33
34
35
36
37
38
1cm
39

图版 15

图版 16

1
2
3
4
5
6
7
8
9
10
11
12
13
14
15
16
17
18
19
20
21
22
23
24
25
26
27
28
29
30
31
32
33
1cm

图版 17

1
2
3
4
5
6
7
8
9
10
11
12
13
14
15
16
17
18
19
20
21
22
23
24
25
26
27
28
1cm

图版 18

1
2
3
4
5
6
7
8
9
10
11
12
13
14
15
16
17
18
1cm

图版 20

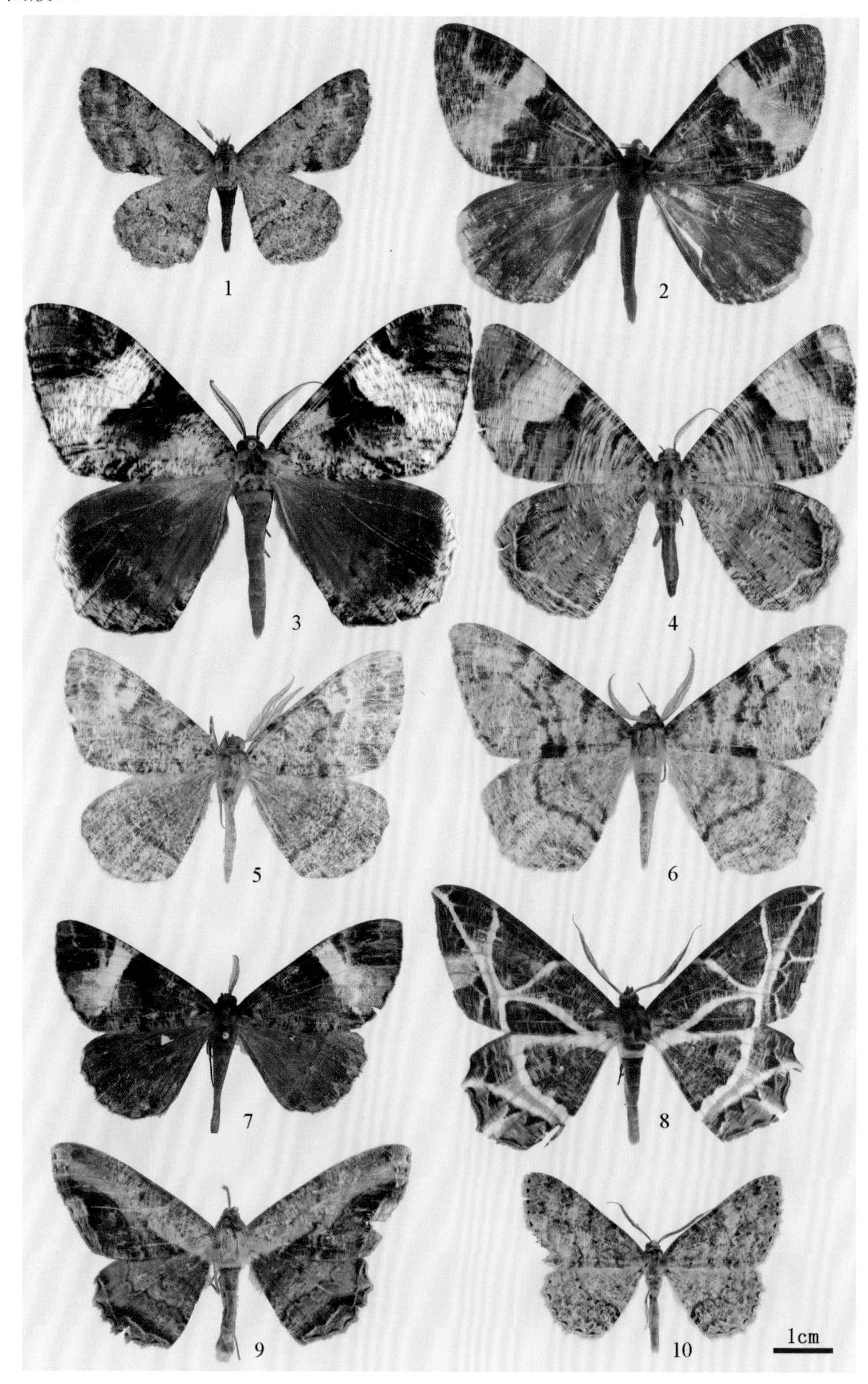

1
2
3
4
5
6
7
8
9
10
11
12
13
1cm

图版 22

图版 23

1
2
3
4
5
6
7
8
9
10
11
12
13
14
15
16
17
18
19
20
21
22
23
24
25
26
27
28
29
1cm

图版 24

图版 25

图版 26

图版 27

1
2
3
4
5
6
7
8
9
10
11
12
13
14
15
16
17
18
19
20
21
22
23
24
25
26
27
28
29
30
1cm

图版 28

1
2
3
4
5
6
7
8
9
10
11
12
13
14
15
16
17
18
19
20
21
22
23
24
25
26
27
28
29
1cm

图版 29

1
2
3
4
5
6
7
8
9
10
11
12
13
14
15
16
17
18
19
20
21
22
23
24
25
26
27
28
29
30
31
1cm

图版 30

1
2
3
4
5
6
7
8
9
10
11
12
13
14
15
16
17
18
19
20
21
22
23
24
25
26
27
28
29
30
31
32
33
34
35
36
37
38
39
40
41
42
43
44
45
46
47
1cm
48

1
2
3
4
5
6
7
8
9
10
11
12
13
14
15
16
17
18
19
20
21
22
23
24
25
26
27
28
29
30
31
32
33
34
35
36
37
38
1cm

图版 32

1
2
3
4
5
6
7
8
9
10
11
12
13
14
15
16
17
18
19
20
21
22
23
24
25
26
27
28
29
30
31
32
33
34
35
1cm

图版 33

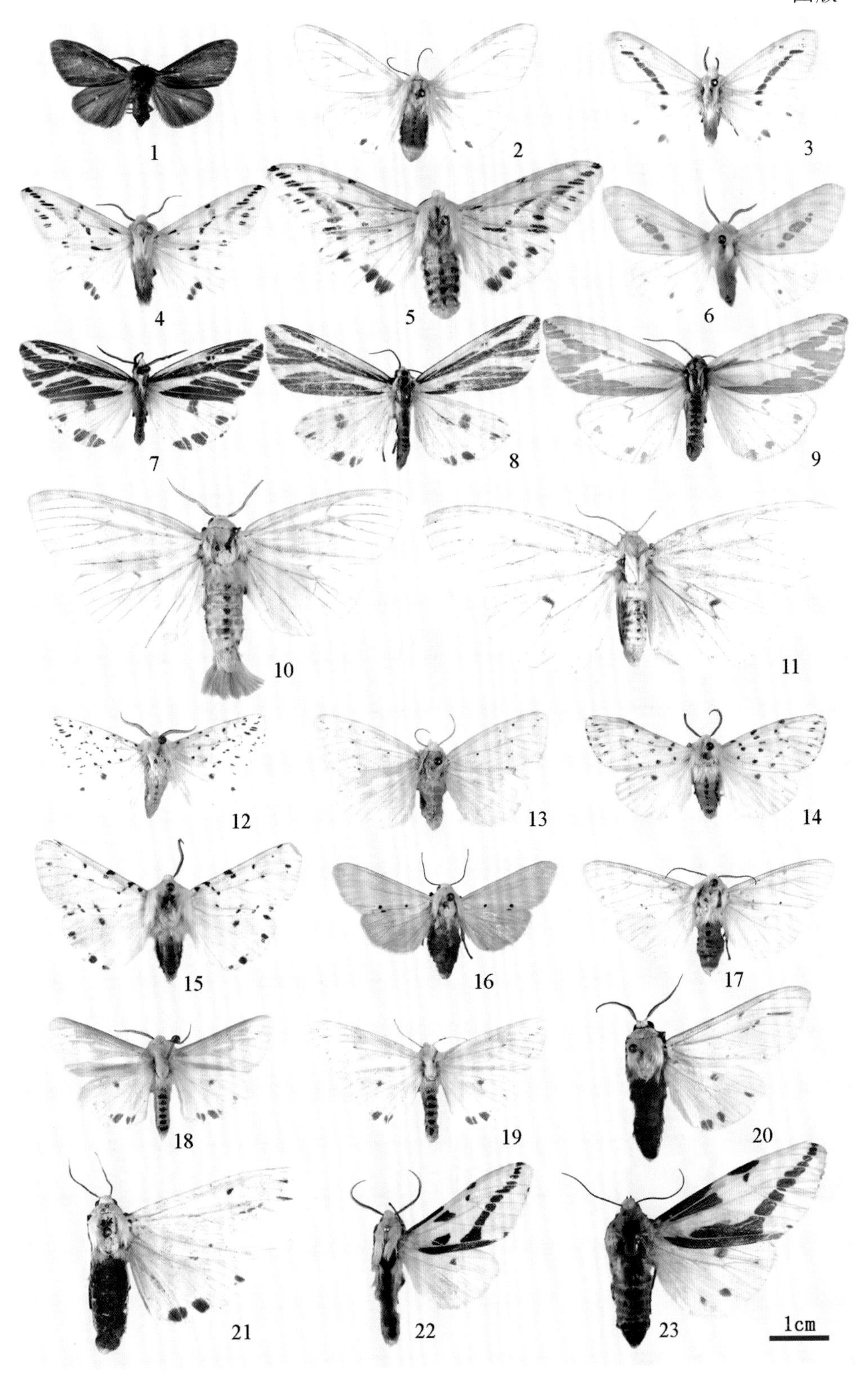

图版 34

图版 35

1
2
3
4
5
6
7
8
9
10
11
12
13
14
15
16
17
18
19
20
21
22
23
24
25
26
27
28
1cm

图版 36

图版 37

1
2
3
4
5
6
7
8
9
10
11
12
13
14
15
16
17
18
19
20
21
22
23
24
25
26
27
28
1cm

图版 38

1
2
3
4
5
6
7
8
9
10
11
12
13
14
15
16
17
18
19
20
21
22
23
24
25
26
27
28
29
1cm

图版 40

1
2
3
4
5
6
7
8
9
10
11
12
13
14
15
16
17
18
19
20
21
22
23
24
25
26
27
28
29
30
31
32
33
34
35
36
37
1cm

图版 42

1
2
3
4
5
6
7
8
9
10
11
12
13
14
1cm

图版 44

1
2
3
4
5
6
7
8
9
10
11
12
13
14
15
16
17
18
19
20
21
1cm

图版 46

图版 47

1
2
3
4
5
6
7
8
9
10
11
12
13
14
15
16
17
18
19
20
21
22
23
24
25
26
27
28
29
30
31
1cm